国 家 出 版 基 金 资 助 项 目

⑥

秦岭昆虫志

鞘翅目（二）
天牛类

总 主 编　杨星科
本卷主编　林美英

世界图书出版公司
西安 北京 上海 广州

图书在版编目(CIP)数据

秦岭昆虫志. 6, 鞘翅目. 二. 天牛类 / 杨星科,
林美英主编. —西安:世界图书出版西安有限公司, 2017. 12
ISBN 978 - 7 - 5192 - 4040 - 0

Ⅰ. ①秦… Ⅱ. ①杨… ②林… Ⅲ. ①秦岭—昆虫志
②天牛科—昆虫志—秦岭 Ⅳ. ①Q968. 224. 1

中国版本图书馆 CIP 数据核字(2017)第 316774 号

书　　名	**秦岭昆虫志　鞘翅目(二) 天牛类**
总 主 编	**杨星科**
本卷主编	**林美英**
责任编辑	**冀彩霞　赵亚强**
装帧设计	**诗风文化**
出版发行	**世界图书出版西安有限公司**
地　　址	**西安市北大街 85 号**
邮　　编	710003
电　　话	029 - 87214941　87233647(**市场营销部**) 029 - 87234767(**总编室**)
网　　址	**http://www.wpcxa.com**
邮　　箱	**xast@wpcxa.com**
经　　销	**新华书店**
印　　刷	**陕西博文印务有限责任公司**
开　　本	787mm × 1092mm　1/16
印　　张	33. 75
插　　页	37
字　　数	750 **千字**
版　　次	2017 **年** 12 **月第** 1 **版**　2017 **年** 12 **月第** 1 **次印刷**
国际书号	ISBN 978 - 7 - 5192 - 4040 - 0
定　　价	380. 00 **元**

内容简介

本志为《秦岭昆虫志》第六卷。天牛类是鞘翅目十分特化的类群，它外观美丽，种类丰富多样，以其触角着生在触角基瘤上而容易被识别。天牛幼虫多以钻蛀木头而成为重要的森林害虫。本志是对陕西秦岭地区天牛类昆虫进行系统深入研究的最新成果，记述天牛 3 科 219 属 483 种（亚种），包括陕西新纪录属 40 个，陕西新纪录种 82 个（含中国新纪录种 5 个）。其中，暗天牛科狭胸天牛亚科 1 族 2 属 4 种；瘦天牛科 2 族 2 属 3 种；天牛科锯天牛亚科 5 族 8 属 14 种，花天牛亚科 4 族 34 属 74 种，椎天牛亚科 4 族 7 属 9 种，膜花天牛亚科 2 属 3 种，锯花天牛亚科 1 族 2 属 2 种，天牛亚科 21 族 73 属 168 种，沟胫天牛亚科 18 族 89 属 206 种。编写中给出了各分类阶元的主要鉴别特征，同时给出了分科、亚科、属、种的检索表，各属种均有主要引证、模式种、分布和重要属种的生态习性等。文后附有参考文献。

本志可供从事昆虫学、生物多样性研究及植物保护、森林保护等工作的人员参考。

《秦岭昆虫志·鞘翅目(二) 天牛类》编委会

主　编　林美英

《秦岭昆虫志·鞘翅目(二) 天牛类》编辑出版委员会

主　任　薛春民

委　员　(按姓氏笔画排序)

马可为　王　冰　王　勇　任卫军　李文杰　李志刚　赵亚强

侯长庆　郭　茹　薛春民　冀彩霞

责任校对(按姓氏笔画排序)

王　哲　王　娟　王　骞　王晓宇　孙　蓉　李迎新　李晓静

吴天方　张弓鸣　陈成梅　易丹丹　周娟鸽　赵　芝　赵小丽

序

秦岭是我国最古老的山脉之一，在我国生物地理上占据着重要地位。它是我国南北气候的分水岭，环境的复杂性成就了生物的多样性，因此受到了世界的高度关注。关于秦岭的生物资源、区系组成、分布格局等，植物和大型动物都有较为系统的研究和显著的成果，《秦岭植物志》《秦岭动物志》陆续问世，而无脊椎动物研究却一直属于空白。

杨星科研究员长期从事昆虫区系的研究，先后组织开展过多次大型科学考察，并且都有很好的成果以专著、考察报告等形式展现给大家，为我国的昆虫多样性研究做出了实质性的贡献。2013 年，他利用在中国科学院西安分院、陕西省科学院工作的机会，积极争取项目支持，团结全国同行，全面开展秦岭地区昆虫资源的考察。通过 3 年的野外工作，在大家的共同努力下，完成了《秦岭昆虫志》这部 12 卷册的巨著。《秦岭昆虫志》所包括的种类是原已知种类的 2 倍，编写完全按照志书的规则，不同阶元都有鉴别特征及检索表，属、种都有科学引证，在保证种类准确性的同时，为大家提供了更为广泛的信息，文后附有详细的参考文献，有力地保证了《秦岭昆虫志》的质量和水平，使这套志书具有很高的科学价值和应用价值，我相信这套志书的出版必定会对我国乃至世界昆虫多样性研究产生深远的影响。

生物多样性研究，直接关系到生物资源的合理开发与科学利用，关系到生态系统的平衡与可持续发展，关系到友好型生态环境的建设。我国地域广阔，地形复杂多样，生物多样性极为丰富。但是，我国昆虫资源家底远不清楚，昆虫多样性研究与国际相比相差甚远。如何改变这种现状，在需要国家政策支持的同时，更需要我们同行的共同努力。《秦岭昆虫志》的完成与问世，为我们大家起到了很好的示范与引领作用。

随着全球化的发展态势，世界各国、不同地域之间的各种交流、来往、贸易、物流等出现新的模式和高频次现象，这也给我们带来巨大的挑战。首先是生物安全问题，随着贸易往来、物流循环、人员交流的不断增长，外来入侵生物的入侵形势严峻，农林生产及生态环境的安全威胁加大；其次是生物产业作为未来战略新兴产业，对生物资源的挖掘与开发日趋强化，生物资源的研究与保护已不仅仅是一个科学问题。这些都关系到我们国家的经济与社会发展战略。昆虫是生物界最大的家族，蕴藏着巨大的资源，摸清昆虫资源家底，不但可以有效应对外来生物入侵，破解生物安全的威胁，同时也可以对我国生物资源的保护和利用做出实质性的贡献，这是我们科技工作者义不容辞的责任和义务。我衷心希望我国昆虫界的同仁们，在国家建设科技强国战略的指引下，大家齐心协力，共同努力，把我国昆虫多样性研究推向一个新的水平，真正服务于国家战略需求！

这或许是《秦岭昆虫志》带给我们的启迪吧！

是为序！

中国科学院院士

中国科学院上海植物生理生态研究所研究员　尹文英

2016 年 11 月于上海

出版前言

秦岭自西向东，横贯我国中部，是长江、黄河两大水系的分水岭，西起甘肃临洮，东抵河南鲁山，东西长达500km，南北宽140～200km，地处北纬32°5′～34°45′，东经104°30′～115°52′。秦岭西部比较陡峭，海拔较高，一般在2000～3000m；东部比较舒缓，海拔较低，一般在2000m以下。它是古北区和东洋区的分界线，同时为亚热带、暖温带的分界线，亚热带常绿阔叶林的分布北线。该地区具有从一种自然地理条件向另一种自然过渡、从一种地质构造单元向另一种构造单元过渡的特性。同时，秦岭作为我国大陆青藏高原以东的最高山地，它又具有自己独特的垂直景观带谱。正因为秦岭山地地理位置的特殊性，使得其物种多样性非常丰富且具较强的区域特异性，一直是生物分类学和生物地理学研究的热点区域。然而，之前对该地区昆虫区系研究多较为零散，缺乏系统的专著。

1997年，中国科学院生命科学院生物技术局设立“关键地区生物资源综合考察及其评价”重大项目，并于1998～1999年由项目主持单位组织考察秦岭西段和甘肃南部地区。在此研究基础上，形成了2005年出版的《秦岭西段及甘南地区昆虫》这一专著。该书对于秦岭西部地区的昆虫类群的系统研究有着重要意义，推动了对该区生物多样性的研究，也让更多的人认识到了秦岭地区的重要性。然而，由于其工作多集中在秦岭西部地区，对秦岭中、东部地区的调查较少，未能反映整个秦岭地区昆虫的全貌。为了全面系统地评价和利用秦岭昆虫资源，我们在陕西省财政厅科技专项经费的支持下，在陕西省科学院的大力帮助下，从2012年开始，再次进行了为期3年的野外调查工作，在借鉴秦岭西段研究结果的基础上，重点加强了秦岭中、东部地区的调查工作。参加野外工作的包括陕西省动物研究所、西北农林科技大学、陕西师范大学、中国科学院动物研究所、南开大学、浙江大学、河北大学、中国农业大学、中南科技大学等十多家单位，计120多人次，共获得昆虫标本50余万号，进一步完善了秦岭地区昆虫多样性资料，为编写《秦岭昆虫志》奠定了良好基础。

《秦岭昆虫志》按照《中国动物志》的编写体例进行编写，顺序上参照六足动物的系统关系；各目按照系统发育关系，以科为单元进行编写，科下各属按照系统关系排序，属内各种以种名的首字母顺序编排，各阶元都有鉴别特征和检索表，属、种都有科学引证，文后附参考文献。为了准确体现各位专家的劳动，除了《秦岭昆虫志》编委会外，各卷都有本卷的编委会，各科作者署名紧跟其后。

《秦岭昆虫志》共分为十二卷：第一卷由廉振民教授主编，包括无翅昆虫、蜉蝣目、蜻蜓目、襀翅目、蜚蠊目、等翅目、螳螂目、革翅目、直翅目、竹节虫目；第二卷由卜文俊教授主编，包括半翅目异翅亚目；第三卷由张雅林教授主编，包括半翅目同翅亚目；第四卷由花保祯教授主编，包括啮虫目、缨翅目、广翅目、蛇蛉目、脉翅目、毛翅目、长翅目；第五卷鞘翅目（一）由杨星科、葛斯琴研究员主编，包括步甲科、龙虱科、牙甲总科、隐翅虫总科、金龟总科、花甲总科、丸甲总科、长蠹总科、吉丁甲总科、叩甲总科、郭公甲总科、扁甲总科、拟步甲总科等；第六卷鞘翅目（二）由林美英博士主编，包括暗天牛科、瘦天牛科和天牛科；第七卷鞘翅目（三）由杨星科、张润志研究员主编，主要包括叶甲总科（除去天牛类）、象甲总科；第八卷鳞翅目由薛大勇研究员、韩红香和姜楠博士主编，包括大蛾类；第九卷鳞翅目（二）由房丽君研究员主编，包括蝶类；第十卷由杨定教授、王孟卿副研究员和董慧博士主编，包括双翅目；第十一卷由陈学新教授主编，包括膜翅目。十一卷共记述了秦岭地区六足类4纲27目334科3325属7496种，其中包括1个新属、27个新种、12个中国新纪录属、34个新纪录种、42个陕西新纪录属、260个陕西新纪录种。需要说明的是：鳞翅目小蛾类已由南开大学李后魂教授主编先期出版，我们这次没有组织重新编写；另有部分目、科因为国内没有专家研究，因此没有办法编写。为了弥补缺憾，系统总结陕西秦岭地区已知昆虫种类，同时也便于读者使用，由唐周怀研究员、杨美霞博士主编，完成了《陕西昆虫名录》，作为本志的第十二卷。

目前，《秦岭昆虫志》即将付梓。该项目成果的获得，是全国广大同行通力合作、共同努力的结果，凝聚了昆虫分类学者忠诚于神圣事业的集体智慧。项目主持单位、《秦岭昆虫志》编委会对各卷主编的辛勤劳动和各位专家的全力支持、无私奉献表示衷心的感谢！对大家的科学精神表示敬佩！

在项目立项初期，白明博士在项目建议书的起草、成稿等方面做了大量工作；张雅林、廉振民等多位教授提出了许多宝贵意见；陕西省财政厅教科文处在项目申请和审批方面给予了诸多指导和帮助。在项目执行过程中，陕西省动物研究所领导给予了全力的支持，唐周怀研究员对野外工作给予了多方面的协调和帮助。

在本志编写过程中，尹文英院士、印象初院士、康乐院士分别给予了不同程度的鼓励、支持、指导和帮助，特别是尹文英院士在大病初愈的情况下欣然为本志写序，让我们深受鼓舞和激励！

在本志的统稿过程中，杨美霞博士付出了巨大的劳动，崔俊芝女士和郭明霞同学在文字整理、格式修改、学名审核等方面做了大量的工作。本书的出版，得到了世界图书出版有限公司的鼎力支持，特别是薛春民先生的全力支持与帮助，责任编辑同志亦付出了的艰辛的努力和辛勤的劳动，终使本志得以顺利出版。

我们谨借此对以上相关单位和个人，以及在项目执行和出版过程中提供帮助和做出贡献的同志表示衷心的感谢！

由于我们的水平所限，本志的错误和缺憾在所难免，诚望大家不吝赐教！

《秦岭昆虫志》编委会

2017 年 10 月于古城西安

Preface

Through the middle China from the West to the East, the Qinling Mountains provide a natural boundary between the Yangtze River and the Yellow River, the two major river systems in China. Located around the latitude 32°5′ – 34°45′N and the longitude 104°30′ – 115°52′E, they stretch from Lintao, Gansu Province in the west to Lushan, Henan Province in the east, with the length of 500km from west to east and the breadth of 140 – 200km from north to south. The west part of the Qinling Mountains is considerably steep, with higher elevations of 2000 – 3000m, while the east part is comparatively gentle, with lower elevation generally below 2000m. The Qinling Mountains are generally accepted as the boundary between Palaearctic and Oriental Regions, subtropical and warm temperate zones, as well as the north line of distribution of subtropical evergreen broad-leaved forests. This region is characterized by transition from one natural geographical condition to another and one geological structure unit to another. Furthermore, the Qinling Mountains, as the highest mountain in the east of the Qinghai-Tibet Plateau, have their own unique vertical landscape spectrum. Because of the special geographical location of the Qinling Mountains Range, it is rich in species diversity and has strong regional endemism, which constantly makes it research hotspot both for taxonomy and biogeography. However, the study of dipster fauna in this area is fragmented and still lacks systematic monographs.

In 1997, the Biotechnology Bureau of the Chinese Academy of Sciences established a major Project of "Comprehensive Survey and Evaluation of Biological Resources in Key Regions". In 1998 – 1999, the presider of this project investigated the western part of Qinling range and southern Gansu. On the basis of these expeditions, a monograph entitled *Insect Fauna of Mid-West Qinling Range and Southern Gansu* was published in 2005. This book is of great significance for the systematic study of insects in the western Qinling region. It has promoted the study of biodiversity in this region and made more people realize the importance of Qinling region. However, since its work is mainly concentrated on the west part of Qinling, there are little surveys in the mid-east part, which hardly reflects the true state of the insect fauna of the entire Qinling Mountains. In order to comprehensively and systematically evaluate and utilize the insect resources of the Qinling Mountains, funded by special expenses of Science and Technology Project from the Financial Department of Shaanxi Province, as well as the help from Shaanxi Academy of Sciences, we have carried out a three-year field survey since 2012. Based on the expedition results of the western region, we have paid more attention to the eastern part of the Qinling Mountains during the investigations. More than 120 researchers from over 10 institutions participated in the field work, including Shaanxi Institute of Zoology, Northwest A & F University, Shaanxi Normal University, Institute of Zoology, Chinese Academy of Sciences, Nankai University, Zhejiang University, Hebei University, China Agricultural University, Central South University of Forestry and Technology etc. Over half million insect specimens were collected, which would greatly improve the biodiversity data of insect fauna in the Qinling region and lay a good foundation for the compiling of the monograph *Insect Fauna of the Qinling Mountains*.

The compiling style of *Insect Fauna of the Qinling Mountains* is mainly in accordance with *Fauna Sinica*, and the sequence is based on the systematic relationship of the hexapod system. The compiling of each orderis according to the phylogenetic relationship and one family is taken as a unit. Below the family, the sequence of each genus is also according to the phylogenetic relationship, while below the genus, the arrangement of species is in alphabetical order. each species is sorted according to the first letter. Each category is accompanied by identification feature and identification key, and each genus, as well as each species has scientific citation. At the end, references are attached. In order to accurately reflect the work of every specialist, apart from the Editorial Board of *Insect Fauna of the Qinling Mountains*, the Editorial Board for each volume is also provided, and the authors for each family immediately follow the family name.

There are totally 12 volumes for *Insect Fauna of the Qinling Mountains*. Volume Ⅰ is edited by Professor Lian Zhenmin, and includes apterygot insects, Ephemeroptera, Odonata, Plecoptera, Blattodea, Isoptera, Mantodea, Dermaptera, Orthoptera and Phasmatodea. Volume Ⅱ is edited by Professor Bu Wenjun, and includes Hemiptera-Heteroptera. Volume Ⅲ is edited by Professor Zhang Yalin, and includes Hemiptera-Homoptera. Volume Ⅳ is edited by Professor Hua Baozhen, and includes Psocoptera, Thysanoptera, Megaloptera, Raphidioptera, Neuroptera, Trichoptera and Mecoptera. Volume Ⅴ (Coleoptera Ⅰ) is jointly edited by Professor Yang Xingke and Ge Siqin, and includes Carabidae, Dytiscidae, Hydrophiloidea, Staphylinoidea, Scarabaeoidea, Dascilloidea, Byrrhoidea, Dryopoidea, Buprestoidea, Elateroidea, Cleroidea, Cujoidea and Tenebrionoidea. Volume Ⅵ (ColeopteraⅡ) is edited by Dr. Lin Meiying, and includes

Vesperidae, Disteniidae and Cerambycidae. Volume Ⅶ (Coleoptera Ⅲ) is jointly edited by Professor Yang Xingke and Zhang Runzhi, and includes Chrysomeloidea (except Cerambycid-beetles) and Curculionoidea. Volume Ⅷ (Lepidoptera Ⅰ) is jointly edited by Professor Xue Dayong, Dr. Han Hongxiang and Jiang Nan, and includes large moths. Volume Ⅸ (Lepidoptera Ⅱ) is edited by Professor Fang Lijun, and includes exclusively butterflies. Volume Ⅹ is edited by Professor Yang Ding, Associate Prof. Wang Mengqing and Dr. Dong Hui, and includes Diptera. Volume Ⅺ is edited by Professor Chen Xuexin, and includes Hymenoptera. There are totally 4 classes, 27 orders, 334 families, 3325 genera and 7496 species of Hexapoda recorded in the 11 volumes of this series, including one new genus and 27 new species. For the new record, there are 12 genera and 34 species from China, as well as 42 genera and 260 species from Shaanxi Province. It should be noted that the contents of Microlepidoptera have been published previously by Professor Li Houhun, Nankai University, therefore, we haven't rewritten the same context. Besides, due to the unavailability of suitable specialists, some insect groups unavoidably are not covered in this series. In order to make up for this defect and systematically summarize the known species of insects, as well as make convenience for the readers, the book *Insect Fauna of Shaanxi Province*, was jointly compiled by Prof. Tang Zhouhuai and Dr. Yang Meixia, which will be the twelfth volume of this series.

Currently, 12 volumes have been completed and are ready for publication. The achievements should be addressed to the cooperation and collective intelligence of numerous entomologists throughout China. The project presiding institution and the editorial board are highly appreciated with all specialists' hard work, full support and unselfish dedication!

During the initial stage of the program, Dr. Bai Ming had contributed a lot to the drafting of the research proposal. Prof. Zhang Yalin and Prof. Lian Zhenmin had proposed many valuable comments. The Financial Department of Shaanxi Province had given a lot of guidance and helps during the application process and final approval of the program. During the conduction of the program, the authority of Shaanxi Institute of Zoology had given a full support to the research. Prof. Tang Zhouhuai had made a lot of coordination and assistances in the fieldwork.

In the preparation of this series of books, Academicians Yin Wenying, Yin Xiangchu and Kang Le had provided various degrees of encouragement, supports, guidance and help! In particular, Prof. Yin Wenying readily consented to write the preface even though she had just recovered from a severe illness, which really made us encouraged and inspired!

In the process of drafting preparation, Dr. Yang Meixia had paid a great labor. Mrs. Cui Junzhi and Miss Guo Mingxia had done a lot of work in word polishing, format adjustment, and terms checking. While, the publication of this series have obtained great support from World Publishing Corporation, especially Mr. Xue Chunmin. The executive editors have also made a lot of hard work.

We would like to express our heartfelt gratitude to the above-mentioned institutes and individuals, as well as those not mentioned above but provided various assistances in the implementation period of the program, drafting preparation and publication.

Due to the limitations of our expertise, there are inevitable mistakes and shortcomings in this series. We sincerely expect you to enlighten us with your instruction!

Editorial Board of *Insect Fauna of the Qinling Mountains*

前　言

本志是《秦岭昆虫志》第六卷，是对陕西秦岭天牛的系统总结。全书记述了陕西省天牛 3 科 219 属 483 种（亚种），其中，陕西新纪录族 2 个，陕西新纪录属 40 个，陕西新纪录种 82 个（含中国新纪录种 5 个）。其中，暗天牛科狭胸天牛亚科 1 族 2 属 4 种；瘦天牛科 2 族 2 属 3 种；天牛科锯天牛亚科 5 族 8 属 14 种，花天牛亚科 4 族 34 属 74 种，椎天牛亚科 4 族 7 属 9 种，膜花天牛亚科 2 属 3 种，锯花天牛亚科 1 族 2 属 2 种，天牛亚科 21 族 73 属 168 种，沟胫天牛亚科 18 族 89 属 206 种。

有 111 个种有系列模式标本产自陕西，其中，陕西为模式产地（正模产地）的有 98 种，陕西特有种有 68 种。

采集记录里的标本大部分保存于中国科学院动物研究所（不标注），保存在其他地方的均标注在采集人信息之后。标本保存地的缩写和全称对应如下：

BJFU：Beijing Forestry University，Beijing，China（北京林业大学）

CCCC：Collection of Chang-Chin Chen，Tianjin，China（陈常卿个人收藏，天津）

CCH：Collection of Carolus Holzschuh，Villach，Austria（红薯爷爷个人收藏，奥地利）

CSM：Collection of Serguei Murzin，Moscow，Russia（Serguei Murzin 个人收藏，俄罗斯）

CTT：Collection of Tomáš Tichý，Opava，Czech Republic（Tomáš Tichý 个人收藏，捷克）

HBU：Hebei University，Baoding，Hebei，China（河北大学）

NCHU：National Chung Hsing University，Taichung，Taiwan，China（中兴大学，台湾）

NWAFU：Northwest A & F（Agriculture and Forestry）University，Yangling，Shaanxi，China（西北农林科技大学）

除了少数几处特别注明产地（具体到省份）的图片，所有图片拍照标本均产自陕西。除了特别标注拍摄者或版权方的图片之外，所有图片均由作者林美英或其临时助手周润拍摄，版权归属于林美英和中国科学院动物研究所或其他标本收藏单位。

感谢 Carolus Holzschuh（奥地利）和 Luboš Dembický（捷克）提供52 种正模照片和4 种副模照片，并允许在本书中使用；台湾的林毓隆和王宇堂帮忙寻找部分种类的模式标本，并提供模式照片。同时，衷心感谢以下的图片提供者：林毓隆、张巍巍、Steven Lingafelter、黄贵强、李竹、陈常卿、Alexandr I. Miroshnikov、毕文烜、黄正中、Tatsuya Niisato、梁靓。

感谢鞘翅目卷册总负责人杨星科研究员在本书编写过程中给予的督促、指导、修改和帮助；感谢陈常卿、黄灏、张巍巍、史宏亮、刘漪舟、王勇、郎嵩云和周润提供个人采集或收藏的秦岭标本；感谢马燕、吕林、乔娜、杨宗武、黄敏、戴武在笔者拜访西北农林科技大学昆虫博物馆的时候提供支持和帮助，张雅林馆长批准借用标本和使用相关标本照片；感谢动物研究所国家动物博物馆的张魁艳、梁红斌和陈军在工作中提供多方面的支持和帮助；感谢 Nobuo Ohbayashi 协助鉴定部分花天牛亚科的种类，Petr Viktora 协助鉴定部分虎天牛族的种类，Joan Bentanachs 协助鉴定部分绿天牛族的种类，Mikhail Danilevsky 协助鉴定部分草天牛族的种类，Junsuke Yamasako 协助鉴定部分象天牛族的种类；感谢俄罗斯的 Mikhail Danilevsky 协助确认大山坚天牛的发表年份是1899 年而不是1898 年；感谢韩国的林钟玉和崔玉齐提供大山坚天牛的原始文献；感谢徐倩帮忙整理部分描述文字，周润帮忙整理部分参考文献，方拓展帮忙综合花天牛亚科和天牛亚科大部分属的分布信息，方咚咚帮忙寻找部分秦岭标本。

需要指出的是，陕西秦岭地区的天牛显然不止这些种类，随着研究的深入，还会增加新的阶元和种类记录。

由于时间仓促，加上作者的水平有限，书中的错误和不足在所难免，诚望同行专家和广大读者提出批评并不吝指教！

林美英

2017 年夏于北京

目 录

概　述

天牛是一类外表多样且非常美丽的甲虫，受到了广大昆虫爱好者的喜爱和关注。中文的“天牛”一词，对应英文名为Cerambycid-beetles，Longicornes，Longicorn beetles，Longhorned Woodboring beetles，Longhorned beetles，Longhorned Borers，Longhorns 或 Longhorn beetles，拉丁学名是 Cerambycoidea 或 Cerambycidae。天牛隶属鞘翅目 Coleoptera 多食亚目 Polyphaga 叶甲总科 Chrysomeloidea。它与叶甲的主要区别是具有触角基瘤，触角通常向后披挂。人们最为熟知的天牛的两个特性为：触角很长的甲虫（成虫）和蛀干的甲虫（幼虫）。

天牛的主要识别特征：复眼肾形，有时内沿深凹，有时分成上、下两叶，少数复眼为椭圆形或近圆形；触角着生于触角基瘤上，通常 11 节（少数种类有 12 节，甚至有的多达 21 节），第 2 节最短，常可以向背后方披挂；足的跗节为假 4 节，即第 3 节膨大呈瓣状，第 4 节微小，隐入第 3 节；但少数清楚可见 5 节（Parandrinae）；腹部通常可见腹板 5 节，少有 6 节者。

天牛是全变态昆虫，一生经历卵、幼虫、蛹和成虫 4 个阶段。

本书采用 4 科 8 亚科分类系统，即瘦天牛科 Disteniidae、暗天牛科 Vesperidae、盾天牛科 Oxypeltidae 和天牛科 Cerambycidae，天牛科包括 8 个亚科，分别是异天牛亚科 Parandrinae、锯天牛亚科 Prioninae、锯花天牛亚科 Dorcasominae、花天牛亚科 Lepturinae、膜花天牛亚科 Necydalinae、椎天牛亚科 Spondylidinae、天牛亚科 Cerambycinae 和沟胫天牛亚科 Lamiinae。

全书记述了陕西省天牛 3 科 219 属 483 种（亚种），其中，陕西新纪录族 2 个，新纪录属 40 个，新纪录种 82 个（包含中国新纪录种 5 个）。

分科检索表

1. 触角全部或至少部分鞭节通常具特有的长毛（通常长于相应触角节的长度）；若无此长毛，则雄虫下颚须非常特化，第 2 节很长，第 3 节很短，末节长且具指形分支…… **瘦天牛科 Disteniidae**

   触角不具特有长毛；下颚须也不特化…………………………………………………………… 2
2. 鞘翅较软；触角窝靠近上颚，朝向侧面 …………………………………… **暗天牛科 Vesperidae**

   通常鞘翅较硬且触角窝离上颚较远；触角窝靠近上颚时，鞘翅硬 …… **天牛科 Cerambycidae**

一、暗天牛科 Vesperidae

鉴别特征：体长 8.0～50.0mm。体长约为体宽的 2.25～4.0 倍，两侧平行，中等扁平至粗短并拱凸。通常体或多或少被绒毛，也有一些不能飞的种类呈大面积光裸（如裸天牛亚科 Anoplodermatinae 的鞘翅总是光裸的）。前口式至几乎下口式。暗天牛属和 *Vesperoctenus* 具突然收窄的“颈部”。后头区不具横脊或发音器。具额中沟，复眼很大至小，常强烈突出，不凹陷至中等凹陷，小眼面细粒或粗粒，小眼面之间的刚毛缺失或稀疏而短，但 *Vesperoctenus* 的小眼间具长而多的刚毛。从上面看触角着生处，通常部分可见，突起的基瘤中度发达（但拟蝼蛄天牛属 *Hypocephalus* 没有明显的触角基瘤）。额唇基沟可能显著而弯曲、“V”形或近竖琴状，不具深凹痕，也可能强烈退化或缺失。唇基和上唇形状多样。触角通常 11 节（裸天牛部分种类的雌虫 8～10 节，*Vesperoctenus* 则为 12 节），通常雄虫触角超过体长，裸天牛亚科和一些暗天牛属的雌虫触角短至非常短，尤其是拟蝼蛄天牛属的雌、雄虫触角均很短。触角线状、念珠状、锯齿状或栉齿状，柄节中等至小型（总是远短于头长），梗节环状至稍微长大于宽，鞭节不具长刚毛，也不具显著的感觉区。上颚对称至稍微不对称，中等至非常长，轻度而逐渐至强烈而突然弯曲（但拟蝼蛄天牛属 *Hypocephalus* 的上颚平行而不弯曲），闭合时大面积重叠且左上颚常位于右上颚之上；上颚端部简单，内缘不具长毛，简单或具 1 个或几个齿，不具臼板和臼叶。前颏窄，唇舌小至缺失。下颚须长，4 节，末节端部渐尖至微膨阔而切平。唇舌小至消失。下唇须长，3 节，末节形状与下颚须末节相似。前胸背板横阔（宽为长的2.0 倍）至长1.4 倍于宽，其基部宽度显著窄于鞘翅基部至几乎等宽。前胸背板侧面边缘完整（裸天牛亚科），不完整至几乎缺失（暗天牛亚科和狭胸天牛亚科），缺失（*Vesperoctenus*）。前胸腹板突多样，完整至微短，末端尖至宽圆或凹切。前足基节侧面不隐藏（基转节至少部分可见），前足基节窝轻微至强烈横阔，连续至中等宽地分开，内部关闭，外部关闭或开放。中胸背板前端宽阔凹入，通常具完整的中央内突（拟蝼蛄天牛属没有），发音器不显著或仅留痕迹。小盾片不显著高于中胸背板，末端尖、圆或分为双叶。鞘翅发达或短缩（音天牛属、芫天牛属和暗天牛属的雌虫），长是宽的 0.8～3.2 倍，是前胸长度的 1.0～8.0 倍，鞘翅末端合并或裂开（鞘翅短缩的雌虫）。中足基节窝圆形至斜形，分开不宽，对中胸后侧片开放。胫节端距 2-2-2（暗天牛亚科）、1-2-2（*Philus*，*Doesus*，*Heterophilus*）或 2-2-2（狭胸天牛亚科的其他属）、2-2-1（*Vesperoctenus* 和多数裸天牛亚科）跗式 5-5-5，多数类群第 4 跗节小而隐藏在多少双叶状的第 3 跗节里，少数类群非双叶状且第 4 跗节可见。爪简单、可动，不具刚毛；爪间突大而具刚毛至小而隐藏。

分类:暗天牛科分3亚科和一个地位未明确的墨西哥特有属，中国只分布有狭胸天牛亚科 Philinae。

(一)狭胸天牛亚科 Philinae

鉴别特征:体长13.0~37.0mm。雄虫长形而两侧近乎平行，雌虫一般较粗壮，变化多样。通常黄褐色至黑褐色，长翅标本通常被稀疏至稠密的绒毛，短翅的雌虫通常绒毛较稀疏或一些地方光裸。前口式，不具"颈部"。复眼侧生，中度凹陷，小眼面粗粒，小眼间不具刚毛。触角窝靠近上颚，朝向侧面。前幕骨陷在侧面。后唇基从不超过前唇基，前唇基窄，前端膜质，上唇轻度骨化，具刚毛，不强烈横阔。触角11节，栉齿状、锯齿状或丝状，很短至长于体长。上颚长，闭合式交叉，两边略微不对称，末端尖而内弯，不具齿或具1个齿。下颚须长，末节平切至锥形，外颚叶发达，内颚叶小，颏梯形，不覆盖下颚基部，前颏窄，唇舌退化。前胸窄于鞘翅基部，长宽约等至显著横阔。前胸背板侧面脊斜伸但不接触前足基节窝，通常不完整。前足基节窝外部开放。中胸背板具中央内突(可能不完整)，有些类群具发音器。小盾片小，三角形至双叶状。鞘翅发达覆盖腹部或多少短缩而端部分开(如芫天牛属雌虫)。中足基节窝互相挺靠近。后胸叉骨具叶片。足中等长，不具适合掘地的特化结构，胫节端部不强烈膨大，不具稠密的边缘刚毛，胫节端距2-2-2(*Spiniphilus*, *Mantitheus*, *Philus globulicollis*)或1-2-2(*Philus*, *Doesus*, *Heterophilus*)，跗节伪四节，前3跗节具跗垫，爪间突具多根毛。

分类:本亚科仅1族5属22种，在中国分布有4属12种(其中1种含2亚种)，秦岭地区分布2属4种。

分属检索表(Lin & Bi, 2011)

前足胫节末端具2个距 ………………………………………… **芫天牛属 *Mantitheus***
前足胫节末端具1个距 ………………………………………… **狭胸天牛属 *Philus***

1. 芫天牛属 *Mantitheus* Fairmaire, 1889

Mantitheus Fairmaire, 1889a: lxxxix. **Type species**: *Mantitheus pekinensis* Fairmaire, 1889.
Paraphilus Gahan, 1893a: 255. **Type species**: *Paraphilus duplex* Gahan, 1893.

属征(蒲富基, 1980):体中等大小，较窄。复眼大，颊微呈角状突出，触角细长。前胸狭小，与头部近于等宽或略窄于头，前胸背板两侧缘不明显，后半部有较清楚的边缘。后胸前侧片两边向后倾斜，后端尖狭。雌、雄虫翅不相同，雄虫正常，具鞘翅及后翅，雌虫鞘翅退化，缺后翅。第 3 跗节两叶不完全分裂，裂缝至中央。胫节距 2-2-2（前足胫节末端具 2 个距）。

分布：中国；蒙古。世界已知 4 种，均分布于中国，其中 1 种在陕西有分布记录。

（1）芫天牛 *Mantitheus pekinensis* Fairmaire，1889（图版 1：1）

Mantitheus pekinensis Fairmaire，1889a：xc.

Paraphilus duplex Gahan，1893a：255.

Mantitheus gracilis Pic，1924b：79.

鉴别特征：体长 18.0～24.5mm。黄褐色或黑褐色，有时前胸、肩、触角棕红色，雄虫鞘翅肩后色较淡，无光泽，雌虫鞘翅端部暗褐色，全身被稀细的淡色短毛。雌、雄虫体在外貌上明显不同。雄虫体较窄，鞘翅覆盖整个腹部，端部尖角形；翅纵脊不明显，具后翅。雌虫长得十分像芫菁，鞘翅短缩，仅达腹部第 2 节，端缘略圆形；每翅具 4 条纵脊线，缺后翅；腹部膨大，不为鞘翅所覆盖；触角较细，长度不超过腹部。

采集记录：1♂，西安市翠华山风景区，2008. Ⅷ. 27，宋琼章采；1♂，武功，1955. Ⅷ. 18，王建邦采（NWAFU，CO028332）；1♂，铜川，1980. Ⅷ，孙益智采（NWAFU，CO025649）；6♂，合阳，1980. Ⅷ. 11-Ⅸ. 21，张灯诱（NWAFU，CO025650-655）；3♂，洛川，1980-83，孙益智等采（NWAFU，CO025656-658）；1♀，旬邑，1980. Ⅶ. 26，木桂林采（NWAFU，ex 陕西省林业研究所）。

分布：陕西（西安、武功、商洛、铜川、合阳、洛川）、黑龙江、内蒙古、北京、河北、山西、山东、河南、江苏、福建、广东、广西；蒙古。

寄主：*Caragana korshinskii* Komarov，Juglans *regia* Linnaeus，*Malus pumila* Miller，*Picea* sp.，*Platanus orientalis* Linnaeus，*Populus* sp.，*Salix* sp.，*Vernicia fordii*（Hemsley）Airy Shaw。

2. 狭胸天牛属 *Philus* Saunders，1853

Philus Saunders，1853：110. **Type species**：*Philus inconspicuus* Saunders，1853（= *Stenochorus antennatus* Gyllenhal，1817）.

属征（周嘉熹等，1981）：体中型，狭长。前胸背板较小，与头部近于等宽，前胸背板两侧边缘不达前端（雄虫）或仅后端较明显（雌虫）；后胸前侧片两侧向后端渐变狭。中胸背板具发音器，发音器中央具 1 条纵纹。足的第 3 跗节不完全分裂，裂缝仅达中央。胫节距 1-2-2（前足胫节末端具 1 个距）。

分布:中国；蒙古，日本，印度，老挝，泰国，柬埔寨，菲律宾，马来西亚。世界已知11种，中国记录有3种1亚种，秦岭地区分布3种。

分种检索表

1. 前胸背板宽胜于长 …………………………………… **短胸狭胸天牛 *Philus curticollis***
   前胸背板长宽约等 …………………………………… 2
2. 体色深暗，棕褐色至深棕色，鞘翅密被细毛……………… **狭胸天牛 *Ph. antennatus***
   体色浅淡，多呈淡棕色或浅棕红色，鞘翅中区稀被细毛 ………… **蔗狭胸天牛 *Ph. pallescens***

(2) 狭胸天牛 *Philus antennatus* (Gyllenhal, 1817)

Stenochorus antennatus Gyllenhal, 1817: 180.
Stenochorus stuposus Gyllenhal, 1817: 180.
Philus inconspicuus Saunders, 1853: 110, pl. Ⅳ, figs. 3-4.
Philus antennatus: Gahan, 1900: 347.

别名:桔狭胸天牛。

鉴别特征:体长20.0~31.0mm。全身棕褐色，腹面及鞘翅后半部有时色泽较淡，略带棕红色。被灰黄色短毛，腹面及足部毛略长密。头部几与前胸节等宽，略形下垂，分布细密刻点，前额凹下，后头稍狭，两眼极大。触角细长，柄节粗壮，短于第3节，第3节稍长，第4至末端各节近乎等长。前胸背板短小，略呈次方形，前端稍狭，似圆筒形，后部较宽扁，前缘略翻起，两侧边缘明显；表面具细密刻点，前后共有4个微凸而无刻点的光滑小区。小盾片后缘次圆形。鞘翅宽于前胸节，刻点稍粗，被黄毛，呈现4条模糊纵脊，末端圆形。腹面较光洁，刻点细密；腿节内沿有缨毛，后足第1跗节短于余下两节之长度。雌虫体型较大，触角细短，约伸展至鞘翅中部。雄虫体型较狭小，触角粗长，超过体长，略带锯齿状；鞘翅向后渐形狭窄，靠外侧纵脊不明显，至后部几乎消失。

分布:陕西(秦岭)、河北、山东、河南、江苏、上海、安徽、浙江、湖北、江西、湖南、福建、台湾、广东、海南、香港、广西、贵州；印度。

寄主:柑橘属，桑，等等。*Camellia oleifera* Abel, *Citrus* sp., *Mangifera indica* Linnaeus, *Morus alba* Linnaeus, *Pinus elliottii* Engelmann, *Pinus massoniana* D. Don, *Pinus taeda* Linnaeus, *Ulmus* sp.。

(3) 短胸狭胸天牛 *Philus curticollis* Pic, 1930

Philus curticollis Pic, 1930a: 15.

鉴别特征(周嘉熹等，1981):体长19.0~26.0mm。体中型，棕褐色，鞘翅后半部色泽较淡，体被灰黄色短毛。头部略向下倾，微宽于前胸，密布刻点，两复眼较大，突出，后头略狭。触角除柄节外，均较扁平，雄虫触角长于体长，雌虫触角较短；柄节粗，短于第3节，第4、5两节约等长，第6~10节等长，末节长于其他各节。前胸宽胜于长，密被细毛，中区较光洁，圆筒状，两侧后半部微显边缘，近前端两侧各有1个小突起。小盾片舌形。鞘翅密被刻点和细毛，隐约可见1~2条纵脊。后足第1跗节长约等于第2、3两跗节之和。

分布:陕西(秦岭)，中国中部、南部广布；老挝。

寄主:核桃。

(4)蔗狭胸天牛 *Philus pallescens pallescens* Bates, 1866

Philus pallescens Bates, 1866: 350.

Philus cantonensis Pic, 1930a: 14.

Philus pallescens pallescens: Hua, 2002: 224.

Philus neimeng Wang, 2003: 43 [Unavailable name].

鉴别特征:体长17.0~20.5mm。体型较细长；色泽很淡，头胸部及触角淡棕红色，鞘翅淡棕色；全体被细软淡黄毛。头部略形下垂，比前胸节略宽，分布细密刻点，前额凹下，后头稍狭，两眼极大。雄虫触角粗长，长于体长1/3~1/2，略带锯齿状，柄节粗短，比第3节短，第3至末端各节近乎等长。前胸背板短小，次方形，前端稍狭，略似圆筒形，后半部稍宽扁，前缘略翻起，两侧边缘后半部明显，前半部几消失；表面具细密刻点，中域被毛略长密，前后共4个微凸的光洁小区。小盾片后缘次圆形。鞘翅狭长，分布比头部略深粗的刻点，中域被毛较稀，隐约呈现3~4条微弱纵脊，末端圆形。腹面胸腹板及腹部被毛和分布的刻点均较为细洁；腿节内沿有缨毛。雌虫鞘翅色泽更淡，触角细短，约为体长之2/3。

分布:陕西(紫阳)、内蒙古、河南、浙江、江西、湖南、福建、台湾、广东、香港、广西、四川、贵州；日本。

寄主:甘蔗。*Citrus* sp., *Saccharum officinarum* Linnaeus, *Saccharum sinense* Roxburgh。

备注:另一个亚种 *Philus pallescens tristis* Gressitt, 1940 分布于海南岛。

二、瘦天牛科 Disteniidae

鉴别特征:体长5.0~40.0mm，体长为体宽的2.7~6.0倍，两侧近乎平行或鞘翅向后收窄，在后翅退化的石瘦天牛属 *Clytomelegena* 和 *Olemehlia* Holzschuh 两个属里鞘翅中部之后略微扩宽。通常褐色至黑色，偶尔具金属光泽或具斑纹，背面具长竖毛或短的倒伏毛，鞘翅的倒伏毛有时形成斑纹。前口式，头短或中等长，不狭缩或微向后狭缩，有时形成粗的“颈部”和长的后颊。后头不具横脊或发音器。额中沟不延伸到头颅后缘。复眼小至大，微或强烈突出，复眼浅凹(小的复眼可能完整)，小眼面细或粗，小眼面之间不具刚毛。触角着生处从上面可见，很靠近上颚，朝向侧面且多数向前。额唇基缝显著，横形或微“V”形，前幕骨陷显著，位于触角窝、后唇基侧和上颚髁间的狭窄区。前唇基膜质，后唇基骨化。上唇可动，中等或强烈横形，宽圆至横切或微凹切。触角 11 节，线状，通常超出鞘翅末端，有时远长于体，但须天牛属 *Cyrtonops* 和短角瘦天牛属 *Dynamostes* 触角远短于体长。柄节长(有时几乎伸达前胸的后缘)，向后渐粗，有时具刺。梗节小(至多长略大于宽)，但具大的位于柄节末端开口的髁。全部或至少部分鞭节通常具特有的长毛，但须天牛族没有这种长毛。上颚短阔至中等长(短角瘦天牛属)，多少在中部突然弯，末端双齿(须天牛属)，末端宽(多数种类)或尖(*Nethinius*)。内切缘简单或具 1 或 2 个切齿，有时具一排长毛，臼板明显，不具臼叶。下颚具显著的具毛外颚叶和内颚叶(须天牛属较小)，不具特化的传粉特征。下颚须 4 节，雌虫末节末端尖或中等平切，雄虫末节通常具感觉区，末端扩大为斧状。部分类群(Cyrtonopini 和 Heteropalpini)雌虫末节末端钝而雄虫下颚须非常特化，第 2 节很长，第 3 节很短，末节长且具指形分支。下唇须 3 节，末节正常，尖(一些雌虫)至钝宽(多数雄虫)。前胸长 0.65～1.2 倍于宽，通常中部最宽并具侧刺突或侧瘤突(短角瘦天牛族和瘦天牛族里的 *Micronoemia* 属不具侧瘤突)，前胸基部明显窄于鞘翅基部(后翅退化的两属除外)，前胸背板两侧不具边缘。前胸腹板突通常完整，末端圆、平切或微扩大，有时短而尖(须天牛属)，有时强烈扩宽(短角瘦天牛属和 *Aiurasyma*)。前足基节窝通常狭窄分开并多少圆形，向后开放(除了短角瘦天牛属和 *Aiurasyma*)。中胸背板前端直或浅凹，发音器具中线。小盾片小，多少高于中胸背板，末端宽圆或横切。鞘翅完全盖住腹部，长是两翅合宽的 2.2～4.2 倍，2.7～5.0 倍于前胸长，刻点不规则，或具刻点行，偶尔刻点不明显(泰瘦天牛属 *Thaigena*)。鞘翅末端合并，缝角和/或端缘角可能具刺。鞘翅缘折缺失或不完整。中足基节窝开放或关闭。后胸叉骨侧臂中等或非常长，不具叶片或前突。足中等或很长，通常细长，须天牛属和短角瘦天牛属的雄虫腿节稍粗壮。胫节端距 2-2-2，通常前足胫节内侧和中足胫节外侧近端部具斜凹沟(除了须天牛属)。跗式 5-5-5，伪四节，前 3 节具跗垫。爪单齿式，全开式，爪间突具 2 或多根刚毛。

分类：世界已知超过 300 种，中国记录共 3 族 8 属 30 种。秦岭地区分布 2 族 2 属 3 种。

分属检索表

触角比体短，内侧缺长缨毛；下颚须很长，雄虫下颚须特化，第 4 节分二叶；体扁宽（须天牛族 Cyrtonopini） ………………………………………………………… **须天牛属 *Cyrtonops***

触角比体长，内侧具长缨毛；下颚须正常无特化；体狭长（瘦天牛族 Disteniini） ………………………………………………………………………………… **瘦天牛属 *Distenia***

3. 须天牛属 *Cyrtonops* White, 1853

Cyrtonops White, 1853: 32. **Type species**: *Cyrtonops punctipennis* White, 1853.

Cladopalpus Lansberge, 1886: 35. **Type species**: *Cladopalpus hageni* Lansberge, 1886 (= *Cyrtonops punctipennis* White, 1853).

属征（蒋书楠等，1985）：体较扁宽。额短；雄虫下颚须第 2 节很长，约为第 1 节长之 5.0 或 6.0 倍，第 3 节极短，第 4 节与第 2 节等长，第 4 节基部分出 1 个狭长而弯形的薄片，该节背面狭长薄片密布短竖毛，雌虫下颚须正常，但第 2 节较长；复眼大而突出，横形，小眼面粗，前缘微凹；触角着生于近上颚基部，向后伸过鞘翅中部，但不超过鞘翅末端，柄节约与头部等长，微弯曲，渐向端部加粗，第 3 节短于柄节，稍长于第 4 节。前胸背板宽略胜于长，两侧缘中央各具一圆锥形短钝刺。鞘翅长形，两侧近于平行，末端圆，翅面具成列粗大刻点。足中等长，跗节较宽扁，第 3 节前端不裂至中部。

分布：东洋区。世界记录 11 种，中国已知 5 种，秦岭地区分布 1 种。

(5) 靴须天牛 *Cyrtonops caliginosus* Holzschuh, 2016（图版 1:2）

Cyrtonops caliginosus Holzschuh, 2016b: 106, fig. 2.

鉴别特征：体长 25.0mm 左右。体近长方形，较宽。全体棕黑至黑褐色。复眼大而突出，近卵圆形，仅内侧中部微凹，小眼面粗；触角较短，雌虫伸达鞘翅中部，密布细刻点，密被黄褐色细绒毛，柄节稍弯，略长于第 3 节，第 3 节长于第 4 节。前胸背板宽略大于长，两侧缘侧刺突肥短。小盾片半圆形。鞘翅长为肩宽的 2.5 倍，约为头、胸部长的 3.0 倍，两侧几乎平行，后端稍狭，末端浑圆。

雄虫体长 26.5mm，跟雌虫很匹配，触角稍长，伸达鞘翅中部之后，柄节稍弯，略长于第 3 节，第 3 节长于第 4 节。雄虫下颚须第 4 节基部分出 1 个狭长而弯形的薄片。

采集记录：1♀（正模），Shaanxi，Qingling Shan，Hua Shan Mt.，N Valley，118km E

Xi'an, 1200～1400m, 1995. Ⅷ. 18/20, A. Pütz: 1♂, 紫阳, 1960. Ⅶ. 29(NWAFU)。

分布:陕西(华阴、紫阳)。

寄主:油桐。

备注:陕西的分布首次出现于蒋书楠等(1985), 鉴定为 *Cyrtonops asahinai* Mitono, 1947(黑须天牛, 应改为朝氏须天牛)。本种的雄虫首次被描述。

4. 瘦天牛属 *Distenia* Lepeletier *et* Audinet-Serville, 1828

Distenia Lepeletier *et* Audinet-Serville, 1828. *In*: Latreille, 1828: 485. **Type species**: *Distenia columbina* Lepeletier *et* Audinet-Serville, 1828.

本属分 2 个亚属。

分布: 全北区, 东洋区, 非洲区, 新热带区, 澳洲区。

4-1. 瘦天牛属指名亚属 *Distenia* Lepeletier *et* Audinet-Serville, 1828

Distenia Lepeletier *et* Audinet-Serville, 1828. *In*: Latreille, 1828: 485. **Type species**: *Distenia columbina* Lepeletier *et* Audinet-Serville, 1828.

Thelxiope Thomson, 1864: 226 (nec Rafinesque-Schmaltz, 1814). **Type species**: *Thelxiope viridicyanea* Thomson, 1864.

Apheles Blessig, 1873: 165. **Type species**: *Apheles gracilis* Blessig, 1873.

Sakuntala Lameere, 1890: ccxiii. **Type species**: *Sakuntala kalidasae* Lameere, 1890.

Thomsonistenia Santos-Silva *et* Hovore, 2007: 3(new name for *Thelxiope* Thomson, 1864).

鉴别特征:体较细长。触角着生于近上颚基部, 远长于体, 内侧具长缨毛, 柄节粗壮, 第 3 节长于柄节, 稍短于第 4 节, 其后各节渐短, 末节有时稍长于第 10 节。前胸背板两侧缘中央各具 1 个粗壮钝瘤突。鞘翅长形, 两侧近于平行, 末端尖, 翅面具显著刻点但通常不规则成列。足中等长, 跗节第 3 节前端深裂至中部之后, 后足腿节伸至腹部第 4 可见腹板之后。

分布: 全北区, 东洋区, 非洲区, 新热带区, 澳洲区。

备注:本属分两亚属, 指名亚属世界已知 65 种, 中国记录 17 种, 秦岭地区发现2 种。

分种检索表

触角和足颜色单一; 鞘翅末端尖刺状 ………………… **细点瘦天牛 *Distenia* (*Distenia*) *punctulatoides***

触角和足明显两色，触角第 4 ~ 11 节端部红褐色基部黑褐色，胫节基部红褐色端部黑色；鞘翅末端尖齿状 ………………………………………………………… **东方瘦天牛 *D.*（*D.*）*orientalis***

(6) 东方瘦天牛 *Distenia*（*Distenia*）*orientalis* Bi *et* Lin，2013

Distenia orientalis Bi *et* Lin，2013：84，figs. 25-36，41-42.

鉴别特征：体长 18.7 ~ 26.6mm。体黑褐色，鞘翅具锈色（雄虫更明显），以下部位红褐色：胫节基部（约 1/3 ~ 1/2）、触角第 4 ~ 11 节各节端部（第 3 节有时末端下沿也显红褐色，从第 4 到末节红褐色部分越来越多）、下唇须和下颚须末节端部。触角远长于体（雄虫第 7 节雌虫第 8 节超过鞘翅末端），柄节基部不具纵沟，不达前胸中部，第 3 节长于柄节，第 4 节最长，其后各节渐短。鞘翅向狭缩，长达于肩宽的 3 倍。中足胫节末端不具明显的突片。

分布：陕西（宁陕）、山西、浙江、江西、福建、广东。

备注：周嘉熹等（1981）年描述的瘦天牛 *Distenia gracilis*（Blessig，1872）其实是东方瘦天牛。

(7) 细点瘦天牛 *Distenia*（*Distenia*）*punctulatoides* Hubweber，2010（图版 1：3a，3b）

Distenia punctulata Chiang *et* Wu，1987：18（nec Dillon *et* Dillon，1952）.

Distenia（*Distenia*）*punctulata*：Santos-Silva & Hovore，2007：21.

Distenia punctulatoides Hubweber，2010，*In*：Löbl & Smetana，2010：61（new name for *Distenia punctulata* Chiang *et* Wu，1987）.

鉴别特征（Chiang & Wu，1987）：体长 16.5 ~ 19.5mm。体型狭长，两侧较平行，向后端渐狭，体棕褐色，头胸部较深暗，带赤褐色，全体被灰黄色微薄绒毛。触角末 4 节超过鞘翅末端，柄节基半部扁狭，端半部粗壮，内侧有凹沟，伸达柄节的 1/3。第 3、4、5 节等长，略长于柄节，第 6 节与柄节等长，第 8、9 节端部内沿发状细毛较明显。前胸背板宽胜于长，长于前胸后缘之宽相等。侧刺突短小，基部肥宽，端部较尖，显著上翘，背中央纵隆突较宽，中央有 1 条光滑的纵脊线，两旁前后 2 个隆突几乎相连，前 1 个略呈半环形，后 1 个较扁平，表面不平，有短横脊，中隆突旁有细毛分向两边凹陷中披盖。鞘翅肩部稍宽于前胸，两侧较平行，端角缘角浑圆，缝角刺较长，基部较宽，翅面肩后纵脊线很不明显，伸至鞘翅近端部渐消失，翅表刻点细小，黑色，纵脊线与中缝间 4 行，与外侧缘间 2 行，并散有不规则小刻点，排列稀疏，但分布到翅端部。

采集记录：1♂，宁陕火地塘，1580m，1998. Ⅷ. 22，袁德成采；1♂（正模），汉中，

1981. Ⅷ，钱学聪、孙益智采(SWU，检视图片)。

分布：陕西(宁陕、汉中)。

三、天牛科 Cerambycidae

鉴别特征：体长2.4～175.0mm，形态多样。体圆筒形至扁平，通常体狭长(长可达到宽的8.0倍)，多少两侧几乎平行，罕有近圆形(如沟胫天牛亚科里的Anisocerini部分种类)。体表光亮无毛或密被毛或鳞片。头前口式至下口式，有时具缩窄的"颈部"(花天牛亚科多数种类)，后头不具横脊。额中沟通常存在，有时延伸至后头区(锯天牛亚科的多数和沟胫天牛亚科)。前幕骨陷位置从侧面至背面/前面，有时远离上颚髁，有时不明显。额唇基的分界从显著(通常具两个靠近中央的深凹痕)到无法辨认。上唇可动或不可动(同前唇基愈合)，形状从短阔到狭长。复眼很大到强烈退化，但总是存在，从不突出到强烈突出，从卵圆形到肾形，含有分成三叶的特例，从完整到强烈凹陷，有时完全断开为上下两部分；夜行性的种类小眼面较粗粒。触角着生在触角基瘤上，位置从背面且互相靠近到侧面而互相远离，触角着生处与上颚髁从较接近到很远离，不具可以收纳触角凹沟。触角通常11节，锯天牛亚科部分(有8节和9节的类群)和沟胫天牛亚科部分(一些种类第3和4节很长而其后的鞭小节退化)有少于11节的，12节的情况发生在互不相干的各个类群，是由于末节分为两节而来；天牛亚科和锯天牛亚科的一些种类触角多于12节。触角从不明显膝状，但一些拟态蚂蚁的种类柄节很长而第1鞭节模拟蚂蚁膝状弯曲，通常线状或锯齿状，一般中等长到非常长(可达体长的5.0倍)，罕有念珠状、栉齿状、双栉状或扇状，也有棒状的特例。柄节多样，一般较粗，有时具开放或关闭的端疤，偶尔还具刺或其他突起结构。梗节简单，通常很短，长不大于或略微大于宽，也有长明显大于宽的特例(天牛亚科里的Opsimini梗节长为宽的2.5～3.0倍)。上颚膨阔到中等狭长，末端通常简单，很少分为两齿或扩宽而呈凿形。下颚和下唇多样，下颚须4节，末端尖或三角形或斧形。下唇须3节，末节末端尖到扩宽。前胸背板不具边缘或具边缘，从横阔到长四倍于宽；前胸腹板短或长，前胸腹板突很宽至缺失，前足基节窝多样(横形至圆形)，向后开放或关闭。中胸背板具或不具发音器。鞘翅通常狭长，鞘翅长可达两翅基部合宽的5.5倍，也有少数宽大于长的特例，有不少鞘翅短缩不覆盖整个腹部的类群。鞘翅刻点通常不规则排列。后翅形状和翅脉多样，有时后翅退化。前足基节形状多样。多数种类跗节伪四节(5-5-5)，具跗垫，部分真四节(4-4-4，第4和5愈合)。一些形态(和生物学习性)特异的种类，跗垫退化且第3跗节不呈双叶状。

分类：天牛科分8个亚科，世界记录超过3.3万种，中国已知共77族608属3454种/亚种，秦岭地区分布7亚科215属476种。

分亚科检索表

1. 触角着生于额的前端，紧靠上颚基部…………………………………………………………………… 2
   触角着生处较后，离上颚基部较远…………………………………………………………………… 3
2. 前胸两侧具边缘，或至少后半部具边缘，通常具齿 ……………………… **锯天牛亚科 Prioninae**
   前胸两侧不具边缘 ……………………………………………………… **椎天牛亚科 Spondylidinae**
3. 头伸长；眼后部分显著狭缩呈颈状；前足基节显著突出，圆锥形 …… **花天牛亚科 Lepturinae**
   头一般不长；眼后不显著狭缩，绝不呈颈状；若眼后狭缩，则鞘翅短缩 ……………………… 4
4. 前口式 ……………………………………………………………………………………………… 5
   下口式或后口式 ……………………………………………………………………………………… 6
5. 前足基节横形至近球形，不高于前胸腹板突；不具爪间突 ……… **锯花天牛亚科 Dorcasominae**
   前足基节形状多样，通常高于前胸腹板突；爪间突小或通常不明显 ……………………………
   ………………………………………………………………………………… **天牛亚科 Cerambycinae**
6. 鞘翅短缩，仅盖住具翅胸节；后翅外露而翅端不折叠 ……………… **膜花天牛亚科 Necydalinae**
   鞘翅不短缩，通常盖住腹部；后翅不外露而翅端折叠 ……………… **沟胫天牛亚科 Lamiinae**

（一）锯天牛亚科 Prioninae

鉴别特征：体型较大，一般不小于 10mm，最大的可达 175mm。头部不具明显缢缩的“颈部”，前口式或亚前口式，锯天牛族 Prionini 的一些雄虫具有长而弯向腹面的上颚。额中沟通常延伸至头颅后缘。触角窝大都与上颚髁很靠近（个别类群例外，如 *Anoeme*）。前幕骨陷在侧面至侧背面。上唇活动能力有限，偶尔短而具有与前唇基愈合的趋势。触角长度多样，多数明显超过前胸背板基部，形态上有的具有显著的性二型。锯天牛族的一些种类触角多节（雄虫达 30 多节），第 1 鞭小节（即触角第 3 节）长于其他鞭小节。上颚明显多型，没有明显的臼板（molar plate），内缘不具缨毛或长毛，至多臼齿区具少量短毛（但上颚其他部分可能很多毛）；上颚末端通常简单，很少分为二齿，但一些类群上颚强烈特化且发达，一些种类的雄虫上颚看起来像锹甲的上颚一般。下颚和下唇较为退化，下颚内颚叶强烈退化，下颚须和下唇须的末节均平切状。前胸背板具边缘，侧缘通常具齿或刺，边缘完整或从前胸背板的后角延伸至前足基节窝的侧端。前胸腹板突通常很发达，末端膨大，与中胸腹板前缘接触。中胸背板缺发音器，具显著的中央内突；中足基节窝开放式。后胸叉骨通常不具叶片（laminae），但 *Tragosoma* 和 *Microplophorus* 存在显著的叶片，很可能其他属也存在。后翅发达，少数退化。前足基节横形，不高于前胸腹板突。跗节通常伪四节，具跗垫，但一些隐居生活的种类（如一些 Cantharocnemini 的雌虫），跗垫和第 3 跗节严重退化。有些种类爪间突显著而具多根刚毛，有些种类爪间突不明显。产卵器具或多或少侧生的生殖刺突，基腹节骨化，尤其一些营地下生活的具挖掘习性的种类，产卵器骨化很强烈。据目前已研究的少数种类看，中肠短而细，可能与成虫不取食相关。

分类：世界记录 26 族 302 属 1109 种，中国已知 7 族 30 属 116 种/亚种。陕西秦岭地区分布 5 族 8 属 14 种，比周嘉熹等(1988)记录的 5 属 6 种多了 3 属 8 种。

分族检索表(冯波，2007)

1 后胸前侧片两侧缘近于平行 …… 2
后胸前侧片两侧缘显著向后狭窄 …… 5
2 前胸两侧缘各具 2～3 个大而扁平的齿 …… **锯天牛族 Prionini**
前胸两侧缘完整，无明显锯齿或着生数个不规则的齿 …… 3
3 复眼内缘强烈凹陷呈弧形 …… **坚天牛族 Callipogonini**
复眼内缘不呈弧形凹陷或凹陷很弱；上颚无特殊的毛且略指向下方 …… **密齿天牛族 Macrotomini**
4 触角扁平，第 3 节仅略长于柄节；前胸背板每侧近中部具 1 个齿 …… **扁角天牛族 Anacolini**
触角圆柱形，第 3 节数倍长于柄节；前胸背板每侧不具齿或者具 3 个齿 …… **裸角天牛族 Aegosomatini**

Ⅰ. 裸角天牛族 Aegosomatini Thomson, 1861

鉴别特征(冯波，2007)：额和唇基凹陷，上唇明显与唇基分离。触角基瘤彼此远离；触角圆柱形，第 3 节最长，数倍长于柄节，至少与第 4、5 节长度之和相等，腹面或多或少粗糙。后头长。前胸侧缘不完整，两侧不具刺或者具 3 个齿，后胸前侧片两侧缘显著向后狭窄。

分类：世界已知有 20 属，中国记录 7 属，陕西秦岭地区分布 2 属。

分属检索表

前胸背板具 3 个明显的刺突；触角第 3 节近圆柱形，内侧无沟 …… **刺胸薄翅天牛属 *Spinimegopis***
前胸背板不具明显的刺突；触角第 3 节粗大且向后变细，表面粗糙，内侧有沟 …… **裸角天牛属 *Aegosoma***

5. 裸角天牛属 *Aegosoma* Audinet-Serville, 1832

Aegosoma Audinet-Serville, 1832: 162. **Type species**: *Cerambyx scabricornis* Scopoli, 1763.

属征（冯波，2007）：体中等大小或者较大，表面密被绒毛，头在复眼之后或多或少延长。复眼内缘浅凹，上叶不超过或者几乎不超过触角基节窝的后缘。上颚短，倾斜，内缘最多有 1 个小齿。雄性触角长于体长，雌性触角仅仅超过鞘翅中部；触角表面光裸，柄节短，粗壮，第 3 节十分长于柄节，至少与第 4、5 节长度之和相等，基部 3 节或者基部 5 节表面粗糙，凹凸不平，雄性表现得更为强烈。前胸背板两侧无齿和刺，侧缘在中部向下弯折，与前足基节窝的外角靠近；前胸基部很宽，向前渐狭；鞘翅宽于前胸基部，两侧的大部分几乎平行，向末端稍稍收狭，端部圆形，一般具 3 条明显的纵脊线。足中等长度，后足最长，跗节相当细，第 1 跗节明显长于第 2 跗节，末节至少等于基部 2 节长度之和，后足跗节末节等于前 3 节长度之和。

分布：古北区，东洋区。世界记录 19 种/亚种，中国已知 5 种，秦岭地区发现 2 种。

分种检索表

前胸背板表面的绒毛在局部区域虽然浓密，但不形成十分明显的橙色毛斑 ………………………………………………………………… **中华裸角天牛 *Aegosoma sinicum sinicum***

前胸背板具有 4 个十分明显的橙色毛斑 ………………………………… **隐脊裸角天牛 *A. ornaticolle***

（8）隐脊裸角天牛 *Aegosoma ornaticolle* White，1853

Aegosoma ornaticolle White，1853a：30.

Megopis（*Aegosoma*）*ornaticolle*：Lameere，1909：138，139

Megopis（*Aegosoma*）*sinica ornaticollis*：Gressitt，1951：14，17.

别名：隐脊中华裸角天牛。

鉴别特征（冯波，2007）：体长 42.0～47.0mm。背面体色常较深暗；前胸背板边缘和中缝带暗褐色。前胸背板较狭小，常有 4 撮金黄色细毛。雄虫触角约与体长相等，第 3～5 节粗壮，表面粗糙，第 3 节长为柄节的 3 倍，同第 4、5 节之和等长，雌虫触角稍超过鞘翅中部，第 3～5 节较细，不如雄虫粗糙。鞘翅表面纵脊很不明显。雌虫腹部末节后缘浅凹，产卵管外露。

分布：陕西（秦岭）、甘肃、山东、湖北、福建、台湾、广东、海南、重庆、四川、贵州、云南、西藏；老挝，缅甸，印度，尼泊尔，不丹。

（9）中华裸角天牛 *Aegosoma sinicum sinicum* White，1853（图版 1：4）

Aegosoma sinicum White，1853：30.

Aegosoma amplicolle Motschulsky, 1854: 48.

Megopis (*Aegosoma*) *sinica sinica*: Lameere, 1913: 175.

Megopis (*Aegosoma*) *sinica corniculum* Yoshida, 1931: 273.

别名:薄翅锯天牛、中华薄翅天牛。

鉴别特征:体长30.0～55.0mm。体赤褐色或暗褐色，雄虫触角几与体长相等或略超过，第1～5节极粗糙，下面有刺状粒，柄节粗壮，第3节最长。雌虫触角较细短，约伸展至鞘翅后半部，基部5节粗糙程度较弱。前胸背板前端狭窄，基部宽阔，呈梯形，后缘中央两旁稍弯曲，两边仅基部有较清楚边缘；表面密布颗粒刻点和灰黄短毛，有时中域被毛较稀。鞘翅有2～3条较清楚的细小纵脊。

采集记录:1♂，周至县集贤镇立新村，2006. Ⅶ. 16，林美英灯诱(IOZ(E)1896796)；1♀，周至县钓鱼台，1480～1570m，2008. Ⅵ. 29，白明采；1♀，凤县，1974. Ⅶ. 27(NWAFU，C0025447)；2♂，凤县，1988. Ⅶ，刘丁、黄俊峰采(NWAFU，C0025462-63)；1♀，太白，1990. Ⅶ. 19，王应伦采(NWAFU，C0025461)；1♂，太白山蒿坪寺，1200 m，1983. Ⅷ. 15(NWAFU，C0025493)；1♀，留坝庙台子，1350m，1998. Ⅶ. 21，姚建采；2♀，勉县，1981. Ⅷ. 14，罗天修采；1♂，佛坪窑沟，870～1000m，1998. Ⅶ. 25，陈军采；2♂，安康，1973. Ⅵ. 19、23，周书云采(NWAFU，C0025451，25464)；2♀，柞水营盘镇，953m，33.763389N，109.052206E，2014. Ⅶ. 30，路园园灯诱；1♂，清涧师家园，1980. Ⅷ. 12，高峰采；1♂，榆林西门外，1981. Ⅶ. 25；1♂1♀，志丹，1982. Ⅶ. 28(NWAFU，C0025483－84)。

分布:陕西(周至、凤县、宝鸡、太白、武功、留坝、佛坪、勉县、安康、柞水、清涧、榆林、志丹)、黑龙江、吉林、辽宁、内蒙古、北京、天津、河北、山西、山东、河南、甘肃、江苏、上海、安徽、浙江、湖北、江西、湖南、福建、台湾、海南、广西、四川、贵州、云南；俄罗斯，朝鲜，韩国，日本，越南，老挝，泰国，缅甸。

寄主:苹果、枣、杨、柳、桑、榆、野桐、枥、栎、栗、白蜡等阔叶树，以及云杉、冷杉、松类等。

6. 刺胸薄翅天牛属 *Spinimegopis* K. Ohbayashi, 1963

Megopis (*Spinimegopis*) K. Ohbayashi, 1963a: 7. **Type species**: *Megopis* (*Aegosoma*) *nipponica* Matsushita, 1934.

Spinimegopis: Komiya, 2005: 152.

属征:体圆柱形，体长17.0～55.0mm，通常30.0～45.0mm。褐色，黄色或几乎黑色。头和前胸被长毛，鞘翅被毛或光裸，腹面通常被长而密的毛但腹部被毛稀疏。

头短，上颚通常为头长的1/5；复眼小眼面粗，下叶间距大于上叶。触角11节，通常短于体长但雄虫有时略长于体长；基部4节近圆柱形，其余略扁且末端形成角状，外侧具1条纵脊；第3触角节等于或长于第4～6节长度只和，柄节内侧具显著纵沟，一些种类基部数节下沿具缨毛。前胸背板近矩形或梯形，宽是长的1.5～2.0倍；侧缘完整，每侧通常具3个显著的刺，有时1或2个刺不显著。小盾片舌状或半圆形。鞘翅通常2.5倍于头与前胸之和，被绒毛或光裸。

分布：东洋区。世界已知26种/亚种，中国记录14种/亚种，秦岭地区发现1种。

（10）华氏刺胸薄翅天牛 *Spinimegopis huai* Komiya *et* Drumont, 2007（图版1:5）

Spinimegopis huai Komiya *et* Drumont, 2007: 373, figs. 42-43.

鉴别特征：体长21.6～32.8mm。体深灰褐色，头和前胸颜色更深，几乎为黑褐色，鞘翅周边黑色。头、前胸背板、小盾片、触角基半部，上颚，足和腹面被灰色或灰黄色毛；鞘翅被灰黄色短绒毛。雄虫触角与体约等长，雌虫触角稍超过体长的一半。鞘翅末端阔圆，端缝角齿状。

采集记录：1♀（副模），Sud-Shaanxi，1997. Ⅷ；1♀，镇巴，1979. Ⅷ（NWAFU，CO026128）。

分布：陕西（秦岭、镇巴）、湖北、福建、四川。

Ⅱ. 扁角天牛族 Anacolini Thomson, 1857

鉴别特征（冯波，2007）**：**上颚短而粗。复眼强烈凹陷，几乎围住触角基瘤。触角扁平，第3节最长，但仅略长于柄节，并且雄虫触角长于雌虫。前胸背板两侧近中部具有一个齿突。前足基节窝向后开放，后胸前侧片两侧缘显著向后狭窄。后足胫节外侧不具刺。

分类：世界已知34属/亚属，中国记录4属，秦岭地区分布1属。

7. 扁角天牛属 *Sarmydus* Pascoe, 1867

Sarmydus Pascoe, 1867: 410. **Type species**: *Sarmydus antennatus* Pascoe, 1867.

属征（蒋书楠等，1985）**：**头短，前部向下垂直；上颚短而弯曲，末端尖锐，闭合时互相交叉；复眼大而突出，内缘深凹，上叶彼此接近，下叶前缘接近上颚基部；触角稍短于体长，第 3 ~ 10 节扁平，具纵脊，内端角突出成锐角或齿，柄节粗短，倒圆锥形，第 3 节是柄节长的 2.0 倍，较宽。前胸横宽，侧刺突小，末端尖，背面密布细颗粒。鞘翅比前胸宽，长约为宽的 2.0 倍或 2.0 倍以上，末端圆，表面各具 3 条明显的纵脊。足侧扁，后足第 1 跗节稍长于第 2、3 节之和。

分布：东洋区。世界已知 6 种，中国记录 5 种，秦岭地区分布 1 种。

(11) 扁角天牛 *Sarmydus antennatus* Pascoe, 1867

Sarmydus antennatus Pascoe, 1867: 410.

鉴别特征：体长 16.0 ~ 30.0mm。体棕褐色，触角第 3 节以后各节及鞘翅带红棕色。头部额较垂直，下陷；上颚端部互相交叉；复眼大，上叶左右几接近，下叶几占头长之半，前缘接近上颚基部；触角较体稍短，柄节肥短，平扁，具粗刻点，第 3 节以后各节扁平，第 3、4 节较宽，各节表面具 2 ~ 3 条纵脊，内端角突出成短齿。前胸背板横宽，背面密布细颗粒，中部两侧膨大，侧刺突宽短，末端尖，侧面至前胸腹板缝有一粗糙黑褐色区，密布粗刻点，周围具光滑隆脊；鞘翅宽短，长为宽的 2.0 倍弱，表面具 3 条明显纵脊，密布刻点，末端及外侧缘有细短毛。

分布：陕西(秦岭)、江西、湖南、福建、台湾、广东、海南、广西、云南；越南，老挝，泰国，缅甸，印度，不丹，尼泊尔，马来西亚，印度尼西亚。

寄主：日本柳杉，云南黄杞。

备注：在古北区名录里，江西误为江苏(JIA)。

Ⅲ. 坚天牛族 Callipogonini Thomson, 1861

鉴别特征(冯波, 2007)：上颚粗壮，指向前方，部分种类上颚具有特殊的毛。上唇横宽，前缘圆形。复眼较小，内缘强烈凹陷呈弧形，但不包围触角基瘤。雄虫触角长于雌虫，柄节常常较短，第 3 节明显长于其余各节。前胸背板侧缘完整，有很多小的齿突，以后角上的齿最为粗大。前足基节窝向后开放，后胸前侧片两侧近于平行；足表面不具刺。

分类：世界已知 18 属/亚属，中国记录 1 属，秦岭地区也有分布。

8. 坚天牛属 *Callipogon* Audinet-Serville, 1832

Callipogon Audinet-Serville, 1832: 140. **Type species:** *Callipogon barbatum* Audinet-Serville, 1832 （nec Fabricius，1871； = *Callipogon senex* Dupont，1832）.

分布：亚洲，北美洲，南美洲。

本属分为4个亚属，除了下面记述的亚洲分布的亚属外，其他3个亚属分布于北美洲。因我们对北美洲的类群不了解，所以只提供亚洲分布的亚属特征。

8-1. 大颚亚属 *Eoxenus* Semenov，1899

Callipogon（*Eoxenus*）Semenov，1899：570. **Type species**：*Callipogon relictus* Semenov，1899.

鉴别特征：体型大而且阔，中等突出，腹面被绒毛，背面常常被有绒毛形成的斑纹；雄性触角较长，雌性触角较短，触角柄节到达复眼后缘；上颚极大，雌虫和雄虫二型；前胸背板隆起，表面被有毛斑，侧缘具锯齿；后胸前侧片端部急剧收狭；雄虫腹部可见腹板6节，第5节明显弧形，第6节光亮，向后延伸到鞘翅端部，雌虫腹部可见腹板5节。

分布：亚洲。本亚属已知仅1种，中国也有记录。

（12）大山坚天牛 *Callipogon*（*Eoxenus*）*relictus* Semenov，1899

Callipogon（*Eoxenus*）*relictus* Semenov，1899：562.

Callipogon（*Callipogon*）*relictus*：Lameere，1913：44.

曾用名：大山锯天牛。

鉴别特征：体长58.0～110.0mm。体型巨大，为我国最大的一种锯天牛。体色深棕红至棕褐色，头部、前胸以及触角色泽深暗，有时成黑褐色。头顶两旁有极细短黄毛，前额中央凹陷，其中生有较粗糙的黄毛；上颚分布粗深刻点，其内沿成齿状缺刻，并有短毛。触角约伸展至鞘翅中部，上面有细小刻点，以第3、4节分布较密，第3～5节下面略有小齿突，柄节粗壮，第3节等于第4、5两节之长度，第4节几与柄节等长。前胸背板宽阔，中央颇高凸，两侧边缘有大小不匀的尖锐锯齿，前角1齿颇阔大，其尖端弯向后方，后角齿亦较尖长，略向后；表面光洁，呈现极微细革纹，稀布微小刻点，有6个黄色粉毛斑点，以中央两个较大。小盾片密被黄色粉毛。鞘翅略宽于前胸节，两边稍微翻起，端部稍形狭窄，前部中央高凸，表面颇光洁，呈微细革纹状并被有细短灰黄毛；后缘圆形，内缘角尖细。腹面中央极光亮，刻点稀少；两旁被密毛，刻点亦很细密。足部爪节几乎等于其余3节之长度。

雄虫头部被毛较多，上颚极壮大，尖端及上面有分叉，有长牙和短牙两种类型。触角粗长，约伸展至鞘翅端部，第 3 节至末端各节上面粗糙似颗粒状，下面密生细齿突。前胸背板表面没有雌虫光亮，6 个粉毛斑点微呈凹窝，两边近于平行，锯齿除前角齿外均极细小。鞘翅基部几与前胸背板等宽。腹面各胸腹板表面与前胸背板相同，刻点极端细密，仅后胸腹板剩有 1 个三角形光亮区域。尾节后缘内凹。

分布：陕西（秦岭南坡）、黑龙江、吉林、辽宁、内蒙古、天津、河北、山西、甘肃；俄罗斯，朝鲜，韩国，日本。

寄主：蒙古栎，椴树（*Tilia tuan* Szyszyl.）。

备注：本种目前在中国东北和韩国都较稀少，跟原始森林的破坏密切相关。目前韩国比较重视本种的生存状态，有相关项目研究人工培育和饲养。我们没有看见陕西的标本。日本并无本种的自然种群，只是很早之前有过一笔记录，但应该是外来木头带来的。

Ⅳ. 密齿天牛族 Macrotomini Thomson, 1861

鉴别特征（冯波，2007）：上颚略指向下方，不具有特殊的毛。复眼完整，内缘不呈弧形凹陷或凹陷很弱。触角柄节长或中等长。前胸侧缘完整，密布小齿或小刺。前胸腹板突不十分突出于基节之上。足表面具刺。本族天牛在前胸背板上一般都有十分明显的雌雄二型现象。

分类：分为 6 个亚族，其中指名亚族已知 47 属，中国记录 3 属，秦岭地区分布仅 1 属。

9. 本天牛属 *Bandar* Lameere, 1912

Macrotoma (*Bandar*) Lameere, 1912: 144. **Type species**: *Prinobius pascoei* Lansberge, 1884.

Bandar: Quentin & Villiers, 1981: 360, 362.

属征（冯波，2007）：头长，相对较小，额几乎垂直，相当平坦。触角基瘤突出十分明显且接近。上颚十分发达，强烈弯曲。触角明显比身体短（雌虫），雄虫触角可能比身体长；柄节到第 3 节大而且厚，雄虫触角第 3 节十分扁平，总是有沟；第 3 节最长，从第 4 节开始急剧收狭且逐渐变短。前胸背板梯形，表面平坦，被粗糙刻点，中间有 1 条光滑的条带，两侧一般具有许多长而尖锐的小齿，雌虫与雄虫相似。鞘翅长，两侧几乎平行，纵脊或多或少明显。足中等长，腿节背面不具齿，雌虫前足比雄虫更粗壮，后足第 1 跗节约等于其后两节长度之和。

分布：东洋区。世界已知 6 种/亚种，中国记录 1 种 3 亚种，秦岭地区发现 1 种。

（13）本天牛 *Bandar pascoei pascoei*（Lansberge，1884）

Prinobius pascoei Lansberge，1884：144.

Macrotoma fisheri Waterhouse，1884：382.

Macrotoma pascoei：Lameere，1903：129，194.

Macrotoma（*Bandar*）*pascoei*：Lameere，1912：144.

Macrotoma（*Bandar*）*fisheri*：Lameere，1912：144.

Macrotoma（*Bandar*）*fisheri fisheri*：Gressitt，1951（partim）：11.

Bandar pascoei pascoei：Quentin & Villiers，1981：360，363，figs. 1-3，10.

别名：密齿锯天牛。

鉴别特征：体长40.0～70.0mm。棕红或棕褐色，头部、前足腿节以及触角基部3节赤褐色或几近黑色，中、后足色泽稍淡，有时鞘翅色泽亦较浅淡，呈棕黄色。触角约体长的3/4；雄虫第1～3节极为粗壮，扁形；第1节长约为宽的2.0倍，其上面有深且大的刻点，下面略有刺状颗粒；第3节极长大，其长度超过第4、第5两节之和，生有刺状颗粒，外沿尤为粗密。前胸背板宽阔，两边向前狭窄，边缘密具尖锐小锯齿，基缘两端亦偶有1～2个锯齿。鞘翅有4条微弱纵脊，外侧1条极为模糊，端缘圆形，缝角呈尖齿状。

分布：陕西（旬阳）、河北、安徽、浙江、湖北、湖南、福建、广东、海南、广西、四川、贵州、云南、西藏；越南，泰国，缅甸，印度，不丹，尼泊尔，马来西亚，印度尼西亚。

寄主：栓皮栎，栗，柿，沙梨，苹果，黄连木，杏，桃。

备注：本种含3个亚种，另外2个亚种分别为台湾本天牛 *Bandar pascoei formosae*（Gressitt，1938）（中国台湾和日本）和嘉氏本天牛 *Bandar pascoei gressitti* Quentin *et* Villiers，1981（四川、云南、西藏）。

Ⅴ．锯天牛族 Prionini Latreille，1802

鉴别特征（冯波，2007）：前胸背板侧缘通常具3个齿突，前胸腹板突膨大，成弓形凹陷或者前端几乎垂直；上唇明显，不呈三角形；触角锯齿状，柄节较长，至少长于宽度的3.0倍，其余各节为三角形；后胸前侧片两侧平行，端部平截；足有时粗糙，常常以前足最为明显，但表面从不具刺。

分类：世界已知50属/亚属，中国记录10属（Lin & Danilevsky，2017），秦岭地区分布3属。

分属检索表(冯波, 2007)

1. 触角表面至少在端部数节具有规则的纵条纹; 前胸背板侧齿十分发达, 常常为细长的刺状 ……………………………………………………………………………………… **接眼天牛属 *Priotyrannus***
   触角表面没有规则的纵条纹; 前胸背板侧齿稍弱, 较短, 常为三角形 ……………………… 2
2. 上颚通常很长, 向基部弯曲, 至少雄虫如此 ……………………… **土天牛属 *Dorysthenes***
   上颚短而粗壮, 雌虫雄虫相似, 不向下弯曲 ……………………………… **锯天牛属 *Prionus***

10. 土天牛属 *Dorysthenes* Vigors, 1826

Dorysthenes Vigors, 1826: 514. **Type species**: *Prionus rostratus* Fabricius, 1793.

属征(蒲富基, 1980):一般较大型, 或中等大小, 体较宽大。头向前伸出; 上颚及长大, 向下弯曲, 至少雄虫如此; 颊向外侧呈角状突出; 复眼彼此远离; 触角一般锯齿形或栉齿状, 第 3 节长于柄节。前胸背板横阔, 两侧具边缘或至少部分具边缘, 两侧缘各着生 2 个或 3 个扁形大锯齿。小盾片舌状。鞘翅端部稍窄于肩部, 外端角圆形, 缝角明显。后胸前侧片两边平行, 几乎成长方形。

分布:古北区, 东洋区。本属分为 7 个亚属, 其中 6 个亚属在中国有分布。秦岭地区分布有 2 亚属 3 种。

分种检索表(参考:冯波, 2007)

1. 第 3 跗节端部不尖锐也不具刺; 鞘翅表面皱纹弱, 体黑褐色, 上颚外缘具 2 个齿突 ……………………………………………………… **沟翅土天牛 *Dorythenes* (*Prionomimus*) *fossatus***
   第 3 跗节端部尖锐或者具刺 ……………………………………………………………… 2
2. 前胸背板前齿发达, 远离中齿 ……………………… **曲牙土天牛 *D.* (*Cyrtognathus*) *hydropicus***
   前胸背板前齿小, 与中齿靠近 ……………………………… **大牙土天牛 *D.* (*C.*) *paradoxus***

(14) 曲牙土天牛 *Dorysthenes* (*Cyrtognathus*) *hydropicus* (Pascoe, 1857)

Prionus hydropicus Pascoe, 1857: 91.

Cyrthognathus Chinensis Thomson, 1861: 328 [misspelling].

Cyrtognathus breviceps Fairmaire, 1899: 637.

Dorysthenes (*Cyrtognathus*) *hydropicus*: Gressitt, 1951: 22.

别名:曲牙锯天牛。

鉴别特征:体长25.0~47.0mm。体较阔，棕栗色至栗黑色，略带金属光泽，触角与足部分呈棕红色。头部向前突出，微向下弯，正中有细浅纵沟；口器向下，大颚长大呈刀状，彼此交叉，向后弯曲，基部与外侧具紧密刻点，尤以基部为甚；下颚须与下唇须末节呈喇叭状。触角基瘤宽大，两眼间及头顶密被刻点；额前端有横凹陷。触角12节，一般雌虫较短，接近鞘翅中部；雄虫较长超过中部，第3至第10节外端角突出呈宽锯齿状。前胸较阔，前缘中央凹陷，后缘略呈波纹状，侧缘具二齿，分离较远，中齿较前齿发达，后角突出略呈齿状；表面密被刻点，尤以两旁较粗；中域两侧微呈瘤状突起，中央有一细浅纵沟；前胸腹板突呈钩突，伸展至中足基节基部，端部披棕色毛，中央稍凹。小盾片舌形，基部两侧密被刻点。鞘翅基部阔大，向后端渐尖，内角明显，外角圆形，刻点较前胸稀少，刻点间密布纵纹，每翅微现2、3条纵隆线，翅之周缘微向上卷。中、后胸腹板密生棕色毛。雌虫腹基中央呈三角形，雄虫腹部末节后缘披棕色毛，中央微凹。

生物学（陈世骧等，1959）**:**一年发生一代，以老熟幼虫越冬，翌年2~3月间潜入土中筑室化蛹，蛹室约离地面4.0~6.0厘米。五六月间下雨时成虫出现交尾产卵；幼虫栖息于土中，可侵入甘蔗地下茎内，纵行穿孔食害，被害蔗株常发生枯萎，可为害至11月；幼蔗受害较少。

分布:陕西（礼泉）、内蒙古、北京、天津、河北、山东、河南、甘肃、江苏、上海、浙江、湖北、江西、湖南、台湾、海南、香港、广西、贵州。

（15）大牙土天牛 *Dorysthenes*（*Cyrtognathus*）*paradoxus*（Faldermann，1833）（图版1:6）

Prionus paradoxus Faldermann，1833：20，pl. Ⅱ，fig. 3.

Cyrtognathus paradoxus：Dejean，1835：316.

Cyrthognathus aquilinus Thomson，1865：577.

Dorysthenes（*Cyrtognathus*）*tippmanni* Heyrovský，1950：127.

Dorysthenes（*Cyrtognathus*）*paradoxus*：Gressitt，1951：23.

别名:大牙锯天牛。

鉴别特征:体长33.0~41.0mm。体阔大，略呈圆筒形，棕栗色到黑褐色，稍带金属光泽，触角与足呈红棕色，头部一般较为长大，向前突出，正中有细浅纵沟，尤以额部较为明显；口器向下，大颚极长，呈刀状，彼此交叉，向后弯曲，基部刻点紧密，色赤褐，边缘色深；须的末节端部特大，呈喇叭状；触角基瘤较宽，两眼间与头顶具紧密刻点，额前端有横凹陷。触角12节，一般仅接近鞘翅中部，雌虫更为细短，雄虫自第3至第10节外端角较尖锐。前胸短阔呈次方形，色较暗，前缘中央凹陷，后缘略呈波状，侧缘各有二齿，前齿较小，与中齿接近，中齿发达，后角稍为突出；前胸两侧刻点较粗；中域有瘤状突起，中央有1条细的浅纵沟。小盾片舌形，末端较圆，基部两侧刻点紧密。鞘翅基部宽，向后渐狭，内角明显，外角圆形，翅面密布皱纹，每翅有纵隆线2、3条，翅之周缘微向上反。中、后胸腹板密生棕色毛。雌虫腹基中央呈圆形。

本种与曲牙土天牛接近，二者主要区别：本种触角第3～10节的外端角较为尖锐，曲牙土天牛较宽；本种前胸侧缘前齿较小，与中齿接近，曲牙土天牛反之；本种雌虫腹基中央呈圆形，而曲牙土天牛呈三角形。

采集记录：1♂，周至楼观台，1940.Ⅷ.171；1♂，陇县杜阳申家，1980.Ⅷ.14；1♂，太白山骆驼村，1983.Ⅴ.17（NWAFU，CO025526）；1♀，太白山营头口，760m，1958.Ⅶ.18-20，周尧采（NWAFU，CO025528）；2♀，华山，1951.Ⅸ.3、8，周尧采（NWAFU，CO025514、517）；1♀，武功，1965.Ⅶ（NWAFU，CO025553）；19♂4♀，武功（NWAFU）；1♂，扶风，1980.Ⅶ.12，张光杰采；1♀，咸阳，1980；1♂，咸阳，1980；1♂1♀，华山，1951.Ⅴ.31，周尧采（NWAFU，CO025515、516、518）；1♂，泾阳龙泉，1959.Ⅳ（NWAFU，CO025527）；3♂2♀，华山，1951（NWAFU）；1♀，宁陕火地塘，1984.Ⅷ.19（NWAFU，CO025558）；1♀，铜川建庄林场，1959.Ⅷ.08；1♂，黄陵，1956.Ⅶ（IOZ（E）1904842）；1♀，黄陵建庆，1959.Ⅷ.04；1♀，黄陵，1956.Ⅷ；1♀，合阳，1980.Ⅷ.14，马安民采（IOZ（E）1904843）；1♂，定边红柳沟公社，1981.Ⅵ.14，姬翔洲采；1♂，延安，1981；1♂，延安张渠，1981.Ⅶ.11，陈学义采（IOZ（E）1896801）。

分布：陕西（长安、周至、陇县、太白、扶风、武功、咸阳、泾阳、华阴、勉县、宁陕、铜川、宜君、黄陵、宜川、延安、定边、合阳）、吉林、辽宁、内蒙古、天津、河北、山西、山东、河南、宁夏、甘肃、青海、江苏、安徽、浙江、湖北、江西、香港、四川、贵州；蒙古，俄罗斯，朝鲜，韩国。

寄主：玉米，高粱。

（16）沟翅土天牛 *Dorysthenes*（*Prionomimus*）*fossatus*（Pascoe，1857）（图版1:7）

Prionus fossatus Pascoe，1857：90.

Dorysthenes（*Cyrtognathus*）*fossatus*：Lameere，1911：338.

Dorysthenes（*Prionomimus*）*fossatus*：Lameere，1912：176.

鉴别特征：体长28.0～42.0mm。体黄褐、棕褐至黑褐，头、前胸背板、触角基部3节棕红至黑褐，有时前、中足略带黑褐。前胸背板短阔，每侧缘具2个齿，分别位于前端及中部，前齿较宽大，后角突出；两侧中后部微隆起，表面分布细刻点，两侧刻点较粗糙，中区光亮。小盾片中部具少许刻点。鞘翅两侧近于平行，端部稍狭，外端角圆形，缝角明显；表面密布刻点，较前胸背板刻点为粗，每翅有两三条纵脊线，中部纵凹沟明显。前胸腹板突不向上拱突；第 3 跗节的两叶端部较圆。雄虫后胸腹板具黄色绒毛，仅沿中央有 1 个纵形无毛区，腹部末节后缘微凹，着生稀疏细毛。

采集记录：1♀，佛坪，1982（NWAFU，CO025468）；1♂，宁陕老城南门农家乐，814m，2013. Ⅶ. 14，宋志顺、郑强峰采，灯诱（IOZ（E）1896799）；1♂，安康乌溪洞，1981. Ⅵ. 30，陈法祥采；1♀，白河旬阳平利，1980. Ⅴ。

寄主：*Camellia oleifera* Abel，*Quercus* sp.。

分布：陕西（佛坪、宁陕、安康、旬阳、白河、镇坪）、河南、青海、安徽、浙江、湖北、江西、湖南、福建、海南、广西、四川、贵州。

11. 锯天牛属 *Prionus* Geoffroy，1762

Prionus Geoffroy，1762：198. **Type species**：*Cerambyx coriarius* Linnaeus，1758.

Prionus（*Prionellus*）Casey，1924：209. **Type species**：*Prionus pocularis* Dalman，1817.

属征（蒋书楠等，1985）：体中型或小型，头向前伸出，雌虫与雄虫上颚相同，上颚粗短，不向下弯曲；颊较短，成角状向外突出；复眼彼此远离；触角一般呈锯齿状，12 节。前胸背板宽胜于长，两侧具边缘，有锯齿。小盾片舌形。足扁平。

分布：全北区，东洋区。本属分为 3 个亚属，中国仅分布有指名亚属。指名亚属世界已知 39 种/亚种，中国记录 16 种/亚种，秦岭地区发现 4 种/亚种。

分种检索表（参考：冯波，2007）

1. 触角节端突短而宽圆；触角长，雄虫明显超过鞘翅中部 …… **岛锯天牛 *Prionus insularis insularis***
   触角节端突窄而伸长，体延长 …… 2
2. 前足胫节腹面强烈凹陷，表面被沟和粗糙的颗粒；鞘翅表面被深色浓密的刻点，纵脊不明显 …… **库氏锯天牛 *P. kucerai***
   前足胫节腹面不强烈凹陷；鞘翅表面刻点细而且稀疏，纵脊明显 …… 3
3. 前胸背板具细密刻点；小盾片光滑；第 3 跗节端部圆形 …… **叶角锯天牛 *P. laminicornis***
   前胸背板具皱纹；小盾片粗糙；第 3 跗节端部角状 …… **娄氏皱胸锯天牛 *P. delavayi lorenci***

（17）娄氏皱胸锯天牛 *Prionus delavayi lorenci* Drumont *et* Komiya，2006

Prionus delavayi lorenci Drumont *et* Komiya，2006：11，figs. 13-14，carte 3.

鉴别特征：体长 28.2～37.0mm。体黑褐色，背面几乎光裸，头部表面刻点粗糙。

雄虫触角 12 节，略长于体长的 1/2；雌虫触角 11 节，短于体长的 1/2。前胸背板中部光亮，两侧刻点变粗，宽大于长的2.0 倍。鞘翅无光泽，长为宽的1.6~1.7 倍，鞘翅纵脊不十分明显。

采集记录:1♂(副模), Chine, Shaanxi, Lueyang, 2001. Ⅶ. 22, E. Kučera(IRSNB)。

分布:陕西(略阳)、浙江、湖北、江西、福建、广东、四川、贵州、云南、西藏。

(18)岛锯天牛 *Prionus insularis insularis* Motschulsky, 1858(图版 1:8)

Prionus insularis Motschulsky, 1858: 36.

Prionus tetanicus Pascoe, 1867a: 412.

Prionus insularis var. *ichikii* Nishiguchi, 1941: 31.

Prionus insularis tetanicus: Komiya & Drumont, 2004: 10.

Prionus insularis insularis: Ohbayashi, Kurihara & Niisato, 2005: 287.

别名:锯天牛。

鉴别特征:体长 24.0~45.0mm。体扁平，棕栗色到黑褐色，微带金属光泽，跗节一般棕色，头部较宽，向前突出，大颚短而坚，相互交叉，刻点紧密；触角基瘤突出，额前端横凹深沟状，两眼分离，中间刻点粗大，头顶较细，头顶与额前横沟间有一深纵沟。触角向后，12 节，自第 3 至第 9 或第 10 节的外端角突出呈锯齿状，末节长卵圆形；雌虫触角短细，不超过鞘翅之半，雄虫粗扁而长，不超过腹部。前胸扁阔，富金属光泽，宽为长的 2.0 倍，后缘中间稍向后呈弧形，侧缘具二齿，中齿发达，略向后弯曲，二齿基部稍突，后角钝齿状；前胸中域刻点较细，二侧粗密，前后缘有正齐棕色毛。小盾片圆形，刻点细小，有光泽。中胸腹面密被棕色毛。鞘翅基部宽，端部狭，内缘末端明显，具小齿，外缘圆形；翅面有刻点与皱纹，每翅上微隆直纹两三条。足较长，除跗节色较淡外，一般色与体同，胫节内外侧凹槽形，具无数棘状突起，尤以中后足内侧为最。

采集记录: 1♂，洋县长青自然保护区，2016. 1 月通过张巍巍看到照片，标本保存于保护区管理站。

分布:陕西(洋县、勉县、黄陵)、黑龙江、吉林、辽宁、内蒙古、北京、天津、河北、山西、山东、河南、甘肃、新疆、江苏、安徽、浙江、湖北、江西、湖南、福建、台湾、香港、四川、贵州、云南；蒙古，俄罗斯，朝鲜，韩国。

寄主:松，柳杉，冷杉属，云杉属，花柏属，苹果，榆，山毛榉属。

(19)库氏锯天牛 *Prionus kucerai* Drumont *et* Komiya, 2006 (图版 1:9a, 9b)

Prionus kucerai Drumont *et* Komiya, 2006: 22, figs. 3-4, carte 7.

鉴别特征:体长 28.0～32.1mm。体褐色，鞘翅浅褐色，背面几乎光裸。雄虫触角为体长的 0.7 倍，第 3～11 节强烈锯齿状。雌虫触角略短于体长的 1/2，锯齿较微弱。鞘翅末端几乎圆形，端缝角略呈齿状。

模式信息：正模♂，Chine，Shaanxi prov.，Qingling Shan，2001.Ⅵ.（IRSNB，ex coll ZKC）；副模:1♀，Chine，Shaanxi prov.，Qingling Shan，track Hou Zen Zi vill. To Taibai Shan，2500m，1988.Ⅵ.27-29，in mixed forests（ZKC）；1♂，Chine，Shaanxi，Taihang Shan Mts.，2001.Ⅵ（ZKC，但是，应该是山西而不是陕西）。

采集记录:1♀，太白，1980.Ⅷ.09；1♂，陇县杜阳申家山，Ⅷ.09；1♂，勉县，1958.Ⅷ.上旬（NWAFU，ex 陕西省林业研究所）；1♀，佛坪桦木桥，2006.Ⅶ.26，林美英采；1♀，宁陕两河林场，1979.Ⅷ.22，李宽胜黑灯灯诱（NWAFU，ex 陕西省林业研究所）；1♂，南郑，1980.Ⅵ。

分布:陕西（周至、陇县、太白、勉县、佛坪、宁陕、南郑）、山西、河南、宁夏、甘肃。

(20)叶角锯天牛 *Prionus laminicornis* Fairmaire，1897 陕西新纪录（图版 1:10）

Prionus laminicornis Fairmaire，1897a：254.

Prionus heterotarsus Lameere，1915：58.

别名:异跗锯天牛。

鉴别特征:体长 35.6～45.5mm。体黑色，触角端部 5 节、各足跗节和鞘翅端部红褐色。触角 12 节，稍稍超过鞘翅中部，从第 3 节开始端部具有狭长的角状突起；柄节短，不达复眼后缘，第 3 节长，与第 4、5 节之和相等，第 12 节简单（不具角状突起）。前胸短阔，侧齿十分尖锐，中齿稍稍向后弯曲；前胸中央有突起的胼胝斑。鞘翅末端合圆，但端缝角明显。

采集记录:1♀，宁陕火地塘林场，2014.Ⅶ，刘漪舟采；1♀，同上，2015.Ⅶ.18。

分布:陕西（宁陕）、天津、河北、四川。

12. 接眼天牛属 *Priotyrannus* Thomson，1857

Priotyrannus Thomson，1857b：120. **Type species**：*Prionus mordax* White，1853.

属征（冯波，2007）:唇基与额之间有 1 条弯曲的凹沟，雄虫触角与体等长或稍短于体长，雌虫触角仅超过鞘翅中部，从第 3 节开始，内外端角尖锐；前胸短阔，侧缘各具 3 齿，稍弯曲，中齿最长，其余 2 齿相等，前后缘在中部突出；鞘翅阔，端部圆形；前足基节间的前胸腹板突强烈弯曲；后足第1跗节与第2、3节长度之和等长。

分布：东洋区。本属共分为3个亚属，只有 *Chollides* 亚属在中国有分布，秦岭地区发现1种。

12-1. 大眼亚属 *Chollides* Thomson, 1877

Chollides Thomson, 1877: 264. **Type species**: *Chollides closteroides* Thomson, 1877.

Cnethocerus Bates, 1878: 273. **Type species**: *Cnethocerus messi* Bates, 1878 (= *Priotyrannus closteroides* Thomson, 1877).

Prionacus Fairmaire, 1896a: 127. **Type species**: *Prionacus strigicornis* Fairmaire, 1897 (= *Priotyrannus closteroides* Thomson, 1877).

Derechinus Fairmaire, 1902b: 317. **Type species**: *Derechinus delatouchii* Fairmaire, 1902 (= *Priotyrannus closteroides* Thomson, 1877).

Priotyrrannus (*Chollides*): Lameere, 1910: 274.

分布：中国；日本，越南。本亚属共记录2种，其中桔根接眼天牛含2个亚种，1个亚种在秦岭地区有分布。

(21) 桔根接眼天牛 *Priotyrannus* (*Chollides*) *closteroides* (Thomson, 1877)

Chollides closteroides Thomson, 1877: 265.

Cnethocerus messi Bates, 1878: 273.

Prionacus strigicornis Fairmaire, 1896a: 127.

Derechinus delatouchii Fairmaire, 1902b: 317.

Priotyrannus rrabieri Lameere, 1912: 174.

Priotyrrannus (*Chollides*) *closteroides*: Lameere, 1910: 274.

Priotyrannus closteroides testaceus Kano, 1933a: 130.

Priotyrannus (*Chollides*) *closteroides closteroides*: Löbl & Smetana, 2010: 94.

鉴别特征：体长22.0~38.0mm。体宽8.0~14.0mm。体扁宽，雌虫较大，红棕至深褐色，足与腹部赤褐色。头部短阔，向前突出，大颚短而坚固，相互交叉，刻点粗密；下颚须较长；两眼暗色，占头部大部分，在背面几乎结合；触角基瘤稍隆起；额与后头刻点粗大，中央具1条深纵沟。触角11节，雄虫约与体等长，粗大，第1、2节密布刻点与绒毛，第3节比第4节稍长，自第3节至末节有纵脊，内外端角尖锐呈狭锯齿状；雌虫仅超过鞘翅中部，较细小，第1节粗大，自第6节至末节有纵脊纹。

前胸短阔粗糙，中间隆起，两侧略凹，前缘切直，后缘波状，前后缘各有排列整齐的棕色毛，侧缘各具二齿，中齿发达，较长较尖，后角短齿状；中域刻点粗密而深，雌虫微现3个瘤状突起，前二后一，呈三角形排列，尤其以后者最为明显。小盾片末端锐圆形，密被毛体状刻点，色暗。胸部腹面棕色毛较长。鞘翅基部宽，端部狭；雌虫基部刻点与皱纹粗密而深，其余部分细小；雌虫内缘末端具小齿状突起，外缘末端圆形；雄虫翅表密被棕色毛；翅之周缘微向上反。腹部绒毛少，雌虫腹板后缘有1条横浅沟，刻点细小。第1跗节与第2、3节之和等长。

分布：陕西（镇巴、陕南）、辽宁、内蒙古、天津、河南、江苏、安徽、浙江、湖北、江西、湖南、福建、台湾、广东、海南、香港、广西、重庆、四川、贵州、云南；日本，越南。

寄主：柑橘类的根。*Castanea mollissima* Blume，*Citrus* sp.，*Cunninghamia lanceolata* Hooker，*Pinus* sp.。

备注：本种的另1个亚种为分布于台湾的台桔根接眼天牛 *Priotyrannus* (*Chollides*) *closteroides lutauensis* N. Ohbayashi *et* Makihara，1985。

（二）花天牛亚科 Lepturinae

鉴别特征：小至中等大小，体长3.5～35.0mm，前口式或亚前口式，个别有例外（*Desmocerus* 具垂直的下口式头型且口器强烈倾斜）。眼后或者具突出的上颊和缩窄的"颈部"，或者陡然至逐渐向后缩窄。额中沟通常存在，在后头区消失。触角着生处距上颚髁较远，触角窝朝向侧面至侧背面，几乎总是向前宽阔开放。前幕骨陷通常在背面或侧背面，位于上颚髁的后面，偶尔在侧旁。前唇基和上唇通常发达，轻微突出。触角长度从几乎不超过前胸基部（*Piodes* 的雌虫）到体长的1.5倍，通常线状，很少典型锯齿状。上颚不膨阔，具显著的臼板（少数例外，如 *Teledapus*），内缘通常具长毛，末端简单，*Desmocerus* 的上颚末端稍呈凿形。下颚和下唇发达，下颚内颚叶发达，唇舌通常大，膜质，凹形或双叶状，下颚须和下唇须的末节通常平切状。前胸背板不具边缘，至多具瘤突或刺突，*Enoploderes* 的瘤突扁平且具有锐利的边缘。前足基节窝侧边呈角状，向后开放或关闭不严。前胸腹板突中等宽至狭窄（通常），偶有退化。中胸背板通常具完整的内突，发音器（若有）因此被中央纵纹分为两半；少数（一些 Xylosteini）内突不显而发音器不具中央纵纹；*Pseudovadonia* 的发音器被一道不对称的光滑线分开，但内突仅在基部存在。后胸叉骨具叶片，但不能飞行的特殊类群还未被研究，可能会有例外。后翅发达，少数退化。前足基节突出；跗节伪四节，具跗垫，爪间突多样。产卵器中等长至长，轻微骨化，生殖刺突端生，少数微侧生。

分类：世界已知1300余种，中国记录8族92属543余种/亚种，陕西秦岭地区分布4族34属约74种。

分族检索表

1. 前胸腹面在基节窝前方无横沟或凹陷，有时在紧接前缘处有 1 个横沟；头部在眼后不远处突然狭窄或深缢缩 …………………………………………………………………… **花天牛族 Lepturini**
   前胸腹面在基节窝前方具 1 个显著的横沟或凹陷 ……………………………………………… 2
2. 头部在眼后逐渐狭窄但不深缢缩 ……………………………………………… **皮花天牛族 Rhagiini**
   头部在眼后不远处突然狭窄或深缢缩 ……………………………………………………………… 3
3. 体红色；前胸宽大于长，侧刺突较窄长……………………………………… **拉花天牛族 Rhamnusiini**
   体黑色或黑褐色；前胸长大于宽，侧刺突短钝 ……………………………… **特勒天牛族 Teledapini**

Ⅰ. 花天牛族 Lepturini Latreille, 1802

鉴别特征(Jiang & Chen, 2001)：前胸基节之前无横沟或凹陷。前胸背板向前缘下垂，基部较平坦不缢缩，侧缘无瘤突。触角着生于复眼之间不超过复眼前缘，通常细长，比体短，常常稍呈锯齿状。头部在复眼稍后突然狭窄或深缢缩。体一般宽胜于厚，向后显著狭窄。

分类：世界已知 150 属/亚属，中国记录 59 属，陕西秦岭地区分布 21 属。

分属检索表

1. 前胸背板多少呈圆形，后侧角不突出………………………………………………………………… 2
   前胸背板钟形，或宽胜于长，后侧角明显或尖锐突出 …………………………………………… 10
2. 体较浅薄、扁平；鞘翅较短，翅端左右叉开，腹部后端数节露出鞘翅外 ……………………………
   ……………………………………………………………………………… **扁花天牛属 *Nivelliomorpha***
   体不扁平；鞘翅正常………………………………………………………………………………………… 3
3. 前胸背板侧缘中部具瘤突 ……………………………………………………………………………… 4
   前胸背板侧缘圆弧形，不具瘤突……………………………………………………………………… 6
4. 前胸近端部及基部微弱收缩 …………………………………………………………………………… 5
   前胸在中部之前及之后强烈收缩呈腰鼓状，侧缘中部具端钝小瘤突；鞘翅两侧向后直线收狭，端缘凹截，缝角及缘角尖锐突出；后足第 1 跗节等于以下各节之和……… **真花天牛属 *Eustrangalis***
5. 鞘翅末端斜截，缝角有刺突；头稍宽于前胸；触角第 3 节显长于第 4 节 …………………………
   ………………………………………………………………………………… **金古花天牛属 *Kanekoa***
   鞘翅末端钝圆，缝角无刺突；头明显宽于前胸；触角第 3 节稍长于第 4 节 ……………………
   ………………………………………………………………………………… **大头花天牛属 *Katarinia***
6. 触角第 5 节之后外端角突出呈锯齿状，至少雄虫如此……………… **斑花天牛属 *Stictoleptura***
   触角不呈锯齿状 ……………………………………………………………………………………………… 7

7. 触角节具或多或少的黑色丛毛 ························ **毛角花天牛属 *Corennys***
触角节不具丛毛 ························ 8
8. 后足第 1 跗节长等于第 2、3 节之和；鞘翅基部在小盾片两侧各具 1 条隆起斜钝脊，隆脊后深陷；前胸背板无中央纵沟 ························ **突肩花天牛属 *Anoploderomorpha***
后足第 1 跗节长于第 2、3 节之和；鞘翅基部在小盾片两侧不具脊 ························ 9
9. 后足腿节长，达到或超过腹部末端；前胸背板长稍胜于宽，前、后缘几不狭窄，近圆柱形；鞘翅较短，腹部末节露出鞘翅外 ························ **伪花天牛属 *Anastrangalia***
后足腿节短，不伸达腹部末端；前胸背板长显胜于宽，在前缘后缢缩；腹部末节仅部分外露 ························ **拟矩胸花天牛属 *Pseudalosterna***
10. 体小至大型，体宽显胜于厚；颊短 ························ 11
体瘦长，体宽不胜于厚；颊较长 ························ 14
11. 前胸中区具瘤突，侧缘中部之前具一显著瘤突；鞘翅末端深凹截，缝角和缘角均尖锐突出；体近长方形，头、胸短小，鞘翅宽大；足较短，后足腿节不达翅端，第 1 跗节长于 2、3 节之和 ························ **刺尾花天牛属 *Acanthoptura***
前胸中区不具瘤突；鞘翅末端非深凹截 ························ 12
12. 鞘翅末端平截、斜截或凹截，缘角尖突；后颊后强烈缢缩成颈；前胸背板前、后端均有横沟，背板侧缘中部多膨大 ························ **花天牛属 *Leptura***
鞘翅末端狭圆或两翅相合呈圆弧形 ························ 13
13. 前胸背板长大于宽，后侧角较短，后端稍宽于前端；前端不缢缩；鞘翅完全盖住腹部 ························ **直花天牛属 *Grammoptera***
前胸背板宽大于长，后侧角较长而尖突，后端显著宽于前端；前端极度缢缩；鞘翅不完全盖住腹部，末节背板部分外露 ························ **方花天牛属 *Paranaspia***
14. 鞘翅肩部与前胸基部密接，前胸背板后侧角尖长，覆及鞘翅肩角；体瘦长，明显向后逐渐收狭；体背至后胸腹板的厚度大于鞘翅肩部的宽度；腹部瘦长，末节常露出鞘翅外 ························ **瘦花天牛属 *Strangalia***
鞘翅肩部与前胸基部不密接，前胸背板后侧角不伸达鞘翅肩角 ························ 15
15. 鞘翅侧缘向后至端部 1/3 强烈收狭，然后稍扩宽，后端分开，端缘平截或斜截；腹部末 3 节露出鞘翅末端之外 ························ **小花天牛属 *Nanostrangalia***
鞘翅侧缘较直或均匀向后狭窄 ························ 16
16. 前胸背板侧缘自后端向前端均匀狭窄，前端不强烈缢缩 ························ 17
前胸背板侧缘弧圆，一般中部最宽，前端强烈缢缩 ························ 18
17. 后足第 1 跗节与以下各节之和等长；鞘翅侧缘直线向后收狭，端缘较宽，平截，缘角钝；后足腿节长，伸达或超过鞘翅末端 ························ **宽尾花天牛属 *Strangalomorpha***
后足第 1 跗节显长于以下各节之和；鞘翅侧缘均匀向后狭窄，端缘斜截，缘角锥状突出；后足腿节短，远不达到鞘翅末端 ························ **细花天牛属 *Leptostrangalia***
18. 鞘翅基部小盾片两侧平坦或略隆起 ························ 19
鞘翅基部小盾片两侧纵隆突明显 ························ 20
19. 前胸侧结明显；鞘翅两侧几乎平行，中部微缩；每翅末端外侧圆形，内侧半部斜切 ························ **厚畛花天牛属 *Houzhenzia***

前胸不具侧结；鞘翅向后直线收狭；端缘平截或稍斜截……………**异花天牛属 *Parastrangalis***

20. 前胸背板后缘无横沟 ……………………………………………**日瘦花天牛属 *Japanostrangalia***

前胸背板后缘有横沟 ………………………………………………**类花天牛属 *Metastrangalis***

13. 刺尾花天牛属 *Acanthoptura* Fairmaire, 1894 陕西新纪录属

Acanthoptura Fairmaire, 1894a: 224. **Type species**: *Acanthoptura spinipennis Fairmaire*, 1894.

Leptura (*Acanthoptura*): Gressitt, 1951: 96.

属征(蒋书楠、陈力, 2001):体型近方形, 头、胸短小, 鞘翅较平宽, 侧缘较直, 雌虫显著较雄虫宽大; 头宽小于前胸, 雌虫更明显; 触角不达鞘翅末端, 雌虫更短, 第4节短于第3节或第5节。前胸背板宽胜于长, 领片短而明显, 前横沟后两侧显著突出, 雌虫更明显, 后横沟宽深, 后缘波状, 后侧角尖突平伸, 背板表面不平, 中沟宽, 两旁各1圆形隆起, 中心凹陷, 雄虫更显著。小盾片三角形。鞘翅肩宽明显大于前胸中部宽, 雌虫更宽, 端缘凹截, 缘角尖突, 缝角尖突较短。足较短; 后足腿节不达翅端, 第1跗节长于以下2节之和, 稍短于其余各节之和。

分布:中国。本属共记录6种, 均为中国特有种, 秦岭地区发现1种。

(22) 刺尾花天牛属 *Acanthoptura* cf. *spinipennis* (图版2:1)

鉴别特征:体黑色, 鞘翅黄褐色, 或较深暗, 被金黄色细短毛, 表面有近圆形黑斑点3横排, 第1排在鞘翅基半部中央2个斑, 第2排在鞘翅中部2个斑, 第3排在端半部中央2个斑, 各排最外侧的斑均靠近翅缘, 翅端黑色。触角不达鞘翅中部, 鞘翅宽, 翅端凹截, 外端角尖锐, 缝角较短。

采集记录:1♀, 勉县, 1959. V.07(NWAFU)。

分布:陕西(勉县)。

寄主:华山松。

备注:本号标本有一个蒋书楠在1975年写的鉴定签, 鉴定为 *Leptura* (*Acanthoptura*) *spinipennis* (Fairmaire), 但与产自西藏的模式标本有较大的不同, 同时它跟四川的丝光刺尾花天牛 *Acanthoptura sericeicollis* Holzschuh, 1993 和齿胸刺尾花天牛 *Acanthoptura denticollis* Holzschuh, 1993 很相似。作者对这个属没有深入研究, 无法掌握前胸各个细节的变异情况和鞘翅黑色斑纹的变异情况, 暂时只能鉴定到属。

14. 伪花天牛属 *Anastrangalia* Casey, 1924

Strangalia (*Anastrangalia*) Casey, 1924: 280. **Type species**: *Leptura sanguinea* LeConte, 1859.

Marthaleptura K. Ohbayashi, 1963a: 9. **Type species**: *Leptura scotodes* Bates, 1873.

属征(Jiang & Chen, 2001):体中小型，头短，触角不超过腹端，6～10节稍粗短，内端角稍突出；后颊稍扩张。前胸背板前端狭小，长胜于宽，无侧瘤突，后侧角不突出。鞘翅较短，腹部末节露出鞘翅外。足细长，后足腿节长达或超过腹端，第1跗节长超过第2、3节长度之和。

分布:亚洲，欧洲，北美洲，南美洲。世界已知18种/亚种，中国记录8种/亚种，秦岭地区分布2种/亚种。

(23) 东亚伪花天牛 *Anastrangalia dissimilis dissimilis* (Fairmaire, 1899)(图版2:2a, 2b)

Leptura dissimilis Fairmaire, 1899: 639.

Anoplodera (s. str.) *dissimilis dissimilis*: Gressitt, 1951: 87.

Aredolpona dissimilis f. *taiwana* Hayashi, 1961: 39 [infrasubspecies].

Marthaleptura dissimilis: K. Ohbayashi, 1963a: 9.

Anastrangalia dissimili: Hayasshi & Villiers, 1985: 7.

鉴别特征:体长9.4～11.5mm。体中小型，雄虫全体黑色；雌虫前胸背板背面暗红色，前后缘及侧缘下方黑色，鞘翅暗红色(雌虫)。鞘翅末端平切。

采集记录:1♀，周至老县城，1670～1760m，2008.Ⅵ.27，刘万岗采；1♂，周至厚畛子，1271m，2007.Ⅴ.26，崔俊芝采；1♀，太白黄柏塬乡原始森林，1619m，2012.Ⅵ.19，李莎采(Ceram-123)；1♀，佛坪长角坝乡上沙窝村，1215m，2007.Ⅴ.29，林美英采；1♀，宁陕火地塘平河梁，海拔2016～2448m，2007.Ⅵ.01，林美英采。

分布:陕西(周至、太白、佛坪、宁陕)、北京、青海、湖南、福建、台湾、四川、云南；日本。

备注:本种的另1个亚种为分布于台湾的黑线东亚伪花天牛 *Anastrangalia dissimilis niitakana* (Kano, 1933)。

(24) 大陆暗伪花天牛 *Anastrangalia scotodes continentalis* (Plavilstshikov, 1936)(图版2:3)

Leptura (s. str.) *scotodes continentalis* Plavilstshikov, 1936: 371.

Anastrangalia scotodes continentalis: Hua, 2002: 193.

鉴别特征:体长 7.0 ~ 11.5mm。体型狭长，两侧平行，向后稍狭；红色型身体黑色，前胸背板和鞘翅均红色，仅前胸前、后缘黑色；黑色型雄虫全体黑色，雌虫前胸前、后端红色或翅基肩部红色，触角 1 ~ 6 节或呈赭色。鞘翅末端斜切。

采集记录:1♂，宁陕旬阳坝，1981. Ⅷ. 1(NWAFU，CO028311，蒋书楠采 1995 年 1 月份鉴定为 *Anastrangalia scotodes*)。

分布:陕西(宁陕)、东北、宁夏、四川；俄罗斯，朝鲜，韩国。

15. 突肩花天牛属 *Anoploderomorpha* Pic, 1901

Leptura (*Anoploderomorpha*) Pic, 1901a: 59. **Type species**: *Leptura excavata* Bates, 1884.

Anoploderomorpha: Gressitt, 1939a: 90.

属征:体型较小，前胸背板无中纵沟，侧缘角圆钝，不突出，刻点较稀、细；小盾片端半部倾斜；鞘翅基部在小盾片两侧各 1 条隆起斜钝脊，在小盾片端部后会合的角度较钝，翅端缘平截。

分布:亚洲，北美洲。世界已知 16 种，中国记录 10 种，秦岭地区发现 1 种。

(25) 炭黑突肩花天牛 *Anoploderomorpha carbonaria* Holzschuh, 1993(雌虫首次报道)(图版 2:4a,4b)

Anoploderomorpha carbonaria Holzschuh, 1993: 13, fig. 12.

别名:陕突肩花天牛。

鉴别特征:体长 10.7 ~ 12.4mm。体色和体毛均深黑色，体背包括头部、前胸背板和鞘翅基部均暗色，腹面淡色。头部一个基本的特征是几乎完全缺乏后颊，头相对较狭；触角超过鞘翅末端。鞘翅长为肩宽的 2.2 倍。

雌虫与雄虫相似，但触角较短，至多伸达鞘翅 3/4 左右(雄虫略超过翅端)，腹部末节部分外露。

采集记录:1♂(正模), Shaanxi Prov., 120 km SW Xi'an, Foping env., 1992. Ⅵ. 7, M. Bok (CCH, examined through a picture taken by Luboš Dembický)；1♀，周至厚畛子，2008. Ⅴ. 13，杨晓东采(CCCC，B08Y0048，常绿落叶阔叶混交林，手捕)；1♀，洋县华阳镇白草坪，2014. Ⅵ. 02-07，张巍巍采(Ceram-84)。

分布:陕西(周至、佛坪、洋县)。

16. 毛角花天牛属 *Corennys* Bates, 1884

Corennys Bates, 1884: 224. **Type species**: *Corennys sericata* Bates, 1884.

Corennys (*Pseudocorennys*) Pic, 1953b: 41. **Type species**: *Pyrocalymma diversicornis* Pic, 1946 (= *Pyrocalymma conspicua* Gahan, 1906).

属征(Jiang & Chen, 2001):体型较扁,头部后颊明显扩张,在后颊后强烈缢缩成细颈,复眼中等大,内侧凹缘,触角肥厚,柄节稍弯,向端部粗壮,雄虫第1~5节、雌虫第1~8节均着生黑丛毛,第3~6节肥短呈倒圆锥形;前胸背板长胜于宽,背面隆突,有中沟,后侧角稍突出;鞘翅狭长,翅表具4条纵脊,前半部两侧平行,向后渐宽,翅端相合成圆形。足腿节向端部1/3渐粗,后足第1跗节长等于第2、3节长度之和。

分布:东洋区。世界已知10种,中国记录8种,秦岭地区分布1种。

(26)湖北毛角花天牛 *Corennys caduca* Holzschuh, 1998(图版2:5)

Corennys caduca Holzschuh, 1998: 28, fig. 36.

鉴别特征:体长12.0~13.7mm。体黑色。头部背方及前胸背板被暗红色丝光粗短毛,前胸背板上的毛平覆,从中沟向两侧横生,鞘翅密被暗红色短毛,在隆脊上最深。触角粗短,仅达鞘翅中部,第1~8节宽扁密生黑丛毛,但第6~8节的黑丛毛不发达。前胸领状部不显著,前、后端横沟浅,背中线沟由于粗毛向两侧横生而很明显。小盾片小,三角形,被暗红色毛。鞘翅狭长,向后端1/4处稍平宽,表面具4条纵脊,伸至翅端前方消失,翅端缝角明显,缘角宽圆。

跟鲜红毛角花天牛非常相似,且以前被鉴定为后者。区别在于,本种的触角毛不那么发达,第7和8节仅部分有簇毛,颜色更深,没有橘红的趋势,鞘翅中部之后基本上不膨阔。

采集记录:1♀,周至厚畛子老县城,1670~1760m,2008. Ⅵ. 27,刘万岗采;1♀,留坝庙台子,1976. Ⅵ. 29,马文珍采;1♀,宁陕火地塘平河梁,2124m,2015. Ⅶ. 09,刘漪舟采。

分布:陕西(周至、留坝、宁陕)、湖北。

17. 真花天牛属 *Eustrangalis* Bates, 1884

Eustrangalis Bates, 1884: 221. **Type species**: *Eustrangalis distenioides* Bates, 1884.

属征(Jiang & Chen, 2001):体狭长，触角细长，端部数节无凹陷，头小，颈细，后颊不发达，头在复眼后强烈收狭；前胸背板前、后端均有深横沟，背面隆突，后侧角圆，无尖突；鞘翅肩角发达，内侧凹陷，两侧向后直线收狭，端缘凹截，缘角尖突，很长，缝角呈小刺突；足细，后足第1跗节长等于以下各节之和。

分布:中国；俄罗斯，日本，越南，老挝。世界已知6种，中国记录3种，秦岭地区分布2种。

分种检索表

体黄褐色；鞘翅黄褐色，肩角具1三角形黑斑，中缝基部具短的黑色条纹 ………………………………………………………………………… **黑条真花天牛 *Eustrangalis latericollis***

体红褐色；鞘翅墨绿色 ………………………………………… **灰绿真花天牛 *E. aeneipennis***

(27)灰绿真花天牛 *Eustrangalis aeneipennis* (Fairmaire, 1889)(图版2:6)

Stenura aeneipennis Fairmaire, 1889b: 63.

Eustrangalis notaticollis Pic, 1927a: 8.

Eustrangalis aeneipennis: Gressitt, 1951: 119.

鉴别特征:体长13.0~15.0mm。体红褐色。后头黑色，中央具一条红褐色纵纹，触角红褐色。前胸红褐色，背面具2个黑色纵斑(不达前后缘)，但有时缺失。小盾片黄褐色；鞘翅绿色，被灰绿色绒毛。足总体红褐色，跗节的第5节黑褐色。复眼突出，两触角互相靠近，触角略长于体长。前胸背板钟形，后端中央略突出。小盾片很小，鞘翅肩角圆钝，基部宽，向后逐渐变窄，末端斜凹切。

采集记录:1♂，周至厚畛子，1270m，2007. Ⅴ.25，林美英采；1♂，周至厚畛子，1745m，2007. Ⅴ.26，林美英采；1♂，周至厚畛子3km，2008. Ⅴ.13，杨晓东采(CCCC, IOZ(E)1858316)；1♂，周至楼观台，19头(NWAFU, CO025787, ex 西北农学院)；2♀，宁陕火地塘，1960. Ⅵ.02；3♀，宁陕火地塘，1960. Ⅶ.02；1♀，宁陕火地塘，1970. Ⅴ.02；3♂3♀，宁陕火地塘(NWAFU)。

分布:陕西(周至、宁陕)、湖北、四川、云南；越南。

备注:陕西、湖北和四川的灰绿真花天牛被鉴定为绿翅真花天牛 *Eustrangalis viridipennis* Gressitt, 1935(Jiang & Chen, 2001)，后者分布于台湾。

（28）黑条真花天牛 *Eustrangalis latericollis* Wang *et* Chiang，1994（图版 2：7a，7b）

Eustrangalis latericollis Wang *et* Chiang，1994：193，fig. 2.

鉴别特征：体长 17.5mm 左右。体瘦长，黄褐色。复眼黑色，头在复眼之后两侧及前胸背板两侧具黑色条纹。小盾片同体色。鞘翅黄褐色，具黑色斑纹；肩角具 1 三角形黑斑，中缝基部具短的黑色条纹。触角及足黄褐色，触角端部、胫节末端及跗节颜色稍深。触角伸达鞘翅中部之后。鞘翅自基部向后逐渐狭窄，侧缘直，末端深凹缘，缝角及缘角尖锐，缘角更长；两鞘翅在端部分开。

采集记录：1♀（正模），镇巴，1981. Ⅳ. 19（SWU，图片检视）；1♂，周至厚畛子，2008. Ⅴ. 15，黄灏采（CCCC）。

分布：陕西（周至、镇巴）、湖北。

18. 直花天牛属 *Grammoptera* Dejean，1835

Grammoptera Dejean，1835：356. **Type species**：*Leptura praeusta* Fabricius，1787（= *Leptura ustulata* Schaller，1783）.

鉴别特征（Jiang & Chen，2001）：头短，向基端多少明显收缩，颊短，复眼突出，仅微凹，下颚须细，但末端明显肥大；触角很细，末端肥厚，柄节短于第 3 节，第 5 节长，其余各节约等长。前胸背板长稍胜于宽，背面隆突，后侧角尖，伸达鞘翅肩部凹陷处，前后端均无缢缩，端缘稍延展，中胸腹板稍扩大，前足基节窝后端仅开裂一狭缝。足细，腿节均匀棒状，跗节很细，后足第 1 跗节长等于其后 3 节之和，第 3 节开裂至中部，瓣细狭，稍尖。

分布：亚洲，欧洲，非洲，北美洲。本属分为 2 个亚属，在中国均有分布，秦岭地区仅记录 1 亚属 2 种。

18-1. 拟筒花天牛亚属 *Neoencyclops* Matsushita *et* Tamanuki，1940

Neoencycrops Matsushita *et* Tamanuki，1940：3. **Type species**：*Grammoptera cyanea* Tamanuki，1933 [misspelling].

Grammoptera（*Neoencyclops*）：Danilevsky，1993a：475.

分布：中国；俄罗斯，朝鲜，韩国。世界已知 7 种，中国记录 6 种，秦岭地区分布

2 种。

分种检索表

鞘翅金绿色 …………………………………………… **柔直花天牛 *Grammoptera*（*Neoencyclops*）*lenis***
鞘翅金蓝紫色 ……………………………………………………………… **陕直花天牛 *G.*（*N.*）*paucula***

(29) 柔直花天牛 *Grammoptera*（*Neoencyclops*）*lenis*（Holzschuh, 1999）(图版 2:8)

Neoencyclops lenis Holzschuh, 1999: 10, fig. 9.
Grammoptera（*Neoencyclops*）*lenis*: Löbl & Smetana, 2010: 101.

别名:柔拟筒花天牛。

鉴别特征:体长 5.9mm。体黑色，鞘翅金绿色。雄虫触角伸达翅端 1/5 处；鞘翅末端圆。

采集记录:1♂（正模），CHINA（S-Shaanxi）: Qinling mts., S slope, Xunyangba, S + W env.（33°28-37′N, 108°23-33′E）, 1400～2100m, 1995. Ⅵ. 05-09, leg. L. & R. Businský（CCH）。

分布:陕西（宁陕）。

(30) 陕直花天牛 *Grammoptera*（*Neoencyclops*）*paucula*（Holzschuh, 1999）(图版 2:9)

Neoencyclops paucula Holzschuh, 1999: 10, fig. 8.
Grammoptera（*Neoencyclops*）*paucula*: Löbl & Smetana, 2010: 101.

别名:陕拟筒花天牛。

鉴别特征:体长 4.6mm。体黑色，鞘翅金蓝紫色。雌虫触角伸达翅端 1/3 处；鞘翅末端圆。

采集记录: 1♀（正模, CCH）, CHINA（S-Shaanxi）: Qinling Mts., S slope, Xunyangba, S + W env.（33°28-37′N, 108°23-33′E）, 1400～2100m, 1995. Ⅵ. 05-09 leg. L. & R. Businský（CCH）。

分布:陕西（宁陕）。

19. 厚眕花天牛属 *Houzhenzia* N. Ohbayashi *et* Lin, 2012

Houzhenzia N. Ohbayashi *et* Lin, 2012: 17. **Type species**: *Houzhenzia cheni* N. Ohbayashi *et*

Lin, 2012.

属征:体中等大，狭长形。头前倾，向前延长，在眼后显著突然收缩；下颚须末节斜切；复眼大，小眼面细，显著凸出，上方浅凹。触角短，雄虫触角伸达鞘翅末端1/4处，第5节最长，第6~10节各节末端多少加宽，末节看似分成两节。前胸钟形，侧结明显。鞘翅两侧几乎平行，中部微缩；每翅末端外侧圆形，内侧半部斜切。前足基节窝向后开放，前胸腹板突非常狭，末端微膨大。中胸腹板突末端盖住后胸腹板突前端。足相当细长；后足胫节末端膨大，短于后足跗节。前足基节圆锥形，中足基节椭圆形；后足基节内半部形成四方形突起。中胸发音器不对称。

分布:中国(陕西)。秦岭地区特有种。

(31)厚畛花天牛 *Houzhenzia cheni* N. Ohbayashi *et* Lin, 2012(图版3:1)

Houzhenzia cheni N. Ohbayashi *et* Lin, 2012: 18, figs. 4, 8-10.

鉴别特征:体长17.7~18.3mm，体宽3.6~3.8mm。体黑色，下颚须褐色，鞘翅深红色。头跟前胸差不多等长，复眼处窄于前胸基部。头顶深凹，后头密被浅细刻点，间杂少许较大的刚毛着生凹坑；下颊略短于复眼半径，被金黄色绒毛；复眼发达，周边镶金黄色绒毛。触角中等长，伸达鞘翅末端1/4处，基部4节被半倒伏短黑毛，其余被细短绒毛。

雌虫未知。

采集记录:1♂(正模)，周至厚畛子3km，1336m，2008.Ⅶ.01，杨晓东采(IZAS，IOZ(E)1858317)；副模:1♂，周至厚畛子，2008.Ⅴ.15，黄灏采(EUMJ，IOZ(E)1906197)；1♂同上(CCCC)。

分布:陕西(周至)。

20. 日瘦花天牛属 *Japanostrangalia* Nakane *et* K. Ohbayashi, 1957 陕西新纪录属

Japanostrangalia Nakane *et* K. Ohbayashi, 1957: 50, A 244. **Type species**: *Leptura dentatipennis* Pic, 1901.

属征:头狭小，复眼近圆形突出，雄虫触角超过翅端，雌虫的超过鞘翅中部，触角柄节短于第3节，略等于第4节，第3节与第5节等长；头顶较平坦，无光泽，刻点较粗；后头后部圆隆光滑。前胸背板前端横沟细深，边缘成卷边，背面隆凸，无中纵沟，密布细皱刻点，两侧中部后稍膨大，后缘无横沟，后侧角稍尖突。小盾片呈狭

长的三角形，端钝。鞘翅密布较粗刻点，翅面有光泽，两侧向后渐狭，翅端浅凹截，缘角较尖突，缝角刺短小，翅基小盾片两侧和肩后的纵隆突宽厚明显，隆脊光滑。雄虫后胸腹板后足基节前方中沟两旁有1对小齿突，相距较近，与中足基节距离大于与后足基节的距离。足细，后足腿节不超过翅端，第1跗节与以后各节之和等长。与华花天牛属的主要区别在于前胸背板的形状不一样。

分布：中国；日本。世界已知3种，中国分布2种，秦岭地区发现1种。

(32)半环日瘦花天牛 *Japanostrangalia basiplicata* (Fairmaire, 1889) 陕西新纪录 (图版3:2)

Stenura basiplicata Fairmaire, 1889b: 60.

Strangalia argodi Théry, 1896: 109.

Strangalia (*Parastrangalis*) *basiplicata*: Aurivillius, 1912: 241.

Strangalia (*Parastrangalis*) *elegans* Tippmann, 1955: 94, fig. 4.

Sinostrangalis basiplicatus: Hayashi & Villiers, 1985: 9.

Sinostrangalis elegans: Hayashi & Villiers, 1985: 9.

Japanostrangalia basiplicata: Chou & N. Ohbayashi, 2007: 237, figs. 66-67.

别名：半环华花天牛。

鉴别特征：雄虫体长9.5～14.0mm。体瘦长，大部黑色；头部触角第8节端部和第9、10节乳白色，其余各节黑色；前胸、小盾片，中胸腹板、后胸前侧片均黑色；鞘翅黑色，在翅基短纵隆起上有2条橙黄色短纵条，内侧1条从小盾片基部外侧，斜向小盾片尖端后的中缝附近，端部较尖狭，外侧1条在肩隆起上，较内侧纵条短而直；在鞘翅中部有1个缺口向外的半环形橙黄纹，外端达侧缘，内侧不达中缝，左右翅相合似"X"形；有时鞘翅大部分橙黄色(仅中部1对黑斑,端部1/3为黑色)；后胸腹板厚被金色绒毛，腹节及足黄褐色。

采集记录：1♂，周至楼观台，1962.Ⅷ(NWAFU，CO025830)；1♂，太白，1990.Ⅶ(NWAFU，CO025824)；1♂，太白，1982.Ⅶ.15(NWAFU，CO025823)；1♂，武功，1993.Ⅶ(NWAFU，CO026990)；1♂，武功，采集时间不详，周尧采(NWAFU，CO025829)；1♂，留坝红崖沟，1500～1650m，1998.Ⅶ.22，袁德成采；1♀，留坝庙台子，1350m，1998.Ⅶ.22，廉振民采；1♂，留坝庙台子，1976.Ⅶ.02，马文珍采；1♂，留坝，1992.VII.19，张捷采(NWAFU，CO026991)。

分布：陕西(周至、太白、武功、留坝)、浙江、湖北、江西、湖南、福建、广东、四川、贵州。

21. 金古花天牛属 *Kanekoa* Matsushita *et* Tamanuki, 1942

Leptura (*Kanekoa*) Matsushita *et* Tamanuki, 1942: 79. **Type species**: *Leptura* (*Kanekoa*) *azumensis* Matsushita *et* Tamanuki, 1942.

Acmaeopidonia Tippmann, 1955: 91. **Type species**: *Acmaeopidonia aerifera* Tippmann, 1955.

Kanekoa: Nakane & K. Ohbayashi, 1959: A63.

属征(Jiang & Chen, 2001):小型，头稍宽于前胸，复眼大；触角细，雄虫达翅端或略短，雌虫的较短，第4节显短于第3节。前胸背板隆起较弱。鞘翅雄虫向后渐狭，雌虫侧缘较平行，基部不隆起，刻点细密，端缘斜截，缝角有刺突。足细，后足腿节棒状。雄虫阳基侧突外侧缘半圆形扩展，密生长缨毛，基部强烈收狭呈柄状，然后左右愈合。

分布:中国；韩国，日本。世界已知录5种，中国记录4种，秦岭地区发现1种。

(33)毛金古花天牛 *Kanekoa piligera* Holzschuh, 2003 (图版3:3)

Kanekoa piligera Holzschuh, 2003: 162, fig. 13.

鉴别特征:体长10.6~11.6mm。体黑色，鞘翅金蓝色。雄虫触角几乎达到翅端，雌虫触角达鞘翅中部；鞘翅末端平切。

采集记录:1♀(正模), Shaanxi, Qinling Shan, 12km SW of Xunyangba, 1900~2250m, 2000. Ⅵ. 14-18(CCH)。

分布:陕西(宁陕)、四川。

22. 大头花天牛属 *Katarinia* Holzschuh, 1991

Katarinia Holzschuh, 1991: 18. **Type species**: *Katarinia cephalota* Holzschuh, 1991.

属征(Jiang & Chen, 2001):头很大，明显宽于前胸，头前部短，颊短于复眼，复眼深凹缺，后颊大而隆突，触角向端部尖细，与身体等长，基部4节短，第2节长胜于宽，第3节短于第1节，稍长于第4节。前胸背板显著较头部和鞘翅狭小，在中部最宽处胜于背板之长，端部较基部稍狭，基部后侧角钝，不达肩角，背面前缘后和基缘前均有明显横沟，前后缘之间表面不平，有小瘤突，后缘中部向后扩宽，小盾片宽，钝三角形。鞘翅显著宽于前胸背板，背中区向后很平坦，翅端缘角宽圆。足较瘦，腿节较粗，前足和中足跗节稍宽，后足第 1 跗节与以下 2 节之和几乎等长。

本属与短头花大牛属 *Dokhtouroffia* 相近，但后者体型较狭，前胸背板较长，后侧角较尖，触角第 2 节较短，鞘翅背面较隆突，后足第 1 跗节较长。

分布:中国。目前已知 5 种，均为中国特有，秦岭地区发现 1 种。

(34)穆尔大头花天牛 *Katarinia murzini* Mirosnikov, 2015(图版 3:4)

Katarinia murzini Mirosnikov, 2015: 287, figs. 5, 7.

鉴别特征:体长 10.7mm。头、触角柄节、前胸、小盾片、腹面(除了腹板，腹板黄褐色)和足黑色。触角第 2～5 节黑褐色，基部红褐色，其余各节黑褐色到褐色，基部红褐色。鞘翅黄色具有黑色或黑褐色斑纹:基部 1/3 有稍微倾斜的黑斑，接近但不到达鞘缝；中部黑斑椭圆形，离鞘缝更远；端部黑斑前缘波浪状。

采集记录:1♂(正模), Shaanxi Prov., Zhouzhi env., Taibai Shan nat. park, 1350m, 1999. Ⅴ.30, S. Murzin 采(CSM)。

分布:陕西(周至)。

23. 细花天牛属 *Leptostrangalia* Nakane *et* K. Ohbayashi, 1959

Leptostrangalia Nakane *et* K. Ohbayashi, 1959: A64. **Type species**: *Strangalia hosohana* K. Ohbayashi, 1952.

属征(Jiang & Chen, 2001):体小型，瘦长；头前部中度延伸，复眼大，纵径为其下颊长的 2.0～3.0 倍；触角末端肥大，雄虫稍超过翅端，雌虫的较短，触角节无穴状陷。前胸背板长胜于或约等于基缘宽，后侧角不盖没鞘翅肩角。中胸发音器无中沟。小盾片三角形。鞘翅长为肩宽的 2.5～3.0 倍，向后均匀狭窄，后端分开，端缘斜截，缘角锥状突出。雄虫腹部圆筒形，两侧平行，第 5 节背板完全露出鞘翅末端之外，雌虫腹部正常，第 1、2 节两侧平行。足瘦，雄虫后足跗节腹面有沟，雌虫中足和后足跗节腹面均有细沟。

分布:中国；日本，越南，菲律宾，马来西亚。世界已知 9 种，中国记录 2 种，秦岭地区分布 1 种。

(35)陕西细花天牛 *Leptostrangalia shaanxiana* Holzschuh, 1992(图版 3:5)

Leptostrangalia shaanxiana Holzschuh, 1992: 10, fig. 7.

鉴别特征:雌虫体长 10.0mm。体黑色；足的转节、中、后足腿节基半部，前足腿节、胫节内侧和跗节淡褐色；腹部 1～3 腹板两侧和第 1 腹板中央淡褐色；触角 3～5 节下侧淡褐色，第 8 节端部 2/3 和第 9 节全部黄白色（第 10、11 节端部未知）；鞘翅淡黄褐色，斑纹黑色，基部 1/4 中央各有 1 个斜纵条，中缝黑色，翅缘镶细黑边，端缘黑边较宽，从肩后沿侧缘纵列 3 个长形黑斑，第 2、3 斑宽大。体被淡色细毛，前胸背板和腹面毛较浓密，鞘翅毛被稀薄。

采集记录:1♀（正模），Shaanxi，100km E of Xi'an，Hua Shan peak env.，1991. Ⅵ. 17-22（CCH）。

分布:陕西（华阴）。

24. 花天牛属 *Leptura* Linnaeus，1758

Leptura Linnaeus，1758：397. **Type species**：*Leptura quadrifasciata* Linnaeus，1758.

属征（Jiang & Chen，2001）:体型较宽厚，头较短，斜伸，复眼小眼面细粒，内侧凹陷，后颊较短，其后强烈缢缩；前胸背板钟形，前端狭小，后缘波形，后侧角尖突，覆及肩部；鞘翅肩部较宽，向后渐窄，侧缘直，端缘凹截或斜截，缘角尖突；前胸腹板突向后渐宽。后足跗节无毛垫，第 3 跗节浅裂。

分布:古北区，东洋区，北美洲。本属分 5 个亚属，指名亚属世界已知 68 种/亚种，中国记录 35 种/亚种，秦岭地区发现 7 种。尚有 1 种未鉴定出来，可能是新种，本文不包括。

分种检索表

1. 触角至少末端数节红褐色 ………………………………………………………… 2
   触角全黑色 ………………………………………………………………………… 3
2. 鞘翅基部第 1 条黄色斑纹很弯曲，呈拱门形 ………………… **曲纹花天牛 *Leptura annularis***
   鞘翅基部第 1 条黄色斑纹不弯曲呈拱门形，而是斜卵形 ………… **金丝花天牛 *L. aurosericans***
3. 鞘翅全黑色或仅末端有 1 个黄色小斑 ………………………………………… 4
   每鞘翅具有 4 个或 6 个黄色斑纹 ……………………………………………… 5
4. 鞘翅全黑色 ……………………………………………………… **橡黑花天牛 *L. aethiops***
   鞘翅末端具有 1 个黄色小斑 ……………………………………………… **花天牛 *L.* sp.**
5. 鞘翅黄色斑纹为小斑块状，多数不接触鞘缝；每鞘翅具有 6 个小黄斑 ………………………………………………………… **十二斑花天牛 *L. duodecimguttata***
   鞘翅黄色斑纹为横带状，多数接触鞘缝；每鞘翅具有 4 个黄斑 ………………… 6
6. 鞘翅黄色斑纹为宽横带状，宽度不小于长度的 1/2 ……………………………… **花天牛 *L. quadrifasciata* / 黑纹花天牛 *L. grahamiana***

鞘翅黄色斑纹为细横带状，宽度小于长度的1/2，中间两道甚至小于长度的1/4 ………………………………………………………………………………… 阶梯花天牛 ***L. gradatula***

(36)橡黑花天牛 *Leptura aethiops* Poda，1761 陕西新纪录(图版3:6)

Leptura aethiops Poda, 1761: 38.

Prionus ater Scopoli, 1772: 100.

Leptura melanaria Herbst, 1784:101.

Leptura unicolor Olivier, 1797: 518.

Stenura aterrima Motschulsky, 1860: 147, pl. IX, fig. 24.

Strangalia adustipennis Solsky, 1871: 404.

Leptura aethiops var. *Letzneri* Gabriel, 1895: 437.

Leptura (*Strangalia*) aethiops: Marquet, 1899: 204.

Leptura aethiops v. *Beckeri* Pic, 1911a: 4. TL: Europe.

Leptura (*Strangalia*) *aethiops* v. *semibicolor* Pic, 1912a: 90.

Strangalia aethiops: Aurivillius, 1928a: 42.

Strangalia (s. str.) *coreana* Matsushita, 1933a: 104, fig. 3.

Strangalia (s. str.) *doii* Matsushita, 1933a: 105, fig. 4.

Leptura (s. str.) *aethiops aethiops*: Gressitt, 1951: 96.

Leptura aethiops adustipennis: Hua, 2002: 212.

鉴别特征：体长10.0～17.0mm。身体完全黑色，或鞘翅为黄褐色至红褐色(通常雄虫，但雌虫也偶尔会有)，密被黑色绒毛，体腹面的毛为灰色。头刻点细密，额中央有1条纵沟。雌虫触角较短，约为体长的3/4；雄虫触角与身体约等长或略短。前胸前端紧缩，后端阔；前胸背板刻点密，较头部者稍大，前后端各有1条横沟，后端的横沟较浅；中央有1条纵沟，中域隆起，后缘变曲形，后端角突出，尖锐。小盾片三角形，末端尖。鞘翅基端阔，末端较狭，后缘斜切但中央稍凹；翅面刻点较前胸背板者稍疏。雄虫后足胫节弯曲，内侧凹，左右各具1条纵脊纹。腹末节腹板后端中央凹下，后缘直。

采集记录：1♂，周至厚畛子镇秦岭梁，2021m，2007.Ⅴ.27，林美英采。

分布：陕西(周至)、黑龙江、吉林、河北、青海、江西、福建、广西、云南；蒙古，俄罗斯，朝鲜，韩国，日本，哈萨克斯坦，伊朗，土耳其，阿塞拜疆，乔治亚苏维埃社会主义共和国，亚美尼亚，欧洲。

寄主：橡树，槲树，柞树，白桦，栎树(幼虫蛀食树干)。

（37）曲纹花天牛 *Leptura annularis* Fabricius，1801（图版3:7）

Leptura arcuata Panzer，1793：No. 12，pl. 12（nec Linnaeus，1758；nec Geoffroy，1785）.

Leptura annularis Fabricius，1801：363.

Strangalia arcuata v. *mediodisjuncta* Pic，1902a：10.

Leptura（s. str.）*arcuata* var. *mediodisjuncta*：Villiers，1978：196，fig. 757.

鉴别特征：体长12.0～18.0mm。体黑色，密被金黄色有光泽的绒毛；鞘翅底色黑色，具4条黄色横纹，基端第1条黄横纹很弯曲，横"S"形，第2、3、4条黄横纹直，在翅外缘处较狭，内缘处较阔，有时2、3在内缘处汇合，或有时翅面的黑色横纹缩小成4个黑色圆斑纹。触角约为体长的5/6，雄虫触角第1～5节黑褐色，雌虫赤褐色；第6～11节黄褐色。前胸前端紧缩，后端阔；前胸背板前后端各有1条横沟，中央有1条纵纹，后缘变曲形，后端角突出，尖三角形。鞘翅基端阔，末端狭，后缘斜切，外端角不突出足赤褐色到黑褐色。足赤褐色到黑褐色，雄虫后足胫节弯曲，基部较细，末端较粗，内侧凹，具2条纵脊纹。腹末节腹板中央稍凹，雄虫后缘直，雌虫略圆。

采集记录：1♂2♀，周至厚畛子老县城村至秦岭梁途中，1745～2021m，2007. Ⅴ. 27，林美英采；1♀，周至厚畛子老县城，1670～1760m，2008. Ⅵ. 28，崔俊芝采；2♀，周至厚畛子秦岭梁，2021m，2007. Ⅴ. 27，林美英、张丽杰采；1♀，周至厚畛子沙梁子村，950m，2007. Ⅴ. 27，林美英采；1♀，周至厚畛子，1350m，1999. Ⅵ. 21，章有为采；2♂，周至厚畛子，1300～1500m，2008. Ⅴ. 15-19，黄灏采；1♀，周至厚畛子西3km，2008. Ⅴ. 13，杨晓东采（CCH，IOZ（E）1857553）；2♂2♀，太白（NWAFU）；1♂，杨凌，1990. Ⅶ（NWAFU，CO025815）；1♀，宁陕火地塘林场，1538m，2007. Ⅵ. 02，张丽杰采；1♂，宁陕火地塘雅雀沟，1600～1700m，1998. Ⅶ. 28，陈军采；1♀，宁陕火地塘，1580～1650m，1999. Ⅵ. 26，袁德成采；1♂，宁陕旬阳坝，1981. Ⅷ. 07，郭中华采；1♂，宁陕，1984. Ⅷ（NWAFU，CO028478）；1♀，丹凤蔡川镇蟒山，1417m，2014. Ⅶ. 02，黄正中采。

分布：陕西（周至、陇县、太白、勉县、杨凌、宁陕、丹凤、黄陵、石泉）、黑龙江、吉林、辽宁、内蒙古、北京、河北、山西、山东、甘肃、宁夏、浙江、江西、四川；蒙古，俄罗斯，朝鲜，日本，哈萨克斯坦，欧洲。

寄主：云杉，冷杉，松，雪松。

（38）金丝花天牛 *Leptura aurosericans* Fairmaire，1895 陕西新纪录（图版3:8）

Leptura（*Strangalia*）*aurosericans* Fairmaire，1895：177.

Leptura aurosericans var. *mausonensis* Pic，1903b：29.

Leptura aurosericans var. *sericea* Pic, 1903b: 29.

Parastrangalis aurosericans var. *rufimembris* Pic, 1923a: 11.

Leptura (*Leptura*) *meridiosinica* Gressitt, 1951: 99.

鉴别特征:体长16.0~22.5mm。体黑色；头部下颚须、下唇须、上唇黄褐色，触角1~6节黑色，7~11节红褐色至黑褐色；足腿节内侧大部黄褐色至红褐色；鞘翅具黄褐色和黑色相间的花斑；胸、腹部腹板、前胸背板均被金色厚卧毛。鞘翅上的花斑由4列金色毛斑和黑色斑相间构成:第1个金色毛斑在翅基，斜卵形，内端尖，斜向小盾片后中缝，其外侧翅基缘折边缘有1块长形黄斑；第2个金色毛斑在鞘翅中部前方，三角形，底边靠接中缝，外顶角向侧缘平伸，中部很细，至边缘渐加宽；第3个金色毛斑在鞘翅中部后方，形状与第2个金色毛斑相同但较大，向侧缘延伸的横条也较宽；第4个金色毛斑在翅端前方，横条形，沿中缝处稍扩大。金色斑之间及鞘翅基缘、中缝、外侧缘、翅端均黑色，端部稍带赭色。

采集记录:1♀，宁陕火地塘，1600m，1979.Ⅷ.05，韩寅恒采。

分布:陕西(宁陕)、河南、浙江、湖北、江西、湖南、福建、广东、广西、四川、贵州、云南；日本，越南，老挝，泰国。

(39)十二斑花天牛 *Leptura duodecimguttata* Fabricius, 1801(图版3:9)

Leptura 12-*guttata* Fabricius, 1801: 363.

Stenura 12-*guttata*: Motschulsky, 1860: 146.

Strangalia 12-*guttata* var. *mediojuncta* Pic, 1902a: 10.

Leptura (*Strangalia*) 12-*guttata* v. *bisbijuncta* Pic, 1904a: 14.

Leptura 14-*guttata*: Heyden, 1909: 160 [misspelling].

Leptura (*Strangalia*) 12-*guttata* var. *kupfereri* Pic, 1912a: 89.

Strangalia 12-*guttata* var. *subobliterata* Pic, 1927b: 10.

Strangalia 12-*guttata* var. *mediosemijuncta* Pic, 1927c: 13.

Strangalia duodecimguttata: Heyrovský, 1934: 10, 12.

Leptura (s. str.) *duodecimguttata duodecimguttata*: Gressitt, 1951: 98.

鉴别特征:体长11.0~18.0mm。体黑色，每个鞘翅有6个黄褐小斑纹，其中靠中缝从基部至中部稍后有3个斜斑，近侧缘有2个小斑点，端部为1个横斑。头、胸被灰黄色绒毛，鞘翅绒毛稀而短，体腹面密生绒毛。触角一般达鞘翅中部稍后；前胸背板前端窄，后端宽。小盾片三角形，着生极细密刻点。鞘翅刻点细密，端缘凹切，外端角尖锐，缝角明显，腹部末节长胜于宽，突出于鞘翅之外。

采集记录:1♂5♀，周至厚畛子秦岭梁，2021m，2007.Ⅴ.27，崔俊芝、林美英、张丽杰采；1♀，周至厚畛子老县城，1670～1760m，2008. Ⅵ.28，崔俊芝采；1♂，周至厚畛子，1300～1500m，2008. Ⅴ. 15-19，黄灏采(CCCC)；1♂，太白山下白云，1600m，1981. Ⅵ.09(NWAFU，CO028481)。

分布：陕西(周至、陇县、太白)、黑龙江、吉林、辽宁、内蒙古、北京、河北、河南、青海、浙江、福建、四川；蒙古，俄罗斯，朝鲜，韩国，日本，哈萨克斯坦。

(40)阶梯花天牛 *Leptura gradatula* Holzschuh，2006(图版3:10a，10b)

Leptura gradatula Holzschuh，2006a：216，fig. 9.

鉴别特征：体长10.6～14.8mm。体黑色，仅鞘翅具橘黄色至橘红色绒毛斑纹：基部弧形斑，从肩角附近伸向鞘缝1/6处；中部前后两条不接触鞘缝的横纹，有时沿着鞘缝有橘黄色绒毛使之相连形成中部大型半圆环斑，开口向侧缘，围绕的黑斑呈椭圆形；端前横斑，长是宽的2.0倍。触角短于体长，鞘翅末端平切。

采集记录：1♂(正模)，Shaanxi，Qingling Shan，6km E of Xunyangba，1000～1300m，2000. Ⅴ.23-Ⅵ. 13，C. Holzschuh (CCH，examined through a picture taken by Luboš Dembický)；1♂(副模)，Shaanxi，Qingling Shan，6km E of Xunyangba，1000～1300m，2000. Ⅴ. 23-Ⅵ. 13，C. Holzschuh(IOZ(E) 1859348)；1♀，周至厚畛子，2004. Ⅴ.19，郎嵩云采；1♂，周至厚畛子西3km，2008. Ⅴ.13，杨晓东采(CCH，IOZ(E)1857759)；1♀，宁陕火地塘，1650m，2013. Ⅵ.05，阮用颖采。

分布：陕西(周至、宁陕)、甘肃、广西(新纪录)、四川。

(41)花天牛 *Leptura quadrifasciata quadrifasciata* Linnaeus，1758(图版3:11)

Leptura 4-fasciata Linnaeus，1758：398.

Leptura octomaculata de Geer，1775：132，pl. Ⅳ，fig. 11.

Leptura 4-pustulata Fabricius，1793：345.

Leptura apicalis Curtis，1831：pl. 362.

Leptura 4-fasciata var. *apicata* Stephens，1839：278.

Strangalia quadrifasciata var. *interrupta* Heyden，1877a：397.

Stenura 4-fasciata var. *guillemoti* Desbrochers，1895：130.

Strangalia 4-fasciata var. *melgunowi* Jakobson，1895：523.

Strangalia 4-fasciata v. *martialis* Pic，1941b：1.

Strangalia 4-fasciata v. *benedicta* Pic，1945：6.

Leptura (*Leptura*) *quadrifasciata*：Gressitt，1951：101.

别名:四纹花天牛。

鉴别特征:体长 11.0 ~ 20.0mm。体黑色，鞘翅具黄褐色和黑色相间的花斑，基缘、中缝、翅端部 1/4 处侧缘黑色，翅面等距离排列 4 条黑色横纹，且黑纹之间有黄斑。翅基的横纹呈斜卵形，周围黑色；第 2 条为斜横纹，伸达中缝及外侧缘，沿中缝稍向后延伸；第 3 条横纹较平直，内缘稍向前后伸；第 4 斑呈圆形或近方形，翅端黑色。触角短，雌虫伸达鞘翅第 1 个黑横斑之后，雄虫伸达鞘翅中部。鞘翅两侧平行，端缘稍凹截。

采集记录:1♀，太白山蒿坪寺，2800m，1982. Ⅶ. 17(NWAFU, CO025817)；1♀，同上，1983. Ⅷ. 07(NWAFU, CO025818)。

分布:陕西(太白)、青海、新疆、四川；蒙古，俄罗斯，朝鲜，哈萨克斯坦，土耳其，欧洲。

寄主:*Abies sachalinensis* Masters, *Alnus* sp., *Betula alba* Linnaeus, *Corylus avellana* Linnaeus, *Fagus sylvatica* Linnaeus, *Pinus densiflora* Siebold & Zuccarini, *Populus* sp., *Quercus* sp., *Salix* sp.。

备注:本文依照蒋书楠在 1995 年的鉴定结果记录这两号标本。但是，作者怀疑这跟产自欧洲的花天牛并非同种，而是跟产自四川的黑纹花天牛 *Leptura grahamiana* Gressitt, 1938 更加相似。

(42) 花天牛属 *Leptura* sp.

鉴别特征:跟橡黑花天牛相似，但鞘翅末端有 1 个黄色小斑。

采集记录:1♀，周至厚畛子，1271m，2007. Ⅴ. 26，崔俊芝采(IOZ(E)1905380)；1♀，周至厚畛子，1300 ~ 1500m，2008. Ⅴ. 15-19，黄灏采(CCCC)。

分布:陕西(周至)。

25. 类花天牛属 *Metastrangalis* Hayashi, 1960

Metastrangalis Hayashi, 1960: 16. **Type species**: *Eustrangalis albicornis* Tamanuki, 1943.

属征:头小狭长，额长胜于宽，表面粗糙，具粗刻点；复眼近卵圆形突出，浓黑色，长略超过颊长，内缘凹缺很小；触角柄节柱状，略粗于第 3 节，长度几乎与第 3 节相等，却略长于第 4 节；头部在复眼后强烈缢缩，颈细。前胸肥圆，与头部等宽，前端领状部明显，表面具不规则细刻点。鞘翅肩部显宽于胸部，向端部尖狭，小盾片两侧及肩角后方隆起，翅表面散布不规则刻点，至后端渐细小不明显，翅端斜截，外端角稍突出。后胸腹板隆起，侧板和腹节两侧具细刻点，后足腿节不达腹端。本属

与 *Sinostrangalis* 属很相似，但前胸背板前缘后方的横缢宽深，鞘翅末端显著尖突，头前部延长，较 *Eustrangalis* 属前胸背板侧缘宽圆，基缘前方无深横缢，后足较长（Jiang & Chen，2001）。

分布：中国；俄罗斯，蒙古，哈萨克斯坦，欧洲。世界已记录 5 种，中国均有分布，秦岭地区分布 1 种。

（43）二点类华花天牛 *Metastrangalis thibetana*（Blanchard，1871）（图版 4：1）

Strangalia thibetana Blanchard，1871：812.
Stenura thibetana：Fairmaire，1889b：61.
Strangalia（*Parastrangalis*）*thibetana*：Aurivillius，1912：242.
Strangalia（*Parastrangalia*）*apicicornis* Pic，1915a：313.
Leptura（*Parastrangalis*）*Savioi* Pic，1936a：16.
Strangalia（*Parastrangalis*）*savioi*：Gressitt，1951：106，111，pl. 4，fig. 9.
Eustrangalis thibetana：Gressitt，1951：119，120.
Metastrangalia thibetana：Hayashi & Villiers，1985：8.

别名：二点瘦花天牛、二点华瘦花天牛。

鉴别特征：体长 11.0～15.0mm。体小型，瘦狭，向后端显著尖狭。全体棕色至红木色；触角第 1～4 节及第 5 节的基部 2/3 与体同色，第 5 节端部 1/3、第 6、7、11 节全部及第 8 节基部黑色，第 8 节大部分及第 9、10 节淡黄色；鞘翅背中央各有 1 个黑斑，两侧不达翅缘及中缝；体表疏生金黄色细短毛。

采集记录：1♂，凤县红岭林场，1580m，1973. Ⅶ. 22，张学忠采；1♀，太白山蒿坪寺，1982. Ⅷ. 07（NWAFU，CO025827）；1♀，武功，采集时间不详，周尧采（NWAFU，CO025828）；1♀，武功，1993（NWAFU，CO026989）；1♂，留坝红崖沟，1500～1650m，1998. Ⅶ. 22，袁德成采。

寄主：成虫在水杉上活动。*Metasequoia glyptostroboides* Hu & Cheng（TAXODIACEAE）。

分布：陕西（凤县、太白、武功、留坝、洋县）、河南、浙江、湖北、江西、湖南、福建、四川、贵州、云南、西藏。

26. 小花天牛属 *Nanostrangalia* Nakane *et* K. Ohbayashi，1959 陕西新纪录属

Nanostrangalia Nakane *et* K. Ohbayashi，1959：65. **Type species**：*Strangalia*（*Stranglina*）*chujoi* Mitono，1938.

属征(Jiang & Chen, 2001):体瘦长;头前部短,眼大,颊长为复眼纵径的1/6;触角端前较肥厚,雄虫的稍超过鞘翅末端,触角节无穴状陷。前胸背板长宽相等,背面隆凸,后侧角尖锐,几盖没鞘翅肩角。中胸发音板不对称,中线光滑呈弧形。小盾片三角形。鞘翅雄虫较短,长约为肩宽的2.6倍,向后至端部1/3墙裂收狭,然后稍延宽,至端部左右分开,端缘稍斜截。腹部圆筒形,最后3节露出鞘翅外。足瘦,雄虫后足跗节下侧有纵沟。

分布:中国;尼泊尔,越南,老挝,泰国。中国记录12种,陕西首次采到1种,但暂时只鉴定到属。

(44)小花天牛属 *Nanostrangalia* sp. nr. *binhana*(图版4:2)

鉴别特征:跟黑腹小花天牛 *Nanostrangalia binhana* (Pic, 1928)非常相似,尤其是鞘翅的斑纹几乎一致,但是触角末端2节黄褐色而不是黑色。跟分布于台湾的模式种 *Nanostrangalia chujoi* (Mitono, 1938)也很相似,但鞘翅的第2个黑斑较不发达。

采集记录:1♂,太白山上白云,1985. Ⅵ. 19,孙文杰采(NWAFU,曾被鉴定为连纹瘦花天牛 *Strangalia chujoi*)。

分布:陕西(太白)。

27. 扁花天牛属 *Nivelliomorpha* Boppe, 1921

Nivellia (*Nivelliomorpha*) Boppe, 1921: 86. **Type species**: *Leptura inequalithorax* Pic, 1902.

Nivelliamorpha [sic!]: Hayashi & Villiers, 1985: 8.

属征:体型扁平。上颚具显著臼板。复眼之后的头部显著收缩形成颈部。中胸发音器不对称。鞘翅退化短缩,翅端左右叉开,腹部后端数节外露,缝角宽圆,缘角不突出。前足基节圆锥形。前胸腹板突之前不具沟或凹陷。

分布:中国。单种属,秦岭地区发现1种。

(45)扁花天牛 *Nivelliomorpha inequalithorax* (Pic, 1902)(图版4:3a, 3b)

Leptura inequalithorax Pic, 1902b: 28.

Leptura inaequalithorax [sic!]: Aurivillius, 1912: 221.

Nivellia (*Nivelliomorpha*) *inaequalithorax* [sic!]: Boppe, 1921: 86.

Leptura inaequalithorax [sic!] var. *rufobasalis* Pic, 1939: 2.

Nivelliamorpha [sic!] *inaequalithorax* [sic!]: Hayashi & Villiers, 1985: 8.

别名：隆胸扁花天牛。

鉴别特征：体长10.5～15.0mm。体较狭小，宽短扁平。颜色变异较大，头、前胸和腹部通常橙黄色至红褐色；下颚须、复眼、小盾片、中胸、后胸、触角和足黑色；鞘翅红色、黑色或者黑色，但基部具红斑3个；前胸背板有时中部黑色；足通常黑色而胫节部分红色，但有时前足大部分红褐色。头短；触角着生在复眼内侧中部，柄节粗短柱形；雄虫触角较长，稍超过鞘翅末端。雌虫触角较短，不达鞘翅末端。头在复眼后收狭。前胸背板前端无领片和前横沟，后横沟紧接后缘，很细狭，前胸中部宽胜于长，较头部稍宽，侧缘中部稍前方有1个小的钝瘤突，其后几乎直向后缘，后侧角圆钝，背中区隆凸，无中纵沟，表面光滑，散布细微浅刻点，每点着生1根细微黄毛，中央后方近后缘前方有1个小圆形凹陷，其两侧形成1对横椭圆形低隆突。小盾片狭小三角形。鞘翅宽短，肩宽与翅长之比为4∶7，翅面刻点细密均匀，但不成行，每点着生细黄毛1根，翅面不平，肩角内侧纵凹陷，中缝两侧隆起，其外侧中部纵凹陷，翅端部1/3中缝向外斜，翅端左右叉开，缝角宽圆，缘角不突出。产卵器常伸出、尖狭，末2节露出鞘翅外。足短，后足腿节伸达腹部第3节中部，第1跗节长等于以下各节长度之和。

采集记录：1♀，西安，1976. Ⅴ.15，刘乃平采（IOZ(E)1904710）；2♀，同上，张玉岱采（IOZ（E）1905682-83）；1♀，长安路，1976. Ⅴ.16，（NWAFU，CO028468）；2♀，长安路，1976. Ⅴ.16，（NWAFU，CO025835，5849）；1♀，榆林，采集时间不详，孙益智采（NWAFU，CO025836）。

分布：陕西（西安、长安、榆林）、内蒙古、北京、河北、山西、宁夏。

寄主：加杨。

备注：有人考证 Yug-Chan 可能是四川蒙自地区（Mongtze）的小地名（Titan 数据库）。但其他有标本证明的产地都集中在中国东北部，因此我们仍然对四川有分布的说法存疑。

28. 方花天牛属 *Paranaspia* Matsushita *et* Tamanuki, 1940

Strangalis（*Paranaspia*）Matsushita *et* Tamanuki, 1940：5. **Type species**：*Laptura anaspidoides* Bates, 1873.

Paranaspia：Nakane & K. Ohbayashi, 1957：48.

属征：头小，后颊突出，后头缢缩；前胸背板钟形，前端极度缢缩，后端强烈阔宽且后侧角尖突；触角线状，长度跟体长差异不大，或稍长或稍短；鞘翅两侧平行，末端圆；族腿节略膨大，后足第1跗节等于或长于其后3节长度之和。

分布：中国；韩国，日本，印度，不丹，老挝。世界已知8种，中国记录5种，秦岭地区发现 1 种。

(46)陕方花天牛 *Paranaspia erythromelas* Holzschuh, 2003(图版 4:4)

Paranaspia erythromelas Holzschuh, 2003: 165, fig. 15.

鉴别特征:体长 11.9mm 左右。头和前胸红色，小盾片红色，腹部末节外露于鞘翅的部分红色，足腿节和胫节红色；触角柄节红褐色，其余各节黑色；鞘翅黑色；足跗节黑色。触角略短于体长，小盾片三角形，末端尖锐，鞘翅末端圆。

采集记录:1♀(正模), Shaanxi, Qinling Shan, 6km N of Foping, 1150 ~ 1300m, 2000. Ⅶ. 20-21(CCH)。

分布:陕西(佛坪)。

29. 异花天牛属 *Parastrangalis* Ganglbauer, 1889

Leptura (*Parastrangalis*) Ganglbauer, 1889a: 57. **Type species**: *Leptura* (*Parastrangalis*) *potanini* Ganglbauer, 1889.

Strangalia (*Parastrangalis*): Aurivillius, 1912: 228, 241.

Parastrangalis: Nakane & K. Ohbayashi, 1959: A64.

Strangaliella Hayashi, 1976: 3. **Type species**: *Strangalia shikokensis* Matsushita, 1935 (= *Strangalia tenuicornis* Motschulsky, 1862).

属征(Jiang & Chen, 2001):体型较小，狭长；头紧接复眼后强烈缢缩，后颊几乎不可见；前胸背板背面隆起，前端窄，后缘宽广，后侧角尖突，不覆及肩角。鞘翅向后直线收狭，翅端截断状；腹部半圆筒形，向后端渐狭，第 5 腹节背板部分露出鞘翅外；雄虫触角长过腹末，后胸腹板后足基节前方有 1 对小齿突。

分布:中国；日本，印度，尼泊尔，越南，老挝，泰国。世界记录 58 种，中国已知 33 种，陕西已发现 5 种，但还有 3 种没有鉴定出来，可能是新纪录或者新种，留待以后深入研究，因此没法提供检索表。

(47)双异花天牛 *Parastrangalis bisbidentata* Holzschuh, 2007(图版 4:5)

Parastrangalis bisbidentata Holzschuh, 2007: 190, fig. 11.

鉴别特征:体长 10.9 ~ 13.9mm。头和前胸黑色；触角基部 4 节黑色，从第 5 节开始基部橘红色，向后各节橘红色部分逐渐增多，到末3节几乎全部橘红色；小盾片黑色；鞘翅总体棕红色，具黑色纵纹，四边黑色；足腿节大部分橘红色，后足腿节端部黑色，胫节和跗节大部分黑色，尤其是前足跗节第3节棕红色，中足胫节端半部内侧棕红色。触角长于体，鞘翅不完全盖住腹部，腹部末两节外露，鞘翅末端平切。

采集记录：1♂（正模），Shaanxi，Qinling Shan，6km E Xunyangba，1000～1300m，2000. Ⅴ.23-Ⅵ.13（CCH）。

分布：陕西（宁陕）。

（48）浙异花天牛 *Parastrangalis chekianga*（Gressitt，1939）

Strangalia chekianga Gressitt，1939a：90，pl. Ⅲ，fig. 1.

Strangalia（*Strangalomorpha*）*chekianga*：Gressitt，1951：111.

Parastrangalis chekianga：Jiang & Chen，2001：174，pl. ⅩⅣ，fig. 55.

Metastrangalis chekianga：Yu，Nara & Chu，2002：81，pl. 5，fig. 12.

Strangalomorpha chekianga：Löbl & Smetana，2010：117.

别名：浙类华花天牛、浙瘦花天牛。

鉴别特征：体长8.0～11.0mm。体黑色，鞘翅黄褐，前端中间有1条黑色短纵条，中缝及侧缘黑色，沿侧缘由肩部至端部有4个黑纵斑，末端1个黑斑遍布整个端部；触角第9、10节，前、中足腿节及后足部分腿节黄褐；雌虫体腹面前3节黄褐，两侧有黑斑，雄虫体腹面全黑色。额中央有1条细纵沟，头具细密刻点，额前缘中央光滑，无刻点；触角较长，略超过体长，雌虫稍短。鞘翅肩后逐渐狭窄，端缘斜切，外端角较尖。

分布：陕西（秦岭）、浙江、福建。

（49）密点异花天牛 *Parastrangalis crebrepunctata*（Gressitt，1939）

Strangalia crebrepunctara Gressitt，1939a：91，pl. Ⅲ，fig. 2.

Strangalia（*Strangalomorpha*）*crebrepunctara*：Gressitt，1951：112，pl. 2，fig. 8，pl. 3，fig. 6.

Parastrangalis crebrepunctara：Hayashi & Villiers，1985：14.

别名：齿瘦花天牛。

鉴别特征：体长10.5～14.5mm。体中型，极瘦长。黑色，体背面着生较稀疏的金黄色斜行绒毛，前胸背板后角被毛较密而长，腹面着生银灰色绒毛。鞘翅黄褐色，中缝、侧缘及端缘黑色，鞘翅中区从肩部至端部有1条黑纵纹，肩后侧缘有2个黑色短纵斑，雄虫触角第4～7及11节的基部，第8节大部分及第9、10节黄褐色；前、中足腿节及后足腿节大部分黄褐色。触角细长，雄虫稍超过翅端。鞘翅略宽于前胸，极狭长，长超过肩部宽的2.5倍，侧缘从肩部往后显著狭窄，端缘斜截，外端角钝。

分布：陕西（洋县）、浙江、湖北、湖南、福建、广西、四川、贵州、云南。

(50)淡黄异花天牛 *Parastrangalis pallescens* Holzschuh，1993（图版4:6）

Parastrangalis pallescens Holzschuh，1993：20，fig. 22.

鉴别特征（蒋书楠和陈力，2001）：体长10.7～13.9mm。雄性体黑色；下颚须基节赤褐色、光亮，中足和后足腿节基部超过一半、前足腿节大部、前足胫节下侧、中足胫节下侧和端部、爪和胫节距均淡赤褐色；唇基端半部，上唇，触角第9、10节和11节基半部以及鞘翅均淡黄白色；鞘翅上的黑色条纹在翅基部后方（约基半部中央）稍偏向中缝处有1个短背纵条；在稍离翅基部中央开始，向外侧缘伸达鞘翅中部，或与侧缘纵条连合宽条直达翅端；从翅基部开始，经肩部斜向外侧缘，与紧邻的纵条合成宽纵条；中缝镶黑色狭边；侧缘黑色仅肩下淡色；翅端黑色较宽。触角中部各节的基部下侧多少淡色。体毛淡色，前胸背板和小盾片毛短密，鞘翅被较稀卧毛，腿节被较明显的短卧毛，腹面被丝光厚卧毛，头部和前胸背板侧边有少数白色长竖毛。触角末节超过鞘翅端部，鞘翅长是肩宽的3.0倍，两侧至中部收狭，以后平行（雌虫向后均匀收狭至末端），端缘斜截，缘角与缝角齿突均明显，但不尖伸。

采集记录：1♂（副模），Shaanxi prov.，100km E of Xi′an，Hua Shan peak env.，1991.Ⅵ.17-22。

分布：陕西（华阴）、甘肃。

(51)雕纹异花天牛 *Parastrangalis sculptilis* Holzschuh，1991（图版4:7）

Parastrangalis sculptilis Holzschuh，1991：30，fig. 32.

鉴别特征（蒋书楠和陈力，2001）：体长9.5～9.8mm。本种与 *Parastrangalis chekianga* 极其相似。体型瘦小；头黑色，触角1～8节、11节黑色，第9、10节乳黄色，唇基、下颚须（除端节外）黄褐色，前胸背板漆黑色，小盾片黑色；鞘翅栗褐色，中缝及边缘黑色，从肩角内侧凹陷处至翅背基部1/3纵贯1条细黑线，沿外侧缘从肩后至翅端纵列4个长形黑斑，第2、3、4斑的后半部向背中线外侧扩展成近方形的黑斑，第3斑最长，约为第1、4斑长的2.0倍。足栗色，后足胫节黑褐色。触角长过翅端，鞘翅端缘角尖突较长，缝角呈小刺状，端缘稍呈波状斜凹截。

采集记录：1♀1♂，Shaanxi，Qinling Shan，6km E of Xunyangba，1000～1300m，

2000. Ⅴ.23-Ⅵ.13，C. Holzschuh（CCH，参考 Holzschuh & Lin，2013）。

分布：陕西（武功、宁陕）、台湾、四川；老挝。

30. 拟矩胸花天牛属 *Pseudalosterna* Plavilstshikov，1934

Pseudalosterna Plavilstshikov，1934a：131. **Type species**：*Pseudalosterna orientalis* Plavilstshikov，1934（= *Grammoptera elegantula* Kraatz，1879）.

Anoplodermorpha：Gressitt，1935b：569.

Pseudallosterna：Plavilstshikov，1936：257［unjustified emendation］.

属征（Jiang & Chen，2001）：体型微小，头宽，后颊发达，圆或钝角形，头在后颊后缢缩，颈明显；额短，倾斜；唇基发达；颊狭长；头顶微凸，中纵沟浅，向前延伸至三角形下陷的额顶部；后头浅凸；复眼大，内缘凹，小眼面细粒。触角位于复眼之间，稍超过鞘翅末端（雄虫），或伸达中部之后（雌虫），第 3 节与第 4 节等长，稍短于柄节。前胸背板前端狭，在前缘后缢缩，侧缘圆弧形，后缘双曲波形，中段向后突伸，背面隆凸，在基部前两侧稍下陷，后侧角短钝。小盾片三角形，端部稍凹入。鞘翅宽短，向后强烈收狭（雄虫）或稍收狭（雌虫），翅基部小盾片两侧无明显隆突，翅端不明显平截。足略长，腿节棍棒形，跗节宽，腹面密被茸毛，后足第 1 跗节长于以后 2 节之和。前胸腹板突后端呈三角形，前足基节左右靠拢，基节窝外侧三角形，后端开放。第 5 腹节腹面简单，雄虫略长于雌虫。发音板有 1 个宽亮的音锉。色彩和花斑有时具明显的性二型差别。

分布：中国；俄罗斯，朝鲜，韩国，日本，越南，老挝，马来西亚。世界已知 25 种/亚种，中国记录 17 种/亚种，秦岭地区发现 3 种。

分种检索表（含 1 种在陕西没有分布的）

1. 腿节黑色 ………………………………………………………………… 2
   腿节红褐色 ……………………………………………………………… 3
2. 鞘翅大部分棕褐色，四边和末端黑色，末端黑色区域有变异但从不超过中部之前 ……………………………………………………………… **楔拟矩胸花天牛 *Pseudalosterna cuneata***
   鞘翅大部分黑色，仅基部有两个棕褐色斑纹……… **二点拟矩胸花天牛 *P. binotata***（台湾特有）
3. 鞘翅大部分棕褐色，四边和末端黑色 ………………………… **陕西拟矩胸花天牛 *P. longigena***
   鞘翅大部分黑色，仅基部有两个棕褐色斑纹 …………………… **特氏拟矩胸花天牛 *P. tryznai***

（52）二点拟矩胸花天牛 *Pseudalosterna binotata*（Gressitt，1935）

Anoplodermorpha binotata Gressitt，1935c：259.

Leptura (*Vadonia*) *binotata*: Mitono, 1941: 32.

Leptura (*Anoploderomorpha*) *binotata*: Tamanuki, 1943: 78.

Anoplodera (*Anoploderomorpha*) *binotata*: Gressitt, 1951: 85.

Pseudallosterna binotata: Hayashi, 1961: 38.

鉴别特征: 体长7.5~8.5mm。体黑色，腹部露出鞘翅的部分呈黄褐色；鞘翅黑色，基部靠近肩角处有黄褐色斑；足黑色。

分布: 台湾。

备注: 陕西的记录是基于 *Pseudalosterna tryznai* Holzschuh, 1999 的错误鉴定，日本的记录是基于 *Pseudalosterna aritai* Ohbayashi *et* Ohbayashi, 1965 的错误鉴定。实际上，*Pseudalosterna binotata* (Gressitt, 1935) 仅分布于台湾。

(53) 楔拟矩胸花天牛 *Pseudalosterna cuneata* Holzschuh, 1999 陕西新纪录(图版4:11)

Pseudalosterna cuneata Holzschuh, 1999: 11, fig. 12.

鉴别特征: 体长6.0~6.8mm。体黑色，腹部全黑色；鞘翅棕褐色，四边黑色，端部黑色部分有变异，陕西和四川的标本黑色区域较小于湖北的正模标本；足黑色。

采集记录: 1♀，凤县红岭林场，1580m，1973. Ⅶ. 22，张学忠采(♀6.5)；2♀，丹凤蔡川镇大白沟，1200m，2014. Ⅶ. 01，黄正中采。

分布: 陕西(凤县、丹凤)、湖北。

备注: 原中文名叫拟矩胸花天牛，但它不是模式种，所以根据"cuneat-"的词义"楔"，改为楔拟矩胸花天牛。

(54) 陕西拟矩胸花天牛 *Pseudalosterna longigena* Holzschuh, 2003 (图版5:1)

Pseudalosterna longigena Holzschuh, 2003: 159, fig. 10.

鉴别特征: 体长5.6~7.6mm。体黑色，腹部露出鞘翅的部分呈黄褐色；鞘翅大部分棕褐色，四边(除了肩角及其附近)黑色；足腿节红褐色，胫节和跗节黑色。

采集记录: 1♂，华阴华山，770~1618m，2007. Ⅵ. 06，林美英采；1♂(正模)，Qinling Shan, 6km E of Xunyangba, 2000. Ⅴ. 23-Ⅵ. 13 (CCH)。

分布: 陕西(华阴、宁陕)。

(55)特氏拟矩胸花天牛 *Pseudalosterna tryznai* Holzschuh, 1999(图版5:2a, 2b)

Pseudalosterna tryznai Holzschuh, 1999: 11, fig. 11.

鉴别特征:体长5.7~7.5mm。体黑色，腹部露出鞘翅的部分呈黄褐色；鞘翅大部分黑色，仅基部靠近尖角处有一个棕褐色短纵斑；足腿节红褐色，胫节和跗节黑色。与二点拟矩胸花天牛相似但是腿红色。

采集记录:1♂(正模), Shaanxi, Qingling Shan, road Baoji-Taibai vill., pass 35km S of Baoji, 1998. Ⅵ. 02-23, leg. O. Šafránek & M. Trýzna(CCH); 1♀，黄陵建业，1962. Ⅶ. 06(IZAS, ex 陕西省林业研究所昆虫标本，283号)。

分布:陕西(宝鸡、黄陵)。

31. 斑花天牛属 *Stictoleptura* Casey, 1924

Brachyleptura (*Stictoleptura*) Casey, 1924: 280. **Type species**: *Leptura cribripennis* LeConte, 1859.
Stictoleptura: Chemsak, 1964: 235.

属征(Jiang & Chen, 2001):体中型，额短，后头较发达，颈深缢，复眼内缘凹陷，触角着生在复眼下叶顶部内侧，部分触角节外端角突出呈锯齿状，第3节不长于柄节，稍长于第4节，第5节最长，在雄虫第11节常深缢似12节。前胸背板后侧角钝圆，前后端深缢，后缘波形。鞘翅两侧向后渐狭，末端稍分开，端缘稍凹截，缘角宽短尖突。足较短，后足第1跗节短语其余各节之和。

分布:全北区，东洋区，非洲区，新热带区。本属分为10个亚属，中国有2个亚属，秦岭地区发现2个亚属3个种。

分种检索表

1. 触角双色，大部分黑色，但第4、5、6、8节基部为淡黄色 ······································ **色角斑花天牛 *Stictoleptura* (*Variileptura*) *variicornis***
   触角全黑色 ······································ 2
2. 足全黑色；鞘翅末端斜切，端缝角和端缘角明显······ **黑角斑花天牛 *S.* (*Aredolpona*) *succedanea***
   前足胫节和中足胫节大部分赤褐色；鞘翅末端斜切，端缝角和端缘角不明显 ······································ **赤杨斑花天牛 *S.* (*A.*) *dichroa***

31-1. 伞花斑花天牛亚属 *Aredolpona* Nakane *et* K. Ohbayashi, 1957

Corymbia Gozis, 1886: 33 [HN]. **Type species**: *Leptura rubra* Linnaeus, 1758.

Aredolpona Nakane *et* K. Ohbayashi, 1957: 50, A 244. **Type species**: Leptura rubra Linnaeus, 1758 (new name for *Corymbia* Gozis, 1886).

Stictoleptura (*Aredolpona*): Löbl & Smetana, 2010: 114.

鉴别特征(Jiang & Chen, 2001):体中型，鞘翅向后渐狭，翅端缘角尖突；前胸背板两侧弧圆，后缘波形，后侧角尖突；触角第5节以后外端角稍突出，略呈锯齿状；头部眼后后颊较明显。

分布:全北区，非洲区。本亚属世界记录3种加1个亚种，除了 *Stictoleptura* (*Aredolpona*) *rubra numidica* (Peyerimhoff, 1917) 仅分布于阿尔及利亚，其余均在中国有分布，且均在陕西有记录，但是一些记录可能是错误鉴定。本文保留了赤杨斑花天牛和黑角斑花天牛。

(56) 赤杨斑花天牛 *Stictoleptura* (*Aredolpona*) *dichroa* (Blanchard, 1871)

Leptura dichroa Blanchard, 1871: 812.

Leptura rubra var. *muliebris* Heyden, 1886a: 276.

Anoplodera (*Anoplodera*) *rubra dichroa*: Gressitt, 1951: 84, 88.

Corymbia dichroa: Hayashi & Villiers, 1985: 7.

Stictoleptura (*Aredolpona*) *dichroa*: Löbl & Smetana, 2010: 114.

别名:赤缘花天牛、赤伞花天牛。

鉴别特征:体长12.0~22.0mm。体黑色，头、触角和小盾片黑色；前胸和鞘翅赤褐色。足大部分黑色，但前足胫节和中足胫节大部分赤褐色，仅端部黑色。雌虫触角接近鞘翅中部，雄虫则超过中部，第3节最长。前胸长度与宽度约略相等，两侧缘呈浅弧形，前部最窄，中域隆起。小盾片呈三角形。鞘翅肩部最宽，向后逐渐狭窄，后缘微斜切，没有显著的端缝角和端缘角。

分布:陕西(长安、蓝田、太白、留坝、勉县、宁陕、镇平、商洛、宜川、黄陵)、黑龙江、吉林、河北、山西、山东、河南、安徽、浙江、湖北、江西、湖南、福建、四川、贵州；俄罗斯，朝鲜，韩国，日本。

备注:根据文献记载，*dichroa* 和 *succedanea* 在陕西均有分布(Löbl & Smetana, 2010)。笔者把陕西的标本都鉴定为 *succedanea*。

(57) 黑角斑花天牛 *Stictoleptura* (*Aredolpona*) *succedanea* (Lewis, 1879)（图版5:3a, 3b）

Leptura succedanea Lewis, 1879: 464.

Leptura succedanea var. *rufonotaticollis* Pic, 1915b: 12.

Leptura succedanea var. *theryi* Pic, 1915b: 12.

Leptura succedanea var. *trisignaticollis* Pic, 1915b: 12.

Anoplodera rubra succedanea: Gressitt, 1947a: 192.

Aredolpona rubra succedanea: Nakane & K. Ohbayashi, 1957: 50.

Corymbia succedanea: K. Ohbayashi, 1963a: 8.

Stictoleptura (*Aredolpona*) *succedanea*: Löbl & Smetana, 2010: 114.

别名：黑角伞花天牛。

鉴别特征：体长12.0～22.0mm。体黑色，头、触角、小盾片和足黑色。前胸和鞘翅赤褐色。雌虫触角接近鞘翅中部，雄虫则超过中部，第3节最长。前胸长度与宽度约略相等，两侧缘呈浅弧形，前部最窄，中域隆起。小盾片呈三角形。鞘翅肩部最宽，向后逐渐狭窄，后缘斜切，被黄色竖毛，腹面刻点细小，被灰黄色细毛，富有光泽。足中等大小，有灰黄色细毛，后足第1跗节长约为第2、第3跗节总长的1.5倍以上。

采集记录：1♀，周至县板房子，2006. Ⅶ. 21，林美英灯诱；1♀，周至厚畛子，1300m，2007. Ⅷ. 10，李文柱采；2♀，周至厚畛子，1600m，2007. Ⅷ. 11，李文柱采；5♀，周至厚畛子2007. Ⅷ. 11，杨玉霞采；2♂6♀，周至厚畛子，1276m，2007. Ⅷ. 11；1♂，秦岭山梁及北坡2050m，1998. Ⅶ. 30，姚建采；2♀，太白，1980. Ⅶ. 10，黄柏源采；5♂，太白黄白坡，1980. Ⅶ. 11；1♂，太白山蒿坪寺，1200m，1982. Ⅶ. 15（NWAFU，CO028472）；1♂，华县金堆，1980. Ⅶ. 18，寄主：杨柳；3♂，留坝火烧店红崖沟，986m，2012. Ⅵ. 23，华谊采（Ceram-135）；1♂，留坝庙闸口石，1800～1900m，1998. Ⅶ. 20，张学忠采；1♀，留坝庙台子，1350m，1998. Ⅶ. 22，廉振民采；1♀，同上，姚建采；1♀，留坝庙台子林场苹果园，1300m，1973. Ⅶ. 27，张学忠采；1♂1♀，留坝庙台子，1976. Ⅵ. 29和Ⅶ. 01，马文珍采；1♀，留坝县城，1020m，1998. Ⅶ. 18，姚建采；2♂，留坝火烧店红崖沟，986m，2012. Ⅵ. 23，华谊采；1♀，沔县（=勉县），1959. Ⅶ；1♀，沔县（=勉县），1959. Ⅷ. 08；1♂1♀，沔县（=勉县），1959. Ⅶ. 16，华山松（?）；2♂，佛坪龙草坪林场，1985. Ⅶ. 16，王淑芳采；1♂，佛坪，890m，1999. Ⅵ. 26，章有为灯诱；6♂2♀，佛坪东河台小东沟，1440m，1973. Ⅷ. 10；2♂1♀，佛坪东河台林场，1973. Ⅶ. 09，张学忠采；1♂，1973. Ⅶ. 24；1♀，洋县长青东沟保护站，2016. Ⅶ. 02，周润采；1♀，宁陕岳坝村周围，1093m，2012. Ⅶ. 01，刘万岗采（Ceram-125）；1♀，宁陕火地塘林场周边，1554m，2015. Ⅶ. 07-15，刘漪舟采；

1♂1♀，宁陕旬阳坝，1980. Ⅵ. 11，郭中华采；2♂，宁陕火地塘，1580m，1998. Ⅶ. 27，张学忠采；1♀，同上，姚建采；1♀，同上，1998. Ⅶ. 29，张学忠采；1♂1♀，宁陕火地塘，1750m，1979. Ⅶ. 24，韩寅恒采；1♀，同上，1620m，1979. Ⅶ. 23；1♀，同上，2200m，1979. Ⅷ. 03；1♀，宁陕，1600m，1979. Ⅷ. 26，韩寅恒采；3♂，宁陕火地塘雅雀沟，1600～1700m，1998. Ⅶ. 28，张学忠采；1♂1♀，同上，陈军采；1♀，宁陕火地塘，2016. Ⅶ. 07-24，王勇采；3♂，丹凤蔡川镇大白沟，1200m，2014. Ⅶ. 01，黄正中、索中毅采；1♂，汉中黎坪森林公园，2015. Ⅶ. 12-14，薛国喜采(Ceram-292)；1♂，洛南巡检镇罗家沟，1062m，2014. Ⅶ. 05，黄正中采；1♀，宁西局两河林场(属于石泉县)，1980. Ⅶ. 上旬，储助生采。

分布：陕西(周至、太白、华县、留坝、勉县、佛坪、洋县、宁陕、丹凤、南郑、洛南、石泉)、黑龙江、吉林、北京、河北、安徽、浙江、湖北、江西、湖南、福建、四川；俄罗斯，朝鲜半岛，日本。

寄主：赤杨，松。

备注：笔者认为，伞花天牛 *Stictoleptura* (*Aredolpona*) *rubra rubra* (Linnaeus, 1758) 在陕西没有分布，以往的记录乃是本种的误定。前者在亚洲的分布限于俄罗斯的西伯利亚和哈萨克斯坦(Danilevsky, 2012a)。

31-2. 色角斑花天牛亚属 *Variileptura* Danilevsky, 2014

Stictoleptura (*Variileptura*) Danilevsky, 2014b: 267. **Type species**: *Leptura variicornis* Dalman, 1817.

鉴别特征(Danilevsky, 2014b)：前胸背板具有长竖毛；阳基侧突长而直；雄虫腹部末节腹板浅凹；前胸背板基部的横缢缩显著；雄虫后足胫节具有 1 对距。

分布：古北区。

备注：本亚属的雌虫后足胫节也具有 1 对距。但 *Vadonia* 和 *Paracorymbia* 的雄虫后足胫节通常只有 1 个距。

(58) 色角斑花天牛 *Stictoleptura* (*Variileptura*) *variicornis* (Dalman, 1817)

Leptura variicornis Dalman, 1817: 482.

Anoplodera variicornis: Gressitt, 1947a: 192.

Corymbia variicornis: K. Ohbayashi, 1963a: 8.

Stictoleptura variicornis: Švácha & Danilevsky, 1989: 19, 154.

Stictoleptura (*Stictoleptura*) *variicornis*: Löbl & Smetana, 2010: 116.

Stictoleptura (*Variileptura*) *variicornis*: Danilevsky, 2014b: 267.

别名：斑角花天牛。

鉴别特征：体长 14.5～22.0mm。体黑色，触角亦黑色，但第 4、5、6、8 节基部为淡黄色。头刻点密，被有灰色或灰黄色绒毛，中央有一条纵沟自额前端延伸至头顶后端。雌虫触角较短，约达身体的中部；雄虫超过中部，达身体的3/4～4/5。前胸前端紧缩，后端阔，前胸背板刻点粗密，常呈波状。被有柔软的灰色竖毛，前后端各有 1 条横沟，中央有时具有 1 条光滑的纵纹，中域隆起，背板后缘变曲形，后端角略突出，圆钝。小盾片黑色，尖三角形，密被灰色绒毛。鞘翅基端阔，末端狭，后缘斜切或中央稍向后弯，外端角不突出；翅面刻点粗大，被有金黄色短绒毛。体腹面被有灰色或灰褐色短绒毛；腹末节腹板后端中央稍凹下，雌虫后缘直，雄虫后缘中央凹弯，两侧突出成尖角形。

分布：陕西、黑龙江、吉林、内蒙古、河北、新疆；俄罗斯，蒙古，朝鲜，韩国，日本，哈萨克斯坦，欧洲。

寄主（陈世骧等，1959）：冷杉，松（幼虫蛀食枯干的树干）。

32. 瘦花天牛属 *Strangalia* Dejean, 1835 陕西新纪录属

Strangalia Dejean, 1835: 355. **Type species**: *Leptura luteicornis* Fabricius, 1775.

Ophistomis Thomson, 1861: 154. **Type species**: *Ophistomis flavorcinctus* Thomson, 1861.

Ophiostomis: Gemminger & Harold, 1872: 2875 [unnecessary emendation].

Strangalia (*Strangalina*) Aurivillius, 1912: 240. **Type species**: *Leptura attenuata* Linnaeus, 1758.

Strangalina: Boppe, 1921: 102.

Strangalia (*Typocerus*): Planet, 1924: 53.

Strangalia (*Sulcatostrangalia*) K. Ohbayashi, 1961: 17. **Type species**: *Strangalia gracilis* Gressitt, 1935.

属征（Jiang & Chen, 2001）：体瘦长，明显向后逐渐收狭；头部较前伸，复眼圆突，颈细，触角较细长，雄虫触角端部数节近末端处有浅凹陷，第 3 节显著长于柄节。前胸背板一般长胜于宽，前、后缘无横沟，前端窄，后端阔，双曲波形，后侧角尖长，覆及肩角；鞘翅狭长，侧缘向后逐渐收窄，端缘斜截。体背至后胸腹板的厚度大于肩部宽度，腹部瘦长，基部显较后胸狭，雄虫末节常露出鞘翅外，端部腹板常凹陷；后足第 1 跗节同第 2、3 跗节的总长度约等长。

分布：古北区，东洋区，新北区，新热带区，非洲区。世界已知96 种，中国记录7 种，秦岭地区发现 1 种。

(59)蚤瘦花天牛 *Strangalia fortunei* Pascoe, 1858 陕西新纪录(图版 5:4)

Strangalia fortunei Pascoe, 1858: 265.

Strangalia nigrocaudata Fairmaire, 1887a: 135.

Strangalia fortunei var: *obscuricornis* Pic, 1925a: 188.

Strangalina fortunei: Gressitt, 1937a: 450.

Strangalia (*Strangalia*) *fortunei*: Gressitt, 1951: 108, 115.

鉴别特征:因其外貌上很似花蚤得中文名蚤瘦花天牛。体长 11.0 ~ 15.0mm。本种体侧较扁，略呈弧状，背面显著凸起，尾端尖，延伸于鞘翅之外。体棕褐色或黄褐色，触角、复眼、下颚须端节、后足腿节端部，中、后足胫节，中、后足跗节，腹部端节及鞘翅黑色；鞘翅基部棕褐，触角柄节背面及端部 6 节、前足跗节黑褐，柄节下面黄褐；体背面被黑褐短毛，体腹面着生金黄色绒毛。

采集记录:2♂1♀，周至集贤镇立新村，2006. Ⅶ. 16，林美英灯诱；1♂，周至板房子，2006. Ⅶ. 21，林美英灯诱；1♂，户县，1983.Ⅴ，李乃会采(NWAFU, CO025788)；1♂，太白，1980(NWAFU，CO028480)；3♂3♀，太白山蒿坪寺(NWAFU)；1♀，周至厚畛子至佛坪下沙窝，2007. Ⅷ. 15，杨玉霞采。

分布:陕西(周至、户县、太白、佛坪)、辽宁、北京、天津、河北、河南、江苏、上海、安徽、浙江、湖北、江西、湖南、福建、广东、广西、四川、贵州。

33. 宽尾花天牛属 *Strangalomorpha* Solsky, 1873

Strangalomorpha Solsky, 1873: 253. **Type species**: *Strangalomorpha tenuis* Solsky, 1873.

属征(Jiang & Chen, 2001):头短，后颊强烈平截，额平坦，触角细长，超过鞘翅末端。前胸背板狭梯形，后侧角很不发达；鞘翅背面平坦，侧缘直向后收窄，端缘较宽平截。雄虫腹部末节端缘圆弧形，雌虫末节大，端缘波形；足瘦，后足第 1 跗节很长，刷状毛弱，中线几乎不分裂。

分布:中国；俄罗斯，蒙古，朝鲜，韩国，日本。世界已知 9 种/亚种，除了 *Strangalomorpha tenuis aenescens* Bates, 1884 仅在日本分布外，其余均在中国有分布，秦岭地区发现 1 种。

(60)甘肃宽尾花天牛 *Strangalomorpha signaticornis* (Ganglbauer, 1889)

Leptura (*Strangalomorpha*) *tenuis* var. *signaticornis* Ganglbauer, 1889a: 52.

Strangalomorpha signaticornis: Holzschuh, 2003: 164.

鉴别特征:体长 10.0 ~ 13.0mm。体小型，较瘦长。黑色，鞘翅具青铜光泽；体背面着生灰黄色绒毛，腹面被较密的灰白色卧毛。触角细长，雄虫超过体长，雌虫伸达翅端；鞘翅略宽于前胸，较狭长，长约为宽的 2.8 倍，从肩部显著向后狭窄，中部之后两侧近于平行，末端窄，端缘平截。

采集记录:1♂, Qinling Shan, 12km SW of Xunyangba, 1900 ~ 2250m, 2000. Ⅵ. 14-18 (CCH)。

分布:陕西(宁陕)、甘肃。

Ⅱ. 皮花天牛族 Rhagiini Kirby, 1837

鉴别特征(Jiang & Chen, 2001 脊花天牛族):体较粗壮，厚实。头前伸，体背较为拱隆。复眼小，小眼面细，头部在眼后逐渐狭窄，但不深缢缩；触角锯齿状或正常。该族的主要特征在前胸的形态:前胸背板凹凸不平，前端缢缩或具横沟，侧瘤突较直，发达或较弱，或具背侧瘤突；前胸腹面在基节窝之前具 1 个显著的横沟或凹陷。

分类:秦岭地区分布 11 属 32 种。

34. 银花天牛属 *Carilia* Mulsant, 1863

Carilia Mulsant, 1863: 489. **Type species**: *Leptura virginea* Linnaeus, 1758.

Gautotes (*Neogaurotes*) Podaný, 1962: 224. **Type species**: *Leptura virginea* Linnaeus, 1758.

属征(Jiang & Chen, 2001):头部复眼椭圆形，中等大，复眼后头逐渐收狭；下颚须末节较长，不膨大；颊较短；触角较体短，柄节和第 3 节均长于第 4 节，第 5 节约为第 4 节的 2.0 倍。前胸背板具侧瘤突。鞘翅肩部宽，两侧平行或向后渐收狭，翅面密布刻点，常具蓝、绿、铜色等金属光泽。前胸腹板突短而狭，不超过前足基节中部，中胸腹板突宽大而隆突。足腿节内侧具齿突，后足第 1 跗节长约等于第 2、3 节之和。

分布:古北区，东洋区。世界已知 23 种/亚种，中国记录 19 种/亚种，秦岭地区发现 4 种。

备注:本属长期被作为金花天牛属 *Gaurotes* 的亚属，后者目前仅包括北美洲的 2 个种，即 *Gaurotes cyanipennis* (Say, 1824) 和 *Gaurotes thoracica* (Haldeman, 1847)。*Carilia* 被恢复为属之后，也可以沿用中文名为金花天牛属，但有时候在中国有分布

的拟金花天牛属 *Paragaurotes* Plavilstshikov, 1921 还被作为 *Gaurotes* 的亚属，那么就会出现两个属名的中文名重复的情况，因此，改用银花天牛属作为 *Carilia* 的中文名。

分种检索表

1. 前胸背板全红色 ………………………………………………………………………… 2
   前胸背板有显著的大型黑斑 ………………………………… **亮绿银花天牛 *Carilia lucidivirens***
2. 前胸背板盘区的瘤突特别显著；鞘翅黑色具青铜光泽 ………… **瘤胸银花天牛 *C. tuberculicollis***
   前胸背板盘区不具显著的瘤突；鞘翅金绿色或金蓝色 ……………………………………… 3
3. 鞘翅金绿色；小盾片长些；触角颜色向后变浅 ……………………… **陕银花天牛 *C. filiola***
   鞘翅金蓝色；小盾片短些；触角颜色一致黑色 ……………… **俄蓝银花天牛 *C. virginea aemula***

(61) 陕银花天牛 *Carilia filiola* (Holzschuh, 1998)（图版 5:5）

Gaurotes (*Carilia*) *filiola* Holzschuh, 1998: 5, fig. 1.

别名：陕金花天牛。

鉴别特征：体长 8.4～11.1mm。头黑色，触角黑色，末端稍显黑褐色或红褐色。前胸红色。小盾片和鞘翅深绿色。足黑色。触角短于体长，小盾片三角形，末端尖；鞘翅刻点细密，两侧几乎平行，末端合圆。

采集记录：1♂（正模），陕西：Qinling Mts., southern slope, Xunyangba (-S + W env.), 1400～2100m, 1995. Ⅵ. 05-09, leg. L. & R. Businský(CCH)。

分布：陕西（宁陕）。

(62) 亮绿银花天牛 *Carilia lucidivirens* (Holzschuh, 1998)（图版 5:6）

Gaurotes lucidivirens Holzschuh, 1998: 6, fig. 2.

别名：亮绿金花天牛。

鉴别特征：体长 7.9～11.3mm。头黑色，触角基部 5 节黑色，从第 6 节开始颜色逐渐变浅，到末端 3 节显示为红褐色。前胸红色具 1 个大型黑斑，黑斑面积超过前胸背板盘区面积的 1/2。小盾片和鞘翅深绿色。足黑色。触角短于体长，小盾片三角形，末端不尖；鞘翅刻点细密，两侧向后逐渐缩窄，末端几乎圆但缝角处具有小齿。

采集记录：1♂（正模），Shaanxi, Qinling Shan. S slope, Xunyangba (-S + W env.), 1995. Ⅵ. 05～09, leg. L. & R. Businský(CCH)。

分布：陕西（宁陕）。

(63)瘤胸银花天牛 *Carilia tuberculicollis* (**Blanchard, 1871**)(图版5:7a,7b)

Pachyta tuberculicollis Blanchard, 1871: 812.

Gaurotes davidis Deyrolle, 1878: 133.

Gaurotes tuberculicollis: Fairmaire, 1886: 356.

Gaurotes tuberculicollis subsp. *obscuripes* Pic, 1939: 1.

Gaurotes (*Gaurotes*) *tuberculicollis*: Gressitt, 1951: 64.

Gaurotes (*Neogaurotes*) *tuberculicollis*: Podaný, 1962: 233.

别名:瘤胸金花天牛。

鉴别特征:体长9.0~12.0mm。头、触角、小盾片及足黑色，前胸背板红褐，鞘翅黑色具青铜光泽，基节、转节、大部分腿节及腹面黄褐色，触角端部6节黑褐色。额中央有1条细纵沟，复眼外缘及颊具淡黄色绒毛，头部刻点粗密；触角较细，一般伸至鞘翅中部之后。前胸背板横阔，光洁，有前、后两条横沟，侧缘瘤突明显，中区两侧隆突，中央有1条短纵沟，近端部两侧各具1个瘤突，胸面有少许极细刻点。小盾片三角形，端角圆，端角中央微凹，两端稍突出，表面着生淡毛。鞘翅两侧近于平行，端部稍窄，外端角圆形，缝角明显；翅面有粗密皱纹刻点，近中缝有几行整齐刻点。中胸腹板突高于中足基节，呈角状突出，端末深凹，与后胸腹板前缘凸起相嵌镶。腹部光亮，有少许细毛。雄虫第1、2腹节腹板不显著长于其他各节，雌虫第1、2腹节长等于3~5节之和。

采集记录:1♂，周至厚畛子镇老县城至秦岭梁途中，1745~2021m，2007. V.27，林美英采(IOZ(E)1904785)；5♀，同上；1♀，周至厚畛子镇秦岭梁，2021m，2007. V.27，林美英采(IOZ(E)1904802)；3♂3♀，同上(IOZ(E)1904801，张丽杰采；1♀，周至厚畛子镇沙梁子村，950m，2007. V.25，林美英采；1♂，凤县红岭林场，1580~1800m，1973. Ⅶ.23，张学忠采；1♂，华山，1670m，1963. V.27，毛金龙采；1♀，陕西，1964；1♂，宁陕火地塘，1960. V.27。

分布:陕西(周至、陇县、凤县、华阴、宁陕)、黑龙江、内蒙古、河南、湖北、福建、四川、西藏。

(64)俄蓝银花天牛 *Carilia virginea aemula* (**Mannerheim, 1852**)

Pachyta aemula Mannerheim, 1852: 306.

Gaurotes (*Neogaurotes*) *aemula*: Podaný, 1962: 234.

Gaurotes (*Neogaurotes*) *aemula* ab. *sachtlebeni* Podaný, 1962: 235 [infrasubspecies].

Gaurotes (*Neogaurotes*) *aemula* ab. *maculiceps* Podaný, 1962: 235 [infrasubspecies].

Gaurotes (*Neogaurotes*) *aemula* ab. *brunneicornis* Podaný, 1962: 235[infrasubspecies].

Gaurotes thalassina: Jiang & Chen, 2001: 80[misapplied].

Gaurotes (*Carilia*) *virginea aemula*: Löbl & Smetana, 2010: 126.

别名:俄蓝金花天牛。

鉴别特征:体长7.0~11.0mm。体型较宽而短小;头部黑色,前胸背板暗红色,鞘翅金蓝色,腹部腹板黄褐色,或第2、3节前半部黄褐色,其余部分为黑色。头短小,复眼近卵形,内缘几不凹陷,触角着生在复眼内侧前方,长不达(雌虫)或稍超过(雄虫)鞘翅中部,柄节长于第3节,第3节稍长于第4节,第5节长于柄节,头在复眼后渐狭,颈较宽。前胸背板长宽几相等,后端仅稍宽于前端,均有细脊边缘,前后均有横陷沟,侧缘中部有短瘤突。小盾片三角形。鞘翅宽短,肩宽与翅长比为1:2,肩角突出,内侧凹陷,小盾片两侧稍突起,两侧缘平行,翅端缘角圆,翅面密布粗刻点,基部最粗深,背中央部分刻点较整齐,刻点密接,点间距离小于点刻直径。腹部平扁,后足跗节长为胫节的2/3,第1跗节长等于2、3节之和。

分布:陕西(宁陕)、黑龙江、吉林、内蒙古、北京、山西、宁夏、湖北;蒙古,俄罗斯,哈萨克斯坦,欧洲。

备注:根据2010年的古北区名录,分布于陕西的应该是 *Gaurotes* (*Carilia*) *virginea aemula* (Mannerheim, 1852) 俄蓝金花天牛。在周嘉熹等(1988)中记录为蓝金花天牛 *Gaurotes virginea thalassina*;在蒋书楠和陈力(2001)的动物志和《宁夏六盘水无脊椎动物》里,本种被记录为红胸蓝金花天牛 *Gaurotes thalassina* (Shrank, 1781)(仅分布于欧洲)。

35. 截翅眼花天牛属 *Dinoptera* Mulsant, 1863

Acmaeops (*Dinoptera*) Mulsant, 1863: 494. **Type species**: *Leptura collaris* Linnaeus, 1758.

Dinoptera: Villiers, 1974: 212.

属征(蒋书楠 & 陈力, 2001):本属原为眼花天牛属 *Acmaeops* LeConte, 1850 的亚属,与后者的主要区别是:本属体小型宽短,具蓝、黑、铜色金属光泽;前胸背板长胜于宽而非宽胜于长,背面无中纵沟;鞘翅两侧缘平行,端缘宽,略平截,缘角不浑圆;触角着生在复眼稍前方。

分布:古北区。世界已知7种,中国记录5种,秦岭地区发现3种。

分种检索表

1. 头和前胸红色;足大部分红褐色,部分跗节黑褐色 ……………………………………

……………………………………………………… 叶甲截翅眼花天牛 *Dinoptera chrysomelina*

头、前胸和足均黑色 ……………………………………………………………………………… 2

2. 前胸前端缢缩不显著；前胸背板中央有细纵凹线；小盾片末端较圆钝 ……………………………

……………………………………………………………… 小截翅眼花天牛 *D. minuta minuta*

前胸前端缢缩较显著，尤其是侧面；前胸背板中央无细纵凹线；小盾片末端较尖锐 …………

……………………………………………………………………… 甘肃截翅眼花天牛 *D. lota*

(65) 叶甲截翅眼花天牛 *Dinoptera chrysomelina* Holzschuh, 2003（图版 5:8）

Dinoptera chrysomelina Holzschuh, 2003: 151, fig. 4.

鉴别特征: 体很小，体长 6.6 ~ 7.3mm。头和前胸红色；触角基部 2 或 3 节红色，其余触角节黑褐色至黑色；小盾片和鞘翅金属蓝绿色；足大部分红褐色，跗节红褐色至黑褐色，通常前足跗节和各足附爪节颜色较深，呈黑褐色。触角伸达鞘翅末端 1/5 处，鞘翅末端合圆。

采集记录: 1♂（正模），Qinling Shan, 6km E of Xunyangba, 1000 ~ 1300m, 2000. Ⅴ.23 ~ Ⅵ.13（CCH）。

分布: 陕西（宁陕）。

(66) 甘肃截翅眼花天牛 *Dinoptera lota* Holzschuh, 1998 陕西新纪录（图版 5:9）

Dinoptera lota Holzschuh, 1998: 8, fig. 7.

鉴别特征: 体长 6.5 ~ 7.6mm。黑色，鞘翅深蓝具光泽。头明显宽于前胸背板前端，正中有 1 条纵线，密布细刻点；触角一般较细，延伸至鞘翅中部之后，第 3 节同柄节等长。前胸背板长略胜于宽，前端窄，无前横沟但侧面凹陷明显，后端宽，中部明显膨阔，胸面中央无细纵凹线，分布稀疏细刻点及着生灰褐绒毛。鞘翅显著宽于前胸，卵圆形，翅端缘圆弧形，翅面密布细刻点及微具皱纹，着生黑色短毛。

采集记录: 1♂，周至厚畛子镇，1271m，2007. Ⅴ.28，林美英采。

分布: 陕西（周至）、甘肃。

(67) 小截翅眼花天牛 *Dinoptera minuta minuta* (Gebler, 1832)

Pachyta minuta Gebler, 1832: 69.

Acmaeops (*Dinoptera*) *minuta*: Gressitt, 1951: 69.

Dinoptera minuta: Jiang & Chen, 2001: 86, pl. XIII, fig. 21.

Dinoptera minuta minuta: Danilevsky, 2011b: 318.

鉴别特征:体很小，长6.0~7.0mm。黑色，鞘翅深蓝具光泽。头略宽于前胸背板前端，正中有1条纵线，密布细刻点及着生少许灰绒毛；触角一般较细，延伸至鞘翅中部之后，第3节同柄节等长。前胸背板长略胜于宽，前端窄，无前横沟，后端宽，中部稍膨阔，胸面中央有细纵凹线，分布稀疏细刻点及着生灰褐绒毛。鞘翅显著宽于前胸，卵圆形，翅端缘圆弧形，翅面密布细刻点及微具皱纹，着生黑色短毛。

分布:陕西(秦岭)、黑龙江、吉林、辽宁、内蒙古、北京、河北、山西、山东、河南、宁夏、浙江、江西、广西；俄罗斯，朝鲜，韩国。

寄主:*Swida* sp.（=梾木属，灯台树，蒲富基，1980），*Abies* sp.，*Castanea crenata* Siebold *et* Zuccarini，*Cornus controversa* Hemsley，*Cunninghamia lanceolata* Hooker，*Fagara ailanthoides* Engler，*Mallotus Japanicus*（Thunberg），*Pinus sylvestris* Linnaeus，*Populus davidiana* Dode，*Prunus salicina* Lindley，*Pterocarya rhoifolia* Siebold *et* Zuccarini，*Rhus javanica* Linnaeus。

备注:据Danilevsky(2011)记载，日本的类群被作为另一个亚种 *Dinoptera minuta criocerinus*（Bates，1873）（=*Acmaeops japanica* Pic，1907）。陕西的本种记录很可能是甘肃截翅眼花天牛的错误鉴定。

36. 欧眼花天牛属 *Euracmaeops* Danilevsky，2014

Euracmaeops Danilevsky, 2014b: 147. **Type species**: *Leptura marginata* Fabricius, 1781.

Acmaeops auct., part. (nec LeConte, 1850a).

属征(蒋书楠 & 陈力，2001)**:**宽短；鞘翅一色，无花斑，常具金属光泽或细绒毛；头部复眼椭圆形，较小，颊短，触角着生在复眼前缘内侧，一般伸达鞘翅中部前后；头在复眼后逐渐收狭；前胸背板长不亚于宽，前端具领片，背面圆隆，侧缘弧圆；鞘翅宽短，侧缘平行或向后稍狭，端缘平截；腹部末端露出鞘翅外；后足第1跗节稍长于第2、3节之和。

分布:古北区。世界已知4种，中国均有分布，秦岭地区发现2种，原先均被放在眼花天牛属 *Acmaeops* LeConte，1850。

分种检索表

体背面密被绿色至灰绿色粗卧毛 ························ **灰绿欧眼花天牛 *Euracmaeops smaragdulus***

体背面无绿色或灰绿色粗卧毛；鞘翅黑色，缘折红褐色 ··········· **红缘欧眼花天牛 *E. septentrionis***

（68）红缘欧眼花天牛 *Euracmaeops septentrionis*（Thomson C. G.，1866）

Pachyta septentrionis Thomson C. G.，1866：61.

Leptura simplonica Stierlin，1880：550.

Acmaeops alpestris Pic，1898b：54.

Acmaeops（*Acmaeops*）*septentrionis*：Aurivillius，1912：190.

Euracmaeops septentrionis：Danilevsky，2014b：147，148，pl. 15，figs. 4-5.

别名：红缘颊眼花天牛、红缘眼花天牛。

鉴别特征：体长8.0～10.0mm。体型小。黑色，鞘翅缘折红褐色。触角黑色，有时端部黄褐色，体被灰白色绒毛，无光泽。头胸近于等宽，头部中央有不甚明显的细纵沟，密布刻点。雄虫触角长达鞘翅中部之后，雌虫则稍短，第3节与柄节等长。前胸背板长略胜于宽，前端窄，有前横沟，后端宽，侧缘弧形，胸面稍凹，具细密刻点。鞘翅基部宽，显宽于前胸基部，后端稍窄，端缘微平切，缝角稍尖，外端角圆形，翅面微拱，具细密刻点。部分稍有皱纹。雄虫腹部末端较大，后缘中央略凹缺，雌虫腹部末节稍短小，后缘完整，弧形。足较长，后足胫节长于跗节，后足第1跗节长于以后两节之和。

分布：陕西（秦岭）、黑龙江、吉林、辽宁、内蒙古、新疆；蒙古，俄罗斯，朝鲜，韩国，日本，哈萨克斯坦，欧洲。

寄主：*Larix* sp.，*Picea* sp.，*Pinus* sp.，新疆五针松，落叶松等针叶树。

（69）灰绿欧眼花天牛 *Euracmaeops smaragdulus*（Fabricius，1793）

Leptura smaragdula Fabricius，1793：342.

Acmaeops smaragdula：Heyden，1909：160.

Acmaeops smaragdulus：Villiers，1978：118，fig. 358.

Euracmaeops smaragdulus：Danilevsky，2014b：147，148，pl. 15，figs. 6-9.

别名：灰绿眼花天牛。

鉴别特征：体长6.5～12.0mm。体黑色，紧密被覆绿色至灰绿色粗卧毛。头小，前伸，额短，密布细刻点，唇基上唇较长，刻点较稀；复眼卵形，纵径为其下颊部的1.5倍；触角着生在复眼前缘内侧，长达鞘翅中部；颈在复眼后逐渐狭缩。前胸背板长宽略等，刻点极细小、圆整、疏密不匀，前端狭小，领片明显，前、后横沟宽陷，后侧角不突出，背面圆隆，侧缘弧圆，背中线刻点稀少，稍下陷。小盾片小三角形。鞘翅宽短，肩宽与翅长之比为3∶7，侧缘平行，端缘平截。足较粗短，后足第1跗节长为

第2、3节之和，跗节下具毛垫。

分布：陕西（秦岭）、黑龙江、吉林、辽宁、内蒙古、新疆；蒙古，俄罗斯，朝鲜，韩国，哈萨克斯坦，欧洲。

寄主：*Abies* sp.，*Larix* sp.，*Picea* sp.，*Pinus* sp.。

37. 瘤花天牛属 *Gaurotina* Ganglbauer，1889

Gaurotina Ganglbauer，1889a：49. **Type species**：*Gaurotina superba* Ganglbauer，1889.

属征（Jiang & Chen，2001）：体型宽短。头在复眼前方稍狭长，复眼小，椭圆形，其下颊部较长，头在复眼后逐渐收狭，触角着生在复眼前方，基瘤接近，触角第3、4节很短，第5节长于第3、4节之和，第11节有明显横缢。前胸背板前端和后端均明显收狭，侧缘中部下方有1个小瘤突，其背方靠后又有1个瘤突。

分布：中国；俄罗斯。世界已知8种，中国记录7种，秦岭地区发现2种。

分种检索表

前胸背板及足黄褐色；触角细长，达鞘翅末端；鞘翅刻点粗深，背面近基部稍隆起，翅端两翅相合成半圆形，侧缘平扁 ························· **黄胸瘤花天牛 *Gaurotina nitida***
前胸背板前、后横沟之间黑色，足黄褐色，腿节端部黑色；触角达鞘翅的3/4；鞘翅密布皱刻纹，基部较粗，向端部逐渐细密，翅端狭圆 ························· **瘤花天牛 *G. superba***

（70）黄胸瘤花天牛 *Gaurotina nitida* Gressitt，1951（图版6：1）

Gaurotina nitida Gressitt，1951：62，pl. 12，fig. 1.

鉴别特征：体长12.5mm，体宽4.5mm。体黄褐至赤褐色；触角第5节端半部以后赭黑色；鞘翅金绿色富光泽；前胸背板光滑少毛，鞘翅被稀疏褐色毛，腹面被稀疏灰短毛。触角细长，达鞘翅末端，柄节长于第3节，第3节约与第4节等长，第5节与第3、4节之和等长，以后各节各与第5节等长，每节端部稍肥大。前胸背板基缘宽几为鞘翅肩宽的1/2，端缘很狭，前后缘均深缢，中部膨大、两侧缘中部侧瘤突之后还有1个较大瘤突，位置偏上。鞘翅光滑，刻点粗深，背面近基部稍隆起，中部两侧和后部中缝附近较低陷，端部两翅相合成半圆形，侧缘平扁。后足腿节不达翅端，后足第1跗节长等于第2、3跗节之和。

采集记录：1♂（正模），CHINA（Shensi Province（NW. China））：Tsing-sui-ho，

1947. Ⅵ. 14, Chang Shu-tsen (NCHU)

分布：陕西（秦岭）、宁夏、甘肃。

(71) 瘤花天牛 *Gaurotina superba* Ganglbauer, 1889

Gaurotina superba Ganglbauer, 1889a: 50.

别名：黑胸瘤花天牛。

鉴别特征：体长 14.0 ~ 17.0mm。体红褐色，鞘翅翠绿，稍带黄铜色，触角黑色，头和前胸背板大部分、腿节端部、胫节基部和跗节黑色。小盾片黑色，密被灰黄色毛。鞘翅金绿色，有光泽。腹面黄褐色，胸部腹板具灰黄色的细毛，后胸腹板后足基节前方有 1 个宽的三角形黑斑，基节间后方第 1 腹节前方暗黑色，腹节毛细短稀少。触角细，一般长达鞘翅中部之后。鞘翅肩宽，后端较狭，端缘圆形。雌虫鞘翅未能盖住整个腹部，常有末两节暴露在鞘翅之外。

分布：陕西（秦岭）、甘肃、四川、云南。

38. 圆眼花天牛属 *Lemula* Bates, 1884 陕西新纪录属

Lemula Bates, 1884: 211. **Type species:** *Lemula decipiens* Bates, 1884.

属征（Jiang & Chen, 2001）：体型短小，头前部短，后颊十分显著；复眼大，内缘几乎不凹入，小眼面细粒；触角着生在复眼前缘附近，触角丝状，短于身体，第 3 节约等于第 4 节，显短于柄节，以后各节稍长；下颚须、下唇须端节不扩大；触角基瘤不显著突起，左右靠近。前胸背板侧缘有显著瘤突，背中央有 1 对纵隆突，中间深陷。鞘翅两侧平行，中部以后稍宽，端部两侧相合成圆形，翅面光滑但无金属光泽。前胸腹板突短，伸入前足基节窝之间，末端稍扩大。

分布：古北区，东洋区，更偏向东洋区。世界已知 22 种/亚种，中国记录 19 种/亚种，秦岭地区发现 1 种。

(72) 黄腹圆眼花天牛 *Lemula coerulea* Gressitt, 1939 陕西新纪录（图版 6:2）

Lemula coerulea Gressitt, 1939a: 84, pl. Ⅱ, fig. 6.

鉴别特征：体长 7.2 ~ 7.8mm。头、前胸、小盾片和鞘翅金属蓝色；触角和足黑色；腹部黄褐色。触角伸达鞘翅中部附近，雌虫和雄虫差异不大；鞘翅两侧平行，中部以

后稍宽，端部两侧相合成圆形。

采集记录:2♂1♀，周至厚畛子秦岭梁，2021m，2007. Ⅴ.27，林美英采(其中1♂ IOZ(E)1904792)。

分布:陕西(周至)、浙江、福建。

39. 拟金花天牛属 *Paragaurotes* Plavilstshikov, 1921

Gaurotes (*Paragaurotes*) Plavilstshikov, 1921b: 116. **Type species**: *Gaurotes* (*Acmaeops*) *ussuriensis* Blessig, 1873.

Paragaurotes: Danilevsky, 2010b: 226.

属征:跟银花天牛属 *Carilia* 很像，但是后足腿节末端有1个锯齿。有时不被看作1个独立的属，而是金花天牛属 *Gaurotes* 的亚属。

分布:中国；俄罗斯，朝鲜，韩国，日本。世界已知仅3种，均在中国有分布，秦岭地区发现3种，但其实只有2种，娇金花天牛是错误记录。

(73)绿胫拟金花天牛 *Paragaurotes fairmairei* (Aurivillius, 1912)(图版6:3)

Gaurotes donacioides Fairmaire, 1889b: 59(nec Kraatz, 1879).

Gaurotes fairmairei Aurivillius, 1912: 193(new name for *Gaurotes donacioides* Fairmaire, 1889).

Gaurotes fairmairei subsp. *diversicollis* Pic, 1939: 1.

Gaurotes (s. str.) *fairmairei*: Gressitt, 1951: 64.

Gaurotes (*Paragaurotes*) *fairmairi*: Jiang & Chen, 2001: 75, pl. Ⅲ, fig. 29; pl. ⅩⅢ, fig. 15; pl. ⅩⅥ, fig. 19 [misspelling].

别名:绿胫金花天牛。

鉴别特征:体长10.0~14.0mm。体型较狭长；唇基，上唇，前、中、后足腿节基部，腹节腹板大部分(雌虫)或仅各节边缘(雄虫)橙黄色；触角基部数节(通常5节)黑色，端部数节红棕色至黑褐色；复眼褐色或黑色，小盾片、胸部腹板、足基节、腿节端部、腹节腹板两侧斑点黑色，腹板的黑斑有变异，有的除腹节后缘黄褐色外，第1节或者第1、2节，或者1~5节的其余部分均为黑色；足胫节和跗节墨绿色至黑色；前胸背板黑色带蓝绿光泽，鞘翅黑绿色有光泽；全体被灰白色细绒毛。头部额面多绒毛，触角不达鞘翅中部(雌虫)或超过鞘翅中部(雄虫)，柄节与第5节等长，稍长于第3节，第3节稍长于第4节，5~7节等长，8~10节稍短。小盾片三角形。鞘翅较狭长，肩宽与前胸宽比为5:3，与翅长比为1:2，两侧几平行，肩后稍凹，端缘稍平截，缝角稍尖突，缘角钝圆，翅面密布细皱点刻，因光线照射方向不同而呈现金绿色或黑色。中后足腿节端部内侧有凹沟，边缘有1个齿突，跗节下面有浓密绒毛垫。

视差鉴别：由于其腿节颜色跟娇拟金花天牛相似，都是基部淡色端部黑色，且触角颜色均不稳定，容易造成混淆。但是本种的胫节从不出现中间部分红褐色的情况，鞘翅较狭长，可以与日本特有的后者相区别。

采集记录：1♀，陕西，1964；1♂，周至厚畛子镇秦岭梁，2021m，2007. Ⅴ.27，林美英采（IOZ(E)1904787）；1♀，同上；1♀，周至厚畛子老县城至秦岭梁途中，1745～2021m，2007. Ⅴ.27，林美英采（IOZ(E)1904788）；1♀，周至厚畛子，1500～2000m，1999. Ⅵ.21，刘缠民采；1♂，周至厚畛子，2004. Ⅴ.19，郎嵩云采；1♀，佛坪凉风垭，2100～1900m，1998. Ⅶ.24，袁德成采；1♂，宁陕火地塘平河梁，2016～2448m，2007. Ⅵ.01，林美英采。1♀，石泉，1960. Ⅴ.25；1♀，宁东沙沟，1981. Ⅴ（NWAFU，CO028469）。

分布：陕西（周至、佛坪、宁陕、石泉、宁东）、宁夏、四川。

备注：蒋书楠和陈力（2001）在娇拟金花天牛（别名：娇金花天牛）*Paragaurotes doris*（Bates，1884）底下只写了陕西的分布，但是记录的标本只有“西北林学院”的标签，很可能是错误鉴定。华立中（2002）的名录里记录娇拟金花天牛在陕西和朝鲜的分布，但是，陕西分布的其实是本种，而韩国也无娇拟金花天牛的记载（Lee，1987；Jang，Lee & Choi，2015）。《六盘山无脊椎动物》里记录的娇拟金花天牛，也是本种的误订。据大林延夫教授介绍，娇拟金花天牛应该是日本的特有种（个人交流，2005. Ⅴ.15）。因此，本书不记述娇拟金花天牛。

（74）凹缘拟金花天牛 *Paragaurote ussuriensis*（Blessig，1873）

Gaurotes（*Acmaeops*）*ussuriensis* Blessig，1873：247.

Gaurotes（*Paragaurotes*）*ussuriensis*：Gressitt，1951：65.

Gaurotes（*Gaurotes*）*ussuriensis*：Podaný，1962：247.

Paragaurotes ussuriensis：Danilevsky，2014b：141，pl. 14，figs. 23-26.

别名：凹缘金花天牛。

鉴别特征：体长10.0～13.0mm。体黑色，鞘翅墨绿色，稍带红铜色，触角端部7节、腿节前部及胫节大部分红褐色，体被淡黄绒毛，鞘翅绒毛较稀。触角细，一般长达鞘翅中部之后。前胸背板长同宽近于相等，前端稍窄，侧缘中部之前略具瘤突，有前、后浅横沟，中区两侧稍拱隆，中央有1条细纵凹线，胸面具粗密皱纹刻点。鞘翅肩宽，后端较狭，端缘凹切，外端角钝，缝角较尖，翅面有皱纹的粗密刻点。

分布：陕西（宁陕）、黑龙江、吉林、辽宁、河北；俄罗斯，朝鲜，韩国。

40. 厚花天牛属 *Pachyta* Dejean, 1821

Pachyta Dejean, 1821: 112. **Type species**: *Leptura quadrimaculata* Linnaeus, 1758.

Argaleus LeConte, 1850a: 319. **Type species**: *Argaleus nitens* LeConte, 1850 (= *Pachyta liturata* Kirby, 1837).

Neopachyta Bedel, 1906: 93 [RN].

Linsleyana Podaný, 1964: 43. **Type species**: *Pachyta armata* LeConte, 1873.

属征(Jiang & Chen, 2001):体中大型，头前部较长，下颚须末节端部膨大，触角较粗短，头在复眼后逐渐收狭。前胸背板有前、后横沟，侧缘具瘤突。鞘翅肩部宽，向后显著收狭，端缘平截或凹截。雄虫后足腿节伸达鞘翅末端，胫节端刺从末端伸出，跗节长胜于宽，后足第3跗节浅裂不到1/2，第1跗节长于第2、3节之和。

分布:古北区。世界已知11种，中国记录7种，秦岭地区发现4种。

分种检索表(Jiang & Chen, 2001)

1. 鞘翅黄褐色具黑斑 …… 2
   鞘翅黑色具黄斑；小盾片两侧各有1个圆形黄斑，中部1条黄色波状横带，沿肩角至中部外侧缘黄色，雄虫黄斑较多，除上述外，往往肩角黄色，翅端黄色 …… **黄带厚花天牛 *Pachyta mediofasciata***
2. 前胸背板粗糙不平，密布粗刻点及皱脊；鞘翅端缘平截 …… 3
   前胸背板具较粗刻点，不具皱脊；鞘翅端缘斜截，缝角尖锐突出，每翅中部前后有2个大黑斑，黑斑多变异，或清晰，或模糊，仅留黑影，或前后分界清楚，或沿中缝前后相连，使整个鞘翅呈模糊污黑色，黑斑也可以完全消失 …… **松厚花天牛 *P. lamed***
3. 每鞘翅中部前后方各有1个近方形的大黑斑，常多变异，前方黑斑有的呈小圆斑，或消失；后方黑斑有时也呈小圆斑，而前方黑斑则较大 …… **厚花天牛 *P. quadrimaculata***
   每鞘翅中部之后至翅端前有1条长黑斑，呈倒长三角形，有时在基半部背中央有1小而模糊的黑点或黑短线 …… **双斑厚花天牛 *P. bicuneata***

(75)双斑厚花天牛 *Pachyta bicuneata* Motschulsky, 1860

Pachyta bicuneata Motschulsky, 1860: 147.

Pachyta (*Anthophylax*) *bicuneata* var. *incolumis* Heyden, 1886a: 273.

Pachyta bicuneata v. *bisbimaculata* Pic, 1900c: 17.

Neopachyta bicuneata v. *bisbinotata* Pic, 1907a: 5.

鉴别特征:体中等大小,体长13.0~18.0mm。体黑色,鞘翅棕黄色,末端具长三角形黑斑,有时缺如。触角黑褐色,基瘤大而明显,二瘤间有深沟;雌虫触角长度不超过体长之半,雄虫触角略超过体长。小盾片黑色,被灰毛。鞘翅基部最宽,逐渐向体后方缩小,末端切平。足细长,被棕灰色绒毛,腿节不特别膨大。腹部黑色,密被棕灰绒毛,微自鞘翅末端露出。

分布:陕西(宁陕)、黑龙江、吉林、甘肃;蒙古,俄罗斯,朝鲜,韩国,日本。

寄主:松,雪松(常出现在伞形花科的花上)。*Cedrus deodara* Loudon (= *libani* A. Richard), *Larix gmelinii* Ledebour ex Gordon, *Picea* sp., *Pinus koraiensis* Siebold & Zuccarini, *Pinus tabulaeformis* Hort. ex C. Koch.

备注:本次调查没有见到本种的陕西标本,倒是见到了几号黄带厚花天牛的标本带有本种的标签,因此推断以往的记录可能是黄带厚花天牛的错误鉴定。但本文保留原来的秦岭地区发现。

(76)松厚花天牛 *Pachyta lamed* (Linnaeus, 1758)

Cerambyx lamed Linnaeus, 1758: 391.
Stenocorus lamed: Fabricius, 1775: 178.
Leptura pedella de Geer, 1775: 129.
Cerambyx (*Stenocorus*) *lamed*: Gmelin, 1790: 1861.
Leptura lamed: Paykull, 1800: 101.
Leptura spadicea Paykull, 1800: 103.
Pachyta lamed: Dejean, 1821: 112.
Toxotus spadiceus: Redtenbacher, 1849: 504.
Toxotus lamed: Redtenbacher, 1858: 872.
Pachyta (*Anthophilax*) *lamed*: Mulsant, 1862: 478.
Anthophylax lamed: Blessig, 1873: 230.
Pachyta lamed Gressitt, 1951: 59.
Pachyta (*Pachyta*) *lamed*: Podaný, 1964: 43, 49.
Pachyta lamed lamed: Makihara, 1995: 454.

鉴别特征:体长10.5~22.0mm。性二型,雌虫和雄虫成虫在鞘翅颜色、斑纹及体型等方面有较大的差异。体黑色,鞘翅雄虫红褐色,单色无斑纹;雌虫麦秆黄色,每翅有2个大型、不规则的褐色斑,有时弱显,常较模糊。雄虫触角超过鞘翅中部,雌虫不到鞘翅中部,柄节弯曲。前胸背板侧缘具圆锥形瘤突。鞘翅基部宽,端部狭,雄虫比雌虫收缩更明显,雄虫鞘翅较窄长,雌虫较宽短,雄虫端缘凹切,端角尖而突出,雌虫端缘斜切,端角钝圆。

分布:陕西(秦岭)、吉林、内蒙古、甘肃、青海、新疆；蒙古，俄罗斯，朝鲜，韩国，日本，欧洲。

寄主:云杉。

(77)黄带厚花天牛 *Pachyta mediofasciata* Pic, 1936(图版6:4a, 4b, 4c)

Pachyta mediofasciata Pic, 1936a: 15.

Pachyta mediofasciata v. *subapicalis* Pic, 1939: 1.

Pachyta mediofasciata v. *nigromarginalis* Pic, 1939: 2.

鉴别特征:体长12.0~17.0mm。体黑色，无光泽，仅鞘翅端部微光亮；鞘翅斑纹有变化，一般每个鞘翅具3个黄色或黄褐斑纹，其斑纹分布如下:肩上方及近小盾片处各有1个圆斑，中部有1条弯曲横带；有时近小盾片处无斑，或者有时端部有黄褐斑纹。有时候雌虫鞘翅黄褐色，每翅中部前后方各有1个近方形的大黑斑，常多变异，前方黑斑有的可呈小圆斑、甚至完全消失；后方黑斑有时也可以呈小圆斑，而前方黑斑则较大。头着生稀细灰毛，体腹面密被灰黄色的短毛。触角较细，伸至鞘翅端部，雌虫触角稍短。鞘翅肩部宽，肩角明显，逐渐向端部狭窄，端缘切平。

采集记录:1♀，长安南五台，1970.Ⅵ.17，周尧、陈彤采(NWAFU, CO025850)；1♂3♀，周至厚畛子，1271m，2007.Ⅴ.26，林美英、史宏亮采；♂，同上，崔俊芝采(IOZ(E)1858384)；1♂，太白山白云，1980；3♀，沔县(=勉县)，1959.Ⅶ.10 1♀，洋县长青自然保护区，张巍巍采；10♂10♀，宁陕(NWAFU)；1♂，石泉火地塘，1960.Ⅴ.27；1♂1♀，陕西。

分布:陕西(长安、周至、太白、勉县、洋县、宁陕、镇安、石泉)、吉林、内蒙古、河北、青海。

寄主:华山松，油松。

(78)厚花天牛 *Pachyta quadrimaculata* (Linnaeus, 1758)

Leptura 4-maculata Linnaeus, 1758: 397.

Cerambyx timida Scopoli, 1763: 53.

Leptura bimaculata Schönherr, 1817: 489.

Pachyta quadrimaculata: Küster, 1846a: 62.

Pachyta quadrimaculata f. *basinotata* Roubal, 1937: 81, fig. 1.

别名:四斑厚花天牛。

鉴别特征:体长15.0~20.0mm。体中大型，黑色，鞘翅黄褐色，每翅中部前后方各有 1 个近方形的大黑斑，常多变异，前方黑斑有的可呈小圆斑、甚至完全消失；后方黑斑有时也可以呈小圆斑，而前方黑斑则较大。触角长不达鞘翅中部。前胸背板粗糙不平，密布粗皱刻。鞘翅宽，在小盾片前缘两侧的基角和肩角均突起，肩角内侧凹陷，侧缘向后稍狭，端缘稍平截，缘角不突出。

分布：陕西（秦岭）、黑龙江、吉林、河北、宁夏、甘肃、青海、新疆；俄罗斯，蒙古，哈萨克斯坦；欧洲。

寄主：华山松。*Picea* sp.，*Pinus armandii* Franchet，*Pinus koraiensis* Siebold & Zuccarini，*Pinus sylvestris* Linnaeus，*Pinus tabulaeformis* Hort. ex C. Koch。

备注：本种在陕西的记录可能是黄带厚花天牛雌虫的错误鉴定。

41. 驼花天牛属 *Pidonia* Mulsant，1863

Pidonia Mulsant，1863：570. **Type species**：*Leptura lurida* Fabricius，1793.

属征（Jiang & Chen，2001）：体小至中型，头与前胸等宽或稍宽，头前部下倾，唇基前伸，额横宽，与唇基间有横陷，下颚须末节较长，末端扩大，端缘弧截，雄虫较雌虫宽大；触角基瘤左右靠拢，中间成陷沟，复眼圆突，内缘浅凹；触角位于额上部复眼前缘附近，雄虫触角常长过体端，雌虫较短，通常第 5 节最长，第 3 节长于第 4 节。前胸背板前缘、后缘缢缩，侧缘中部圆突，前缘领片通常明显，背面圆隆，后缘双曲波形，背中线后半部常有光滑细脊线，后侧角不突出。小盾片三角形。鞘翅宽于前胸，翅长通常为肩宽的 2.5 倍左右，雌虫两侧缘平行，雄虫后端渐狭，端缘圆或截断。腹部末节雄虫常凹陷。足较细，后足跗节有毛垫，第 1 跗节长于第 2、3 节之和。

分布：古北区，东洋区。秦岭地区分布 2 亚属 7 种。

分种检索表

1. 鞘翅单色没有斑纹 …………………………… **苍白驼花天牛 *Pidonia*（*Pseudopidonia*）*palleola***
   鞘翅至少双色，有明显的斑纹 ……………………………………………………………… 2
2. 鞘缝淡色 ……………………………………………………………………………………… 3
   鞘缝深色或者有深色纵纹 ………………………………………………………………… 4
3. 鞘翅较细长，长等于或大于肩宽的 3.0 倍；鞘翅两色，端部黑色 ……………………………
   ……………………………………………………………… **陕驼花天牛 *P.*（*P.*）*hamifera***
   鞘翅较宽短，长略大于肩宽的 2.0 倍，远小于 3.0 倍；鞘翅 3 色，端部红褐色 ………………
   ……………………………………………… **脊胸驼花天牛 *P.*（*Omphalodera*）*heudei***

4. 小盾片淡色 …………………………………………………………………………………… 5
   小盾片深色 …………………………………………………………………………………… 6
5. 鞘翅最基部紧靠小盾片处黑色，肩角往后背面的1/4淡色 …… **齿驼花天牛 *P.*（*P.*）*dentipes***
   鞘翅最基部紧靠小盾片处黄褐色，肩角往后背面的1/4黑色 ……………………………………
   ……………………………………………………………………………… **陕西驼花天牛 *P.*（*O.*）*changi***
6. 鞘翅大部分黑色，每鞘翅4个浅色斑 ……………………… **黑角驼花天牛 *P.*（*P.*）*amurensis***
   鞘翅大部分黄褐色，每鞘翅具4个黑色斑 ………………… **秦岭驼花天牛 *P.*（*P.*）*qinlingana***

41-1. *Omphalodera* Solsky, 1873

Omphalodera Solsky, 1873: 244. **Type species**: *Omphalodera puziloi* Solsky, 1873.

Pseudopidonia（*Omphalodera*）: Gressitt, 1939a: 88.

Pidonia（*Omphalodera*）: Gressitt, 1951: 70.

分布:本亚属世界记录6种，中国分布2种，秦岭地区发现2种。

(79) 陕西驼花天牛 *Pidonia*（*Omphalodera*）*changi* Hayashi, 1971（图版6:5）

Pidonia（*Pidonia*）*changi* Hayashi, 1971: 3.

Pidonia（*Omphalodera*）*changi*: Löbl & Smetana, 2010: 128.

鉴别特征:体长7.5~9.0mm。体红褐色，小盾片和鞘翅黄褐色。鞘翅具以下黑斑:基部黑斑发达，占据翅基部1/4；中间侧斑大，三角形；端前是粗壮的横斑；鞘缝黑色纵斑发达，从基部到端前横斑，之后较细，连接到端斑；端斑较小。中胸和后胸深红褐色，腹部前2节基部深色；腿节深红褐色，胫节和跗节浅红褐色。

采集记录:1♀(正模), Shensi (North Central China), Seisuiga, 1947. Ⅵ. 19, Shu-Chen Chang采(OSAKA)；1♂，周至厚畛子镇秦岭梁，2021m，2007. Ⅴ. 27，张丽杰采；1♂，周至厚畛子，2500~3000m，1999. Ⅵ. 22，贺同利采；1♀，周至厚畛子，1600~2500m，1999. Ⅵ. 23，姚建采；1♀，周至厚畛子，1350m，1999. Ⅵ. 24，姚建采；1♀，佛坪凉风垭，2150~1750m，1999. Ⅵ. 28，章有为采；1♂，宁陕火地塘平河梁，2016~2448m，2007. Ⅵ. 01，林美英采。

分布:陕西(周至、佛坪、宁陕)。

(80) 脊胸驼花天牛 *Pidonia*（*Omphalodera*）*heudei*（Gressitt, 1939）陕西新纪录（图版6:6）

Pseudopidonia（*Omphalodera*）*heudei* Gressitt, 1939a: 86, 90, pl. Ⅱ, fig. 3.

Pidonia（*Omphalodera*）*heudei*：Gressitt，1951：75.

鉴别特征：体长4.5～6.0mm。头和前胸深红褐色；触角基部6节黄褐色，端部5节深红褐色；小盾片红褐色；鞘翅红褐色具3个黑斑，分别位于基部、中部和端前，基部最前沿是红褐色的，中部黑斑被半圆形黄褐色斑纹环绕，其前后颜色最浅，浅于鞘缝的红褐色；足红褐色至黑褐色。触角短于体，鞘翅末端圆。

采集记录：1♂，周至厚畛子镇，1271m，2007.Ⅴ.26，史宏亮采；1♂，户县朱雀公园，2012.Ⅵ.29，梁红斌采；1♂，柞水牛背梁，1400～1500m，2013.Ⅵ.12，阮用颖采。

分布：陕西（周至、户县、柞水）、浙江。

41-2. *Pseudopidonia* Pic，1900

Pidonia（*Pseudopidonia*）Pic，1900b：81. **Type species**：*Pseudopidonia amurensis* Pic，1900.

分布：本亚属世界已知118种/亚种，中国记录64种，秦岭地区发现5种。

（81）黑角驼花天牛 *Pidonia*（*Pseudopidonia*）*amurensis* Pic，1900

Pidonia（*Pseudopidonia*）*amurensis* Pic，1900b：81.

Pseudopidonia unifasciata Plavilstshikov，1915c：106.

Pidonia（*Pidonia*）*quelpartensis* Hayashi，1983：32，pl. 1，fig. 3.

Pidonia（*Pidonia*）*amurensis*：An & Kwon，1991；42，45，figs. 1G-5G.

Pidonia amurensis：Jiang & Chen，2001：92，pl. XⅢ，fig. 22.

鉴别特征：体长7.0～11.0mm。体黑色；头部下颚须黄褐色，触角棕黑色；鞘翅黑色，具橙黄色斑纹；足黑褐色，基节及腿节基部橙黄色。体背面被淡黄色细短毛，腹面被灰白色细绒毛。触角很细，长超过鞘翅中部。前胸背板前端狭，后端稍宽，后侧角不突出，前后横沟明显，背面圆隆，侧缘圆弧形，中部稍突。鞘翅两侧缘平行，端缘平截，缝角与缘角均不突出，翅面从基部至翅端纵列4个黑斑，基缘橙黄或黑色，中缝及其两侧黑色，侧缘橙黄色，背中央橙黄色部分略呈半环形，缺口向外，端部前橙黄斑近圆形。

分布：陕西（宁陕）、吉林；俄罗斯，朝鲜，韩国。

(82)齿驼花天牛 *Pidonia* (*Pseudopidonia*) *dentipes* Holzschuh, 1998(图版6:7)

Pidonia dentipes Holzschuh, 1998: 8, figs. 8, 71-72.

鉴别特征:体长7.3~9.8mm。体红褐色。头和前胸红褐色;触角和小盾片红褐色;足红褐色至深红褐色,通常中、后足腿节颜色更深;鞘翅黄褐色具以下黑斑:基部围绕小盾片具1个心形黑斑,两侧有延伸的"小翅膀";中间侧斑中等大,三角形,不接触鞘缝黑色纵条;端前是粗壮的横斑;鞘缝黑色纵斑发达,从基部到端部;端斑较小;端斑和端前斑互相连接围绕出2个圆形黄褐色斑。

采集记录:1♂,太白山大岭云海,33.88°N,107.41°E,2460m,2012.Ⅵ.20,华谊采;1♂(正模),CHINA (Shaanxi): Qinling Mts., southern slope, Xunyangba (-S + W env.), 1400~2100m, 1995.Ⅵ.05-09, leg. L. & R. Businský(CCH)。

分布:陕西(太白、宁陕)。

(83)陕驼花天牛 *Pidonia* (*Pseudopidonia*) *hamifera* Holzschuh, 1998(图版6:8)

Pidonia hamifera Holzschuh, 1998: 10, figs. 10, 74.

鉴别特征:体长6.0~8.2mm。头、前胸烟黑色;触角红褐色,第5节端部及其后各节烟黑色;小盾片棕褐色;足红褐色至黑褐色,通常中、后足腿节中部颜色更深,显示棕黑色或黑色;鞘翅黄褐色具以下黑斑:基部肩角附近有1个不显著黑斑;中间侧斑缺失或很小不明显;端前是粗壮的横斑;鞘缝黑色纵斑缺失;端斑中等大,在鞘缝处向前延伸至端前横斑。

采集记录:1♂(正模),CHINA (Shaanxi): Qinling Mts., southern slope, Xunyangba (-S + W env.), 1400~2100m, 1995.Ⅵ.05-09, leg. L. & R. Businský (CCH);1♂,周至厚畛子老县城至秦岭梁途中,1745~2021m,2007.Ⅴ.27,林美英采;1♂,周至厚畛子老县城,1745m,2007.Ⅴ.27,林美英采;1♂,留坝庙台子紫柏山,1596m,2012.Ⅵ.22,华谊采(Ceram-130);1♂,佛坪凉风垭,2150~1750m,1999.Ⅵ.28,章有为采。1♂,宁陕火地塘林场,1538m,2007.Ⅴ.02,林美英采。

分布:陕西(周至、留坝、佛坪、宁陕)。

(84)苍白驼花天牛 *Pidonia* (*Pseudopidonia*) *palleola* Holzschuh, 1991 陕西新纪录(图版6:9)

Pidonia palleola Holzschuh, 1991: 11, fig. 9.

鉴别特征:体长6.3~7.8mm。雄性体较短小，体色单一，淡黄褐色，上颚端部、下唇、下颚须端节稍呈暗色，触角2节或3节以后黑色，每节基部淡色；跗节黑色，胫节外缘或全部带黑色，腿节端部背方或端半部或多或少带黑色。触角较细，明显短于体长。鞘翅逐渐向后收狭，翅端平截。足腿节显著瘦长。雌性鞘翅较短，两侧较平行。

采集记录:1♂，周至厚畛子镇，1271m，2007. Ⅴ.26，史宏亮采；1♂，佛坪凉风垭，2150~1750m，1999. Ⅵ.28，章有为采；1♀，佛坪县，843m，2007. Ⅴ.29，史宏亮采。

分布:陕西(周至、佛坪)、四川。

(85)秦岭驼花天牛 *Pidonia* (*Pseudopidonia*) *qinlingana* Holzschuh, 1998(图版6:10)

Pidonia qinlingana Holzschuh, 1998: 11, figs. 12, 76.

鉴别特征:体长8.3~9.3mm。头、前胸和小盾片黑色；触角红褐色至黑褐色；足红褐色至黑褐色，通常中、后足腿节颜色更深，除基部外显示黑色；鞘翅黄褐色具以下黑斑:基部肩角附近有1个黑斑；中间侧斑中等大，半圆形，不接触鞘缝黑色纵条；端前是粗壮的横斑，接触鞘缝黑色纵条；鞘缝黑色纵斑发达，从基部到端部；端斑中等大；端斑和端前斑互相连接围绕出2个圆形黄褐色斑。

采集记录:1♂，周至厚畛子，1550~3000m，1999. Ⅵ.21，胡建采；1♂，佛坪凉风垭，2150~1750m，1999. Ⅵ.28，姚建采；1♂(正模)，Qinling Mts., southern slope, Xunyangba (-S + W env.), 1400~2100m, 1995. Ⅵ. 05-09, leg. L. & R. Businský (CCH)。

分布:陕西(周至、佛坪、宁陕)。

42. 皮花天牛属 *Rhagium* Fabricius, 1775

Rhagium Fabricius, 1775: 182. **Type species**: Cerambyx *inquisitor* Linnaeus, 1758.

Hargium Samouelle, 1819: 210. **Type species**: *Cerambyx inquisitor* Linnaeus, 1758.

Allorhagium Kolbe, 1884: 270. **Type species**: *Cerambyx inquisitor* Linnaeus, 1758.

属征(Jiang & Chen, 2001):体厚实，触角粗短，一般仅达鞘翅基部前或后，柄节粗壮，第3、4节短于柄节；复眼小而突出，内缘浅凹；头较前伸，复眼之后强。前胸侧刺突发达；鞘翅两侧近平行或向后稍窄，翅端狭圆，翅面具3条强纵脊，常具杂色细毛；前足基节间腹部突片发达，呈圆锥状隆突，中胸腹板突宽阔；腹部腹面常具中纵脊。

分布：古北区，东洋区。本属目前分为3个亚属，仅指名亚属在中国有分布，指名亚属已知共14种/亚种，中国记录5种/亚种，秦岭地区发现2种/亚种。

(86) 密皱皮花天牛 *Rhagium inquisitor rugipenne* Reitter, 1898（图版7：1）

Rhagium rugipennis Reitter, 1898: 357.

Rhagium rugipenne sibiricum Pic, 1905: 5.

Rhagium (*Hargium*) *inquisitor rugipenne*: Plavilstshikov, 1915a: 34, 47.

Rhagium (*Allorhagium*) *inquisitor rugipenne*: Hayashi, 1955: 23.

Rhagium rugipenne: Jiang & Chen, 2001: 42, pl. Ⅰ, fig. 6; pl. Ⅷ, fig. 2; pl. ⅩⅤ, fig. 3.

别名：皱纹皮花天牛。

鉴别特征：体长14.0～17.0mm。体型较扁平。大部黑色，触角柄节赭黑色，其余各节赭红色，2～5节红色较鲜明，6～11节因毛被较密厚，逆光常现黑褐色；唇基及上唇前缘黄褐色；复眼赭黑色；头部密被灰白色卧毛，后颊散生细柔竖毛，向两侧直伸。前胸背板纵贯1条漆黑色光滑的中纵条，较狭而完整，背面被灰白色卧毛，两侧与头部相同散生细柔竖毛，向两侧伸出。小盾片黑色光滑。鞘翅底色红棕色，除肩角露出红棕色外，全部为灰白、灰黄、黑色卧毛蔽覆，每翅3条强纵脊黑色，从中缝向外第1、2条纵脊在中部前方及后方各有一小段呈黄色，纵脊间洼沟散布不规则的根支状细短脊，并散布较细密刻点。中、后足腿、胫节下侧除端部外红棕色。触角长达鞘翅基部，鞘翅肩宽与翅长比为1:2，翅面有3条细纵脊，内侧第1条从翅基直达翅端，向外第2条从翅基至翅端前方与外侧第3条相接，第3条起自鞘翅中部前方外侧缘内侧，脊间沟底平坦宽阔，紧覆卧毛，散布细刻点，点间距离大于刻点直径，并从纵脊分生出黑色根支状的细脊，散布在脊间沟内；鞘翅两侧缘平行，至中部后稍狭，端缘相合成圆形。

采集记录：1♀，太白山蒿坪寺，1200m，1981.Ⅴ.31，陕西太白山昆虫考察组采（NWAFU，CO028313，蒋书楠1995年05月鉴定）。

分布：陕西（太白）、黑龙江、吉林、辽宁、内蒙古、甘肃、新疆、浙江、江西、云南；蒙古，俄罗斯，朝鲜，韩国。

(87) 日松皮花天牛 *Rhagium* (*Rhagium*) *japonicum* Bates, 1884（图版7：2a，2b）

Rhagium inquisitor var. *japonicum* Bates, 1884: 209.

Stenocorus (*Stenocorus*) *inquisitor japonicus*: Gressitt, 1951: 54.

Rhagium inquisitor japonicum: Nakane & K. Ohbayashi, 1959: A65.

Rhagium (*Rhagium*) *japonicum*: N. Ohbayashi & Niisato, 2007: 352.

别名:松脊花天牛、松皮花天牛、松皮天牛。

鉴别特征:体长9.0～18.0mm。体型扁平；棕褐色，体表密被灰色及浅褐色竖毛，腹面黑褐色，密被棕灰色绒毛。头较长，伸向体前方，口器朝向前下方，头自复眼后方逐渐缩小，头顶平直，具粗糙稀疏刻点，密被灰色竖毛，复眼后方至前胸背板前缘有1条褐色纹。触角很短，被灰色绒毛，在基部几节尤密，雌虫和雄虫两性触角长度约达及前胸背板后缘或微超过。前胸背板被棕红色竖毛，前部较基部窄，背板前端及基部紧缩，在前后形成2条横窄带，背板在2条窄带间凸起，中间形成1条纵沟，沟呈褐色，无毛；背板两侧缘有刺突。鞘翅密被灰色与褐色的竖毛，两种色参错，每个鞘翅上有3条明显纵隆起，鞘翅末端圆形。足中等长，被灰色绒毛，腿节不特别膨大。腹部同体色，被灰黄色绒毛。

采集记录:1♀，留坝庙台子，寄主:华山松，1979.Ⅸ.05，胡忠朗采(NWAFU，ex陕西省林业研究所，被鉴定为松皮天牛)；1♂1♀，宁陕菜子坪林场，1500m，1979.Ⅷ.21，李宽胜采(NWAFU，ex陕西省林业研究所，被鉴定为松皮天牛 *Stenocorus inquisitor japonicus*)；1♂，宁陕月太路，1981.Ⅵ.24(NWAFU，CO028312，蒋书楠1995年05月鉴定为皱纹皮花天牛)。

分布:陕西(留坝、宁陕，陕南)、黑龙江、甘肃、新疆、浙江、江西；蒙古，俄罗斯，朝鲜，日本。

寄主(陈世骧等，1959):松，栎，雪松，冷杉，椴松，日本赤松，鱼鳞松。

43. 肩花天牛属 *Rhondia* Gahan, 1906

Rhondia Gahan, 1906: 79. **Type species**: *Leptura* (*Capnolymma*?) *pugnax* Dohrn, 1878.

Rhondia (*Rhondiomorpha*) Matsushita, 1933b: 180. **Type species**: *Rhondia formosa* Matsushita, 1931.

Fairmairia Podaný, 1964: 43. **Type species**: *Pachyta oxyoma* Fairmaire, 1889.

属征:体小型，弯拱，头胸显著窄于鞘翅并向下倾斜。额短，上唇宽大，下唇负颏突片发达，复眼小而完整，卵圆形突出；触角细，圆柱形，着生在复眼前的额中央，彼此紧接，仅达鞘翅的2/3处，柄节较粗而略弯，与第3节等长，略长于第4节，第5节略长于第3节，第5～10节约等长。前胸长约与基部宽相等，前端狭窄，领状部明显，缢缩成1条深横沟，两侧缘呈弧形凸出，后侧角不凸出，背中央极隆起。鞘翅宽短，两侧缘近直形，渐向后狭窄，肩角突出，通常具1个刺状突(有时不发达)，小盾片后的鞘翅基部及肩部隆起，翅面中部隆凸，末端平截，缝角钝圆，外端角圆。

分布:中国；蒙古，缅甸，印度。世界已知9种，均在中国分布，秦岭地区发现2种。

分种检索表

前胸草黄色无斑点；鞘翅草黄色无斑点 ………………………………… **钝肩花天牛 *Rhondia placida***

前胸黄褐色有5个黑斑；鞘翅大部分区域藏蓝色，仅中间的横带和基半部沿鞘缝的纵条黄褐色…… ………………………………………………………………………………… **斑胸肩花天牛 *R. maculithorax***

(88)斑胸肩花天牛 *Rhondia maculithorax* Pu, 1992 陕西新纪录(图版7:3)

Rhondia formosana maculithorax Pu, 1992: 592, 618, pl. I, fig. 6.

Rhondia hubeiensis Wang *et* Chiang, 1994: 192, fig. 1.

Rhondia maculithorax: Jiang & Chen, 2001: 57, pl. Ⅱ, fig. 16; pl. ⅫⅠ, fig. 8; pl. ⅩⅤ, fig. 11.

鉴别特征:体长10.0~13.0mm。黄褐色；上颚顶端黑褐色；复眼黑色，复眼之间额有1对黑斑，彼此接近，分别与后头两侧各1个黑斑相连；触角末端4节深褐色；前胸背板有5个黑斑，中区两侧各有1块椭圆形大斑，侧缘各有1块长形小斑，中央之后为橄榄形小斑。鞘翅淡黄色，每个鞘翅基部有1块藏蓝色长方形大斑，两侧不接触外缘及中缝，中部之后全呈藏蓝色，藏蓝色区域具光泽。前、中胸腹板上具黑斑，后胸腹板黑色，腹部每节两侧各有1块横形黑斑，愈向端部各节黑斑依次减小。前、中足基节及前、中足腿节基部外侧均具黑斑；跗节最末一节黑褐色。

采集记录:1♀，太白山大殿，1982. Ⅷ. 25(NWAFU, ex 陕西省林业科学研究所)；1♀，宁陕火地塘，1960. Ⅷ. 02(NWAFU, ex 陕西省林业科学研究所)。

分布:陕西(太白、宁陕)、宁夏、湖北、四川。

(89)钝肩花天牛 *Rhondia placida* Heller, 1923(图版7:4)

Rhondia placida Heller, 1923: 72.

鉴别特征:体长10.0~14.0mm。体草黄色，鞘翅色较淡，仅肩角稍深，触角柄节与体同色，第2、3节黄褐色，第3~6节末端色泽渐次加深，第3节末端棕褐色，第5、6节末端近黑褐色，7~11节近深棕褐色，足黄色，仅胫节末端、各跗节端半及爪棕黑色，复眼深黑色，下颚须端节及上颚棕黑色，头顶背面中央复眼上叶之间具1条细直的黑纵线，止于后头前方，腹部腹板1~3节两侧黑褐色。头部狭小，下唇负颏突片发达，复眼卵圆形突出，不包围触角基部；触角细，伸达鞘翅 2/3 处，柄节与第 3 节等长，略长于第 4 节，第 5 节稍长于第 3 节，5～10 节约等长，柄节粗而略弯；头顶背方中央具细纵沟，两侧隆起，头部背面及前胸背板光亮；前胸背板前端领状部很明显，前缘向外敞开，两侧缘中部呈圆弧形凸出，约与头部等宽，后缘侧角不突出，宽度略狭于中部。小盾片等边三角形，端部狭圆。鞘翅不如前胸光亮，肩部最宽，为前胸宽的 2.0 倍，在小盾片两侧和肩部以及小盾片后的鞘翅基部中央隆起，肩角刺状突短而钝，鞘翅中缝基部稍隆起，鞘翅表面具明显而不很密的细刻点，翅端稍平截，但缝角与缘角均圆，无刺突。后胸腹板中央有黑色纵沟，足具细绒毛，胫节毛长而较密。

采集记录：1♀，周至厚畛子镇秦岭梁，2021m，2007. Ⅴ. 27，林美英采；1♀，太白山蒿坪寺，寄主：榆树，1982. Ⅵ. 05，李宽胜采（NWAFU）；1♂，宁陕火地塘，1960. Ⅵ. 05；1♀，宁陕火地塘林场厂部，1554m，2015. Ⅶ. 07，刘漪舟采；1♂；石泉，1960. Ⅶ. 02。

分布：陕西（周至、太白、宁陕、石泉）、湖北、四川。

44. 脊花天牛属 *Stenocorus* Geoffroy, 1762

Stenocorus Geoffroy, 1762: 221. **Type species**: *Leptura meridiana* Linnaeus, 1758.

Toxotus Dejean, 1821: 112. **Type species**: *Leptura meridiana* Linnaeus, 1758.

Endemus Gistel, 1848a: Ⅺ [unnecessary RN].

Toxotus (*Minaderus*) Mulsant, 1862: 467. **Type species**: *Leptura meridiana* Linnaeus, 1758.

Stenocorus (*Stenocorus*): Casey, 1913: 207.

属征（Jiang & Chen, 2001）：体大中型，较狭长；头斜伸，在复眼后逐渐狭窄，额较长，向下倾斜；复眼近球形，突出，内缘微凹，小眼面细；触角着生在复眼之间前方，雌虫伸达鞘翅中部，雄虫伸达鞘翅端部。前胸背板沿中线凹陷，中区两侧隆起，前端领状部明显，前后端均有横陷沟，侧缘具瘤突。鞘翅狭长，基部沿小盾片和肩角附近隆起，肩部宽，侧缘渐向后收狭，末端斜截。前足基节窝向后方开放，后足第 1 跗节长于第 2、3 跗节长度之和。

分布：本属分为 5 个亚属，仅指名亚属在中国有分布。

44-1. 脊花天牛指名亚属 *Stenocorus* Geoffroy, 1762

Stenocorus Geoffroy, 1762: 221. **Type species**: *Leptura meridiana* Linnaeus, 1758.

分布:古北区。世界已知 27 种，中国记录 5 种，秦岭地区发现 2 种。

分种检索表

鞘翅黑色，背面各具 1 条黄褐色中区纵条纹，向后端渐尖狭，缘折从肩后至中部有 1 条黄褐色细纵条；腹部腹板黄褐色 …………………………… **黄条脊花天牛 *Stenocorus*（*Stenocorus*）*longevittatus***

鞘翅一致颜色或具两种分界不明显的颜色，无中区纵条纹；腹部腹板大部分黑色，或部分栗色……
………………………………………………………………… **脊花天牛 *S.*（*S.*）*meridianus***

(90) 黄条脊花天牛 *Stenocorus* (*Stenocorus*) *longevittatus* (Fairmaire, 1887) (图版 7:5)

Toxotus longevittatus Fairmaire, 1887b: 329.

Toxotus (s. str.) *longevittatus*: Gressitt, 1951: 57.

Stenocorus longivittatus: Jiang & Chen, 2001: 48, pl. Ⅰ, fig. 9; pl. XV, fig. 5 [misspelling].

鉴别特征(蒋书楠和陈力，2001):体长 18.0mm 左右。体黑色，触角基瘤赤褐色，1～5 节和第 6 节基半部黑色，第 6 节端半部至末节赭色；前胸背板、小盾片和胸部腹面黑色。足黑色，前足腿节内侧基半部黄褐色；鞘翅黑色，背面左右翅各有 1 条黄褐色纵条，向后端渐尖狭，缘折从肩后至中部有 1 条黄褐色细纵条，基缘、中缝、外侧缘、端缘及缘折边缘均为黑色；腹部腹板为黄褐色。

采集记录:1♂，铜川焦坪，1980. Ⅵ. 26，陈大新、姜之同采(SWU，Co-01-04-01-11-02-01，ex 陕西省林业局)；1♂，黄龙林区，寄主:山杨，1975. Ⅶ. 08～11，金步先采(NWAFU，ex 陕西省林业研究所，本号标本曾经被鉴定为大突花天牛 *Toxotus meridianus*)。

分布:陕西(铜川、黄龙)、北京、河北、山西、青海。

(91) 脊花天牛 *Stenocorus* (*Stenocorus*) *meridianus* (Linnaeus, 1758) (图版 7: 6a, 6b)

Leptura meridianus Linnaeus, 1758: 398.

Leptura grandis Poda, 1761: 38.

Cerambyx meridianus: Linnaeus, 1761: 187.

Leptura ruficrus Scopoli, 1763: 48.

Cerambyx meridiana: Linnaeus, 1767: 630.

Cerambyx chrysogaster Schrank, 1781: 132.

Rhagium cantharinum Herbst, 1784: 93, pl. XXV, fig. 15.

Leptura splendens Laicharting, 1784: 137.

Stenocorus geniculatus Geoffroy, 1785: 86.

Cerambyx (*Stenocorus*) *meridianus*: Gmelin, 1790: 1861.

Stenocorus meridianus: Olivier, 1795: 18, pl. Ⅰ, fig. 2b; pl. Ⅲ, fig. 3c.

Stenocorus sericeus Olivier, 1795: 20, pl. Ⅰ, fig. 8.

Stenocorus laevis Olivier, 1795: 21, pl. Ⅲ, fig. 25.

Leptura rufiventris Marsham, 1802: 341.

Leptura glabratus Latreille, 1804: 311.

Toxotus meridianus: Mulsant, 1839: 234.

Toxotus lacordairii Pascoe, 1867c: lxxxiv.

Stenochorus meridianus v. *bilineatus* Pic, 1908b: 58.

Stenocorus meridianus v. *brevelineatus* Pic, 1941c: 5.

Stenocorus meridianus v. *brevesignatus* Pic, 1941c: 5.

Stenocorus meridianus v. *postsignatus* Pic, 1941d: 13.

Stenochorus meridianus: Rabil, 1992: 144.

Stenocorus (*Stenocorus*) *meridianus*: Vives & Alonso-Zarazaga, 2000: 599.

Stenochorus meridianus var. *geniculatus* Gouillard, 2003: 125.

别名：大脊花天牛。

鉴别特征（蒋书楠等，1985；部分修改）：体长 20.0～23.0mm。体型略狭长。黄色型的触角、足及鞘翅均栗壳色，头、前胸背板（除前、后缘外）黑色，腹部腹面大部黑色，或部分栗壳色。黑色型全体黑色，或大部黑色，仅鞘翅基部有或大或小的栗壳色。雌虫触角超过鞘翅中部，雄虫的稍长；鞘翅肩部远宽于前胸，中部两侧显著狭窄，背面隆起，翅端斜截；足瘦细，跗节狭长，第 3 节圆瓣很小。雌虫腹部膨大，两侧 2～4 节侧缘露出翅外。

采集记录：1♂，周至厚畛子，2004. Ⅴ. 19，郎嵩云采；1♀，黄陵建庄，寄主：柳，1962. Ⅴ. 25（NWAFU，陕西省林业研究所）。

分布：陕西（周至、黄陵、宜君）；蒙古，俄罗斯，朝鲜，韩国，哈萨克斯坦，土耳其，叙利亚，欧洲。

寄主：我国有云南欧李、桦属、柳，室内饲养并可在栎、松、水青冈、杨、桤木、梨、苹果、桦木等树桩上产卵，其中以笔杨最为合适。成虫常在蔷薇和山楂树的花上出现。

生物学（蒋书楠等，1985）：据记载，卵产在树桩上，1 个雌虫可产 84 个卵，卵期 14 天，幼虫蛀入树桩或根部，两年成长，在根际土中化蛹，成虫 5～6 月羽化。

备注:蒋书楠等(1985)和周嘉熹等(1988)记录为大突花天牛 *Toxotus meridianus*。

Ⅲ. 拉花天牛族 Rhamnusiini Danilevsky, 1997

鉴别特征(参考 Sama, 2009):头倾斜,膨阔,眼后不具横沟,不具显著的颈部;上颚内沿密布长毛,臼叶前不具膜区。触角基瘤靠近复眼前缘,触角短于体长,基部4节短,第5~10节末端多少加宽。中胸背板前缘深凹,发音板具中央纵纹和内突。前胸背板前缘具横沟,具发达的圆锥形侧瘤突,前胸腹板突窄,两侧平行;前足基节窝侧面角状,向后开放;中胸腹板逐渐倾斜,不具突起,中足基节窝向中胸前侧片开放。足细长,腿节不呈棒状,后足跗节第1节约等于其后两节长度之和。

分类:本族目前只有2个属,即拉花天牛属 *Rhamnusium* Latreille, 1829 和拟拉花天牛属 *Neorhamnusium* Hayashi, 1976。秦岭地区分布1属2种。

45. 拟拉花天牛属 *Neorhamnusium* Hayashi, 1976

Neorhamnusium Hayashi, 1976: 1. **Type species**: *Neorhamnusium taiwanum* Hayashi *et* Ando, 1976.

属征(Miroshnikov & Lin, 2015):中等大型,体长17.0~21.7mm。背面通常红色或部分橙色,但头和小盾片有时黑色;触角和足黑色或部分甚至大部分红色。触角基瘤发达,颊长,中纵沟显著,延伸到复眼上叶间;复眼中等凸出,深凹,小眼面细;触角中等细长,伸达鞘翅中部(雌虫)至接近鞘翅末端;柄节膨大并弯曲,第3和第4节很短,第5节较粗大。前胸具发达的圆锥形侧瘤突,因此宽远大于长,但基部宽仅略大于或约等于长;前胸背板盘区具1对大瘤突,有时还有1个小的中瘤突。鞘翅长,两侧几乎平行或末端扩宽;末端阔圆形或部分横切,每鞘翅具2条纵脊。前足基节窝开放,中足基节窝开放。足细长,腿节不呈棒状,后足跗节第1节长于其后2节长度之和。

分布:中国。目前已知5种,秦岭地区发现2种。

分种检索表(Miroshnikov & Lin, 2015)

鞘翅较短,长宽比小于2.6,末端圆形;前胸背板较窄,侧瘤突处的宽约为前胸背板长的1.4~1.5倍,前胸背板长约等于或略短于基部处宽度,与端部处宽度相比不小于1.2;前胸背板背面大瘤突外侧刻点清晰而细小;中部瘤突不发达;头部背面和前胸背板闪光有光泽 ……………………………………………………………… **皱鞘拟拉花天牛 *Neorhamnusium rugosipenne***

鞘翅较长，长宽比约为2.8，末端部分平切；前胸背板较宽，侧瘤突处的宽为前胸背板长的1.6倍，前胸背板长明显短于基部处宽度，微大于端部处宽度；前胸背板背面大瘤突外侧刻点清晰而粗大；中部瘤突较发达；头部背面和前胸闪光但没有光泽 …………… **陕西拟拉花天牛 *N. shaanxiensis***

(92) 皱鞘拟拉花天牛 *Neorhamnusium rugosipenne* (Pic, 1939) 陕西新纪录(图版7:7)

Rhamnusium rugosipenne Pic, 1939b: 2.

Neorhamnusium rugosipenne: Hayashi & Villiers, 1985: 5, 36, 37, pl. 6, fig. 18.

鉴别特征(雄虫)：体长16.0～17.0mm，鞘翅基部宽4.5～4.8mm。头几乎全部红色，口器部分红色，前胸、小盾片和鞘翅红色；触角全黑色或基部4节多红色，腹面除头和前胸外黑色，前、中足红色，后足黑褐色至黑色。触角伸达鞘翅末端1/6处，末节最长，其次是第5～7节，第2节最短，其次是第4节和第3节；完整比例如下(首次报道)：11∶3∶10∶8∶18∶18∶18∶17∶16∶16∶20。前胸横阔，侧瘤突处宽约为长的1.4倍，侧瘤突发达，背面具3个瘤突，中瘤突小而不明显。鞘翅长为宽的2.57～2.6倍，两侧几乎平行，末端圆形。

采集记录：1♂，黄陵建庄，1963. Ⅵ. 17。

寄主：华山松，柏树(NWAFU，ex 陕西省林业研究所)。

分布：陕西(黄陵)、山西。

(93) 陕西拟拉花天牛 *Neorhamnusium shaanxiensis* Miroshnikov *et* Lin, 2015 (图版7:8)

Neorhamnusium shaanxiensis Miroshnikov *et* Lin, 2015: 298, figs. 8.

鉴别特征：雄虫体长19.0mm，鞘翅基部宽5.2mm。头几乎全部红色，口器部分红色，前胸、小盾片和鞘翅红色；触角全黑色，腹面除头和前胸外黑色，足大部分黑色，但前、中足的腿节和胫节大部分红色。触角伸达鞘翅末端1/6处，末节最长，其次是第5～7节，第2节最短，其次是第4节和第3节。前胸横阔，侧瘤突处宽为长的1.6倍，侧瘤突发达，背面具3个瘤突，中瘤突小但明显。鞘翅长约为宽的2.8倍，两侧几乎平行，末端部分平切。

本种跟皱鞘拟拉花天牛相似，但前胸背板更宽，侧瘤突向末端更尖；前胸背板背面的瘤突凸起较低且互相不那么靠近，刻点更粗糙，中瘤突较明显；鞘翅更长，末端多少分离，鞘翅尤其是端部的横向皱脊更明显；触角全黑色，足黑色部分更多等。

采集记录：1♂(正模)，宁陕火地塘，2011. Ⅶ，YQ08 No. 2 (IZAS, IOZ (E)

1904799）。

分布：陕西（宁陕）。

Ⅳ. 特勒天牛族 Teledapini Pascoe, 1871

鉴别特征：头后有明显的颈部，下唇须和下颚须末节斧状；前胸具侧瘤突。鞘翅狭长，肩部明显退化，鞘翅多少有些拱隆，缘折侧面观弯曲不呈水平直线；后翅退化，无飞翔能力。

分类：本族目前包括3属13种，秦岭地区发现1属2种。

46. 勒特天牛属 *Teledapalpus* Miroshnikov, 2000

Teledapalpus Miroshnikov, 2000：38. **Type species**：*Teledapalpus murzini* Miroshnikov, 2000.

属征：跟特勒天牛属非常相似。头后有明显的颈部，复眼深凹，下唇须和下颚须末节斧状；触角细长，略短于体长；前胸侧瘤突显著，背面隆突，前后缘之前有显著缢缩。鞘翅狭长，肩部明显退化，鞘翅多少有些拱隆，缘折侧面观弯曲不呈水平直线；后翅退化，无飞翔能力。相对于其狭窄的体形，足尤其显长，后足腿节伸达或超过腹部末节，胫节约等长于腿节，跗节很长，约等于胫节长，第1跗节长于其后两节长度之和。

分布：中国。目前已知5种，秦岭地区发现2种。

分种检索表

鞘翅更粗糙；小盾片向后狭缩，三角形；腹部末节更圆；分布于陕西南部的秦岭山……………………………………………………………………………… **陕勒特天牛 *Teledapalpus cremarius***

鞘翅不那么粗糙；小盾片末端圆；腹部末节不那么圆；分布于陕西南部的太白山 ……………………………………………………………………………… **佐罗勒特天牛 *T. zolotichini***

（94）陕勒特天牛 *Teledapalpus cremarius*（Holzschuh, 1999）（图版7：9）

Teledapus cremarius Holzschuh, 1999：6, fig. 3.

Teledapalpus cremarius：Miroshnikov, 2000：39, 44, 54, figs. 8, 10.

鉴别特征:体长 11.4~13.1mm。体黑色,触角末几节、跗节尤其是末端、下颚须和下唇须以及鞘翅缘折颜色较浅显成红褐色。有时候头和前胸也可以是红褐色(Miroshnikov, 2000)。

采集记录:1♂(正模), CHINA (Shaanxi): Qin Ling Shan, track Hou Zen Zi vill. To Taibai Shan, 3000m, 1998. Ⅵ. 29, leg. Z. Jindra, O. Šafránek & M. Trýzna(CCH)。

分布:陕西(周至、宁陕)。

(95)佐罗勒特天牛 *Teledapalpus zolotichini* Miroshnikov, 2000(图版 7:10)

Teledapalpus zolotichini Miroshnikov, 2000: 39, figs. 9, 11, 13, 33.

鉴别特征:体长 12.7mm 左右。体黑色,触角末端几节、下颚须和下唇须、鞘翅缘折和跗节黑褐色。同前一种相比,鞘翅不那么粗糙,小盾片末端圆,腹部末节不那么圆。

采集记录:1♂(正模), Shaanxi, Taibai Shan national park, 1999. Ⅵ. 11-13, leg. Serguei Murzin(Collection of Serguei Murzin, Moscow, Russia); 3♂,眉县太白山索道起点夜采, 2711m, 2012. Ⅶ. 01,梁红斌、段炜采。

分布:陕西(太白、眉县)。

(三)椎天牛亚科 Spondylidinae

鉴别特征:小至中等大小,体长约 5.0~35.0mm,近圆筒形(椎天牛族 Spondylidini)至扁平。头部可能在眼后狭缩但不具突出的上颊;颜面很短,前口式或亚前口式。额中沟存在至退化或缺失(主要是椎天牛族)。在隐椎天牛族 Saphanini、*Oxypleurus* 和截尾天牛族 Atimiini,触角窝离上颚髁相对较远,且触角窝朝向侧面;而在幽天牛族 Asemini 和椎天牛族,触角窝离上颚髁较近,且触角窝微微朝向前面。前幕骨陷显著,位于侧面至背面。前唇基小,椎天牛族的前唇基非常短,上唇通常短阔,可动。触角短于或稍长于体长,椎天牛族的触角非常短,形状简单至典型锯齿状,11 节。上颚通常短(但有些种类,尤其是椎天牛族的雄虫,上颚长或甚至呈镰刀状),臼齿区具细短绒毛,有的不具臼板,内缘不具长毛,末端通常简单。下颚和下唇相当小,下颚内颚叶发达,唇舌多样,下颚须和下唇须的末节微平切至阔斧形。前胸背板不具边缘或仅具不连续的微弱隆突。前足基节窝形状多样,向后开放或关闭。中胸背板具显著的中央内突,发音器(若有)具中央纵纹。后胸叉骨通常具叶片(*Michthisoma* 不具)。后翅一般发达,但 *Drymochares* 和 *Michthisoma* 的后翅退化。前足基节横形至近球形,低于前胸腹板突,最多微弱突出。跗节伪 4 节,具跗垫。爪间突小而具2根刚毛，不明显。椎天牛族的足特化，短，胫节具扁平的锯齿，跗垫多少退化，第3跗节的叶状突小。生殖刺突通常端生，但在椎天牛属基腹节多少骨化而生殖刺突微侧生，断眼天牛属也多少如此，但较弱。

分类：世界已知约90种，中国记录8属31种，秦岭地区发现4族7属9种。

分族检索表（参考：时书青，2012）

1. 触角较长，至少超过鞘翅基部；上颚较短 ………………………………… 2
   触角短，不达鞘翅基部；上颚发达，向前伸出 ……………… **椎天牛族 Spondylidini**
2. 前足基节窝向后开放 ………………………………………………… 3
   前足基节窝向后关闭 ……………………………………… **截尾天牛族 Atimiini**
3. 复眼极深凹，上下叶间仅一线相连 ……………………… **断眼天牛族 Tetropiini**
   复眼浅凹或深凹，深凹时上下叶并非仅一线相连 ……………… **幽天牛族 Asemini**

Ⅰ. 幽天牛族 Asemini Thomson, 1861

鉴别特征（时书青，2012）：头短，窄于前胸，触角基瘤不甚凸起；复眼凹或裂开，不完全包围触角基瘤；触角短，雄虫短于或等于体长，雌虫触角较雄虫更短；下颚须和下唇虚较短。前胸侧面无边缘。前足基节近球形，基节窝外侧呈角状，向后开放；前胸腹板突窄，顶端不扩大；中足基节窝向后侧片开放。足中等长，胫节有短刺。

分类：世界已知10属48种，中国记录4属，陕西秦岭地区均有分布。

分属检索表

1. 前足胫节端部有2刺 ………………………………… **幽天牛属 *Asemum***
   前足胫节端部有1刺 …………………………………………………… 2
2. 胸面中央有1个浅纵凹洼；鞘翅缝角细刺状 ……………… **塞幽天牛属 *Cephalallus***
   不具上述特征组合 …………………………………………………… 3
3. 前胸背板密布粗颗粒，雄虫前足基节外侧具棘 ……………… **大幽天牛属 *Megasemum***
   前胸背板仅两侧基部具少许颗粒，中区不具颗粒 ……………… **梗天牛属 *Arhopalus***

47. 梗天牛属 *Arhopalus* Audinet-Serville, 1834

Arhopalus Audinet-Serville, 1834b: 77. **Type species**: *Cerambyx rusticus* Linnaeus, 1758.

Criocephalum Dejean, 1835: 328. **Type species**: *Cerambyx rusticus* Linnaeus, 1758.

Criocephalus Mulsant, 1839: 63. **Type species**: *Cerambyx rusticus* Linnaeus, 1758.

Hylescopus Gistel, 1856: 376 [unnecessary substitute name].

属征(蒋书楠等，1985)：体长形，中等大。头近于圆形，窄于前胸；触角较长，圆柱形或扁形，第3节长约为第2节长的3.0倍，雄虫触角等于或短于体长，雌虫触角显短于体长，仅达鞘翅中部；上颚较短；复眼小眼面粗。前胸两侧圆形，背面稍扁平。小盾片舌状，末端圆形。鞘翅长形，两侧近于平行，端部稍窄，外端角钝圆，翅面密布颗粒状细皱纹，散布小刻点，各具纵脊3条，缝角具刺，足粗壮，中等大，后足第1跗节等于或稍长于第2、3节长度之和。

分布：亚洲，欧洲，非洲，澳洲，北美洲。世界已知22种/亚种，中国记录12种，秦岭地区发现3种。

分种检索表(参考：时书青，2012)

1. 后足第3跗节深裂至基部 …… **梗天牛 *Arhopalus rusticus***
   后足第3跗节浅裂，不达中央 …… 2
2. 体长为体宽的4.0倍，前胸具6个瘤突 …… **江苏梗天牛 *A. angustus***
   体长不及体宽的4.0倍，前胸不具瘤突而是2个深凹陷 …… **三脊梗天牛 *A. exoticus***

(96) 江苏梗天牛 *Arhopalus angustus* Gressitt, 1951

Arhopalus (*Cephalocrius*) *angustus* Gressitt, 1951: 36, pl. 1, fig. 7.

鉴别特征：体长13.0～17.0mm。体漆黑色，被极短的黑色伏毛，虫体中后部和近侧面边缘密被直立的暗金棕色或铅灰色长毛。触角细长，达鞘翅端部1/3处，柄节拱形，不达复眼后缘，第2节约等长于柄节，第3节最长。前胸中区中央有1条纵沟，纵沟两侧各有3个瘤突。鞘翅两侧近于平行，缝角微圆，每鞘翅有3条纵脊，外缘那条不明显，但3条均延伸至端部。后足第3跗节浅裂，不达中央。

分布：陕西(宁陕)、江苏、上海。

备注：我们怀疑本种在陕西的记录是基于梗天牛的错误鉴定。

(97) 三脊梗天牛 *Arhopalus exoticus* (Sharp, 1905)

Criocephalus exoticus Sharp, 1905: 159.

Arhopalus (s. str.) *exoticus*: Gressitt 1951: 35.

鉴别特征:体长17.0~19.0mm。体褐色，被细软的黄色绒毛。前胸中区中央有1条纵沟，纵沟两侧各有1个深凹陷，表面具细密的刻点。每鞘翅具2条微弱的脊，外侧还有1条短小的脊。后足第1跗节约等于其后两节长度之和，第3跗节浅裂至1/3处。

分布:陕西(宁陕)、台湾、云南；越南，老挝，缅甸，尼泊尔。

(98)梗天牛 *Arhopalus rusticus* (Linnaeus, 1758)(图版8:1)

Cerambyx rusticus Linnaeus, 1758: 395.

Callidium triste Fabricius, 1787: 154.

Cerambyx (*Callidium*) *lugubris* Gmelin, 1790: 1847.

Callidium rusticum: Fabricius, 1801: 338.

Arhopalus rusticus: Audinet-Serville, 1834b: 78.

Criocephalus rusticus: Mulsant, 1839: 63

Criocephalus pachymerus Mulsant, 1839: 64.

Criocephalum coriaceum Motschulsky, 1845: 89.

Criocephalus ferus var. *hispanicus* Sharp, 1905: 157.

Criocephalus (*Criocephalus*) *rusticus*: Aurivillius, 1912: 21.

Criocephalus rusticus var. *longicorne* Tamanuki *et* Ooishi, 1937: 112.

Arhopalus (s. str.) *rusticus*: Gressitt, 1951: 34, 35.

别名:褐梗天牛、褐幽天牛。

鉴别特征:体长25.0~30.0mm。体较扁，褐色或红褐色，雌虫体色较黑，密被灰黄色短绒毛。额中央具1条纵沟，头刻点密；雄虫触角达体长的3/4，雌虫约达体长的1/2。前胸背板宽胜于长，两侧缘圆形；背面刻点密，中央有1条光滑而稍凹的纵纹，与后缘前方中央的1个横凹陷相连，背板中央两侧各有1个肾形的长凹陷。鞘翅两侧平行，后缘圆形；每翅具两条平行的纵脊，基部刻点较粗大，向端部逐渐细弱。雄虫腹末节较短阔，雌虫腹末节较狭长。

采集记录:2♂，周至板房子，2006.Ⅶ.21，林美英灯诱；1♂，周至厚畛子，1350m，1999.Ⅵ.24，姚建灯诱；1♂，潼关，1981.Ⅶ.14，刘新弟采；1♂，留坝庙台子，1470m，1999.Ⅶ.01，姚建采；3♂，沔县(=勉县)，1959.Ⅶ.18，寄主:华山松；1♂，佛坪，950m，1998.Ⅶ.23，姚建采；4♂，佛坪龙草坪，1256m，2008.Ⅶ.03，白明灯诱；1♀，佛坪，890m，1999.Ⅵ.26，贺同利采；1♀，洋县长青保护区华阳镇，2016.Ⅵ.29，周润采；5♂，宁陕火地塘，2007.Ⅷ.19，杨玉霞灯诱；1♂，宁陕火地塘，1550m，2008.Ⅶ.09，白明灯诱；1♂，火地塘，1984.Ⅷ，胡刚采(NWAFU，

CO025482）；4♂1♀，宁陕火地塘，1580m，1998. Ⅶ.26，27，姚建、张学忠采；1♂，宁陕火地塘，1580～1650m，1999. Ⅵ.28，袁德成采；1♂，宁陕火地塘，1979. Ⅷ.03，韩寅恒采；1♂，宁陕火地塘，1680m，1979. Ⅶ.27，韩寅恒采；1♀，同上，1600m，1979. Ⅶ.21；2♀，同上，1620m，1979. Ⅷ.07；1♀，同上，1979. Ⅶ.30；3♂，宁陕火地塘林场厂部，1554m，2015. Ⅶ. 11，刘漪舟采；1♂1♀，宁陕广货街镇，1178m，2014. Ⅶ.28，路园园灯诱；1♀，宁陕，2003. Ⅷ，郎嵩云采；1♀，宁陕广货街镇1211m，2014. Ⅶ.26，路园园采；1♂，镇安云盖寺，850m，2014. Ⅵ.18，黄正中采；1♀，丹凤庾岭镇，1178m，2014. Ⅷ.11，路园园灯诱；1♀，丹凤庾岭镇街坊村三组，1214m，2014. Ⅷ.11，路园园采；1♀，丹凤蔡川镇蟒山，1417m，2014. Ⅶ.02，黄正中采；1♂1♀，丹凤蔡川镇，1070m，2014. Ⅵ.30，黄正中采；1♀，宁西局两河林场（属于石泉县），1980. Ⅶ. 上旬，储助生采；1♀，宁强采，1984. Ⅷ. 16（NWAFU，CO025465）。

分布：陕西（周至、略阳、武功、华县、潼关、留坝、勉县、佛坪、洋县、宁陕、镇安、丹凤、山阳、石泉、宁强、合阳、延安、铜川、黄陵、宜君）、黑龙江、吉林、辽宁、内蒙古、北京、天津、河北、山西、山东、河南、宁夏、甘肃、浙江、湖北、江西、福建、海南、四川、贵州、云南；蒙古，俄罗斯，朝鲜，韩国，日本，塔吉克斯坦，哈萨克斯坦，欧洲，北美洲，澳洲，非洲北部。

寄主：日本赤松，柳杉，日本扁柏，桧，冷杉，柏属（陈世骧等，1959），樟子松（周昱，2015. V. 30）。

48. 幽天牛属 *Asemum* Eschscholtz, 1830

Asemum Eschscholtz, 1830: 66. **Type species**: *Cerambyx striatus* Linnaeus, 1758.
Onychoplectes Gistel, 1856: 376. **Type species**: *Cerambyx striatum* Linnaeus, 1758.
Liasemum Casey, 1912: 262. **Type species**: *Asemum nitidum* LeConte, 1873.

属征：体小型。头宽短，覆毛或无毛，复眼内缘微凹；触角伸达或超过鞘翅基部，基部较粗壮，端部几节略扁。前胸两侧圆形，具刻点，覆短毛或无毛。鞘翅长形，两侧近于平行，翅面布皱纹和刻点，各具纵脊若干条。前足基节窝向后开放，足腿节侧扁，不呈棒状。

分布：亚洲，欧洲，北美洲，澳大利亚。世界已知 10 种，中国记录 5 种，秦岭地区发现 1 种。

(99) 脊鞘幽天牛 *Asemum striatum* (Linnaeus, 1758)（图版 8：2a，2b）

Cerambyx striatus Linnaeus, 1758: 396.

Callidium striatum: Fabricius, 1775, 191.

Callidium agreste Fabricius, 1787: 152.

Cerambyx (*Callidium*) *dichroum* Gmelin, 1790: 1846.

Callidium buprestoides Savenius, 1825: 64.

Asemum striatum: Eschscholtz, 1830: 66.

Asemum atrum Eschscholtz, 1830: 66.

Asemum striatum var. *agreste*: Mulsant, 1839: 62.

Asemum moestum Haldeman, 1847b: 35.

Asemum moestum var. *brunneum* Haldeman, 1847b: 35.

Asemum maestum var. *obsoletum* Haldeman, 1847b: 35.

Asemum fuscum Haldeman, 1847b: 36.

Asemum substriatum Haldeman, 1847b: 36.

Asemum juvencum Haldeman, 1847b: 36.

Asemum subsulcatum Motschulsky, 1860: 152.

Asemum amurense Kraatz, 1879: 97.

Asemum striatum var. *moestum*: Hamilton, 1890: 44.

Asemum gracilicorne Casey, 1912: 258.

Asemum ebenum Casey, 1912: 258.

Asemum curtipenne Casey, 1912: 258.

Asemum amputatum Casey, 1912: 259.

Asemum parvicorne Casey, 1912: 260.

Asemum fulvipenne Casey, 1912: 260.

Asemum costulatum Casey, 1912: 260.

Asemum pugetanum Casey, 1912: 261.

Asemum brevicorne Casey, 1912: 261.

Asemum amurense var. *tomentosum* Plavilstshikov, 1915c: 108.

Asemum striatum var. *limbatipenne* Pic, 1916c: 10.

Asemum carolinum Casey, 1924: 227.

Asemum stocktonense Casey, 1924: 227.

Asemum striatum japonicum Matsushita, 1933b: 235, pl. Ⅱ, fig. 7.

Asemum striatum var. *theresae* Pic, 1945: 6.

Asemum striatum var. *neglegens* Villiers, 1978: 230.

别名:松幽天牛 *Asemum amurense* Kraatz, 1879。

鉴别特征:体长 8.0 ~23.0mm。体黑褐色，密生灰白色绒毛，腹面有显著光泽。触角短，长度只达体长之半，第 5 节显著长于第 3 节。头上刻点密，复眼凹陷不大，触角间有 1 条明显的纵沟。前胸背板的侧刺突只呈圆形向外伸出，背板中央稍许向下凹陷。小盾片长，黑褐色。前翅长，顶端呈圆弧形，翅面上有纵隆线，近前缘处还有一些横皱。足短，尾端暗褐。

采集记录：1♀，周至厚畛子老县城至秦岭梁途中，1745～2021m，2007. Ⅴ.27，林美英采；1♀，周至车沟，1981. Ⅵ.27，张运和采；3♂5♀，沔县（=勉县），1959. Ⅵ.05，寄主：华山松；1♀，洋县长青自然保护区，2016年01月通过张巍巍看到照片，标本保存于保护区管理站；1♂，安康茗地，1980. Ⅳ（NWAFU，CO028407）；1♀，商洛。

生物学：每年发生一代，成虫六月上旬至七月中旬出现，数量往往很多。成虫由于触角短初看很像是叩头虫。幼头主要为害新伐木和衰老树的主干，坑道是椭圆形。

分布：陕西（长安、周至、蓝田、太白、勉县、洋县、宁陕、安康、商洛、宜川、宜君、黄陵、旬邑、石泉、平利）、黑龙江、吉林、辽宁、内蒙古、北京、天津、河北、山西、山东、宁夏、甘肃、青海、新疆、浙江、四川、云南；蒙古，俄罗斯，朝鲜，韩国，日本，吉尔吉斯斯坦，哈萨克斯坦，土耳其，阿塞拜疆，格鲁吉亚，叙利亚，亚美尼亚，欧洲，澳大利亚，北美洲。

寄主：华山松，红松，鱼鳞松，日本赤松。

49. 塞幽天牛属 *Cephalallus* Sharp, 1905

Cephalallus Sharp, 1905: 148. **Type species**: *Cephalallus oberthuri* Sharp, 1905.

属征：体较狭窄，头部近圆形，额区有一个"Y"形凹沟；雄虫触角稍超过体长，雌虫则伸至鞘翅中部之后。前胸背板长略胜于宽，前端同头约等宽，两侧缘微圆弧；胸面中央有1个浅的纵凹洼。鞘翅缝角细刺状。前胸腹板突狭窄，前端表面具横皱纹，前足基节窝向后开放。足一般短，扁平；第3跗节两叶分裂很深，裂缝至基部。

分布：亚洲。世界已知3种，中国记录2种，秦岭地区发现1种。

（100）赤塞幽天牛 *Cephalallus unicolor*（Gahan, 1906）（图版8:3）

Criocephalus unicolor Gahan, 1906a: 97.

Megasemum sharpi Reitter, 1913: 43.

Megasemum projectum Okamoto, 1927: 63.

Arhopalus（*Cephalallus*）*unicolor*: Gressitt, 1951: 37.

Cephalallus unicolor: Kusama, Nara & Kusui, 1974: 120.

别名：赤梗天牛。

鉴别特征：体长13.0～28.0mm。体较狭窄，赤褐，触角及足色泽较暗，栗褐色，体被灰黄色短绒毛。头部额区有一个“Y”形凹沟，雄虫触角稍超过体长，柄节较长，伸至复眼后缘，雌虫则伸至鞘翅中部之后，柄节稍短，不达复眼后缘，基部5节较粗，以下各节较细，下沿密生缨毛。前胸背板长略胜于宽，两侧缘微圆弧；胸面中央有1个浅的纵凹洼，雌虫凹洼更浅，凹洼后端两侧及后端中央稍隆突，表面密生粗糙刻点。鞘翅具细密皱纹刻点，每个鞘翅显现3条纵脊线，缝角细刺状。足一般短，扁平；第3跗节两叶分裂很深，裂缝至基部。成虫有趋光性。

采集记录：2♂1♀，留坝五里铺区山脚，1992.Ⅳ.06。

分布：陕西（留坝）、吉林、河南、江苏、上海、浙江、湖北、江西、湖南、福建、台湾、广东、海南、香港、四川、贵州、云南；蒙古，朝鲜，韩国，日本，老挝，缅甸，印度。

寄主：据文献记载，其寄主为害松属的岛松。

50. 大幽天牛属 *Megasemum* Kraatz, 1879

Nothorhina LeConte, 1873a: 169 (nec Redtenbacher, 1845).

Megasemum Kraatz, 1879: 97. **Type species**: *Megasemum quadricostulatum* Kraatz, 1879.

Criocephalus (*Megasemum*): Matsushita, 1933b: 236, 237.

属征（时书青，2012，略微改动）：体圆柱形，中等大小；头短，复眼微凹，下叶不达体腹面，头和前胸分布粗颗粒，前胸宽稍胜于长；每鞘翅上具2条脊，两侧平行，翅端角圆形；前足胫节有1根刺。体较梗天牛属粗壮，且前胸背板更凹，触角基瘤距上颚更远。

分布：亚洲，欧洲。全世界已知2种，中国分布1种，秦岭地区有分布。

(101) 大幽天牛 *Megasemum quadricostulatum* Kraatz, 1879（图版8：4a，4b）

Megasemum quadricostulatum Kraatz, 1879: 98.

Megasemum 4-costulatum v. *brevior* Pic, 1901b: 11.

Criocephalus (*Megasemum*) *quadricostulatum*: Aurivillius, 1912: 22.

Arhopalus (*Megasemum*) *quadricostulatus*: Gressitt, 1951: 37.

别名：隆纹大幽天牛、隆纹梗天牛。

鉴别特征：体长15.0~35.0mm。体暗褐色至黑褐色，微带油脂光泽。触角和足呈黑褐色。中胸、后胸及腹部各节腹板均密被黄色绒毛，而以中、后胸腹板绒毛较长。雄虫触角几乎伸达鞘翅端部，雌虫触角不超过鞘翅中部，各节密布黑色缨毛，第3节最长。前胸短阔，宽胜于长，中区具有1个圆形大凹陷，凹陷的中央有1条平滑的凹纵线；前胸表面密布刻点，其间有粗大颗粒。鞘翅宽大，每翅有 2 条纵脊。

采集记录：1♀，周至板房子，2006. Ⅶ. 21，林美英灯诱；1♂，留坝庙台子，1350m，1998. Ⅶ. 22，廉振民采；1♂，宁陕火地塘，1580m，1998. Ⅶ. 27，姚建采；1♀，宁陕火地塘，1580m，1998. Ⅷ. 18，袁德成采；1♀，宁陕皇冠朝阳沟，1269m，2013. Ⅶ. 16，宋志顺、郑强峰采灯诱；1♂，宁陕火地塘林场厂部附近，1554m，2015. Ⅶ. 17，刘漪舟采。

分布：陕西（周至、留坝、勉县、宁陕、汉中）、黑龙江、吉林、辽宁、湖北、江西、福建、台湾；俄罗斯，朝鲜，韩国，日本。

寄主：*Abies* sp.，*Picea* sp.，*Pinus* sp.。

Ⅱ. 截尾天牛族 Atimiini LeConte，1873

鉴别特征（时书青，2012，略微改动）：头横向，额短，近垂直，口器部分近平行，上唇横向，有毛，下颚须稍长于下唇须；复眼大，小眼面中等粗糙，深凹，包围触角基瘤。触角 11 节，雄性与雌性触角均短于体长。前胸横向，方形；前足基节圆，前足基节窝向后完全关闭；后胸后部深凹，后胸前侧片窄，后端细长。足短，腿节微呈棍棒状；胫节具短刺。

分类：全世界记录 3 属 17 种，中国分布 2 属，秦岭地区发现 1 属。

51. 截尾天牛属 *Atimia* Haldeman，1847

Atimia Haldeman，1847b：56. **Type species**：*Atimia tristis* Haldeman，1847（=*Clytus confusus* Say，1826）.

Myctus Semenov *et* Plavilstshikov，1937：252. **Type species**：*Myctus maculipunctus* Semenov *et* Plavilstshikov，1937.

属征（时书青，2012，略微改动）：体长卵圆形，中等凸；粗糙，鞘翅、前胸和腹板被长的直立毛，还有一些光裸区。头短宽；复眼深凹，几乎分裂，上下两叶仅 2 行小眼相连。触角柄节圆锥形，很少近圆柱形。前胸宽显胜于长，侧缘近直或钝圆，常具明显的端角。前足基节被前胸腹板突分开较远，前胸腹板突宽约为基节宽的 1/2，基节窝圆形或有微弱的外端角。鞘翅长约为基部宽的 2.0 倍，基部宽阔，向端部渐窄，翅端微凹或平截。

分布：中国；蒙古，俄罗斯，日本，尼泊尔，北美。世界已知 15 种/亚种，中国记录 4 种，秦岭地区发现 1 种。

(102)平切截尾天牛 ***Atimia truncatella*** **Holzschuh, 2007**(图版8:5)

Atimia truncatella Holzschuh, 2007: 179, fig. 2.

鉴别特征:体长7.2~8.7mm。体黑色,全身覆盖白色毛,各部位疏密程度不同,鞘翅上有许多无毛斑块,有1条无毛纵带。触角达体长的8/9。前胸最宽部位为其长的1.5倍。鞘翅黑色,向后渐窄,外端角为微弱的圆形;翅面上毛较多的部位刻点多而细微;无毛区较光亮。

采集记录:4♀(副模), Shaanxi, 15km N of Lueyang, 2007. Ⅴ.20-28, ex *Cupressus* sp., E. Kučera (CCH & collection of Emil Kučera); 1♂,志丹, 1982. Ⅶ. 25,灯诱(NWAFU, CO028045)。

分布:陕西(略阳、志丹)、云南。

Ⅲ. 椎天牛族 Spondylidini Audinet-Serville, 1832

鉴别特征(时书青, 2012,略微改动):体粗壮,上颚较发达,触角短,呈念珠状。前胸背板密布刻点,小盾片大,末端圆。鞘翅肩部宽,末端稍狭,翅端圆形。足短,胫节内侧具短竖毛,末端具2个尖刺,外侧具小锯齿。

分类:全世界记录1属1种,中国均有记录,秦岭地区发现1种。

52. 椎天牛属 *Spondylis* Fabricius, 1775

Spondylis Fabricius, 1775: 159, 358. **Type species**: *Attelabus buprestoides* Linnaeus, 1758.

Sphondyla Illiger, 1804: 115 [unjustified emendation].

Sphondylis Gistel, 1848a: 129 [unnecessary substitute name].

Spondylus C. G. Thomson, 1866: 17 [unjustified emendation].

属征(时书青, 2012,略微改动):体粗壮,上颚较强大,内缘基部具小齿,下颚须第2节短于第3节。触角短,呈念珠状。鞘翅具脊,翅端圆形。足短,前足胫节外侧具强烈锯齿。

分布:亚洲,欧洲,非洲,美洲。世界已知1种,中国有分布,秦岭地区有记录。

（103）短角椎天牛 *Spondylis sinensis* Nonfried，1892（图版 8：6）

Spondylis sinensis Nonfried，1892：92.

Spondylus buprestoides：Gressitt，1937a：447 [misspelling].

别名：短角幽天牛。

鉴别特征：体长 15.0～25.0mm。体略呈圆柱形，完全黑色，体腹面及足有时部分黑褐色。额斜倾，中央有 1 条稍凹而光滑的纵纹，刻点较头顶后方者稍大而强。上颚强大，雄虫较尖锐，基端阔，末端狭，呈镰刀状，除内侧缘及末端光滑不具刻点外，外侧的大部分具很密的刻点，内缘近基部有 1 个小齿，有时在它的前方接近中部尚有 1 个小齿；雌虫上颚较扁阔，内缘具 2 个较钝的齿。触角短，雌虫约达前胸的 2/3，雄虫约达前胸后缘；第 1 节长略呈圆柱形；第 2 节最短，球形；第 3～11 节扁平，除末节狭长外，各节呈盾形。前胸前端阔，后端狭，两侧圆，沿前后缘镶有很短的金色绒毛。鞘翅基端阔，末端稍狭，后缘圆；雄虫翅面除具细小的刻点外尚有大而深的圆点，各鞘翅具有 2 条隆起的纵脊纹；雌虫翅面刻点密集，呈波状，脊纹不明显。体腹面被有黄褐色绒毛。足短。

采集记录：2♂1♀，留坝五里铺区山脚，1992.Ⅳ.06；1♀，佛坪，950m，1998.Ⅶ.25，张学忠采；1♀，洋县长青自然保护区，2016.Ⅰ，标本保存于保护区管理站；3♂，洋县长青保护区茅坪镇，2016.Ⅶ.02，周润采；1♀，宁陕火地塘，1580m，1998.Ⅷ.22，袁德成采。

分布：陕西（留坝、佛坪、洋县、宁陕、石泉）、黑龙江、内蒙古、北京、河北、河南、江苏、安徽、浙江、湖北、江西、湖南、福建、台湾、广东、海南、香港、广西、四川、贵州、云南。

寄主：马尾松，日本赤松，柳杉，日本扁柏，冷杉，云杉，等等。

备注：原来记录 *Spondylis buprestoides*（Linnaeus，1758）其实是一个种团。中国南方分布的应该是 *Spondylis sinensis* Nonfried，1892，陕西产的估计跟中国南方产的同种，而跟欧洲的 *Spondylis buprestoides*（Linnaeus，1758）不同。分布地点暂时记录了所有中国记录，但是可能北方和南方需要分成两种，详细情况将另文专门研究。

Ⅳ. 断眼天牛族 Tetropiini Seidlitz，1891

鉴别特征（Danilevsky，2014b）：复眼断裂成上下两叶；前足胫节不具齿突；前胸没有侧刺突，前胸腹板突没有横脊（仅有颗粒）；前足基节窝狭窄开放。

分类：本族仅包括 1 属，中国有记录，秦岭地区有分布。

53. 断眼天牛属 *Tetropium* Kirby, 1837

Isarthron Dejean, 1835: 329. **Type species**: *Callidium aulicum Fabricius*, 1775.

Callidium (*Tetropium*) Kirby, 1837: 174. **Type species**: *Callidium* (*Tetropium*) *cinnamopterum* Kirby, 1837.

Criomorphus Mulsant, 1839 58 [HN]. **Type species**: *Callidium aulicum* Fabricius, 1775 (= *Cerambyx castaneus* Linnaeus, 1758).

Tetropium: Haldeman 1847a: 372.

属征(时书青, 2012, 略微改动):体圆柱形, 中等大小; 额短, 近垂直; 上颚短; 下颚须末节三角形; 复眼小眼面细, 上下两叶仅一线相连。触角远短于体, 向端部渐细, 柄节粗短, 第2节约为第3节的一半长, 第3~5节近等长, 然后各节渐短, 末节稍长于第10节。前胸长宽近等或长稍胜于宽, 两侧圆弧形。鞘翅两侧近平行, 翅端圆形。足短, 腿节呈扁平梭状。

分布:亚洲, 欧洲, 非洲, 北美洲, 澳洲。全世界已知28种, 中国分布8种, 秦岭地区发现1种。

(104) 光胸断眼天牛 *Tetropium castaneum* (Linnaeus, 1758)

Cerambyx castaneus Linnaeus, 1758: 396.

Cerambyx luridus Linnaeus, 1767: 634.

Callidium aulicum Fabricius, 1775: 190.

Callidium castaneum: Laicharting, 1784: 81.

Callidium ruficrus Schrank, 1789: 77.

Callidium curiale Panzer, 1789: 29.

Callidium fulcratum Fabricius, 1793: 320.

Criomorphus aulicus: Mulsant, 1839: 58.

Tetropium aulicum: Motschulsky, 1860: 152.

Tetropium castaneum: Motschulsky, 1860: 152.

Criomorphus luridus: Martin, 1860: 1007.

Tetropium luridum var. *fulcratum*: Lameere, 1884: clxxviii.

Tetropium luridum: Severin, 1889: cxxxix.

Tetropium castaneum var. *luridum*: Kleine, 1909a: 179.

Tetropium luridum var. *atricorne* Pic, 1931a: 258.

Isarthron castaneum: Chauvelier, 2003: 38.

鉴别特征：体长8.0～16.0mm。体棕栗色到黑褐色。头部中央具1条较显著的纵沟纹，由触角基瘤间起直达头顶后缘。触角雄虫较长，约到达鞘翅中部，雌虫较短，不及鞘翅中部；柄节粗大，较第3节略长，第2节较第3节的1/2为长。前胸背板极光亮，中区有不明显的橄榄形凹陷，中央有1条微凹的纵纹，不甚明显，隐约可见，后缘隆起呈一横纹，此隆起横纹之前有一横的凹纹；表面有下凹的刻点。鞘翅每翅有纵纹2～3条，表面密布皱痕状刻纹。后胸前侧片前缘阔后缘狭，后缘阔度至多为前缘的1/2。腿节呈棍棒状，尤以后足腿节更明显。

分布：陕西（宁陕）、黑龙江、吉林、内蒙古、天津、河北、山西、宁夏、甘肃、青海、新疆、浙江、福建、云南；蒙古，俄罗斯，朝鲜，韩国，日本，哈萨克斯坦，土耳其，欧洲。

寄主：松，云杉属，冷杉属，落叶松，等等。

（四）膜花天牛亚科 Necydalinae

鉴别特征：中等大小，体长12.0～35.0mm，鞘翅缩短，仅盖住具翅胸节，后翅外露而翅端不折叠，灵活的腹部可进行大范围的垂直活动。头短，后口式，上颊陡然突出（可能具1条垂直的隆突），具缩窄的“颈部”。额中沟存在，在后头区消失。触角着生在隆突的触角基瘤上，远离上颚髁，触角窝朝向侧面或侧背面，有时微超前。前幕骨陷总是在背面，位于连接上颚髁和触角窝的一条微弱突起的中间。上唇可动，前唇基中等大。触角11节，线状，偶尔长于体长（*Ulochaetes* 的雄虫）。上颚短，三角形，具小的臼板，内缘显著具毛，末端简单。下颚和下唇发达，下颚内颚叶发达，唇舌膜质，双叶状，下颚须和下唇须的末节或多或少平切状。前胸背板不具边缘，前足基节窝向后宽阔开放至狭窄关闭。前胸腹板突狭窄。中胸背板仅基部的腹面具中央内突，背面具无中央纵纹的发音器。后胸叉骨具叶片。鞘翅末端通常圆形，但 *Eonecydalis* 亚属的鞘翅末端尖突。后翅发达。前足基节中度横形，突出，低于前胸腹板突。跗节伪四节，具跗垫，后足第1跗节明显长于其余各节，不具跗垫。爪间突多样，通常显著而多刚毛。产卵器长，末端不骨化，生殖刺突端生（*Necydalis*）。

分类：世界仅有2属52种，中国记录2属3种，秦岭地区发现2属3种。

54. 膜花天牛属 *Necydalis* Linnaeus, 1758

Necydalis Linnaeus, 1758: 421. **Type species**: *Necydalis major* Linnaeus, 1758.

Gymnopterion Schrank, 1798: 373. **Type species**: *Gymnopterion majus* Schrank, 1798 (= *Necydalis major* Linnaeus, 1758).

属征:体细长。触角基瘤不显突;触角远远短于虫体但超过短缩的鞘翅末端。前胸背板具短钝的侧瘤突。鞘翅短缩,短于后胸腹板,端部渐窄,各翅分开。足较长,伸直后超过腹部末端,腹部基部2~3可见腹节狭窄,端部2节较膨大;后足第1跗节长于其后两节之和的2.0倍。飞翔时酷似蜂类昆虫。

分布:古北区,新北区,东洋区。本属分为4个亚属,中国记录3个亚属,秦岭地区发现1个亚属。

54-1. 膜花天牛指名亚属 *Necydalis* Linnaeus, 1758

分布:全北区,东洋区。指名亚属世界记录49种/亚种,中国记录18种,秦岭地区发现2种。

分种检索表

前胸背板绒毛更稠密,金黄色;后足胫节端部深于基部,为褐色;雄虫可见腹板末节宽大于长,从末端到基部附近宽阔凹陷…………………………………… **点胸膜花天牛 *Necydalis* (*Necydalis*) *lateralis***

前胸背板绒毛不稠密,淡金黄色;后足胫节单色,为褐色;雄虫可见腹板末节长大于宽,近端部1/3有凹陷………………………………………………………………………… **膜花天牛 *N.* (*N.*) *major***

(105)点胸膜花天牛 *Necydalis* (*Necydalis*) *lateralis* Pic, 1939

Necydalis lateralis Pic, 1939: 2.

鉴别特征:体长19.0~30.5mm。头与前胸黑色;前胸两侧被浓密的中等长度的金黄色绒毛;鞘翅红褐色至黑褐色;触角棕红色;足大部分棕红色至棕褐色,后足胫节端部棕黑色;前、中足跗节颜色较深,显红褐色或黑褐色,后足跗节黄红色。腹部红褐色至黑褐色至黑色,通常都会有些部分棕红色,尤其是各腹节腹面的末端。体被竖立地淡棕色毛。触角中等粗,伸至腹部第1节。鞘翅短缩,长仅伸至后胸腹板端部,翅长度约等于两翅肩宽之和,每翅中部之后的两侧,各自渐窄,端部平切,具小但明显的内角。膜翅外露,不折叠。后胸腹板十分发达。腹部狭长,第1、2节十分细,呈长柱形,端部4、5节显著膨大;第5腹节从端部宽阔深凹,凹至基部1/9处,凹内密生红褐色短毛。后足腿节棒状,基部具细长柄。

分布:陕西(秦岭)、内蒙古、北京、河北、宁夏。

(106)膜花天牛 *Necydalis* (*Necydalis*) *major* Linnaeus, 1758

Necydalis major Linnaeus, 1758: 421.

Necydalis ichneumonea de Geer, 1775: 148, pl. V, figs. 1-2.

Leptura abbreviata Fabricius, 1775: 199(HN).

Gymnopterion majus Schrank, 1798: 688.

Molorchus abbreviatus: Fabricius, 1801: 374.

Molorchus populi Büttner, *In*: Germar, 1818: 245 (new name for *Leptura abbreviata* Fabricius, 1775).

Necydalis salicis Mulsant, 1839: 112, pl. 1, fig. f.

Molorchus duponti Mulsant, 1839: 299, pl. 1, fig. f.

Necydalis major var. *xantha* Semenov, 1900: 132, nota 153.

Necydalis major var. *subnotata* Pic, 1941a: 1.

Necydalis major var. *altaica* Pic, 1941a: 2.

Necydalis major var. *rufiventris* Pic, 1941a: 2.

别名:柳膜花天牛。

鉴别特征:体长16.0~34.0mm。头与前胸栗色；触角基部3节橙黄色，其余棕褐色；鞘翅橘黄色；足的腿节和胫节橘黄色，跗节黑色。腹部橘黄色，每一节间染有黑色。体被棕色绒毛。触角可达腹部末端。鞘翅短缩，端部钝圆。膜翅外露。

分布:陕西(秦岭)、新疆；蒙古，俄罗斯，日本，哈萨克斯坦；欧洲。

寄主:*Acer* sp., *Aesculus* sp., *Alnus glutinosa* (Linnaeus) Gaertner, *Betula* sp., *Carpinus betulus* Linnaeus, *Fraxinus* sp., *Populus nigra* Linnaeus, *Populus tremula* Linnaeus, *Prunus cerasus* Linnaeus, *Prunus salicina* Lindley, *Pyrus malus* Linnaeus, *Quercus* sp., *Salix* sp., *Sorbus* sp., *Tilia* sp., *Ulmus* sp.。

55. 蜂花天牛属 *Ulochaetes* LeConte, 1854

Ulochaetes LeConte, 1854: 82. **Type species**: *Ulochaetes leoninus* LeConte, 1854.

属征:体长形，粗壮。后头有1对刺突；触角基瘤不显突；雄虫触角长于虫体，雌虫则短于虫体。前胸背板横阔，具浓密长毛。鞘翅短缩，短于后胸腹板，端部渐窄，各翅分开。足中等长，雌虫腹部基部宽，端部较窄。雌虫受惊扰后起飞，十分酷似蜂类昆虫。本属与膜花天牛属(*Necydalis*)接近，但体粗大，前胸背板具浓密长毛及后头有1对刺突可资区别。

分布:中国；不丹，北美洲。世界已知2种，中国记录1种，秦岭地区有分布。

(107)黄腹蜂花天牛 *Ulochaetes vacca* Holzschuh, 1982(图版 8:7)

Ulochaetes vacca Holzschuh, 1982: 65, fig. 3.

Ulochaetes fulvus Pu, 1988: 295, 303, fig. 2.

鉴别特征:体长 21.0 ~ 28.0mm。体长形, 粗大, 鞘翅短缩, 大部分膜翅外露。雌虫和雄虫色彩差异较大。雄虫几乎全部黑色, 仅胫节基半部淡黄褐色, 膜翅淡褐色。雌虫前胸背板(有时)、小盾片和鞘翅黄褐色, 被金黄色绒毛, 鞘翅绒毛略带丝光, 膜翅淡褐色:头、触角、前胸背板(有时)、胸部腹面、腿节、胫节末端 1/3 处及跗节黑色, 触角第 3、4、5 节基部或多或少带褐色, 胫节大部分及腹部淡黄褐色, 胸部前 3 节的各节后缘中部黑褐色。头、胸部腹面及腿节背、腹面着生黑褐色长竖毛, 腹部被稀疏淡黄色毛。后头具 1 对倒刺突。触角较细, 雄虫超过体长, 雌虫触角伸至腹部第 2 节左右, 柄节稍粗, 雄虫第 4 节中部之前突然扩大, 从此之后的触角密被茸毛。鞘翅十分短缩, 不超过后胸腹板后缘, 小盾片之后中缝开始分开, 至翅端 1/3 处显著收狭, 端缘略斜切, 呈现 1 个宽钝角; 膜翅大部分不被鞘翅覆盖, 端部不折叠。

采集记录:1 ♀, 宁陕火地塘, 2007, YQ08 first group (BFU)。

分布:陕西(宁陕)、四川、云南、西藏; 不丹。

(五)锯花天牛亚科 Dorcasominae

鉴别特征:小至中等大小, 体长 5.0 ~ 40.0mm; 体通常长形, 具锥形或近于平行的鞘翅, 常常具有长而适于行走的足; 无身体扁平的种类。前口式, 有时具明显的"喙", 一般在眼后缢缩, 但绝不具突出的上颊和缩窄的"颈部"。额中沟显著。触角着生部位多样, 触角窝通常朝向侧面或侧背面, 仅一些访花类群的头部特化(如 *Sagridola* 及其近缘种类), 触角彼此靠近且着生部位明显靠前。额唇基沟(如果显著)靠近中央, 通常具明显的凹痕, 在喙状类头部此凹痕强烈"V"形, 前幕骨陷在侧面或在侧背面(通常在连接上颚髁与触角窝的突起的侧边), 少数种类的前幕骨陷很不明显。前唇基短至中等长, 通常扁平, 上唇可动。触角长度多样, 11 节(偶尔最后 1 节具亚节), 扁平状至典型锯齿状。上颚不大, 末端单齿, 内缘通常具显著的毛, 臼齿区可能不骨化, 不具明显的臼板。下颚和下唇发达, 下颚内颚叶显著, 唇舌通常较大, 膜质而末端凹形或双叶状, 下颚须和下唇须的末节通常多少平切状。前胸背板不具边缘(或最多在后角具短的微弱的隆突), 常具 1 对侧瘤突或侧刺突。前足基节窝通常向后开放, 前胸腹板突通常狭窄但完整。中胸背板的中央内突完整(通常相应的缺发音器)至仅具基部的不明显隆突。若存在发音器, 则最多仅基部具部分中央纵纹，大多数发音器不具中央纵纹。后胸叉骨通常具发达的叶片。一些种类的鞘翅强烈收窄，甚至可能缩短，导致后翅部分外露，但不具和膜花天牛亚科非常相似的类型。后翅通常发达，但 *Apatophysis* sensu stricto 的雌虫后翅具退化的趋势且腹部膨大，不能飞行；其他一些属（包括 *Dorcasomus*）的雌虫很可能也不具飞行的能力。前足基节横形至近球形，突出，不高于前胸腹板突。跗节伪四节，具跗垫，不具爪间突。

分类：分布于非洲、欧洲和东南亚。目前世界已知 321 种，中国记录 1 族 5 属 16 种，秦岭地区发现 2 属 2 种。

分属检索表

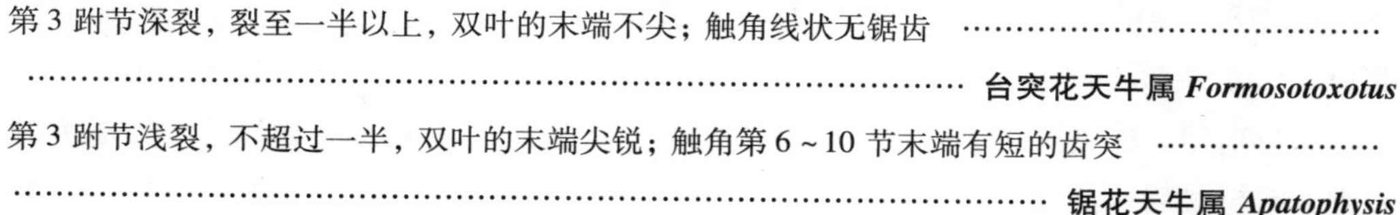

第 3 跗节深裂，裂至一半以上，双叶的末端不尖；触角线状无锯齿 …………………………………… **台突花天牛属 *Formosotoxotus***

第 3 跗节浅裂，不超过一半，双叶的末端尖锐；触角第 6～10 节末端有短的齿突 …………………………………… **锯花天牛属 *Apatophysis***

56. 锯花天牛属 *Apatophysis* Chevrolat, 1860 陕西新纪录属

Apatophysis Chevrolat, 1860a: 95. **Type species**: *Apatophysis toxotoides* Chevrolat, 1860 (= *Polyarthron barbarum* P. H. Lucas, 1858).

Centrodera (*Apatophysis*): Gressitt, 1951: 48.

Apatophysis (s. str.): Danilevsky, 2008: 8, 9, 40.

属征（蒋书楠等，1985）：头向前伸出，复眼之后稍狭窄；复眼大，内缘凹入，小眼面粗；颊较短，向外突出。触角基瘤突出；雄虫触角超过鞘翅，雌虫短于鞘翅，柄节向端部逐渐膨大，不超过复眼后缘，下面微弯曲，第 3、4 节近于等长，第 6～10 节外端伸出呈锯齿形，各节近于等长，第 11 节稍长。前胸背板宽胜于长，两侧缘中部略具瘤突。鞘翅显宽于前胸背板。雄虫足较长，后足腿节不达鞘翅末端，雌虫腹部端部 1 或 2 节露出于鞘翅之外。

分布：古北区，非洲区。本属共记录 26 种，中国已知 10 种，秦岭地区发现 1 种。

(108) 异常锯花天牛 *Apatophysis insolita* Miroshnikov *et* Lin, 2017（图版 8：8）

Apatophysis insolita Miroshnikov *et* Lin, 2017: 208, figs. 29-30, 61-62, 100-105.

鉴别特征：体长 13.1～18.2mm。体红褐色，稀被红褐色伏毛，有时头与前胸颜色稍暗。触角长于体，末2节超出鞘翅末端，末节最长。上颚较短，末端尖而弯；前胸背板盘区具有4或5个瘤突，基部的瘤突比端部的发达；鞘翅末端狭圆；腿节和胫节不具小齿，胫节不弯曲。

采集记录:模式系列(IOZ(E)1905464为正模，其余皆为副模):1♂，长安南五台，1951.Ⅶ.24，周尧采(NWAFU，CO025809)；1♂，长安翠华山，1951.Ⅶ.28，周尧采(NWAFU，CO025810)；9♂，周至集贤立新村，2006.Ⅶ.18，林美英采(IZAS，IOZ(E)1905459-65 +1905333-34)；2♂，同上，2006.Ⅶ.16(IZAS，IOZ(E)1905458 +1905335)；6♂，周至板房子，2006.Ⅶ.20，林美英灯诱(IZAS，IOZ(E)1905454-57 +1905331-32)；2♂，同上，2006.Ⅶ.21(IZAS，IOZ(E)1905466-67)；12♂，周至楼观台，1954.Ⅶ.02-05(NWAFU，CO025789-800)；1♂，凤县，1974.Ⅶ.10(NWAFU，CO025802)；1♂，留坝庙台子，1350m，1998.Ⅶ.21，姚建采(IZAS，IOZ(E)1905330)；1♂，佛坪，950m，1998.Ⅶ.12，姚建采(IZAS，IOZ(E)1905329)；3♂，宁陕广货街镇，1227m，2014.Ⅶ.26，路园园灯诱(IZAS，IOZ(E)1905468-70)；1♂，宁陕广货街镇，1178m，2014.Ⅶ.28，路园园灯诱(IZAS，IOZ(E)1905453)；1♂，柞水营盘镇，955m，2014.Ⅶ.29，路园园灯诱(IZAS，IOZ(E)1905471)；2♂，柞水营盘镇，953m，2014.Ⅶ.30，路园园灯诱(IZAS，IOZ(E)1905472-73)；4♂，柞水营盘镇，995m，2014.Ⅶ.31，路园园灯诱(IZAS，IOZ(E)1905474-77)；1♂，秦岭，1995.Ⅶ.24(NWAFU，CO028393)。

分布:陕西(长安、周至、凤县、留坝、佛坪、宁陕、柞水)、河南、江西、湖南。

备注:种本名“*insolita*”的意思是不常见的、异常的，因为本种的形态特征跟其他同属种类相比不太典型，也有可能不是这个属的。

57. 台突花天牛属 *Formosotoxotus* Hayashi，1960

Formosotoxotus Hayashi，1960：1. **Type species**：*Artelida asiatica* Matsushita，1933（= *Toxotinus auripilosus* Kano，1933）.

属征(N. Ohbayashi，2007):体粗短，密被长伏毛。头短；上颚大而尖；下颊长等于复眼宽；触角着生于复眼侧前方；复眼小眼面粗，深凹；上颊向后逐渐狭窄，不缢缩。前胸具圆锥形侧刺突，背板具2对瘤突，前方的1对大于后方的1对；前胸腹板突狭窄，末端稍微扩宽；前足基节窝关闭或微开放；中胸背板不具发音器。鞘翅宽于前胸，长约为肩宽的2.0倍，两侧几乎平行或向后缩窄。足中等长，胫节扩宽且通常末端扁平；后足跗节第1节等于其后两节之和。

分布:东洋区。世界已知9种，中国分布3种，秦岭地区发现1种。

(109)库氏台突花天牛 *Formosotoxotus kucerai* Rapuzzi *et* Sama, 2014(图版 8:9)

Formosotoxotus kucerai Rapuzzi *et* Sama, 2014: 3, fig. 7.

鉴别特征:体长 12.0mm。体黄褐色，密被黄褐色和灰白色绒毛，触角和足与鞘翅同色。鞘翅隐约可见由灰白色绒毛形成的纵纹，小盾片周边灰白色绒毛稍多一些。雄虫触角略短于体长，鞘翅末端合圆。

采集记录:1♂(正模)，China，Shaanxi，Lueyang，2010. Ⅶ. 20-30，E. Kučera (CPRP，图片检视)。

分布:陕西(略阳)。

(六)天牛亚科 Cerambycinae

鉴别特征:小至大型，体长 2.5~90.0mm，形态多样。头前口式至接近下口式，很少具明显的“喙”，有的可能在眼后缢缩，但极少具突出的上颊和缩窄的“颈部”。触角着生部位多样，但很少靠近上颚髁。触角着生处与上颚髁可能被一对较明显的隆突或脊联系在一起，前幕骨陷在隆突或脊的侧边。额中沟通常存在，很少延伸至后头区，额唇基沟宽，通常具两个靠近中央的深凹痕。上唇可动，通常短阔，前唇基一般很短。触角多样，通常 11 节，偶尔多于 12 节。上颚不膨阔或(很少)中等膨阔，无显著的臼板，内缘具显著的毛或不具毛，末端通常简单，很少扩宽而呈凿形。下颚和下唇多样，下颚内颚叶通常发达，唇舌多样但很少退化和骨化，下颚须和下唇须的末节感觉区中等大或大，因此多少平切状。前胸背板不具边缘(少数例外)；前胸腹板长，前胸腹板突很宽至缺失，前足基节窝多样(横形至圆形)，向后开放或关闭。多数中胸背板具无中央纵纹的发音器，中央内突仅限于基端，很少具长的中央内突把发音器分为两半。后胸叉骨通常具叶片。前足基节形状多样，通常高于前胸腹板突。多数种类跗节伪四节，具跗垫。一些形态(和生物学习性)特异的种类，跗垫退化且第 3 跗节不呈双叶状，如 Torneutini(*Thaumasus*)。爪间突小(最多具 2 根刚毛)或通常不明显。

分类:世界已知 1 万余种，中国记录 29 族 174 属约 1152 种/亚种，秦岭地区发现 21 族 73 属 168 种。

分族检索表

1. 中足基节窝对后侧片开放 ………………………………………………………… 2

中足基节窝对后侧片关闭 …………………………………………………………………………… 16

2. 复眼小眼面较粗大(少数情况有例外) ………………………………………………………… 3

复眼小眼面较细 ……………………………………………………………………………… 6

3. 前胸腹板突宽广，端部显著扩大 ………………………………………… **天牛族 Cerambycini**

前胸腹板突狭窄，端部很少扩大………………………………………………………………… 4

4. 前足基节显突，高出于前胸腹板突…………………………………………………………… 5

前足基节不显突，与前胸腹板突一样高 ……………………… **沟角天牛族 Hesperophanini**

5. 触角柄节外端有 1 个刺状突出，前胸背板不具侧刺突，中胸背板发音器中央不具纵纹 ………
……………………………………………………………………………… **双条天牛族 Xystrocerini**

触角柄节外端无刺突，前胸背板具侧刺突，中胸背板发音器中央具纵纹 …… **圆天牛族 Oemini**

6. 前足基节窝外侧有明显的尖角 ……………………………………………………………… 7

前足基节窝圆形 ……………………………………………………………………………… 9

7. 鞘翅一般短缩，不达腹部末端，或后端变狭窄 …………………………………………… 8

鞘翅正常，覆盖腹部 ………………………………………………………… **丽天牛族 Rosaliini**

8. 鞘翅强烈短缩，末端圆形 ……………………………………………… **短鞘天牛族 Molorchini**

鞘翅狭缩或略短缩，各翅分开………………………………………… **狭鞘天牛族 Stenopterini**

9. 小盾片较大，呈三角形，后角尖锐；后胸腹板后角具臭腺孔 ……………………………… 10

小盾片较小，呈半圆形，后角钝圆；后胸腹板后角不具臭腺孔 …………………………… 11

10. 前足基节窝向后关闭或略开放………………………………………… **绿天牛族 Callichromatini**

前足基节窝向后开放很宽……………………………………………… **紫天牛族 Trachyderini**

11. 前足基节窝向后关闭 ………………………………………………………………………… 12

前足基节窝向后开放 ………………………………………………………………………… 13

12. 腿节较长，后足腿节超过腹部末端…………………………………… **长跗天牛族 Prothemini**

腿节较短，后足腿节不超过腹部末端……………………………… **折天牛族 Pseudolepturini**

13. 前胸背板胸面多成纵形隆起，前端中央有 1 个不同程度的锥形隆起；鞘翅肩后略窄，各翅收狭
……………………………………………………………………………… **锥背天牛族 Thraniini**

前胸背板胸面不成纵形隆起，也不具锥形隆起；鞘翅完整不收狭 ………………………… 14

14. 体型极扁，前胸背板不很拱起；额部很短………………………………… **扁胸天牛族 Callidiini**

体型不很扁，前胸背板极拱起，多呈球形；额部不很短 …………………………………… 15

15. 后胸前侧片较狭窄；后胸后侧片较短，很少伸向后足基节的外侧，不覆盖在腹部第 1 节前缘角上；鞘翅基部不平坦 …………………………………………………… **纹虎天牛族 Anaglyptini**

后胸前侧片较宽；后胸后侧片较长，伸向后足基节的外侧，覆盖在腹部第 1 节前缘角上；鞘翅基部平坦 ……………………………………………………………………… **虎天牛族 Clytini**

16. 复眼小眼面较粗大(少数情况有例外) ………………………………………………………… 17

复眼小眼面较细 ……………………………………………………… **纤天牛族 Cleomenini**

17. 触角基部几节内端具刺 …………………………………………… **缨天牛族 Phoracanthini**

触角各节不具刺 ……………………………………………………………………………… 18

18. 前足基节窝向后关闭；腹部第 1 节较长，长于第 2、3 节长度之和 ……………………… 19

前足基节窝向后开放；腹部第 1 节较短，不长于第 2、3 节长度之和 ………………………… 20

19. 第 2 可见腹板不具有浓密的毛穗隐藏末端三节；后胸前侧片不呈纵沟 ………………………………………………………………………… **狭天牛族 Stenhomalini**

第 2 可见腹板具有浓密的毛穗隐藏末端 3 节；后胸前侧片具有一条深纵沟 ………………………………………………………………………… **侧沟天牛族 Obriini**

20. 复眼小，小眼面部不很粗；体型微小，体长在 6.5mm 左右 ……………… **小天牛族 Graciliini**

复眼大，小眼面较粗；体型不甚微小，体长一般在 7.0mm 以上 ……… **蜡天牛族 Callidiopini**

Ⅰ. 纹虎天牛族 Anaglyptini Lacordaire, 1868

鉴别特征：本族跟虎天牛族相似，但后胸前侧片较狭窄，后胸后侧片较短，鞘翅基部不平坦。

分类：世界已知 10 属 2 亚属 124 种，中国记录 4 属 40 种，秦岭地区分布 3 属 4 种。

分属检索表

1. 前胸基半部具 1 对带毛的胼胝突起；鞘翅短，长约为肩部宽的 2.0 倍，末端宽圆形 ………………………………………………………………………… **义虎天牛属 *Yoshiakioclytus***

前胸基半部不具 1 对带毛的胼胝突起；鞘翅较长，长大于肩部宽的 2.1 倍，末端非宽圆形，通常平切或凹切 ………………………………………………………………………… 2

2. 触角第 3 节长于第 4 节；前胸背板没有侧瘤突；鞘翅末端平切或凹切，外端角至多呈尖刺状；雄虫生殖器的内囊较短，为中茎的 4.0 ~ 5.0 倍长 ……………………… **纹虎天牛属 *Anaglyptus***

触角第 3 节略短于至略长于第 4 节；前胸背板有很短的侧瘤突或没有；鞘翅末端平切或斜切，外端角至多呈短齿状；雄虫生殖器的内囊很长，至少为中茎的 8.0 倍长 ………………………………………………………………………… **拟虎天牛属 *Paraclytus***

58. 纹虎天牛属 *Anaglyptus* Mulsant, 1839

Anaglyptus Mulsant, 1839: 91. **Type species**: *Leptura mystica* Linnaeus, 1758.

属征（蒋书楠等，1985）：复眼内缘凹入，小眼面细；触角基瘤彼此距离较近，触角第 3 节长于第 4 节，第 3 ~ 5 节端部内方具刺。前胸背板长胜于宽，无侧刺突，后端缢缩，表面拱凸。小盾片小，三角形。鞘翅基部有瘤突，末端平切或凹切，外端角至多呈尖刺状。后胸前侧片较窄，很少伸向后足基节的外侧，不覆盖在腹部第 1 节前缘角上；前足基节窝向后开放，中足基节窝对后侧片开放；后足第 1 跗节较短，与第 2、3 跗节之和约等长。

分布：中国；俄罗斯，韩国，日本，欧洲。本属共分 3 个亚属，已知 54 种，其中指名亚属世界已知 42 种，中国记录 18 种，秦岭地区发现 1 种。

(110) 邻纹虎天牛 *Anaglyptus vicinulus* Holzschuh, 1999（图版 8：10）

Anaglyptus vicinulus Holzschuh, 1999: 41, fig. 56.

鉴别特征：体长 9.9～11.8mm。体黑色及红褐色，具灰白色绒毛。头黑色，触角红褐色，柄节和各节端部略显暗色。前胸黑色。鞘翅显示复杂的白色、黑色和红褐色间杂的斑纹。腹面黑色密被灰白色绒毛，足腿节端部黑色，腿节基部、胫节和跗节红褐色。触角长度与体长相差无几。鞘翅比前胸宽，向后稍狭窄，外端角长而尖锐。腿节端部略膨大，后足腿节不超过翅端。

采集记录：1♂，周至厚畛子，1300～1500m，2008. Ⅴ. 15-19，黄灏采（CCCC）；1♀，周至厚畛子，2004. Ⅴ. 19，郎嵩云采；1♀，太白山大殿，1982. Ⅷ. 16（NWAFU）；1♀，太白山蒿坪寺，2004. Ⅴ. 24，郎嵩云采；1♂，华阴华山，770～1618m，林美英采。

分布：陕西（周至、太白、眉县、华阴）、北京、山西、河南、宁夏、甘肃、湖北、重庆、四川。

59. 拟虎天牛属 *Paraclytus* Bates, 1884

Paraclytus Bates, 1884: 234. **Type species**: *Paraclytus excultus* Bates, 1884.

属征：复眼内缘凹入，小眼面细；触角基瘤彼此距离较近，触角第 3 节略短于或略长于第 4 节，第 3～4 节端部内方具刺或不具刺。前胸背板长胜于宽，有很短的侧瘤突或没有，后端缢缩，表面拱凸，有时有背面瘤突。小盾片小，三角形。鞘翅基部有瘤突，末端平切或斜切，外端角至多呈短齿状。后胸前侧片较窄，很少伸向后足基节的外侧，不覆盖在腹部第 1 节前缘角上；前足基节窝向后开放，中足基节窝对后侧片开放；后足第 1 跗节较短，与第 2、3 跗节长度之和约等长。

分布：古北区，东洋区。世界已知 23 种，中国记录 15 种，秦岭地区发现 3 种。

分种检索表

1. 前胸没有侧瘤突，前胸背板具有 1 对近圆形黑斑；鞘翅白色绒毛底下的底色黑色，部分绒毛斑

纹空心(中间部分绒毛较稀少) ………………………………… 川拟虎天牛 ***Paraclytus primus***
前胸有钝的侧瘤突，前胸背板没1对黑斑，而是好几个淡色绒毛斑点；鞘翅白色绒毛底下的底色红褐色，不空心(中间部分绒毛同周边一样稠密) ………………………………………………… 2
2\. 触角两色，柄节和端部5节黄褐色被白色绒毛，第2~6节黑色 ……………………………………………………………………………… 白角拟虎天牛 ***P. apicicornis***
触角单色，为红褐色，有时柄节黑褐色 ………………………… 陕拟虎天牛 ***P. shaanxiensis***

(111)白角拟虎天牛 *Paraclytus apicicornis* (Gressitt, 1937)

Aglaophis apicicornis Gressitt, 1937b: 92.
Anaglyptus (*Aglaophis*) *apicicornis*: Gressitt, 1951: 303, 305.
Paraclytus apicicornis: Holzschuh, 2003: 228.

鉴别特征:体长12.2~14.4mm。体较小，较粗壮，黑色，鞘翅有白色或黄色绒毛斑纹；触角柄节、端部5节及足黄褐色，腿节膨大，部分暗黑色；头前部、触角柄节及端部5节、前胸背板后侧缘至部分基缘、腿节末端和体腹面的大部分具浓密白色绒毛；前胸背板前缘有黄色绒毛。雄虫触角长达鞘翅端部，雌虫触角稍短，伸至鞘翅中部略后，第3节长于第4节，第3、4节端部内方具刺。前胸背板两侧呈圆弧形，后端紧缩。鞘翅两侧近于平行，端缘斜切，外端角较长，尖狭；每个鞘翅斑纹分布如下:第1不规则横斑，位于基缘；第2斜斑，位于小盾片之后，合起来呈“八”字形；第3短斜斑，靠近中部之前的侧缘；第4短横斑，位于中部，靠近中缝；第5波状横带，紧接第4斑之后；第6端部斑纹较宽。

分布:陕西(秦岭)、甘肃、江西、湖南、福建、广西、四川、贵州。

(112)川拟虎天牛 *Paraclytus primus* Holzschuh, 1992(图版9:1)

Paraclytus primus Holzschuh, 1992: 42, fig. 51.

鉴别特征:体长7.6~11.6mm。体较小至中等，黑褐色，触角几乎全部红褐色(有时候柄节暗黑)，足的一部分和鞘翅缘折红褐色，有时候鞘缝也红褐色。前胸背板通常呈现两块黑斑，近圆形。小盾片密被白绒毛。鞘翅具由白绒毛形成的斑纹，主要包括：基半部“)(”斑，通常后半截是空心的(意思是中间部分绒毛较稀少)；中间的横斑，常常沿鞘缝向前后扩展，沿边缘向后斜，有时候也是空心的；端部之前的横斑。雄虫触角稍超出鞘翅末端，雌虫触角稍短，伸至鞘翅端部白斑，第3节略短于第4节，显短于第5节；雄虫第6节和7节约等长，第4节和8节约等长；雌虫第6节略长于第7节，第4节明显长于第8节。第3、4节端部内方具短刺，第3节的短刺较发达，有时候两节端刺都不发达。前胸背板椭圆，两侧呈圆弧形，端部明显宽于基部。鞘翅从基部向端部微缩窄，长约是基部宽的2.6倍，翅面具稀疏直立细长毛，端缘微凹切。

采集记录:1♂，Shaanxi Prov.，Houzhenzi env.，1350～2000m，14～24.06.1999，S. Murzin（CSM）；1♀，周至厚畛子老县城至秦岭梁途中，1745～2021m，2007.Ⅴ.27，林美英采（IOZ(E)1904707）；1♂，Shaanxi Prov.，Tiantaishan forest park，950m，2010，J. Turna（CTT）；1♂，宁陕火地塘平河梁，2016～2448m，2007.Ⅵ.01，林美英采（IOZ(E)1904706）。

分布:陕西（周至、宝鸡、宁陕）、四川。

（113）陕拟虎天牛 *Paraclytus shaanxiensis* Holzschuh，2003（图版9:2a，2b）

Paraclytus shaanxiensis Holzschuh，2003：228，fig. 63.

鉴别特征:体长13.0～16.1mm。跟白角拟虎天牛非常相似，但触角第2～6节不是黑色，且触角第3和4节不具端刺。体较粗壮，黑色，鞘翅有白色或黄褐色绒毛斑纹；触角黄褐色，足黑褐色，腿节膨大，有时候腿节暗黑色；头前部、触角、前胸背板后侧缘、腿节末端和体腹面的大部分，具浓密的白色绒毛；前胸背板前缘有黄色绒毛。雄虫触角长达鞘翅端部且略超出，雌虫触角稍短，伸至鞘翅中部之后，第3节长于第4节，第3、4节端部内方一般不具刺，有时第3节具很不发达的端刺。前胸背板两侧呈圆弧形，后端紧缩。鞘翅两侧近于平行，端缘平切；每个鞘翅斑纹分布如下：第1不规则横斑，位于基缘；第2斜斑，位于小盾片之后，合起来呈"八"字形；第3短斜斑（很不发达），靠近中部之前的侧缘；第4短横斑，位于中部，靠近中缝；第5波状横带，紧接第4斑之后；第6端部较宽斑纹。

采集记录:1♂（正模），Qinling Shan，12km SW of Xunyangba，2000.Ⅵ.14-18（CCH）；1♀，太白林业局，1980.Ⅴ.26，杨、周采（NWAFU）；3♂，宁陕火地塘平河梁，2016～2448m，2007.Ⅵ.01，林美英采。

分布:陕西（太白、宁陕）、湖北、四川。

60. 义虎天牛属 *Yoshiakioclytus* Niisato，2007

Yoshiakioclytus Niisato，2007：577. **Type species**：*Epiclytus taiwanus* Chang，1960.

属征（Niisato，2007）:体较粗短，触角和足细长。头短，额方形；复眼深凹，小眼面细；下颚须和下唇须末节末端斧状；触角长于体长，第3节远长于第4节而约等于或短于第5节，基部几节下沿具缨毛，端部7节被细小柔软绒毛。前胸球状，端部宽于基部，基半部具1对带毛的胼胝突起；小盾片圆三角形。鞘翅短，长约为肩部宽的2.0倍，两侧几乎平行，末端宽圆形；鞘翅基部近鞘缝处具带毛的胼胝瘤突；前足基节窝向后宽阔开放；中足基节窝向中胸后侧片开放；腹部短，第5可见腹节最短；足较长，后足腿节超出鞘翅末端很多，腿节略成纺锤状，后足跗节第1节长于其后两节长度之和。

分布：中国。目前已知5种，秦岭地区发现1种。

(114)陕义虎天牛 *Yoshiakioclytus stigmosus* (Holzschuh, 2003)（图版9:3）

Epiclytus stigmosus Holzschuh, 2003: 210, fig. 49.

Yoshiakioclytus stigmosus: Huang & Chen, 2016: 492.

别名：陕拟眉天牛。

鉴别特征：体长6.8~7.1mm。体咖啡褐色，头和前胸暗色，鞘翅、触角和足偏咖啡红褐色。触角第6节基半部的白色绒毛显著；前胸背板基半部的黑色毛斑显著；鞘翅除了基部的突起具有黑色毛斑，在中部还有1条波浪形绒毛斑，不接触鞘缝。触角略短于体长(雌性)或约等与体长(雄性)，鞘翅端半部具有显著竖毛，末端合圆。

采集记录：1♀(正模)，Shaanxi Prov., Qinling Shan, pass 35km S of Baoji, road Baoji to Taibai Shan, 1998. Ⅵ. 21-23, O. Šafránek & M. Trýzna (CCH，图片检视)。

分布：陕西(宝鸡)、甘肃。

Ⅱ.绿天牛族 Callichromatini Swainson, 1840

鉴别特征：头顶宽阔突起；唇基大；复眼小眼面细粒，深凹；触角通常长于体，雄虫触角长于雌虫触角。前胸背板宽胜于长，具侧刺突，或长大于宽，圆筒状(不具侧刺突)。前足基节窝圆形，向后关闭；中足基节窝向中胸后侧片开放；鞘翅长形，大多数情况为绿色或部分为绿色，少数例外。足较长，后足腿节达或不达鞘翅末端。雄虫腹部可见6节腹板，雌虫可见5节。

分类：世界已知178属/亚属，中国记录30属/亚属，秦岭地区发现8属。

分属检索表

1. 触角粗壮，雄虫触角短于虫体长度或约等长，触角黄色，至少部分黄色；前胸背板一般黑色或

被覆绒毛，具明显的侧刺突；后足腿节达或超过鞘翅末端………… **黑绒天牛属 *Embrikstrandia***
触角较细，雄虫触角长于虫体，触角一般暗色；前胸背板一般带金属光泽 …………………… 2

2. 雄虫触角十分长于虫体，端部数节非常细…………………………………………………………… 3
雄虫触角略长于或约等于虫体，端部数节不十分细………………………………………………… 4

3. 前胸背板有圆形瘤状突起，表面光滑，具刻点或皱纹；雄虫后足腿节一般不超过鞘翅末端，后足第1跗节短于其余跗节之和 ……………………………………………… **颈天牛属 *Aromia***
前胸背板或多或少平坦，表面分布细致弯曲脊纹，有时中部具小颗粒状刻点；雄虫后足腿节一般超过鞘翅末端，后足第1跗节等长或略长于其余跗节之和………… **长绿天牛属 *Chloridolum***

4. 雄虫后足腿节达到或超过鞘翅末端，雌虫后足腿节达到或不超过鞘翅末端；触角柄节外端圆形或至少不呈刺状 ……………………………………………………………………………… 5
雌虫、雄虫后足腿节均不达鞘翅末端 ……………………………………………………………… 6

5. 前胸背板长胜于宽，基部及端部无横沟；鞘翅两侧近于平行 …………… **多带天牛属 *Polyzonus***
前胸背板长宽略等或宽略胜于长，基部及端部有横沟；鞘翅端部稍窄 ………………………………………………………………………………… **绿天牛属 *Chelidonium***

6. 触角柄节外端圆形，不呈刺状；前胸背板有网状脊纹 ……………… **施华天牛属 *Schwarzerium***
触角柄节外端突出呈刺状 ……………………………………………………………………………… 7

7. 前胸背板大部分光滑无毛；触角第3节及以下各节被少量毛；鞘翅一般绿色 ………………………………………………………………………………… **柄天牛属 *Aphrodisium***
前胸背板被绒毛和长竖毛；触角第3节及以下各节具浓密短绒毛；鞘翅通常有斑纹 ………………………………………………………………………… **拟柄天牛属 *Cataphrodisium***

61. 柄天牛属 *Aphrodisium* Thomson, 1864

Aphrodisium Thomson, 1864: 173. **Type species**: *Callichroma cantori* Hope, 1840.
Tomentaromia Plavilstshikov, 1934b: 52. **Type species**: *Callichroma faldermannii* Saunders, 1850.

属征(蒋书楠等, 1985):头一般较长，额前方宽广、平陷；颊短；触角基瘤之间成横隆起，雄虫触角与体约等长，雌虫的短于体长，柄节外端呈齿状突出，端部数节不十分细。前胸背板宽胜于长，具侧刺突。小盾片三角形。鞘翅长形，后端渐窄，端缘圆形或斜圆。足较长，后足腿节均不达鞘翅末端。前足基节窝向后开放，中足基节窝向后侧片开放。

分布:古北区，东洋区。本属分2个亚属，指名亚属世界已知43种/亚种，中国记录31种/亚种，秦岭地区分布3种/亚种。

分种检索表

1. 前胸背板亮黄色，前后缘蓝绿色；触角基部几节蓝绿色，端部几节黄褐色 ………………………………… **黄颈柄天牛 *Aphrodisium* (*Aphrodisium*) *faldermannii faldermannii***

前胸背板蓝绿色或紫绿色；触角不分成绝然不同的两段，通常为蓝绿色或紫绿色 …………… 2

2. 前胸背板紫绿色，密布横向皱纹，中央没有显著的光滑区域；触角较长，到达或超过鞘翅末端，通常为紫绿色 ………………………………………………………… **皱绿柄天牛 *A.*（*A.*）*gibbicolle***

前胸背板绿色或蓝绿色，基部中央有显著的光滑区域；触角较短，斑到达鞘翅末端，通常为蓝绿色 ……………………………………………………… **皱胸柄天牛 *A.*（*A.*）*implicatum implicatum***

（115）黄颈柄天牛 *Aphrodisium*（*Aphrodisium*）*faldermannii faldermannii*（Saunders，1853）

Callichroma faldermannii Saunders，1853：111，pl. Ⅳ，fig. 7.

Aromia（*Tomentaromia*）*faldermannii faldermannii*：Plavilstshikov，1934b：53.

Aphrodisium faldermannii：Gressitt & Rondon，1970：144.

Tomentaromia faldermannii：Podaný，1971：260，261.

别名：桃黄颈天牛。

鉴别特征：体长 18.0～42.0mm。头部蓝绿或紫绿色，有光泽；胸部亮黄色或亮红色，前后缘蓝绿或紫绿色；鞘翅基部及小盾片蓝绿色，鞘翅大部呈赭石色；触角基部几节蓝绿或紫绿色，端部几节黄褐色，足蓝绿色富有光泽，跗节黄色。前胸短而阔，前、后缘高起，侧刺突尖端锐，前胸背板有 5 枚光亮的瘤突。鞘翅比前胸宽，端部圆形。腿节呈棍棒状。

分布：陕西（西安）、内蒙古、河南、江苏、浙江、湖北、江西、湖南、福建、广东、四川、云南；蒙古，俄罗斯，韩国。

寄主：桃，*Prunus persica*（Linnaeus）Batsch，*Prunus salicina* Lindley。

备注：本种分为 7 个亚种。

（116）皱绿柄天牛 *Aphrodisium*（*Aphrodisium*）*gibbicolle*（White，1853）（图版 9：4）

Callichroma gibbicolle White，1853：160.

Chelidonium gibbicolle：Gahan，1906：213，fig. 80.

Chelidonium gibbicolle var. *subgibbicolle* Pic，1925b：17.

Chelidonium gibbicolle var. *rubrofemoralis* Pic，1932：24.

Aphrodisium（s. str.）*gibbicolle*：Gressitt & Rondon，1970：149，fig. 26 a.

鉴别特征：体长 18.0～35.0mm。体蓝绿色，有光泽；头、胸光泽更显著。鞘翅深绿色，光泽较暗。腹面绿色，被有银灰色绒毛。足和触角蓝黑色，但足的颜色存在多种变异，前足和中足腿节可以是红色。雌虫触角与体长约相等，雄虫触角较身体略长。前胸面密布皱纹，大部分是横向，只有在靠近前缘的 2 个瘤突和靠近后缘的 2 个瘤突上的皱纹呈环状；侧刺突端部尖，上面皱纹较少。每一鞘翅中央均有 1 条暗纵带。后足跗节第 1 节的长度相当于第 2、3 节的长度之和。雄虫腹部腹面可见 6 节，第 5 节后缘凹陷；雌虫腹面腹面只见 5 节，第 5 节后缘拱凸成半圆形。

采集记录:1♂，周至厚畛子，1350m，1999. Ⅵ.25，胡建采。

分布:陕西(周至、安康)、江苏、安徽、浙江、江西、湖南、福建、台湾、广东、海南、广西、四川、贵州、云南；越南，老挝，泰国，印度，孟加拉国，柬埔寨。

寄主: 柑橘类，*Castanea mollissima* Blume，*Citrus* sp.，*Juglans mandschurica* Maximovicz，*Pinus armandii* Franchet var. *amamiana*，*Quercus glauca* Thunberg。

(117)皱胸柄天牛 *Aphrodisium* (*Aphrodisium*) *implicatum implicatum* (Pic，1920) (图版 9:5)

Cloridolum implicatum Pic，1920b：2.

Chelidonium implicatum：Plavilstshikov，1934b：89.

Aphrodisium implicatum：Gressitt & Rondon，1970：148.

别名:皱胸绿天牛。

鉴别特征:体长 23.0～30.0mm。全体绿色，触角和足的颜色略深于鞘翅的颜色，显示为蓝绿色。前胸背板基部中央有 1 块刻点稀少的光滑区域，前胸背板不光滑也不平坦。鞘翅肩部圆，每鞘翅具 2 条不十分显著的纵脊，鞘翅末端合圆，端缝角明显。触角不到达鞘翅末端。

采集记录:1♀，佛坪，890m，1999. Ⅵ.26，姚建灯诱；1♂，宁强，1982. Ⅵ.08，魏建华采(NWAFU，CO028358)。

分布:陕西(佛坪、宁强)、云南；印度。

备注:周嘉熹等(1988)报道了陕西太白山的记录，但是其展示的手绘图片更像是红缘长绿天牛 *Chloridolum* (*Leontium*) *lameeri* (Pic，1900) 。因此，本文只根据标本记录了佛坪和宁强这两个产地。

62. 颈天牛属 *Aromia* Audinet-Serville，1834

Aromia Audinet-Serville，1834a：559. **Type species**：*Cerambyx moschatus* Linnaeus，1758 .

Terambus Gistel，1848b：2 [unnecessary substitute name].

属征:复眼深凹，小眼面细；颊短；触角基瘤之间额隆起，中央深凹，触角基瘤呈钝角状突出，触角长于体，雄虫触角长于雌虫触角，柄节外端呈齿状突出，端部数节十分细，末节最长。前胸背板宽胜于长，具显著侧刺突。小盾片三角形。鞘翅长形，后端渐窄，端缘圆形或斜圆。足较长，后足腿节达（有些雄虫）或不达鞘翅末端。前足基节窝向后开放，中足基节窝向后侧片开放。

分布：亚洲，欧洲，非洲。世界已知9种/亚种，中国分布3种/亚种，秦岭地区发现2种。

分种检索表

鞘翅深绿色 ………………………………………… **杨红颈天牛 *Aromia moschata orientalis***
鞘翅黑色……………………………………………………… **桃红颈天牛 *A. bungii***

（118）桃红颈天牛 *Aromia bungii*（Faldermann，1835）（图版9:6）

Cerambyx bungii Faldermann，1835：433，pl. 5，fig. 5.
Callichroma cyanicornis Guérin-Méneville，1844：222.
Callichroma bungii：White，1853：154.
Callichroma ruficolle Redtenbacher，1868：194.
Aromia bungii：Lacordaire，1869：15.
Aromia（s. str.）*bungii*：Gressitt，1951：200，pl. 6，figs. 10-11.

鉴别特征：体长24.0～40.0mm。体亮黑色，胸部棕红色，有光泽。触角及足黑蓝紫色，头黑色，腹面有许多横皱。头顶部两眼间有深凹，触角基部两侧各有1个叶状突起，尖端锐。前胸有不明显的粗糙点；侧刺突明显，尖端锐。前胸背面有4个富有光泽的光滑瘤突。前、后缘亮黑蓝色。雄虫前胸腹面密布刻点，触角比身体长，雌虫前胸腹面无刻点，但密布横皱，触角与体长约相等。小盾片黑色略向下凹而表面平滑。鞘翅表面十分光滑有两条纵纹但不清楚，肩部突起不显著。

采集记录：1♂，佛坪窑沟，870～1000m，1998. Ⅶ. 15，陈军采；1♂，洋县长青自然保护区，2016年1月通过张巍巍看到照片，标本保存于保护区管理站；1♂1♀，宁陕老城南门农家乐，814m，2013. Ⅶ. 14，宋志顺、郑强峰采，灯诱；1♂1♀，安康，1980. Ⅵ；1♂1♀，商县，寄主：李树。

分布：陕西（蓝田、陇县、凤县、宝鸡、勉县、佛坪、洋县、宁陕、安康、商县、洛南、黄陵、延安、延长）、黑龙江、吉林、辽宁、内蒙古、北京、天津、河北、山西、山东、河南、甘肃、青海、宁夏、江苏、上海、安徽、浙江、湖北、湖南、福建、台湾、广东、海南、香港、广西、重庆、四川、贵州、云南；蒙古，朝鲜，韩国。

寄主：桃，杏，樱桃，郁李，梅，苇樱，清水樱，柳。

(119) **杨红颈天牛 *Aromia moschata orientalis* Plavilstshikov, 1933**(图版 9:7)

Aromia moschata orientalis Plavilstshikov, 1933a: 12.

Aromia orientalis: Podaný, 1971: 297, 302.

鉴别特征:体长 16.0~32.0mm。体深绿色，前胸背板赤黄色，前后两缘则呈蓝色，有光泽，触角及足为蓝黑色。头部蓝黑色，腹面有许多横皱，头顶部两眼间有深凹，触角柄节端部有 1 个叶状突起，尖端锐。前胸背板近后缘处有 2 个瘤突，侧刺突亦明显。雄虫触角比身体长，雌虫触角和体长约相等。小盾片黑色，光滑，略向下凹。鞘翅密布刻点和皱纹，各有 2 条纵隆线，在近翅端处消失。

采集记录:1♂，榆林，1980；1♀，神木，1960.Ⅶ.06。

分布:陕西(长安、安康、宜君、宜川、榆林、神木)、黑龙江、吉林、辽宁、内蒙古、北京、河北、山东、河南、甘肃、宁夏、浙江、福建、重庆、四川；蒙古，俄罗斯，朝鲜，韩国，日本。

寄主:杨，柳类。

63. 拟柄天牛属 *Cataphrodisium* Aurivillius, 1907

Cataphrodisium Aurivillius, 1907: 100. **Type species**: *Purpuricenus rubripennis* Hope, 1842.

Asiodiphrum Plavilstshikov, 1934c: 221. **Type species**: *Asiodihrum nigrofasciatum* Plavilstshioov, 1934.

属征(蒲富基，1980):复眼较大，深凹，小眼面细；触角之间的额横隆起，中部凹下；触角较粗壮，雄虫触角等长或略长于身体，雌虫触角则稍短，柄节一般外端具刺，第 3 节长于第 4 节，自第 3 节起的以下各节着生较长而密的绒毛，第 5~10 节外端角较尖锐。前胸背板宽胜于长，两侧缘具侧刺突，前缘及后缘微有横凹沟，胸面有浓密绒毛或较长竖毛。小盾片长三角形。鞘翅较长，两侧近于平行，端部稍窄。前足基节窝圆形，向后关闭或稍开放，中足基节窝对后侧片开放；后胸腹板后角具臭腺孔；后足腿节不达鞘翅末端；后足第 1 跗节长于第 2、3 节的长度之和。

分布:中国；越南，缅甸，印度，孟加拉国。世界已知 3 种，中国分布 2 种，秦岭地区仅发现 1 种。

(120) **拟柄天牛 *Cataphrodisium rubripenne* (Hope, 1842)**(图版 9:8)

Purpuricenus rubripennis Hope, 1842b: 110, pl. 10, fig. 6.

Niraeus rubripennis: White, 1853: 144.

Aphrodisium rubripennis: Gahan, 1906: 210.

Cataphrodisium rubripennis: Aurivillius, 1907: 100.

Cataphrodisium rubripenne: Aurivillius, 1912: 301.

Asiodiphrum nigrofasciatum Plavilstshikov, 1934c: 222.

Cataphrodisium latemaculatum: Gressitt, 1951: 193.

Cataphrodisium simile Podaný, 1971: 256.

Embrik-Strandia fujianensis Hua, 1987: 54, fig. 2.

别名：红翅拟柄天牛。

鉴别特征：体长22.0～40.0mm，体中等大小。头、前胸背板、体腹面、触角及足黑蓝色；小盾片黑色；鞘翅红褐色或橘红色，每翅中部之前有1个黑色圆斑，此斑靠近中缝。触角端部数节被褐色绒毛。前胸背板被浓密黑褐色绒毛；鞘翅着生淡黄短绒毛；体腹面被浓厚黑褐绒毛。头顶有1条短纵脊，额中央有1条细纵沟，两侧各有1条浅而宽的纵沟，前额有1条细横沟，颊较短；头具细密刻点，唇基及颊刻点较粗而稀疏；触角柄节刻点粗密，外端角较钝，第3节长是柄节长度的2.0倍。前胸背板宽胜于长，前缘中部向前圆弧突出，侧刺突粗壮而短钝；胸面不平坦，略有高低不一的隆突，近前缘的2个隆突不明显，近后缘的2个隆突较显著；前缘至中央有1条光滑无毛的短纵线，胸面刻点细密。小盾片具细密刻点及着生细绒毛，中央有1条无毛的纵线。鞘翅肩宽，肩部之后稍收窄，端缘圆形；翅面具细密刻点，每翅隐约可见2条或3条细线纹。腿节刻点较粗。

采集记录：1♀，凤州（＝凤县），1975，孙弘采（NWAFU，CO026071，ex陕西果树所标本）。

生物学：据赵养昌先生于1943年至1946年在昆明观察，2或3年发生1代，幼虫为害树干、主枝及枝条，成虫在06月下旬至11月下旬均有出现。

分布：陕西（凤县）、甘肃、山东、江苏、浙江、湖北、福建、台湾、广东、四川、贵州、云南；越南，老挝，印度，孟加拉国。

寄主：梨，苹果，山林果，花红，棠梨，海棠，枇杷。

64. 绿天牛属 *Chelidonium* Thomson, 1864

Chelidonium Thomson, 1864: 175. **Type species**: *Cerambyx argentatus* Dalman, 1817.

属征（蒋书楠等，1985）：体一般中等大小或较大。复眼内缘深凹，小眼面细，下叶大，显著长于颊；额长形，在触角基瘤之间隆起；雄虫触角长于、等于或短于体长，雌虫的等于或短于体长，端部数节不细，与基部几节近于等粗，第3节长于第4节。

前胸背板宽胜于长或长宽近于相等，前、后缘各有1条横沟，侧刺突粗钝，胸面有瘤突及规则的横皱纹或粗糙不规则皱纹。小盾片较大，长三角形。鞘翅长形，端部稍窄于肩宽。前足基节窝圆形，关闭或略开放；中足基节窝对后侧片开放；后胸腹板后角有臭腺孔；后足腿节长，超过或达到鞘翅末端；后足第1跗节长于第2、3节的长度总和。雄虫腹部腹面可见6节，雌虫腹部腹面只见5节。

分布：中国；俄罗斯，韩国，印度，越南，老挝，缅甸，泰国，尼泊尔，斯里兰卡，柬埔寨，菲律宾，马来西亚。世界已知24种，中国记录17种，秦岭地区发现2种。

分种检索表

前胸背板没有明显的中央纵沟；触角柄节末端不具齿………………… **绿天牛 *Chelidonium argentatum***

前胸背板中央有1条纵沟(纵沟内并不光滑，而是很多脊)；触角柄节末端齿状突出 ………………………………………………………………………………………… **中沟绿天牛 *Ch. impressicolle***

(121)绿天牛 *Chelidonium argentatum* (Dalman, 1817)

Cerambyx argentatus Dalman, 1817: 151.

Chelidonium argentatum: Thomson, 1864: 176.

别名：桔光绿天牛。

鉴别特征：体长20.0~30.0mm。体墨绿色，有光泽；腹面绿色，被银灰色绒毛，足和触角深蓝色或黑紫色，跗节黑褐色；腹面有灰褐色绒毛。触角柄节上密布刻点，5~10节端部有尖刺，雄虫触角略长于身体，前胸长宽约相等；侧刺突端部略钝；前胸背板具刻点和细密皱纹，两侧刻点细密而皱纹较少；前胸面前后缘、侧刺突和小盾片均平滑而有光泽。鞘翅上布满细密刻点和皱纹。腿节刻点细密；雄虫后足腿节略超过鞘翅的末端，第1跗节的长度相当第2、3跗节的长度之和。雄虫腹部第5节后缘凹陷，雌虫腹部第5节后缘拱凸呈圆形。

分布：陕西(秦岭)、甘肃、宁夏、河南、江苏、安徽、浙江、江西、湖南、湖北、福建、台湾、广东、海南、香港、广西、重庆、四川、云南；越南，老挝，缅甸，印度，斯里兰卡。

寄主：柠檬、雪柑、桶橘、芦柑、红橘。

生物学(陈世骧等，1959)**：**在福建每年发生1代，只有少数2年完成一代者，成虫于5月、6月间出现，产卵在树枝末端的细枝间的交叉口或叶柄与枝的交叉口上，幼虫孵化后向树枝蛀入，蛀食方向系由上向下，至12月间成熟，开始进入休眠越冬时期，第2年4月进入预蛹期，身体缩短，头部下垂，3~5日后蜕皮化蛹，5月、6月羽化成虫。

(122) 中沟绿天牛 *Chelidonium impressicolle* Plavilstshikov, 1934（图版 9:9）

Chelidonium impressicolle Plavilstshikov, 1934c: 223, 224.

鉴别特征: 体长 26 ~ 31mm。体绿色或蓝绿色。头、前胸、小盾片深绿色有金属光泽，鞘翅深绿色，触角和足蓝绿色。前胸背板中央有 1 条纵沟（纵沟内并不光滑，而是很多脊），侧瘤突粗钝，小盾片倒长三角形，鞘翅肩部钝圆，两侧近于平行，末端稍微狭缩，末端狭圆。雄虫触角勉强达到鞘翅末端，雌虫触角短于体长。

采集记录: 1♀，宁陕火地塘林场，1538m，33.4336°N，108.4474°E，2007. Ⅵ. 01，林美英采；1♀，安康，1981. Ⅴ. 31，刘成喜采；1♀，石泉，1981. Ⅴ. 07，刘彬采。

分布: 陕西（宁陕、安康、石泉）、甘肃、广东、四川、云南。

备注: 周嘉熹等（1988）报道了陕西商南和长安地区的分布，但是其提供的手绘图片不像本种，尤其是前足和中足腿节的颜色为红褐色（描述只提到前足腿节膨大部分红褐色），鞘翅形状古怪，与本种的云南模式标本相差甚远。因此，本文根据标本记录产地信息。本种的触角柄节末端明显具齿，因此应该被移到柄天牛属，并且很可能是中华柄天牛 *Aphrodisium sinicum*（White, 1853）的次异名（Bentanachs，个人交流）。

65. 长绿天牛属 *Chloridolum* Thomson, 1864

Chloridolum Thomson, 1864: 174. **Type species**: *Callichroma bivittatum* White, 1853.

别名: 长角绿天牛属（蒲富基，1980）。

属征（蒋书楠等，1985）**:** 复眼深凹，小眼面细；触角之间额隆起，中部稍凹，雄虫触角长于身体，雌虫触角稍长于或不超过体长，第 3 节长于第 4 节或近于等长。前胸背板一般横宽，具明显刺突，表面或多或少较平，有横皱纹。小盾片三角形。鞘翅肩宽，后端稍窄或两侧缘近于平行，端缘钝圆形。雄虫后足腿节达到或超过鞘翅末端；后足第 1 跗节长于第 2、3 节的长度之和；前足基节窝圆形，向后略开放，中足基节窝对后侧片开放；后胸腹板后角具臭腺孔。

分布: 亚洲。本属分为 3 个亚属，中国均有分布，秦岭地区发现 2 亚属 2 种。

分种检索表

前胸背板黄褐色；鞘翅深绿色无斑纹 ……………… **黄胸长绿天牛 *Chloridolum*（*Chloridolum*）*sieversi***

前胸背板红铜色，两侧缘金属绿或蓝色；鞘翅绿或蓝色，两侧红铜色 ………………………………………………………………………………………… **红缘长绿天牛 *Chloridolum*（*Leontium*）*lameeri***

（123）黄胸长绿天牛 *Chloridolum*（*Chloridolum*）*sieversi*（Ganglbauer，1887）陕西新纪录（图版9:10）

Aromia（*Chloridolum*）*sieversi* Ganglbauer，1887a：135.

Aromia bangi Reitter，1895：209.

Aromia coreana Fairmaire，1897b：232.

Chloridolum bangi：Aurivillius，1912：314.

Chloridolum sieversi：Baeckmann，1924：232.

Chloridolum（s. str.）*sieversi*：Gressitt，1951：206.

别名：黄胸绿天牛。

鉴别特征：体长21.5～33.0mm。头、鞘翅深绿色，前胸背板及体腹面黄褐色，触角、小盾片及足深蓝，体腹面着生金黄色绒毛。额中央具1条纵沟，额前端有1条横凹，横凹两端各自垂直向后稍延伸；头刻点较稀，后头刻点粗大，略有皱纹；触角十分细长，雄虫触角是体长的2.0倍，柄节刻点较粗密，背面有纵凹，以基部及端部纵凹较显著。前胸背板侧刺突粗大，顶端较尖锐，前缘及后缘具横皱纹；中区有曲状细皱纹，近后缘两侧稍突出。鞘翅肩部最宽，端部狭窄。后足较前、中足为长，后足第1跗节较长，长于第2、3跗节的长度之和。本种在外貌上很类似杨红颈天牛（*Aromia moschata orientalis* Plavilstshikov），其主要区别是：本种触角更长，前胸背板瘤突较低不显著，横皱纹较多，雄虫后足腿节较长，显著超过或者达鞘翅末端。

采集记录：1♂，周至，700m，1993. Ⅴ.27。

分布：陕西（周至）、黑龙江、吉林、河南、湖北；俄罗斯，朝鲜，韩国。

（124）红缘长绿天牛 *Chloridolum*（*Leontium*）*lameeri*（Pic，1900）（图版9:11）

Leontium lameeri Pic，1900a：18.

Leontium bicolor Kano，1930：44，fig. 2.

Chloridolum lameerei：Pu，1980：37［misspelling］.

Chloridolum（*Leontium*）*lameerei*：Yu，Nara & Chu，2002：95，pl. 13，figs. 7a，7b［misspelling］.

鉴别特征:体长10.5～17.5mm。体狭长，头金属绿或带蓝色，头顶紫红；前胸背板红铜色，两侧缘金属绿或蓝色。小盾片蓝黑带紫红色光泽。鞘翅绿或蓝色，两侧红铜色。触角及足紫蓝色，体腹面蓝绿色，被覆银灰色绒毛。触角柄节端部膨大，表面密布刻点，背面由基部至端部有1条浅纵凹，第3节长于第4节。前胸背板长略胜于宽，两侧缘刺突较小，前缘刻点稠密，基部稍有皱纹。后足细长，后足腿节超过鞘翅末端，后足第1跗节较长，是第2、3跗节长度总和的2.0倍。

采集记录:1♀，周至厚畛子老县城至秦岭梁途中，1745～2021m，2007. Ⅴ.27，林美英采；1♂，周至厚畛子，1300～1500m，2008. Ⅴ.15-19，黄灏采(CCCC)；1♀，太白山蒿坪寺，1200m，1981. Ⅵ.12(NWAFU，CO028435)；1♂，佛坪凉风垭，2150～1750m，1999. Ⅵ.28，章有为采；1♀，佛坪，长角坝乡上沙窝村，1215m，2007. Ⅴ.29，林美英采；1♀，洋县华阳镇杨家沟，2014. Ⅵ. 02-07，张巍巍采(Ceram-81)；1♀，丹凤蔡川镇蟒山，1417m，2014. Ⅶ.02，黄正中采；1♂，秦岭红岭林场，1580m，1973. Ⅶ.21，张学忠采。

分布:陕西(周至、太白、佛坪、洋县、丹凤)、山东、河南、甘肃、江苏、上海、安徽、浙江、湖北、江西、湖南、福建、台湾、广西、云南；韩国。

66. 黑绒天牛属 *Embrikstrandia* Plavilstshikov, 1931

Embrik-Strandia Plavilstshikov, 1931c: 278. **Type species**: *Callichroma bimaculatum* White, 1853 .

属征(蒲富基，1980):复眼较大，深凹，小眼面细；触角之间额隆起；雄虫触角等长或稍短于身体，雌虫触角短于体长，端部几节较粗，第3节长于第4节。前胸背板宽显胜于长，两侧缘具侧刺突，前缘及后缘微有横凹沟，表面或多或少有浓密绒毛或粗糙皱纹刻点。小盾片三角形。前足基节窝圆形，向后开放，中足基节窝对后侧片开放；后胸腹板后角具臭腺孔；后足腿节达到或稍超过鞘翅末端；后足第1跗节长于第2、3跗节的长度之和。

分布:中国；越南，老挝，印度，缅甸。世界已知6种，中国记录4种，秦岭地区仅发现1种。

(125)二斑黑绒天牛 *Embrikstrandia bimaculata* (White, 1853)（图版10:1）

Callichroma bimaculatum White, 1853: 165.

Callichroma davidis Deyrolle, 1878: 132.

Callichroma bimaculatum var. *diversicornis* Pic, 1925b: 19.

Embrikstrandia bimaculata: Plavilstshikov, 1931c: 278.

Callichroma bimaculatum var. *angustefasciatum* Pic, 1933a: 12.

Embrikstrandia bimaculatum var. *reductum* Pic, 1950a: 3.

Embrikstrandia davidis: Podaný, 1968: 114, 116.

鉴别特征:体长21.0~30.0mm。体中等大小，黑色。前胸背板无光泽。每个鞘翅中部具黄褐斑纹，此斑纹大小变异很大，有时呈波浪状宽横斑，或者呈较小不规则斑纹，有时鞘翅几乎全黑色，仅中央有1个黄褐斑点。触角端部5或6、7节黄褐色，腿节、胫节略带紫蓝色。鞘翅黑色部分被覆黑色绒毛，黄褐斑纹被覆淡黄色绒毛，腹部着生少许银灰色绒毛。触角柄节密布刻点，外端角钝，第6~10节外端较尖。前胸背板宽胜于长，侧刺突短钝；胸面有粗糙皱纹刻点，并有稀疏黄褐短绒毛。小盾片表面微凹，刻点细密，被覆细长黑色毛，中央有1条光滑无毛细线。鞘翅长形，两侧近于平行，后端稍窄，端缘圆形；翅面刻点细密，彼此接触，每翅黄斑范围隐约可见3条纵脊纹。雄虫后足腿节超过鞘翅末端，雌虫后足腿节则达鞘翅末端；后足第1跗节较长，长于第2、3跗节的长度之和。雄虫腹部末节后缘中央微凹，雌虫腹部末节后缘稍平直。

采集记录:1♂，凤县，1980.Ⅸ.15，陈孝达采(NWAFU)；1♀，山阳水草坪，1960.Ⅷ.13，普查队采(NWAFU)。

分布:陕西(凤县、山阳、商县)、甘肃、山东、河南、江苏、浙江、湖北、江西、湖南、福建、台湾、广东、海南、香港、广西、重庆、四川、贵州、云南；越南。

寄主:吴朱萸，花椒。

67. 多带天牛属 *Polyzonus* Dejean, 1835

Polyzonus Dejean, 1835: 324. **Type species**: *Saperda fasciatus* Fabricius, 1781.

Calliblepharus Gistel, 1848a: X [unnecessary substitute name].

属征(蒋书楠等, 1985):复眼内缘深凹，小眼面细；触角基瘤呈钝角状突出，额在基瘤之间隆起；上颚较长，雄虫触角略长于虫体，雌虫触角短于虫体或近于等长，第3节长于第4节，端部几节较粗。前胸背板一般长略胜于宽，前缘及后缘具横沟，两侧缘具刺突，或微呈隆突。小盾片三角形，端角微钝圆。鞘翅较长，两侧近于平行，端缘圆形。前足基节窝圆形、关闭；中足基节窝对后侧片开放；后胸腹板后角具臭腺孔。后足腿节稍长，但不超过鞘翅端部，后足第1跗节长于第2、3跗节的长度之和。

分布:古北区，东洋区。本属共分4个亚属，在中国均有分布，陕西仅发现指名亚属。指名亚属世界已知17种，中国记录14种，秦岭地区仅发现1种。

（126）多带天牛 ***Polyzonus*（*Polyzonus*）*fasciatus*（Fabricius，1781）**（图版 10:2）

Saperda fasciatus Fabricius，1781：232.

Cerambyx（*Saperda*）*sibiricus* Gmelin，1790：1840.

Cerambyx bicinctus Olivier，1795：46，pl. 21，fig. 166.

Polyzonus bicinctus：Dejean，1835：324.

Polyzonus fasciatus：Laporte，1840：483.

Polyzonus meridionalis Bates，1879：413.

Polyzonus fupingensis Xie *et* Wang，2009：58，figs. 1-3.

Polyzonus（*Polyzonus*）*fasciatus*：Bentanachs，2012a：28，30，37，95.

别名：黄带多带天牛、黄带蓝天牛。

鉴别特征：体长 11.0～22.0mm。体色和斑纹变化很大：头胸部深绿、蓝绿、深蓝或蓝黑色，有光泽；鞘翅蓝黑、蓝紫、蓝绿或绿色，基部往往具有光泽，中央有 2 条淡黄色横带，带的宽窄和形状变化很多。触角蓝黑色，足亦呈蓝黑色，但有光泽。前胸侧刺突尖端锐。鞘翅两侧平行，末端圆形。

采集记录：1♂，长安南五台，1973. Ⅷ. 19，张学忠采；1♂1♀，太白黄白坡，1980. Ⅶ. 10；1♂，华山，1000m，1972. Ⅷ. 10，王书永采；1♂，宁陕广货街镇鸳鸯沟，1264～1371m，2014. Ⅶ. 27，路园园采；3♀，丹凤庾岭镇街坊村三组，1214m，2014. Ⅷ. 11，路园园采；2♂1♀，秦岭，1973. Ⅶ. 23，张学忠采（IOZ（E）1905668）。

分布：陕西（长安、太白、华阴、宁陕、丹凤）、黑龙江、吉林、辽宁、内蒙古、北京、河北、山西、山东、河南、宁夏、甘肃、青海、江苏、安徽、浙江、湖北、江西、湖南、福建、广东、香港、广西、贵州；蒙古，俄罗斯，朝鲜，韩国。

寄主：柳属，菊科及伞形科植物。

68. 施华天牛属 *Schwarzerium* Matsushita，1933

Schwarzerium Matsushita，1933b：249，251. **Type species**：*Aphrodisium semivelutinum* Schwarzer，1925.

属征：体型较大，复眼深凹，小眼面细，复眼下叶大，显著长于颊；雄虫触角长度接近翅端末，雌虫触角则稍短于雄虫，第 3 节长于第 4 节，前胸背板十分横阔，侧刺突粗钝；胸面具网状粗糙皱纹，前端中央有 1 条浅纵凹，后端两侧微隆起。小盾片呈长三角形，中央稍纵凹。鞘翅基部宽，向后逐渐收窄。雄虫后足腿节达鞘翅端末，腹部可见 6 节，雌虫后足腿节不达鞘翅端末，腹部可见 5 节，第 5 节端缘中央微凹，腹部各节两侧微凹。后足跗节第 1 节长于第 2、3 跗节的长度之和。

分布：中国；朝鲜，韩国，日本。本属有 2 亚属，指名亚属世界已知 6 种，中国记录 3 种，秦岭地区发现 1 种。

（127）榆施华天牛 *Schwarzerium*（*Schwarzerium*）*provostii*（Faiimaire，1887）（图版 10:3）

Callichroma provostii Fairmaire, 1887c: liv.

Embrick-Strandia provosti: Plavilstshikov, 1931c: 279.

Chloridolum provosti: Plavilstshikov, 1933c: 131.

Chelidonium quadricollis manchuricum Matsushita, 1943: 574.

Chelidonium provosti: Gressitt, 1951: 199.

Schwarzerium provosti: Lee, 1987: 88.

别名：榆绿天牛。

鉴别特征：体长 22.0～30.0mm。体较大，稍宽阔，绿色具金属光泽。鞘翅色泽较深绿；体腹面被淡黄褐短绒毛，雌虫除后胸腹板外，其余腹面光滑，很少有毛。触角黑色，触角柄节及足黑蓝色，前、中足腿节的大部分红褐色，端末深蓝。雄虫触角长度接近翅端末，雌虫触角则稍短于雄虫，第 3 节长于第 4 节，第 3 节下沿有少许黑毛，第 7～8 节外端角钝。

采集记录：1♂，武功，（NWAFU，CO026209，ex 西北农学院）；1♀，武功，周尧采（NWAFU，CO026202）；11♂11♀，武功（NWAFU）；1♂，大荔，1980. Ⅷ. 27，寄主：杨，史海成采。

分布：陕西（长安、周至、武功、大荔）、辽宁、北京、山西、山东、河南、湖北；韩国。

寄主：榆树，杨树，梨。

备注：陕西的记录最初见于 Gressitt（1951），且出现在蒲富基（1980）的《经济昆虫志》，但很少被引用（Hua，2002；Löbl & Smetana，2010）。Bentanachs（2012）记录了 Shensi，依据的是他收藏的两号山西永济的标本（个人交流）。

Ⅲ. 扁胸天牛族 Callidiini Kirby，1837

鉴别特征：体长或略宽大，扁平。头短，触角间具纵沟。复眼宽，深凹。触角长（尤其雄虫）或短于体。前胸侧面圆，有时角状突出，宽大于长。鞘翅长，具或大或小的刻点，有时还有纵脊。腿节棍棒状，后足腿节端半部逐渐膨大或显著膨大。

分类:世界已知 30 属 214 种，中国记录 11 属 45 种，陕西秦岭地区分布 7 属 11 种。

分属检索表

1. 前胸腹板突较短，很少超过前足基节窝中部，若超过则前胸腹板突后端很狭 ······················ 2
   前胸腹板突较长，达到或接近前足基节窝后缘；前胸背板胸面稍有低瘤 ···························· 5
2. 前胸背板稍凸起，有细刻点；鞘翅刻点细致 ··· 3
   前胸背板较扁平，刻点较粗糙；鞘翅刻点粗大 ·· 4
3. 触角第 3 节长于第 4 节；前胸背板侧缘通常不具瘤突；鞘翅较平整 ··· **棍腿天牛属 *Phymatodes***
   触角第 3 节略短于或约等于第 4 节；前胸背板侧缘中部略呈钝突；鞘翅不平整 ················ ··· **钝天牛属 *Dundaia***
4. 触角较短，雄虫触角短于体长；前胸背板更加宽短 ························· **扁胸天牛属 *Callidium***
   触角较长，雄虫触角与体约等长或稍长；前胸背板没那么宽短 ········· **小扁天牛属 *Callidiellum***
5. 触角第 3 节与第 4 节约等长或稍短于第 4 节；后足腿节逐渐膨大 ········· **杉天牛属 *Semanotus***
   触角第 3 节长于第 4 节；后足腿节端部膨大呈棒状 ··· 6
6. 中胸腹板突端部凹缺；鞘翅无纵脊线 ··· **扁鞘天牛属 *Ropalopus***
   中胸腹板突端部平截；鞘翅有纵脊线 ·· **赤天牛属 *Oupyrrhidium***

69. 小扁天牛属 *Callidiellum* Linsley, 1940

Callidiellum Linsley, 1940: 254. **Type species**: *Semanotus cupressi* Van Dyke, 1923.

属征:复眼小眼面细，内缘深凹，但不分开，下叶略长于颊。触角基瘤不显突，彼此远离；触角细，通常雄虫触角与虫体约等长，雌虫则短于虫体；柄节与第 3 节等长，第 3 节略长于第 4 节。前胸背板宽大于长，两侧缘圆形；小盾片小。鞘翅两侧近于平行，外缘角钝圆。前足基节窝开放；腿节棒状，基部具细柄，雄虫后足腿节超过鞘翅末端，胫节细。

分布:全北区。世界已知 5 种，中国分布 3 种，秦岭地区发现 1 种。

(128) 红翅小扁天牛 *Callidiellum rufipennis* (Motschulsky, 1861)

Callidium rufipenne Motschulsky, 1861a: 19.

Semanotus rufipennis: Bates, 1873b: 192.

Callidium japonicum Plavilstshikov, 1933b: 126 [HN].

Semanotus plavilstshikovi Matsushita, 1933b: 439 [new name for *Callidium japonicum* Plavilstshikov, 1933].

Callidiellum rufipenne: Linsley, 1940: 254.

Callidium (*Palaeocallidium*) *rufipenne*: Gressitt, 1951: 225.

Palaeocallidium rufipenne: N. Ohbayashi, 1964: 39.

Callidiellum rufipennis: Linsley, 1964: 17.

别名:红翅杉天牛。

鉴别特征:体长6.0~15.0mm。体型较扁;体色棕红;头部及前胸背板色较深,呈棕褐色,有光泽,鞘翅棕红色或夹带黑紫色,腹部色较鞘翅浅,赭石色。头向体前方伸出,被棕红色竖毛,具有许多细刻点。触角与头部同色,雌虫触角约达体长的2/3,雄虫触角长度约等于体长。前胸背板被稀疏的棕红色毛及许多距离不等的小刻点,两侧缘弯曲成弧状,在背面有不明显的光滑突起。胸部腹面被稀疏的棕黄色竖毛。鞘翅有肩角,鞘翅上被稀疏棕红色竖毛,具粗刻点,并有细纵脊,末端常有密密麻麻的小隆起,鞘翅末端为圆形。足与胸部同色,腿节略膨大,雌虫腿节膨大不明显。

分布:陕西(秦岭)、天津、河北、河南、甘肃、江西、台湾;俄罗斯,韩国,日本,欧洲。

寄主:柳杉,冷杉,日本扁柏。

70. 扁胸天牛属 *Callidium* Fabricius, 1775

Callidium Fabricius, 1775: 187. **Type species**: *Cerambyx violaceum* Linnaeus, 1758.

Meridon Gozis, 1886: 32. **Type species**: *Cerambyx violaceus* Linnaeus, 1758.

Callidium (*Callidostola*) Reitter, 1913: 37. **Type species**: *Callidium aeneum* de Geer, 1775.

属征:体型极扁,额部很短,复眼小眼面细粒,前胸背板较扁平,刻点较粗糙;小盾片较小,呈半圆形,后角钝圆;鞘翅完整,刻点粗大。前足基节窝圆形,向后开放,中足基节窝对中胸后侧片开放;后胸腹板后角不具臭腺孔。

分布:亚洲,欧洲,非洲,澳大利亚,北美洲,南美洲。本属分为3个亚属,均在中国有分布,秦岭地区发现1亚属1种。

70-1. 古扁胸天牛亚属 *Palaeocallidium* Plavilstshikov, 1940

Callidium (*Palaeocallidium*) Plavilstshikov, 1940: 291, 691, 694. **Type species**: *Callidium* *coriaceum* Paykull, 1800.

分布:中国；俄罗斯，蒙古，朝鲜，韩国，日本，欧洲。世界已知3种，中国记录2种，秦岭地区发现1种。

备注:本亚属有时候被认为是指名亚属的异名(Sama, 2003)。

(129)长翅扁胸天牛 *Callidium* (*Palaeocallidium*) *chlorizans* (Solsky, 1871)

Semanotus chlorizans Solsky, 1871: 384.
Callidium chlorizans: Blessig, 1872: 181.
Callidium viridescens Motschulsky, 1875: 148.
Callidium (*Palaeocallidium*) *chlorizans*: Plavilstshikov, 1940: 194, 692.
Palaeocallidium chlorizans: Yokoyama, 1972: 12.

鉴别特征:体长10.0～15.0mm。体墨绿色，略带金属光泽，刻点粗密。触角伸达鞘翅中部，鞘翅末端圆。

分布:陕西(秦岭)、黑龙江、吉林、辽宁、内蒙古、河北、山西、河南、宁夏、甘肃；蒙古，俄罗斯，朝鲜，日本。

71. 钝天牛属 *Dundaia* Holzschuh, 1993

Dundaia Holzschuh, 1993: 33. **Type species**: *Dundaia nitens* Holzschuh, 1993 (= *Callidium subtuberculatus* Pu, 1992).

属征:体扁形，略具光泽，头圆形，复眼较大，内缘深凹；额短，中央具细纵凹；颊较短。触角基瘤稍突，短于体长，第3节略短于或约等于第4节。前胸背板宽显胜于长，侧缘中部略呈钝突。中胸盾片上具粗刻点，缺乏细横纹的发音器；小盾片长三角形，端角圆，表面具细刻点。鞘翅远较前胸宽，两侧缘近平行，外缘角钝圆。前胸腹板突呈狭三角形，伸至基节中部；后胸前侧片呈窄三角形；雌虫腹末节外露于鞘翅末端。足中等长，前足基节靠拢，腿节棍棒状；后足腿节不超过鞘翅末端，基部呈细柄，端部膨大。

分布:中国。本属已知仅1种，秦岭地区有分布。

(130)钝天牛 *Dundaia subtuberculata* (Pu, 1992)（图版10:4）

Callidium subtuberculatus (sic! should be *subtuberculatum*). Pu, 1992: 597, 619, pl. Ⅱ, fig. 9.

Dundaia nitens Holzschuh, 1993: 33, fig. 37.

Callidium (*Callidium*) *subtuberculatum*: Hubweber *et al*. 2010. *In*: Löbl & Smetana, 2010: 151.

Dundaia subtuberculata: Lin & Tichý, 2014: 128.

鉴别特征:体长11.8～14.5mm，体宽3.5～4.5mm。体扁形，暗褐色，略具光泽，头、前胸背板、触角柄节及腿节膨大部分带黑褐色，触角末端7节、腿节基部及跗节棕褐色。体被稀疏、淡褐色的短竖毛。头圆形，复眼较大，内缘深凹；额短，中央具细纵凹，前面有1个橄榄形横凹；颊较短；头刻点细，后头刻点较粗。触角基瘤稍突，雌性触角长达鞘翅中部稍后，柄节弓形，端膨大，柄节、第3、4、6各节大致等长，第5节略长于柄节，第7节略短于柄节，第7～11各节约等长，第11节末端尖削，基部5节周缘具稀疏长毛，端部7节略呈锯齿形。前胸背板宽显胜于长，侧缘中部略呈钝突，基端有1个横凹，基缘稍呈双曲；背面中区光滑，具少许细刻点，有3个圆形微突，后端两侧各有1个短斜纵隆，侧面刻点较粗。中胸盾片上具粗刻点，缺乏细横纹的发音器；小盾片长三角形，端角圆，表面具细刻点。鞘翅远较前胸宽，两侧缘近平行，外缘角钝圆；翅面基部刻点略粗，刻点小于其刻点间距，肩下刻点略显皱脊，1条纵脊伸至中部，中部之后刻点渐稀、细。前胸腹板突狭三角形，伸至基节中部；后胸前侧片呈窄三角形；雌虫腹末节外露于鞘翅末端，后缘稍呈圆弧。足中等长，前基节靠拢，腿节棍棒状；足腿节不超过鞘翅末端，基部呈细柄，端部膨大。

采集记录:1♀, Shaanxi prov., Qinling Shan track to Hou Zen Zi (= Houzhenzi) vill. to Taibai Shan, 2500m, mixed forest, 1998. Ⅵ.27-29, leg. Z. Jindra, O. Šafránek & M. Trýzna (CCH); 1♀，佛坪凉风垭，2100～1800m，1999. Ⅵ. 28，贺同利采(IZAS, IOZ(E) 1969681)。

分布:陕西(周至、佛坪)、四川。

72. 赤天牛属 *Oupyrrhidium* Pic, 1900 陕西新纪录属

Callidium (*Oupyrrhidium*) Pic, 1900c: 50. **Type species**: *Callidium cinnabarinum* Blessig, 1872.

Oupyrrhidium: Pic, 1915c: 7.

Upyrrhidium[sic!]: Plavilstshikov, 1940: 285.

属征:跟同族其他属相比，触角第3节较长，前胸腹板突也较长，腿节突然膨大，后足腿节的棒状部分相对较短。头部具有稠密的刻点和伏毛。复眼深凹，触角细长，第3节长于第5节。前胸侧面圆，刻点细密，绒毛短。鞘翅长，两侧平行，末端圆，可见纵脊。前胸腹板突末端尖，几乎到达前足基节的后缘，腿节突然膨大，后足跗节第1节长于其后两节之和。

分布：中国；俄罗斯，朝鲜，韩国。本属共记录2种，其实只有1种，*Oupyrrhidium chinense* Li，1992是模式种的异名。

（131）赤天牛 *Oupyrrhidium cinnabarinum*（Blessig，1872）陕西新纪录（图版10：5）

Callidium cinnabarinum Blessig，1872：179.

Callidium（*Oupyrrhidium*）*cinnaberinum*：Pic，1900c：50.

Oupyrrhidium cinnabarinum：Pic，1915c：7.

Oupyrrhidium chinense Li，1992：178. New synonym.

Oupyrrhidium cinnabarium：Hua，2002：222. Misspelling.

Oupyrrhidium cinnabarinum flavas Wang，2003：203，394，figs. t80 in page 203.

鉴别特征：体长10.0～16.0mm。体较小，略扁平，黑色；前胸背板、小盾片及鞘翅红色，被覆红色短绒毛；前胸背板两侧黑色；头顶红色，上唇、唇基黄褐色，触角着生黑褐色绒毛，跗节黑褐色。头较短，额中央有1条细纵沟，前额具横凹；颊短于复眼下叶；头具细密刻点；雄虫触角细长，超过鞘翅端部，雌虫触角粗壮，伸至鞘翅中部之后，柄节膨大，第3节长于柄节，第5～10节端部外侧微突出。前胸背板宽略胜于长，前端较后端宽，后端紧缩，两侧缘微呈圆弧，无侧刺突，后侧微具瘤突；胸面较平坦，密布细刻点，两侧刻点稍粗。小盾片似舌状。鞘翅较短，后端稍窄，端缘圆形；翅面有细密刻点，每翅具3条长短不一的纵脊线，近中缝的1条较短。腿节基部呈细柄状，端部突然膨大呈棒状，雌虫后足胫节微弯曲；雄虫腹部末节短阔，端缘平直，雌虫腹部末节较狭长，端缘微弧形。

采集记录：1♀，太白林业局，1980. Ⅶ（NWAFU，ex陕西省林业科学研究所）；1♀，华山，770～1618m，2007. Ⅵ. 06，林美英采。

分布：陕西（太白、华阴）、黑龙江、吉林、辽宁、山东、河南；俄罗斯，朝鲜，韩国。

寄主：栎属。

73. 棍腿天牛属 *Phymatodes* Mulsant 1839

Phymatodes Mulsant，1839：47. **Type species**：*Cerambyx variabilis* Linnaeus，1760（= *Cerambyx testaceus* Linnaeus，1758）.

Phymathodes：Thomson，1864：265.

属征：体小型，触角短于至长于体长；前胸两侧通常圆弧形；鞘翅两侧平行，末端圆；腿节膨大。

分布:本属分为 6 个亚属，中国有 3 个亚属，在陕西秦岭地区均有分布。

73-1. *Paraphymatodes* Plavilstshikov, 1934

Paraphymatodes Plavilstshikov, 1934b: 215. **Type species**: *Callidium fasciatum* Villers, 1789.

Phymatodes (*Paraphymatodes*): Niisato, 2007. *In*: N. Ohbayashi & Niisato, 2007: 481.

Poecilium (*Paraphymatodes*): Danilevsky, 2010b: 228.

分布:中国；俄罗斯，朝鲜，韩国，日本，欧洲。本亚属世界已知 4 种，中国分布 2 种，秦岭地区发现 1 种。

(132) 中带棍腿天牛 *Phymatodes* (*Paraphymatodes*) *mediofasciatum* Pic, 1933

Phymatodes (*Poecilium*) *mediofasciatum* Pic, 1933b: 29.

Poecilium mediofasciatum: Löbl & Smetana, 2010: 154.

别名:中带彩天牛。

鉴别特征:体长 5.0 ~7.0mm。体黑色，腹面黑褐色，鞘翅在中部有 1 条鲜明的细白带。头短而宽，被有绒毛，具有细刻点。触角较短，雌虫超过体长之半，雄虫约为体长之 2/3；前胸两侧缘光滑无刺突，向外侧凸出不明显，略成弧形，背方密布绒毛及稀疏的竖毛，呈现银灰色。鞘翅黑色，密布绒毛，在基部及末端部由于密生绒毛，亦显银灰色，与鞘翅中部白带前后的黑色显然分开；鞘翅有肩角，末端近于平直。足黑褐色，腿节被绒毛，胫节被竖毛，腿节膨大，后足胫节略向内弯曲。腹部被稀疏的绒毛。

分布:陕西(秦岭)、江苏、上海、江西、贵州；俄罗斯，朝鲜，韩国。

寄主:*Prunus persica* (Linnaeus) Batsch, *Vitis vinifera* Linnaeus。

73-2. *Phymatodellus* Reitter, 1913

Phymatodes (*Phymatodellus*) Reitter, 1913: 40. **Type species**: *Callidium rufipes* Fabricius, 1777.

Pseudopoecilium Planet, 1924: 226. **Type species**: *Callidium rufipes* Fabricius, 1777.

分布:古北区。本亚属世界已知 10 种，中国分布 6 种，秦岭地区发现 2 种。

（133）红胸棍腿天牛 *Phymatodes*（*Phymatodellus*）*infasciatus*（Pic，1935）

Poecilium infasciatus Pic, 1935b: 36.

Phymatodes vandykei Gressitt, 1935d: 172.

Phymatodes（*Paraphymatodes*）*ussuricus* Plavilstshikov, 1940: 306.

Phymatodes（*Paraphymatodes*）*vandykei*: Mitono, 1941: 105.

Phymatodes（*Poecilium*）*infasciatus*: Gressitt, 1951: 229.

Phymatodes（*Phymatodellus*）*ussuricus*: Gressitt, 1951: 229.

Phymatodes（*Phymatodellus*）*vandykei*: K. Ohbayashi, 1963b: 291, pl. 146, fig. 9.

Phymatodes（*Phymatodellus*）*infasciatus*: Niisato, 1995: 156.

别名：红胸彩天牛。

鉴别特征：体长3.0～5.0mm。头、前胸、鞘翅端半部和足腿节和胫节黑褐色，小盾片褐色至黑褐色，触角各节基部红褐色，端部黑褐色，或几乎全为黑褐色，足跗节红褐色。触角短于体长，雄虫达鞘翅中部稍后，雌虫不及鞘翅中部，前胸基部明显缩窄，鞘翅末端圆，腿节膨大。

分布：陕西（秦岭）、山东、江苏、上海、福建、江西；俄罗斯，朝鲜，韩国，日本。

（134）绿翅棍腿天牛 *Phymatodes*（*Phymatodellus*）*zemlinae* Plavilstshikov *et* Anufriev，1964 陕西新纪录（图版10:6）

Phymatodes（*Phymatodellus*）*zemlinae* Plavilstshikov *et* Anufriev, 1964: 1565.

别名：绿翅彩天牛。

鉴别特征：体长6.0～9.0mm。头、触角、前胸和足赤褐色，小盾片褐色，鞘翅绿色。触角短于体长，雄虫达鞘翅中部稍后，雌虫达鞘翅中部，前胸不平整，侧面略有瘤突，鞘翅末端圆，腿节膨大。

采集记录：1♀，周至厚畛子秦岭梁，2021m，2007. V. 27，林美英采。

分布：陕西（周至）、黑龙江；俄罗斯，朝鲜，韩国。

73-3. *Poecilium* Fairmaire, 1864

Poecilium Fairmaire, 1864: 134. **Type species**: *Leptura alni* Linnaeus, 1767.

分布:古北区。本亚属世界已知10种，中国分布6种，秦岭地区发现1种。

(135)江苏棍腿天牛 *Phymatodes* (*Poecilium*) *savioi* Pic, 1935 陕西新纪录(图版10:7)

Phymathodes (*Pœcilium*) *savioi* Pic, 1935b: 35 [misspelling].
Poecilium savioi: Löbl & Smetana, 2010: 154.

别名:江苏彩天牛。

鉴别特征:体长6.0~9.0mm。头和前胸黑色，触角红褐色，小盾片红褐色，鞘翅基半部红褐色，端半部大部分黑色，中部及端半部的中部具有两条略弯曲的灰白色绒毛带，沿着鞘缝有较稀疏的灰白色绒毛使2条横带相连。腹面红褐色，腿节基部细柄红褐色，端部棒状部分黑色或黑褐色，胫节和跗节红褐色。雌虫触角稍超过鞘翅中部，鞘翅末端圆形。

采集记录:3♀，周至厚畛子秦岭梁，2021m，2007.Ⅴ.27，林美英、张丽杰采(其中一号IOZ(E)1904777)；2♀，周至厚畛子老县城至秦岭梁途中，1745~2021m，2007.Ⅴ.27，林美英采；1♀，周至厚畛子，1800m，2007.Ⅴ.27，李文柱采；1♂，商南，1984.Ⅴ，吴清海采(NWAFU，CO028369)。

分布:陕西(周至、商南)、江苏、上海。

74. 扁鞘天牛属 *Ropalopus* Mulsant, 1839 陕西新纪录属

Ropalopus Mulsant, 1839: 39, 40. **Type species**: *Callidium clavipes* Fabricius, 1775.
Rhopalopus: Redtenbacher, 1845: 110.
Euryoptera Horn, 1860: 571. **Type species**: *Euryoptera sanguinicollis* Horn, 1860.
Rhopalopus (*Calliopedia*) Binder, 1915: 186. **Type species**: *Rhopalopus* (*Calliopedia*) *reitteri* Binder, 1915.

分布:古北区。本属分为3个亚属，中国分布2个亚属，秦岭地区发现1亚属1种。

74-1. *Ropalopus* (*Prorrhopalopus*) Plavilstshikov, 1921

Rhopalopus (*Prorrhopalopus*) Plavilstshikov, 1921b: 121. **Type species**: *Rhopalopus signaticollis* Solsky, 1873.
Ropalopus (*Prorrhopalopus*): Löbl & Smetana, 2010: 154.

鉴别特征(蒲富基，1980)：体十分扁平。头小，复眼深凹，复眼上、下叶之间，仅一线相连；额短，颊短于复眼下叶；雄虫触角超过鞘翅端部，雌虫触角则稍短，第3节长于第4节。前胸背板显著横阔，两侧缘圆弧形，无侧刺突。小盾片小。鞘翅较短，两侧近于平行，后端稍窄，端缘圆形。前足基节窝向后开放；前胸腹板突狭长，接近前足基节窝后缘；中足基节窝对后侧片开放；中胸腹板突后缘中部向内凹入，导致两侧呈齿突；后胸腹板不具臭腺孔。腿节后端逐渐膨大呈棒状，后足跗节第1节长于第2、3节的总长度。

分布：中国；俄罗斯，蒙古，韩国，日本。本亚属世界已知2种，在中国均有分布，秦岭地区发现1种。

(136)赤胸扁鞘天牛 *Ropalopus* (*Prorrhopalopus*) *speciosus* Plavilstshikov, 1915 陕西新纪录(图版10:8a, 8b)

Ropalopus speciosus Plavilstshikov, 1915c: 108.

Ropalopus (*Prorrhopalopus*) *speciosus*: Löbl & Smetana, 2010: 154.

鉴别特征：体长10～12mm。体较小，扁平，黑色。前胸背板赤褐色或棕褐色，鞘翅微带紫罗兰色；头顶黄褐或近于红褐色；上唇、唇基黄褐色，触角及跗节黑褐色。头小，额短阔，额中央有1条细纵凹线，前额具横凹；颊短于复眼下叶；触角基瘤着生彼此远离，基瘤内沿光滑无刻点，头具细密刻点；触角柄节膨大，密布刻点，第3节长于柄节。前胸背板宽胜于长，前端稍宽于后端，两侧缘圆弧，无侧刺突，每侧缘中部微具瘤突；胸面密布细刻点，中区有5个略光亮隆突的无刻点区域，前面2个较大，后面3个，中间1个长形，两侧各1个较小。小盾片近于半圆形，表面微凹。鞘翅较短，两侧平行，后端稍窄，端缘圆形；翅面密布细刻点，基部刻点较粗糙，表面被稀疏黑褐绒毛。

采集记录：1♂，周至厚畛子秦岭梁，2021m，2007. Ⅴ. 27，林美英采；1♀，周至厚畛子沙梁子村，950m，2007. Ⅴ. 25，林美英采；1♀，周至厚畛子，1800m，2007. Ⅴ. 27，李文柱采；1♀，周至厚畛子，1300～1500m，2008. Ⅴ. 15-19，黄灏采(CCCC)。

分布：陕西(周至)、黑龙江、吉林、辽宁；俄罗斯。

75. 杉天牛属 *Semanotus* Mulsant, 1839

Semanotus Mulsant, 1839: 54. **Type species**: *Cerambyx undatus* Linnaeus, 1758.

Sympiezocera P. H. Lucas, 1852: cvi. **Type species**: *Sympiezocera laurasui* Lucas, 1852.

Syempezocera: Lucas, 1853: 27.

Xenodorum Marseul, 1856: 48. **Type species**: *Xenodorum bonvouloiri* Marseul, 1856.

Hylotrupes: LeConte, 1873b: 296.

Anocomis Casey, 1912: 271. **Type species**: *Callidium ligneum* Fabricius, 1787.

Hemicallidium Casey, 1912: 274. **Type species**: *Physocnemum amethystinum* LeConte, 1873.

Semanotus (*Sympiezocera*): Van Dyke, 1923: 50.

属征:体十分扁平。头小，复眼深凹；额短，颊短于复眼下叶；雄虫触角不达或勉强到达鞘翅端部，雌虫触角短，到达鞘翅中部左右，第3节不长于第4节。前胸背板显著横阔，两侧缘圆弧形，无侧刺突。小盾片小。鞘翅两侧近于平行，后端稍窄，端缘圆形。腿节后端逐渐膨大呈棒状，后足跗节第1节长于第2、3节的长度之和。

分布:亚洲，欧洲，非洲，北美洲。世界已知23种/亚种，中国记录5种，秦岭地区分布2种。

(137)双条杉天牛 *Semanotus bifasciatus* (Motschulsky, 1875)(图版10:9)

Hylotrupes bifasciatus Motschulsky, 1875: 148.

Sympiezocera sinensis Gahan, 1888b: 61.

Semanotus sinensis: Aurivillius, 1912: 342.

Semanotus bifasciatus: Plavilstshikov, 1931b: 201.

Semanotus chinensis var. *latifasciatus* Matsushita, 1933b: 262.

Semanotus chinensis subsp. *watanabei* Kano, 1933b: 273.

鉴别特征:体长5.0~19.0mm。体型阔扁；头部、前胸黑色，触角及足黑褐色，鞘翅有棕黄色或驼色及黑色的宽带，腹部呈巧克力棕色。触角较短，雌虫触角长度达及体长之半，雄虫触角则超过体长之3/4。前胸两侧缘呈圆弧形，具有较长的淡黄色绒毛，在背方中部有5个光滑的瘤突，排列成梅花形。中胸及后胸腹面均有黄色绒毛。在鞘翅中部及末端部为黑色的宽带，鞘翅末端为圆形。足中度长，被黄色竖毛。腹部亦被绒毛，微自鞘翅末端露出。

采集记录:1♀，武功，1977.Ⅲ.20(NWAFU, ex 西北农学院)；1♀，商南，1983.Ⅴ.09，王根寿采(NWAFU, CO026111, ex 西北农学院)。

分布:陕西(周至、武功、咸阳、宁陕、安康、商南、延安、神木)、内蒙古、北京、河北、山西、山东、河南、甘肃、青海、江苏、上海、安徽、浙江、湖北、江西、福建、台湾、广东、广西、四川、贵州、云南；蒙古，俄罗斯，朝鲜，韩国，日本。

寄主:桧，松，柏，杉，扁柏，罗汉柏，等等。

(138)粗鞘杉天牛 *Semanotus sinoauster* Gressitt, 1951(图版10:10)

Semanotus bifasciatus sinoauster Gressitt, 1951: 222, pl. 9, fig. 6.

Semanotus sinoauster: Wu & Chiang, 1986: 102.

鉴别特征:体长12.5~20.0mm。体型阔扁，浑身被淡黄色绒毛。头部、前胸、触角及足黑色，鞘翅具棕黄色、驼色及黑色，基半部棕黄色，中间的大黑斑不接触鞘缝，大黑斑周围淡色，端部1/4黑色。触角短于体长。前胸背板中部有5个光滑的瘤突，排列成梅花形。鞘翅两侧平行，末端圆形。足中度长，腹部微自鞘翅末端露出。

采集记录:1♀，平利林场，1981. Ⅲ，陈豪海采(MWAFU)。

分布:陕西(平利)、河北、江苏、安徽、浙江、湖北、江西、湖南、福建、台湾、广东、广西、重庆、四川、贵州、云南；老挝。

Ⅳ. 蜡天牛族 Callidiopini Lacordaire, 1868

鉴别特征(Gressitt, 1940b)**:**上颚扁平且尖锐；唇基跟额不决然分开；触角基瘤下陷；复眼小眼面粗粒，复眼下叶超过触角基瘤内侧边缘；唇舌膜质；下唇须末端三角形；触角不特化；前胸圆筒形或横宽；后翅缺乏Cu_2脉；中足基节窝关闭；腿节棒状。

分类:世界已知66属396种/亚种，中国记录7属36种，秦岭地区分布3属4种。

76. 蜡天牛属 *Ceresium* Newman, 1842

Ceresium Newman, 1842d: 322. **Type species**: *Ceresium raripilum* Newman, 1842.

Diatomocephala Blanchard, 1853: 266. **Type species**: *Diatomocephala maculicollis* Blanchard, 1853.

Raphidera Perroud, 1855: 336. **Type species**: *Raphidera gracilis* Perroud, 1855.

Rhaphidodera: Gemminger & Harold, 1872: 2831[unjustified emendation].

属征(蒲富基, 1980)**:**体较小，细窄，复眼深凹，小眼面粗；颊短，触角之间微凹；触角细长，雄虫一般超过体长，雌虫则稍长或不长于身体，第4节一般短于柄节。前胸背板一般长胜于宽，两侧缘微呈弧形，无侧刺突。鞘翅端部稍窄，端缘圆形。前足基节窝向后开放，基节之间的前胸腹板突较窄，中足基节窝对后侧片关闭。足中等长，腿节后半部突然膨大呈棒状，或从基部逐渐膨大呈纺锤形。

分布:全北区，东洋区，澳洲区，新热带区。本属目前分为3个亚属，仅指名亚属在中国有分布。指名亚属世界已知132种/亚种，中国分布有21种/亚种，秦岭地区发现1种2亚种。

分种检索表

前胸背板有显著的浓密绒毛形成的斑纹…………………… **斑胸华蜡天牛 *Ceresium sinicum ornaticolle***
前胸背板没有显著的浓密绒毛形成的斑纹………………………………… **华蜡天牛 *C. sinicum sinicum***

(139-1)斑胸华蜡天牛 *Ceresium sinicum ornaticolle* Pic, 1907

Ceresium ornaticolle Pic, 1907b: 20.
Ceresium sinicum ornaticolle: Plavilstshikov, 1931b: 196.
Ceresium ornaticolle var. *ruficolle* Pic, 1935a: 171.
Ceresium sinicum: Gressitt, 1939b: 15.

鉴别特征:体长 8.0～12.0mm。体褐色到黑褐色，头部与前胸较暗，几乎黑色，触角、鞘翅与足黄褐色到深褐色。触角与体等长或稍长，内侧缨毛较密，第 1 节略呈圆筒形，与第 3 节等长或稍长，第 3 节比第 4 节稍长而略短于第 5 节。前胸狭长，两侧稍呈圆形，中央有 1 条平滑的间断纵纹；中央部分绒毛较稀疏，两侧绒毛浓密形成斑纹，有时连成纵纹，有时断成点斑。小盾片密被淡色绒毛。鞘翅刻点基部较深，每一刻点附一绒毛，至端部刻点渐趋微小，外缘末端圆形。中、后足腿节之棒状部分超过腿节端部之半。

分布:陕西(山阳)、江苏、湖北、江西、湖南、福建、广东、广西、四川、贵州、云南、西藏；越南，老挝。

(139-2)华蜡天牛 *Ceresium sinicum sinicum* White, 1855(图版 10:11)

Ceresium sinicum White, 1855: 245.
Ceresium sakaiense Matsushita, 1933b: 300, 302.

别名:中华桑天牛(陈世骧等，1959)。

鉴别特征:体长 9.0～13.5mm。体褐色到黑褐色，头部与前胸较暗，触角、鞘翅与足黄褐色到深褐色。头部向前，眼大，被黄色绒毛。触角与体等长或稍长，内侧缨毛较密，第 1 节略呈圆筒形，与第 3 节等长或稍长，第 3 节比第 4 节稍长而略短于第 5 节。前胸狭长，两侧稍呈圆形；密被黄色绒毛，刻点粗大，中央有 1 条平滑的间断纵纹；绒毛在两侧略比中央浓密，但并不形成显著的斑纹。小盾片末端圆形，密被黄色绒毛。鞘翅刻点基部较深，每一刻点附一绒毛，翅面另具少数竖毛，至端部刻点渐趋微小，外缘末端圆形。胸部腹面披淡黄色绒毛，尤以中胸侧片最密。腹板两侧绒毛较中间为密。中、后足腿节之棒状部分超过腿节端部之半。

采集记录:1♂，周至厚畛子，1280m，2008. V.5-6，黄灏采(CCCC)。

分布：陕西（周至、商洛）、北京、河北、山东、河南、山西、江苏、安徽、浙江、湖北、江西、湖南、福建、台湾、广东、海南、广西、重庆、四川、贵州、云南、西藏；日本，泰国。

寄主：幼虫在桑与橘柑中穿孔。

77. 瘦棍腿天牛属 *Stenodryas* Bates, 1873

Stenodryas Bates, 1873a: 153. **Type species**: *Stenodryas clavigera* Bates, 1873.

属征：体小型细长，头明显宽于前胸。复眼小眼面粗。触角远长于体但短于体长的2倍，第3节远长于柄节，第4节短于或约等长于柄节，第5～11节略等长，约等长于第3节。前胸长大于宽，略成圆筒形，中间稍宽。鞘翅末端成窄圆形。前足基节窝向后开放，中足基节窝对中胸后侧片开放；腿节棒状具基部细柄。

分布：东洋区。世界已知25种/亚种，中国记录9种/亚种，秦岭地区发现2种，含1个新纪录种。

分种检索表

鞘翅末端有黑斑；腿节基部细柄红褐色，棒状端部黑色 …… **筒胸瘦棍腿天牛 *Stenodryas cylindricollis***

鞘翅没有斑纹；腿节单色，都是黑色 …… **点瘦棍腿天牛 *S. punctatella***

(140) 筒胸瘦棍腿天牛 *Stenodryas cylindricollis* Gressitt, 1951

Stenodryas cylindricollis Gressitt, 1951: 159, pl. 12, fig. 5.

鉴别特征：体长9.2mm。体浅褐色；鞘翅大部分红褐色，末端1/7黑色；触角柄节黑色，第2和3节黑褐色，其余浅褐色；足腿节基部细柄红褐色，其余部分为黑色。触角长出体长的1/4，鞘翅末端狭圆。

分布：陕西（秦岭）、河北、台湾（?）、云南。

备注：台湾的分布记录很可能是误定，在周文一（2008）的书里没有有关该种的记录。

(141) 点瘦棍腿天牛 *Stenodryas punctatella* Holzschuh, 1999 陕西新纪录（图版11:1）

Stenodryas punctatella Holzschuh, 1999: 25, fig. 32.

鉴别特征：体长8.8～9.4mm。体红褐色；头和前胸红褐色，鞘翅浅褐色，无明显斑纹；触角柄节黑色，第2～3节或到第5节中间黑褐色，其余浅褐色；足全部黑色。

触角长出体长的1/4，鞘翅末端狭圆。

采集记录：1♂，秦岭植物园内大峡谷，893m，2012. Ⅶ.06，刘万岗采(Ceram-144)。

分布：陕西(周至)、湖北。

78．拟蜡天牛属 *Stenygrinum* Bates, 1873

Stenygrinum Bates, 1873a: 154. **Type species:** *Stenygrinum quadrinotatum* Bates, 1873.

属征：体小型，复眼小眼面粗。雄虫触角与体等长或稍长，雌虫较体短；内侧绒毛较多，第3节与柄节约等长，较第4节约长1/3，第5～7节略等长，较第3节略长。前胸长大于宽，略成圆筒形，中间稍宽。鞘翅末端成锐圆形。前足基节窝向后开放，中足基节窝对中胸后侧片关闭；中足胫节稍弯曲，外缘有纵脊。

分布：古北区，东洋区。世界仅知1种，中国有记录，秦岭地区有分布。

(142)拟蜡天牛 *Stenygrinum quadrinotatum* Bates, 1873(图版11:2)

Stenygrinum quadrinotatum Bates, 1873a: 154.

别名：四星栗天牛、四斑拟蜡天牛。

鉴别特征：体长8.0～14.0mm。体深红色或赤褐色，头与前胸颜色深暗；鞘翅有光泽，中间1/3呈黑色或棕黑色，此深黑色区域有前后2个黄色椭圆型斑纹。雄虫触角与体等长或稍长，雌虫较体短；内侧绒毛较多。前胸略成圆筒形，中间稍宽。小盾片密被灰色绒毛。鞘翅有绒毛及稀疏竖毛，末端成锐圆形。

采集记录：1♂，留坝，980m，2012. Ⅵ.24，华谊采；1♂，佛坪岳坝保护站，1093m，2012. Ⅶ.01，刘万岗采(Ceram-170)；1♀，佛坪县城，900m，2008. Ⅶ.05，白明采(IOZ(E)1904776)；1♂2♀，同上；1♂，佛坪，900m，1999. Ⅵ.27，姚建采；2♂，洋县华阳镇，1099m，2012. Ⅵ.27，陈莹采；1♀，洋县华阳镇周边，1108m，2012. Ⅵ.27，陈莹采；4♀，洋县长青保护区华阳镇，2016. Ⅵ.29，周润采；1♂1♀，洋县华阳镇，2014. Ⅶ.15，刘漪舟采；1♂，宁陕火地塘雅雀沟，1600～1700m，1998. Ⅶ.28，张学忠采；1♂，宁陕火地塘，1979. Ⅷ.03，韩寅恒采；1♂，宁陕，2003. Ⅷ，郎嵩云采；1♂，柞水营盘镇，953m，2014. Ⅶ.30，路园园灯诱；1♀，柞水县牛背梁，2013. Ⅶ.14，王志良采；1♂4♀，镇安云盖寺镇，850m，2014. Ⅵ.18，黄正中采；2♂，镇安云盖寺镇，816m，2014. Ⅵ.18，索中毅采；1♂1♀，山阳城关镇权垣村，669m，2014. Ⅵ.27，黄正中采。

分布：陕西(西安、太白、凤县、留坝、佛坪、洋县、宁陕、柞水、镇安、山阳)、黑龙江、吉林、辽宁、内蒙古、北京、天津、河北、山东、河南、甘肃、江苏、安徽、浙江、湖北、江西、湖南、福建、台湾、广东、广西、重庆、四川、贵州、云南；蒙古，俄罗斯，朝鲜，韩国，日本，越南，老挝，泰国，缅甸，印度。

寄主：栎属，栗属。

V. 天牛族 Cerambycini Latreille, 1802

鉴别特征（Gressitt, 1940b）：头粗大，触角基瘤间具沟，额具有 1 或 2 条横沟，每边具 1 个凹穴；复眼深凹，小眼面粗粒；雄虫触角通常至少为体长的 2.0 倍，第 4 节、第 5 节通常短于第 3 和第 6 节，各节端部肿胀；前胸背板通常具粗糙皱纹或同时具皱纹和刻点；前足基节窝关闭，前胸腹板突末端膨阔且平切；中足基节窝对中胸后侧片开放；可见第 1 腹板相对长；爪全开式。

分类：世界已知 79 属，中国记录 23 属，秦岭地区发现 10 属 18 种/亚种。

分属检索表

1. 前足基节窝外侧有十分显著的尖角 ······ 2
   前足基节窝圆形或外侧略有尖角 ······ 7
2. 前胸背板侧刺突发达，呈尖刺 ······ 3
   前胸背板不具侧刺突或侧刺突不发达，呈短钝刺突 ······ 4
3. 头顶中央复眼之间有 1 条纵脊，触角柄节弓形，背面端部隆起；鞘翅缘角突出呈齿状 ······ **皱胸天牛属 *Neoplocaederus***
   头顶中央复眼之间有 1 条纵沟，触角柄节长圆柱形；鞘翅缘角圆形 ······ **褐天牛属 *Nadezhdiella***
4. 触角第 3 节十分长，显著长于第 4 节，第 3、4 节端部略膨大 ······ 5
   触角第 3 节略长于第 4 节或近于等长，第 3、4 节端部膨大 ······ 6
5. 鞘翅绒毛呈不规则闪光花纹 ······ **闪光天牛属 *Aeolesthes***（部分）
   鞘翅绒毛不呈闪光花纹 ······ **栗肿角天牛 *Neocerambyx raddei***
6. 前胸背板不具侧刺突；体中等大小，背面黑色 ······ **华肿角天牛属 *Sinopachys***
   前胸背板具短钝侧刺突；体大型，背面不为黑色，通常被其他颜色的绒毛 ······ **肿角天牛属 *Neocerambyx***
7. 触角第 3～10 节内端具十分尖锐的长刺；鞘翅具明显闪光绒毛 ······ **刺角天牛属 *Trirachys***
   触角第 3～10 节内端不具刺；若具刺，则较小且第 3、4 节决不具刺 ······ 8
8. 触角第 5 节外侧缘不扁平 ······ 9
   触角第 5 节外侧缘扁平 ······ 11

9. 复眼之间有部分纵脊 ………………………………………………………………………… 10
复眼之间缺少纵脊；雄虫触角较短，不达体长的2.0倍；鞘翅具一色绒毛 ……………………
…………………………………………………………………………… **缘天牛属 *Margites***

10. 鞘翅绒毛呈不规则闪光花纹 …………………………………………… **闪光天牛属 *Aeolesthes***
（部分）
鞘翅绒毛均匀，或有花纹但不闪光 ……………………………… **拟裂眼天牛属 *Dymasius***

11. 雄虫触角短于体长，柄节不达前胸背板前缘；后足跗节第1节不长于其后两节之和 …………
………………………………………………………………………… **脊胸天牛属 *Rhytidodera***
雄虫触角长于体长，柄节达到前胸背板前缘；后足跗节第1节长于其后两节之和 ……………
………………………………………………………………………… **瘤天牛属 *Gibbocerambyx***

79. 闪光天牛属 *Aeolesthes* Gahan，1890

Aeolesthes Gahan，1890a：250. **Type species**：*Hammaticherus aurifaber* White，1853.

属征（蒋书楠等，1985）：复眼内缘深凹，小眼面较粗，复眼下叶呈三角形，额两侧各有1个深凹陷，有的两侧相连成半圆形凹陷，头顶中央有1条纵脊；雄虫触角长于虫体，第3~5节端部肿大，第7~10节扁平；雌虫触角略长于虫体或短于虫体。前胸背板大多不具侧刺突，但有的具侧刺突，胸面具皱脊。鞘翅被丝绒光泽绒毛，由于排列方向不同，呈现出明暗闪光花纹。

分布：古北区，东洋区，澳洲区。本属分为3个亚属，中国记录有2个亚属，在秦岭地区均有分布。

分种检索表

1. 前胸背板具侧刺突，前胸腹板突端部略突出；体较窄而厚 ………………………………………… 2
前胸背板不具侧刺突，前胸腹板突端部不突出；体扁平 ……………………………………………… 4

2. 前胸背板侧刺突细小，末端尖；鞘翅褐色，密被金黄色丝绒光泽的绒毛，端缘斜截，缘角突出呈齿状，缝角刺状…………………………………………………………………………………… 3
前胸背板侧刺突粗短，末端钝；鞘翅红褐色，密被很厚的金橙红色粗短毛，端缘浑圆，翅面有整齐的4纵行钝脊 ………………………… **红绒闪光天牛 *Aeolesthes*（*Pseudaeolsthes*）*ningshanensis***

3. 体长18.0~26.0mm；鞘翅闪光绒毛形成的花纹更不规则，基本上没有明显的纵纹 ……………
…………………………………………………… **金绒闪光天牛 *A.*（*P.*）*chrysothrix chrysothrix***
体长27.0~35.0mm；鞘翅闪光绒毛形成的花纹略有规则，尤其是基部的纵纹相当明显 ………
…………………………………………………… **藏金绒闪光天牛 *A.*（*P.*）*chrysothrix tibetanus***

4. 前胸背板中后区很少平滑，多具皱脊，其余部分具不规则横皱脊，两侧缘中部略有角突 ……
………………………………………………………… **中华闪光天牛 *A.*（*Aeolesthes*）*sinensis***
前胸背板中后区一般较平滑，或有少许微弱的脊纹 …… **皱胸闪光天牛 *A.*（*A.*）*holosericea***

79-1. *Aeolesthes* Gahan, 1890

Aeolesthes Gahan, 1890a: 250. **Type species**: *Hammaticherus aurifaber* White, 1853.

分布:古北区，东洋区，澳洲区。指名亚属世界已知20种，中国记录4种，秦岭地区发现2种。

(143)皱胸闪光天牛 *Aeolesthes* (*Aeolesthes*) *holosericea* (Fabricius, 1787)

Cerambyx holosericeus Fabricius, 1787: 135.

Hammaticherus holosericeus: White, 1853: 128.

Pachydissius velutinus Thomson, 1865: 576.

Neocerambyx holosericeus: Cotes, 1889: 60.

Pachydissius similes Gahan, 1890b: 52.

Neocerambyx similis: Bates, 1891: 21.

Aeolesthes holosericeus: Gahan, 1891: 21.

鉴别特征:体长20.0～35.0mm。体褐色到黑褐色，密被灰褐色带紫色光泽的绒毛。头顶中央复眼之间有1条纵脊，复眼后方中央有1条纵沟，头部腹面两颊之间的横沟较浅，直或双曲形。雌虫触角较短，略长于体，雄虫触角约为体长的1.0倍；柄节具横脊，第3～5节末端膨大，6～10节外端角尖锐，5～9节具内端刺。前胸宽略胜于长，前端较狭于后端，两侧圆；前胸背板具不规则的褶皱，后端中央的长方形区域上面略有褶皱，除两侧的纵沟以外，在它的前端中央尚有1条纵沟将它与其他部分分开。鞘翅基端稍阔于末端，两侧平行，后缘斜切，外端角小，齿状，内端角刺状；翅面上密被紫褐色光泽的绒毛，排列成不同的方向，呈现出明暗的花纹。体腹面及足部的毛灰褐色。

分布:陕西(秦岭)、河南、福建、广东、海南、香港、广西、重庆、四川、云南；老挝，泰国，缅甸，印度，巴基斯坦，斯里兰卡，菲律宾，马来西亚，印度尼西亚。

寄主:金合欢属，桤木属，羊蹄甲属，木棉树属，土蜜树属，紫铆属，香椿属，桉树属，土沉香属，榕属，扁担杆属，*Hardwickia*，紫薇属，野桐属，杧果属，密榴木属，桑属，肉豆蔻属，白柳安属，松属，李属，番石榴属，紫檀属，梨属，乌桕属，婆罗双树属，杨柳属，柚木属及榄仁树属等(幼虫蛀食树干)。

(144) 中华闪光天牛 *Aeolesthes* (*Aeolesthes*) *sinensis* Gahan, 1890 (图版 11:3a, 3b)

Aeolesthes sinensis Gahan, 1890a: 255.

鉴别特征: 体长 25.0 ~ 30.0mm。体暗褐色到黑褐色, 密被灰褐色带紫色光泽的绒毛。外形与皱胸闪光天牛 *Aeolesthes holosericea* (Fabricius, 1787) 很相似, 主要的区别:本种前胸两侧弧形; 前胸背板后端中央的长方形区域不平滑, 上面具有很深的褶皱, 在它的中央有 1 条纵沟将它纵分为二; 鞘翅颜色较深; 触角第 3 ~ 6 节末端更为膨大。

采集记录: 1♀, 凤县(NWAFU); 1♂, 宁陕, 1980.Ⅵ.24; 3♂2♀, 镇巴, 1981.Ⅵ.29; 1♀, 镇安苹果树, 1980.Ⅵ, 夏泽洪采(NWAFU, CO028425); 1♂, 西乡, 郭士英采(NWAFU)。

分布: 陕西(凤县、宁陕、安康、丹凤、镇巴、镇安、西乡)、河南、湖北、江西、湖南、福建、台湾、广东、海南、香港、广西、四川、贵州、云南; 老挝, 缅甸, 印度, 巴基斯坦, 哈萨克斯坦。

寄主: 柑橘, 香椿, 柿, 君迁子(软枣)。

79-2. *Pseudaeolesthes* Plavilstshikov, 1931

Pseudaeolesthes Plavilstshikov, 1931a: 73. **Type species**: *Neocerambyx chrysothrix* Bates, 1873.
Niphocerambyx Matsushita, 1933b: 244. **Type species**: *Neocerambyx chrysothrix* Bates, 1873.

分布: 中国; 韩国, 日本, 越南, 老挝, 马来西亚。本亚属世界已知 15 种/亚种, 中国记录 7 种/亚种, 秦岭地区发现 3 种/亚种。

(145) 金绒闪光天牛 *Aeolesthes* (*Pseudaeolesthes*) *chrysothrix chrysothrix* (Bates, 1873) (图版 11: 4)

Neocerambyx chrysothrix Bates, 1873a: 152.
Neocerambyx baseti Harold, 1875: 295.
Aeolesthes chrysothrix: Aurivillius, 1912: 47.
Pseudaeolesthes chrysothrix: Plavilstshikov, 1931a: 73.
Niphocerambyx chrysothrix: Matsushita, 1933b: 245.
Pseudaeolesthes chrysothrix chrysothrix: Gressitt, 1951: 136.

鉴别特征：体长18.0～26.0mm。体较狭，褐色，密生淡黄褐色有金色光泽的绒毛。额中央两侧各有1条深的凹陷，触角之间有1条深的纵沟，头顶中央有1条隆起的纵脊纹。雌虫触角较短，略长于身体，雄虫约为体长的1.0倍；第6～10节外端角小而尖，雄虫外端角不如雌虫明显；雄虫第10节短于第11节，雌虫二者约等长。前胸前端较狭于后端，两侧中央具小而尖的侧刺突；前胸背板具不规则的褶皱及突起，近后端中央有1个略呈长方形的隆起。鞘翅基端阔，末端突然转狭，后缘斜切，外端角突出，齿状，内端角刺状；翅面密被金黄色丝绒状有光泽的绒毛，排列成不同的方向，呈现出明暗的花纹。前胸腹板突末端有1个瘤。

采集记录：2♂2♀，周至、武功（NWAFU）；1♂，太白太洋公路69km到黄柏塬乡，1310m，2012.Ⅵ.18，李莎采；1♂，宁陕火地塘，1580m，1998.Ⅶ.26，张学忠采；1♂，山阳五里，1981.Ⅶ.19。

分布：陕西（周至、太白、武功、宁陕、山阳）、北京、河北、山东、河南、浙江、台湾、贵州；韩国，日本。

寄主：杨柳，楮树。

（146）藏金绒闪光天牛 *Aeolesthes*（*Pseudaeolesthes*）*chrysothrix tibetanus*（Gressitt，1942）（图版11：5）

Pseudaeolesthes chrysothrix tibetanus Gressitt，1942a：2.

Aeolesthes chrysothrix tibetaus：Hua，2002：191.

别名：西藏褐绒天牛。

鉴别特征：体长27.0～35.0mm。体红褐色，略有一点赭色，体腹面密被金黄色短柔毛。头、前胸背板密被棕色和金黄色有光泽的绒毛，排列方向不同，呈明暗各种花纹。雌虫触角略长于身体，雄虫约为体长的1.0倍。鞘翅基端阔，末端突然转狭，后缘斜切，外端角突出，齿状，缝角刺状；翅表有纵脊4条，前端明显，后端不甚明显。前胸腹板突末端有2个小突起。

采集记录：1♀，周至板房子，2006.Ⅶ.20，林美英灯诱（IOZ（E）1905669）；1♂，周至板房子，2006.Ⅶ.21，林美英灯诱。

分布：陕西（周至、商南）、海南、广西、四川、贵州、云南、西藏。

（147）红绒闪光天牛 *Aeolesthes*（*Pseudaeolesthes*）*ningshanensis* Chiang，1981（图版11：6）

Aeolesthes（*Pseudaeolesthes*）*ningshanensis* Chiang，1981：79，83，pl. 1，fig. 3.

别名:红绒皱胸天牛。

鉴别特征:体长 31.0mm，体宽 8.0mm。体深栗褐色。头部上颚、复眼、触角第 1、2 节黑色。前胸背板密被橙红色粗短毛，仅中沟两侧及皱脊光滑无毛，近黑色。小盾片红褐色至栗色。鞘翅紧覆浓密的金红色粗短毛，纵脊上的毛和脊间沟中的毛方向不一致，呈现深浅不同的色泽。头、胸部腹面薄被稀疏灰褐色细毛，腹部腹面几乎光滑，仅腹节后缘有细毛。足薄被灰色细毛。头部额横宽，下陷；上颚外侧有不规则纵脊；复眼下叶近三角形，略长于其下颊部；后头中央有明显细纵沟；触角基瘤边缘隆起，内端角尖突成粗齿；雌虫触角较体稍长，柄节粗壮，具细刻点，与第 3 或第 5 节等长，较第 4 节长 1/3，第 3 ~ 5 节端部肿大、光滑，第 6 节端部稍肿大，第 7 ~ 10 节扁薄，外端角稍尖突，第 11 节扁，末端钝圆。前胸背板宽胜于长，前端较狭，在两条横沟之后稍缢缩，其后有 1 个钝圆小侧突，中部两侧刺突宽短，末端钝，后端两条横沟波形，背中央中沟深陷，两旁具粗皱脊突，脊突间的下陷部均被橙红色粗毛。小盾片钝三角形，端部钝圆。鞘翅肩部与前胸等宽，长为头、胸部的 2.0 倍，翅表有整齐的钝纵脊 4 条，翅端左右相合成圆弧形，无刺突。前胸腹板突后端垂直，中央有 1 条宽隆脊，末端分成左右各 1 个小圆突；中胸腹板突宽，后端中央两侧各隆起 1 个椭圆形小瘤突。后足第 1 跗节长几乎等于第 2、3 节长度之和。

采集记录:1♀(正模)，宁陕火地塘，1962. Ⅵ. 25，韩佩琪采(NWAFU，ex 西北林学院)；1♀(副模)，宁陕火地塘，1959. Ⅷ，李淑苓采(NWAFU，ex 陕西林科所 = 陕西省林业研究所)。

分布:陕西(宁陕)。

80. 拟裂眼天牛属 *Dymasius* Thomson, 1864

Dymasius Thomson, 1864: 234. **Type species**: *Dymasius strigosus* Thomson, 1864 (= *Cerambyx macilentus* Pascoe, 1859).

属征:体长形，两侧近于平行；复眼深凹，复眼上叶之间有部分纵脊；触角节内端不具刺，有时一些触角节外端具小齿突；第 3 节远长于柄节和第 4 节，第 5 节约等长于第 3 节且其后各节皆挺长。前胸无侧刺突，长大于宽，前端最窄，中部稍宽，基端略宽于前端。前足基节窝向后关闭，中足基节窝对后侧片开放。

分布:中国；日本，越南，老挝。本属分 2 个亚属，指名亚属世界已知 35 种，中国记录 2 种，秦岭地区发现 1 种。

(148) 陕拟裂眼天牛 *Dymasius* (*Dymasius*) *miser* Holzschuh, 2005 (图版 11:7)

Dymasius miser Holzschuh, 2005: 14, fig. 11.

鉴别特征：体长 19.0～20.8mm。体黑色；前胸颜色深于鞘翅，具有中央的 4 个金褐色绒毛斑和侧边的金褐色绒毛纵带；头、鞘翅、触角和足被同样的灰褐色绒毛。雌虫触角略长于体，末端 2 节超出鞘翅末端。鞘翅末端合圆。

采集记录：1♀（正模），C-China，Shaanxi，Qinling Shan，6km E of Xunyangba，1000～1300m，2000. Ⅴ.23-Ⅵ.13（CCH）；1♀，宁陕广货街镇，1227m，2014. Ⅶ.26，路园园采；1♀，宁陕广货街镇鸳鸯沟，1264～1371m，2014. Ⅶ.27，路园园采。

分布：陕西（宁陕）。

81. 瘤天牛属 *Gibbocerambyx* Pic, 1923

Gibbocerambyx Pic, 1923c: 12. **Type species**: *Gibbocerambyx aureovittatus* Pic, 1923.

属征：头正中有 1 条细纵沟；触角基瘤较宽，前端接近，后端分离。触角约等于或稍长于体长。前胸背板长同宽约相等或长大于宽，两侧圆弧，无侧刺突，前端最窄，中部稍宽，基端略宽于前端。鞘翅肩部略宽，端缘斜切。前足基节窝向后关闭，中足基节窝对后侧片开放，足较细长。

分布：中国；缅甸，越南。世界已知 5 种，中国记录 4 种，秦岭地区发现 2 种。

分种检索表

前胸背板红褐色；鞘翅绒毛较细，每翅可见 2 道纵纹 …… **黄条瘤天牛 *Gibbocerambyx aurovirgatus***
前胸背板黑褐色；鞘翅绒毛较密，每翅也有 2 道纵纹但很不明显 ………… **凸瘤天牛 *G. unitarius***

（149）黄条瘤天牛 *Gibbocerambyx aurovirgatus* (Gressitt, 1939)（图版 11：8）

Zegriades aurovirgatus Gressitt, 1939a: 96, pl. Ⅲ. fig. 3.

Gibbocerambyx aurovirgatus: Holzschuh, 2003: 173.

别名：黄条切缘天牛。

鉴别特征：体长 17.5～22.0mm。体较细长，红褐色；前胸背板前、后缘有金黄色绒毛，表面有几个金黄色小毛斑。头、小盾片覆盖黄色绒毛，鞘翅着生浓密金黄色绒毛，由于毛被覆盖厚、薄及方向不一致，形成红褐与金黄色相间的纵条纹。后胸腹板及腹部腹面被覆浓密淡黄绒毛。鞘翅肩部略宽，端缘斜切，外端角钝突，缝角较尖锐。

采集记录：1♀，长安南五台，1993. Ⅶ(NWAFU，CO027219)；1♂，太白山蒿坪寺，1981. Ⅷ(NWAFU，CO025468)；3♂3♀，太白山蒿坪寺(NWAFU)；1♂，佛坪龙草坪乡，2006. Ⅶ.27，林美英灯诱；1♂，佛坪龙草坪，1256m，2008. Ⅶ.03，白明采；1♀，佛坪，950m，1998. Ⅶ.23，姚建采；1♀，佛坪桦木桥，2006. Ⅶ.26，林美英采；1♀，佛坪县城，900m，2008. Ⅶ.05，白明采；1♀，宁陕火地塘，1580m，1998. Ⅷ.15，袁德成灯诱；3♂2♀，同上，1998. Ⅷ.18，21，22；1♂，宁陕火地塘，2300m，1979. Ⅷ.06，韩寅恒采；1♂，宁陕火地塘雅雀沟，1600～1700m，1998. Ⅶ.28，张学忠采；1♀，宁陕火地塘林场周边，1554m，2015. Ⅶ.7-15，刘漪舟采；1♀，宁陕广货街镇，1227m，2014. Ⅶ.26，路园园采；1♂，宁陕，2003. Ⅷ，郎嵩云采。

分布：陕西(长安、太白、佛坪、宁陕)、河南、安徽、浙江、湖北、湖南、广西、四川。

(150) 凸瘤天牛 *Gibbocerambyx unitarius* Holzschuh, 2003(图版 11：9)

Gibbocerambyx unitarius Holzschuh, 2003: 173, fig. 21.

鉴别特征：体长 19.3mm。体红褐色，前胸背板黑色；前胸背板前、后缘有金黄色绒毛，表面有几个不明显的金黄色小毛斑。头、小盾片覆盖黄色绒毛，鞘翅着生浓密金黄色绒毛，隐约可见 2 条暗色纵条纹。鞘翅肩部略宽，端缘斜切。本种跟黄条瘤天牛非常相似，但前胸黑色，鞘翅被毛较稠密，纵纹不显著。

采集记录：1♀(正模)，China，Shaanxi，Qinling Shan，6km E of Xunyangba，1000～1300m，2000. Ⅴ.23-Ⅵ.13(CCH)。

分布：陕西(宁陕)。

82. 缘天牛属 *Margites* Gahan, 1891

Pachydissus (*Margites*) Gahan, 1891: 26. **Type species**: *Cerambyx egenus* Pascoe, 1858.

Margites: Gahan, 1906: 137.

82-1. subgenus *Margites* Gahan, 1891

属征(蒋书楠等，1985)：体长形，两侧近于平行；复眼深凹，上叶较小，小眼面粗，颊较短，触角第 3 节稍长于柄节，第 5 节外侧缺明显的扁平边缘。前胸无侧刺突。前足基节窝略呈角状伸出，中足基节窝对后侧片开放，胫节两侧各有 1 条光滑的纵脊线。

分布：中国；朝鲜，韩国，日本，老挝。指名亚属世界共记录 21 种，中国分布 5

种，秦岭地区发现 2 种。

分种检索表

体色更暗，触角黑色；前胸背板两侧各有 3 个金黄色毛斑，中区没有毛斑 ……………………………………………………………………………………………… 金斑缘天牛 *Margites auratonotatus*

体色稍浅，触角褐色；前胸背板的毛斑不显著，除了两侧的毛斑，中区还有 2 或 3 个毛斑……………………………………………………………………………………………………… 黄茸缘天牛 *M. fulvidus*

（151）金斑缘天牛 *Margites auratonotatus* Pic, 1923

Margites auratonotatus Pic, 1923b: 7.

鉴别特征：体长 14.5～19.0mm。体黑褐，头、触角柄节及前胸背板近于黑色；前胸背板两侧各有 3 个金黄色毛斑，前胸背板后缘及小盾片亦着生金黄色绒毛；鞘翅被覆细而短的灰黄软毛，体腹面着生浓密黄褐绒毛。额中央有 1 条细纵沟，前额呈半圆形凹沟；头刻点粗密，后头具横皱纹；雄虫触角长于身体，雌虫则达鞘翅端部，第 3 节及第 4 节端部稍膨大。前胸背板长度及宽度近于相等，两侧弧形，前端微具横皱纹刻点；中区呈网状皱褶。小盾片小，似心形。鞘翅两侧近于平行，端部稍窄，表面有细皱纹刻点，前端较粗糙。胫节两侧各有 1 条由基部至端末的光滑纵脊线。

分布：陕西（丹凤、镇巴）、河南、江苏、上海、浙江、湖北、江西、湖南、福建、台湾、广东、四川、贵州。

（152）黄茸缘天牛 *Margites fulvidus*（Pascoe, 1858）（图版 11：10a，10b）

Cerambyx fulvidus Pascoe, 1858: 236.

Pachydissus fulvidus: Bates, 1873a: 152.

Margites fulvidus: Schwarzer, 1925a: 21.

Ceresium coreanus Saito, 1932: 440.

鉴别特征：体长 12.0～19.0mm。体深褐色至黑色，虫体被覆一层浅黄色或灰黄色绒毛，前胸背板略呈不显著毛斑，小盾片及鞘翅上的绒毛浓密。雄虫触角长度超过鞘翅，雌虫触角达鞘翅末端，柄节不显著膨大，第 3、4 节末端较膨大，第 6～10 节各节近于等长，第 11 节较长。前胸背板两侧缘微弧形。小盾片小，似心脏形。鞘翅长形，两侧近于平行，末端稍窄，端缘略呈圆形。足中等大，腿节稍膨大，后足腿节不超过鞘翅末端。

采集记录:1♂，周至板房子，2006. Ⅶ. 20，林美英灯诱(IOZ(E)1905674)；1♂2♀，太白山蒿坪寺(NWAFU)；1♂，佛坪，900m，1999. Ⅵ. 27，贺同利采；1♀，洋县华阳镇，2014. Ⅵ. 02-07，张巍巍采；1♀，柞水朱家湾村，109. 00°E，33. 81°N，1046m，2007. Ⅵ. 03，林美英、史宏亮采；1♀，柞水营盘镇，955m，2014. Ⅶ. 29，路园园灯诱；2♀，镇安云盖寺镇，850m，2014. Ⅵ. 18，黄正中、索中毅采；1♂，丹凤蔡川镇蟒山，1417m，2014. Ⅶ. 02，黄正中采。

分布:陕西(周至、太白、佛坪、洋县、柞水、镇安、丹凤)、河南、湖北、江西、湖南、福建、台湾、广东、海南、四川、贵州、云南；朝鲜，韩国，日本。

寄主:*Citrus* sp.，*Quercus* sp.。

83. 褐天牛属 *Nadezhdiella* Plavilstshikov, 1931

Nadezhdiella Plavilstshikov, 1931a: 71. **Type species**: *Cerambyx cantori* Hope, 1843.

属征:头顶两眼之间有1条中央纵沟。雄虫触角超过体长；雌虫触角较体略短。前胸宽胜于长，侧刺突尖锐；背板上密生不规则的瘤状褶皱，沿后缘两条横沟之间中区较大。鞘翅肩部隆起，两侧近于平行，末端较狭，端缘斜切，有时略圆或略凹，内端角尖狭，但不尖锐。前足基节窝外侧有显著的尖角。

分布:中国；日本，越南，老挝，泰国，马来西亚。世界已知4种，中国记录2种，在秦岭地区均有分布。

分种检索表

体色较褐，被毛较密，呈金黄色；触角中间数节内端角具细刺 ………………………………………………………………………… **桃褐天牛 *Nadezhdiella fulvopubens***

体色较黑，被毛较稀，呈灰黄色；触角各节内端角无细刺 ……………………… **褐天牛 *N. cantori***

(153) 褐天牛 *Nadezhdiella cantori* (Hope, 1843) (图版12:1)

Hamaticherus cantori Hope, 1843: 63.

Hamaticherus cantori Hope, 1845a: 11.

Hammaticherus scabricollis Chevrolat, 1852: 416.

Cerambyx lusasi Brongniart, 1891: 238.

Nadezhiella cantori: Plavilstshikov, 1931a: 71.

Nadezhdiella cantori: Gressitt, 1951: 139, pl. 6, fig. 3.

别名：橘褐天牛。

鉴别特征：体长 26.0～51.0mm。体黑褐色至黑色；有光泽，被灰色或灰黄色短绒毛。头顶两眼之间有 1 条极深的中央纵沟，触角基瘤之前，额中央又有 2 条弧形深沟，呈括弧形；触角基瘤隆起，其上方并有 1 个小瘤突。雄虫触角超过体长 1/2～2/3，雌虫触角较体略短；第 1 节特别粗大，密布细刻点，并有横皱纹；第 3、4 节末端膨大，略呈球形；第 4 节短于第 3 节或第 5 节；全角各节内端角均无小刺。前胸宽胜于长，被有较密的灰黄色绒毛，侧刺突尖锐；背板上密生不规则的瘤状褶皱，沿后缘 2 条横沟之间中区较大，有时呈现为 2 条横脊。鞘翅肩部隆起，两侧近于平行，末端较狭，端缘斜切，有时略圆或略凹，内端角尖狭，但不尖锐；翅面刻点细密。

采集记录：1♀，紫阳，1973（NWAFU）；1♀，岗皋长春公社，1981. Ⅵ. 16，寄主：橘，李明采；1♀，石泉，1960. Ⅶ. 24（NWAFU）；1♂，白河县城关秀峰山，1981. Ⅴ. 27，张婷之采（NWAFU）。

分布：陕西（汉中、紫阳、岚皋、石泉、白河）、山东、河南、甘肃、江苏、上海、浙江、湖北、江西、湖南、福建、台湾、广东、海南、香港、广西、四川、贵州、云南；老挝，泰国。

寄主：柑橘，柠檬，柚，红橘，甜橙，葡萄，花椒。

生物学（陈世骧等，1959）：根据刘君锷（1947）在四川成都的研究报告：这种昆虫幼虫生活在柑橘树干中，侵食树干或主枝，是柑橘的大害虫。需要 2 年方能完成一个世代。幼虫生活期 20～23 个月。幼虫一生能钻孔 60cm 长。成虫一生最多能产 50 粒卵，平均产 23 粒。交尾到产卵期最长 34 天，成虫在 5 月出现，生活约 1 个月，产卵在树皮上。卵期 2～12 天。幼虫一生经过 1 个活动期，2 个休止期，蛹期长 21～33 天，成虫前期 12～23 天。

（154）桃褐天牛 *Nadezhdiella fulvopubens*（Pic，1933）（图版 12：2）

Plocaederus fulvopubens Pic，1933b：27.

Nadezhdiella aureus Gressitt，1937b：91.

Nadezhdiella conica Chiang，1942：254.

Nadezhdiella fulvopubens：Holzschuh，2005：4.

鉴别特征：体长 20.0 至第 55.0mm。体大型，黑褐色，密被金黄色绒毛，在头、胸、触角上绒毛较长，鞘翅上很短。头长胜于宽，复眼上叶之间有 1 条深纵沟，两叶不靠近，下叶近乎等边三角形；额中部有 2 条沟，从两触角基瘤中部向前敞开，两沟中央形成平坦的小三角区。触角长度雌虫较体略短，雄虫自第 8 节起超出体长；柄节筒形，密布细刻点，短于第 3 节；自第 5 至第 10 节，每节内端角均有 1 根小刺。前胸前端部略窄，侧刺突较发达，向上及向后弯曲；背板中区具粗糙褶和小瘤突，前缘平直，后缘呈波状弯曲，前区较平坦，后区具有与后缘平行的两条波状横沟。鞘翅平滑，端部圆形，缝角具短刺。

采集记录：1♀，洋县长青自然保护区，2016 年 01 月通过张巍巍看到照片，标本保存于保护区管理站。

分布：陕西（洋县）、辽宁、河南、江苏、浙江、湖北、江西、湖南、福建、广东、海南、广西、重庆、四川、贵州、云南；越南，老挝，泰国。

寄主：桃树，梨。幼虫寄生桃树干中。7～9 月有成虫出现。

84. 肿角天牛属 *Neocerambyx* Thomson, 1861

Neocerambyx Thomson, 1861: 194. **Type species**: *Cerambyx paris* Wiedemann, 1821

Pachydissus (*Mallambyx*) Bates, 1873a: 152. **Type species**: *Pachvdissus* (*Mallambyx*) *japonicus* Bates, 1873 (= *Neocerambyx raddei* Blessig, 1872).

属征（蒋书楠等，1985）：体中等至大型；复眼内缘深凹，小眼面粗，颊中等长，触角第 3 节略长于第 4 节，第 3、第 4 节端部膨大，第 5 节以后各节外缘较扁平。前胸背板两侧缘无侧刺突或稍有短钝侧刺突，表面有皱褶。前足基节窝外侧延伸成尖锐角，中足基节窝对后侧片开放。

分布：亚洲。世界已知 10 种，中国记录 3 种，秦岭地区发现 1 种。

（155）栗肿角天牛 *Neocerambyx raddei* Blessig, 1872（图版 12：3）

Neocerambyx raddei Blessig, 1872: 170.

Pachydissus (*Mallambyx*) *japonicus* Bates, 1873a: 152.

Mallambyx raddei: Aurivillius, 1912: 46.

Massicus raddei: Chen *et al*. 1959: 43.

别名：栗山天牛 = *Massicus raddei* (Blessig, 1872)。

鉴别特征：体长 40.0～80.0mm。灰棕色或灰黑色，鞘翅及全身被有棕黄色短绒毛。触角和两复眼间的中央有深沟，一直延长到头顶，在头顶处更深陷。触角近黑色。约为身体的 1.5 倍，第 1 节有刻点；第 1 节粗大，呈筒状，后缘稍向外凸；第 3 节较长，约等于第 4、5 节长度之和；第 7～10 节呈棒状，每节端部粗大，内侧无刺，外侧无扁平边缘、突起及棱角等。前胸节背面着生不规则横皱纹，两侧较圆且有皱纹，但无侧刺突。翅鞘后缘呈圆弧形，内缘角生尖刺。

采集记录：1♀，宁陕火地塘，1984. Ⅷ. 01（NWAFU，CO025481）；2♀，延安

(NWAFU)。

分布:陕西(凤县、勉县、宁陕、丹凤、延安)、黑龙江、吉林、辽宁、北京、河北、山西、山东、河南、江苏、安徽、浙江、湖北、江西、湖南、福建、台湾、重庆、四川、贵州、云南；俄罗斯，朝鲜，韩国，日本。

寄主:锯栗，麻栎，桑，枹树，栎树，柯属。

生物学(陈世骧等，1959):成虫夜行性，多集于栎树树干附近，7~8 月间发生。

85. 皱胸天牛属 *Neoplocaederus* Sama，1991 陕西新纪录属

Plocaederus Thomson, 1861: 197 [HN]. **Type species**: *Plocaederus cyanipennis* Thomson, 1861.

Neoplocaederus Sama, 1991: 123 (new name for *Plocaederus* Thomson, 1861).

属征(蒋书楠等，1985):复眼之间有 1 条纵脊，额前面有 1 个半圆形凹沟。触角柄节弓形，背面端部隆起，第 3 节长于第 4 节的 1/3；第 5~10 节的各节近于相等，每节末端外侧扁平，呈锯齿或刺状突出，有时第 3、4 节外侧亦呈锯齿突出。前胸背板两侧各有 1 个侧刺突，有的较长，有的较短，表面具皱脊纹。鞘翅端缘凹入，缘角通常呈角状或刺状突出。足较长，腿节略扁，后足第 1 跗节短于以下两节之和。前胸腹板突稍超过基节的高度，其后缘着生角状突起。

分布:古北区，东洋区。世界已知 55 种/亚种，中国记录 4 种，秦岭地区发现 1 种。

(156) 二色皱胸天牛 *Neoplocaederus bicolor* (Gressitt, 1942) 陕西新纪录 (图版 12: 4)

Plocaederus bicolor Gressitt, 1942a: 1.

Neoplocaederus bicolor: Sama, 1991: 123.

鉴别特征:体长 17.0~33.0mm。体型中大。漆黑色富光泽；头部唇基黄棕色，具金黄色短毛；下颚须、下唇须黄棕色；触角红棕色，仅第 2 节及柄节和第 3、4 节的基部黑色。足红棕色，仅胫节基部黑色。雄虫触角长于体，雌虫触角较体略短，柄节弧形弯曲，向端部肿大，长等于第 3 节，略长于第 4 节，第 5 节以后各节外端角稍突出，外缘扁薄。前胸背板宽胜于长，背面具粗皱脊，侧刺突粗短。鞘翅光滑，末端平截，缘角突出成短齿。足腿、胫节均略扁。

采集记录:1♂，白河苗圃，1980.Ⅷ。

寄主:栗。

分布:陕西(白河)、河北、湖北、江西、湖南、台湾、海南、贵州、云南、西藏。

86. 脊胸天牛属 *Rhytidodera* White, 1853

Rhytidodera White, 1853: 132. **Type species**: *Rhytidodera bowringii* White, 1853.

属征(蒲富基, 1980):体复眼深凹, 上叶小, 彼此接近, 小眼面粗, 颊短; 大多数种类的雄虫触角短于身体, 触角柄节较短, 不达前胸背板前缘, 第3节长于第4节, 第5节外侧缘扁平; 雌虫触角稍短于雄虫, 而较粗壮。前胸具脊纹或皱纹, 两侧缘圆形, 无侧刺突。足中等长, 雄虫后足腿节不超过腹部第3节, 雌虫后足腿节不超过腹部第3节, 后足第1跗节短于其后两节之和。

分布:东洋区。世界已知13种, 中国记录4种, 秦岭地区发现2种。

分种检索表

鞘翅绒毛条纹金黄色; 整个鞘翅绒毛斑纹大体均匀分布 …………… **脊胸天牛 *Rhytidodera bowringii***
鞘翅绒毛条纹灰白色; 鞘翅基部1/5明显绒毛斑纹较少 …………… **灰斑脊胸天牛 *R. griseofasciata***

(157) 脊胸天牛 *Rhytidodera bowringii* White, 1853

Rhytidodera bowringii White, 1853: 133.

鉴别特征:体长28.5~33.0mm。体狭长, 两侧平行, 栗色到栗黑色。额具刻点, 触角及复眼之间有纵的脊纹, 复眼后方中央有1条短纵沟, 头顶后方有许多小颗粒; 触角之间、复眼周围及头顶密生金黄色绒毛。雄虫触角较雌虫稍长, 约为体长的3/4, 雌虫不到3/4; 第5~10节外侧扁平, 外端角钝, 内侧具小的内端刺, 第11节扁平如刃状。前胸前端较狭于后端, 前胸背板前后端具横脊, 中间具19条隆起的纵脊, 纵脊之间的深沟丛生淡黄色绒毛。小盾片较大, 密被金色绒毛。鞘翅基端阔, 末端较狭, 后缘斜切, 内缘角突出, 刺状; 翅面刻点密布, 基端刻点较粗密呈皱状, 除具灰白色短毛外, 尚有由金黄色毛组成的长斑纹, 排列成5纵行。体腹面及足密被灰色或灰褐色绒毛。

分布:陕西(秦岭)、河南、安徽、湖北、江西、湖南、福建、广东、海南、香港、广西、四川、贵州、云南; 缅甸, 印度, 尼泊尔, 印度尼西亚。

寄主:杧果, 人面子, 朴树(幼虫蛀食树干), 腰果。

(158)灰斑脊胸天牛 *Rhytidodera griseofasciata* Pic, 1912 陕西新纪录(图版 12:5)

Rhytidodera griseofasciata Pic, 1912d: 16.

鉴别特征:体长 20.0~35.0mm。体狭长，栗色至栗黑色。鞘翅红褐，密布灰色和褐色绒毛形成的不规则灰色毛斑，基部 1/5 灰白色绒毛较少。小盾片被褐色绒毛。体腹面及足密生灰白色绒毛。雄虫触角较雌虫稍长，约为体长的 4/5，雌虫约为体长 2/3；触角柄节较短，不达前胸背板前缘；第 5~10 节外侧扁平，外端角钝。前胸背板的长与宽约相等，前端稍狭，前、后缘微横凹；具 20 多条隆起的纵脊，纵脊之间的深沟丛生灰褐色绒毛。鞘翅十分长，两侧平行，末端斜切，端缝角通常齿状突出。足比较短，后足第 1 跗节短于第 2、3 跗节的长度之和。

采集记录:1♂，周至楼观台，680m，2008. Ⅵ. 24，白明采；1♂，佛坪县城，900m，2008. Ⅶ. 05，白明采；1♀，宁陕广货街镇，1178m，2014. Ⅶ. 28，路园园灯诱；1♂，柞水凤凰古镇龙潭村水利沟，785m，2014. Ⅵ. 26，黄正中采。

分布:陕西(周至、佛坪、宁陕、柞水)、河南(新纪录)、云南。

寄主:细叶榕，杧果。

备注:由于鞘翅灰白色绒毛跟榕脊胸天牛 *Rhytidodera integra* Kolbe, 1886 相似，本种常被误定为榕脊胸天牛，尤其是在仅依据图片鉴定的时候。河南连康山的榕脊胸天牛记录其实是本种(薛国喜，个人交流)。中国科学院动物所的馆藏里面，1 号湖北的本种插有脊胸天牛 *Rhytidodera bowringii* White, 1853 的鉴定标签，而真正的榕脊胸天牛产地包括福建、广东、海南、广西和云南。榕脊胸天牛与本种的区别在于前胸背板没有整齐的纵脊，而是表面具弯曲状脊纹；鞘翅末端圆而不是斜切。

87. 华肿角天牛属 *Sinopachys* Sama, 1999

Sinopachys Sama, 1999: 48. **Type species**: *Neocerambyx mandarinus* Gressitt, 1939.

属征(Sama, 1999):跟 *Dissopachys* Reitter 属非常相似，但有以下不同：触角第 3 节仅稍长于第 4 节(*Dissopachys* Reitter 属的触角第 3 节是第 4 节长度的 2.0 倍)，第 3 和第 4 节末端显著膨大，第 5 节末端稍微膨大。跟 *Xenopachys* 属的区别在于本属前胸不具侧刺突，前胸背板中央不具脊，鞘翅平坦，触角第 8~10 节末端具刺突。

分布:中国。目前仅知 1 种，秦岭地区有分布。

(159)华肿角天牛 *Sinopachys mandarinus* (Gressitt, 1939)(图版 12:6a, 6b)

Neocerambyx? mandarinus Gressitt, 1939c: 209, pl. 8, fig. 5.

Sinopachys mandarinus: Sama, 1999: 48.

别名:黑肿角天牛。

鉴别特征:体长 21.5 ~25.0mm。体中等大小，长形，黑色；前胸光亮，鞘翅除基部 1/4 外，其余翅面略带暗红褐色；后胸腹板、腹部、触角端部数节及足，有时呈黑褐；虫体腹面有浅灰色细绒毛。额中央具细纵线，前额两侧各有 1 个深凹涡；触角基瘤较宽大，前端接近，后端分开，中间空隙凹下；头具粗皱纹刻点；雄虫触角长达鞘翅端部之后，雌虫则长达鞘翅中部之后，柄节粗大，宽为长的 1/2，表面具粗密刻点，第 3、4 节十分膨大似球状，第 6 ~10 节外端角呈尖角状伸出。前胸背板阔胜于长，中部最宽，后端宽于前端；表面具横皱褶，似蠕虫状。小盾片短，近半圆形，后端中央有 1 个小凹缺。鞘翅两侧近于平行，后端稍宽，外端角弧形，缝角垂直；翅面呈细密皱纹刻点，以基部较粗糙。前胸腹板突向后稍呈瘤状突出；后足第 1 跗节较长，约等于第 2、3 跗节的长度之和。

采集记录:1♀(正模), Shaanxi: Chin-ling (Tsin-ling) Mountains, 1904. Ⅳ-Ⅴ (USNM); 1♂, 周至厚畛子镇, 1271m, 2007. Ⅴ. 28, 林美英采(IOZ(E)1905671); 1♂, 商县, “变桥”, 1981. Ⅴ. 20, 何勇采, 寄主:桃; 1♂, 西岔公社, 1981. Ⅲ. 21, 孙林华采, 寄主:桃; 1♂, 石泉, 1981. Ⅵ. 07; 15♂15♀, 凤县、安康、平利、商南、西乡、汉中(NWAFU); 1♀, 华山(Shensi, Hwashan), 1936. Ⅵ. 09; 1♂, 陕西, 为害杨, 1959; 1♂, 陕西, 1959。

分布:陕西(周至、凤县、华阴、汉中、安康、商州、洛南、商南、石泉、紫阳、宁强、西乡)、山西、河南、湖北、湖南、四川。

寄主:杨,李,油桐,苹果,桃,梅。

生物学(周嘉熹等, 1988):在安康成虫 4 月中旬开始羽化，成虫不善飞翔，多在主干和纸条上爬行，惊动有坠落习性，易捕捉。成虫寿命达 33 天。在陕西省安康县集河乡沙沟桃树、李树受害重。

88. 刺角天牛属 *Trirachys* Hope, 1841

Trirachys Hope, 1843: 63. **Type species**: *Trirachys orientalis* Hope, 1843.

Trirhachis Agassiz, 1846(Agassiz, 1846): 378 [unjustified emendation].

Trirrhachys: Gemminger & Harold, 1872: 2801 [unjustified emendation].

属征:体大型，复眼小眼面粗；触角第1~5节端部膨大，第3~10节内端具十分尖锐的长刺；前胸侧刺突短钝不发达，鞘翅具明显闪光绒毛。中足基节窝对后侧片开放。

分布:中国；日本，越南，老挝，印度，缅甸，菲律宾。世界已知7种，中国记录1种，秦岭地区发现1种。

(160)刺角天牛 *Trirachys orientalis* Hope, 1843(图版12:7)

Trirachys orientalis Hope, 1843: 64.

Trirrhachis orientalis: Gemminger & Harold, 1872: 2801.

Trirachys formosana Schwarzer, 1925a: 21.

鉴别特征:体长32.0~53.0mm。体型较大，灰黑色，被有丝光的棕黄色及银灰色绒毛，从不同方向观察而变为闪光。头顶中部两侧具纵沟，后部有粗细刻点；复眼下叶略呈三角形，不很靠近上颚。触角灰黑色，较长，雄虫约为体长的两倍，雌虫略超过体长，雌虫与雄虫皆具有明显的内端角刺，雄虫自第3至第7节，雌虫自第3至第10节，此外，雌虫第6~10节还有较明显的外端角刺；柄节呈筒状，具有环形波状脊。前胸节具较短的侧刺突，背板粗糙，中央偏后有一小块近乎三角形的平板，上覆棕黄色绒毛，平板两侧较低洼，无毛，有平行的波状横脊。鞘翅表面不平，略有高低，末端平切，具显突的内、外角端刺。腹部被有稀疏绒毛，臀板一般露于鞘翅之外。

采集记录:1♂，西安，1979. Ⅴ. 25，张玉岱采(NWAFU)，寄主:柳；1♂，武功张家岗，1956. Ⅵ(NWAFU，CO025987)。

分布:陕西(西安、武功、商洛、合阳、西乡、紫阳)、辽宁、北京、河北、山西、山东、河南、江苏、上海、安徽、浙江、湖北、江西、福建、台湾、海南、重庆、四川、贵州；日本，越南，老挝。

寄主:柳，柑橘，梨。

Ⅵ. 纤天牛族 Cleomenini Lacordaire, 1868

鉴别特征(Gressitt, 1940b):头较扁平，倾斜；额平坦，四方形；复眼侧生，凹陷，小眼面细粒；触角短于或长于体长，第3节显著长于第4节；前胸前后缘缢缩，两侧中间圆；鞘翅几乎平行；前足基节窝圆形，向后关闭；中胸腹板突宽，对后侧片关闭；腹部第1可见腹板长；腿节棒状(有细柄)；爪全开式。

分类:世界已知26属，中国记录8属，秦岭地区发现4属7种。

备注：关于 Cleomenini 的作者和年代，主要有三种说法：Lacordaire，1868（e. g. Bouchard *et al*. 2011；Löbl & Smetana，2010），Lacodaire，1869（e. g. Ohbayashi & Niisato，2007），Pascoe，1869（e. g. Bousquet *et al*. 2009）。这主要是由于在 Lacordaire（1868）的第 405 页里，"34 Cléoménides"出现在中列的字里行间，而不是像其他族名一样被鲜明地列在右列，很容易被忽略或看不到。然后 Lacodaire（1869）被采用，更有严谨的人注意到 Pascoe，1869［13 October］比 Lacordaire（1869）［"31" October］更早。但最早的实际上还是 Lacordaire，1868。

分属检索表

1. 复眼不断裂为两部分 …… 2
   复眼断裂为上下两部分 …… 3
2. 后足腿节逐渐膨大，基部细长柄短于膨大部分；前胸背板短于或略长于宽；触角较短，短于虫体 …… **红胸天牛属 *Dere***
   后足腿节后端突然膨大，基部细长柄远长于膨大部分；前胸背板长明显胜于宽；触角较长，雄虫触角通常长于虫体 …… **纤天牛属 *Cleomenes***
3. 前胸极度延长，中间有强烈缢缩分成前后两段（看起来像两种不同的前胸串起来） …… **串胸天牛属 *Diplothorax***
   前胸不分前后段，中间无缢缩或刺突 …… **球胸天牛属 *Paramimistena***

89. 纤天牛属 *Cleomenes* Thomson，1864

Cleomenes Thomson，1864：161. **Type species**：*Cleomenes diammaphoroides* Thomson，1864.

属征（蒋书楠等，1985）：复眼较大，内缘凹入，小眼面较细，颊明显短于复眼下叶，额倾斜，头顶浅凹。触角细，雄虫触角长略超过鞘翅，或与鞘翅长度相等，雌虫触角短于鞘翅，第 3 节长于柄节，端部 4 节略为粗大。前胸背板长明显胜于宽，或多或少呈圆柱形，前、后端微收缩。小盾片较小，近于方形。鞘翅十分细长，两侧近于平行，每翅端缘斜切、凹入或末端具 2 个尖刺；翅面或多或少有脊纹，刻点排列整齐。前胸腹板突较窄，顶端较阔，从正面观，后胸腹板两侧被鞘翅遮盖而不外露；腹部第 1 节短于第 2、3 节长度之和；前足基节窝向后关闭，足细长，腿节基部呈细柄状，端部突然膨大呈棒状。

分布：东洋区。世界已知 38 种/亚种，中国记录 14 种/亚种，秦岭地区发现 2 种。

（161）长翅纤天牛 *Cleomenes longipennis longipennis* Gressitt，1951（图版 12：8）

Cleomenes longipennis Gressitt，1951：313，pl. 12，fig. 7.

Cleomenes longipennis longipennis: Holzschuh, 2006a: 264.

鉴别特征:体长15.5mm左右。体细长，黑色。触角、鞘翅及足黄褐色；触角柄节及腿节膨大部分略带红色；每个鞘翅有3条很窄的黑褐色条纹，分别位于外侧缘、中部及中缝，中部1条由基部开始直至鞘翅端部；端末带黑褐色。前胸背板前缘及两侧缘密布金黄色绒毛。中央有1条不规则的金黄色绒毛纵纹；小盾片密布带光泽的灰黄色绒毛。体腹面薄被一层具光泽的灰黄色绒毛。雄虫触角长于体，雌虫触角长达鞘翅末端，柄节较粗，第3节长于柄节，第3、4、5节的各节几乎等长，端部4节稍粗。前胸背板长胜于宽，两侧缘微弧形。鞘翅宽略胜于前胸背板，十分细长，两侧近于平行，端部狭窄。足细长，腿节长柄棒状，后足腿节不超过鞘翅末端，后足跗节第1节长于以下两节之和。

采集记录:1♂，周至厚畛子老县城至秦岭梁途中，1745～2021m，2007. Ⅴ.27，林美英采。1♂6♀，周至厚畛子秦岭梁，2021m，2007. Ⅴ.27，林美英、崔俊芝、张丽杰采；1♀，周至厚畛子，2004. Ⅴ.19，郎嵩云采。

分布:陕西(周至)、湖北、台湾、四川。

(162)三带纤天牛 *Cleomenes tenuipes* Gressitt, 1939(图版12:9)

Cleomenes tenuipes Gressitt, 1939a: 106, pl. Ⅱ, fig. 8.

鉴别特征:体长8.0～10.0mm。体狭窄，细弱，头和足细长。黑色，下颚须、下唇须、上唇、鞘翅及足黄褐色，有时触角末端3或4节颜色略深，呈褐色。鞘翅基缘及部分侧缘带褐色，每翅后半部有3条褐色横纹，第1条位于中部之下，较窄，近侧缘的一端较宽，向侧缘上、下延伸；第2条位于鞘翅的3/4，呈斜纹，不接触侧缘，第3条位于末端，较宽；有时在翅的中部之上，靠近中缝有1个小褐斑，纵脊纹前端有1条褐色纵纹。前、中足腿节的膨大部分为深褐色，后足腿节的膨大部分为黑褐色。头、胸被金黄色绒毛。体腹面被灰黄色光泽绒毛。头不长，复眼大，颊明显短于复眼下叶；额长胜于宽，复眼之间额窄于复眼的宽度；头密布细刻点。雄虫触角伸至鞘翅末端，雌虫触角短于鞘翅，柄节粗大，密布较粗糙刻点，第3、4、5节的各节近于等长，第5节以下的各节渐短，末端4节略呈纺锤形。前胸背板和头近于等宽，前胸长胜于宽，胸面有4个瘤突，近后缘两个明显，密布大小不一的深刻点。小盾片近于方形。鞘翅长形，略宽于前胸背板，两侧近于平行，端缘斜凹切；肩内侧有1条清楚的纵脊纹，直至端部，刻点粗深，排列较为整齐。后足腿节膨大部分占腿节长度的1/4，胫节末端略粗，后足跗节第1节长于以下两节之和。雄虫腹部末节较短阔，端缘较平直。

采集记录:2♂1♀，周至厚畛子，1271m，2007. Ⅴ.26，林美英、史宏亮采。

分布:陕西(周至)、浙江、湖北、台湾、广西、云南；越南，老挝，印度，马来西亚。

90. 红胸天牛属 *Dere* White, 1855

Dere White, 1855: 248. **Type species**: *Dere thoracica* White, 1855.

属征(蒋书楠等, 1985):体较小, 背面扁平, 复眼内缘微凹, 小眼面细; 触角短于虫体, 端部数节稍膨大, 第3节最长。前胸背板长胜于宽, 无侧刺突, 两侧缘微呈弧形。鞘翅端部稍扩大, 端缘斜切或内凹。中足基节窝对后侧片关闭, 后足腿节逐渐膨大呈棒状, 爪全开式。

分布:古北区, 东洋区, 非洲区。世界已知50种/亚种, 中国记录9种/亚种, 秦岭地区发现3种, 但我们只检视到1种标本。

(163)蓝黑红胸天牛 *Dere nigripennis* Holzschuh, 2015(图版12:10a, 10b)

Dere nigripennis Holzschuh, 2015a: 59, figs. 38a, 38b.

鉴别特征:体长6.5~8.4mm。体蓝黑色, 前胸背板大部分红色, 但前缘有一个半圆形蓝黑色斑, 后缘有一个"M"形蓝黑色斑。触角短于体长, 雄虫达鞘翅约1/5处, 雌虫仅达鞘翅中部。鞘翅末端微斜切, 不具齿。

跟 *D. femoralis* 和 *D. thoracica* 相似, 但本种较狭长, 不向后扩宽, 不具皱纹和发亮, 鞘翅和后足腿节没有明显金属光泽; 跟同属其他种类相比, 腿节下方具稠密的白毛, 复眼下叶周边具细密刻点。

采集记录:1♂(正模), Shaanxi, Lueyang, 2014. Ⅵ.21-Ⅶ.06, E. Kučera (CCH); 1♂3♀(副模), 同正模; 3♀, Shaanxi, Qinling Shan, 6km E of Xunyangba, 1000~1300m, 2000. Ⅴ.23-Ⅵ.13, C. Holzschuh (CCH, CEK); 1♀, 留坝红崖沟, 1500~1650m, 1998. Ⅶ.22, 张学忠采; 1♂, 佛坪长角坝乡上沙窝村, 1215m, 2007. Ⅴ.29, 林美英采; 1♀, 佛坪县城, 843m, 2007. Ⅴ.29, 林美英采; 1♀, 城固, 1980. Ⅴ.02 (NWAFU, CO028429)。

分布:陕西(略阳、留坝、佛坪、宁陕、城固)。

(164)松红胸天牛 *Dere reticulata* Gressitt, 1942

Dere reticulata Gressitt, 1942a: 4, fig. 3.

鉴别特征:体长8.0~10.5mm。体较细小, 扁平。头部、触角、足、中胸腹板、后胸腹板及体腹面黑色; 前胸背板橘红色或朱红色, 前、后缘区黑色; 鞘翅暗蓝或藏青色, 有金属光泽。雄虫触角长达鞘翅中部之后, 雌虫触角则稍短, 第3节最长。前胸背板长胜于宽，两侧缘微呈弧形。鞘翅端缘斜切，微凹缘。足短小，前、中足腿节端部突然膨大，后足腿节逐渐膨大。

分布:陕西(秦岭)、北京、河南、浙江、湖北、四川、云南、西藏；老挝。

寄主:云南松。*Pinus yunnanensis* Franchet，*Syringa* sp.。

(165)红胸天牛 *Dere thoracica* White，1855

Dere thoracica White，1855：249.

别名:栎蓝天牛、栎红胸天牛。

鉴别特征:体长7.5～10.0mm。体窄长，扁平。头部及足黑色；前胸朱红色，前、后缘区黑色；鞘翅暗蓝，有金属光泽。头部刻点粗糙，前部正中有窄浅纵沟，有时不甚明显。触角短，向后伸展，约为体长的3/5，第3节最长，第3～10节外端角呈锐齿状，但不向外侧突出。前胸长大于宽，侧缘稍稍突出呈浅弧形，胸面布有粗糙刻点，中部稍微纵凹。鞘翅两侧缘平行，翅面扁平，刻点稠密均匀，翅端内缺呈弧形，缺口两侧各具细小锐齿。腹面隆起，布有稠密刻点及浓密灰白色绒毛。足短小，前足及中足腿节端部突然膨大，呈球棒状，富有光泽；后足腿节端部逐渐膨大，但不呈球棒状，上面有颜色深而浓密的刻点，十分显著。

分布:陕西(秦岭)、黑龙江、吉林、河北、山东、河南、江苏、浙江、湖北、江西、湖南、福建、广东、广西、四川、贵州、云南；朝鲜，韩国，日本，越南，老挝。

寄主:栎，合欢，光叶石楠，郁李。

生物学(陈世骧等，1959)**:**成虫四五月间开始出现(日本)，常集在花上，交尾后以产卵管插入树干产卵。一年发生一代，以幼虫越冬，大多数在翌春蛹化，以后即羽化。有时幼虫生活在楢、樫的枯材中。

91. 串胸天牛属 *Diplothorax* Gressitt *et* Rondon，1970

Diplothorax Gressitt *et* Rondon，1970：312. **Type specics**：*Diplothorax paradoxus* Gressitt *et* Rondon，1970.

属征(Gressitt & Rondon，1970)**:**体很狭长；头与前胸约等宽；触角基瘤互相远离；头顶浅凹；额宽大于高；复眼断裂成上下两叶且互相远离；触角细长，具长竖毛；前胸极度延长，看起来像两种不同的前胸串起来，前面的部分长大于宽，向后缩窄，后面的部分前后端缩窄，具有侧刺突；鞘翅短，向后逐渐狭窄，不到达腹部第1可见腹板的末端。前足基节窝向后关闭，中足基节窝几乎关闭。腹部各节长度不等；足细长，腿节具细柄，棒状部分强壮，后足腿节略长于前足腿节，远超过鞘翅末端但不达到腹部末端，后足跗节细长。

分布:中国;老挝,泰国,印度,不丹,尼泊尔。世界已知11种,中国记录6种,秦岭地区发现1种。

(166)刻点串胸天牛 *Diplothorax punctator* Holzschuh, 2003(图版13:1)

Diplothorax punctator Holzschuh, 2003: 189, fig. 33.

鉴别特征:体长9.7~11.8mm。体黑色,触角和足黑褐色,鞘翅基半部(超过一半)大部分浅褐色但肩角和侧面黑褐色,浅褐色部分的中间具有黑斑,端半部(不到一半)黑色。触角长于体(雄虫),鞘翅末端圆。

采集记录:1♂(正模), Lueyang, 33°07′N, 106°05′N, 1997. Ⅵ. 18-24, E. Kučera (CCH);3♂1♀(副模), Lueyang env., 15Km NW, 2001. Ⅴ. 26-31, E. Kučera(CCH)。

分布:陕西(略阳)。

92. 球胸天牛属 *Paramimistena* Fisher, 1940

Paramimistena Fisher, 1940: 204. **Type species**: *Paramimistena polyalthiae* Fisher, 1940.

属征(Fisher, 1940):体狭长,头不后缩,额横阔,下颚须很短,圆柱形,各节约等长,末端切平,颊短。触角11节,约等于(雄虫)或短于(雌虫)体长,细长不特化,下沿密被缨毛;柄节短,近圆柱形,向后渐膨大,不具端疤,略长于第3节,第3节约等长于第4节,其后各节约等长。复眼小眼面细粒,断裂成两部分,上叶狭小,下叶圆。前胸背板长大于宽,不具侧刺突。鞘翅狭长,背面平坦,不具侧脊,末端圆形。腹部长椭圆形,第1腹板长约等于其后各节之和。足长,但各足不等长,腿节为有细柄的棒状,后足超过腹部末端;中足和后足胫节细长,近圆柱形,前足胫节较短且向末端膨大;后足跗节第1节等长于其后两节之和;爪单齿式,全开式。前足基节圆形,不呈角状突,前足基节窝向后关闭。中足基节窝关闭。前胸腹板突窄,前后两端下倾。

分布:中国;越南,老挝,泰国,缅甸,印度。世界已知18种,中国记录2种,秦岭地区发现1种。

(167)小球胸天牛 *Paramimistena enterolobii* Gressitt *et* Rondon, 1970

Paramimistena enterolobii Gressitt *et* Rondon, 1970: 308, figs. 48 c-d.

鉴别特征:体长2.6~4.5mm。体红褐色至黑褐色。头黑褐色,触角各节基部红褐色,端部黑褐色;前胸背板大部分黑褐色,中区红褐色,但两者没有明显分界。小盾片黑色;鞘翅大部分黑褐色,基部约1/3处具有浅色横斑,不到达鞘缝;足棕褐色。

分布:陕西(秦岭);老挝,泰国。

Ⅶ. 虎天牛族 Clytini Mulsant, 1839

鉴别特征(Gressitt, 1940b):头短，多少垂直若下口式；触角通常短于体长；前胸球形或椭圆形；鞘翅通常向后渐渐缩窄，末端平切；后足长；前足基节窝侧面成角状，向后开放；中足基节窝对后侧片开放；爪全开式。

分类:世界已知81属/亚属，中国记录27属，秦岭地区发现14属59种。

分属检索表

1. 两触角之间距离颇宽阔；触角基瘤内侧无明显角状突出 …… 2
   两触角之间距离颇接近；触角基瘤内侧呈角状突出 …… 10
2. 额中央具纵脊或分叉脊纹，额两侧各有1条纵脊，有时两侧仅上部明显 …… **脊虎天牛属 *Xylotrechus***
   额无明显的纵脊纹 …… 3
3. 触角较粗，第3节与第4节约等长；前胸背板宽显胜于长 …… 4
   触角较细，第3节略长于第4节；前胸背板一般长胜于宽，或长宽约相当，少许宽略胜于长 …… 6
4. 触角很短，短于体长的1/2 …… 5
   触角与体长约相当；自第3节起各节内端角及外端角呈齿状 …… **丽虎天牛属 *Plagionotus***
5. 触角仅伸达鞘翅基部附近 …… **西虎天牛属 *Hesperoclytus***
   触角明显超过鞘翅基部但短于体长的1/2 …… **球虎天牛属 *Calloides***
6. 后足第1节较长，至少为其后两节之和的2.0倍 …… 7
   后足第1节较短，不到其后两节的两倍 …… 9
7. 后足腿节超过鞘翅末端 …… **跗虎天牛属 *Perissus***
   后足腿节不超过鞘翅末端 …… 8
8. 触角短于体；鞘翅长小于肩宽的3.0倍 …… **特虎天牛属 *Teratoclytus***
   触角长于体；鞘翅长大于肩宽的3.0倍 …… **林虎天牛属 *Rhabdoclytus***
9. 小盾片半圆形；体不着生直立细长毛；雄虫后足腿节超过鞘翅末端，雌虫后足腿节不超过鞘翅末端 …… **虎天牛属 *Clytus***
   小盾片略成三角形；体着生直立细长毛；后足腿节不达鞘翅末端 …… **曲虎天牛属 *Cyrtoclytus***
10. 触角第3、4节内侧端部具刺 …… 11
    触角内侧端部无刺 …… 12
11. 触角第3、4节内侧端部刺较发达 …… **刺虎天牛属 *Demonax***
    触角第3、4节内侧端部刺不发达 …… **格虎天牛属 *Grammographus***
12. 两触角基瘤十分接近；后足跗节第1节长度不到其后两节的两倍 …… 13
    两触角基瘤不很接近；后足跗节第1节长度为其后两节的两倍多；雄虫触角很少长于体长 …… **艳虎天牛属 *Rhaphuma***
13. 触角柄节不很扩大，第3节不长于柄节，复眼不很突出，体不狭长，不呈圆筒形 …… **绿虎天牛属 *Chlorophorus***

触角柄节膨大，第 3 节为柄节的两倍多，复眼较大而突出，体狭长呈圆筒形 ……………………………………………………………………………………………… **筒虎天牛属 *Sclethrus***

93. 球虎天牛属 *Calloides* LeConte, 1873

Calloides LeConte, 1873b: 319. **Type species**: *Clytus nobilis* Harris, 1836.

别名：球胸虎天牛属。

属征（蒲富基，1980）：头窄于前胸，复眼内沿微凹入，小眼面细，复眼之间额稍突出，额不具纵脊纹；触角基瘤着生处彼此分开较宽，触角粗壮，短于体长 1/2，端部 4 节不很短，非圆柱形，略呈扁锯形。前胸背板宽胜于长，无侧刺突，表面拱凸。前足基节窝向后开放，中足基节窝对后侧片开放（后足腿节不超过鞘翅末端），后胸前侧片宽，长约为宽的 3.0 倍。

分布：中国，北美洲。世界已知 7 种/亚种，中国记录 3 种，秦岭地区发现 1 种。

（168）黄带球虎天牛 *Calloides magnificus* (Pic, 1916)

Clytus magnificus Pic, 1916b: 181.

Calloides magnificus: Gressitt, 1951: 262.

别名：黄带球胸虎天牛、黄带虎天牛。

鉴别特征：体长 16.0mm 左右。体较大，黑色，额、前胸背板前缘及后缘的两侧，小盾片后缘及体腹面大部分，具浓密黄色绒毛。鞘翅有黄色绒毛斑纹，每翅有 2 条黄色横带及 1 个黄斑；横带分别位于鞘翅 1/3 及 2/3 处，黄斑位于端末；侧缘上部有黄色纵条纹；第 1 条横带较窄，微弯曲，横带外端同侧缘纵条纹相连接。头、前胸、鞘翅基部及体腹面着生稀疏淡黄直立细长毛，触角端部数节被覆银灰色短卧毛。额中央有 1 条细纵凹线，复眼下叶稍长于颊，头密布粗、细刻点，头顶刻点较粗糙，刻点之间出现脊纹；触角长达鞘翅基部，第 3 节同第 4 节约等长，稍短于柄节。前胸背板宽稍胜于长，表面具粗大刻点，刻点之间呈网状脊纹。小盾片半圆形，密布极细刻点。鞘翅两侧近于平行，端部稍窄，端缘斜切，外端角钝；翅面密布极细刻点，基部刻点粗糙。后足第 1 跗节长于其余跗节长度之和。

分布：陕西（华山）、河北、山西、山东、四川。

94. 绿虎天牛属 *Chlorophorus* Chevrolat, 1863

Chlorophorus Chevrolat, 1863: 290. **Type species**: *Callidium annulare* Fabricius, 1787.

Chlorophorus (*Chlorophorus*): Özdikmen, 2011: 536.

Chlorophorus (*Immaculatus*) Özdikmen, 2011: 536, 538. **Type species**: *Chlorophorus kanoi* Hayashi, 1963.

Chlorophorus (*Perderomaculatus*) Özdikmen, 2011: 537, 538. **Type species**: *Leptura sartor* Müller, 1766.

Chlorophorus (*Humeromaculatus*) Özdikmen, 2011: 537, 538. **Type species**: *Cerambyx figuratus* Scopoli, 1763.

Chlorophorus (*Crassofasciatus*) Özdikmen, 2011: 538. **Type species**: *Callidium trifasciatum* Fabricius, 1781.

属征(蒋书楠等, 1985):复眼内缘凹入,小眼面细;触角基瘤彼此颇接近;触角不十分细,一般短于身体,第3节不长于柄节。前胸背板长稍胜于宽或近于等宽,两侧缘呈弧形,无侧刺突;小盾片小,近半圆形。鞘翅中等长,端缘圆形、斜截或平截,有时缘角具刺。后胸前侧片较窄,长是宽的4.0倍;前足基节窝向后开放;中足基节窝对后侧片开放。后足腿节超过鞘翅端末,后足第1跗节同其余跗节的总长度约等长或略长。

分布:古北区,东洋区,非洲区,澳洲区,新北区。世界已知251种/亚种,中国记录69种/亚种,秦岭地区发现14种/亚种,另有3种暂时无法鉴定到种。因为有一些种类没有见到标本,还有一些种类无法鉴定到种,暂时无法提供分种检索表。

(169)绿虎天牛 *Chlorophorus annularis* (Fabricius, 1787)(图版13:2)

Callidium annulare Fabricius, 1787: 156.

Cerambyx (*Callidium*) *annularis*: Gmelin, 1790: 1855.

Clytus annularis: Fabricius, 1801: 352.

Callidium bidens Weber, 1801: 90.

Chlorophorus annularis: Chevrolat, 1863: 290.

Clytus annulosus: Pascoe, 1864c: 246. [misspelling].

Caloclytus annularis: Gahan, 1906: 261.

Rhaphuma annularis: K. Ohbayashi, 1963c: 11.

别名:竹绿虎天牛。

鉴别特征:体长9.5~18.0mm。体型狭长,棕色或棕黑色,头部及背面密被黄色绒毛,腹面被白绒毛,足部有时赤褐色;前胸背板具4个长形黑斑,中央2个至前端合并;鞘翅基部1个卵圆形黑环,中央有1个黑色横条,其外侧与黑环相接触,端部有1个圆形黑斑。触角约体长之半,或稍长,柄节与第3~5各节几等长。前胸背板球形,表面黑斑部分很粗糙。鞘翅狭长,两边几乎平行,后缘浅凹形,内外缘角呈细齿状。后足腿节约伸展至鞘翅末端,后足第1跗节相当于其余3节长度的总和。

采集记录:1♀,洋县华阳镇,2014.Ⅶ.13,刘漪舟采。

分布:陕西(洋县)、黑龙江、吉林、辽宁、河北、河南、江苏、安徽、浙江、湖北、湖南、福建、台湾、广东、海南、香港、广西、重庆、四川、贵州、云南、西藏；韩国，日本，越南，老挝，泰国，缅甸，印度，尼泊尔，柬埔寨，菲律宾，马来西亚，印度尼西亚。

寄主：竹，棉，苹果，枫，柚木。

(170) 川绿虎天牛 *Chlorophorus apertulus* Holzschuh, 1992 陕西新纪录(图版 13：3)

Chlorophorus apertulus Holzschuh, 1992: 25, fig. 26, 67.

鉴别特征：体长 10.0～12.5mm。跟榄绿虎天牛 *Chlorophorus eleodes* (Fairmaire, 1889)相似，但前胸背板具有 4 个黑斑，中间的 2 个位于中部之后，两侧的黑斑位于中部；每鞘翅基部具有 2 个黑斑；中足腿节外侧中央不具有 1 条光滑纵脊线。

采集记录：1♀，周至厚畛子，1300～1500m，2008. Ⅴ.15-19，黄灏采(CCCC)。

分布：陕西(周至)、四川。

(171) 槐绿虎天牛 *Chlorophorus diadema diadema* (Motschulsky, 1854) (图版 13：4)

Clytus diadema Motschulsky, 1854: 48.

Clytus (*Clytanthus*) *herzianus* Ganglbauer, 1887a: 134.

Clytus artemisiae Fairmaire, 1888b: 143.

Clytanthus artemisiae: Pic, 1900a: 19.

Chlorophorus herzianus: Okamoto, 1927: 75.

Chlorophorus diadema: Matsushita, 1934; 240.

Chlorophorus diadema var. *itoi* Matsushita, 1934; 240, fig.

Chlorophorus diadema var. *bruningi* Heyrovský, 1938: 93.

鉴别特征：体长 8.0～12.0mm。体棕褐色，头部及腹面被有灰黄色绒毛。触角基瘤内侧呈角状突起，触角约伸展至鞘翅中央，第 3 节较柄节稍短。前胸背板长略大于宽，略呈球面，密布粒状刻点；前缘及基部有灰黄色绒毛，有时绒毛分布较多，使中央无毛区域形成 1 个褐色横条，或前端与基部绒毛扩大至中央相遇，使横条区域分割成断续斑点。鞘翅基部有少量黄绒毛，肩部前后有黄绒毛斑 2 个，靠小盾片沿内缘为一向外弯斜的条斑，其外端几乎与肩部第 2 个斑点相接，中央稍后又有 1 个横条，末端黄绒毛亦呈横条形。后缘斜切，外缘角较明显。

采集记录：1♀，户县，1981. Ⅶ，沈毅、郑生民采；1♀，陇县兰家堡，1980. Ⅶ.07；1♀，宝鸡，1951. Ⅶ.11；1♂1♀，眉县，1963. Ⅷ.06，谌有光采；3♀，南郑陕西神农，1980；1♀，秦岭红岭林场，1580m，1973. Ⅶ.21，张学忠采；1♂，镇巴，1981. Ⅸ.29。

分布：陕西(户县、陇县、宝鸡、眉县、南郑、镇巴)、黑龙江、吉林、内蒙古、北京、河北、山西、山东、河南、甘肃、江苏、安徽、浙江、湖北、江西、湖南、福建、广东、广西、四川、贵州、云南；蒙古，俄罗斯（西伯利亚），朝鲜，韩国。

寄主：刺槐，亚细亚樱桃，桦。

（172）多氏绿虎天牛 *Chlorophorus douei*（Chevrolat，1863）陕西新纪录（图版 13：5）

Anthoboscus douei Chevrolat，1863：294.

Clytanthus douei：Gahan，1900：348.

Chlorophorus reductus Pic，1922：13.

Chlorophorus laharae Gardner，1942：72.

Chlorophorus aei Hayashi，1979：90.

Chlorophorus douei：Hua，2002：201.

鉴别特征：体长 9.0～13.0mm。鞘翅黑色斑纹有些变异。相比之下，陕西产的一号标本鞘翅的第 1 道黑色斑纹更加发达，尤其是最基部横向的部分发达很多，第 3 道黑色斑纹分界明晰，鞘翅末端横切，端缘角不那么钝圆。跟华立中等（2009）第 354 种半环绿虎天牛 *Chlorophorus reductus* Pic，1922 提供的图片最为相似。

采集记录：1♂，周至集贤镇立新村，2006. Ⅶ. 16，林美英采（IOZ（E）1904823）。

分布：陕西（周至）、广东、海南、香港、广西、云南；越南，老挝，印度，尼泊尔。

（173）榄绿虎天牛 *Chlorophorus eleodes*（Fairmaire，1889）

Clytus eleodes Fairmaire，1889b：65.

Clytanthus insignifer Pic，1902b：31.

Chlorophorus insignifer：Aurivillius，1912：403.

Chlorophorus eleodes：Aurivillius，1912：403.

Chlorophorus insignifer var. *robustus* Pic，1920a；16.

鉴别特征：体长 10.0～13.0mm。体较小，底色黑，背面被覆橄榄绿色绒毛；触角大部分及胫节、跗节黑褐，触角被灰色短毛；体腹面着生浓密绿黄色绒毛。头较长形，触角基瘤内侧呈角状突出；额中央有 1 条细纵线；复眼下叶同颊约等长；头顶有几粒粗大刻点；触角长度约为体长之半或稍长，第 3 节长于第 4 节，同柄节近于等长。前胸背板长略胜于宽，前胸稍窄，表面具颗粒脊纹刻点，侧缘有少许粗深刻点。鞘翅两侧平行，端缘切平，外端角有明显刺；翅面有极细密刻点。中足腿节外侧中央有 1 条光滑纵脊线；后足腿节超过鞘翅端部；后足第 1 跗节稍长于其余跗节的长度之和。

分布：陕西（武功）、新疆、湖北、江西、广西、重庆、四川、贵州、云南、西藏。

寄主：刺桐属，麻栎，棉花，云南松。

(174)澳门绿虎天牛 *Chlorophorus macaumensis* (Chevrolat, 1845)

Clytus macaumensis Chevrolat, 1845: 98.

Anthoboscus macaumensis: Chevrolat, 1863: 279.

Chlorophorus macaumensis: Aurivillius, 1912: 403.

鉴别特征:体长10.0~14.0mm。体较小,底色黑或黑褐,触角部分及足棕褐,体被灰白或灰黄绒毛。前胸背板无绒毛着生处形成黑色斑点,中区有1个黑斑,两侧各有1个圆形黑斑点。小盾片着生浓密白色绒毛。鞘翅有灰白色或灰黄绒毛斑纹,基部有1个弓形灰色斑纹,弓形斑纹内有2个白色斑点,中后部有1条灰黄宽横带及端末灰黄斑纹。体腹面疲覆灰黄绒毛,后胸前侧片及腹部前2节后缘绒毛浓密。头长形,触角基瘤内侧呈角状突起;额中央有1条光滑无毛纵线;头顶有少许粗深刻点;触角长达鞘翅基部,柄节同第3节近于等长,第3节长于第4节。前胸背板长稍胜于宽,前端窄,胸拱凸;表面有细皱纹刻点。鞘翅端缘斜切,具外端角;翅面刻点细密。中、后足腿节两侧各有1条光滑细纵脊线;后足第1跗节同其余跗节的长度之和约等长。

分布:陕西(秦岭)、广东、海南、香港、澳门、广西。

(175)弧纹绿虎天牛 *Chlorophorus miwai* Gressitt, 1936

Chlorophorus miwai Gressitt, 1936: 100, pl. 1, fig. 12.

Chlorophorus shirozui Hayashi, 1965: 110.

鉴别特征:体长11.5~17.0mm。体中等大小,粗壮,底色黑,背面覆盖黄色绒毛,无绒毛着生处组成黑色斑纹;体腹面着生较浓密黄绒毛。复眼之间的额突起;额有1条中纵线;触角基瘤内侧角状突出;头有细密刻点,头顶有少许粗大刻点;触角长达鞘翅中部,第3节同第4节约等长。前胸背板长、宽近于相等,前端稍窄,两侧缘微呈弧形,表面拱凸;中区有2个黑斑,2个黑斑前端连接,两侧各有1个圆形黑斑,胸面有细皱纹刻点。每翅基部黑环斑纹后侧开放较宽,呈弓形斑纹;中部有1条黑横带,靠近中缝一端,沿中缝稍向上延伸;端部有1个大黑斑纹;翅面具细密刻点。中足腿节两侧中央,各有1条光滑细纵线。

分布:陕西(户县)、黑龙江、吉林、辽宁、山东、河南、安徽、浙江、湖北、江西、湖南、福建、台湾、广东、广西、四川、贵州;朝鲜。

(176)杨柳绿虎天牛 *Chlorophorus motschulskyi* (Ganglbauer, 1887)

Clytus latofasciatus Motschulsky, 1861b: 41 (nec Fischer von Waldhein, 1832).

Clytus (*Clytanthus*) *motschulskyi* Ganglbauer, 1887a: 135 (new name for *Clytus latofasciatus* Motschulsky, 1861).

Chlorophorus motschluskyi: Gressitt, 1951: 279 [misspelling].

Chlorophorus motschulskyi chasanensis Tsherepanov, 1982: 175.

别名:杨柳虎天牛。

鉴别特征:体长 8.0 ~ 16.0mm。体黑褐色，被有灰白色绒毛，足部跗节色泽较淡。头部触角基瘤内侧呈明显的角状突起。触角约伸展至鞘翅中央，柄节与第 3 ~ 5 各节等长。前胸背板似球形，长略大于宽，密布粗糙颗粒式刻点，除灰白色绒毛外，中域有细长竖毛，中域有一小区域没有灰白绒毛而形成 1 个黑斑。小盾片半圆形，密生绒毛。鞘翅上有灰白色绒毛形成条斑；基部沿小盾片及内缘向后外方弯斜成 1 条狭细浅弧形条斑，肩部前后 2 个小斑，鞘翅中部稍后为 1 个横条，其靠内缘一端较宽阔，末端为 1 个宽阔的横斑，后缘平直。后胸前侧片具浓密的白色绒毛，色泽很鲜明；后足第 1 跗节略长于其余 3 节的长度之和。

分布:陕西（秦岭）、黑龙江、吉林、辽宁、内蒙古、河北、山西、山东、河南、甘肃、浙江、福建；蒙古，俄罗斯，朝鲜，韩国。

寄主:柳属，杨属，桦属。

(177) 宝兴绿虎天牛 *Chlorophorus moupinensis* (Fairmaire, 1888)（图版 13:6a, 6b）

Clytus moupinensis Fairmaire, 1888a: 33.

Chlorophorus moupinensis: Aurivillius, 1912: 404.

鉴别特征:体长 10.0 ~ 15.0mm。体狭长，圆筒形。全体密被草绿色细绒毛，具黑色斑纹:前胸背板中央稍后方具 1 对顿号形斑，前端在中线相接；背板两侧中央各 1 个小圆点；鞘翅基部 1/4 处各有 1 个近半圆形的弧形斑，前端仅微屈向翅基，中部与中缝平行，后端弯向翅背中部，肩角上有 1 个小斑点，鞘翅中部各有 1 条黑斜纹，前端沿中缝斜向前，不接触中缝（雌虫）或接触（雄虫），后端止于翅背中央，其外侧有 1 个小斑点，不接触侧缘，翅后端 1/4 处中央各有 1 个斑点，其外侧有 1 个很不显著的小斑点。腹面后胸中线两侧被黄褐色绒毛，腹部腹面中央绒毛较深暗。头部触角基瘤内侧有稀疏粗刻点；触角长不达鞘翅中部，柄节与第 3、4 节等长，第 5 节略长于第 3 节，与以后各节等长。前胸背板近球形，基部两侧有稀疏粗刻点。

采集记录:1♂，蓝田终南，寄主:油松，1980. Ⅷ，李学成采；1♀，太白山，2003. Ⅶ. 28，郎嵩云采；3♀，佛坪窑沟，870 ~ 1000m，1998. Ⅶ. 25，姚建、陈军采；2♀，洋县长青自然保护区，2016 年 01 月通过张巍巍看到照片，标本保存于保护区管理站；1♂2♀，丹凤庾岭镇街坊村三组，1214m，2014. Ⅷ. 11，路园园采（IOZ(E)1904837-8）；1♂1♀，丹凤庾岭镇街坊村四组，1239m，2014. Ⅷ. 13，路园园采（IOZ(E)1904839，Ceram-175）；1♂1♀，丹凤庾岭镇寨子沟，1157m，2014. Ⅷ. 10，路园园采。

分布:陕西（蓝田、太白、佛坪、洋县、丹凤）、浙江、湖北、福建、广西、四川、贵州、云南。

(178)十四斑绿虎天牛 *Chlorophorus quatuordecimmaculatus*(**Chevrolat, 1863**)

Anthoboscus 14-*maculatus* Chevrolat, 1863: 295.
Clytanthus guerryi Pic, 1902b: 30.
Caloclytus 14-*maculatus*: Gahan, 1906: 266.
Chlorophorus quatuordecimmaculatus: Aurivillius, 1912: 404.
Chlorophorus guerryi: Gressitt, 1951: 278.

鉴别特征:体小至中小型。全体被淡灰绿色至灰黄色细绒毛。前胸背板横列 4 个黑斑点，中间 1 对顿号形，外侧两个小而圆。每鞘翅纵列 5 个黑斑，第 1 斑呈圆点或短横条，第 2、3、4 斑呈短横带，向后倾斜，各斑内端均不达中缝。中、后胸侧板绒毛白色，腹面其余部分被灰色绒毛。头部触角短，约为体长的 1/2，第 3 节略短于第 1 节，略长于第 4 节。前胸卵圆形，后半部两侧微突。鞘翅末端稍斜截，缘角突出。中足腿节内外侧均有 1 条细纵隆脊，后足第 1 跗节与第 2、3 节长度之和等长。

分布:陕西(秦岭)、湖南、福建、广东、海南、广西、重庆、四川、贵州、云南；越南，老挝，印度，尼泊尔，巴基斯坦，阿富汗。

寄主:葡萄。

(179)沙氏绿虎天牛 *Chlorophorus savioi*(**Pic, 1924**)(图版 13:7)

Clytanthus savioi Pic, 1924a: 16.
Chlorophorus savioi: Holzschuh, 2006b: 290.
Demonax savioi: Danilevsky, 2012b: 108.

鉴别特征:体长 9.8~11.0mm。底色黑，背面覆盖灰绿色绒毛，无绒毛处形成黑色斑纹；体腹面在中胸前侧片和后胸前侧片有浓密白色绒毛斑纹。前胸背板没有明显斑纹，每鞘翅具有 3 道显著黑斑，第 1 道位于基半部，形成不闭合的环纹，末端与第 2 道接触；第 2 道为斜斑，位于中部；第 3 道在端部之前，越靠近鞘缝越缩窄。触角伸达中部之后，鞘翅末端略平切但端缝角和端缘角均钝圆。

采集记录:1♀，周至厚畛子镇老县城村至秦岭梁途中，1745~2021m，2007. Ⅴ. 27，林美英采；1♀，周至厚畛子秦岭梁，2021m，2007. Ⅴ. 27，林美英采(IOZ(E)1904820)。

分布:陕西(周至)、河北、山西、上海、贵州；俄罗斯，朝鲜，韩国。

(180)裂纹绿虎天牛 *Chlorophorus separatus* **Gressitt, 1940**(图版 13:8)

Chlorophorus separatus Gressitt, 1940b: 78, pl. 2, fig. 10.

鉴别特征：体长8.0～13.0mm。底色黑，背面覆盖绿色绒毛，有黑色斑纹；体腹面有浓密白黄色绒毛。额中央有1条光滑黑色细纵线；头顶有几个粗大刻点；触角基瘤内侧呈角状突出，触角长达鞘翅中部，第3节与柄节近等长。前胸背板长稍胜于宽，前端窄，拱凸；中区有1个横斑，横斑后缘中央微凹，两侧各有1个小黑斑点，胸面有细皱纹刻点。鞘翅比较短，端缘斜切，外端角较尖，每翅基部的黑环斑纹后侧开放较窄，中部有1条黑横带，靠近侧缘一端较宽，端部有1个三角形黑斑；翅面具细密刻点。中足腿节外侧中央各有1条光滑细纵线。

采集记录：1♂（头部和前胸缺失），安康，1980.Ⅵ。

分布：陕西（安康）、河南、浙江、湖北、江西、福建、广东、海南、广西、四川、贵州、云南。

寄主：柞栎。

(181)黄毛绿虎天牛 *Chlorophorus signaticollis* (Laporte *et* Gory, 1841)（图版13:9）

Clytus signaticollis Laporte *et* Gory, 1841: 103.

Anthoboscus signaticollis: Chevrolat, 1863: 303.

Anthoboscus oppositus Chevrolat, 1863: 304.

Clytanthus signaticollis: Gahan, 1894b: 482.

Chlorophorus signaticollis: Aurivillius, 1912: 400.

Rhaphuma signaticollis: K. Ohbayashi, 1963c: 11.

鉴别特征：体长9.0～17.0mm。底色黑，背面覆盖绿色绒毛，有黑色斑纹；体腹面有浓密黄色绒毛。前胸背板有4个黑斑，前端几乎在中部排列成1条横线，中部2个的前端相连，后端向基部延伸。每鞘翅具3道显著黑斑，第1道形成不闭合的圆环，第2道位于中部，略向外、向后斜，第3道也略斜，不接触鞘缝。雌虫触角伸达中部斜斑之前，鞘翅末端斜截，端缝角钝，端缘角齿状。

采集记录：1♀，略阳，1981.Ⅶ；1♀，商南（IOZ(E)1904824）。

分布：陕西（略阳、商南）、浙江、湖北、江西、福建、广东、贵州；日本，印度。

(182)六斑绿虎天牛 *Chlorophorus simillimus* (Kraatz, 1879)（图版13:10）

Clytus sexmaculatus Motschulsky, 1859: 494[HN].

Clytus simillimus Kraatz, 1879: 91(new name for *Clytus sexmaculatus* Motschulsky, 1859).

Clytus 12-maculatus Kraatz, 1879: 91, nota 2.

Clytanthus sexmaculatus: Ganglbauer, 1889a: 70.

Clytanthus simillimus: Ganglbauer, 1889a: 70.

Clytanthus faldermanni var. *joannisi* Théry, 1896: 108.

Clytanthus 6-*maculatus* var. *griseopubens* Pic, 1904a: 17.

Chlorophorus sexmaculatus: Okamoto, 1927: 75.

Chlorophorus simillimus: Niisato, *In*: N. Ohbayashi & Niisato, 2007: 495.

鉴别特征:体长9.0~17.0mm。体中等大小，底色黑，被覆灰绿色绒毛，无绒毛覆盖处形成黑色斑纹。前胸中区有1个叉形黑斑，两侧各有1个黑斑点。每鞘翅6个黑斑分布如下：基部黑环斑纹在前端及后侧开放，形成2个黑斑，一个位于肩部，另一个位于基部中央为纵形斑纹，中部及端半部分别有2个平行的相近黑斑，近侧缘两个黑斑较小，近端部的侧缘黑斑通常与背面黑斑连接。触角基瘤彼此很接近，内侧呈角状突出；颊短于复眼下叶；触角长达鞘翅中部稍后，第3节同第4节约等长；头顶有几粒粗大刻点。前胸背板长胜于宽；鞘翅较短，端缘略切平；腿节中央无细纵线。

采集记录:1♂，周至厚畛子，1350m，1999. Ⅵ.25，章有为采；1♂，周至厚畛子，1271m，2007. Ⅴ.26，史宏亮采；1♂，周至集贤立新村，2006. Ⅶ.16，林美英灯诱；2♀，周至楼观台，683m，2008. Ⅵ.24，崔俊芝、白明采；5♂3♀，凤县红岭林场，1580~1800m，1973. Ⅶ.23，张学忠采；1♀，宝鸡金台观，1986. Ⅳ.25，任公捷采；1♀，佛坪上沙窝，1295m，2008. Ⅶ.05，崔俊芝采；2♀，合阳，1981. Ⅴ.14。

分布:陕西(周至、凤县、宝鸡、太白、勉县、佛坪、洋县、合阳)、黑龙江、吉林、辽宁、内蒙古、河北、山西、山东、河南、宁夏、甘肃、青海、新疆、浙江、湖北、江西、湖南、福建、广西、四川、贵州；蒙古，俄罗斯，朝鲜，韩国，日本。

(183)绿虎天牛属 *Chlorophorus* sp. nr. *hainanicus*（图版13:11）

鉴别特征:体长13.0mm。同海南绿虎天牛很相似，但体型更修长，鞘翅前两道黑色斑纹细很多，仅中足腿节外侧中央有1条光滑纵脊线。在中山大学看到的海南绿虎天牛副模标本，前足和后足腿节外侧中央也有1条光滑纵脊线。

采集记录:1♂，周至厚畛子，1280m，2008. Ⅴ.05-06，黄灏采(CCCC)。

分布:陕西(周至)。

(184)绿虎天牛属 *Chlorophorus* sp. nr. *tredecimmaculatus*(图版14:1)

鉴别特征:体长13.0mm。跟十三斑绿虎天牛 *Chlorophorus tredecimmaculatus* (Chevrolat, 1863)相似。鞘翅基半部具有不闭合的环纹，中部斜横黑色纹在侧缘附近断裂，端前横斑粗大。鞘翅末端平截。跟六斑绿虎天牛的区别在于鞘翅基部的黑色斑纹较发达，在肩角附近闭合；端半部的黑色斑纹较大，接触鞘缝。

采集记录:1♀，周至厚畛子，1800m，2007. Ⅴ.27，李文柱采；1♀，周至厚畛子秦岭梁，2021m，2007. Ⅴ.27，林美英采(IOZ(E) 1904827)。

分布：陕西（周至）。

95．虎天牛属 *Clytus* Laicharting，1784

Clytus Laicharting，1784：88．**Type species**：*Leptura arietis* Linnaeus，1758．

Clytumnus Thomson，1861：404［RN］．**Type species**：*Leptura arietis* Linnaeus，1758．

Xylotrechus（*Europa*）Thomson，1861：221．**Type species**：*Leptura arietis* Linnaeus，1758．

Sphegesthes Chevrolat，1863：333．**Type species**：*Leptura arietis* Linnaeus，1758．

属征：体不着生直立细长毛；额无明显的纵脊纹；触角基瘤内侧无明显角状突出，彼此之间相距较远，触角节不具刺，第3节略长于第4节。前胸背板长胜于宽或长宽约等。小盾片半圆形，鞘翅长形，端缘平截或圆。足细长，后足腿节超过（雄虫）或不超过（雌虫）鞘翅端部，后足第1跗节较短，不到第2、3节长度之和的2.0倍。

分布：亚洲，欧洲，北美洲，澳洲，非洲。世界已知69种/亚种，中国记录16种，秦岭地区发现2种。

分种检索表

大部分覆盖黄色绒毛，而在缺绒毛处形成黑斑；头和前胸大部分覆盖绒毛且具显著黑斑 ……………………………………………………………………………… **黄胸虎天牛 *Clytus larvatus***

大部分不覆盖黄色或白色绒毛，只少量绒毛形成斑纹；头和前胸黑色，不具有特殊斑纹；小盾片和鞘翅绒毛斑白色 …………………………………………… **小瘤虎天牛 *C. parvigranulatus***

（185）黄胸虎天牛 *Clytus larvatus* Gressitt，1939 陕西新纪录（图版14：3）

Clytus larvatus Gressitt，1939a：99，pl. Ⅲ，fig. 8.

鉴别特征：体长11.0mm。体黑色，密被黄色绒毛，触角及足红褐色至黑褐色。头密被黄色绒毛，额中央具1条黑色纵线；前胸中央具1个前窄后宽的黑斑，后半部分成两叉，两侧各具2个黑斑，靠近腹面的黑斑长而弯曲；小盾片密被黄色绒毛；每鞘翅具5个黑斑（侧缘的不算）：紧挨小盾片有1个倒三角形；肩角有1个；前两者之间后面有1个倒三角形；中央有1个横斑而在鞘缝处向前弯且延伸；后半部中央之前有1个横斑但不接触鞘缝。

采集记录：1♂，周至厚畛子，1300～1500m，2008.Ⅴ.15-19，黄灏采（CCCC）；1♂，太白山自然保护区，804m，2012.Ⅶ.11，聂瑞娥采。

分布：陕西（周至、太白）、安徽、浙江、江西。

(186)小瘤虎天牛 *Clytus parvigranulatus* Holzschuh, 2006（图版 14:4）

Clytus parvigranulatus Holzschuh, 2006b: 285, fig. 7.

鉴别特征:体长 8.4mm。体黑色，触角及足红褐色至黑褐色。头和前胸黑色，不具绒毛斑。小盾片密被白色绒毛。每鞘翅具 3 个白色绒毛斑:靠近基部一个小点；中部之前有 1 条细线弯折至小盾片之后；端部 1/3 处有 1 条略弯折的横线。

采集信息:1♀（正模），C. China，SW Shaanxi，Qinling Mts. Houzhenzi env.，1600m，1999. Ⅵ，M. Häckel（CCH）。

分布:陕西(周至)。

96. 曲虎天牛属 *Cyrtoclytus* Ganglbauer, 1882

Cyrtoclytus Ganglbauer, 1882: 688, 736. **Type species**: *Callidium capra* Germar, 1824.

属征:体型狭长，两侧几乎平行；体着生直立细长毛。两触角之间距离颇宽阔；触角基瘤内侧无明显角状突出；触角短，最多伸至鞘翅中部；第 3 节略长于第 4 节。前胸背板呈球形，稍狭长；小盾片略成三角形。鞘翅两侧平行，后缘圆形。腿节棒状，后足腿节不达鞘翅末端；后足第 1 跗节与其余 3 跗节长度之和约相等。

分布:亚洲，欧洲。世界已知 22 种/亚种，中国记录 14 种，秦岭地区发现仅 1 种。

(187)甘肃曲虎天牛 *Cyrtoclytus agathus* Holzschuh, 1999（图版 14:5）

Cyrtoclytus agathus Holzschuh, 1999: 40, fig. 54.

鉴别特征:体长 13.8～16.3mm。头和前胸黑色，额、后头和前胸背板后缘被灰色绒毛；触角红褐色；小盾片黑色密被黄色绒毛；鞘翅大部分黑褐色，基半部具有“X”形红褐色纹，两侧的黑色夹角中有 1 条细的黄色绒毛曲纹，中部之后有显著的“八”字形浓密黄色绒毛纹，端部颜色较浅，最端部被有黄色绒毛。足腿节大部分黑褐色，端部红褐色，胫节和跗节红褐色。

采集记录:1♀，洋县杨家沟，1300m，2000. Ⅵ.20，周文一采(个人收藏)。

分布:陕西(洋县)、甘肃。

备注:陕西的分布由 Niisato，Chou & Kusakabe（2009）报道。本书图片也来自该文，获得新里博士的授权使用。

97. 刺虎天牛属 *Demonax* Thomson, 1861

Demonax Thomson, 1861: 226. **Type species**: *Demonax nigrofasciatus* Thomson, 1861.

属征（蒋书楠等，1985）：触角基瘤内侧具角状突起，彼此之间相距较近，触角第3、4节内端具刺，第3节长于第4节。前胸背板长圆形，前、后端较窄，中部宽，背面十分拱凸。鞘翅长形，端缘平截。足细长，后足腿节显著超过鞘翅端部，后足第1跗节较长，为以下两节之和的1.5～2.0倍。

分布：古北区，东洋区，澳洲区，新北区。世界已知370种/亚种，中国记录97种/亚种，秦岭地区发现6种。

分种检索表

1. 体很小，体长小于6.0mm；体被绒毛很少，仅鞘翅两对灰白色横斑 …………………………………… **库氏刺虎天牛 *Demonax kucerai***
   体较大，体长大于6.0mm（略小的时候触角红褐色）；体大部分被绒毛 …………………… 2
2. 前胸背板中区不具黑斑；体长在10.0mm以下；触角和足部分红褐色 …………………… 3
   前胸背板中区具1对黑斑；体长在12.0mm以上；触角和足黑色 …………………… 4
3. 小盾片的绒毛更稠密，且颜色比前胸的绒毛明亮很多；鞘翅基部的第1个绒毛斑纹较大，覆盖整个肩角，与第2道绒毛斑纹之间的区域为弯曲的窄带，宽度远小于横向的长度；第3道绒毛横纹很宽，长宽约等 …………………… **曲纹刺虎天牛 *D. curvofasciatus***
   小盾片的绒毛较稀疏，颜色与前胸的绒毛一致；鞘翅基部的第1个绒毛斑纹较小，不到达肩角，与第2道绒毛斑纹之间的区域较大，长宽约等；第3道绒毛横纹很窄，宽度不到横向长度的一半 …………………………………… **白纹刺虎天牛 *D. palleolus***
4. 小盾片周边的鞘翅仅最基部被苍灰色或灰白色绒毛，紧靠其后的鞘翅中缝黑色；从小盾片之后出发的绒毛斑不完整延伸至侧缘，而是断裂成3段 …………… **首尔刺虎天牛 *D. seoulensis***
   小盾片周边全部被苍灰色绒毛；从小盾片之后出发的绒毛斑完整延伸至侧缘 ……………… 5
5. 前胸背板中部的黑斑互相远离，靠近侧边；鞘翅端缘角短齿状；鞘翅鞘缝有2段黑色 ………………………………… **光裸刺虎天牛 *D. determinatus***
   前胸背板中部的黑斑互相不那么远离，不靠近侧边；鞘翅端缘角圆钝；鞘翅鞘缝全部覆盖灰绿色绒毛，没有黑色部分 …………………… **稳刺虎天牛 *D. stabilis***

（188）曲纹刺虎天牛 *Demonax curvofasciatus*（Gressitt, 1939）（图版14:6）

Rhaphuma curvofasciata Gressitt, 1939b: 39.

Rhaphuma savioi: Gressitt, 1951: 291.

Demonax triarticulodilatatus Hayashi, 1974a: 35.

Demonax curvofasciatus: Holzschuh, 2006b: 290.

鉴别特征:体长8.0~9.0mm。体黑色，被灰色绒毛。前胸背板不具斑纹。小盾片密被白色绒毛，颜色比前胸的绒毛明亮。每鞘翅具4个绒毛斑纹，其中第2个为强烈弯曲的细纹，始于小盾片之后，斜伸至中部之前弯折，第3个是较宽的横斑，最后1个位于端部。触角细长，约等于体长或比体稍长。前胸长胜于宽，两侧缘略圆。鞘翅两侧平行，末端平截，端缘角短而略尖锐。

采集记录:1♂，周至厚畛子，2007. Ⅷ. 28，张丽杰采(IOZ(E) 1904830)；1♀，周至厚畛子沙梁子村，950m，2007. Ⅴ. 25，林美英采(IOZ(E) 1904821)；1♀，柞水营盘镇红庙河村，1110m，2007. Ⅵ. 03，林美英采。

分布:陕西(周至、柞水)、山西、河南、江苏、浙江、湖南、福建、台湾、广东、四川、贵州。

备注:由于本种原来一直误为勾纹艳虎天牛 *Rhaphuma savioi*，在《连康山科考集》直接换了名字勾纹刺虎天牛，可是本属还有一种 *Demonax bowringii* (Pascoe，1859)的中文名为勾纹刺虎天牛，故在此给本种新的中文名定为曲纹刺虎天牛。

(189)光裸刺虎天牛 *Demonax determinatus* Holzschuh，2013(图版14:7)

Demonax determinatus Holzschuh，2013：11，figs. 3，4.

鉴别特征:体长12.1~14.0mm。体黑色被苍灰色绒毛，触角和足黑色被苍灰色绒毛，触角末3节和足的附爪节红褐色。前胸背板具2个黑色小圆斑，左右排列，靠近侧边；小盾片密被灰白色绒毛。每鞘翅背面具3个黑斑:靠近基部1个"V"形黑斑，不接触鞘缝，紧挨其后有1个大型横斑，前缘向后凹，后缘向鞘缝向前斜，端半部中央1个大型横斑(长大于宽)。触角到达鞘翅端部1/4处，鞘翅末端平截，端缘角短齿状。

采集记录:1♂(正模)，China，Shaanxi，2010. Ⅴ. 15-17，E. Kučera(CCH)；1♂(副模)，同正模。

分布:陕西(不详)、四川、贵州。

(190)库氏刺虎天牛 *Demonax kucerai* Holzschuh，2006(图版14:8)

Demonax kucerai Holzschuh，2006b：295，fig. 14.

鉴别特征:体长4.8~5.8mm。体黑色，触角和足黑色红褐色至黑褐色，通常触角基部红褐色端部黑褐色，足腿节黑褐色而胫节和跗节颜色较浅为红褐色。前胸背板黑色无斑；小盾片黑色。每鞘翅背面具2个白色绒毛斑:基半部中间1个斜斑不接触鞘缝和侧边，中部稍后的横斑接触鞘缝并到达侧边。触角伸达鞘翅中部稍后，鞘翅末端平切，端缘角短齿状。

采集记录:1♂(正模)，China，Shaanxi，Lueyang，2000. Ⅴ. 22-25，E. Kučera (CCH)；1♂(副模)，同正模。

分布:陕西(略阳)、四川。

(191)白纹刺虎天牛 *Demonax palleolus* Holzschuh, 2006(图版 14:9)

Demonax palleolus Holzschuh, 2006b: 291, fig. 11.

鉴别特征:体长 5.7～8.4mm。体黑色，被灰色绒毛。前胸背板除基部白色绒毛边外不具斑纹。小盾片密被白色绒毛。每鞘翅具 4 个灰白色绒毛斑纹，其中第 2 个为强烈弯曲的细纹，始于小盾片之后，合起来略呈“八”字形，第 3 个是中部之后的横斑，最后 1 个位于端部。触角细长，约等于体长。前胸长胜于宽，两侧缘略圆。鞘翅两侧平行，末端平截，端缘角短而略尖锐。

采集记录:2♀(副模)，Qinling Shan，6km N of Foping，1150～1300m，2000. Ⅵ. 20-21(CCH)；5♂5♀(副模)，Qinling Shan，6km E of Xunyangba，1000～1300m，2000. Ⅴ. 23-Ⅵ. 13 (CCH, with 2 paratypes in CEK and NHMB)；1♀(副模)，Qinling Shan. -N-slope，Changan Co.，800～1200m，108°50′E，33°56-59′N，1995. Ⅵ. 14-16，leg. L. & R. Businský(CCH)。

分布:陕西(长安、佛坪、宁陕)、四川。

(192)首尔刺虎天牛 *Demonax seoulensis* Mitono *et* Cho, 1942 中国新纪录(图版 14:10)

Demonax seoulensis Mitono *et* Cho, *In*: Mitono, 1942: 100, 105, fig. 4, pl. Ⅷ, fig. 18.

鉴别特征:体长 12.0～18.0mm。体黑色被灰白色绒毛，触角和足黑色被灰白色绒毛。前胸背板具 2 个黑色小圆斑，左右排列；小盾片密被灰白色绒毛。每鞘翅侧缘具 2 个小白斑，其中第 2 斑位于中间之前，背面观可见；每鞘翅背面具 5 个灰白色绒毛斑:基部有 1 个，小盾片之后有 1 个，基半部中间有 1 个弧形短斑，中部靠后有 1 个大型横斑，且在鞘缝处向前后延伸，端部 1 个横斑长宽约等。

采集记录:1♂，周至厚畛子，1983. Ⅵ. 02，任锁喜采(NWAFU)；1♀，周至厚畛子，1300～1500m，2008. Ⅴ. 15-19，黄灏采(CCCC)；1♀，太白山蒿坪寺，1983. Ⅴ. 07(NWAFU，ex 陕西省林业科学研究所)。

分布:陕西(周至、太白)；韩国。

(193)稳刺虎天牛 *Demonax stabilis* Holzschuh, 2003(图版 14:11)

Demonax stabilis Holzschuh, 2003: 222, fig. 58.

鉴别特征:体长 14.1 ~ 19.3mm。体黑色被灰绿色绒毛，触角和足黑色被灰绿色绒毛。前胸背板具 2 个黑色小圆斑，左右排列，不靠近侧边；小盾片密被灰绿色绒毛。每鞘翅背面具 3 个黑斑，均不接触鞘缝:靠近基部 1 个三角形，紧挨其后 1 个大型纵斑，端半部中央 1 个大型近圆斑。触角到达鞘翅端部 1/5 处，鞘翅末端平截，端缘角圆钝。

采集记录:1♂(正模)，China，Shaanxi，Qinling Shan，6km E of Xunyangba，1000 ~1300m，2000. Ⅴ.23-Ⅵ.13(CCH)；11♂14♀(副模)，同正模；1♂，Shaanxi，C Tsinling Mts.，50km N Ningshan town，1500m，2000. Ⅵ(Collection of Petr Kabatek，Prag，Czech)。

分布:陕西(宁陕)。

98. 格虎天牛属 *Grammographus* Chevrolat，1863

Grammographus Chevrolat，1863：285. **Type species**：*Grammographus lineatus* Chevrolat，1863.

Elezira Pascoe，1869：637. **Type species**：*Clytus balyi* Pascoe，1859.

Demonax (*Grammographus*)：Gahan，1906：281.

属征:同刺虎天牛基本上一样，但是触角第 3 和 4 节末端的刺非常小，基本上看不见。

分布：中国；朝鲜，韩国，日本，缅甸，印度，尼泊尔，不丹。世界已知 13 种/亚种，中国记录 8 种/亚种，秦岭地区发现仅 1 种。

备注:格虎天牛属 *Grammographus* 应该作为独立的属还是刺虎天牛属 *Demonax* 的亚属？或者本文记述的种类应该归入刺虎天牛属还是本属？这些都需要做进一步的研究。本文根据古北区名录把它作为独立的属，但是 C. Holzschuh 是把陕西的标本鉴定为 *Demonax cuneatus* (Fairmaire，1888)的(个人交流)。

(194)散愈斑格虎天牛 *Grammographus notabilis cuneatus* (Fairmaire，1888)
(图版 14:12)

Clytus (*Clytanthus*) *cuneatus* Fairmaire，1888a：35.

Clytanthus notabilis var. *semiobliteratus* Pic，1902b：31[HN].

Chlorophorus subobliteratus Pic，1918：4，nota，1(new name for *Clytanthus notabilis* var. *semiobliteratus* Pic，1902).

Chlorophorus notabilis subobliteratus：Gressitt，1938a：48.

Chlorophorus notabilis cuneatus：Gressitt，1951：280.

Grammographus notabilis cuneatus：Hua，2002：211.

鉴别特征：体长12.5～18.0mm。体狭长圆筒形，黑色。头部及体背被棕榈绿色茸毛，腹面密被硫黄色绒毛；触角黑褐色，薄被灰褐色细毛。前胸背板中央两侧有2个黑色小圆点，或模糊成不明显的2个短黑条，或完全消失。鞘翅背面小盾片后方两侧有1对呈方括弧形的黑斑，其后有或无1对短纵条；每鞘翅中段有3个黑短纵条，排成“品”字形，鞘翅后端1/4处各有1个黑斑，近方形，鞘翅外侧纵列细黑纹3条，缘折的边缘黑色。触角为体长的3/4，柄节肥短，略短于第3节，第3节略长于第4节，略等于第5节。前胸背板长胜于宽。小盾片宽短，半圆形。鞘翅至后端稍狭，末端浅斜凹切。

采集记录：1♂1♀，周至楼观台，683m，2008.Ⅵ.24，崔俊芝采；1♀，同上，葛斯琴采；1♀，周至厚畛子沙梁子村，950m，2007.Ⅴ.25，林美英采；1♀，太白黄柏塬乡国宝宾馆后，1310m，2012.Ⅵ.18，李莎采；3♀，太白太洋公路69km到黄柏塬乡，1310m，2012.Ⅵ.18，李莎采；9♂4♀，留坝庙台子，1470m，1999.Ⅶ.01，姚建、朱朝东采；1♀，留坝城关镇竹爬沟，991m，2012.Ⅵ.21，李莎采；1♂，佛坪长角坝乡上沙窝村，1215m，2007.Ⅴ.29，林美英采(IOZ(E)1905675)；1♀，佛坪，上沙窝，1100m，2007.Ⅴ.29，李文柱采；1♂1♀，佛坪，900m，1999.Ⅵ.27，姚建采；2♂，佛坪，890m，1999.Ⅵ.26，章有为、贺同利灯诱；1♂，洋县华阳镇白草坪，2014.Ⅵ.02-07，张巍巍采；1♂，洋县长青保护区茅坪镇周边，2016.Ⅶ.01，周润采；7♂1♀，镇安云盖寺镇茫村，2014.Ⅵ.21。

分布：陕西(周至、太白、留坝、佛坪、洋县、宁陕、镇安、西乡)、河南、湖北、广东、四川、云南。

寄主：核桃。

99. 西虎天牛属 *Hesperoclytus* Holzschuh, 1986 陕西新纪录属

Hesperoclytus Holzschuh, 1986: 123. **Type species**: *Hesperoclytus katarinae* Holzschuh, 1986.

属征：头非常明显窄于前胸，复眼内沿微凹入，小眼面细，复眼之间额稍突出，额不具纵脊纹；触角基瘤着生处彼此分开较宽，触角粗壮，仅伸达鞘翅基部附近，端部4节很短，非圆柱形，略呈扁锯形。前胸背板宽胜于长，无侧刺突，表面拱凸。前足基节窝向后开放，中足基节窝对后侧片开放，后足腿节不超过鞘翅末端。

分布：中国；印度，尼泊尔，不丹。本属共记录2种，中国分布1种，陕西为首次记录。

(195) 巴氏西虎天牛 *Hesperoclytus bozanoi* Pesarini *et* Sabbadini, 1997 陕西新纪录 (图版15:1)

Hesperoclytus bozanoi Pesarini *et* Sabbadini, 1997: 96, 107.

鉴别特征:体长 18.0mm 左右。头和前胸黑色，头的大部分、前胸背板的四周被黄色绒毛，触角基部4 节为红褐色，其余为黑褐色。小盾片密被黄色绒毛。鞘翅大部分黑褐色，每基部 1/3 有一个“口”字形红褐色斑(中间黑褐色)，中部和端半部的中部各有 1 道黄色绒毛横纹。触角短，勉强伸达鞘翅基部，鞘翅末端圆。

采集记录:1♀，宁陕火地塘，2003. Ⅷ，郎嵩云采。

分布:陕西(宁陕)、四川。

100. 跗虎天牛属 *Perissus* Chevrolat，1863

Perissus Chevrolat，1863：262. **Type species**：*Perissus x-littera* Chevrolat，1863.

Amauraesthes Chevrolat，1863：327. **Type species**：*Amauraesthes fuliginosus* Chevrolat，1863.

属征(蒋书楠等，1985)**:**头短，额较宽阔，呈长方形或方形，额两侧具弱脊或无脊，触角着生彼此较远，触角或多或少较细，长短不一，通常短于虫体，各节不具刺。前胸背板一般长略胜于宽，胸面拱凸，具粗糙的颗粒或横行直立脊突。鞘翅长形，端缘斜切。后胸前侧片较宽，后足腿节超过鞘翅末端，后足第 1 跗节较长，为其后两节之和的 2.0 倍。

分布:古北区，东洋区，澳洲区，非洲区。世界已知 82 种/亚种，中国记录 35 种，秦岭地区发现 5 种，其中 2 种为新记录，2 种的模式产地是陕西。

分种检索表

1. 前胸背板有显著的 4 道黑色斑纹；鞘翅斑纹也都偏纵向 …………………………………………………… **三条跗虎天牛 *Perissus rhaphumoides***
   前胸背板没有明显的黑色斑纹 …………………………………………………… 2
2. 鞘翅大部分覆盖黄绿色绒毛，每鞘翅具 5～6 个黑斑 …………………………………………………… 3
   鞘翅的绒毛斑纹覆盖面积远小于总面积的一半 …………………………………………………… 4
3. 鞘翅黑斑较小，有 6 个，其中最基部 2 个点斑并列 ………………… **川跗虎天牛 *P. intersectus***
   鞘翅黑斑较大，有 5 个，其中最基部为 1 个窄横斑 ………… **斑胸跗虎天牛 *P. multifenestratus***
4. 鞘翅较宽短；每鞘翅具 4 个浅灰色绒毛斑；鞘翅末端覆盖绒毛 …………………………………………………… **暗色跗虎天牛 *P. fairmairei***
   鞘翅较狭长；每鞘翅具 3 个黄色绒毛斑；鞘翅末端几乎不覆盖绒毛 …………………………………………………… **宝鸡跗虎天牛 *P. delectus***

(196)宝鸡跗虎天牛 *Perissus delectus* Gressitt，1951(图版 15:2a:2b)

Perissus delectus Gressitt，1951：267，pl. 12，fig. 6.

鉴别特征:体长约8.8mm。体黑色，触角和足红褐色。前胸背板基缘具有很细的浅黄色绒毛斑纹。小盾片覆盖黄色绒毛。每鞘翅具3个黄色绒毛斑，肩部靠后1个小斜斑；紧接小斜斑从鞘缝起点，快到中部开始向侧面弧形延伸直至侧缘的1条长斑；端部1/3处有1条横向斑纹，略微向后向侧倾斜；末端不覆盖绒毛或仅略有少量黄色绒毛。触角仅达鞘翅基部1/3处，鞘翅末端弧圆。

采集记录:1♀，周至厚畛子老县城村至秦岭梁途中，1745~2021m，2007.Ⅴ.27，林美英采；1♀(正模)，SW. Shensi Prov. (Pao-chi District), Tsing-Sui-ho, 1946.Ⅴ.30, Chang Shu-tsen (NCHU，图片检视，林毓隆拍摄)。

分布:陕西(周至、宝鸡)。

(197)暗色跗虎天牛 *Perissus fairmairei* Gressitt, 1940(图版15:3)

Clytus fuliginosus Fairmaire, 1888b: 145 [HN].
Clytus fuliginosus var. *semifulvus* Pic, 1916a: 13.
Perissus fairmairei Gressitt, 1940a: 180 [RN].
Perissus sinho Danilevsky, 1993b: 114.

鉴别特征:体长7.0~11.0mm。体黑色，触角和足同色。头和前胸没有绒毛斑纹，小盾片密被浅灰色绒毛。每鞘翅具4个浅灰色绒毛斑:基部紧挨小盾片有1条短横斑；小盾片稍后有1道弧形斑纹，其底部到达鞘翅1/3处；中部之后有1道横斑，靠近鞘缝处显著加宽，尤其是向前延伸；末端覆盖绒毛。触角到达鞘翅1/3至中部，鞘翅末端斜截，外端角明显齿状突出。

采集记录:1♂2♀，华阴华山，770~1618m，2007.Ⅵ.06，林美英采(♂ IOZ(E) 1904822)。

分布:陕西(华阴)、内蒙古、北京、河北、河南；朝鲜，韩国。

(198)川跗虎天牛 *Perissus intersectus* Holzschuh, 2003(图版15:4)

Perissus intersectus Holzschuh, 2003: 203, fig. 43.

鉴别特征:体长8.7~13.6mm。体黑色，被黄绿色绒毛。触角大部分黑色，端部2~3节红褐色，足黑色，末跗节通常红褐色。前胸背板中央具1块椭圆形黑斑，两侧的椭圆形黑斑较不清晰。小盾片绒毛颜色略浅于鞘翅绒毛。每鞘翅基部1/3具3个长点状黑斑；中央具1对弧形斜斑，互相靠近的一端较粗；其后是1条略呈弧形的斜斑，靠近但不接触鞘缝，端部1/4无黑斑。触角仅达鞘翅基部第3个黑斑之前，鞘翅末端宽圆形。

采集记录:1♀(副模)，Qingling Shan, road Baoji to Taibai Shan, pass 40km S of

Baoji, 1998. Ⅵ. 21-23, LEG. Z. Jindra (CCH); 1♂2♀(副模), Lueyang, 1996. Ⅵ. 08-14 or 2000. Ⅴ. 20-25, or 1997. Ⅵ. 18-24, 33°07′N, 106°05′E, leg. E. Kučera (CCH); 2♂2♀(副模), Qinling Mts., S slope, Xunyangba S + W env., 33°28-37′N, 108°23-33′E, 1400 ~ 2100m, 1995. Ⅵ. 05-09, leg. L. & R. Businsky (CCH); 5♂5♀(副模, Qinling Shan, 6km E of Xunyangba, 1000 ~ 1300m, 2000. Ⅴ. 23-Ⅵ. 13 (CCH); 1♂, 周至厚畛子秦岭梁, 2021m, 2007. Ⅴ. 27, 林美英采; 1♀, 周至厚畛子, 1983. Ⅵ. 12, 李宽胜采(NWAFU)。

分布:陕西(周至、略阳、太白、宁陕)、四川、西藏。

(199) 斑胸跗虎天牛 *Perissus multifenestratus* (Pic, 1926) 陕西新纪录(图版 15:5)

Amauresthes multifenestratus Pic, 1926b: 1.

Perissus multifenestratus: Gressitt, 1940a: 183.

鉴别特征:体长 9.0 ~ 13.0mm。体黑褐色，密被黄绿色绒毛。前胸背板不具非常显著的斑纹，但由于绒毛的排列方向变化隐约可见深色纹。小盾片密被黄绿色绒毛。每鞘翅具 5 个黑斑，基半部 2 个，端半部 3 个。触角仅达鞘翅中部，前胸侧缘圆弧形，鞘翅末端阔圆形。

采集记录:1♂, 周至厚畛子老县城村至秦岭梁途中, 1745 ~ 2021m, 2007. Ⅴ. 27, 林美英采(IOZ(E)1904826)

分布:陕西(周至), 中国(模式产地不具体)。

备注:本种由捷克同行 Petr Viktora 协助鉴定。

(200) 三条跗虎天牛 *Perissus rhaphumoides* Gressitt, 1940 陕西新纪录(图版 15:6)

Perissus rhaphumoides Gressitt, 1940a: 181, 183, pl. I, fig. 1.

鉴别特征:体长 8.2 ~ 10.0mm。体黑褐色，密被黄绿色绒毛。前胸背板中央具 1 条黑色纵纹，两端均不达边缘，中央纵纹两侧各具 1 条曲折的黑纹，在端部向腹面和基缘弯折，在基部向腹面略斜，侧面看呈现不封闭的“8”形或葫芦形。小盾片密被黄绿色绒毛。每鞘翅具 3 条从鞘缝向侧缘倾斜的黑褐色条纹，其中第 1 条不接触鞘缝，且跟 1 条从肩部开始的纵纹在鞘翅中部附近连接，第 3 条短而具钩。触角不达鞘翅中部，前胸侧缘圆弧形，鞘翅末端斜切，后足腿节伸达可见第 5 腹节。

采集记录:1♂, 周至厚畛子镇秦岭梁, 2021m, 2007. Ⅴ. 27, 林美英采(IOZ(E)1904825); 1♂, 周至厚畛子, 1300 ~ 1500m, 2008. Ⅴ. 15-19, 黄灏采(CCCC)。

分布:陕西(周至)、河南、江苏。

101. 丽虎天牛属 *Plagionotus* Mulsant, 1842

Platynotus Mulsant, 1839: 71[HN]. **Type species**: *Leptura detrita* Linnaeus, 1758.
Plagionotus Mulsant, 1842: 1(new name for *Platynotus* Mulsant, 1839).
Clytus (*Plagionotus*): Chevrolat, 1860b: 456.
Plagyonotus Thomson, 1861: 220 [unjustified emendation]
Plagionotus (*Plagionotus*): Özdikmen & Turgut, 2009: 463.

属征: 额无明显的纵脊纹；触角基瘤内侧无明显角状突出，彼此之间相距较远，触角伸达鞘翅中部或约等于体长，自第3节起，各节内端角及外端角呈齿状；触角节不具刺，第3节约等于第4节。前胸背板宽显胜于长。小盾片半圆形，鞘翅长形，端缘圆、平截或凹切。足细长，后足腿节向后伸展达到鞘翅末端，后足第1跗节与其后各节长度之和相等。

分布: 亚洲，欧洲，北美洲，非洲。世界已知8种，中国记录3种，秦岭地区发现2种。

分种检索表

鞘翅末端圆形；每鞘翅具有4个绒毛横斑，其中仅位于中间的第2道横斑颜色更浅 ……………………………………………………………… **红肩丽虎天牛 *Plagionotus christophi***
鞘翅末端凹切；每鞘翅具有5个绒毛横斑，其中位于基部的第1道和中间的第3道横斑颜色更浅 ……………………………………………………………… **栎丽虎天牛 *P. pulcher***

(201) 红肩丽虎天牛 *Plagionotus christophi* (Kraatz, 1879)（图版15:7）

Clytus (*Plagionotus*) *christophi* Kraatz, 1879: 108.
Plagionotus cristophi: Reitter, 1890: 212 [misspelling].
Plagionotus christophi: Gressitt, 1951: 263.

鉴别特征: 体长14.0~17.5mm。身体赤褐色，头胸部黑色，触角及足部棕红色，腿节中部一般色泽较深。头部粗糙，具细粒状刻点，两触角间宽阔而高凸，无隆脊，中线呈1个细凹缝；头顶有1个黄毛横条，唇基略有黄毛；触角几乎与体长相等或稍短，中段各节的末端内外角颇显著。前胸背板宽略大于长，略带球形，表面密布粗糙粒状刻点，前缘稍后为1条黄色绒毛横条，其余部分有松竖长毛，以两旁较清楚。小盾片颇光亮，末端圆形。鞘翅基部为深红色，其上略有稀少白毛，红色区域稍下有1堆黄色绒毛，形成横斑；鞘翅中央为1个细狭的黄色横条，末端又有1个黄斑，后缘略呈圆形。腹面胸腹板被长毛，后胸前侧片后部有1个乳黄色圆斑，各腹节后缘呈黄边，中、后足腿节有长毛，后足腿节约伸展至鞘翅末端。

采集记录：1♀，周至厚畛子，1300～1500m，2008. Ⅴ. 15-19，黄灏采(CCCC)；4♂4♀，周至厚畛子(NWAFU)；3♂3♀，太白山(NWAFU)。

分布：陕西(周至、陇县、太白、黄陵、横山)、黑龙江、吉林、辽宁、北京、河北、河南、安徽、湖北；俄罗斯，朝鲜，韩国，日本。

生物学：成虫一般在5月至7月间发生，幼虫在树干中穿孔蛀食。

寄主：栎属。

(202)栎丽虎天牛 *Plagionotus pulcher* (Blessig, 1872)

Clytus (*Plagionotus*) *pulcher* Blessig, 1872: 184, pl. Ⅷ, fig. 2.

Clytus lignatorum Thieme, 1881: 100.

Plagionotus pulcher: Bates, 1884: 228.

Plagionotus pulcher var. *maculithorax* Pic, 1904a: 15.

鉴别特征：体长10.5～17.5mm。体黑褐色，触角及足部棕红色，腿节色泽较深暗，多为黑褐色，唇基棕黄色。额部触角之间宽阔而高凸，无显明脊线，其前后端略有黄毛，头顶1圈黄色绒毛形成横环，中线呈1条细缝。触角约与体长相等，中段各节末端内外沿呈角刺突。前胸背板宽略大于长，略呈扁球形，前端及中央各有1个细狭的黄色绒毛横条，后缘两旁亦有稀少黄毛，表面粗糙，分布深密刻点。小盾片半圆形，被稀少黄毛。鞘翅基部为1块弯斜形的深红色区域，沿此区域后缘为1条斜弧形白毛细纹，紧接红色区域为1条向外斜折的钝角形黄绒毛曲纹；鞘翅中部为1条略呈浅弧形的白毛细纹，末端1/4处有1条黄绒毛横纹，近内缘一端较宽阔，末端有黄绒毛斑点；后缘凹切形，内、外缘都很明显。前胸腹板后部有1个黄斑，第1～4腹节后缘均呈黄边，其绒毛以两旁较浓密。后足腿节约伸展至鞘翅末端，后足第1跗节等于余下各节长度之和。

分布：陕西(秦岭、黄陵、延安、横山)、黑龙江、吉林、河北、山西、宁夏；俄罗斯，朝鲜，韩国，日本。

寄主：栎属，榆，赤杨。

102. 林虎天牛属 *Rhabdoclytus* Ganglbauer, 1889

Clytanthus (*Rhabdoclytus*) Ganglbauer, 1889b: 479. **Type species**: *Clytus acutivittis* Kraatz, 1879.

Hayashiclytus K. Ohbayashi, 1963c: 11. **Type species**: *Clytus acutivittis* Kraatz, 1879.

Rhabdoclytus: Niisato, *In*: N. Ohbayashi & Niisato, 2007: 504.

属征：体非常狭长，长大于鞘翅肩宽的5.0倍。前胸圆筒形，长远大于宽，鞘翅狭长，长大于肩宽的3.5倍。触角细长，远长于体。腿节棒槌状，基部具有细柄，后足跗节很长，第1节长于其后两节之和的2.0倍。

分布：中国；蒙古，俄罗斯，朝鲜，韩国，日本。世界已知3种/亚种，中国记录2种，秦岭地区发现1种。

(203)陕林虎天牛 *Rhabdoclytus alternans* (Holzschuh, 2003)(图版15:8)

Hayashiclytus alternans Holzschuh, 2003: 219, fig. 56.
Rhabdoclytus alternans: Löbl & Smetana, 2010: 177.

鉴别特征：体长13.9～17.6mm。体黑色，触角、腿节末端、胫节和跗节红褐色。前胸的绒毛斑纹围成中央的1条细黑纹和两侧各2个黑斑。小盾片密被浅黄色绒毛。鞘翅形状漂亮的绒毛斑纹沿着鞘缝排列，合成基部的1个罩子和其后2个变形的“八”字及末端的1个“北”字。鞘翅末端平切。

采集记录：1♂(正模), Shaanxi, Qinling Shan, 6km E of Xunyangba, 2000. Ⅴ.23-Ⅵ.13(CCH)。

分布：陕西(宁陕)。

103. 艳虎天牛属 *Rhaphuma* Pascoe, 1858

Rhaphium White, 1855: 289[HN]. **Type species**: *Clytus quadricolor* Laporte *et* Gory, 1836.
Rhaphuma Pascoe, 1858: 240(new name for *Rhaphium* White, 1855).
Raphuma Thomson, 1861: 221 [unjustified emendation].
Arcyphorus Chevrolat, 1863: 287. **Type species**: *Arcyphorus histrio* Chevrolat, 1863.
Arcyophorus Gemminger *et* Harold, 1872: 2938 [unjustified emendation].

属征(蒋书楠等, 1985)：体一般长形，较平，不呈圆筒形。复眼内缘凹入；触角基瘤彼此距离较近，触角细长，雄虫触角约与体等长，第3节长于柄节。前胸背板长胜于宽，两侧缘微呈弧形，无侧刺突。小盾片小。鞘翅较长，端缘斜截。后胸前侧片较窄，长约为宽的4.0倍。前足基节窝向后开放，中足基节窝对后侧处片开放。足细长，后足腿节超过鞘翅端部，后足第1跗节稍长或等于其余跗节的长度之和。

分布：古北区，东洋区。世界已知181种/亚种，中国记录60种/亚种，秦岭地区发现6种。

分种检索表

1. 体黑色，绒毛黄色 …………………………………………………… 2
   体红褐色或黑色，绒毛不是黄色 …………………………………………… 3
2. 前胸具有2个黑色横斑；鞘翅具有1对椭圆形的黄斑，不具长纵条黑斑 ………………………

………………………………………………………………… 连环艳虎天牛 *Rhaphuma elongata*

前胸不具黑色横斑，而是4个黑色纵纹；鞘翅不具椭圆形黄斑，具有长纵条黑斑 ……………
……………………………………………………………………… 管纹艳虎天牛 *R. horsfieldi*

3. 体红褐色，且体型较细长；触角明显超过体长 …………………… 鳞艳虎天牛 *R. squamulifera*

体黑色，体型较宽短；触角短于体长 ………………………………………………………… 4

4. 前胸被绿色绒毛；触角黑色；鞘翅大部分被绿色绒毛，每鞘翅具3个中等大的黑斑 …………
……………………………………………………………………… 斜尾艳虎天牛 *R. binhensis*

前胸黑色不被绿色绒毛；触角红褐色至黑褐色；鞘翅不被绿色绒毛 ………………………… 5

5. 鞘翅黑色，端部不具淡色绒毛斑纹 ……………………………… 短斑艳虎天牛 *R. albicolon*

鞘翅基半部红褐色，端半部黑色，逐渐过渡而不是决然分开；端部具淡色绒毛斑纹 …………
……………………………………………………………………… 赤褐艳虎天牛 *R. ustulatula*

(204)短斑艳虎天牛 *Rhaphuma albicolon* Holzschuh, 2006(图版15:9)

Rhaphuma albicolon Holzschuh, 2006b: 300, fig. 18.

鉴别特征:体长约7.1mm。体褐黑色，触角和足红褐色，前胸背板后缘位于两侧的地方和小盾片端缘具有少量白色绒毛，鞘翅具少量白色绒毛斑纹。鞘翅白色斑纹分布如下:基部1/7处1个靠近鞘缝的小点斑；基部2/7处1个中等大的斜斑，既不靠近鞘缝，也不到达侧缘；端部2/7处有1道横斑，靠近鞘缝和侧缘。雌虫触角几乎伸达鞘翅端部2/7的白色横斑处，鞘翅末端平切，端缘角小齿状突出。

采集记录:1♀(正模), S-Shaanxi, Qinling Mts.-N-slope, Changan Co., 800~1200m, 33°56-59′N, 108°50′E, 1995. Ⅵ. 14-16, leg. L. & R. Businský(CCH)。

分布:陕西(长安)。

(205)斜尾艳虎天牛 *Rhaphuma binhensis* (Pic, 1922)

Chlorophorus binhensis Pic, 1922: 13.

Rhaphuma binhensis: Gressitt, 1951: 288.

鉴别特征:体长9.0~10.0mm。体黑色密被苍绿色绒毛，鞘翅具有黑斑。鞘翅黑斑分布如下:基部1/3中具有1个"U"形斑，外纹延伸到肩角内纹不接触小盾片；中部和端部约1/4处各具1个粗壮的横斑，侧缘处宽，向鞘缝逐渐缩窄，靠近但不接触鞘缝，内缘圆弧形。雄虫触角伸达鞘翅端前黑斑中间，鞘翅末端凹切，端缘角锐齿状突出。

分布:陕西(秦岭)、辽宁、海南、四川；越南，老挝。

（206）连环艳虎天牛 *Rhaphuma elongata* Gressitt，1940（图版 15：10）

Rhaphuma elongata Gressitt，1940a：184，pl. Ⅱ.

鉴别特征：体长 14.0～18.0mm。体黑色，触角及足黄褐，腿节稍暗褐；前胸背板被覆黄色绒毛，无绒毛着生处，形成 5 个黑色斑纹，中央后端为 1 个短纵斑，中部两侧各有 1 个横斑及两侧后端各有 1 个斑，两侧后端斑有时不清楚。小盾片盖黄色绒毛。鞘翅黑褐色，其斑纹分布如下：基部及端末黄色，基部近中缝处有 1 个圆斑，中部近侧缘有 1 条细纵纹和由中缝向外有 2 条斜斑。体腹面被覆黄色浓密绒毛。触角细长，雄虫触角长达鞘翅端部，柄节膨大，显著短于第 3 节。前胸背板长胜于宽，后端稍窄，两侧缘呈弧形。鞘翅较长，两侧近于平行，端缘平切。足十分细长，后足第 1 跗节略长于其余跗节的长度之和。

采集记录：1♀，太白黄柏塬乡国宝宾馆后，1310m，2012. Ⅵ. 18，李莎采（Ceram-157）。

分布：陕西（周至、太白）、山西、河南、浙江、湖北、江西、湖南、海南、四川、贵州（Chen，2005）。

（207）管纹艳虎天牛 *Rhaphuma horsfieldi*（White，1855）

Clytus horsfieldi White，1855：284.
Rhaphuma horsfieldi：Gahan，1906：262.
Rhaphuma horsfieldi v. *laosensis* Pic，1923c：9.

鉴别特征：体长 9.0～15.0mm。体较小，长形，底色黑，被覆黄色或淡绿色绒毛，无绒毛部分形成黑色斑纹；触角及足黄褐，中、后足腿节大部分为黑褐色。复眼之间的额突出，额中央有 1 条无毛黑色纵线，复眼下叶同颊近等长，头具细密刻点；雄虫触角长达鞘翅端部，雌虫触角则稍短，柄节膨大，第 3 节长于柄节。前胸背板长略胜于宽，两侧缘稍呈弧形，中区有两条微弧形纵条纹，两侧各有 1 个圆斑或短纵斑。每个鞘翅由基部至中部之后，有两条平行细纵条纹，两条纹后端和 1 个短横条相连接，端部有 1 个弓形横斑及 1 个圆斑；端缘斜切，外端角尖锐。足细长，后足第 1 跗节较长于其余跗节的长度之和。

分布：陕西（秦岭）、台湾、广西、四川、贵州、云南；越南，老挝，缅甸，印度，尼泊尔，印度尼西亚。

（208）鳞艳虎天牛 *Rhaphuma squamulifera* Holzschuh，2016（图版 15：11）

Rhaphuma squamulifera Holzschuh，2016a：93，fig. 19.

鉴别特征:体长7.7~9.2mm。全身赤褐色,前胸背板四角具灰黄色鳞毛斑,小盾片密被灰黄色鳞毛,每鞘翅沿鞘缝具3个小的鳞毛斑,分别位于中部之前与之后,以及端部之前。

采集记录:1♂(正模),C-China, Shaanxi, Qinling Shan, 6km E of Xunyangba, 1000~1300m, 2000. Ⅴ.23-Ⅵ.13, leg. C. Holzschuh(CCH)。

分布:陕西(略阳、宁陕)、四川。

(209)赤褐艳虎天牛 *Rhaphuma ustulatula* Holzschuh, 2006(图版16:1)

Rhaphuma ustulatula Holzschuh, 2006b: 299, fig. 17.

鉴别特征:体长6.1mm左右。头和前胸黑色,前胸后缘两侧具有白色绒毛条纹;触角和足赤褐色,腿节膨大部分颜色稍深;小盾片黑褐色;鞘翅从基部到端部逐渐从赤褐色变为黑褐色再到黑色。每鞘翅具有4个白色绒毛斑纹:第1个位于小盾片之后鞘缝处,为竖条形;第2个位于基部约1/3之前,为横的短条形;第3个位于基部2/3之前,为横的长条楔形,鞘缝处最宽,向侧面逐渐变细,不到达侧缘;最后1个为末端的斜斑。雌虫触角伸达鞘翅第3个白斑处;鞘翅末端平切,端缘角短齿状突出。

采集记录:1♀(正模),Shaanxi, Qinling Shan, 6km E of Xunyangba, 1000~1300m, 2000. Ⅴ.23-Ⅵ.13(CCH)。

分布:陕西(宁陕)。

104. 筒虎天牛属 *Sclethrus* Newman, 1842 陕西新纪录属

Sclethrus Newman, 1842a: 247. **Type species**: *Sclethrus newmani* Chevrolat, 1863 (misapplied as *Ibidion amoenus* Gory, 1833).

Neocollyroides Schultze, 1920: 196. **Type species**: *Neocollyroides macgregory* Schultze, 1920.

属征(Han & Niisato, 2009):体形狭长的中等至大型虎天牛,复眼突出,触角基瘤相距较近。外部看有些种类跟一些树栖虎甲相似。体色通常黑色,足红色或黑色。绒毛和毛很短,部分区域稠密,前胸和鞘翅通常有蓝白色或其他浅色绒毛斑纹,头、小盾片、中胸和后胸腹面及腹部通常有相似的绒毛;前胸背板基半部通常有1对浅色绒毛纵带,有时断成斑点,有时缺失;鞘翅一般具有3个浅色斑纹。头宽于前胸,强烈下倾;触角短到中等长,到达中足基节或稍超过后足基节,线状,通常第3、4节端部具刺(*Sclethrus amoenus* 和 *Sclethrus stenocylindrus* 缺失);柄节圆筒形,通常为第3节的一半长。前胸长筒状,窄于鞘翅基部,小盾片很小,三角形。鞘翅狭长,中部稍窄。足较长,后足腿节超过鞘翅末端,后足胫节几乎等长于腿节,后足跗节第1节略小于其后2节之和的2.0倍。

分布：东洋区。世界已知 13 种，中国记录仅 1 种，为陕西的新纪录。

(210) 窄筒虎天牛 *Sclethrus stenocylindrus* Fairmaire, 1895 陕西新纪录（图版 16:2）

Sclethrus stenocylindrus Fairmaire, 1895: 184.

Sclethrus amoenus: Gressitt & Rondon, 1970: 279.

Sclethrus amoenus: Hua, 2002: 232.

鉴别特征：体长 13.2～19.7mm。体细长，圆筒形。体黑色，有时鞘翅基部黑褐；触角及足红褐，胫节黑褐，有时触角柄节及腹部黑褐；身体分布有淡蓝带银白色鳞片状组成的斑纹。触角细，柄节膨大，雄虫触角伸至鞘翅中部之后，雌虫触角则稍短，第 3 节长度是柄节长度的 2.0 倍，柄节稍短于第 4 节。前胸背板长胜于宽，近于圆筒形，背面十分拱凸，有 4 个鳞毛圆斑，分别位于两侧的中部及基缘，每侧 2 个鳞毛斑之间，有光滑无刻点的一小块区域；前缘两侧各有 1 道细横条鳞毛斑纹。小盾片三角形，盖有银白色鳞毛。鞘翅细长，端缘斜切，每翅基部近中缝有 1 个鳞毛圆斑，中部有 1 个弯曲状鳞毛斑纹，从中缝前端 1/4 为起点，逐渐内斜至中部稍后横向外缘，端部有 1 条鳞毛横带。后足腿节长过鞘翅末端。

采集记录：1♀，南郑，1981. Ⅶ。

分布：陕西（南郑）、湖南、广东、海南、广西、重庆、云南；越南，老挝，泰国，缅甸。

105. 特虎天牛属 *Teratoclytus* Zaitzev, 1937

Teratoclytus Zaitzev, 1937: 213. **Type species**: *Teratoclytus plavilstshikovi* Zaitzev, 1937.

属征：复眼内缘深凹，小眼面细，触角基瘤彼此分开不远；雄虫触角远长于体长（达到 2.0 倍），雌虫触角略长或略短于体长。前胸背板两侧缘弧形，无侧刺突。小盾片半圆形。鞘翅端部较窄，端缘平切或斜切。腿节中等长，腿节棒状，有短的细柄。

分布：中国；俄罗斯，韩国，日本。世界已知 3 种，中国分布 2 种，秦岭地区发现 1 种。

(211) 陕特虎天牛 *Teratoclytus simplicior* Holzschuh, 1992（图版 16:3）

Teratoclytus simplicior Holzschuh, 1992: 20, fig. 19.

鉴别特征：体长 5.7～5.9mm。体黑色，触角和足褐色。前胸基部有白色绒毛斑纹，中间断开；小盾片黑色；鞘翅基部 1/5 处有 1 个白色绒毛短斜斑，不接触鞘缝和侧缘，从鞘缝向后向边斜，鞘翅中部有显著而完整的窄横斑，端部的白色绒毛斑也很窄。

采集记录：1♀(正模)，China，Shaanxi Prov.，Hua Shan，1991. Ⅵ. 17-21(CCH)。

分布：陕西(华阴)。

106. 脊虎天牛属 *Xylotrechus* Chevrolat, 1860

Clytus (*Xylotrechus*) Chevrolat, 1860b: 456. **Type species**: *Clytus sartorii* Chevrolat, 1860.
Xylotrechus: Thomson, 1861: 216, 221.

属征(蒲富基，1980)：复眼内缘深凹，小眼面细，触角基瘤彼此分开较远，额具1条或数条纵直或分枝的脊线，额两侧至少部分具脊线；触角一般短于体长的1/2，有时长达鞘翅中部或中部稍后。前胸背板两侧缘或多或少弧形，无侧刺突；中区粗糙或具粒状刻点。小盾片小。鞘翅端部较窄，端缘斜切。前足基节窝向后开放，中足基节窝对后侧片开放；后胸前侧片较宽，长约宽的2.0～3.0倍。腿节中等长，雄虫后足腿节膨大。

分布：全北区，东洋区，澳洲区，热带区和新热带区。本属分为6个亚属，中国记录有5个亚属，秦岭地区发现2个亚属15个种。

分种检索表

1. 前胸背板底色为红色或部分红色 …… 2
   前胸背板底色为黑色或黑褐 …… 5
2. 前胸背板除前缘黑色外，全为红色 …… 3
   前胸背板部分红色、红褐或黄色 …… 4
3. 前胸背板表面粗糙并有许多短横脊，鞘翅末端有黄灰色斑纹；额部具四条纵脊 …… **白蜡脊虎天牛 *Xyloclytus rufilius***
   前胸背板表面有颗粒伏刻点，鞘翅末端完全黑色；额部纵脊不甚明显 …… **葡脊虎天牛 *X. pyrrhoderus***
4. 前胸背板前方有1对红色大型圆斑，两侧近前缘各有1个红色小斑；触角锯形；小盾片具黑色绒毛；鞘翅黑色，端部黑褐，中部之前有1条黄色细斜线，中部之后有1个狭三角形黄斑纹；后足腿节黄褐 …… **红黑头脊虎天牛 *X. latefasciatus ochroceps*** 雌虫
   前胸背板中部有1条宽阔的红色横带，前、后部各有黄黑横条，基部中央有1个黄斑；触角略呈鞭状；小盾片具黄色绒毛；鞘翅前半部有3条斜宽黑带与黄带相间；后足腿节部分黑色 …… **桑脊虎天牛 *X. chinensis chinensis***
5. 鞘翅具淡色绒毛有黑斑纹 …… 6
   鞘翅大部分为黑色、黑褐色或棕褐色，具淡色斑纹 …… 8
6. 绒毛淡绿色；每鞘翅中央具3个纵向的黑色斑纹 …… **陕脊虎天牛 *X. retractus***
   绒毛黄色；每鞘翅中央具4条横向的黑色斑纹 …… 7

7. 前胸背板中区两侧各有 1 个黑斑点，与中央黑纵条相连接，侧斑点向下弯曲与基部黑横斑接触，形成 2 个完整黄色绒毛圆斑；鞘翅第 2 条黑色横带中部稍向下弯曲，同第 3 条黑色横带相距较远 …………………………………………………………… **四带脊虎天牛 *X. polyzonus***
前胸背板中区两侧各有 1 个黑斑点，不与中央黑纵条相连接，亦不与基部黑横斑接触；鞘翅第 2 条黑色横带中部向下深弯曲，同第 3 条黑色横带相距较近 ………………………………………………………………………………………… **核桃曲纹脊虎天牛 *X. incurvatus contortus***
8. 鞘翅栗棕或淡棕，具有狭细白线条；前胸背板有淡黄斑点 10 个，鞘翅具数条曲折的白线条 ……………………………………………………………………………… **咖啡脊虎天牛 *X. grayii***
鞘翅黑色或黑褐具有黄色或淡黄色条纹 …………………………………………………… 9
9. 鞘翅基部黑色 ……………………………………………………………………… 10
鞘翅基部至少部分淡色 ……………………………………………………………… 11
10. 头、触角黑色；前胸背板前缘两侧及后缘后角有橘黄色绒毛；每个鞘翅中部之前，有 1 条细狭弯斜的横带，中部之后有 1 条较宽的黄色横带 ……………… **黑胸脊虎天牛 *X. robusticollis***
头、触角基部 4 节红褐；触角锯形，每翅中部之前，有 1 条黄色细斜线，中部之后有 1 块狭三角形黄斑 ……………………………………………… **红黑头脊虎天牛 *X. latefasciatus ochroceps***
11. 前胸背板盘区几乎无斑纹 …………………………………………………………… 12
前胸背板盘区具斑纹 ………………………………………………………………… 13
12. 前胸背板黑色，盘区几乎无斑，仅前后缘具淡色绒毛；鞘翅基半部具有“北”字形斑纹 ……………………………………………………… **桦脊虎天牛 *X. clarinus*** 和**显纹脊虎天牛 *X. ibex***
前胸背板黑色被黄绿色绒毛，不形成斑纹；鞘翅基半部斑纹不是“北”字形，而是每翅 1 个半包围圈内有 1 道斜纵纹 ………………………………………………… **霉脊虎天牛 *X. mucidulus***
13. 前胸背板具 3 个缺失淡色绒毛形成的黑斑；每个鞘翅有 5 个斑纹；基半部具有“北”字形斑纹 ………………………………………………………………………………… **叉脊虎天牛 *X. buqueti***
前胸背板前端具黄色绒毛大型斑纹；每个鞘翅有 2 个黄色斑纹 ……………………………………………………………………………………… **秦岭脊虎天牛 *X. boreosinicus***

106-1. *Xyloclytus* Reitter, 1913

Xyloclytus Reitter, 1913: 46, nota 3. **Type species**: *Clytus chinensis* Chevrolat, 1852.
Xylotrechus (*Xyloclytus*): Löbl & Smetana, 2010: 181.

分布：亚洲，欧洲。世界已知 6 种/亚种，中国记录 3 种/亚种，秦岭地区发现 1 亚种。

(212) 桑脊虎天牛 *Xylotrechus* (*Xyloclytus*) *chinensis chinensis* (Chevrolat, 1852)（图版 16:4）

Clytus chinensis Chevrolat, 1852: 416.
Xylotrechus chinensis: Bates, 1884: 231.

Xylotrechus chinensis var. *laterufescens* Pic, 1913a: 19.

Xylotrechus sekii Matsushita, 1936: 146.

Xylotrechus chinensis var. *griseofasciatus* Pic, 1943a: 1.

鉴别特征:体长16.0~28.0mm。体黄色，腹面黑褐色；头部被黄绒毛，触角棕褐色，基部数节色较淡；前胸背板最前端为1个黄色横条，中央为赤红色及黑色的两横条，基部中央有1个黄斑；小盾片亦被黄色绒毛；鞘翅前半部为三黄及三黑条交互形成斜条，其下又有1个黑色横条，端部黄色；腿节黑褐色，胫节、跗节棕色，腿节基部及胫节有时有黄毛；后胸腹板前端两旁及后胸前侧片各有1个黄斑，腹节后半部均被黄绒毛，形成5个横条。触角较粗短，仅伸展至鞘翅基部。前胸背板如球形。鞘翅基部宽阔，末端狭窄，后缘平直。

采集记录: 1♀，西安，1981.Ⅵ.25；1♂，镇安，1960.Ⅶ.9(IOZ(E)1899816)；1♀，镇安，寄主:桑，1960.Ⅶ.09(NWAFU, ex陕西省林业研究所)；1♀，黄陵建庄，寄主:桑树，1962.Ⅷ.17(NWAFU, ex陕西省林业研究所)。

分布:陕西(西安、镇安、商南、黄陵、榆林)、辽宁、北京、河北、山西、山东、河南、甘肃、江苏、安徽、浙江、湖北、福建、台湾、广东、香港、广西、四川、西藏；朝鲜，韩国。

寄主:桑，苹果，梨。

106-2. *Xylotrechus* Chevrolat, 1860

Clytus (*Xylotrechus*) Chevrolat, 1860b: 456. **Type species**: *Clytus sartorii* Chevrolat, 1860.

Xylotrechus: Thomson, 1861: 216, 221.

分布:全北区，澳洲区，非洲区，新热带区。世界已知210种/亚种，中国记录55种/亚种，秦岭地区发现14种/亚种，其中1种为中国新纪录。

(213) 秦岭脊虎天牛 *Xylotrechus boreosinicus* Gressitt, 1951(图版16:5a, 5b)

Xylotrechus boreosinicus Gressitt, 1951: 241, pl. 13, fig. 3.

Xylotrechus borneosinicus: Hua, 2002: 236 [Catalogue, misspelling].

鉴别特征:体长13.0~14.0mm。体较小，长形，黑褐至黑色。前胸背板前端大约1/3处着生黄色绒毛。鞘翅基部及末端略带黑褐色，每翅有2条较宽的黄色绒毛横斑，两斑之间被1条黑褐色斜线分开；前斑在中缝一端，窄于靠外侧的一端，后斑略成三角形，在中缝的一端宽，外侧成角状；胫节及跗节黄褐色。体上面大部分着生直立的淡褐色毛，鞘翅末端着生黑色短卧毛；腹部前两节后缘着生黄色绒毛，其余体腹面着生褐黑色绒毛，后胸腹板上的绒毛较浓密。额两侧成隆脊，中央有1条隆脊，向后伸至头顶，在复眼之间的额隆脊上有1条细沟，把隆脊分成2条细脊线；头具粗糙皱纹刻点。触角较粗壮，伸至鞘翅基部；第5～10节的各节外端角伸出呈锯齿形，第3节短于柄节，第4节略短于第3节，第3、4节长度之和与第5节约相等，第5节与柄节近于等长。

采集记录：1♂，留坝庙台子林场苹果园，1300m，1973.Ⅶ.27，张学忠采（IOZ(E)1905676）；1♂（正模），SW. Shaanxi Province（Pao-chi district））：Tsing-sui-ho，1946.Ⅵ.02，leg. Chang Shu-tsen（NCHU）。

分布：陕西（宝鸡、留坝）、湖北。

（214）叉脊虎天牛 *Xylotrechus buqueti*（**Laporte** *et* **Gory, 1841**）

Clytus buqueti Laporte *et* Gory, 1841: 86, pl. XVI, fig. 99.

Clytus phidias Newman, 1842a: 246.

Xylotrechus siamensis Chevrolat, 1863: 318.

Xylotrechus buqueti: Chevrolat, 1863: 322.

Xylotrechus brevicornis Pascoe, 1869: 608.

Xylotrechus phidias: Gahan, 1894a: 21.

Xylotrechus (*Xylotrechus*) *buqueti*: Gressitt, 1951: 242.

鉴别特征：体长9.0～19.0mm。黑色，头、胸被覆黄色或灰色绒毛，触角端部有稀疏白色绒毛。前胸背板有黑色斑纹，中央有1条纵斑，前端纵斑较细，两侧各有1个小斑点。小盾片着生淡色细毛。鞘翅有黄色或灰色绒毛斑纹，每个鞘翅有5个斑纹：第1横斑位于基缘；第2横斑位于基部，靠外缘一端向下弯曲；第3斑纹从小盾片之后的中缝开始向下，至中部弯曲横向外缘；第4横斑近中缝一端略宽；第5斜纵斑，靠近中缝末端。腹面部分地方密生淡色绒毛。额具"Y"形脊纹，头顶有1条细短纵脊，头有细密刻点；触角第3节同柄节约等长，长于第4节。前胸背板长胜于宽或近于相等，前端稍窄；胸面有粒状或细皱纹刻点。小盾片半圆形。鞘翅两侧近于平行，端缘微斜切，外端角较尖，翅面有细密刻点。雄虫后足腿节超过鞘翅末端，雌虫腹部末节露出鞘翅端部。

分布：陕西（秦岭）、江西、湖南、福建、广东、海南、广西、云南、西藏；越南，老挝，泰国，缅甸，印度，菲律宾，马来西亚，印度尼西亚。

寄主：洋椿属，朴树属，厚壳桂属，紫薇属，肉豆蔻属，紫檀属，娑罗双树属，柚木属等。

（215）桦脊虎天牛 *Xylotrechus clarinus* **Bates, 1884**

Xylotrechus clarinus Bates, 1884: 231.

Xylotrechus (*Xylotrechus*) *clarinus*: Gressitt, 1951: 242.

鉴别特征:体长9.5～20.0mm。体一般为黑褐色，鞘翅及腹节有时成深棕色，触角及足棕红色，腿节色泽较深。头部有淡黄色或灰白色绒毛，以唇基和前额两旁较密；头顶粗糙有深密刻点，中线为1条短脊线，额部于中脊线两旁各有一斜脊，至唇基合成尖角形。触角颇短小，约伸展至鞘翅肩部，第4、5节长度相等，比第3节略短；末端4节较短小。前胸背板长阔近于相等，略呈球面型，前缘及基部镶有淡黄色绒毛；表面粗糙密布颗粒式刻点，两旁有明显短毛。小盾片末端呈圆形，沿后缘生有黄色绒毛。鞘翅略宽于前胸节，至末端渐行狭窄，表面有淡黄色或乳白色绒毛形成条斑；紧接小盾片周围略有淡黄绒毛，肩部为1个狭小的短横条，基部沿内缘有1个斜纵条，下至中央稍前折成横条，至外缘复向前略弯转，形成方形条斑，鞘翅末端1/3处又有1个狭细的横条，末端亦有黄色或乳白色绒毛，后缘较平直，外缘角不明显略带圆形。腹面有少量黄色绒毛分布于后胸前侧片末端及第1、2腹节后缘。雌虫腹部末节极尖长，全部露于鞘翅外。

分布:陕西(秦岭)、黑龙江、吉林、辽宁、内蒙古、宁夏、甘肃、湖南、福建、广东、四川；俄罗斯，朝鲜，韩国，日本。

寄主:桦，赤杨。

(216)咖啡脊虎天牛 *Xylotrechus grayii* (White, 1855)

Clytus grayii White, 1855: 261.
Xylotrechus grayi: Bates, 1884: 233.

鉴别特征:体长8.5～17.5mm。体黑色，触角末端6节有白毛；前胸节背面有白色或淡黄绒毛斑点10个，腹面每边1个；小盾片尖端被乳白色绒毛；鞘翅栗棕色，其上有较稀白毛形成数条曲折白线；中胸及后胸腹板均有稀散白斑，腹部每节两旁各有1个白斑；足黑色，腿节基部及中、后足胫节大部呈棕红色。触角约为体长的1/2。前胸背板中央高凸，似球形。鞘翅基部比前胸基部略宽，向末端渐行狭窄，后缘平直。后足第1跗节长于其余3节长度之和。

分布:陕西(眉县)、河北、山东、河南、甘肃、江苏、湖北、湖南、福建、台湾、广东、香港、四川、贵州、云南、西藏；韩国，日本。

寄主(陈世骧等，1959)**:**咖啡，柚木，榆，日本泡桐。

(217)显纹脊虎天牛 *Xylotrechus ibex* (Gebler, 1825)

Clytus ibex Gebler, 1825: 53. Altai.
Clytus rectangulus Motschulsky, 1875: 149.
Clytus angulosus Motschulsky, 1875: 150.
Clytus fugitives Thieme, 1881: 100.

Xylotrechus（s. str.）*ibex*：Gressitt，1951：244.

鉴别特征：体长 8.0～20.0mm。体黑褐色至黑色。前胸背板的四角有灰色至黄色的绒毛斑纹。鞘翅基半部有个显著的“北”字形绒毛斑纹，笔画粗细相当均匀，在弯曲部分稍粗。端部 1/4 处的横斑完全，接触鞘缝且靠近鞘缝的一端稍微加宽。端部绒毛斑不明显。触角稍超过鞘翅基部，鞘翅末端几乎圆形，没有齿状端缘角。

分布：陕西（秦岭）、黑龙江、吉林、辽宁、内蒙古、宁夏、甘肃、新疆、湖南、福建；蒙古，俄罗斯，朝鲜，韩国，哈萨克斯坦；欧洲。

（218）核桃曲纹脊虎天牛 *Xylotrechus incurvatus contortus* Gahan，1906

Xylotrechus contortus Gahan，1906：249.

Xylotrechus biarcuatus Pic，1917a：6.

Xylotrechus（*Xylotrechus*）*incurvatus contortus*：Gressitt，1951：245.

别名：核桃脊虎天牛。

鉴别特征：体长 10.0～15.5mm。体黑色，全身被覆浓密黄色绒毛，体背面不着生黄色绒毛处，形成黑色斑纹；体腹面绒毛淡黄或黄绿色；触角、足黄褐色。前胸背板中央有 1 个隆起黑纵斑，两侧各有 1 个黑斑，侧缘中部各有 1 个小黑点。每个鞘翅有 4 条横带，前 2 条横带向下（后）深弯曲，第 3、4 条横带向前弯曲。鞘翅末端之前还有 1 个接触边缘的小黑斑。触角远短于体长。小盾片倒梯形。鞘翅两侧几乎平行，端缘稍斜切。后足腿节略超过鞘翅端部。

分布：陕西（秦岭）、湖北、湖南、福建、台湾、广东、广西、四川、贵州、云南；缅甸，印度。

（219）红黑头脊虎天牛 *Xylotrechus latefasciatus ochroceps* Gressitt，1951

Xylotrechus latefasciatus ochroceps Gressitt，1951：247，pl. 9，fig. 7.

鉴别特征：体长 15.0～20.0mm。体黑色，头、触角基部 4 节红褐；前胸背板前缘两侧有黄色绒毛，雌虫前胸背板前端有 1 对红色圆斑，近前缘两侧各有 1 个小红斑点；鞘翅具黄色绒毛斑纹，每翅中部之前有 1 条黄色细斜线，中部稍后有 1 个较窄的三角形黄斑，端部黑褐，雌虫肩部红色；足黑褐色和黄褐色，雌虫腹部黄褐；后胸腹板两侧前端、后胸前侧片大部分及腹部第 1 节两侧后缘被覆浓密黄色绒毛。雄虫触角锯齿状，长达鞘翅基部，第 3 节短于柄节，同第 4 节约等长。前胸背板宽阔，拱凸。鞘翅肩宽，后端稍窄，端缘略斜切。后足腿节较长，扁阔。

分布：陕西（汉中）、重庆、四川、西藏。

(220)霉脊虎天牛 *Xylotrechus mucidulus* Holzschuh, 2009 中国新纪录（图版 16:6）

Xylotrechus mucidulus Holzschuh, 2009: 330, fig. 44.

鉴别特征: 体长 7.2 ~ 11.8mm。体黑色，鞘翅缺失绒毛处黑色，绒毛斑纹黄绿色，绒毛底下为浅黄褐色的底色(端部除外)。前胸背板黑色被黄绿色绒毛。鞘翅黄绿色绒毛斑纹如下：每翅中部之前有 1 条弯曲的条纹，从肩部附近到小盾片，折向后缓慢斜至中部之前又缓缓向上斜向边缘，这中间半包围着 1 个短斜斑；中部稍后具 1 道横斑，在鞘缝处向前延伸，合起来形成 1 个三角形。端部具有黄绿色绒毛，绒毛端斑的宽约等于长，斑纹前端界限不清晰，绒毛底下底色黑色，不同于前面的绒毛斑纹。

采集记录: 1♀，宁陕火地塘，1100m，2013. Ⅵ. 08，阮用颖采(IOZ(E)1904829)。

分布: 陕西(宁陕)；老挝，泰国。

备注: 本种由捷克同行 Petr Viktora 协助鉴定。

(221)四带脊虎天牛 *Xylotrechus polyzonus* (Fairmaire, 1888)（图版 16:7）

Clytus polyzonus Fairmaire, 1888b: 143.

Xylotrechus ployzonus: Aurivillius, 1912.

Xylotrechus jeholensis Kano, 1935: 5.

Xylotrechus (*Xylotrechus*) *polyzonus*: Gressitt, 1951: 249.

鉴别特征: 体长 11.5 ~ 13.5mm。体较小，黑色，鞘翅黑褐色，基部红褐色；体背面被覆浓密黄色绒毛，无黄绒毛着生处，形成黑色斑纹；体腹面大部分着生浓密黄色绒毛；触角及足黄褐色，腿节大部分黑褐色。头较圆，额侧脊不平行，中部较窄，复眼之间额有 1 条细纵沟，额有纵脊；后头刻点较密，散生粒状刻点；触角中等细，长达鞘翅基部，第 3 节稍短于柄节，同第 4 节约等长。前胸背板稍窄于鞘翅，前胸背板长度同宽度约相等，两侧微呈弧形，中央有 1 条黑纵斑，同两侧各 1 个小黑斑相连接，侧斑向下弯曲同基部横斑接触，形成 2 个完整黄色绒毛圆斑，侧缘还各有 1 个黑斑；胸面有细粒状刻点。小盾片半圆形，被黄色绒毛。鞘翅两侧平行，端缘略斜切，外端角尖锐；每翅有 4 条横带，中部之前的 2 条呈弯曲状横带，中部之后的 2 条较平直，第 2 条横带向下弯曲最低部位同第 3 条横带之间距离较远，有时第 4 横带沿侧缘向下延伸；翅面有细密刻点。后足腿节超过鞘翅端部。

采集记录: 1♀，宁陕火地塘，2016. Ⅶ. 07-24，王勇采；1♀，安康，1980. Ⅵ (NWAFU, ex 陕西省林业科学研究所)。

分布: 陕西(宁陕、安康)、辽宁、河北、北京、湖北、广东；俄罗斯，朝鲜，韩国。

(222)葡脊虎天牛 *Xylotrechus pyrrhoderus* Bates, 1873(图版 16:8a, 8b)

Xylotrechus pyrrhoderus Bates, 1873b: 200.

Xylotrechus (*Xylotrechus*) *pyrrhoderus pyrrhoderus*: Gressitt, 1951: 249.

别名:葡萄虎天牛。

鉴别特征:体长 8.0~15.0mm。体型较狭长，末端稍狭尖；身体大部分黑色，前胸节和中胸、后胸腹板以及小盾片深红色，触角及足略带黑褐色。头部粗糙，分布深密刻点，前额宽阔，其上有散乱而模糊的短脊。触角短小，仅伸展至鞘翅基部，除第 2 节外以末端 4 节最短小。前胸背板球形，长略大于宽，前端两旁略有黄毛，表面分布颗粒式刻点。小盾片半圆形，后端有少量黄毛。鞘翅刻点极细密，被细密绒毛，以两侧较清楚，基部略带赤褐色，围小盾片及内缘折向外缘为 1 条黄色绒毛的折角条斑，鞘翅中部稍后有一黄色横条；端缘平直，外缘角极尖锐，呈刺状。后胸腹板及第 1 腹节中央分布深密刻点，前者后缘以及后胸腹侧片均有黄色绒毛，形成一横条。第 1、2 腹节后缘亦镶黄边，第 2 节黄边较宽，有时中央不清楚，因被毛较稀少，第 1 节甚至仅两侧有少量毛而不成条纹。雄虫后足腿节向后伸展超过腹部末端；雌虫约伸展至末端，很少超过；后足第 1 跗节略长于其余 3 节之长度。

采集记录:1♀，周至楼观台，1962. Ⅴ(NWAFU, ex 陕西省林业研究所)。

分布:陕西(周至、凤县)、吉林、辽宁、山西、山东、甘肃(新纪录)、江苏、浙江、湖北、江西、福建、广东、广西、四川、贵州；朝鲜，韩国，日本。

寄主:葡萄 *Vitis vinifera* Linnaeus。

生物学(陈世骧等, 1959):1 年发生 1 代，以幼虫越冬，6 月至 8 月出现成虫。成虫散产卵粒于芽之鳞包或叶柄空隙间，卵经 5 日后开始孵化，随即自枝梢茎部皮下蛀入木质部穿凿孔道，为害枝干。

(223)陕脊虎天牛 *Xylotrechus retractus* Holzschuh, 1998(图版 16:9)

Xylotrechus retractus Holzschuh, 1998: 44, fig. 58.

鉴别特征:体长 7.6~9.7mm。体黑色，触角红褐色，足红褐色至黑褐色，背面密被淡绿色绒毛，在绒毛缺少的部分形成黑色斑纹。前胸背面具有 3 条纵纹，中间 1 条有时断成两截，两侧的两条略呈弧形，前后端扩大；侧面各有 1 个小纵斑。小盾片密被淡绿色绒毛。鞘翅黑斑如下:肩角 1 个短纵带；其后 1 个弧形，两翅合并成为“儿”字形；中部两个短斜带形成“V”形，中间有时断开，靠近鞘缝的 1 条不接触鞘缝；端部之前的点斑不接触鞘缝和侧边。触角伸达弧形斑的端部，鞘翅末端平切。

采集记录:1♂(正模), Shaanxi, Qinling Mts., southern slope, Xunyangba (-S + W env. 33°28-37′N, 108°23-33′E, 1995. Ⅵ. 05-09, leg. L. & R. Businský (CCH)。

分布:陕西(宁陕)。

(224)黑胸脊虎天牛 *Xylotrechus robusticollis* (Pic, 1936)(图版 16:10)

Clytus robusticollis Pic, 1936b: 4.

Xylotrechus robusticollis: Gressitt, 1940b: 70.

鉴别特征:体长 12.0~16.0mm。体中等大小,粗壮,黑色。触角柄节及足黑褐色,有时足棕褐。前胸背板前缘、后缘两侧及小盾片后缘有黄色绒毛,前胸背板后端有灰白色绒毛。每个鞘翅有 2 条黄色绒毛斑纹;第 1 条从小盾片之后的中缝为起点,逐渐向外倾斜至基部 1/3 处,横向外缘为 1 条弯曲的条纹;第 2 条位于后端 1/3 处,为 1 条较宽的横带,近中缝一端稍宽;有时肩沿侧缘有黄色绒毛。额脊不明显,头刻点粗糙;雄虫触角长达鞘翅基部,雌虫触角则稍短,第 3 节同柄节约等长,稍长于第 4 节。前胸背板宽远胜于长,两侧圆弧,表面拱凸,刻点粗大且深凹,形成网状脊纹。小盾片舌形。鞘翅较短,端缘斜切,外端角圆形,缝角刺状,基部有曲状细脊纹。后足腿节较长,远超过鞘翅端部。

采集记录:1♂,安康,1980.Ⅵ(NWAFU);1♀,紫阳,1964.Ⅶ.08。

分布:陕西(户县、安康、紫阳)、湖北、江西、四川、贵州。

寄主(蒲富基,1980):成虫在绣线菊属和钓樟属上。

(225)白蜡脊虎天牛 *Xylotrechus* (*Xylotrechus*) *rufilius* Bates, 1884(图版 17:1)

Xylotrechus rufilius Bates, 1884: 233.

Clytus (*Xylotrechus*) *magnicollis* Fairmaire, 1888a: 34.

Xylotrechus magnicollis: Pic, 1900a: 18.

Xylotrechus magnicollis var. *atrithorax* Pic, 1910: 30.

Xylotrechus magnicollis var. *decoloratipes* Pic, 1910: 30.

Xylotrechus gahani Stebbing, 1914: 352.

Xylotrechus renominatus Beeson, 1919: 151.

Xylotrechus irinae Plavilstshikov, 1925: 360.

Xylotrechus (*Xylotrechus*) *rufilius*: Gressitt, 1951: 250.

别名:巨胸脊虎天牛。

鉴别特征:体长 7.5~16.5mm。体黑色;前胸背板除前缘外,全为红色;鞘翅有淡黄色绒毛斑纹,每翅基缘及基部 1/3 处各有 1 条横带,靠中缝一端,沿中缝彼此相连接,端部 1/3 处有 1 个横斑,靠中缝一端较宽,近侧缘一端,有时沿侧缘向下延伸,端缘有淡黄色绒毛;触角略黑褐。触角一般长达鞘翅肩部,雄虫触角略粗、稍长,第 3 节同柄节约等长,稍长于第 4 节。前胸背板较大,前端稍窄,后端较宽,两侧缘弧形，表面粗糙，具有短横脊。小盾片半圆形，端缘被白色绒毛。鞘翅肩宽，端部窄，端缘微斜切。雄虫后足腿节超过鞘翅端部较长，雌虫则略超过鞘翅端部，后足第1跗节是其余跗节长度之和的1.5倍。

采集记录：1♂，周至厚畛子老县城至秦岭梁途中，1745～2021m，2007. Ⅴ.27，林美英采；1♀，佛坪长角坝乡上沙窝村，1215m，2007. Ⅴ.29，林美英采（IOZ（E）1904775）；1♂，同上；2♂，镇安云盖寺镇茫村，2014. Ⅵ.21；1♀，丹凤蔡川镇，1070m，2014. Ⅵ.30，黄正中采。

分布：陕西（周至、佛坪、镇安、丹凤）、黑龙江、吉林、北京、河北、山东、河南、安徽、浙江、湖北、江西、湖南、福建、台湾、广东、海南、香港、广西、四川、云南；俄罗斯，朝鲜，韩国，日本，老挝，缅甸，印度。

寄主：国槐，印度橡树，枪弹木，柿属，栎属，柞树，栾树 *Koelreuteria paniculata* Laxm.，核桃，等等。

（226）宽带脊虎天牛 *Xylotrechus*（*Xylotrechus*）*yanoi* Gressitt，1934 陕西新纪录（图版 17：2）

Xylotrechus yanoi Gressitt，1934：164.

Xylotrechus pekingensis Pic，1939：3.

鉴别特征：体长 14.0～20.0mm。体黑色，足红褐色或黑褐色。触角前2节为红褐色，其余为黑色。前胸背板前缘和后缘两侧密被金黄色绒毛。小盾片后缘密被金黄色绒毛。每个鞘翅有1个灰白色绒毛横斑和2个金黄色绒毛斑纹，第1个从灰白色斑纹开始斜向侧缘，第2个位于中部之后，近中缝一端宽于边缘一端。触角伸达鞘翅基部。鞘翅肩宽端窄，端缘稍斜切。

采集记录：1♀，太白山蒿坪寺，1170m，1982. Ⅵ.03，孙文杰采（NWAFU）。

分布：陕西（太白）、内蒙古、北京、河北、贵州；韩国，日本。

寄主：柿，桦，等等。

Ⅷ. 小天牛族 Graciliini Mulsant，1839

鉴别特征：体小，鞘翅长而两侧平行，触角细长，复眼深凹。

分类：世界已知22属，中国记录3属，陕西秦岭地区发现1属。

107. 小天牛属 *Gracilia* Audinet-Serville，1834

Gracilia Audinet-Serville，1834b：81. **Type species**：*Callidium pygmaeum* Fabricius，1792（= *Sa-*

perda minuta Fabricius, 1781).

Nothrus Haldeman, 1847b: 43. **Type species**: *Nothrus fuscus* Haldeman, 1847 (= *Saperda minuta* Fabricius, 1781).

Aphelocera Gistel, 1848b: [2] = Gistel, 1856: 376. **Type species**: *Calidium vini* Panzer, 1799 (= *Saperda minuta* Fabricius, 1781).

Oesyophila Bedel, 1894: 156. **Type species**: *Callidium pygmaeum* Fabricius, 1792 (= *Saperda minuta* Fabricius, 1781).

属征:体小而结实，眼上下叶似呈线状连接。触角细长，超过腹部，第3、4节略等，比第5节短。前胸长胜于宽，呈圆筒形。前缘切平，后缘凹入；雌虫前胸较短，两侧中央较突出；雄虫较狭，后缘两侧收缩。小盾片两侧隆起，中央凹陷。鞘翅两侧略为平行，雄虫端部呈钝圆形，雌虫稍宽。雄虫第1腿节较粗，雌虫较长。有时腹部末端稍微露出。

分布:亚洲，欧洲，北美洲，澳洲，非洲。世界已知仅1种，中国有分布。

(227)小天牛 *Gracilia minuta* (Fabricius, 1781)

Saperda minuta Fabricius, 1781: 235.

Cerambyx minutus: Villers, 1789: 245.

Callidium pygmaeum Fabricius, 1793: 323.

Saperda picea Fabricius, 1793: 317.

Callidium vini Panzer, 1799: 10.

Lamia minuta: Latreille, 1804: 281.

Obrium pygmœum: Dejean, 1821: 111.

Gracilia pygmœa: Audinet-Serville, 1834b: 82.

Gracilia minuta: Stephens, 1839: 275.

Nothrus fuscus Haldeman, 1847b: 43.

Gracilia fusca: LeConte, 1850b: 24.

Aphelocera vini: Gistel, 1856: 376.

Gracilia approximata Fairmaire, 1883: clix.

Gracilia obliquata Horn, 1885: 174.

Gracilia pigmœa: Marquet, 1899: 205.

Oesyophila minuta: Bruch, 1912: 193.

Gracilia albanica Csiki, 1931: 278.

Callidium pygmaeum: Zimsen, 1964: 179.

别名:微小天牛。

鉴别特征:体长2.5~7.0mm。体小而结实，色棕灰到棕红，相当暗。眼上下叶似呈线状连接。雌虫触角细长，超过腹部，较雄虫为短；雄虫末端几节更细，第3、4

节略等，比第5节短。前胸长胜于宽，呈圆筒形。前缘切平，后缘凹入，有时中域有瘤状突起，中央有1条浅直纵纹；雌虫前胸较短，两侧中央较突出，有时中域两侧的瘤状部分无绒毛；雄虫较狭，后缘两侧收缩。小盾片两侧隆起，中央凹陷。鞘翅密被灰色绒毛与少数竖毛，两侧略为平行，雄虫端部呈钝圆形，雌虫稍宽。雄虫第1腿节较粗，雌虫较长。有时腹部末端稍为露出。

分布：陕西（南部）、河南；俄罗斯，日本，伊朗，哈萨克斯坦，土耳其，阿塞拜疆，格鲁吉亚，亚美尼亚，欧洲，北美洲，澳洲，非洲。

寄主：橡，栗，枫，栎属，山楂属，悬钩子属，鹅耳木属，槭属，胡桃属，柳属，桦属，桃叶卫矛，决明属植物及它们的干枝。

生物学（陈世骧等，1959）：幼虫生活在阔叶树的枯枝内，柳树上更多。一世代超过两年，有时三年一世代。此外，亦能生活在房屋家具内，尤其是枝编器物。

备注：陈世骧等（1959）记录了陕西南部的分布信息。周嘉熹等（1988）记录了本种分布于陕西的镇巴、渭南和商县，但其图片和描述均与本种特征不相符合。

Ⅸ. 沟角天牛族 Hesperophanini Mulsant, 1839

鉴别特征（Gressitt, 1940b）：唇舌膜质；复眼大，深凹，小眼面粗粒；雄虫触角长于体，下沿具缨毛，柄节中等肿胀，末端圆；前胸侧面圆；鞘翅两侧平行；前足基节窝向后开放，侧面略呈角状；中足基节窝向中胸后侧片开放；腹部第1可见腹板远短于其后两节之和。

分类：世界已知81属，中国记录6属，陕西秦岭地区发现1属3种。

108. 茸天牛属 *Trichoferus* Wollaston, 1854

Trichoferus Wollaston, 1854: 427. **Type species**: *Trichoferus senex* Wollaston, 1854.
Heserandrius Reitter, 1913: 45. **Type species**: *Callidium griseum* Fabricius, 1792.
Hesperophanes (*Trichoferus*): Niisato, *In*: N. Ohbayashi & Niisato, 2007: 430.

属征（蒋书楠等，1985）：复眼深凹，复眼上叶较小，彼此相距较远，小眼面粗；唇基与额之间无弓形深凹；上颚无背脊，下颚须不长于下唇须；颊较短，触角基瘤无尖角突起；触角第3节无沟。前胸背板窄于鞘翅，两侧缘无刺突。前胸腹板突在基节之间较窄；前足基节窝外侧稍成尖角；中足基节窝对后侧片开放；跗节腹面有细沟。全身被覆细而短的毛。

分布：亚洲，欧洲，非洲。世界已知27种/亚种，中国记录5种，秦岭地区发现3种。

分种检索表

1. 前胸背板平坦，不具瘤突或显著毛斑；体被稀疏绒毛；鞘翅缺少显著绒毛斑点 ………………………………………………………………………… **家茸天牛 *Trichoferus campestris***

   前胸背板不平坦，具瘤突或凹洼或显著毛斑；体背面被毛时而稀疏时而稠密，通常形成斑纹…… 3
2. 前胸背板具有两个明显的纵向凹洼；小盾片被灰白色或灰褐色绒毛；鞘翅中部之后有 1 个绒毛稀疏的区域形成斑纹 ……………………………………………… **壮茸天牛 *T. robustipes***

   前胸背板不具凹洼；小盾片被黄铜色绒毛；鞘翅基部绒毛稀疏 ………………………………………………………………………… **甘肃茸天牛 *T. semipunctatus***

(228) 家茸天牛 *Trichoferus campestris* (Faldermann, 1835) (图版 17:3)

Callidium campestris Faldermann, 1835: 435.

Stromatium turkestanicum Heyden, 1886b: 193.

Hesperophanes rusticus Ganglbauer, 1887a: 133.

Hesperophanes flavopubescens Kolbe, 1886: 219.

Hesperophanes campestris: Ganglbauer, 1889a: 65.

Trichoferus campestris: Plavilstshikov, 1940: 69, 630.

鉴别特征: 体长 9.0 ~22.0mm。本种个体大小差异较大，体棕褐色至黑褐色，被褐灰色绒毛，小盾片及鞘翅肩部较密被淡黄毛。头较短，具粗密刻点；触角基瘤微突，雄虫额中央具 1 条细纵沟，雌虫无纵沟，雄虫触角不达或勉强达鞘翅端部，雌虫触角短于雄虫，柄节与第 3 节约等长。前胸背板宽略胜于长，前端略宽于后端，两侧缘弧形，无侧刺突；胸面刻点粗密，粗刻点之间着生细刻点，而雌虫则无细刻点。鞘翅两侧近于平行，后端稍窄，外缘角弧形；翅面具中等粗刻点，端部刻点渐微弱。腿节稍扁平。雄虫腹末节较短宽，端缘较平直，雌虫腹末节则稍狭长，端缘弧形。

采集记录: 1♀，周至集贤镇立新村，2006. Ⅶ. 16，林美英灯诱；1♂，太白太洋公路 69K 到黄柏塬乡，1310m，2012. Ⅵ. 18，李莎采；1♀，留坝庙台子，1350m，1998. Ⅶ. 21，姚建采；1♀，佛坪县城，900m，2008. Ⅶ. 05，白明采；1♂，佛坪，900m，1999. Ⅵ. 27，姚建采；1♀，宁陕旬阳坝，2007. Ⅷ. 20，杨玉霞采；1♂，宁陕火地塘，2007. Ⅷ. 18，杨玉霞采；1♀，宁陕旬阳坝，1350m，1998. Ⅶ. 29，袁德成采；2♂，柞水营盘镇，995m，2014. Ⅶ. 31，路园园灯诱；1♀，柞水营盘镇，955m，2014. Ⅶ. 29，路园园灯诱；1♀，渭南，1983. Ⅵ. 07，杨培中采(NWAFU，CO028409)；1♀，兴平，2015. Ⅵ. 02，宋梁栋灯诱(陕西兴平植保站，通过宋梁栋提供的图片鉴定)；1♂，延安植保站，1983. Ⅷ. 01(NWAFU，CO025647)。

分布: 陕西(周至、凤县、宝鸡、太白、扶风、武功、留坝、佛坪、宁陕、柞水、安康、洛南、宁强、高宁、渭南、合阳、延安、榆林、兴平)、黑龙江、吉林、辽宁、内蒙古、北京、河北、山西、山东、河南、甘肃、青海、新疆、江苏、安徽、浙江、湖北、湖南、四川、贵州、云南；

蒙古，俄罗斯，朝鲜，韩国，日本，中亚地区，欧洲。

(229)壮茸天牛 *Trichoferus robustipes* Holzschuh, 2003 雌虫首次描述(图版 17:4a, 4b)

Trichoferus robustipes Holzschuh, 2003: 169, fig. 18.

鉴别特征:体长 17.8～25.0mm。体棕黑色，被疏密程度多变的灰褐色绒毛。总体来说没有形成显著的绒毛斑，但鞘翅中部之后有个相对稳定的绒毛稀疏的区域。前胸背板具有 2 个纵凹，其前端有 2 个稠密绒毛形成的小斑，侧面圆弧形。鞘翅末端合圆。雌虫跟雄虫颜色和斑纹一致，最容易区分的是触角短了很多。雄虫触角略超过鞘翅末端，雌虫触角仅到达鞘翅末端 2/5 处。

采集记录:1♂，留坝火烧店红崖沟，966m，2012. Ⅵ. 23，李莎采(Ceram-169)；1♂(正模)，China，C-Shaanxi，Tsingling Mts.，50km N Ningshan town，33°44′N，108°26′E，1500m，2000. Ⅵ(CCH)；1♀，宁陕火地塘，1580m，1998. Ⅶ. 27，袁德成采(IOZ(E)1904734)；1♂，旬阳白柳镇，386m，2014. Ⅷ. 2，路园园灯诱。

分布:陕西(留坝、宁陕、旬阳)。

(230)甘肃茸天牛 *Trichoferus semipunctatus* Holzschuh, 2003 陕西新纪录(图版 17:5)

Trichoferus semipunctatus Holzschuh, 2003: 170, fig. 19.

鉴别特征:体长 21.0～22.5mm。体棕红色，被疏密程度多变的灰褐色绒毛。总体来说，前胸和鞘翅基部 1/5 被毛稀疏，显示为棕红色，鞘翅除基部外的部分被毛浓密，夹杂不规则的棕红色小斑点。前胸背板中部靠前有 2 个稠密黄铜色绒毛形成的小斑，侧面圆弧形具有 2 个不显著的瘤突。小盾片三角形，端角尖，密被黄铜色绒毛。鞘翅末端窄圆。雄虫触角达鞘翅末端，雌虫触角仅到达鞘翅末端 1/5 处。

采集记录:1♀，周至集贤镇立新村，2006. Ⅶ. 16，林美英灯诱(IOZ(E)1905670)；1♂，武功，[NWAFU，ex 西北农学院，曾被蒋书楠鉴定为灰黄茸天牛 *Trichoferus guerryi* (Pic, 1915)]。

分布:陕西(周至、武功)、北京、甘肃。

X. 短鞘天牛族 Molorchini Gistel, 1848

鉴别特征(Gressitt, 1940b)**:**头向前突出；复眼侧生，小眼面细粒；触角线状或多少末端锯齿状；前胸前后缘缢缩，侧面圆或具有钝瘤突；鞘翅短缩或末端狭缩，偶尔鞘翅完整；前足基节窝侧面角状，向后关闭或开放；中胸腹板突宽，中足基节窝向中胸后侧片开放；腹部可见第1腹板长，其后各节短缩。

分类：世界已知27属/亚属，中国记录5属，陕西秦岭地区发现3属9种。

分属检索表

1. 鞘翅末端收狭但不分叉 …………………………………… **短萎鞘天牛属 *Molorchoepania***
   鞘翅末端收狭且分叉 …………………………………………………………………… 2
2. 前足基节窝向后关闭 …………………………………………………… **短翅天牛属 *Glaphyra***
   前足基节窝向后开放 …………………………………………………… **短鞘天牛属 *Molorchus***

109. 短翅天牛属 *Glaphyra* Newman, 1840

Glaphyra Newman, 1840b: 19. **Type species**: *Glaphyra semiusta* Newman, 1840.

Laphyra Newman, 1842b: 418 [new name for *Glaphyra* Newman, 1840].

分布：全北区，东洋区，非洲区。秦岭地区发现2亚属4种。

分种检索表

1. 浑身黑色或黑褐色，鞘翅没有斑纹；触角从第3节开始之后各节具有绒毛；前胸腹板突退化，外部不可见 …………………………… **川短翅天牛 *Glaphyra* (*Yamatoglaphyra*) *aemulata***
   非浑身黑色，至少鞘翅具有浅色斑纹；触角不具绒毛；前胸腹板突不那么退化 …………… 2
2. 触角超过腹部末端；触角红褐色；跗节红褐色 ……… **黄跗短翅天牛 *G.* (*Glaphyra*) *gilvitarsis***
   触角不超过腹部末端；触角黑褐色；跗节黑色 …………………………………………… 3
3. 前胸较短，长宽比小于1.2 ………………………… **淡黄短翅天牛 *G.* (*Glaphyra*) *lecta***
   前胸较长，长宽比大于1.5 ………………………… **锯齿短翅天牛 *G.* (*Glaphyra*) *serra***

109-1. *Glaphyra* Newman, 1840

Glaphyra Newman, 1840b: 19 [HN]. **Type species**: *Glaphyra semiusta* Newman, 1840.

Laphyra Newman, 1842b: 418 [new name for *Glaphyra* Newman, 1840].

Molorchus (*Linomius*) Mulsant, 1862: 226. **Type species**: *Necydalis umbellatarum* Schreber, 1759.

Molorchus (*Sinolus*) Mulsant, 1862: 228. **Type species**: *Molorchus kiesenwetteri* Mulsant *et* Rey, 1861.

Conchopterus Fairmaire, 1864: 153. **Type species**: *Necydalis umbellatarum* Schreber, 1759.

Glaphyra (*Glaphyra*): Niisato, *In*: N. Ohbayashi & Niisato, 2007: 455.

鉴别特征：头短，复眼内缘深凹；触角细长，呈丝状。前胸背板长胜于宽，前端及后端缢缩，稍有横凹沟，每侧缘略有瘤突。鞘翅很短，伸至腹部基部，各翅末端收狭，后翅外露。前足基节窝向后关闭。足较长，腿节在中部之后逐渐膨大，基部具细长柄，跗节较细，后足第1跗节长于其后两节长度之和。

分布：全北区。世界已知98种，中国记录38种，秦岭地区发现3种。

(231) 黄跗短翅天牛 *Glaphyra* (*Glaphyra*) *gilvitarsis* Holzschuh, 2006（图版17:6）

Glaphyra gilvitarsis Holzschuh, 2006a: 239, fig. 27.

鉴别特征：体长9.2～10.9mm。体黑色，触角红褐色，足腿节基部黄褐色，腿节棒状部分及柄状部分的端部黑色，胫节基部红褐色，端部黑色，跗节红褐色。头和前胸黑色，前胸前后缘具有苍白色绒毛形成的环纹；小盾片密被苍白色绒毛。鞘翅大部分黑色，具有云状的黄褐色大型斑。触角长于体长。

采集记录：1♂（正模），C-China, Shaanxi, Qinling Shan, 12km SW of Xunyangba, 1900～2250m, 2000. Ⅵ. 14-18（CCH）。

分布：陕西（宁陕）。

(232) 淡黄短翅天牛 *Glaphyra* (*Glaphyra*) *lecta* Holzschuh, 2006（图版17:7）

Glaphyra lecta Holzschuh, 2006b: 281, fig. 4.

鉴别特征：体长7.5mm。体黑色，触角基部4节黑色，端部数节略显黑红褐色，足黑色。头和前胸黑色，前胸前后缘具有少量银白色绒毛形成的环纹；小盾片密被银白色绒毛。鞘翅大部分黑色，具有汽车状的黄褐色大型斑。触角短于体长。

采集记录：1♂（正模），C-China, Shaanxi, Qinling Shan, 12km SW of Xunyangba, 1900～2250m, 2000. Ⅵ. 14-18（CCH）。

分布：陕西（宁陕）。

(233) 锯齿短翅天牛 *Glaphyra* (*Glaphyra*) *serra* Holzschuh, 2006（图版17:8）

Glaphyra serra Holzschuh, 2006b: 279, fig. 2.

鉴别特征：体长5.0～7.4mm。体黑色，触角柄节黑色，其余略显黑红褐色，足黑色，腿节棒状部分黑红褐色。头和前胸黑色，前胸前后缘不具有绒毛形成的环纹；小盾片密被银白色绒毛。鞘翅大部分黑色，具有云状的黄褐色大型斑。触角略短于体长。跟淡黄短翅天牛相比前胸长很多。

采集记录: 1♂(正模), C-China, Shaanxi, Qinling Shan, 12km SW of Xunyangba, 1900~2250m, 2000. Ⅵ.14-18(CCH)。

分布: 陕西(宁陕)、四川; 韩国。

109-2. *Yamatoglaphyra* Niisato, 2006

Glaphyra(*Yamatoglaphyra*) Niisato, 2006: 223. **Type species**: *Molorchus hattorii* K. Ohbayashi, 1953.

鉴别特征: 小型短翅类天牛, 浑身黑色或黑褐色, 鞘翅没有斑纹。本亚属跟指名亚属的区别相当大, 尤其是触角从第3节开始之后各节具有绒毛; 前胸腹板突退化, 外部不可见; 后翅翅脉退化, 3A 脉缺失。

分布: 中国; 日本。世界已知3种, 中国记录2种, 秦岭地区仅发现1种。

(234) 川短翅天牛 *Glaphyra* (*Yamatoglaphyra*) *aemulata* Holzschuh, 1998 陕西新纪录(图版17:9)

Glaphyra aemulata Holzschuh, 1998: 38, fig. 48.

Glaphyra (*Yamatoglaphyra*) *aemulata*: Niisato, 2006: 228, figs. 4, 7.

鉴别特征: 体长6.2~7.4mm。体黑色, 被有灰白色柔毛。雄虫触角超过腹部末端, 雌虫触角超过鞘翅末端, 但不达腹部末端。前胸基部横缢缩显著, 横沟附近有侧瘤突, 末端钝圆, 前胸背板刻点非常不均匀, 大部分区域光裸, 有刻点的部分刻点稀疏。鞘翅刻点比前胸细密很多, 长为肩宽的1.5倍左右, 末端狭圆。

采集记录: 1♀, 周至厚畛子老县城, 1745m, 2007. Ⅴ.26, 林美英采。

分布: 陕西(周至)、甘肃、四川。

110. 短萎鞘天牛属 *Molorchoepania* Pic, 1949

Epania (*Molorchoepania*) Pic, 1949: 9. **Type species**: *Epania barbieri* Pic, 1949.

Molorchus (*Kobaneus*) Hayashi, 1958: 46. **Type species**: *Molorchus mizoguchii* Hayashi, 1955.

Molorchoepania: Hayashi, 1974b: 15.

属征: 头短, 复眼内缘深凹; 触角细长。前胸背板长胜于宽, 前端及后端缢缩, 基部稍有横凹沟, 每侧缘略有瘤突。鞘翅很短, 伸至腹部基部, 各翅末端收狭但不分叉, 端缘圆形, 后翅外露。足较短, 腿节棒状, 基部细柄短, 跗节较细, 后足第1跗节长于其后两节长度之和。

分布: 东洋区, 澳洲区。世界已知8种, 中国分布2种, 秦岭地区发现1种。

（235）陕短萎鞘天牛 *Molorchoepania viticola* Holzschuh，1998（图版 17:10）

Molorchoepania viticola Holzschuh，1998：35，fig. 45.

鉴别特征：体长 6.1～7.5mm。体黑色，触角黑色但端部数节略黑褐色，足黑色但前足跗节颜色稍淡。头和前胸黑色，前胸后缘具有银白色绒毛形成的环纹；小盾片密被银白色绒毛。鞘翅黑色，基部具有显著的褐色竖毛。触角短于体长。触角、前胸两侧、胫节和后足腿节具有显著的长竖毛。

采集记录：1♂（正模），Shaanxi，Lueyang（33°07′N，106°05′E），1997. Ⅵ. 18-24，E. Kučera（CCH）。

分布：陕西（略阳）。

111. 短鞘天牛属 *Molorchus* Fabricius，1793

Molorchus Fabricius，1793：356. **Type species**：*Necydalis minor* Linnaeus，1758.

属征：头短，复眼内缘深凹；触角细长，呈丝状。前胸背板长胜于宽，前端及后端缢缩，稍有横凹沟，每侧缘略有瘤突。鞘翅很短，伸至腹部基部，各翅末端收狭而分叉，端缘圆形，后翅外露。前足基节窝向后开放。足较长，腿节在中部之后突然膨大，基部具细长柄，跗节较细，后足第 1 跗节长于以下两节之和。

分布：古北区。本属分 2 亚属，中国记录 2 亚属，秦岭地区发现 2 亚属 4 种。

备注：如果根据 Bousquet（2008）确定本属的模式种为 *Necydalis umbellatarum* Schreber，1759，那 *Glaphyra* 就变成本属的次异名。本文暂时不跟随这个改动，而是按照之前多数作者认可的系统。

分种检索表

1. 鞘翅没有斑纹 ………………………………… **蔷薇短鞘天牛 *Molorchus*（*Nathrioglaphyra*）*liui***
   鞘翅具有浅色斜纹 ……………………………………………………………………… 2
2. 鞘翅中部具 1 条红褐色的略微倾斜的横纹 …………… **太白短鞘天牛 *M.*（*Molorchus*）*changi***
   鞘翅中央靠后有 1 条乳白色或乳黄色纵斜纹，两侧对称呈倒“八”字形 ……………………… 3
3. 鞘翅端半部的乳白色斜纹两者之间的夹角小于 80°；斜纹前后端粗细差不多 …………………
   ……………………………………………………… **冷杉短鞘天牛 *M.*（*Molorchus*）*minor***
   鞘翅端半部的乳黄色斜纹两者之间的夹角大约 80°；斜纹前端明显比后端细 …………………
   ……………………………………………………… **诈短鞘天牛 *M.*（*Molorchus*）*fraudator***

111-1. *Molorchus* Fabricius，1793

Molorchus Fabricius，1793：356. **Type species**：*Necydalis minor* Linnaeus，1758.

Caenoptera C. G. Thomson, 1859: 150. **Type species**: *Necydalis minor* Linnaeus, 1758.

分布:古北区。世界已知27种，中国记录7种，秦岭地区发现3种。

(236)太白短鞘天牛 *Molorchus* (*Molorchus*) *changi* Gressitt, 1951

Molorchus (s. str.) *changi* Gressitt, 1951: 171, pl. 12. fig. 2.

鉴别特征:体长8.0mm左右。体黑褐色至黑色，鞘翅中部具1条红褐色的略微倾斜的横纹(不隆起)；触角、足、额、前胸的前后缘红色；腿节棒状部分，鞘翅肩部和腹部黑红色。触角、前胸、足和鞘翅基部具长竖毛；小盾片密被黄白色绒毛；前胸两侧具银灰色绒毛；腹部两侧具灰色绒毛。

分布:陕西(秦岭)、四川。

(237)冷杉短鞘天牛 *Molorchus* (*Molorchus*) *minor* (Linnaeus, 1758)

Necydalis minor Linnaeus, 1758: 421.

Necydalis ceramboides de Geer, 1775: 151.

Leptura dimidiatus Fabricius, 1775: 199.

Gymnopterion medius Schrank, 1798: 688.

Molorchus dimidiatus: Fabricius, 1801: 375.

Heliomanes minor: White, 1855: 180.

Molorchus minor: Martin, 1860: 1007.

Molorchus rufescens Kiesenwetter, *In*: Schneider & Leder, 1879: 316.

Molorchus (*Molorchus*) *minor*: Gressitt, 1951: 172.

鉴别特征:体长7.5~10.5mm。体小型，黑色，触角、鞘翅及足红褐色，背面被有淡褐色疏松的长毛，前胸背板前后缘、小盾片及腹面的毛银白色。头与前胸前端等宽，刻点小，额平，触角之间有浅的纵沟。触角长，雌虫触角与身体约等长或略长，11节；雄虫触角是体长的1.0倍，12节。前胸长大于宽，后端稍狭于前端，后端前面紧缩并具一条横沟，侧刺突小而钝；前胸背板刻点粗密，略呈皱状，中域有5个微具刻点的圆形隆起，两侧2个较大，中间1个较小。小盾片近于长方形，末端圆。鞘翅短缩，长度达第1腹节中央，基端阔，末端狭，后缘圆，翅末端较厚而且隆起；翅面刻点大而疏，在中央稍靠后有1条乳白色纵纹斜伸向后方，两侧对称呈倒“八”字形。足细，腿节末端突然膨大。体腹面光滑，刻点小而疏。

分布:陕西(秦岭)、黑龙江、辽宁、北京、河北、甘肃、青海、新疆；蒙古，俄罗斯，朝鲜，韩国，哈萨克斯坦，土耳其，欧洲。

寄主:冷杉。

生物学:1 年发生 1 代，以幼虫越冬。成虫在每年 6 月初至 7 月中旬大量出现，在空中飞行。幼虫在新砍伐的冷杉树干或树枝中蛀食，虫道长而弯曲，深入木质部。

(238) 诈短鞘天牛 *Molorchus* (*Molorchus*) *fraudator* Pesarini *et* Sabbadini, 1997 陕西新纪录(图版 17:11)

Molorchus fraudator Pesarini *et* Sabbadini, 1997: 96, 104, pl. Ⅱ, fig. 1.

鉴别特征:体长 9.0~11.4mm。体黑色，触角和足红褐色，鞘翅褐色但端部黑色，背面被有淡褐色疏松的长毛，前胸背板前后缘、小盾片及腹面的毛银黄色。鞘翅端半部的乳黄色斜纹斜伸向后方，两侧对称呈倒"八"字形，两者之间的夹角大约 80°。

采集记录:1♀，周至厚畛子，1300~1500m，2000. Ⅴ. 15-19，黄灏采。

分布:陕西(周至)、四川。

备注: Niisato(1997)把本种作为蜀短鞘天牛 *Molorchus relictus* Niisato, 1996 的次异名。但是 Holzschuh 认为两种都成立(个人交流)。

111-2. *Nathrioglaphyra* Sama, 1995

Nathrioglaphyra Sama, 1995: 383. **Type species**: *Molorchus heptapotamicus* Plavilstshikov, 1940.
Molorchus (*Nathrioglaphyra*): Danilevsky, 2011c: 105.

分布:亚洲。世界已知 4 种，中国分布 3 种，秦岭地区发现 1 种。

(239) 蔷薇短鞘天牛 *Molorchus* (*Nathrioglaphyra*) *liui* Gressitt, 1948(图版 18:1)

Nathrioglaphyra liui Gressitt, 1948: 51, pl. 1, fig. 6.
Molorchus (*Molorchus*) *liui*: Gressitt, 1951: 172.
Molorchus (*Nathrioglaphyra*) *smetanai* Danilevsky, 2011c: 105, fig. 1.
Glaphyra liui: Holzschuh, 2013: 9.

鉴别特征:体长 3.8~7.5mm。体小型，狭长，背腹扁平，红棕色，全体被稀疏的银白色直立长毛。头部额近四方形，长稍胜于宽，散布稀疏刻点，中央具深纵沟，头顶略隆起，刻点较密；触角较细长，柄节粗短，略近椭圆形，散布稀疏刻点，第 5、6 节较第 3、4 节长，约为柄节长度的 2.0 倍。前胸长约为宽的 1.5 倍，前端及后端略收缩，中部稍膨大，两侧缘中央稍后处各具 1 个钝瘤；背面中央略扁平，具 5 个光滑区，中央 1 个较狭长，中央两侧前方各 1 个较大，近后端两侧各 1 个较小，在上述光滑区之间密布粗大刻点，后部具较密的银白色毛。小盾片近圆形，密被银白色毛。鞘翅宽短，约与前胸等宽，侧缘近直线形，渐向末端狭窄，末端圆，仅伸过后胸腹板末端；翅面平坦，散布稀疏的较粗刻点，后胸腹板后缘及各腹节两侧后缘密被银白色毛，腹面光滑，散布稀疏刻点。足短而细，腿节端部突然膨大，呈球杆状，后足腿节超过腹端，后足第 1 跗节约为第 2、3 节长度之和的 1.5 倍。

采集记录:1♂，延安，1980(NWAFU，CO028404)。

分布:陕西(秦岭、延安)、甘肃、浙江、湖北、湖南、四川、云南。

寄主:蔷薇。

Ⅺ. 侧沟天牛族 Obriini Mulsant，1839

鉴别特征(Gressitt，1935e):复眼多样，通常复眼大，小眼面粗粒，偶尔复眼小且小眼面细粒。前足基节窝圆形，向后关闭；中足基节窝不对中胸后侧片开放。多数属的雌虫腹部第 1 可见腹板延长，其余腹板短缩，第 2 可见腹板具有浓密的毛穗隐藏末端 3 节；雄虫腹部末端 4 节不短缩。

分布:世界广布。世界已知 44 属/亚属，中国记录 7 属，秦岭地区发现 1 属 2 种。

112. 侧沟天牛属 *Obrium* Dejean，1821

Obrium Dejean，1821：110. **Type species**：*Cerambyx cantharinus* Linnaeus，1767.

Phyton Newman，1840b：19. **Type species**：*Phyton limum* Newman，1840（= *Cerambyx maculatus* Olivier，1795）.

Diozodes Haldeman，1847b：42. **Type species**：*Callidium pallidum* Say，1823（= *Cerambyx maculatus* Olivier，1795）.

属征(Gressitt，1935e):前足基节强烈圆锥形且宽大；后胸前侧片具有 1 条深纵沟。触角基部数节被均匀分布的中等长的毛，末端不具更长的毛。

分布:世界广布。世界已知 88 种/亚种，中国记录 15 种，秦岭地区发现 1 种，还有 1 个未知种，可能是新种。

(240)陕西侧沟天牛 *Obrium fractum* Holzschuh，2003(图版 18:2)

Obrium fractum Holzschuh，2003：178，fig. 25.

鉴别特征:体长 4.6mm。体红褐色，头部、触角柄节和各足腿节的膨大部分颜色较深，呈黑褐色。触角末端两节和倒数第 3 节的一部分超出鞘翅末端，鞘翅末端合圆。

采集记录:1♀(正模), China, Shaanxi, Qinling Shan, 6km E of Xunyangba, 1000 ~1300m, 2000. Ⅴ.23-Ⅵ.13(CCH)。

分布:陕西(宁陕)。

(241)侧沟天牛属 *Obrium* sp. (图版18:3)

鉴别特征:体长7.1mm。同陕西侧沟天牛相比，个体更大，颜色偏暗，鞘翅刻点更细密。

采集记录:1♀，山阳城关镇权垣村，669m，2014.Ⅵ.27，黄正中采。

分布:陕西(山阳)。

备注:可能是新种(Niisato, 2016, 个人交流)。

Ⅻ. 圆天牛族 Oemini Lacordaire, 1868

鉴别特征(Bates, 1870a; Linsley, 1932):复眼大，通常小眼面粗粒，深凹或偶尔断裂；触角长，触角节不具刺；前足基节窝横阔，侧面呈角状，向后开放；中足基节窝向中胸后侧片开放。唇舌多少角质化。

分类:本族分为两个亚族，中国记录的是指名亚族 Oemina。指名亚族世界已知91属/亚属，中国记录8属，秦岭地区发现2属2种。

分属检索表

复眼断裂成远离的上下两叶，小眼面细粒；体型小，体长在20.0mm以下；鞘翅绿色或蓝色，有金属闪光 ………… **美英天牛属 *Meiyingia***

复眼深凹不断裂，小眼面粗粒；体型大，体长在25.0mm以上；鞘翅褐色、茶色或棕褐色，无金属闪光 ………… **茶色天牛属 *Oplatocera***

113. 美英天牛属 *Meiyingia* Holzschuh, 2010

Meiyingia Holzschuh, 2010: 144. **Type species**: *Meiyingia paradoxa* Holzschuh, 2010.

属征:头顶浅陷；唇基短，前额平坦。复眼小眼面细粒，断裂成远离的上下两叶。触角细长，雄虫触角长于体，基部数节内侧有刺突，第3节最长，末节最短(第2节除外)；雌虫触角略短于体。前胸背板长略胜于宽，侧面中后部具有钝瘤突。中胸发音器不具中央纵纹。鞘翅较柔软，背面平坦，两侧几乎平行或稍微向后渐窄，末端圆形。足短，腿节逐渐膨大，胫节长于腿节；后足跗节第 1 节长于其后两节之和。前足基节窝宽阔开放，前胸腹板突窄而短。中足基节窝对中胸后侧片开放。

分布：中国。本属共记录 3 种，均为中国特有，秦岭地区分布 1 种。

(242) 美英天牛 *Meiyingia paradoxa* Holzschuh, 2010（图版 18：4）

Meiyingia paradoxa Holzschuh, 2010: 145, figs. 5a, 5b.

鉴别特征：体长 12.6～15.1mm。头和触角柄节金绿色，触角其余各节红褐色；前胸背板中央纵条金绿色，端部宽、基部窄，两侧为红色。小盾片和鞘翅金绿色，密布粗糙刻点。足大部分为红褐色，有时候腿节颜色较深。雄虫触角末端 3 节半超过鞘翅末端，雌虫触角略短于体长，仅达鞘翅端部约 1/10 处。

采集记录：1 ♀（副模），Shaanxi, Qinling Shan, 6km E of Xunyangba, altitude 1000～1300m, 2000. Ⅴ. 23-Ⅵ. 13, C. Holzschuh（CCH）。

分布：陕西（宁陕）、河南。

114. 茶色天牛属 *Oplatocera* White, 1853

Oplatocera White, 1853: 121. **Type species**: *Oplatocera callidioides* White, 1853.
Hoplitocera Gemminger *et* Harold, 1872: 2795 [unjustified emendation].

属征（蒋书楠等，1985）：头较短，复眼深凹，小眼面粗粒，复眼下叶大而突出，近于圆形，长于其下颊部，颊向外呈角状突出；上颚粗壮；额短阔；触角基瘤之间额凹陷；雄虫触角长于虫体，第 3 节十分长于柄节。前胸背板宽胜于长，前、后缘有横凹沟，具侧刺突。鞘翅较长，肩较宽，端缘略倾斜而狭窄，鞘翅质地较薄，翅面纵脊较明显；中足等长，腿节较短而粗扁。

分布：东洋区。本属分为两个亚属，其中指名亚属世界已知 4 种，中国记录 2 种，突胸茶色天牛亚属世界已知 9 种，中国记录 3 种，秦岭地区发现 1 种。

114-1. 突胸茶色天牛亚属 *Epioplatocera* Gressitt, 1951

Oplatocera (*Epioplatocera*) Gressitt, 1951: 131. **Type-species**: *Oplatocera oberthuri* Gahan, 1906.

鉴别特征（Gressitt, 1951）：同指名亚属的区别在于本种雄虫前胸侧面具有明显侧瘤突，触角向后逐渐从粗壮变细，基部数节具毛但缺乏内侧刺突。

分布：东洋区。

(243) 茶色天牛属 *Oplatocera* (*Epioplatocera*) sp. nr. *oberthuri*（图版 18:5）

鉴别特征：体长 35.0mm。体大中型，较宽扁，棕色至棕褐色。头部触角红棕色，各节末端黑色。前胸背板烟褐色，背中区有 1 对黑色绒毛斑，四周有细的黑色边框，除了前后缘中部有时不显，两侧刺突内侧及刺突尖端通常棕褐色。小盾片棕褐色。鞘翅中部前后各有 1 条不整齐的斜行褐横带，后方 1 条沿中缝处最宽；鞘翅末端有窄的深褐色边缘。雌虫触角约等于体长。鞘翅末端左右相合成圆弧形，翅表有明显的 2 条纵脊。

采集记录：1♀，宁陕火地塘，1580m，1998. Ⅶ. 26，姚建采。

分布：陕西（宁陕、汉中）。

备注：陕西的这种曾被鉴定为榆茶色天牛 *Oplatocera* (*Epioplatocera*) *oberthuri* Gahan，1906。但根据笔者对印度标本和 1 号陕西雌虫标本的对比，两者有明显的不同，应该属于不同种类。但由于时间限制和标本量不足，具体结果还有待进一步研究确认，将在茶色天牛属的订正性研究中具体阐述。

XIII. 缨天牛族 Phoracanthini Newman，1840

鉴别特征：复眼小眼面粗，触角节部分具刺。中足基节窝对中胸后侧片关闭。足较短，腿节棒状。

分类：世界已知 22 属，中国记录 3 属，陕西秦岭地区仅有 1 属 1 种。

115. 尼辛天牛属 *Nysina* Gahan，1906

Nysina Gahan, 1906: 153. **Type species**: *Sphaerion orientale* White, 1853.

Pseudallotraeus Pic, 1923a: 13. **Type species**: *Pseudallotraeus rufescens* Pic, 1923.

Neollphaerion Schwarzer, 1925a: 21. **Type species**: *Neosphaerion asiaticum* Schwarzer, 1925.

Allotraeus (*Nysina*): Gressitt, 1951: 151, 152.

属征：头短，复眼深凹，小眼面粗，颊短；触角一般长于身体，下沿有长缨毛；第 3~5 节或 7 节内端具刺，第 3 节表面有浅纵凹。前胸背板长度同宽度近于相等或长胜于宽，两侧缘微呈弧形，无侧刺突。鞘翅端部稍窄，端缘微凹缺，外端角钝突。前足基节窝向后开放，中足基节窝对后侧片关闭，后胸腹板后角有臭腺孔。足较短，腿节棒状，基部呈细叶柄状，后足第 1 跗节同第 2、3 跗节的长度之和约相等。

分布：中国；韩国，日本，越南，老挝，泰国，缅甸，印度，孟加拉国，马来西亚。世界已知 14 种/亚种，中国记录 9 种，秦岭地区发现 1 种。

(244)红足尼辛天牛 *Nysina grahami* (Gressitt, 1939)(图版 18:6)

Allotraeus grahami Gressitt, 1937b: 89.

Pseudallotraeus grahami: Gressitt, 1937c: 318.

Allotraeus (*Nysina*) *grahami*: Gressitt, 1951: 151, 152.

Nysina grahami: Löbl & Smetana, 2010: 195.

别名:红足缨天牛。

鉴别特征:体长 10.5 ~13.0mm。体较小,长形,棕褐,鞘翅黄褐;体背面着生较细而短的淡黄毛及夹杂有分散的长褐毛,小盾片覆盖浓密的淡黄毛;触角基部数节下沿及足着生金黄色细长毛;体腹面覆盖灰黄绒毛。触角基瘤着生处彼此远离,为额分开较宽;柄节刻点粗糙,背面基部有短的纵形浅凹;第 3 节 2 倍长于柄节,稍长于第 4 节;第 3 ~5 节内端具细刺;额的前端有 1 个半月形凸起,凸起的周缘具凹沟。前胸背板长度同宽度近于相等,前端稍窄于后端,中央有 1 个光滑区,光滑区的四周分布有似蠕虫状脊纹,两侧具皱纹刻点。小盾片近于半圆形。鞘翅刻点粗深而稠密,中部之后逐渐减弱,端缘凹缺,外端角钝突。足较短,腿节中部之后突然膨大呈棒状,基部呈细叶柄状;胫节两侧中央各有 1 条光滑纵脊,后足第 1 跗节长度同第 2、3 跗节的长度之和约相等。

采集记录:1♂2♀,周至板房子,2006.Ⅶ.20,林美英灯诱。

分布:陕西(周至)、河南、湖北、江西、湖南、福建、广东、广西、重庆、四川、贵州、云南、西藏。

寄主:据文献记载有桑属。

XⅣ. 长跗天牛族 Prothemini Lacordaire, 1868

鉴别特征:复眼小眼面较细;小盾片较小,呈半圆形,后角钝圆;前足基节窝圆形,向后关闭;中足基节窝对中胸后侧片开放;后胸腹板后角不具臭腺孔;腿节较长,后足腿节超过腹部末端,后足跗节第 1 节长于其余跗节的长度之和。

分类:本族世界记录 3 属 51 种,中国记录 1 属,秦岭地区有分布。

116. 长跗天牛属 *Prothema* Pascoe, 1856 陕西新纪录属

Prothema Pascoe, 1856: 43. **Type species**: *Prothema signata* Pascoe, 1856.

Sigeum Pascoe, 1866c: 523. **Type species**: *Blemmya humerale* Pascoe, 1857.

属征(蒲富基, 1980):头较短,复眼较大,深凹,小眼面细,上颚端部向内弯曲;

触角长于或短于身体，第3节是第4节长度的2.0倍，第6～10节端部外侧呈角状突出。前胸背板长宽近于相等或宽稍胜于长，前端窄，两侧缘无刺突。小盾片小，三角形。鞘翅较短阔，端缘切平。前足基节窝向后关闭，中足基节窝对后侧片开放；后胸腹板不具臭腺孔，后胸前侧片较宽。后足腿节细长，长于鞘翅端部，后足跗节第1节长于其余跗节的长度之和。

分布:东洋区。世界已知24种，中国记录8种，秦岭地区仅新记录1种。

(245)长跗天牛 *Prothema signatum* Pascoe，1856 陕西新纪录(图版18:7)

Prothema signata Pascoe，1856：43，pl. XⅥ，fig. 5.

Prothema funerea Pascoe，1856：43.

Prothema signatum：Löbl & Smetana，2010：196.

鉴别特征:体长10.0～14.0mm。体较小，粗短，黑色。雄虫鞘翅无斑纹；雌虫鞘翅有金黄色绒毛斑纹，每翅有2个斑纹，分别位于基部，沿小盾片延伸至中缝前端及中部略后；前者为纵斑纹；后者为狭窄的斜横斑，靠中缝一端稍宽，另一端不达侧缘；触角及足被银灰色短毛；体腹面被浓密银灰色绒毛，两侧绒毛金黄色；小盾片被稀疏灰色绒毛。

采集记录:1♀，周至厚畛子，1280m，2008. Ⅴ.05-06，黄灏采(CCCC)。

分布:陕西(周至)、河南、浙江、江西、湖南、福建、广东、海南、广西、贵州、西藏；越南，老挝。

XⅤ. 折天牛族 Pseudolepturini Thomson，1861

鉴别特征:复眼深凹，不分出两叶，小眼面较粗大；上颚较短；颊较长；触角较短，最多与体约等长，触角节扁平状；小盾片较小，后胸腹板后角无臭腺孔；前胸腹板突宽阔，端部显著，前足基节窝后方关闭，中足基节窝对中胸后侧片开放；腿节较短，后足腿节短于腹部。

分类:世界已知5属109种，中国记录3属19种，秦岭地区发现2属5种。

分属检索表

鞘翅外缘无弧形凹缺；前胸背板宽稍胜于长或长宽约相等，基端较前端宽 … **红天牛属 *Erythrus***

鞘翅外缘在肩部之后有1个弧形凹缺；前胸背板长胜于宽，呈圆柱形………… **折天牛属 *Pyrestes***

117. 红天牛属 *Erythrus* White, 1853

Erythrus White, 1853: 142. **Type species**: *Erythrus championi* White, 1853.

Pseudoleptura Thomson, 1861: 142, 148(new name for *Erythrus* White, 1853).

Disidaema Thomson, 1861: 147. **Type species**: *Erythrus fortunei* White, 1853.

属征:复眼深凹，小眼面细；上颚较短；颊较长；触角较短，雄虫触角长达鞘翅中部之后，雌虫触角则达鞘翅中部，第5~10节呈锯形，每节外端角尖锐。前胸背板宽胜于长或近相等，前端窄，后端宽，两侧缘弧形，无侧刺突。小盾片半圆形。鞘翅长形，端部稍阔，端缘圆形；中缝后端拱隆，侧缘边框明显。前足基节窝向后关闭；中足基节窝对后侧片开放；后胸腹板不具臭腺孔，腹部第1节长于第2节。足短，后足腿节不达第3腹节；后足第1跗节长于第2跗节。

分布:东洋区。世界已知67种/亚种，中国记录17种，秦岭地区发现3种。

分种检索表

1. 头大部分红色，鞘翅端部膨阔，中缝后端显著隆起，体较粗壮；前胸背板中央有1对圆形黑色瘤状毛斑，有时毛斑前后各有1对黑斑，前面1对括弧形的斑纹…………………………………………………………………… **红天牛 *Erythrs championi***

   头黑色，鞘翅端部稍阔，中缝后端略隆起，体较狭窄 …………………………………………… 2

2. 体较小而更狭，前胸背板中区仅有1对圆形黑色瘤状毛斑 ……………… **油茶红天牛 *E. blairi***

   体较大而稍宽，前胸背板中区除有1对圆形黑色瘤状毛斑外，其前面还有1对黑色括弧状斑纹，近基部有3个黑斑点，中间黑斑较小，有时不甚明显，两侧黑斑较大，常与前面括弧斑相连，背板两侧各有1或2个黑斑点…………………………………… **弧斑红天牛 *E. fortunei***

(246)油茶红天牛 *Erythrus blairi* Gressitt, 1939(图版18:8)

Erythrus blairi Gressitt, 1939b: 32, 33.

鉴别特征:体长11.0~19.0mm。头、触角、小盾片、体腹面及足黑色。前胸背板及鞘翅红色。前胸背板中区有1对圆形瘤状黑色毛斑。触角第3节是第4节长度的2.0倍。前胸背板长、宽近于相等，无侧刺突。小盾片着生黑色绒毛。鞘翅前端窄，后端稍阔，端缘圆形，翅面具细密刻点，每翅有2条纵隆脊线，中央1条较长而显著，近中缝1条较短，不甚明显。

采集记录:1♂，华山，1670m，1963.Ⅴ.29，毛金龙采；1♀，Shensi，Hwashan，1936.Ⅵ.09。

分布:陕西(华阴)、河南、江苏、浙江、湖北、江西、湖南、福建、台湾、广东、海南、广西、贵州、云南。

寄主:茶，油茶。

(247) 红天牛 *Erythrus championi* White, 1853

Erythrus championi White, 1853: 142.
Pseudoleptura championi: Thomson, 1861: 148.
Sternoplistes schaiblei Nonfried, 1892: 86, 92.
Erythrus championi var. *lineatus* Pic, 1916a: 12.
Purpuricenus schaiblei: Hua, 2002: 229.
Purpuricenus (*Sternoplistes*) *schaiblei*: Löbl & Smetana, 2010: 199.

鉴别特征:体长 13.0 ~ 21.0mm。体中等大小，较粗壮，红色，触角、足、中胸腹板、后胸腹板及腹部黑色。前胸背板中区有 1 对圆形瘤状黑色毛斑，有时毛斑前、后各有 1 对黑斑，前面 1 对呈括弧状。额中央有 1 条细纵线，头具细密刻点，头顶着生稀疏颗粒刻点；触角基瘤呈尖角突出，触角柄节刻点粗糙，第 3 节是第 4 节长度的 2.0倍。前胸背板宽胜于长，前端窄，稍紧缩；后端宽；两侧圆弧，无侧刺突；胸面具弯曲皱纹，略带丝绒光泽。鞘翅肩窄，后端较阔圆；翅面有粗糙皱纹，后端皱纹逐渐消失，有细刻点，每翅中央有 1 条显著纵隆脊线，从基部延伸至端部。后胸腹板密布粗刻点，腹部及足密布细刻点；腿节两侧下沿各有 1 条纵脊线；后足跗节第 1 节同第 2、3 节约等长。

分布:陕西（秦岭）、河南、江苏、浙江、湖北、江西、湖南、福建、台湾、广东、海南、香港、广西、四川、贵州、云南；老挝，柬埔寨。

(248) 弧斑红天牛 *Erythrus fortunei* White, 1853（图版 18:9）

Erythrus fortunei White, 1853: 142.
Erythrus fortunei var. *bijunctus* Pic, 1943b: 5.
Erythrus fortunei var. *multiplicatus* Pic, 1943b: 5.

鉴别特征:体长 15.8 ~ 20.0mm。体较狭，前端较狭于后端。头、触角、小盾片、体腹面及足黑色，前胸背板及鞘翅红色。额刻点细密，头顶中央刻点疏，两眼中间有纵脊，头顶后方有相当密的小颗粒。触角短，雌虫达身体的中部，雄虫较长，约为体长的3/4；第 5 ~ 10 节扁平，外端角突出，尖锐，雌虫中央数节较雄虫者阔。前胸前端狭，后端阔；前胸背板中央有 1 对黑色圆形的瘤，瘤的外侧各有 1 条黑色弧形斑纹，两侧对称呈括弧状；近基部中央有 3 个黑色斑点，中间的黑斑往往较小，有时不甚明显，两侧的黑斑较大，往往与前面的弧斑相连；背板两侧尚各有 1 个或 2 个黑斑点。鞘翅基端狭，末端较阔，后缘略圆，内外缘的后端及后缘隆起；翅面具隆起的纵纹两条，一长一短。后胸腹部及第 1 腹节腹板的基部刻点粗大。足短，后足第 1 跗节的长度约等于第 2、3 节长度之和。

采集记录：1♂，周至楼观台森林公园，564m，2007.Ⅴ.24，林美英采；1♀，留坝庙台子，1350m，1998.Ⅶ.22，廉振民采。

分布：陕西（周至、凤县、留坝）、河北、河南、江苏、上海、浙江、湖北、江西、湖南、福建、台湾、广东、香港、广西、四川、贵州、云南。

118. 折天牛属 *Pyrestes* Pascoe, 1857

Pyrestes Pascoe, 1857: 96. **Type species**: *Pyrestes haematicus* Pascoe, 1857.

Pyresthes: Thomson, 1864: 159.

属征：复眼内缘深凹，小眼面细；上颚较短；颊中等长；雄虫触角约与体等长，雌虫触角则短于虫体，第 5～10 节略扁，各节外端角锯齿形。前胸背板长胜于宽，圆筒形，前端稍窄，两侧缘中部微呈弧形，无侧刺突；小盾片小。鞘翅两侧近于平行，后端略膨大；每翅侧缘基部在肩之后，向内呈弧形凹入。前足基节窝圆形、关闭；中足基节窝对后侧片开放；后胸腹板不具臭腺孔；腹部第 1 节显著长于第 2 节。足短，腿节棒状，后足腿节不达腹部第 3 节，后足第 1 跗节长于第 2 节。

分布：东洋区。世界已知 32 种，中国记录 12 种，秦岭地区发现 2 种。

分种检索表

头红色；前胸背板黑色或至少有 5 个黑斑 ······················ **五斑折天牛 *Pyrestes quinquesignatus***

头黑色；前胸背板红色 ·· **折天牛 *P. haematicus***

(249) 折天牛 *Pyrestes haematicus* Pascoe, 1857 陕西新纪录（图版 18:10）

Pyrestes haematicus Pascoe, 1857: 97.

Pyrestes cardinalis Pascoe, 1863a: 50.

Leptoxenus coreanus Okamoto, 1927: 66.

Pyrestes haematicus f. *coreanus*: Hayashi, 1987: 155.

别名：暗红折天牛、樟暗红天牛。

鉴别特征：体长 13.0～18.5mm。体略呈圆柱形，深红色，被有黑红色柔软的竖毛，触角末端数节、各足腿节及跗节及体腹面暗红色到栗黑色，鞘翅末端及腹末节颜色较淡。额刻点细小，头顶刻点粗，两眼之间有纵脊，头顶后方有很密的小颗粒。触角相当粗大，雌虫较短，约为体长的 2/3，雄虫超过体长的 3/4，第 5～10 节扁阔，外端角钝。前胸圆筒形，两端稍狭，背面具很粗的褶皱。小盾片小，有稀疏的刻点。鞘翅末端稍阔于基端，外缘近肩部处向内侧凹入呈曲折状，后缘圆，内端角稍突出；翅面刻点在基部相当粗密，近末端逐渐细小稀疏，毛较前胸背板者稀疏，长而竖立。胸部腹板刻点粗呈皱状，腹部腹板光滑，刻点稀疏。第 1 节较第 2 节长许多；腹部后面的毛为棕黄色。

采集记录:1♂，留坝庙台子，1976. Ⅷ. 03，马文珍采。

分布:陕西(留坝)、河南、江苏、安徽、浙江、湖北、江西、湖南、福建、台湾、广东、香港、贵州、云南；韩国，日本。

寄主:樟树。*Cinnamomum camphora*（Linnaeus），*Phoebe* sp.。

生物学:1 年发生 1 代，以幼虫越冬。成虫在暖地于 5 月下旬或六七月间发生。卵产于侧枝尖端，孵化幼虫自树皮下食入，幼枝常因受害而枯死。

(250) 五斑折天牛 *Pyrestes quinquesignatus* Fairmaire，1889（图版 118:11a，11b）

Pyrestes quinquesignatus Fairmaire，1889b：65.

鉴别特征:体长 10.0 ~ 14.0mm。体黑色，头、触角、足和腹面全黑色；前胸黑色或红色带 5 个黑斑；小盾片黑色，鞘翅红色。鞘翅末端圆，内端角稍突出。

采集记录:1♀，周至厚畛子，1350m，1999. Ⅵ. 25，刘缠民采；1♂，周至厚畛子，1300 ~ 1500m，2008. Ⅴ. 15-19，黄灏采(CCCC)；1♂，凤县红岭林场，1580 ~ 1800m，1973. Ⅶ. 23，张学忠采。

分布:陕西(周至、户县、凤县)。

XⅥ. 丽天牛族 Rosaliini Fairmaire，1864

鉴别特征(Gressitt，1940b):头向前突出；触角基瘤上侧凹陷；下颚须末节稍膨阔，末端切平，雄虫触角长于体，通常具毛或具齿；前胸具不显著的侧瘤突；小盾片短；鞘翅长且两侧平行；前足基节球形；中足基节窝对中胸后侧片开放。

分类:世界已知 5 属，中国记录 5 属，秦岭地区发现 2 属。目前跟 Compsocerini Thomson，1864 合并，合并后世界记录 31 属。

分属检索表

触角节没有显著簇毛 ………………………………………………… **肖扁胸天牛属 *Pseudocallidium***
触角第 3 到第 6 节末端有显著簇毛……………………………………………………… **丽天牛属 *Rosalia***

119. 肖扁胸天牛属 *Pseudocallidium* Plavilstshikov, 1934 陕西新纪录属

Pseudocallidium Plavilstshikov, 1934b: 226. **Type species**: *Pseudocallidium violaceum* Plavilstshikov, 1934.

属征:鞘翅较软，可见纵脊。雌虫触角略长体，雄虫触角远长于体，触角节不具齿或簇毛。

分布:中国。本属共记录 2 种，均为中国特有，陕西新纪录 1 种。

(251) 肖扁胸天牛 *Pseudocallidium violaceum* Plavilstshikov, 1934 陕西新纪录 (图版 19:1a, 1b)

Pseudocallidium violaceum Plavilstshikov, 1934b: 226.

别名:紫肖扁胸天牛。

鉴别特征:体长 10.0 ~ 22.0mm。体深绿色或紫绿色。头部和前胸刻点很细而稀，光亮而具有金属光泽。鞘翅刻点细密，仅基部略具金属光泽。

采集记录:23♂30♀，周至厚畛子老县城村至秦岭梁途中，1745 ~ 2021m，2007. Ⅴ.27，林美英、张丽杰、崔俊芝采；7♂3♀，周至厚畛子，海拔 1800m，2007. Ⅴ.27，李文柱采。

分布:陕西(周至)、四川。

120. 丽天牛属 *Rosalia* Audinet-Serville, 1834

Rosalia Audinet-Serville, 1834a: 561. **Type species**: *Cerambyx alpinus* Linnaeus, 1758.
Charmides Gistel, 1856: 375 [unnecessary substitute name].

属征(蒲富基, 1980):体一般较大或中等大小。头前端向前倾斜；复眼中等大，深凹，小眼面细；颊较长，向外侧稍突出；触角之间的额隆起形成一条横隆脊，横隆脊中部稍低凹；触角着生在复眼深凹处，雄虫触角超过体长，雌虫则稍超过或短于身体，柄节端部膨大，第 3 节约等长或稍长于第 4 节，第 5 ~ 10 节的各节约等长或逐渐稍短，第3 ~ 5节端部膨大，并具刺，有时端部丛生簇毛。前胸背板横阔，两侧缘弧形，无侧刺突。小盾片短，半圆形或舌状。鞘翅长形，端部圆形。足中等长，腿节中等膨大，后足腿节不达到鞘翅末端；前足基节窝外侧延伸成尖角，前足基节窝向后开放；中足基节窝对后侧片开放。本属种类的虫体，一般色泽鲜艳。

分布:全北区，东洋区。本属分为 3 亚属，中国记录 3 亚属，陕西只分布指名亚

属，指名亚属世界已知5种，中国记录3种，秦岭地区发现2种。

分种检索表

前胸背板具2个黑斑，一前一后排列，前端1个接触前缘 … **柳丽天牛 *Rosalia*（*Rosalia*）*batesi***
前胸背板中区有1个近方形的大黑斑，与前缘接触 …………… **蓝丽天牛 *R.*（*Rosalia*）*coelestis***

（252）柳丽天牛 *Rosalia*（*Rosalia*）*batesi* Harold，1877

Rosalia batesi Harold，1877：360.
Rosalia（*Rosalia*）*batesi*：Lameere，1887：162，163.

鉴别特征：体长17.5～29.0mm。体被淡蓝色绒毛具黑斑纹；触角前2节及雄虫端部数节，雌虫末节黑色；足黑色但部分被淡蓝色绒毛。触角第3～6节端部丛生浓密黑色簇毛，以下各节端部黑色；雄虫触角端部5节超出鞘翅之外，雌虫则端部3节超出鞘翅之外。前胸背板中区有2个黑斑，前端1个较大，与前缘接触，中部偏后1个较小，不接触后端，两侧各有1个小黑点及1个小瘤突。鞘翅肩无黑斑，每个鞘翅有3个黑色不规则横斑纹，分别位于肩之后、中部及端部之前。

分布：陕西（秦岭）、台湾、四川；朝鲜，日本。

（253）蓝丽天牛 *Rosalia*（*Rosalia*）*coelestis* Semenov，1911（图版19：2）

Rosalia coelestis Semenov，1911：118，fig. 1.
Rosalia houlberti Vuillet，1911：215，fig. 1.

鉴别特征：体长18.0～29.0mm。体被淡蓝色绒毛，具黑斑纹；触角柄节及雄虫端部数节，雌虫末节和足黑色；腿节中后有环状淡蓝色绒毛；后足胫节中部及跗节被覆淡蓝色绒毛。触角第3～6节端部丛生浓密黑色簇毛，以下各节端部黑色；雄虫触角端部5节超出鞘翅之外，雌虫则端部3节超出鞘翅之外。前胸背板中区有1个近方形的大黑斑，与前缘接触，两侧各有1个小黑点及1个小瘤突，有时两侧的小黑点与中央大黑斑连接。鞘翅肩无黑斑，每个鞘翅有3个黑色不规则横斑纹，分别位于肩之后、中部及端部之前。

采集记录：1♀，宝鸡宝盖寺，1980.Ⅶ.20，魏鸿采。

分布：陕西（宝鸡）、黑龙江、吉林、北京、河北、山东、河南、广西、四川、西藏；俄罗斯，朝鲜，韩国。

寄主：核桃。

备注：华立中（2002）的目录里面包含了日本分布记录，但是其实本种在日本没有分布（大林延夫，2015年5月，个人交流）。

XVII. 狭天牛族 Stenhomalini Miroshnikov, 1989

鉴别特征:体长形，扁平。头短，颊很短，几乎不可见。触角细，长于体。前胸长，具侧瘤突。鞘翅两侧平行，背面平坦，末端圆。后胸前侧片不具1条深纵沟。雄虫腹部第1可见腹板较短，雌虫仅略短于其余腹板总和。雌虫第2可见腹板后缘深凹，具浓密刚毛刷；雌虫第3可见腹板后缘具长而向内弯曲的刚毛。

分类:世界已知2属/亚属，中国记录1属14种/亚种，秦岭地区发现1属2种，还有2个未知种。

121. 狭天牛属 *Stenhomalus* White, 1855

Stenhomalus White, 1855: 243. **Type species**: *Stenhomalus fenestratus* White, 1855.

Stenomalus: Gemminger & Harold, 1872: 2841.

Allophyton Thomson, 1878a: 27. **Type species**: *Allophyton Biloculare* Thomson, 1878.

属征(蒋书楠等, 1985):体较小型，狭长，背面稍平。头略宽于前胸；复眼大，内缘深凹呈环状，小眼面粗，上叶彼此接近，下叶均伸至腹面，彼此距离很小；颊很短；额小；后头较大；触角细长，一般超过体长，第1~5节下面有稀疏的长缨毛，第3节与第4节等长。前胸背板长胜于宽，前、后端缢缩成领状，每侧缘中央隆突。鞘翅肩较头略宽，后半部较前半部稍宽，端缘圆形或斜圆。前足基节彼此靠近，雌虫腹部第2节后缘被覆浓密丛毛。本属与侧沟天牛属（*Obrium*）较接近，两属的主要区别特征是:本属后胸前侧片缺少1条深纵沟。

分布:古北区，东洋区，非洲区。指名亚属世界已知75种/亚种，中国记录17种/亚种，秦岭地区发现4种，还有1个未知种。

分种检索表

1. 鞘翅黑色没有斑纹 ………………………… **江苏狭天牛 *Stenhomalus incongruus incongruus***
   鞘翅非单色，有不同颜色的斑纹 ……………………………………………… 2
2. 每鞘翅具有卵形透明黄斑2个；触角黄褐色，各节末端颜色不深于基部 ……………………
   ……………………………………………………………………… **狭天牛 *S. fenestratus***
   鞘翅斑纹不为卵形，而是长条状，且颜色不一；触角至少部分节末端颜色深与基部 ……… 3
3. 鞘翅末端淡色 ……………………………………………… **狭天牛属 *Stenhomalus* sp.**

鞘翅末端深色 ………………………………………………………………………………………… 4

4. 前胸背板中央下陷，周缘隆起组成3个瘤突，前方2个，后方1个；鞘翅中后部淡黄白色，每翅靠近中缝有几个不规则深褐色短纵条，近翅端有1个深褐色横条纹，内端较粗，翅端褐斑呈新月形 ………………………………………………………… **复纹狭天牛 *S. complicatus***

前胸背板胸面不具明显瘤突；鞘翅大部分深褐色，中后部两翅合成"V"形的淡黄色透明斑纹，其后有1个淡黄色、略凹陷的短横带，翅端淡黑褐色 ………………… **台湾狭天牛 *S. taiwanus***

（254）复纹狭天牛 *Stenhomalus complicatus* Gressitt，1948（图版19：3）

Stenhomalus complicatus Gressitt，1948：49，pl.1，fig.1.

鉴别特征：体长7.0～9.1mm。体深栗褐色。头部触角柄节黑褐色，第2节、第3、4节的端部、第5节以后各节的端半部暗褐色，其余部分淡黄褐色。小盾片黑褐色，除中区外被金色细毛。鞘翅基半部深褐色，端半部淡黄白色，在小盾片后方两侧较淡，从肩角至中缝基半部中央，有1条深褐色斜弧纹，左右合成"人"字纹，从外侧缘中部至中缝端半部中央，又有1条淡黄白色斜弧纹，左右相合成"人"字纹，沿斜纹之后色较深暗，在第2个"人"字纹中缝端部之后有1对深褐色细短纵条，与翅端的深褐色横纹内端相接，横纹的内端宽，外端狭，近翅端各有1个新月形褐斑。足腿节中部及胫节深褐色，其余黄褐色。触角细长，超过身体1/2以上。鞘翅基半部较厚而狭，密布粗刻点，中部以后鞘翅较薄而平展，除褐斑纹外，大部透明平滑，翅端狭圆。

采集记录：1♂，凤县，1991.Ⅸ.06，田润刚采（NWAFU，CO028371，ex 西北农学院）；1♂，太白，1990.Ⅶ.20（NWAFU，CO028370，ex 西北农学院）。

分布：陕西（周至、凤县、太白）、山西、广西、四川、云南。

（255）狭天牛 *Stenhomalus fenestratus* White，1855

Stenhomalus fenestratus White，1855：243，pl.Ⅷ，fig. 2.

别名：四斑狭天牛。

鉴别特征：体长6.0～8.6mm。体红褐色到黑褐色。触角柄节红褐色，其余为黄褐色。鞘翅红褐色，中部和近端部各有2个卵圆形透明黄斑。触角细长，是体长的1.5倍，柄节微膨大，长于第3节，第3节稍短于第4节，第5节约等于第3、4节长度之和，第5～11节各节约等长，基部数节的长缨毛深褐色；鞘翅翅端圆形。

分布：陕西（洋县）、福建、台湾、广东、四川；越南，老挝，泰国，缅甸，印度，尼泊尔。

(256)江苏狭天牛 *Stenhomalus incongruus incongruus* Gressitt, 1939 陕西新纪录（图版 19:4）

Stenhomalus incongruus Gressitt, 1939c: 211, pl. 8, fig. 3.
Stenhomalus incongruus incongruus: Niisato, 2001: 16.

鉴别特征:体长 4.8 ~6.7mm。头黑色，触角黑色，从第 3 节起各节基部浅褐色，前胸浅褐色，小盾片和鞘翅黑色，足浅褐色。触角长于体，基部 4 节下沿具显著的褐色缨毛，鞘翅末端圆。

采集记录:1♂，华阴华山，770 ~1618m，2007. Ⅵ. 06，林美英采。

分布:陕西(华阴)、北京、江苏、上海。

(257)台湾狭天牛 *Stenhomalus taiwanus* Matsushita, 1933 陕西新纪录(图版 19:5)

Stenhomalus taiwanus Matsushita, 1933a: 307, pl. 1, fig. 13.

鉴别特征:体长 6.0 ~6.5mm。体小型，扁狭，栗褐色。头部触角除第 1、2 节栗褐色外，第 3、4、7、8 节末端淡黑褐色，第 5、6 节端部黑褐色，第 9 ~11 节黄褐色。前胸栗褐色。鞘翅黄褐色，从肩角到中缝前部 1/3 处有 1 条黄褐色斜弧纹，从外侧缘中部到中缝端部 1/3 处，又有 1 条白色透明的斜弧纹，左右翅弧纹在中缝相会合，形成前后两个倒“人”字形弧斑，两弧纹的前后部分均较深暗，翅端之前有 1 条淡黄褐色短横带，横带与第 2 弧纹之间的翅面稍凹，翅端淡黑褐色。触角细，长过身体的 1/4。

采集记录:4♂2♀，宝鸡金台区，1986. Ⅵ. 05。

分布:陕西(宝鸡)、辽宁、河北、山西、河南、湖北、台湾、四川；朝鲜，韩国，日本。

寄主:花椒。发生情况(蒋书楠等，1985):据山西果树研究所调查，幼虫为害花椒枝条，一枝可有幼虫多头，危害较严重。

(258)狭天牛属 *Stenhomalus* sp.(图版 19:6)

鉴别特征:本种与复纹狭天牛 *Stenhomalus complicatus* Gressitt, 1948 相似，但是鞘翅末端白色而不是黑色；也与台湾狭天牛 *Stenhomalus taiwanus* Matsushita, 1933 相似，但鞘翅第 1 个“V”形斑变为粗短的大斑，鞘翅末端白色而不是黑色，前胸背板胸面有瘤突。未能鉴定到种。

采集记录:1♂，宁陕火地塘，1580m，1998. Ⅷ. 15，袁德成灯诱。

分布:陕西(宁陕)。

XVIII. 狭鞘天牛族 Stenopterini Gistel, 1848

鉴别特征:头前伸，触角基瘤不发达，复眼深凹，小眼面细粒。前胸背板具瘤突，小盾片很小。鞘翅狭缩或短缩，前足基节窝向后关闭。腿节棒状，腹部腹板各节不等长。

分类:世界记录 10 属，主要分布于古北区，中国记录 6 属，秦岭地区发现 3 属 5 种。

分属检索表

1. 鞘翅几乎正常而完全覆盖腹部，至多仅端部因狭缩而略微分叉 ……………… **毛足天牛属 *Kunbir***
　鞘翅不正常，强烈狭缩或短缩，不能完全盖住腹部 ……………………………………………… 2
2. 鞘翅强烈狭缩，从基部 1/3 ~ 1/2 开始狭缩，致使端部 1 ~ 3 节腹部背板外露 ……………………
　…………………………………………………………………………………… **卡扁天牛属 *Callimoxys***
　鞘翅短缩，不覆盖腹部端部 2 或 3 节，且缓慢狭缩，互相分叉 ……………………………………
　………………………………………………………………… **弧胫天牛属 *Callimus*（*Nathriopterus*）**

122. 卡扁天牛属 *Callimoxys* Kraatz, 1863 陕西新纪录属

Callimoxys Kraatz, 1863: 105. **Type species**: *Stenopterus gracilis* Brullé, 1832.

属征:触角 11 节，线状，短于、到达或稍超过鞘翅末端；前胸具 1 或 2 对背侧瘤突，表面密被刻点和绒毛；鞘翅短而狭缩，从基部 1/3 ~ 1/2 开始狭缩，致使端部 1 ~ 3 节腹部背板外露；前足和中足腿节明显棒槌状，后足腿节棒状至向端部逐渐膨大；后足胫节具锯齿。通常雌雄性征明显，雌虫比雄虫颜色更加多样而亮丽。

分布:全北区。世界已知 8 种，中国仅记录 1 种，分布于陕西和湖北。

(259) 东方卡扁天牛 *Callimoxys retusifer* Holzschuh, 1999 陕西新纪录（图版 19:7）

Callimoxys retusifer Holzschuh, 1999: 27, fig. 37.

Callimoxys orientalis Niisato *et* Ohbayashi N., *In*: N. Ohbayashi *et al*. 2004: 464.

鉴别特征:体长 9.4 ~ 12.5mm。前胸金属黑色（雄虫）或橘色至红色（雌虫）；头、

触角、鞘翅和足金属黑色；腹部黑色（雄虫）或橘红色至棕色（雌虫）；腹面其余部分为黑色。雄虫触角几乎伸达鞘翅末端，雌虫仅达鞘翅中部稍后。

采集记录：1♀，周至厚畛子秦岭梁，2021m，2007. Ⅴ.27，林美英采。

分布：陕西（周至）、湖北。

123. 弧胫天牛属 *Callimus* Mulsant, 1846

Callimus Mulsant, 1846: [5]. **Type species**: *Callimus bourdini* Mulsant, 1846 (= *Saperda angulata* Schrank, 1789).

Callimellum E. Strand, 1928: 2 [unnecessary substitute name].

分布：全北区。本属共分4个亚属，中国分布仅1个亚属。

123-1. *Nathriopterus* Sama, 2003

Lampropterus (*Nathriopterus*) Sama, 2002: 62. **Type species**: *Stenopterus shensiensis* Gressitt, 1951.

属征（Sama, 2003）：本亚属跟 *Lampropterus* Mulsant, 1862 相似，但鞘翅很短。

分布：中国。世界已知2种，均为中国陕西特有。

备注：本亚属最初被作为 *Lampropterus* Mulsant, 1862 的亚属发表（Sama, 2003）。但是，*Lampropterus* Mulsant, 1862 又被降级为 *Callimus* Mulsant, 1846 的亚属（Danilevsky, 2010b），因此，本亚属也变为 *Callimus* Mulsant, 1846 的亚属。

分种检索表

鞘翅末端圆；体色较深，触角黑褐色至黑色，鞘翅黑褐色 …………………………………… **圆尾弧胫天牛 *Callimus* (*Nathriopterus*) *shensiensis***

鞘翅末端平切；体色较浅，触角红褐色至黑褐色，鞘翅浅褐色 …………………………………… **截尾弧胫天牛 *C.* (*Nathriopterus*) *truncatipennis***

(260) 圆尾弧胫天牛 *Callimus* (*Nathriopterus*) *shensiensis* (Gressitt, 1951)（图版19:8）

Stenopterus shensiensis Gressitt, 1951: 176, pl. 12, fig. 3.

Lampropterus (*Nathriopterus*) *shensiensis*: Sama, 2003: 62.

别名：圆尾狭鞘天牛。

鉴定特征：体长7.0～7.5mm。雌虫和雄虫异型，鞘翅红褐色至黑褐色，触角黑褐色或黑色；足腿节为红褐色，头、足胫节的部分和跗节为黑褐色。雄虫的前胸和腹部黑色，雌虫的前胸和腹部黄褐色。鞘翅末端圆。

采集记录：1♂（正模），Shaanxi，Taibai Shan，Tau-mu-kung，1943. Ⅶ. 25，Chang Shu-tsen（TARI）。1♀（配模），太白山斗母宫，1943. Ⅶ. 25（SYSU）；1♀，太白山中山寺，1981. Ⅵ. 02（NWAFU，CO028420）。

分布：陕西（太白）。

（261）截尾弧胫天牛 *Callimus*（*Nathriopterus*）*truncatipennis*（Gressitt，1948）（图版 19：9）

Stenopterus truncatipennis Gressitt，1948：52.

Lampropterus（*Nathriopterus*）*truncatipennis*：Sama，2003：62.

别名：截尾狭鞘天牛。

鉴定特征：体长5.5mm。体褐色至红褐色，头和触角的颜色较深，为红褐色，前胸和鞘翅颜色较淡，为浅褐色，足腿节淡褐色，胫节和跗节黑褐色。鞘翅末端平切。

采集记录：1♀（正模），S. Shensi，E. B. 1904. Ⅴ（USNM，Type No. 58346）。

分布：陕西（秦岭）。

124. 毛足天牛属 *Kunbir* Lameere，1890

Kunbir Lameere，1890：ccxiii. **Type species**：*Kunbir telephoroides* Lameere，1890.

Debilia Fairmaire，1895：178（nec Stål，1859）. **Type species**：*Debilia rufoflavida* Fairmaire，1895.

Debilissa Aurivillius，1912：274（new name for *Debilia* Fairmaire，1895）.

Debilissa（*Kurseonigra*）Pic，1930b：15. **Type species**：*Debilissa laboissierei* Pic，1930.

属征（Gahan，1906）：本属跟半鞘天牛属（*Merionoeda*）很相似，但具有以下几点与之相区别：鞘翅长很多，完全或几乎完全盖住腹部，中部略狭缩，端部分开，各自阔圆；后足较短，后足腿节仅略超过鞘翅末端，棒状部分较缓和，胫节粗糙但不具小刺。

分布：东洋区。世界已知23种/亚种，中国记录11种/亚种，秦岭地区发现2种/亚种。

分种检索表

触角短于体长；鞘翅全部红褐色；前足和中足腿节的棒状部分黑色 ……………………………
…………………………………………………… **双色大黑毛足天牛 *Kunbir atripes bicoloripes***

触角长于体长；鞘翅端部有黑斑；前足和中足腿节的棒状部分红褐色 …………………………
…………………………………………………………………………… **陕西毛足天牛 *K. pilosipes***

(262) 双色大黑毛足天牛 *Kunbir atripes bicoloripes* Holzschuh, 2015（图版 19:10a, 10b）

Kunbir atripes bicoloripes Holzschuh, 2015a: 43, figs. 25a, 25b.

鉴别特征：体长 7.7～10.1mm。头、触角和足大部分黑色，前胸、鞘翅和腿节基部红褐色，腹面多数红褐色。触角短于体长，雄虫触角几乎伸达鞘翅末端，雌虫仅到鞘翅末端 2/5 左右。体密被显著的竖毛。前胸具多个瘤突，鞘翅末端圆。而分布于老挝的大黑毛足天牛指名亚种 *Kunbir atripes atripes*（Pic, 1924）的区别在于其足全部黑色，且雄虫前胸和体腹面黑色，雌虫体腹面多数黑色。

采集记录：1♂（正模），Shaanxi, Lueyang env. 2014. Ⅵ. 21-Ⅶ. 06, E. Kučera (CCH)；1♂1♀（副模），同正模。

分布：陕西（略阳）、四川。

(263) 陕西毛足天牛 *Kunbir pilosipes* Holzschuh, 2003（图版 19:11）

Kunbir pilosipes Holzschuh, 2003: 187, fig. 31.

鉴别特征：体长 8.1～8.5mm。头和触角黑色，前胸、鞘翅（除了端部黑斑）红褐色，足大部分红褐色，前足和中足的跗节，后足腿节后半部和胫节、跗节黑色。触角长于体长。体密被显著的竖毛。前胸具多个瘤突，鞘翅末端圆。

采集记录：1♂（正模），Shaanxi, Baiche (32°42′N, 110°05′E), 1997. Ⅵ. 13-17, E. Kučera (CCH)；3♂（副模），同正模，1998 年采。

分布：陕西（白河）、湖北、湖南。

备注：原文的 Baiche 应该是白河的错误拼写。

XIX. 锥背天牛族 Thraniini Gahan, 1906

鉴别特征：复眼小眼面较细；前胸背板胸面呈纵形隆起；小盾片较小，呈半圆形，后角钝圆；后胸腹板后角不具臭腺孔；鞘翅肩宽，肩之后逐渐狭窄；前足基节窝圆形，向后开放；中足基节窝对中胸后侧片开放；腿节呈棍棒状。

分类:世界已知 3 属，中国仅记录 1 属，在陕西秦岭地区分布 1 属 3 种/亚种。

125. 锥背天牛属 *Thranius* Pascoe, 1859

Thranius Pascoe, 1859: 22. **Type species**: *Thranius bimaculatus* Pascoe, 1859.

Singalia Lacordaire, 1872: 834. **Type species**: *Singalia spinipennis* Lacordaire, 1872 (= *Thranius gibbosus* Pascoe, 1859).

属征(蒋书楠等, 1985):头较短；复眼大而圆，突出，内缘仅有 1 个小凹，上叶短小，不伸至触角基瘤之后；触角较粗壮，一般短于虫体长度，除柄节膨大外，各节粗细大致相当。前胸背板长胜于宽，胸面拱隆，前端中央有 1 个不同程度的锥形隆凸。鞘翅肩宽，肩之后逐渐狭窄，端缘呈尖角或刺，有的从肩后急剧收窄成 1 个狭条。后胸前侧片宽阔，呈楔形；足中等长，前足基节锥形突出，彼此靠拢，前足基节窝开放；腿节呈棍棒状。

分布:东洋区。世界已知 32 种/亚种，中国记录 9 种/亚种，秦岭地区发现 3 种/亚种。

分种检索表

1. 鞘翅黑褐色，肩后急剧收窄成 1 个狭条，端缘狭，不成夹角；每翅具 6 个大小不一的黄斑；前胸背板前端中央隆突较不发达 …………… **黄斑多斑锥背天牛 *Thranius multinotatus signatus***
   鞘翅棕褐色，肩后逐渐狭窄，端缘会合成尖角；翅面无斑纹；前胸背板前端中央有 1 个十分发达的钝形锥突 ………………………………………………………………………………… 2
2. 触角和腿节棕黄或棕红，触角柄节与第 4 节等长 ……… **棕黄单锥背天牛 *Th. simplex fulvus***
   触角大部分和腿节膨大部分棕褐或黑褐色，触角柄节略长于第 4 节 ……………………………………………………………………………………………… **单锥背天牛 *Th. simplex simplex***

(264) 黄斑多斑锥背天牛 *Thranius multinotatus signatus* Schwarzer, 1925

Thranius signatus Schwarzer, 1925a: 23.

Thranius multinotatus signatus: Gressitt, 1954: 318, 324.

鉴别特征:体长 20.0 ~ 22.0mm。体粗壮，暗红棕色。触角第 1 ~ 7 节及足淡红棕色，触角第 8 节黄色，第 9 ~ 11 节暗褐色。头部密被金黄色毛，前胸两侧缘及前、后缘具较密的金黄色毛，背面中央的毛被稀疏。小盾片棕黑色，具极稀疏的金黄色短毛。鞘翅黑褐色，各具 6 个黄色斑，第 1 个较大，位于肩下弯曲部分，三角形，第 2 个位于翅基部中央，略近长椭圆形，内侧缘近直线形，第 3 个位于肩后侧缘，第 4 个较小，椭圆形，位于肩后翅开始狭窄部分的侧缘，第5个更小，长椭圆形，位于狭窄的翅中点之前近中缝一侧，第6个狭长，位于近翅端部的中央。腹面密被金黄色毛，足的腿节上毛短而稀疏，腿节下侧及胫节的毛略长。触角粗短，仅伸达第2腹节，柄节粗短，密布较粗刻点，第3节最长，约为第4节长的2.0倍，第5节略短于第4节，第6～10节长度递减，第11节略长于第4节，端部1/3显著向末端尖细。前胸长与宽约相等，两侧缘略呈弧形，前缘直，后缘中央略凸出，背面在中央之前显著隆起，密布较粗的颗粒状突起。小盾片舌形，后缘凹入。鞘翅基部较前胸宽，从基部1/5处开始向后急剧狭窄并向内弯，中部最窄，约为基部宽的1/4，近端部略加宽，末端狭圆，仅伸达第4腹节末端；翅基部散布较粗的颗粒，狭窄部分的颗粒较细小。足短，腿节端半部突然膨大呈棒状，后足腿节末端伸达第4腹节基部，后足第1跗节长于2、3节之和。

分布：陕西（秦岭）、浙江、湖南、福建、台湾、广东、海南、四川、云南；越南，老挝。

（265）单锥背天牛 *Thranius simplex simplex* Gahan, 1894

Thranius simplex Gahan, 1894a: 15.

Thranius simplex simplex: Löbl & Smetana, 2010: 206.

鉴别特征：体长15.0～27.0mm。体中型，狭长圆筒形。棕褐色，被灰黄色细毛，头胸部背面的薄，腹面的较厚密；触角第8、9节及第10节基部的绒毛淡黄褐色。触角长达鞘翅端部1/3处，柄节具粗皱刻点，第3节长于柄节，柄节长于第4节，第3节约为第4节的2.0倍，第5～10节各与第4节等长，第11节末端尖锥状。前胸背板圆柱形，长胜于宽，前端背方有立扁形突起，突起的前缘几垂直，背面平直，表面具凿齿状粗刻点，背板的后端具1条横沟。鞘翅狭长，长为肩宽的3.5倍，较前胸稍宽，两侧几乎平行，仅肩下1/3处稍狭，翅端会合成尖角，翅表密布不规则凿齿状深粗刻点，背方有不明显的隆脊2条。前足基节靠拢，前足和中足基节窝开放式；后胸前侧片极宽，倒三角形，后端尖狭，前缘几乎与后胸腹板的1/2等宽。足短，腿节棍棒形，向端部显著膨大，基半部呈细柄，后足腿节仅超过第2腹节，胫节与腿节等长，第1跗节等于2、3节之和。雌虫产卵器长，伸出达腹末。

分布：陕西（秦岭）、湖北、四川、云南、西藏；缅甸，印度，不丹，尼泊尔。

（266）棕黄单锥背天牛 *Thranius simplex fulvus* Pu, 1992（图版20:1a，1b）

Thranius simplex fulvus Pu, 1992: 596, pl. Ⅱ, fig. 8.

鉴别特征：体长15.0～19.0mm。体中型，狭长，圆筒形，棕褐色。触角棕红或棕黄色，第8、9节略带黄色；头顶和前胸略带黑褐色；腿节膨大部分棕红或棕黄色，基部黄色。体被灰黄色绒毛，背面毛短而薄，腹面的较长而厚密。复眼大，突出，上叶短小；颊短，向外稍突出。触角基瘤微突；雄虫触角长达鞘翅端部1/7处，下沿有几根缨毛；柄节具粗皱刻点，第3节长于柄节，柄节与第4节约等长，第5～10节各与第4节约等长，第11节略长于第10节，末端尖。前胸背板圆柱形，长胜于宽；前端背面具锥状突起，表面有凿齿状粗刻点。鞘翅狭长，长为肩宽的3.5倍，较前胸略宽，肩后外缘稍窄，翅端会合成尖刺；前缘近小盾片处稍隆突，翅面密布不规则凿齿状细、深刻点，每翅隐约有2条隆脊。足较短，前足基节靠拢；腿节棍棒形，基部呈细柄状，向端部显著膨大；雄虫后足腿节超过第3腹节，端膨大部分短于腿节长度的1/2。

采集记录：1♂，西安，1981.Ⅳ，沈林采（NWAFU，CO028459）；1♂，周至板房子，2006.Ⅶ.20，林美英灯诱；1♀，留坝庙台子，1350m，1998.Ⅶ.21，姚建采；1♀，佛坪，950m，1998.Ⅶ.23，姚建采；1♀，佛坪窑沟，870～1000m，1998.Ⅶ.25，陈军采；1♂，佛坪龙草坪乡，2006Ⅶ.27，林美英灯诱；1♂1♀，宁陕火地塘，1620m，1979.Ⅶ.23，韩寅恒采；1♂，宁陕火地塘，1620m，1979.Ⅷ.03，韩寅恒采；5♀，宁陕火地塘，1580m，1979.Ⅶ.26-29，袁德成、张学忠、姚建采；1♀，宁陕火地塘，2007.Ⅷ.19，杨玉霞灯诱；1♂，宁陕广货街镇，1178m，2014.Ⅶ.27，路园园灯诱；1♂，汉中，1981.Ⅷ，灯诱（NWAFU，CO028438）。

分布：陕西（西安、周至、留坝、佛坪、宁陕、汉中）、四川。

备注：陕西原来记录的单锥背天牛可能为错误鉴定。本次调查秦岭分布的只有棕黄单锥背天牛，没有指名亚种。

XX. 紫天牛族 Trachyderini Dupont, 1836

鉴别特征（Gressitt, 1940b）：复眼深凹，小眼面细粒；雄虫触角长于体，雌虫较短且末端膨大；前胸具或不具侧瘤突；小盾片长，三角形；前足基节圆形，基节窝圆，向后开放；中足基节窝对中胸后侧片开放。

分类：世界已知144属/亚属，中国记录8属，陕西秦岭地区发现4属11种。

分属检索表

1. 前胸具有显著的侧刺突 ························· 2
   前胸不具显著侧刺突；鞘翅长大于体宽的3.0倍 ························· 3
2. 鞘翅长远小于体宽的3.0倍；触角不具有簇毛 ························· **紫天牛属 *Purpuricenus***
   鞘翅长约等于或大于体宽的3.0倍；触角节具有显著的端部簇毛 ······ **五瘤天牛属 *Falsanoplistes***
3. 前胸两侧缘瘤突短钝，有时不甚明显；雌虫触角以第3节最长，雄虫触角以第11节最长 ······
   ························· **亚天牛属 *Anoplistes***

前胸两侧缘不具瘤突或刺突；雌虫与雄虫触角均以第 3 节最长 ……… **肖亚天牛属 *Amarysius***

126. 肖亚天牛属 *Amarysius* Fairmaire, 1888

Amarysius Fairmaire, 1888b: 140. **Type species**: *Amarysius dilatatus* Fairmaire, 1888 (= *Anoplistes sanguinipennis* Blessig, 1872).

Purpuricenus (*Asiates*) Semenov, 1908: 263. **Type species**: *Cerambyx* (*Leptura*) *altajensis* Laxmann, 1770.

Asiates: Aurivillius, 1912: 467.

属征:头部短，额短阔，近于垂直。雌虫触角较短，短于或接近体长，雄虫则长于体长甚至约为体长的 1.5 倍，第 3 节最长。前胸宽度稍大于长，两侧缘呈弧形，无明显侧刺突，前部较基部稍窄。鞘翅窄长，后部较基部宽，后缘圆形，翅面扁平。足中等大小，后足第 1 跗节长于第 2、第 3 跗节的总长。

分布:亚洲，欧洲。世界已知 6 种/亚种，中国记录 5 种/亚种，秦岭地区发现 2 种。

(267) 四川肖亚天牛 *Amarysius minax* Holzschuh, 1998 陕西新纪录（图版 20:2）

Amarysius minax Holzschuh, 1998: 43, fig. 56.

别名:黑缝肖亚天牛。

鉴别特征:体长 11.8～14.5mm。体黑色，头、触角、足和腹面全部为黑色。前胸背板为黑色，或部分为红色，或总体红色但具有 5 个黑斑。鞘翅红色，小盾片及小盾片之后沿鞘缝的 1 条细线黑色，黑线不达鞘翅末端。

采集记录:3♀，周至厚畛子，1271m，2007. Ⅴ. 26，林美英采；1♂1♀，周至厚畛子，1300～1500m，2008. Ⅴ. 15-19，黄灏采；3♀，周至厚畛子老县城村至秦岭梁途中，1745～2021m，2007. Ⅴ. 27，林美英采；1♀，周至厚畛子，2007. Ⅴ. 28，张丽杰采；1♂，佛坪，2007. Ⅴ. 20，崔俊芝采；1♂，宁陕火地塘，1650m，2013. Ⅵ. 05，阮用颖采；1♀，宁陕旬阳坝，1981. Ⅶ. 17。

分布:陕西（周至、佛坪、宁陕）、甘肃、四川。

(268) 肖亚天牛 *Amarysius sanguinipennis* (Blessig, 1872)

Anoplistes sanguinipennis Blessig, 1872: 175.

Amarysius dilatatus Fairmaire, 1888b: 141.

Purpuricenus sanguinipennis: Pic, 1900c: 56.

Asiates sanguinipennis: Aurivillius, 1912: 468.

Amarysius sanguinipennis: Plavilstshikov, 1940: 611.

鉴别特征:体长 12.5 ~ 17.0mm。体黑色，头、触角、足和腹面全部黑色。前胸背板黑色，且具有 5 个光亮的胼胝斑。小盾片黑色。鞘翅红色，沿鞘缝不具有黑线。

分布:陕西(秦岭)、辽宁、内蒙古、河北、浙江、湖北；蒙古，俄罗斯，朝鲜，韩国，日本，哈萨克斯坦，欧洲。

127. 亚天牛属 *Anoplistes* Audinet-Serville, 1834

Anoplistes Audinet-Serville, 1834a: 570. **Type species**: *Cerambyx halodendri* Pallas, 1773.

Purpuricenus (*Asias*) Semenov, 1914: 18. **Type species**: *Cerambyx halodendri* Pallas, 1776.

属征:头部短，额短阔，近于垂直。雌虫触角短于或长于体长，雄虫触角更长，甚至约为体长的 1.5 ~ 2.0 倍，雌虫触角以第 3 节最长，雄虫触角以第 11 节最长。前胸宽度稍大于长，两侧缘瘤突短钝，有时不甚明显，前部较基部稍窄。鞘翅窄长而扁，两侧缘平行，末端圆钝。足中等大小，后足第 1 跗节长于第 2、3 跗节的长度之和。

分布:古北区，东洋区。世界已知 18 种/亚种，中国记录 7 种/亚种，秦岭地区发现 1 亚种。

(269) 红缘亚天牛 *Anoplistes halodendri pirus* (Arakawa, 1932)（图版 20:3）

Purpuricenus halodendri pirus Arakawa, 1932: 18.

Anoplistes halodendri pirus: Özdikmen, 2008b: 709.

别名:普红缘亚天牛、红缘天牛。

鉴别特征:体长 11.0 ~ 19.5mm。体窄长，黑色，鞘翅基部有 1 对朱红色斑，外缘自前至后有 1 个朱红色窄条。触角细长，雌虫触角与体长约相等，雄虫触角约为体长的 2.0 倍，第 4 节长于第 1 节，第 3 节比第 4 节长，雌虫触角以第 3 节最长，雄虫触角以第 11 节最长。前胸宽稍大于长，两侧缘刺突短钝，有时不甚明显。鞘翅窄长而扁，两侧缘平行，末端圆钝；翅面被黑色短毛，基部斑点上的毛灰白色而长。足细长，后足第 1 跗节长于第 2、3 跗节的长度之和。

采集记录:1♂，宝鸡温水沟，1951. Ⅵ. 22，周尧采(NWAFU)；1♂，武功，1951. Ⅵ. 06；1♀，黄陵，1000 ~ 1400m，1963. Ⅴ. 04，毛金龙采；2♂，定边，1985. Ⅶ. 10，王淑芳采；1♂，榆林，1960. Ⅵ. 24。

分布:陕西(凤县、陇县、宝鸡、武功、乾县、黄陵、洛川、延安、定边、榆林等)、黑龙江、吉林、辽宁、内蒙古、北京、河北、山西、山东、河南、宁夏、甘肃、青海、新疆、江苏、浙江、湖北、江西、湖南、台湾、贵州；蒙古，俄罗斯，朝鲜，韩国，欧洲。

寄主：梨，枣，苹果，葡萄，小叶榆。成虫见于忍冬、锦鸡儿、柳、*Eleagnus* 等。

128. 五瘤天牛属 *Falsanoplistes* Pic, 1915

Falsanoplistes Pic, 1915e: 27. **Type species**: *Falsanoplistes guerryi* Pic, 1915.

Bunothorax Gressitt, 1936: 101. **Type species**: *Sternoplistes takasagoensis* Kano, 1933.

属征：复眼深凹，小眼面细；触角基瘤彼此相距较近，内侧呈角状突出。雄虫触角细长，远长于体，向端部逐渐变细，雄虫基部数节和雌虫几乎所有节端部膨大且具有簇毛；雄虫第3节略长于第4节，第4~10节逐渐变长，第11节最长；雌虫触角短于体长，第11节不长于第10节。前胸背板横阔，两侧缘各有1个刺突，背面还有数个瘤突。小盾片三角形。鞘翅两侧近于平行，端缘圆形。后足跗节第1节不长于第2、3跗节的长度之和。

分布：中国；越南，老挝，马来西亚。世界已知4种，中国记录2种，秦岭地区发现1种。

(270) 五瘤天牛 *Falsanoplistes guerryi* Pic, 1915(图版20:4)

Falsanoplistes guerryi Pic, 1915e: 27.

鉴别特征：体长14.0~15.0mm。体黑色，鞘翅深红色(干标本变为红褐色)。雄虫触角远长于体，雌虫触角约等于体长，雄虫触角前6节、雌虫触角各节向末端膨大，尤其雌虫基部数节膨大更加显著并具黑毛，雄虫触角较细长，第3节之后各节变细。前胸背板宽略胜于长，具显著瘤突，大约可分成5个。鞘翅中部之后微膨大，端缘圆形。

采集记录：1♀，旬阳，1980.Ⅵ-Ⅶ(NWAFU，ex 陕西省林业研究所)。

分布：陕西(旬阳)、江苏、四川、贵州、云南、西藏。

129. 紫天牛属 *Purpuricenus* Dejean, 1821

Purpuricenus Dejean, 1821: 105. **Type species**: *Cerambyx kaehleri* Linnaeus, 1758.

Acanthoptera Latreille, 1829: 114. **Type species**: *Cerambyx budensis* Götz, 1783.

Purpuricenus (*Sternoplistes*) Guérin-Méneville, 1844: 224. **Type species**: *Purpuricenus* (*Sternoplistes*) *temminckii* Guérin-Méneville, 1844.

Cyclodera White, 1846: 510 **Type species**: *Cyclodera quadrinotata* White, 1846.

Hamadrias Gistel, 1848a: 130 [unnecessary substitute name].

Philagathes Thomson, 1864: 196. **Type species**: *Philagathes laetus* Thomson, 1864.

Porphyrocenus Reitter, 1913: 34, nota 1. **Type species**: *Purpuricenus spectabilis* Motschulsky, 1858.

属征（蒲富基，1980）：复眼深凹，小眼面细；上颚粗短；颊中等长，稍短于复眼下叶；触角基瘤彼此相距较近，内侧呈角状突出。雄虫触角细长，约为体长的1.0～2.0倍，向端部逐渐变细，第3节略长于第4节，第4～10节各节约等长，第11节长于第10节；雌虫触角短于体长或稍长于身体，第5～10节同雄虫比较，各节相应减短，第11节不长于第10节。前胸背板横阔，两侧缘各有1个刺突。小盾片三角形。鞘翅中等长而稍窄，两侧近于平行，端缘圆形。前足基节窝向后开放；中足基节窝对后侧片开放；前、中胸腹板突上有直立隆突；后胸腹板后角具臭腺孔。后足跗节第1节不长于第2、3跗节的长度之和。

分布：全北区，东洋区，非洲区，澳洲区。世界已知79种/亚种，中国记录14种/亚种，秦岭地区发现6种/亚种。

分种检索表

1. 前胸背板中部之后，无大瘤突 ………………………………………… 2
   前胸背板中部之后，有1个大瘤突 ………………………………………… 4
2. 前胸背板及鞘翅黑色，每翅有2条黄色横带；雌虫、雄虫前胸背板刻点不相同，雄虫前胸背板有粗、细2种刻点，分界非常明显，雌虫前胸背板全布粗刻点 ……………………………… …………………………………… **黄带紫天牛 *Purpuricenus malaccensis***
   前胸背板及鞘翅红色，前者有5个黑斑，后者有2对黑斑；雌虫、雄虫前胸背板刻点相同 … 3
3. 鞘翅后面有1对黑斑，在中缝区连接呈毡帽形；前胸背板着生稀疏黑褐色的细长毛 ……………… …………………………………… **帽斑紫天牛 *P. lituratus***
   鞘翅后面有1对黑斑，在中缝区连接呈大型圆斑；前胸背板仅后端中部有少许淡黄色的细长毛 …………………………………… **圆斑紫天牛 *P. sideriger sideriger***
4. 鞘翅无斑点，红色；前胸背板后端瘤突极为凸出 ……… **中华竹紫天牛 *P. temminckii sinensis***
   鞘翅有黑色斑点；前胸背板后端瘤突不很凸出 ………………………………………… 5
5. 鞘翅后方有1对小黑斑点……………………………… **二点紫天牛 *P. spectabilis***
   鞘翅后面有1对黑斑，在中缝区连接呈大型圆斑 ………… **缺缘紫天牛 *P. globiger globiger***

（271）缺缘紫天牛 *Purpuricenus globiger globiger* Fairmaire, 1888（图版20:5a, 5b）

Purpuricenus globiger Fairmaire, 1888b: 139.

Purpuricenus (s. str.) *globiger*: Gressitt, 1951: 317.

Purpuricenus globiger globiger: Danilevsky, 2012d: 9, figs. 1-7.

鉴别特征：体长16.0～24.0mm。体黑色，前胸背板及鞘翅朱红色。前胸背板有5个黑斑点（前面2个，后面3个），有时左右两侧互相连接形成斜纵斑，有时甚至全部互相连接成不规则的环斑。鞘翅有黑斑1对，在中缝处连接呈大型圆斑。触角雌虫较短，接近鞘翅末端，雄虫则约为体长的2.0倍多。

采集记录：1♂，周至楼观台，683m，2008. Ⅵ. 24，崔俊芝采；1♀，Taibai Shan National Park，1350m，1999. Ⅵ. 10，M. Murzin（Collection of M. Murzin，Moscow，Danilevsky，2012d）；1♂1♀，15km N Lueyang，2007. Ⅴ. 20-28，E. Kučera（Collection of Richard Ambrus，Prague，Danilevsky，2012d）；1♂1♀，佛坪龙草坪，1256m，2007. Ⅷ. 17，杨玉霞采。

分布：陕西（周至、略阳、太白、佛坪）、辽宁、北京、河北、山西、江西。

（272）帽斑紫天牛 *Purpuricenus lituratus* Ganglbauer，1887（图版 20：6）

Purpuricenus lituratus Ganglbauer，1887a：136.
Purpuricenus petasifer Fairmaire，1888b：140.
Purpuricenus lituratus var. *komarovi* Semenov，1908：260.
Purpuricenus ritsemai Villard，1913：237.
Purpuricenus petasifer var. *rosti* Pic，1913b：135.
Purpuricenus petasifer var. *hummeli* Pic，1935c：11.
Purpuricenus（s. str.）*petasifer*：Gressitt，1951：318.
Purpuricenus（s. str.）*lituratus*：Gressitt，1951：318.
Purpuricenus（*Sternoplistes*）*lituratus*：N. Ohbayashi & Niisato，2007：473.

鉴别特征：体长16.0～23.0mm。体黑色，前胸背板及鞘翅朱红色。前胸背板有5个黑斑点（前面2个，后面3个）。鞘翅有黑斑2对，靠前1对略呈圆形，靠后1对大型，在中缝处连接，呈毡帽形。触角雌虫较短，接近鞘翅末端，以第3节最长；雄虫触角约为体长的2.0倍，以第11节最长。前胸短宽，两侧缘中部有侧瘤突，基部稍前略为窄缩，5个黑斑点处略为隆起。小盾片锐三角形，密被黑色绒毛。鞘翅扁长，两侧缘平行，后缘圆形，帽形黑斑上密被黑色绒毛。

采集记录：1♂，凤县，1982. Ⅵ，王鸣采（NWAFU，CO026883）；1♂1♀，武功（NWAFU）；1♀，华阴华山，770～1618m，2007. Ⅵ. 06，林美英采；2♂2♀，商南山楂（NWAFU）。

分布：陕西（眉县、武功、华阴、汉中、商南）、吉林、辽宁、北京、河北、河南、甘肃、江苏、湖北、江西、湖南、广西、贵州、云南；俄罗斯，朝鲜，韩国，日本。

寄主：苹果。

（273）黄带紫天牛 *Purpuricenus malaccensis*（Lacordaire，1869）

Philagathes malaccensis Lacordaire，1869：176，nota 2.
Purpuricenus fasciatus Brongniart，1891：241.

Purpuricenus malaccensis: Gahan, 1906: 185.

鉴别特征:体长 12.0～24.0mm。体黑色，每个鞘翅有 2 条淡黄色的微波状横带，分别位于基部及中部之后，横带宽窄略有变化，一般基部横带较窄，肩瘤上方有 1 个黑斑点。触角为体长 2.0 倍多，向末端逐渐变细；柄节明显膨大，基部背面有较深凹洼，刻点粗稀。雌虫触角长达鞘翅中部之后，向末端逐渐增宽；从第 5 到第 10 节，各节逐渐变短，端部外侧呈角状突出；柄节基部背面凹洼较浅，刻点细密。雌虫、雄虫胸面刻点粗细不相同，雄虫有粗、细两种刻点，细刻点多分布于前半部及侧缘，粗刻点多分布在后半部，粗、细刻点界线成曲线状相交；雌虫全布粗深刻点，雌虫、雄虫粗刻点之间均成网状纹。鞘翅不很长，两侧近于平行，端缘圆形。

分布:陕西（秦岭）、广东、海南、云南；老挝，泰国，缅甸，印度，马来西亚，印度尼西亚。

寄主:柿属。

（274）圆斑紫天牛 *Purpuricenus sideriger sideriger* Fairmaire, 1888（图版 20:7）

Purpuricenus sideriger Fairmaire, 1888b: 139.
Purpuricenus pratti Gahan, 1888b: 61.
Purpuricenus ritsemai coreanus Saito, 1932: 441.
Purpuricenus (s. str.) *sideriger*: Gressitt, 1951: 319.
Purpuricenus sideriger sideriger: Danilevsky, 2012d: 14, figs. 17-18.

鉴别特征:体长 13.0～22.0mm。体黑色，前胸背板及鞘翅朱红色。前胸背板有 5 个黑斑点（前面 2 个，后面 3 个）。鞘翅有黑斑 2 对，靠前 1 对略呈圆形，靠近但不接触鞘缝，靠后 1 对大型，在中缝处连接，呈大型圆斑，不到达翅端。前胸侧刺突较小。

采集记录:1♂，周至厚畛子沙梁子村，950m，2007. Ⅴ. 25，林美英采；1♂3♀，Haozhenzi (Houzhenzi), 1300～2000m, 1999. Ⅴ. 27-Ⅵ. 16, 2000. Ⅵ. 21-26, M. Murzin (Collection of M. Murzin, Moscow, Danilevsky, 2012d)；1♂，Lueyang, 2007. Ⅴ. 29-Ⅵ. 02, E. Kučera (Collection of Richard Ambrus, Prague, Danilevsky, 2012d)；1♀，15km N. Lueyang, 2007. Ⅴ. 20-28, E. Kučera (Collection of Richard Ambrus, Prague, Danilevsky, 2012d)。

分布:陕西（长安、周至、略阳）、黑龙江、辽宁、河北、河南、江苏、浙江、湖北、江西、湖南、福建、广西、四川；俄罗斯，韩国。

（275）二点紫天牛 *Purpuricenus spectabilis* Motschulsky, 1858（图版 20:8）

Purpuricenus spectabilis Motschulsky, 1858: 36.

Sternoplistes spectabilis: Aurivillius, 1912: 466.
Sternoplistes spectabilis var. *bijunctus* Pic, 1923a: 8.
Purpuricenus (*Sternoplistes*) *spectabilis*: Gressitt, 1951: 319.

别名:二点红天牛。

鉴别特征:体长13.5~19.0mm。体扁长，黑色，前胸背板及鞘翅朱红色，前者有5个黑色斑点(前面2个，后面3个，外侧的有时前后连接)，后者常带橙黄色，在后方有1对圆形小黑点。头部有粗糙刻点及灰白色竖毛。前胸背板后部有中瘤，两侧缘有显著的瘤状侧刺突；胸面刻点较翅面粗糙，刻点间呈皱纹状。鞘翅扁长，两侧缘平行，每翅有直纹3条，边缘的1条特别明显。本种与竹红天牛(中华竹紫天牛)相似，主要区别为本种鞘翅后方有1对圆形小黑点，翅面有细小黑色竖毛；前胸背板中瘤稍小；鞘翅颜色一般偏于橙黄色。

采集记录:1♀，西安涝峪，1951.Ⅶ.08，周尧采(NWAFU，CO026084)；1♀，周至钓鱼台，1480~1570m，2008.Ⅵ，白明采；1♀，周至，700m，1993.Ⅴ.27。

分布:陕西(西安、周至)、辽宁、河北、河南、甘肃、江苏、浙江、湖北、江西、湖南、福建、台湾、四川、贵州、云南；韩国，日本。

备注:本种跟中华竹紫天牛斑纹几乎一致，但通常后者鞘翅没有黑斑。但是，中华竹紫天牛也有很多个体鞘翅具有一样的黑点，二者区别在于本种的前胸背板具有小而尖锐的中央瘤突，且头、前胸和鞘翅具有浓密的直立长毛(Danilevsky，2012d)。作者没有确切的二点紫天牛标本，暂时把有黑点的这3号标本鉴定为本种，其可能是中华竹紫天牛。

(276)中华竹紫天牛 ***Purpuricenus temminckii sinensis*** **White, 1853**(图版20:9)

Purpuricenus sinensis White, 1853: 139.
Sternoplistes temnicki var. *similis* Pic, 1923a: 8. N.
Purpuricenus temminckii sinensis: Danilevsky, 2012d: 18, figs. 29-35.

别名:竹红天牛。

鉴别特征:体长11.0~18.0mm。体扁，略呈长形。头、触角、腿及小盾片黑色。前胸背板及鞘翅朱红色，后者色泽稍浅，后端常带有橙黄；前胸背板有5个黑斑，接近后缘的3个较小，前方的1对较大而圆，有时候这些黑斑扩大并相连。鞘翅通常没有斑纹，但有些个体后方有1对小黑斑点(Danilevsky，2012d)。触角雌虫较短，接近鞘翅后缘，雄虫长约为身体的1.5倍，各节远端稍大，第3节较柄节略长，后者与第4节长度大致相等。前胸两侧缘有1对显著的瘤状侧刺突。鞘翅两侧缘平行，后缘圆形。

采集记录:1♀，陕西(NWAFU，CO026081)。

分布:陕西(秦岭)、辽宁、河北、河南、江苏、上海、浙江、湖北、江西、湖南、福建、台湾、广东、广西、四川、贵州、云南；韩国，日本，老挝。

寄主:竹，枣。

XXI. 双条天牛族 Xystrocerini Blanchard, 1845

鉴别特征:复眼小眼面较粗；触角柄节外端具刺状突出，前胸背板不具侧刺突；前足基节显突，高出于前胸腹板突，前胸腹板突狭窄，端部很少扩大；中足基节窝外侧有显著的尖角，对中胸后侧片开放；腿节较膨大。

分类:世界已知5属，中国记录3属，陕西秦岭地区发现1属1种。

130. 双条天牛属 *Xystrocera* Audinet-Serville, 1834

Xystrocera Audinet-Serville, 1834b: 69. **Type species**: *Cerambyx globosus* Olivier, 1795.

属征(蒋书楠等, 1985):头短，复眼大，内缘深凹，小眼面粗；颊短，额小，呈横隆突，额前缘及后头低。触角基瘤内侧突起，触角十分长，雄虫触角约为体长1.5~2.0倍，雌虫触角长度略超过鞘翅末端，柄节粗扁，雄虫柄节外侧末端及第3、4节下方末端，各有1个刺状突出，以柄节侧刺突最为发达。前胸背板一般宽略胜于长，两侧缘弧形，后缘略呈双曲波形。鞘翅长形，两侧近于平行，末端略窄，钝圆。前胸腹板突狭窄，端部不膨阔。足中等大，较粗壮，前足基节窝向后开放，其外侧呈明显的尖角，中足基节窝对后侧片开放。

分布:东洋区，澳洲区，非洲区。世界已知64种，中国记录2种，秦岭地区分布1种。

(277) 双条天牛 *Xystrocera globosa* (Olivier, 1795) (图版20:10)

Cerambyx globosus Olivier, 1795: 27, pl. XII, fig. 81.
Stenocorus vittatus Fabricius, 1801.
Callidium marginale Goldfuss, 1805: 44, pl. 1, fig. 8.
Xystrocera globosa: Audinet-Serville, 1834b: 70.
Xystrocera curticollis Fairmaire, 1882: 96.
Xystrocera nitidiventris Fairmaire, 1887b: 326.
Xystrocera parvicollis Fairmaire, 1892: 120.
Xystrocera viridipicta Fairmaire, 1896b: 367.
Xystrocera globosa var. *reductevittata* Breuning, 1957a: 1241.
Xystrocera globosa var. *invittata* Breuning, 1957a: 1241.
Xystrocera globosa var. *mediovitticollis* Breuning, 1957a: 1241.

Xystrocera globosa m. *onomichiensis* K. Ohbayashi, 1963a: 10 [infrasubspecies].

Xystrocera globosa ssp. *diehli* Heyrovský, 1967: 39.

Xystrocera globosa mediovitticollis: Hua, 2002: 237.

别名:合欢双条天牛。

鉴别特征:体长13.0~35.0mm。体呈红棕色到棕黄色；前胸背板前、后边、中央有1个狭纵条，左右各有1个较宽的纵条，均呈金属蓝或绿色；雄虫的两旁直条由胸部前缘两侧向后斜伸至后缘中央，雌虫则直伸向后方，不作雄虫的斜行式样。鞘翅棕黄，每翅中央有1个纵条，其前方斜向肩部，此纵条及鞘翅的外缘和后缘均呈金属蓝或绿色。触角长于体。每鞘翅有3条微隆起的纵纹，2条在背方，1条在侧方。

采集记录:2♂，略阳，寄主:合欢，1981.Ⅷ；1♂，武功农科院，1980.Ⅵ.08，唐国恒采(NWAFU)；1♀，留坝庙台子，1350m，1998.Ⅶ.21，姚建采；1♀，留坝，魏新华采(NWAFU，CO026172)；1♂，佛坪，900m，1999.Ⅵ.27，贺同利灯诱；5♀，佛坪，950m，1999.Ⅶ.23，姚建采(IOZ(E)1905667)；1♀，佛坪，890m，1999.Ⅵ.26，章有为灯诱；1♀，佛坪县城，900m，2008.Ⅶ.05，白明采；1♂，洋县华阳镇，1099m，2012.Ⅵ.27，陈莹采；1♀，洋县长青自然保护区，2016年01月通过张巍巍看到照片，标本保存于保护区管理站；1♀，宁陕火地塘，1580m，1998.Ⅶ.27，袁德成采；1♂，安康(NWAFU，CO026171，ex 西北农学院)；1♀，镇安云盖寺镇，816m，2014.Ⅵ.19，索中毅采；1♂，丹凤(NWAFU，CO026172)；1♂，西乡，400m，1973.Ⅹ.19-21，路进生、田畴采(NWAFU，CO026174，ex 西北农学院)；2♂2♀，石泉(NWAFU，CO026167-70，)；1♂，紫阳(NWAFU，ex 西北农学院)。

分布:陕西(凤县、略阳、武功、留坝、佛坪、洋县、宁陕、汉中、安康、镇安、丹凤、西乡、商洛、石泉、紫阳)、河北、山东、河南、甘肃、江苏、上海、安徽、浙江、湖北、江西、湖南、福建、台湾、广东、海南、广西、四川、贵州、云南；朝鲜，韩国，日本，越南，老挝，泰国，缅甸，印度，不丹，尼泊尔，巴基斯坦，以色列，孟加拉国，柬埔寨，斯里兰卡，菲律宾，马来西亚，印度尼西亚，埃及，入侵非洲和澳大利亚。

寄主:合欢，楹树，槐，桑，海红豆，桃，木棉，羊蹄甲属，扁担杆属，等等。

(七)沟胫天牛亚科 Lamiinae

鉴别特征:小至大型，体长约2.4~75.0mm，头强烈特化，通常短，额大而垂直至后倾，口器多为下口式。很少种类前口式(一些 Acanthoderini，尤其是澳大利亚的 Tmesisternini 族)。触角窝距上颚髁很远，通常或多或少被复眼围绕，很多种类复眼深凹甚至被分为两叶。额中沟大都延伸至后头区且接近或到达头颅后缘。额唇基较宽，后唇基通常很短，偶尔突出到前唇基上方。幕骨通常发达。前幕骨陷显著。上唇可动。触角长，大都11或12节，一般形状简单(但一些触角节可能具刺或毛刷)。

上颚从不显著膨阔或镰刀状，但可能具多样的齿突，内缘不具缨毛或显著的臼板，末端简单或双齿。下颚和下唇发达，下颚内颚叶存在，但不具显著的长毛，外咽片和亚颏短，唇舌发达，下颚须和下唇须的末节大都具小的末端感觉区，末端尖锐，很少种类末端平切（e. g. *Phantasis*）。前胸背板不具显著边缘，至多具一对刺突或偶尔具更复杂的突片。前足基节窝多样，向后开放或关闭。中胸背板大都具发音器和完整的内突；发音器的分界线很不对称（通常偏向左边，但甚至在同种中具偏左或偏右的可能），发音器在功能上没有被分成两块（一侧较大而具功能，另一侧很窄而没有发音作用，或完全消失），但这样的发音器与不具中央纵纹的天牛亚科的发音器在起源上是完全不同的，与其他类群内突缩短的情况也不同。后胸叉骨具叶片或无。前足基节多样，尤其是一些雄虫，前足可能伸长，*Acrocinus* 属的前足极度伸长，前足腿节与体等长。前足胫节在中部具清洁毛刷，大都长在胫节的斜沟或凹陷里，中足胫节的外侧也常常具有类似的结构。跗节伪四节，具跗垫，但一些类群具真四节（第 4 跗节与第 5 跗节完全愈合），如 Tetraopini、Astathini、Dorcadionini 等。爪间突不明显。

分类：世界已知 2 万余种，超过天牛已知种总数的一半。中国记录 27 族 299 属 1610 种/亚种，陕西秦岭地区分布 18 族 89 属 206 种。

分族检索表

1. 中足和后足接近，后胸很短 …… 2
   中足和后足距离较远，后胸不很短 …… 3
2. 触角柄节端疤不很发达，开式；触角节通常略扁而膨大；鞘翅坚实，后翅通常消失；鞘翅背面通常平滑，无明显刻点和瘤突；体型大多卵形 …… **草天牛族 Dorcadionini**
   触角柄节端疤狭小但明显，闭式；触角节不扁；后翅大多退化；鞘翅背面不平滑，有粗糙颗粒或隆脊 …… **巨瘤天牛属 *Morimospasma* & 蛛天牛属 *Parechthistatus***
3. 后胸前侧片很宽，呈倒三角形，前端呈圆弧形 …… 4
   后胸前侧片狭长，前端不呈圆弧形 …… 6
4. 复眼上下叶分离或近于分离，仅一线相连 …… **重突天牛族 Astathini**
   复眼不分裂，仅内缘凹陷 …… 5
5. 后足腿节很短，不超过腹部可见第 2 腹节；鞘翅很狭长；或后足腿节超过第 2 可见腹节时，不超过第 3 可见腹节且雌虫和雄虫爪一致且不是单齿式，不具性二型 …… **小筒天牛族 Phytoeciini**
   后足腿节超过第 2 可见腹节；鞘翅不很狭长；雌虫和雄虫爪通常性二型，雌虫通常都是单齿式 …… **楔天牛族 Saperdini**
6. 触角柄节末端有细脊围成近半圆形的端疤 …… 7
   触角柄节末端无细脊围成的端疤，光滑或背方具粗糙颗粒 …… 8
7. 触角柄节端疤内侧有缺口，开式，爪半开式 …… **象天牛族 Mesosini**
   触角柄节端疤完整，闭式；如果内侧稍有缺口时，爪全开式 …… **沟胫天牛族 Lamiini**
8. 触角柄节端部背方有粗糙颗粒 …… 9
   触角柄节端部光滑，无端疤或粗糙颗粒 …… 11
9. 中足基节窝闭式 …… **小枝天牛族 Xenoleini**

中足基节窝开式 ………………………………………………………………………… 10
10. 触角极细长，柄节极肥短，体型狭长 …………………………… **粉天牛族 Dorcaschematini**
触角不很细长，柄节不很肥短，体型宽…………………………… **白条天牛族 Batocerini**
11. 爪半开式 ………………………………………………………………………………… 12
爪全开式 ………………………………………………………………………………… 15
12. 中足胫节有斜沟 ………………………………………………………………………… 13
中足胫节无斜沟 ……………………………………………………… **坡天牛族 Pteropliini**
13. 触角 12 节；或触角柄节特别细长，头部大多后俯，额梯形，头顶尖突 ………………………
……………………………………………………………………… **多节天牛族 Agapanthiini**
触角 11 节，柄节肥短，头部不后俯，额近方形 ……………………………………………… 14
14. 头部不宽于前胸背板前端；上颚不发达 ………………………… **瓜天牛族 Apomecynini**
头部宽阔，宽于前胸背板前端；上颚发达 ………………………… **团结天牛族 Homonoeini**
15. 中足基节窝开式 ………………………………………………………………………… 16
中足基节窝闭式 ………………………………………………………………………… 17
16. 体大型，较宽胖；前胸每侧具两个瘤突 ………………………… **丛角天牛族 Ceroplesini**
体小型，较细瘦；前胸侧面具 1 个刺突或不具刺突或瘤突 ………… **链天牛族 Desmiphorini**
17. 鞘翅后部坡状倾斜，前足基节外端尖角形 ……………………… **芒天牛族 Pogonocherini**
鞘翅后部不呈坡状倾斜 ………………………………………………………………… 18
18. 触角很长，鞘翅背面通常扁平，雌虫产卵器伸出 ………………… **长角天牛族 Acanthocinini**
触角不很长；体表具竖毛或刚毛；前胸侧刺突位于中部偏后方，尖端向后勾 ………………
……………………………………………………………………… **勾天牛族 Exocentrini**

I. 长角天牛族 Acanthocinini Blanchard, 1845

鉴别特征(Gressitt, 1940b)：额四方形；头顶浅凹，触角基瘤中等远离；雄虫触角通常很长，柄节细，圆筒形或圆锥形，通常等长于第 3 节；前足基节窝圆形，中足基节窝对中胸后侧片关闭；中足胫节外侧具斜沟；腿节膨大，爪全开式。

分类：世界已知 386 属/亚属，中国记录 15 属，秦岭地区发现 5 属 9 种。

分属检索表

1. 鞘翅末端斜，呈长刺状 ……………………………………… **齿尾天牛属 *Parachydaeopsis***
鞘翅末端不呈长刺状 …………………………………………………………………… 2
2. 触角短于体长的 2.0 倍 ………………………………………………………………… 3
触角(至少雄虫如此)长于体长的 2.0 倍 …………………………………………………… 4
3. 前胸侧刺突明显；鞘翅近基部有 1 个鬃毛的隆脊，不具向后的刺 …………… **梭天牛属 *Ostedes***
前胸侧面略圆突；鞘翅近基部具 1 个突脊，上有向后的刺 ………………… **方额天牛属 *Rondibilis***

4. 鞘翅较平坦，侧缘直(看起来较狭长)；雄虫触角大于体长的3.0倍；雌虫产卵器很长 ………………………………………………………………………………………… **长角天牛属 *Acanthocinus***
鞘翅较圆隆，侧缘基半部直，随后逐渐弧形弯曲(看起来较宽短)；雄虫触角为体长的2.0倍；雌虫产卵器短 ……………………………………………………………………… **利天牛属 *Leiopus***

131. 长角天牛属 *Acanthocinus* Dejean, 1821

Acanthocinus Dejean, 1821: 106. **Type species**: *Cerambyx aedilis* Linnaeus, 1758.

Ædilis Audinet-Serville, 1835: 32. **Type species**: *Ædilis montana* Audinet-Serville (= *Cerambyx Ædilis* Linnaeus, 1758).

Astynomus Dejean, 1835: 337. **Type species**: *Cerambyx aedilis* Linnaeus, 1758.

Graphisurus Casey, 1913: 334. **Type species**: *Acanthocinus pusillus* Kirby, 1837.

Graphisurus (*Canonura*) Casey, 1913: 335. **Type species**: *Aedilis spectabilis* LeConte, 1854.

Graphisurus (*Graphisurus*): Casey, 1913: 335.

Graphisurus (*Tylocerina*) Casey, 1913: 335. **Type species**: *Cerambyx nodosus* Fabricius, 1775.

Acanthocinus (*Acanthocinus*): Aurivillius, 1923: 434.

Acanthocinus (*Tylocerina*) Aurivillius, 1923: 434.

Tylocerina (*Canonura*): Aurivillius, 1923: 434.

Graphisurus (*Acanthocinus*): Keen, 1929: 62.

Canonura: Dillon, 1956: 225.

Tylocerina: Dillon, 1956: 230.

Neacanthocinus Dillon, 1956: 231. **Type species**: *Cerambyx obsoletus* Olivier, 1795.

属征(蒋书楠等，1985)：体较扁平，触角十分细长，远远超过体长，触角下面具缨毛；柄节较长，略长于前胸背板的长度或近于等长，柄节向端部逐渐膨大，背面端部不具端疤。前胸背板宽胜于长，两侧缘具侧刺突。鞘翅长形，两侧近于平行，末端圆形。足中等长，较粗壮，前足基节窝圆形，中足基节窝对后侧片关闭，爪全开式。一般雌虫腹部末端伸出长的产卵管。

分布：全北区，东洋区。本属分两个亚属，其中指名亚属世界已知27种/亚种，中国记录7种，秦岭地区发现2种。

分种检索表

体型较大而宽，体长在16.0mm以上；雄虫触角长度超过50.0mm；鞘翅长为宽的2.0倍；前胸背板仅前端有1行4个污黄色绒毛斑点，基半部没有相似斑点；体背绒毛灰色，鞘翅具凿齿状或颗粒状刻点 ……………………………………………………… **长角天牛 *Acanthocinus aedilis***
体型较狭小，体长在16mm以下；雄虫触角长度不到40mm；鞘翅长大于宽的2.0倍；前胸背板有2行污黄色绒毛斑点，前端一行4个，基半部2个；体背褐或灰褐色，鞘翅有两条斜暗色带 ……………………………………………………………………… **小灰长角天牛 *A. griseus***

(278)长角天牛 *Acanthocinus aedilis* (Linnaeus, 1758)

Cerambyx aedilis Linnaeus, 1758: 392.
Cerambyx acernus Voet, 1778: 6, pl. Ⅳ, figs. 1A-D, 2-3 [nomen nudum].
Cerambyx Marmoratus Villers, 1789: 239.
Ædilis montana Audinet-Serville, 1835: 33.
Astynomus aedilis: Mulsant, 1862: 287.
Acanthocinus (*Astynomus*) *aedilis*: Planet, 1893: ccxi.
Acanthocinus aedilis: Kleine, 1909: 207.
Acanthocinus aedilis var. *obliteratus* Pic, 1917b: 9.
Acanthocinus validus Matsushita, 1936: 148.
Acanthocinus aedilis m. *obliteratus*; Breuning, 1978: 54.
Acanthocinus aedilis dongbeiensis Wang, 2003: 258, 395, fig. in p. 258.

别名:灰长角天牛、长角灰天牛。

鉴别特征:体长 12.0 ~24.0mm。体扁平，触角极长，雌虫体长与触角之比为 1.0:2.0左右，雄虫体长与触角之比为 1.0:3.5 左右。底色棕红，或深或淡，被不十分密厚的灰色绒毛，与底色相近，有时呈深灰色，有时于灰色中带棕红或粉红。前胸背板中部前方有 4 个火黄色或金黄色毛斑，处于不大显著的小瘤之上，排成一横行。每一鞘翅上各有 2 条深色而略斜的横斑纹，1 处位于中部之前，1 处位于端部 1/3 处，以后者较显著；此外还有稀疏的小圆斑点，以翅中央中缝区较多。触角被淡灰色绒毛，每节端部或长或短呈棕红或深棕红色，雄虫第 3 ~5 节下沿密被短柔毛。腹面密被灰色绒毛，但杂有极密的无毛小斑点，腿节也是如此。

分布:陕西(宁陕、勉县、宜君、黄陵)、黑龙江、吉林、内蒙古、河北、山东、河南、湖北、江西；蒙古，俄罗斯，朝鲜，韩国，哈萨克斯坦，土耳其，欧洲。

寄主:红松，云杉。以为害红松较烈。*Picea* sp., *Pinus armandii* Franchet, *Pinus densiflora* Siebold *et* Zuccarini, *Pinus koraiensis* Siebold *et* Zuccarini, *Pinus strobus* Linnaeus。

(279)小灰长角天牛 *Acanthocinus griseus* (Fabricius, 1793)(图版 21:1)

Cerambyx griseus Fabricius, 1793: 261.
Astynomus alpinus Redtenbacher, 1849: 494.
Acanthocinus griseus var. *obscurus* Pic, 1891: 32.
Acanthocinus griseus novaki Tippmann, 1952: 153, pl. Ⅶ, figs. a & b.
Acanthocinus griseus m. *obscurus*: Breuning, 1978: 56.
Acanthocinus griseus griseus: Hasegawa, 1996: 84, figs. 1, 5, 9, 13-17, 31.

鉴别特征:体长 7.0 ~14.0mm。体基底黑褐至棕褐色，触角各节端部和第 2 节整节黑色。前胸背板被灰褐色绒毛，前端有4个污黄色圆形毛斑，排成一横列，基端也有2个圆形毛斑。小盾片中部被淡色绒毛。鞘翅被黑褐色、棕褐色或灰色绒毛，一般灰色绒毛多分布在每翅中部及末端，各成1条宽横带，其余翅面多为黑褐色或棕褐色绒毛。每翅显现出2条黑褐色横斑，在中部的灰斑内，有黑褐色小点。雄虫触角为体长的2.5～3.0倍，雌虫触角为体长的2.0倍。前胸背板宽显胜于长，两侧缘中部后有1个圆锥形的隆突。鞘翅两侧近于平行，末端圆形。雌虫腹部末端伸出长的产卵管。

采集记录：1♀，蓝田，1981.Ⅶ.18，闫西财采；1♂，略阳，1981.Ⅵ；1♂，太白黄柏塬乡核桃坪，2012.Ⅵ.19，华谊灯诱；1♀，太白黄柏塬，1980.Ⅶ.14；2♂3♀，武功（NWAFU）；1♂，留坝桃园铺，1077m，2012.Ⅵ.21，李莎灯诱；1♀，留坝庙台子，2005.Ⅵ.14-15，巴义彬采（HBU）；1♂1♀，勉县，1959.Ⅵ.10，寄主：华山松；1♀，佛坪上沙窝，1100～1200m，2008.Ⅶ.06，白明采；1♀，佛坪县城，900m，2008.Ⅶ.05，白明采；1♂，洋县长青保护区华阳镇，2016.Ⅵ.29，周润采；1♂，洋县华阳镇白草坪，2014.Ⅵ.02-07，张巍巍采（Ceram-86）；2♂，宁陕火地塘，1580m，1998.Ⅶ.26，姚建采；1♂，宁陕火地塘，1979.Ⅷ.03，韩寅恒采；1♀，宁陕火地塘，2016.Ⅶ.07-24，王勇采；1♂，宁陕火地塘，1620m，1979.Ⅷ.07，韩寅恒采；1♀，宁陕火地塘鸦雀沟，1600～1700m，1998.Ⅶ.28，张学忠采；1♀，宁陕火地塘林场厂部附近，1554m，2015.Ⅶ.17，刘漪舟采；1♂，宁陕，1984.Ⅷ.15（NWAFU，CO028477）；1♀，宁西，1980.Ⅵ.下旬；1♂，宜君，1981；1♂，丹凤蔡川镇，1070m，2014.Ⅵ.30，黄正中采。

分布：陕西（蓝田、略阳、太白、武功、留坝、勉县、佛坪、洋县、宁陕、镇安、丹凤、宜君、黄陵）、黑龙江、吉林、辽宁、内蒙古、北京、河北、河南、甘肃、宁夏、新疆、浙江、湖北、江西、福建、广东、广西、贵州；蒙古，俄罗斯，朝鲜，韩国，土耳其，叙利亚，欧洲。

寄主：红松，鱼鳞松，油松，华山松，栎属。

132. 利天牛属 *Leiopus* Audinet-Serville, 1835

Leiopus Audinet-Serville, 1835: 86. **Type species**: *Cerambyx nebulosus* Linnaeus, 1758.

分布：古北区。世界已知22种，分为2个亚属。

132-1. *Carinopus* Wallin, Kvamme *et* Lin, 2012

Leiopus (*Carinopus*) Wallin, Kvamme *et* Lin, 2012: 7. **Type species**: *Leiopus* (*Carinopus*) *holzschuhi* Wallin, Kvamme *et* Lin, 2012.

鉴别特征（Wallin, Kvamme & Lin, 2012）：触角长于体，末节短于第10节。前胸略窄于鞘翅肩宽，侧刺突位于中点偏后，前胸背板具3～5个突起。鞘翅不具半直立竖毛，肩部不突出，末端圆形，基部2/3具4~5根突脊，每鞘翅基部通常具1个被簇毛和绒毛的突脊，位于肩部和小盾片之间。后足腿节伸达第5可见腹板基部，后足远长于前足。胫节长于腿节，后足胫节细长，后足跗节第1节为第2和第3节之和的1.5~2.0倍，等长于其后4节之和(不包括爪)。跗节末节细长，等长或长于第2和第3节之和。

分布：中国。本亚属为中国特有属，共记录9种，秦岭地区发现3种。

分种检索表

1. 鞘翅灰色或银灰色，中间浅色区域后有2个显著黑斑；前胸背板中部之前有2个黑点 ………………………………………………………………… **眼斑利天牛 *Leiopus*（*Carinopus*）*ocellatus***

   鞘翅颜色不同，中部之后具有黑色横斑；前胸背板中部之前具2~4个黑点，有时纵形 …… 2
2. 体型较小(9.5mm以下)；鞘翅刻点细密(刻点间距不大于单个刻点宽)；前胸侧刺突很小；前胸没有明显的4个黑点 ………………………………… **黑带利天牛 *L.*（*C.*）*nigrofasciculosus***

   体型较大(9.5mm以上)；鞘翅刻点稍稀疏(刻点间距大于单个刻点宽)；前胸侧刺突较大；前胸有明显的4个黑点 ………………………………………… **红薯利天牛 *L.*（*C.*）*holzschuhi***

(280) 红薯利天牛 *Leiopus*（*Carinopus*）*holzschuhi* Wallin, Kvamme *et* Lin, 2012（图版21:2）

Leiopus（*Carinopus*）*holzschuhi* Wallin, Kvamme *et* Lin, 2012: 14, figs. 15, 16, 32, 39, 53, 64, 78, 92.

鉴别特征：体长9.5~11.0mm。体黑褐色，被灰褐色细绒毛。触角各节基部红褐色被淡色绒毛，端部黑褐色至黑色。前胸背板可见4个黑点。小盾片黑色。鞘翅除了基部突脊黑色外，中部之后还有1个略偏斜且弯折的黑色斑，其前后的脊纹显现灰白色和黑色相间的纵纹，前方3条，后方2条；鞘缝基部1/5为纯色，之后也是浅色和黑点相间，端部浅色显白。

采集记录：1♂（正模）, Shaanxi, Qinling Shan, 12km SW of Xunyangba, altitude 1900~2250m, 2000. Ⅴ. 14-18, leg. C. Holzschuh(CCH)；1♀，太白山，1982. Ⅶ. 14，张文军采(NWAFU)；1♂，宁陕火地塘，1550m，2008. Ⅶ. 08，刘万岗采；1♀，同上，2008. Ⅶ. 09，白明灯诱；1♀，宁陕火地塘，2016. Ⅶ. 07-24，王勇采。

分布：陕西(太白、宁陕)、河南、重庆、四川、贵州。

(281) 黑带利天牛 *Leiopus*（*Carinopus*）*nigrofasciculosus* Wallin, Kwamme *et* Lin, 2012(图版21:3)

Leiopus（*Carinopus*）*nigrofasciculosus* Wallin, Kvamme *et* Lin, 2012: 12, figs. 13, 14, 31, 38, 52,

63, 77, 91.

鉴别特征:体长 8.2 ~ 9.3mm。体黑色，被灰褐色细绒毛。触角各节基部红褐色被淡色绒毛，端部黑色。前胸背板没有显著斑纹或隐约有 2 个纵形黑斑。小盾片黑色。鞘翅灰褐色密布小黑点，尤其端半部黑点更多，中部前后各有 1 个较明显的黑斑，靠前 1 个靠近侧缘，较小，靠后 1 个几乎接触鞘缝，较大；鞘缝基部 1/3 淡色，之后褐色和黑点相间。

采集记录:1♂（正模），S. Shaanxi, Xi'an-Ningshan, Qinling Shan pass, 50km S Xi'an, altitude 2000m, 33°08'N, 108°08'E, 2000. Ⅵ. 11, leg. J. Turna(CCH)。

分布:陕西(宁陕)、安徽。

(282) 眼斑利天牛 *Leiopus* (*Carinopus*) *ocellatus* Wallin, Kvamme *et* Lin, 2012 （图版 21:4）

Leiopus (*Carinopus*) *ocellatus* Wallin, Kvamme *et* Lin, 2012: 11, figs. 11, 12, 30, 37, 51, 62, 76, 90.

鉴别特征:体长 7.6 ~ 10.9mm。体红褐色至黑褐色，被灰色细绒毛。触角各节基部红褐色被淡色绒毛，端部黑褐色至黑色。前胸背板中部之前有 2 个黑点。小盾片黑色。鞘翅除了基部突脊黑色外，中部之后还有 1 个明显的黑色斑，其前方侧面还有 1 个小黑纵斑；鞘缝基部 1/5 单色，之后浅色和黑点相间；鞘翅脊纹间隔分布浅色和黑色，黑色较短呈点状，浅色稍长，有时为灰白色。

采集记录:1♂（正模），Shaanxi, Qinling Shan, 6km E of Xunyangba, altitude 1000 ~ 1300m, 2000. Ⅴ. 23-Ⅵ. 13, C. Holzschuh(CCH)；1♀，宁陕火地塘，1580m，1998. Ⅷ. 22，袁德成采(副模，IOZ(E)1858417)；1♀，宁陕火地沟，1580 ~ 2000m，1998. Ⅷ. 18，袁德成采(副模，IOZ(E)1858418)；1♂，石泉，1960. Ⅵ. 03(副模，IOZ(E)1859440)；11♀，武功，1980. Ⅵ. 15(NWAFU)。

分布:陕西(武功、宁陕、石泉)。

133. 梭天牛属 *Ostedes* Pascoe, 1859 陕西新纪录属

Ostedes Pascoe, 1859: 43. **Type species**: *Ostedes pauperata* Pascoe, 1859.

属征:额横宽，头顶平坦；复眼内缘深凹；触角较体长，下侧具稀疏缨毛；触角基瘤中等隆突，彼此远离；触角柄节稍粗，近柱形，第 3 节稍短于第 4 节，显著长于柄节。前胸背板长大于宽(不算侧刺突时)，侧刺突中等大(宽大于长)，尖端微微偏向后边，中区没有瘤突。鞘翅肩部宽于前胸，向后两侧近平行，端部平截或斜截。鞘翅

近基部有 1 具鬃毛的隆脊。前足基节窝闭式，中足基节窝开式，腿节十分膨胀，中足胫节外侧具斜沟，第 1 跗节长于第 2、3 跗节长度之和，爪全开式。

分布：古北区，东洋区。本属分为 3 个亚属，中国记录 2 个亚属。指名亚属世界已知 31 种/亚种，中国记录 6 种/亚种，秦岭地区发现 1 种。

(283) 宝兴梭天牛 *Ostedes binodosa* Gressitt, 1945 陕西新纪录（图版 21：5）

Ostedes binodosa Gressitt, 1945: 130.

鉴别特征：体长 11.5 ~ 12.2mm。头黑色，触角黑褐色，从第 3 节起各节基部颜色淡于端部。前胸背板黑褐色被淡褐色绒毛，可见不规律的小黑点。小盾片黑褐色。鞘翅黑褐色被淡褐色绒毛，基部黑褐色，中部偏后具 1 个三角形的黑褐色斑，之后还有 1 个或 2 个黑褐色斑，黑褐色斑在侧面连续相接，端部淡褐色。腹面黑褐色，足大部分黑褐色，胫节中部淡色。

采集记录：1♂，佛坪龙草坪，1256m，2008. Ⅶ. 03，白明采。

分布：陕西（佛坪）、广东、四川。

备注：本种跟闽梭天牛 *Ostedes inermis* Schwarzer, 1925 非常相似，但鞘翅外端角较钝；跟巨斑梭天牛 *Ostedes* (*Trichostedes*) *laosensis* Breuning, 1963 也非常相似，他们的关系有待进一步研究。

134. 齿尾天牛属 *Parachydaeopsis* Breuning, 1968

Parachydaeopsis Breuning, 1968: 28. **Type species**: *Parachydaeopsis laosica* Breuning, 1968.

别名：瘤鞘天牛属（Wang & Chiang, 2002b）。

属征：额横宽，头顶宽陷；复眼内缘凹；触角较体长，下侧具稀疏缨毛；触角基瘤中等隆突，彼此远离；触角柄节稍粗，纺锤形，第 3 节稍短于第 4 节，显著长于柄节。前胸背板长与宽约相等，前、后明显具横沟，没有侧刺突，中区也没有明显瘤突。鞘翅肩部宽于前胸，向后两侧近平行，近端部 1/3 处显著收狭，末端斜，呈长刺状。鞘翅基部中央有一高冠状瘤突。前足基节窝闭式，中足基节窝开式，腿节十分膨胀，中足胫节外侧具斜沟，第 1 跗节长于第 2、3 跗节长度之和，爪全开式。

分布：中国；老挝。世界已知仅 2 种，中国记录 1 种，分布于陕西。

(284) 陕西齿尾天牛 *Parachydaeopsis shaanxiensis* Wang *et* Chiang, 2002（图版21：6a, 6b）

Parachydaeopsis shaanxiensis Wang *et* Chiang, 2002b: 51, figs. 4-8.

别名：陕西瘤鞘天牛（Wang & Chiang, 2002b）。

鉴别特征：体长8.4～8.6mm。体黄褐色。头、前胸、小盾片、鞘翅基缘、中缝、外侧及端部的大部分黄褐色；触角大部分黄褐色，从第2节起各节端部颜色深于基部；足黄褐色和黑色相间，通常腿节背面和胫节基半部黄褐色，跗节各节基部黄褐色端部黑色；鞘翅中区大部分黑褐色，端部1/3黄褐色间杂黑色斑纹；翅面具稀疏黑色竖毛，基部中区瘤突上丛毛黑色；体腹面黑色。

采集记录：1♂，太白山蒿坪寺，1200m，1981. Ⅵ. 08（NWAFU，CO025453，王文凯于2000年5月12日鉴定）；1♂，太白山蒿坪寺，1981. Ⅵ. 10（NWAFU，CO025454，王文凯于2000年5月12日鉴定）；1♂（正模），勉县小扁河，1964. Ⅵ. 08，赵金采于核桃上（SWU）；1♂，宁陕火地塘林场，1538m，2007. Ⅵ. 01，史宏亮灯诱；1♂，宁陕火地塘林场厂部附近，1554m，2015. Ⅶ. 17，刘漪舟采；1♂，宁陕火地塘，1580m，1998. Ⅶ. 27，姚建采。

分布：陕西（太白、勉县、宁陕）。

备注：本种的正模损坏严重，很多特征无法复核，本次调查检视的5号标本与本种的原始描述和手绘图均有出入，尤其是鞘翅端半部的斑纹不太一致，大型黑斑没有那么靠后且多了一些淡色斑纹，且没有观察到："体腹面深褐色，第2～4腹节大部黑褐色，腹末节及各腹节彼此交界处黄褐色；后胸腹板中央具1个心形暗棕色大斑，第1腹节中央前端具1个短纵条，暗棕色，向前嵌入心形斑中央凹入处"。但是，其中太白山的2号标本是由本种的第一作者王文凯在2000年的时候就写上本种的鉴定签的，虽然在后来正式发表的时候未包括这2号标本，但经他本人复核，这都是同一个种。

135. 方额天牛属 *Rondibilis* Thomson, 1857 陕西新纪录属

Rondibilis Thomson, 1857d: 306. **Type species**: *Rondibilis bispinosa* Thomson, 1857.

Eryssamena Bates, 1884: 251. **Type species**: *Eryssamena saperdina* Bates, 1884. Considered as a subgenus of *Rondibilis* by Kusama & Takakuwa, 1984: 490.

Parenes Aurivillius, 1928c: 23. **Type species**: *Parenes lineata* Aurivillius, 1928.

Polimeta Pascoe, 1864a: 13. **Type species**: *Ostedes spinosula* Pascoe, 1860.

属征（Gressitt, 1940b）：头顶平坦，触角基瘤之间不凹陷；额长大于宽；触角长于体长，下沿具缨毛；前胸长大于宽，侧面略圆突，基缘之前横缢；鞘翅长，两侧平行，每鞘翅基部具一突脊，上有向后的刺（有时刺不发达，作者注）；后足胫节长。

分布：古北区，东洋区，澳洲区。本属分为两个亚属，指名亚属世界已知66种/亚种，中国记录16种/亚种，陕西至少有2种，须深入研究。

(285)方额天牛属 ***Rondibilis* (*Rondibilis*) sp. 1 nr. *saperdina***(图版21:7)

鉴别特征:体长9.5~13.0mm。头黑色，触角红褐色，从第4节起各节基部被淡色绒毛。前胸红褐色，被灰褐色绒毛，刻点显著。小盾片黑色被灰褐色绒毛。鞘翅红褐色，密布黑色小点，基部黑褐色但夹杂灰褐色小点，中部之后有条显著纯黑褐色斜横斑，之后有时还有1条模糊的斜斑。腹面红褐色至黑褐色，被灰褐色绒毛，足黑色，腿节和胫节基部红褐色。鞘翅末端略斜切，外端角钝。

采集记录:1♂，太白山蒿坪寺，1200m，1982.Ⅷ.19(NWAFU，CO028452)；1♂，宁陕，1985.Ⅳ.30，李国华采(NWAFU，CO028451)；1♂1♀，太白山保护区蒿坪保护站，1241m，2013.Ⅷ.24，黄正中采；3♂2♀，宁陕火地塘，1580m，1998.Ⅷ.15-21，袁德成采。

分布:陕西(眉县、太白、宁陕)。

(286)方额天牛属 ***Rondibilis* (*Rondibilis*) sp. 2 nr. *yunnana***(图版21:8)

鉴别特征:体长9.5mm。头黑色，触角红褐色，端部几节的各节端部颜色较深为黑色。前胸总体上黑色，前缘红褐色。小盾片黑色被褐色绒毛。鞘翅红褐色，密布黑色小点，中部之后隐约可见2个较大的黑斑。腹面黑色，足黑色，腿节、胫节和跗节基部红褐色。鞘翅末端略斜切，外端角明显。

采集记录:1♂，周至板房子，2006.Ⅶ.20，林美英灯诱。

分布:陕西(周至)。

备注:本种鞘翅基部的突刺很发达，位置偏后，约在基部1/5处，鞘翅密布黑点且中部之后有不显著的黑斑，这些特征跟云南方额天牛很相似。

Ⅱ. 多节天牛族 Agapanthiini Mulsant, 1839

鉴别特征(Gressitt, 1940b)**:**体长形；头多少倾斜，头顶尖，口器向后；额长，下部宽于上部；触角细长，通常大于体长的2.0倍，下沿有缨毛；柄节长；前胸圆筒形，不具侧瘤突；鞘翅长；前足基节窝向后关闭，侧面成角状；中足基节窝对后侧片开放；后足腿节明显短于腹部；爪半开式。

分类:世界已知95属/亚属(Tavakilian & Chevillotte, 2016)，中国记录12属，陕西秦岭地区分布3属8种。

分属检索表

1. 触角 12 节 ………………………………………………………… 多节天牛属 *Agapanthia*
   触角 11 节 ………………………………………………………………………… 2
2. 前胸狭长，长为宽的 1.5 倍，与鞘翅肩部几乎等宽 ……………… 竿天牛属 *Pseudocalamobius*
   前胸较短，长不到宽的 1.5 倍，明显窄于鞘翅基部…………………………… 驴天牛属 *Pothyne*

136. 多节天牛属 *Agapanthia* Audinet-Serville, 1835

Agapanthia Audinet-Serville, 1835: 35. **Type species**: *Saperda cardui* Fabricius, 1801 (= *Cerambyx cardui* Linnaeus, 1767).

属征（蒲富基，1980）：体较小至中等，长形较窄。触角基瘤微突，彼此远离；触角很长，12 节；柄节较长，似棒状，不具端疤，稍短于第 3 节；第 3 节最长，以下各节依次减短而趋细，基部 6 节下沿有稀疏的细长缨毛。额宽阔，近于方形。鞘翅长形，两侧近于平行，各翅末端分开，收成尖圆形。前足基节窝关闭，中足基节窝对后侧片开放，中足胫节无斜沟，附爪节基部彼此接近，所形成的角度小于 90°。

分布：本属共分 10 个亚属，中国分布 2 个亚属，在秦岭地区均有分布。

分种检索表

1. 触角第 3 节端部无毛刷状的簇毛 ……………………………………………………… 2
   触角第 3 节端部有毛刷状的簇毛；鞘翅金属蓝或紫罗兰色 ………………………………………………… 苜蓿多节天牛 *Agapanthia* (*Amurobia*) *amurensis*
2. 鞘翅藏青色或黑色；触角自第 3 节起的各节基部淡橙红色，被白色细绒毛，前胸背板无 3 条纵纹 ……………………………………… 毛角多节天牛 *A.* (*Amurobia*) *pilicornis*
   鞘翅暗黑色或略呈金属铅色，散生许多淡色或淡黄绒毛小点；触角自第 3 节起的各节基部黄褐色或红色，被淡灰色绒毛；前胸背板有 3 条淡黄色纵纹 ……………………………………………… 大麻多节天牛 *A.* (*Epoptes*) *daurica daurica*

136-1. *Amurobia* Pesarini *et* Sabbadini, 2004

Agapanthia (*Amurobia*) Pesarini *et* Sabbadini, 2004: 128. **Type species**: *Agapanthia amurensis* Kraatz, 1879.

分布：中国；蒙古，俄罗斯，朝鲜，韩国，日本。世界已知 5 种/亚种，中国记录 3 种/亚种，秦岭地区分布 2 种。

(287)苜蓿多节天牛 *Agapanthia*（*Amurobia*）*amurensis* Kraatz，1879（图版21：9；图版37：7）

Agapanthia amurensis Kraatz，1879：115.

Agapanthia melanolopha Fairmaire，1899：643.

Agapanthia plicatipennis Pic，1915c：8.

Agapanthia semicyanea Pic，1915c：8.

Agapanthia amurensis melanolopha：Hayashi，1982b：145，148.

Agapanthia amurensis amurensis：Hayashi，1982b：144，148.

Agapanthia（*Amurobia*）*amurensis*：Pesarini & Sabbadini，2004：128.

Agapanthia（*Epoptes*）*amurensis*：Löbl & Smetana，2010：215.

鉴别特征：体长10.0～21.0mm。体金属深蓝或紫蓝色。触角黑色，自第3节起各节基部被淡灰色绒毛。头、胸及体腹面近蓝黑色。触角比体长，柄节粗而长，渐向端部膨大，不具端疤，短于第4节，第3节最长，柄节及第3节端部具簇毛，有时柄节端部仅下侧具浓密长毛。前胸背板长宽相等或宽略胜于长，两侧中部之后稍膨突；头、胸刻点粗深，每个刻点着生黑色长竖毛。小盾片半圆形。鞘翅狭长，宽于前胸，两侧近于平行，翅端圆形。足短，后腿不超过第2腹节末端。

采集记录：9♂，周至楼观台森林公园，564m，2007.Ⅴ.26，林美英采；1♂2♀，周至楼观台，564m，2007.Ⅴ.24，林美英采；1♂1♀，周至厚畛子，1271m，2007.Ⅴ.26-28，林美英采（IOZ（E）1904793-94）；1♂1♀，同上，2007.Ⅴ.25；3♂，同上，2007.Ⅴ.26，崔俊芝、史宏亮采；1♂，周至楼观台，2007.Ⅴ.24，张丽杰采；5♂5♀，太白山（NWAFU）；1♂1♀，杨凌（NWAFU）；1♂1♀，武功（NWAFU）；1♀，华县，1981.Ⅵ.14；10♂2♀，留坝城关镇竹爬沟，991m，2012.Ⅵ.21，李莎采；2♂1♀，留坝庙台子紫柏山，1596m，2012.Ⅵ.22，华谊采；1♀，留坝县，980m，2012.Ⅵ.24，李莎采；1♂，留坝庙台子，1470m，1999.Ⅶ.01，姚建采；5♂，佛坪长角坝乡上沙窝村，1215m，2007.Ⅴ.29，林美英采；1♂，佛坪上沙窝，1100m，2007.Ⅴ.29，李文柱采；2♀，洋县长青保护区华阳镇，2016.Ⅵ.29，周润采；1♂1♀，洋县长青自然保护区，2016年01月通过张巍巍看到照片，标本保存于保护区管理站；1♀，洋县华阳镇，1100～1250m，2013.Ⅵ.09，阮用颖采；1♂，柞水凤凰古镇龙潭村水利沟，1026m，2014.Ⅵ.26，索中毅采；1♂1♀，柞水营盘镇红庙河村，1110m，2007.Ⅵ.03，林美英采；1♂，镇安云盖寺镇黑窑沟林场，1217m，2014.Ⅵ.20，索中毅采；1♀，山阳城关镇权垣村石灰沟，855m，2014.Ⅵ.29，索中毅采；1♀，洛南石门镇陈建村，1150m，2007.Ⅵ.05，林美英采。

分布：陕西（长安、周至、太白、杨凌、武功、华县、华阴、留坝、佛坪、洋县、柞水、镇安、山阳、洛南、黄陵）、黑龙江、吉林、内蒙古、北京、河北、山东、河南、宁夏、新疆、江苏、浙江、湖北、江西、湖南、福建、四川；蒙古，俄罗斯，朝鲜，日本。

寄主：苜蓿。*Medicago* sp.，*Pinus* sp.，*Robinia pseudoacacia* Linnaeus。

（288）毛角多节天牛 *Agapanthia*（*Amurobia*）*pilicornis*（Fabricius, 1787）

Saperda pilicornis Fabricius, 1787: 148.

Agapanthia pilicornis: Motschulsky, 1860: 151.

Agapanthia fasciculosa Motschulsky, 1860: 41.

Agapanthia pilicornis pilicornis: Hua, 2002: 192.

Agapanthia yiershiensis Wang, 2003: 266, 396.

Agapanthia（*Amurobia*）*pilicornis*: Pesarini & Sabbadini, 2004: 128.

Agapanthia（*Epoptes*）*pilicornis pilicornis*: Löbl & Smetana, 2010: 216.

鉴别特征：体长12.0～16.5mm。体中等大小，长形，藏青色或黑色；唇基前缘淡黄褐色，触角第3、4节大部分及以下各节基部淡橙红色，其上着生稀疏的白色细毛，柄节、第2节及以下各节端部黑褐色或黑色。体背面着生直立或半卧稀疏黑色细长毛，体腹面被淡灰色绒毛及稀疏黑色细长毛。额宽广，前缘有1条细横沟；上唇半圆形，其上着生浓密较长黑毛；复眼下叶长稍胜于宽，略短于颊。雌虫、雄虫触角均超过体长，基部6节下沿有稀疏而细长的缨毛；柄节端部下面及第3节端部有较多的毛，但不呈毛刷状，柄节较长，端部膨大似棒状，短于第3节，同第4节近于等长。头、胸部密布刻点，以胸部刻点较粗深，头部刻点之间有细刻点，柄节密布细刻点。前胸背板宽略胜于长，两侧中部之后稍膨阔而微突。小盾片半圆形，被淡黄色绒毛。鞘翅密布粗刻点，端部刻点渐细弱。体腹面有细小刻点，微现细横纹。足较短，后足腿节不超过腹部第2节端缘。

分布：陕西（长安）、吉林、山东、江苏，浙江、湖北、江西、四川；蒙古，俄罗斯，朝鲜，韩国，日本。

136-2. *Epoptes* Gistel, 1857

Epoptes Gistel, 1857: 93 [1857b: 605]. **Type species**: *Saperda asphodeli* Latreille, 1804.

Agapanthia（*Agapanthiella*）Pesarini *et* Sabbadini, 2004: 126. **Type species**: *Cerambyx villosoviridescens* de Geer, 1775.

分布：亚洲，欧洲。世界已知61种/亚种，中国记录4种/亚种，秦岭地区发现1种。

（289）大麻多节天牛 *Agapanthia*（*Epoptes*）*daurica daurica* Ganglbauer, 1884 陕西新纪录（图版21：10）

Agapanthia daurica Ganglbauer, 1884: 544.

Agapanthia melancholica Suvorov, 1913: 79.

鉴别特征:体长11.0~20.0mm。体黑色或金属铅色。头部散生淡黄短毛，头顶中部较浓密。触角黑色，有时从第3节起的各节基部黄褐或红色，被淡灰色绒毛。前胸背板有3条淡黄或金黄色绒毛纵纹，位于中央及两侧各一，其余部分有稀少短黄毛。小盾片密布淡黄或金黄色绒毛。鞘翅散生淡黄、灰黄或淡灰色绒毛，各处绒毛稠、稀分布不一致，形成不规则细绒毛花纹。雌虫、雄虫触角均长于身体，雌虫触角稍短，基部数节下沿有稀少缨毛；柄节较长，达前胸背板中部之后，第3节最长，以下各节逐渐减短而趋细。

采集记录:1♂，洛南石门镇陈建村，1150m，2007.Ⅵ.05，林美英采。

分布:陕西(洛南)、黑龙江、吉林、辽宁、内蒙古、新疆、湖北；蒙古，俄罗斯，朝鲜，韩国，日本。

寄主:大麻，山杨。*Abies* sp.，*Cannabis sativa* Linnaeus，*Larix dahurica* Turczaninow，*Picea* sp.，*Pinus koraiensis* Siebold et Zuccarini，*Populus davidiana* Dode。

137. 驴天牛属 *Pothyne* Thomson，1864 陕西新纪录属

Pothyne Thomson，1864：97. **Type species**：*Pothyne variegata* Thomson，1864.

Neopothyne Matsushita，1931a：46. **Type species**：*Neopothyne variegata* Matsushita，1931.

属征:体狭长。头部下俯，头顶尖突；额狭长，梯形；复眼下叶狭长；触角细长，较体长1.5~3.0倍，柄节柱形，长与第3、4节相等或短于第3节，下沿有细缨毛。前胸背板柱形，长稍胜于宽，无侧刺突。鞘翅狭长，肩部稍宽于前胸，两侧平行，翅端平截或狭圆。足短，后足腿节不超过第2腹节中部，第1跗节显著短于以后2节长度之和，爪半开式。

分布:古北区，东洋区。世界已知115种/亚种，中国记录24种/亚种，秦岭发现1种，因标本不完整而无法进一步鉴定。

(290)驴天牛属 *Pothyne* sp.（图版21:11）

鉴别特征:体长10.0mm。体近圆筒形，暗棕色。前胸背面具3条灰色绒毛纵条纹，每侧面各具2条灰色纵纹。每鞘翅具4条灰色绒毛纵纹。鞘翅末端平切。

采集记录:1♀，佛坪，900m，1999.Ⅵ.27，贺同利采。

分布:陕西(佛坪)。

138. 竿天牛属 *Pseudocalamobius* Kraatz，1879

Pseudocalamobius Kraatz，1879：116. **Type species**：*Calamobius japonicus* Bates，1873.

属征（蒋书楠等，1985）：体型细小狭长，竿状。头部不显著俯向下后方；触角基瘤很突出，但不很靠拢；触角 11 节，很长，柄节短于第 3 节，无端疤；第 3 节不长于第 4 节；额梯形；复眼不分裂，仅内缘深凹。前胸较鞘翅稍狭，长至多不超过宽的 1.5 倍；前胸腹板在前足基节之前较长。中足基节窝开式，中足胫节有斜沟。爪半开式。

分布：古北区，东洋区，澳洲区。世界已知32 种，中国记录12 种，秦岭地区发现 2 种和 2 个未定名种。

（291）线竿天牛 *Pseudocalamobius filiformis* Fairmaire，1888 陕西新纪录（图版 22：1）

Pseudocalamobius filiformis Fairmaire，1888b：146.

Pseudocalamobius filiformis filiformis：Hua，2002：227.

鉴别特征：体长 13.5～15.0mm。头、前胸黑褐色，鞘翅暗棕色。鞘翅沿鞘缝有 1 条淡色绒毛纵纹，鞘翅中区还有 2 条很细的淡色绒毛纵纹。腹面黑色被灰白色细毛，足腿节和跗节黑褐色，胫节深褐色。触角长于体长的 2.0 倍，鞘翅末端狭圆。

采集记录：1♀，周至厚畛子，1271m，2007. Ⅴ.26，林美英采。

分布：陕西（周至）、北京、河北、浙江、湖北、湖南、福建、台湾、海南。

（292）红翅竿天牛 *Pseudocalamobius rufipennis* Gressitt，1942（图版 22：2）

Pseudocalamobius rufipennis Gressitt，1942c：4，pl. 1，fig. 4.

鉴别特征：体长 13.3～16.0mm。体狭长圆筒形。赭褐色至淡赤褐色，腹面及足赭黑色，体背及触角第 1 节带赭褐色，触角第 3 节以后带赤褐色。触角极细长，为体长的 2.5 倍，第 1～5 节下沿有细缨毛，柄节瘦长，柱形，第 3 节长于柄节，短于第 4 节或第 5 节，第 6 节以后细如丝。前胸背板圆筒形，长胜于宽，具浅皱刻点，背中央有 1 条黄褐色细的纵条纹，前缘与后缘各有 1 条细横条。小盾片半圆形，密被黄褐色细毛。鞘翅极狭长，肩宽与头宽略等，两侧平行，翅表具不规则细密刻点，中缝及背面各有 1 道不明显的灰黄色细浅皱脊，翅端狭，平截。腹面及足被灰黄色细毛，后胸中央两侧具细浅刻点。腹部第 1 节最长，接近第 2、3 节长度之和。足短，后足腿节不超过第 1 腹节后缘。

采集记录：1♂，周至厚畛子，1271m，2007. Ⅴ.25，林美英采；1♂，留坝庙台子，1350m，1998. Ⅶ.21，姚建采；1♀，佛坪长角坝乡上沙窝村，1215m，2007. Ⅴ.29，林美英采；1♀，佛坪上沙窝，1100m，2007. Ⅴ.29，李文柱采；1♂，宁陕火地塘林场，1550m，2007. Ⅵ.02，李文柱采。

分布:陕西(周至、留坝、佛坪、宁陕)、贵州、西藏。

寄主:核桃。

备注:陕西的记录来源于经济昆虫志第35册，当时用的中文名是核桃竿天牛，但后者与分布于锡金的 *Pseudocalamobius truncatus* Breuning, 1940 的中文名重名(也有认为两者系同物异名的，如 Hua *et al*. 2009)，因此使用跟拉丁学名对应的红翅竿天牛。

(293) **竿天牛属 *Pseudocalamobius* sp. 1, nr. *piceus*** (图版 22:3)

鉴别特征:体长 8.0 ~ 9.5mm。赭褐色至黑褐色，腹面及足腿节和跗节赭黑色，胫节赭褐色。前胸背板被浅灰色绒毛，中央因绒毛较密形成 1 条不太显著的纵纹。小盾片和其后的一小段鞘缝被浅灰色绒毛，鞘翅其余部分没有明显的斑纹。触角极细长，为体长的 2.5 倍；鞘翅极狭长，肩宽与头宽略等，两侧平行，翅表具不规则细密刻点，翅端凹截。

采集记录:1♂，佛坪大古坪保护站到岳坝保护站，1139 ~ 1573m，2012. Ⅵ. 30，刘万岗采；1♂，佛坪龙草坪，1256m，2008. Ⅶ. 03，葛斯琴采；1♀，佛坪龙草坪乡，2006. Ⅶ. 27，林美英灯诱。

分布:陕西(佛坪)。

(294) **竿天牛属 *Pseudocalamobius* sp. 2, nr. *taiwanensis*** (图版 22:5)

鉴别特征:体长 7.0 ~ 11.5mm。赭褐色至黑褐色，腹面及足腿节和跗节赭黑色，胫节赭褐色。前胸背板具 1 条灰色或灰褐色的中央纵纹。小盾片和其后的鞘缝被浅灰色绒毛，鞘翅底色就有 1 道完整的褐色斑纹，其上具有灰色绒毛，其与鞘缝之间还有 1 道细的绒毛纵纹，有时不到达末端且不太显著。触角极细长，为体长的 2.5 倍；鞘翅极狭长，两侧平行，翅表具不规则细密刻点，翅端斜截，外端角显著。

采集记录:1♀，周至厚畛子镇，1271m，2007. Ⅴ. 25，林美英采；1♂1♀，宁陕火地塘，2016. Ⅶ. 07-24，王勇采；1♂，宁陕火地塘林场，1538m，2007. Ⅴ. 02，林美英采；2♀，宁陕火地塘林场周边，1554m，2015. Ⅶ. 07-15，刘漪舟采；1♀，宁陕火地塘，1580 ~ 1650m，1999. Ⅵ. 26，袁德成采；1♀，镇安云盖寺镇黑窑沟林场，1217m，2014. Ⅵ. 20，索中毅采。

分布:陕西(周至、宁陕、镇安)。

Ⅲ. 瓜天牛族 Apomecynini Thomson, 1860

鉴别特征(Gressitt, 1940b):额长方形；头顶凹陷；复眼深凹至分成上下两叶；触角短，很少长于体长；前胸圆筒状，不具侧刺突；鞘翅窄，两侧平行；中胸腹板突简单；中足基节窝对中胸后侧片开放；中足胫节外侧有斜沟；爪全开式。

分类：本族世界已知 242 属/亚属，中国记录 31 属，陕西秦岭地区分布 8 属 8 种。

分属检索表

1. 复眼小眼面粗粒；触角第 3 节不短于第 4 节或柄节 ……………………………… 2
   复眼小眼面细粒；触角第 3 节显短于第 4 节或柄节 ……………… **短节天牛属 *Eunidia***
2. 复眼完全断开成上下两叶；柄节近圆筒形，约等于第 3 节；第 3 和第 4 节之和远短于其后各节之和 ……………………………………………………………… 3
   复眼深凹或几乎断开 ……………………………………………………………… 4
3. 前胸长约等于宽；复眼断成远离的两叶，下叶着生处下陷，复眼强烈凸出；头不后缩；鞘翅末端尖突 ……………………………………………… **筒胸天牛属 *Iproca***
   前胸宽大于长；复眼不完全断开，下叶不强烈凸出，着生处也不下陷；头微后缩；鞘翅末端钝 …………………………………………………………… **缝角天牛属 *Ropica***
4. 前胸背板两侧几乎平行，具侧刺突 ……………………………… **伪楔天牛属 *Asaperda***
   前胸背板两侧弧圆，不具侧刺突 …………………………………………………… 5
5. 触角第 3、4 节等长，第 3 和第 4 节之和约等于其后各节之和 ……… **瓜天牛属 *Apomecyna***
   触角第 3 节最长 ……………………………………………………………………… 6
6. 触角下缘具 1 列缨毛；前胸背板前缘具 1 对突起 ……………… **木天牛属 *Xylariopsis***
   不具上述特征组合 ……………………………………………………………………… 7
7. 触角明显短于体长，体圆筒形 ……………………………………… **原脊翅天牛属 *Atimura***
   触角略长于体长或与体等长，体非圆筒形 ……………………… **新郎天牛属 *Novorondonia***

139. 瓜天牛属 *Apomecyna* Dejean, 1821 陕西新纪录属

Apomecyna Dejean, 1821: 108. **Type species**: *Saperda alboguttata* Megerle, 1802 (= *Lamia histrio* Fabricius, 1793).

Mecynapus Thomson, 1858a: 187. **Type species**: *Apomecyna parumpunctata* Chevrolat, 1856.

Vocula Lacordaire, 1872: 587. **Type species**: *Vocula irrorata* Lacordaire, 1872 (= *Apomecyna parumpunctata* Chevrolat, 1856).

Pseudoalbana Pic, 1895: 77. **Type species**: *Pseudoalbana lameerei* Pic, 1895.

Anapomecyna Pic, 1925c: 29. **Type species**: *Anapomecyna luteomaculata* Pic, 1925.

Crassapomecyna Breuning, 1958d: 492. **Type species**: *Apomecyna crassiuscula* Fairmaire, 1896.

属征（蒋书楠等，1985）：体小，狭长圆柱形，常具粗深刻点。头部额宽胜于高；复眼小，下叶近方形，小眼面粗粒，下叶前缘常有一穴状深陷；触角基瘤分开，头顶宽而浅陷；触角短，柄节肥短，第 3、4 节最长，常等于或稍短于第 5 ~ 11 节之和。前胸背方长宽略等或长稍胜于宽，圆柱形，无侧刺突。鞘翅两侧几平行，表面常具白色

斑点组成的斑纹。前胸腹板突狭，低于前足基节，前端弧形弯曲；足肥短，跗节末节大。

分布：古北区，东洋区，非洲区。本属分2个亚属，其中 *Crassapomecyna* 亚属仅4种，分布于非洲；指名亚属世界已知录90种/亚种，中国分布10种/亚种，秦岭地区发现1种。

(295)南瓜天牛 *Apomecyna* (*Apomecyna*) *saltator* (Fabricius, 1787) 陕西新纪录
(图版22:6)

Lamia saltator Fabricius, 1787: 141.
Apomecyna neglecta Pascoe, 1865: 152, nota.
Apomecyna pertigera Thomson, 1868: 160.
Apomecyna niveosparsa Fairmaire, 1895: 185.
Apomecyna niveosparsa v. *tonkinea* Pic, 1918: 5.
Apomecyna multinotata Pic, 1918: 5.
Apomecyna excavaticeps Pic, 1918: 6.
Apomecyna multinotata v. *sinensis* Pic, 1918: 6.
Apomecyna cantator excavaticeps: Gressitt, 1940b: 161, pl. 4, figs. 9-10.
Apomecyna subuniformis Pic, 1944a: 14.
Apomecyna (*Apomecyna*) *saltator* m. *niveosparsa*: Breuning, 1960c: 132.
Apomecyna (*Apomecyna*) *saltator* m. *tonkinea*: Breuning, 1960c: 132.
Apomecyna saltator niveosparsa: Rondon & Breuning, 1970: 353, fig. 9g.

鉴别特征：体长6.3~14.0mm。体呈红褐色到褐黑色，被棕黄色短绒毛，绒毛疏密不一，密的地方色彩较黄，而若干疏的地方则因现出底色，看来色彩较深。头、足和腹面常杂有许多不规则的小白毛斑，形如豹皮。前胸背板中区有1块不很明显的横形白色斑纹，由许多小斑点所合并组成，中央较宽，向侧较狭，向后则形成1条中直纹。每鞘翅上有2块大白斑，一处于中区之上，另一处于中区之下，每块斑纹都由许多小斑点所合并组成，有时斑点分离，则各成为一群圆斑；翅端部尚有三四个圆斑，排成1条不规则的横行。触角很短，鞘翅近乎平行，端部斜切。

采集记录：1♂，周至秦岭植物园栗子坪，700m，2012.Ⅶ.03，刘万岗采(为 *A. excavaticeps* Pic, 1918)；1♀，志丹，1982(NWAFU, CO027898，为 *A. niveosparsa* Fairmaire, 1895)。

分布：陕西(周至、志丹)、江苏、浙江、江西、湖北、湖南、福建、台湾、广东、香港、广西、海南、四川、贵州、云南；越南，老挝，印度，斯里兰卡，孟加拉国。

寄主：丝瓜，黄瓜。幼虫钻食瓜藤。

备注：可能 *Apomecyna excavaticeps* Pic, 1918 是另一个种，陕西的标本符合 *Apomecyna excavaticeps* Pic, 1918 的特征。

140. 伪楔天牛属 *Asaperda* Bates, 1873 陕西新纪录属

Asaperda Bates, 1873d: 385. **Type species**: *Asaperda rufipes* Bates, 1873.

属征(蒋书楠等, 1985):体型瘦长。头部额宽略胜于高;复眼内缘深凹,几乎分裂为二,下叶近三角形;触角基瘤分开;触角细长过体,柄节短,第3节最长,基部数节下侧有细短毛。前胸背板长与宽相等,具侧刺突。鞘翅两侧近于平行,翅端钝圆。中足基节窝开式;足较长。

分布:古北区。世界已知13种,中国记录6种,秦岭地区发现1种,未定到种。

(296)伪楔天牛属 *Asaperda* sp.(图版22:7)

鉴别特征:体长6.0~8.0mm。体黑褐色,触角红褐色,头、前胸和小盾片黑褐色,被灰色绒毛,但不形成显著斑纹;鞘翅跟前胸类似,但端部1/5为红褐色;足大部分红褐色,但腿节基半部黑褐色。触角长于体,鞘翅末端圆形。

采集记录:1♂,洋县华阳,2300~2800m,2013.Ⅵ.10,阮用颖采;1♂,宁陕火地塘,1600~2000m,2008.Ⅶ.08,崔俊芝灯诱。

分布:陕西(洋县、宁陕)。

141. 原脊翅天牛属 *Atimura* Pascoe, 1863 陕西新纪录属

Atimura Pascoe, 1863b: 548. **Type species**: *Atimura terminata* Pascoe, 1863.

属征:体狭长圆柱形。复眼深凹;触角基瘤分开较远,显著突出,触角较体短,柄节短于第3节和第4节,第3节最长,其后各节渐短。前胸背板圆筒形,无侧刺突。鞘翅狭长,两侧平行,后端倾斜,端部平切或斜截。足短,中足胫节外缘缺刻显著。

分布:东洋区。世界已知24种,中国原来记录3种,加上本次新记录1种,共4种,秦岭地区发现1种。

(297)日本原脊翅天牛 *Atimura japonica* Bates, 1873 中国新纪录(图版22:8)

Atimura japonica Bates, 1873d: 381.

Atimura tonkinea Pic, 1931b: 14.

鉴别特征:体长5.0~9.0mm。体黑褐色。触角黑褐色或红褐色,第4节起略显

淡色(红褐色)基部。前胸密被灰色和褐色夹杂的绒毛但不形成显著斑纹；小盾片被灰白色绒毛；鞘翅在端部倾斜部分为灰白色端斑，刚开始倾斜处中央有1个略明显的黑色绒毛纵斑，端部鞘缝处可见褐色、灰色斑点。

采集记录: 1♂，凤县，1982. Ⅵ，王鸣等采(NWAFU，CO028396)；1♀，太白山蒿坪寺，1982. Ⅵ. 28，王、朱、贺采(NWAFU，CO028398)；1♂，留坝庙台子，1981. Ⅶ. 22，孙益智采(NWAFU，CO028401)；1♂，佛坪长角坝乡上沙窝村，1215m，2007. Ⅴ. 29，林美英采；1♀，宁陕火地塘，1600~2000m，2008. Ⅶ. 08，崔俊芝灯诱。

分布: 陕西(凤县、太白、留坝、佛坪、宁陕)；韩国，日本，越南。

142. 短节天牛属 *Eunidia* Erichson, 1843 陕西新纪录属

Eunidia Erichson, 1843: 261. **Type species**: *Eunidia nebulosa* Erichson, 1843.

Frixus Thomson, 1857d: 313. **Type species**: *Frixus variegatus* Thomson, 1857.

Anomoesia Pascoe, 1858: 255. **Type species**: *Anomoesia fulvida* Pascoe, 1858.

Syessita Pascoe, 1864b: 284. **Type species**: *Syessita vestigialis* Pascoe, 1864.

Tritomicrus Fairmaire, 1892: 125. **Type species**: *Tritomicrus marmoreus* Fairmaire, 1892.

Paphraecia Fairmaire, 1894b: 332. **Type species**: *Paphraecia obliquepicta* Fairmaire, 1894 (= *Eunidia nebulosa* Erichson, 1843).

Semiclinia Fairmaire, 1898: 254. **Type species**: *Semiclinia denseguttata* Fairmaire, 1898 (= *Saperda guttulata* Coquerel, 1851).

Mycerinella Heller, 1924b: 203. **Type species**: *Mycerinellasubfasciata* Heller, 1924.

Aserixia Pic, 1925b: 31. **Type species**: *Aserixia savioi* Pic, 1925.

Boucardia Pic, 1925b: 31. **Type species**: *Boucardia nigroapicalis* Pic, 1925.

属征: 头略宽于前胸，复眼深凹，复眼下叶十分大，触角细，超过体长，第3节十分短，外端呈角状突出；柄节棒状，向端部微微膨大，长度约为第3节的3.0倍，与第4~6节各节约等长，以下各节依次递减。前胸背板小，宽胜于长，后端较前端略窄，表面平坦；小盾片短舌形。鞘翅宽于前胸，两侧近于平行，端部稍圆形。腹部末节较长，长于以上两节之和；足较短，后足腿节达腹部第2节端部。

分布: 古北区、东洋区，非洲区。世界已知320种/亚种，中国记录5种，秦岭地区分布1种。

(298) 沙氏短节天牛 *Eunidia savioi* (Pic, 1925) 陕西新纪录(图版22:9)

Aserixia Savioi Pic, 1925b: 31.

Eunidia savioi: Breuning, 1957c: 120.

鉴别特征: 体长6.5~7.0mm。触角和足黑色。头、前胸、小盾片、鞘翅密被黄褐

色绒毛。触角细，超过体长，雄虫比雌虫更长，柄节棒状，向端部逐渐膨大，第 2 节和第 3 节均非常短小，第 3 节仅稍长于第 2 节，柄节与第 4 节至第 6 节各节约等长。前胸背板筒形。鞘翅宽于前胸，两侧近于平行，端部圆形。足较短，后足腿节达腹部第 2 节端部。

采集记录：1♀，佛坪县城，900m，2008. Ⅶ. 05，刘万岗采。

分布：陕西（佛坪）、江苏、上海。

143. 筒胸天牛属 *Iproca* Gressitt, 1940 陕西新纪录属

Iproca Gressitt, 1940b: 165. **Type species**: *Iproca acuminata* Gressitt, 1940.

属征（Gressitt, 1940b）：扁圆筒形，窄。额四方形，背面和侧面凹；头顶微凹；触角基瘤中等突出；复眼小眼面粗粒，上下叶完全断开，复眼下叶凸出，位于 1 个凹陷处；触角略长于或与体长相等，柄节筒形，约与第 3 节等长，第 4 节等长于第 3 节；前胸筒形，中部之前微弱隆突，长宽约等；鞘翅长，两侧平行，末端狭缩成分开的尖刺。前足基节窝完整关闭，外侧角状；中足基节窝开放；中胸腹板突平坦，前端逐渐下倾；中足胫节有斜沟；跗节等长于胫节，后足跗节第 3 节远短于第 1 节，短于末节的一半。

分布：中国；日本，印度，老挝。世界已知 6 种，中国记录 2 种，秦岭地区发现 1 种。

（299）筒胸天牛属 *Iproca* sp. nr. *flavolineata*（图版 22：10）

鉴别特征：体长 6.3mm。体灰褐色。头褐色，被灰褐色绒毛；触角褐色，从第 4 节起各节基部具淡色绒毛。前胸背板背面可见 3 条灰褐色绒毛纵纹，侧面大部分被灰褐色绒毛，最上边具 1 道窄的褐色纵纹。小盾片褐色被灰褐色绒毛。鞘翅灰褐色，小盾片旁边可见 2 条深色纵纹，靠近小盾片的 1 条较长，肩部侧面具深色纵纹，弧形延伸至近端部，鞘翅中部还有 1 条短的深色纵纹，与其部分相连接。触角长于体，鞘翅末端三角齿状。

采集记录：1♂，周至秦岭植物园栗子坪，700m，2012. Ⅶ. 03，刘万岗采；1♀，太白山蒿坪寺，1981. Ⅷ. 13，周静若采（NWAFU, CO028430, ex 西北农学院）。

分布：陕西（周至、太白）。

144. 新郎天牛属 *Novorondonia* Özdikmen, 2008

Rondonia Breuning, 1962d: 7 (nec Travassos, 1920). **Type species**: *Rondonia ropicoides* Breuning,

1962.

Novorondonia Özdikmen, 2008a: 678 (new name for *Rondonia* Breuning, 1962).

属征:小型种类，体长在3.0～10.0mm之间。触角粗壮，略长于(雄虫)或略短于(雌虫)体长，柄节粗壮，不具端疤，第2节相当长(长大于其直径的2.0倍)，第3节最长，其后各节渐短，端部几节具明显的竖毛；前胸长宽约等，侧面略呈弧形；前足基节窝关闭；鞘翅两侧几乎平行，到端部1/4迅速狭缩成圆形末端；雌虫腹部末节具中纵沟。

分布:中国；老挝。世界已知4种，中国分布2种，秦岭地区发现1种。

(300)两色角新郎天牛 *Novorondonia antennata* Holzschuh, 2015(图版22:11a, 11b)

Novorondonia antennata Holzschuh, 2015b: 51, fig. 9.

鉴别特征:体长4.3～5.5mm。体褐色，头和前胸底色黑，密被褐色绒毛；鞘翅上从基部到末端约1/4处具黑色斑纹，斑纹不太规则。触角柄节到第4节中部颜色较淡，呈红褐色，其余部分颜色较深，呈黑色。从第4或5节开始，触角环生竖毛。鞘翅上的刻点比头和前胸的粗大，鞘翅末端变细小。雄虫触角略大于体长，雌虫略短于体长，鞘翅末端圆形。

采集记录:1♂(正模): China, Shaanxi, Lueyang, 2010. Ⅶ. 20/30, Emil Kučera (CCH)；4♂5♀(副模)，同正模；1♀，佛坪长角坝乡上沙窝村，1215m，2007. Ⅴ. 29，林美英采。

分布:陕西(略阳、佛坪)、四川。

145. 缝角天牛属 *Ropica* Pascoe, 1858 陕西新纪录属

Ropica Pascoe, 1858: 247. **Type species**: *Ropica piperata* Pascoe, 1858.

属征:小型天牛。额长方形近乎方形；复眼小眼面粒粗，上下两叶仅有一线相连；触角较体稍长或稍短，触角第3节似较柄节或第4节略长；从第4节起，每节外沿有一纵沟纹，以第4节的较短，处于端部，其余各节的较长贯通全节。前胸宽胜于长，表面平坦，无侧刺突，前、后横沟均不明显，近乎缺如。鞘翅长稍大于体宽的2.0倍，末端1/4向后收窄。

分布:古北区，东洋区。世界已知178种/亚种，中国记录13种，秦岭地区发现1种。

(301)桑缝角天牛 *Ropica subnotata* Pic, 1925 陕西新纪录(图版 23:1)

Ropica posticalis: Pascoe, 1858: 248, pl. XXVI, fig. 4 [misapplied].
Ropica subnotata Pic, 1925d: 138, nota 1.

鉴别特征: 体长 5.0~8.5mm。体红木色,绒毛棕黄、深黄或灰白色,疏密不一,疏处露出底色,形成较深的小斑点。触角或多或少杂有灰白色绒毛,自第3节起每节基、端缘较显,形成为不很清楚的淡色环纹。前胸背板有时中央具1条较深的纵纹。小盾片三角形,被污棕黄色绒毛,中央呈褐色次圆形斑点。每鞘翅上在中部之后,有1个不规则弧形的灰白毛斑,此外还有若干淡灰白色小斑点,一般分布于翅端部及中缝边缘上,有时不很明显。触角较体稍长(雄虫)或稍短(雌虫)。

采集记录: 1♂,太白黄柏塬乡国宝宾馆后,1310m,2012. Ⅵ. 18,李莎采;1♂,佛坪上沙窝,1100~1200m,2008. Ⅶ. 06,白明采;3♂2♀,佛坪,900m,1999. Ⅵ. 27,姚建、贺同利采;1♂1♀,佛坪,890m,1999. Ⅵ. 26,章有为、贺同利采;1♀,宁陕火地塘,1580m,1998. Ⅶ. 26,姚建采;1♂,丹凤庾岭镇,1178m,2014. Ⅷ. 11,路园园灯诱。

分布: 陕西(太白、佛坪、宁陕、丹凤)、河北、山西、山东、河南、江苏、浙江、湖北、江西、福建、广东、香港、贵州、云南。

寄主: 桑。*Juglans regia* Linnaeus, *Morus alba* Linnaeus。

146. 木天牛属 *Xylariopsis* Bates, 1884

Xylariopsis Bates, 1884: 247. **Type species**: *Xylariopsis mimica* Bates, 1884.
Falsosybra Pic, 1928: 28. **Type species**: *Falsosybra fulvonotata* Pic, 1928.

属征(蒋书楠等, 1985): 体狭长圆柱形。头部额宽胜于高,横长方形;复眼深凹,下叶近方形,小眼面粗粒;触角基瘤分开,触角较体稍短,下沿有缨毛,柄节短于第3节,等于第4节。前胸背板圆筒形,无侧刺突,背中央两侧有突起。鞘翅狭长,两侧平行,后端倾斜,端部常延展成薄片,斜截,翅表高低不平,多钝瘤状隆起和浅陷穴。足短,中足胫节外缘缺刻显著。

分布: 中国;俄罗斯,朝鲜,韩国,日本,越南。世界已知7种,中国记录5种,秦岭地区发现仅1种。

(302)木天牛 *Xylariopsis mimica* Bates, 1884 (图版 23:2)

Xylariopsis mimica Bates, 1884: 247, pl. Ⅱ. fig. 7.

别名:拟态木天牛。

鉴别特征:体长9.2~14.0mm。体长圆筒形，棕褐色，体表紧密被覆厚毛，头部毛茶褐色，在上唇基部，唇基基部，额中部及头顶均有白色毛，以额中央最显著，触角全被姜黄色厚毛，下沿密生黑色缨毛，后头和前胸，小盾片，足腿节及胫节基半部，中胸腹板，腹部第1~4腹节腹板均紧覆污白色厚毛，鞘翅端半部中央各有1条污白色至绢白色宽斜横带，前胸背板中央后方下陷部左右各有1个小黑点，后缘横列4个近方形的黑斑；鞘翅，后胸腹板，足胫节端半部和跗节，腹部第5腹节腹板均密被暗黑褐色毛。头部额宽广，复眼小，粗粒，下叶小，与其下颊部等高，左右远离；触角基瘤左右远离，头顶浅陷；触角较体稍短，第3节与第4节等长，长于柄节1/3。前胸背板中央并列1对肾形突起，两侧中部后方稍突出。小盾片半圆形。鞘翅狭长，仅稍宽于前胸背板，表面有穴状浅陷，凹凸不平，翅端斜截。足短，腿节向端部肥大，前足腿节最肥，胫节短，与跗节等长。

采集记录:1♀，宁陕火地塘，1580m，1998.Ⅷ.20，袁德成采；1♀，同上，1998.Ⅷ.22(IZAS，IOZ(E) 1904718)；1♀，同上，1998.Ⅷ.21；1♀，宁陕火地塘，1580~1650m，1999.Ⅵ.26，袁德成采；1♀，延安，1980，孙益智(NWAFU，CO027214)；1♂，志丹，1982.Ⅶ.28，灯诱(NWAFU，CO027896)。

分布:陕西(宁陕、延安、志丹)、东北、北京、甘肃、江苏、上海；俄罗斯，朝鲜，韩国，日本。

Ⅳ. 重突天牛族 Astathini Pascoe, 1864

鉴别特征(Gressitt, 1940b):体宽椭圆形；头宽；触角基瘤互相远离；头顶平坦；复眼小眼面细粒，分成上下两叶；触角粗短，很少长出身体很多；前胸两侧肿胀，但不具侧刺突；鞘翅不具侧脊；中胸腹板突不具特化结构；中足基节窝对后侧片开放；爪附齿式，全开式。

分类:世界已知23属/亚属，中国记录7属/亚属，秦岭地区发现3属6种。

分属检索表

1\. 后胸腹板前端中央，向前延伸成瓣，嵌入中足基节窝之间；后胸腹板突前端重叠在中胸腹板突的后端上面 ······ **重突天牛属** ***Tetraophthalmus***

后胸腹板前端中央，不向前延伸成瓣 ······ 2

2\. 鞘翅两侧不平行，中部之后显著膨大，在两侧中部显出一条弯曲的褶痕 ······ **广翅天牛属** ***Plaxomicrus***

鞘翅两侧近于平行，后半部不显著膨大，不显出弯曲的褶痕 ······ **眼天牛属** ***Bacchisa***

147. 眼天牛属 *Bacchisa* Pascoe, 1866

Bacchisa Pascoe, 1866a: 329. **Type species**: *Bacchisa coronata* Pascoe, 1866.

属征(蒋书楠等，1985)：体型小至中等大，长形或长椭圆形。头部较前胸宽；额横宽，较凸；复眼上下叶完全分离；触角基瘤左右分开；触角短于至略长于身体，下侧具缨毛；柄节端部背方有片状小颗粒，第3节长于柄节或第4节，以后各节渐短。前胸背板横宽、前后端各有1条横沟，无侧刺突，但两侧中部和背面中区稍隆突。鞘翅两侧近于平行，向端部稍宽，末端圆形。中胸腹板突狭，前端弧状倾斜；后胸腹板突的前端不突出或稍突出，但绝不伸至中足基节之间的中央。足中等长，中足胫节外侧无斜沟，有时有1个凹陷，爪基部有附齿。

分布：古北区，东洋区。本属分为5个亚属，中国记录2个亚属，陕西均有分布。

分种检索表

1. 头和前胸黑色；鞘翅端部膨阔；鞘翅金属深蓝绿色……………………………………………绿翅眼天牛 ***Bacchisa* (*Atrobacchisa*) *atrocoerulea***
   头和前胸淡色(黄褐色到红褐色，或者橙红色)；鞘翅端部不膨阔；鞘翅紫色或蓝紫色或有2种色彩……………………………………………2
2. 鞘翅有2种色彩，基部2/5淡黄色，其余藏青色或略带紫色，黄色区域大小变化大，有的可全翅淡黄；体腹面大部分黑色……………………苹眼天牛 ***B.* (*Bacchisa*) *dioica***
   鞘翅单色，全部蓝色或蓝紫色……………………………………………3
3. 后胸腹板两侧各有1个相当大的蓝色斑点；足橙黄色……………………………………………梨眼天牛 ***B.* (*B.*) *fortunei fortunei***
   后胸腹板无深色斑点；足的胫节端部及跗节黑色，其余部分黄褐色……………………………………………黑跗眼天牛 ***B.* (*B.*) *atritarsis***

147-1. *Bacchisa* (*Atrobacchisa*) Breuning, 1956

Bacchisa (*Atrobacchisa*) Breuning, 1956a: 457. **Type species**: *Chreonoma atrocoerulea* Gressitt, 1951.

鉴别特征：与指名亚属区别是，前胸背板较不隆突，鞘翅末端有些扩宽。

分布：中国；老挝，马来西亚。世界已知3种，中国记录1种，分布于陕西。

(303) 绿翅眼天牛 *Bacchisa* (*Atrobacchisa*) *atrocoerulea* (Gressitt, 1951)

Chreonoma atrocoerulea Gressitt, 1951: 617, pl. 22, fig. 3.

Bacchisa (*Atrobacchisa*) *atrocoerulea*: Breuning, 1956a: 420, 436.

鉴别特征:体长 8.6mm 左右。体黑色具有蓝色金属闪光；鞘翅金属深蓝绿色。触角基部 3 节和第 4 节基半部黑色，其余黑褐色。腹部淡赭色，第 1 可见腹板和第 2、第 3 可见腹板的中部黑色；腿节黑色，胫节除基部外红褐色；跗节淡赭色。体背具有黑色竖毛，头部和胸部的较长，腹面具有稀疏淡色伏毛。雌虫触角微超过鞘翅末端，鞘翅末端膨阔，端部圆。

采集记录:1♂（正模），Pao-chi Distr.，Tsing-sui-ho，1947. Ⅵ. 14，S. T. Chang (Chang Shu-tsen)，No. 076(NCHU，ex TARI，未检视到)。

分布:陕西(宝鸡)。

147-2. *Bacchisa* Pascoe, 1866

Bacchisa Pascoe, 1866a: 329. **Type species**: *Bacchisa coronata* Pascoe, 1866.

Chreonoma Pascoe, 1867b: 348. **Type species**: *Chreonoma venustum* Pascoe, 1867.

鉴别特征:见属征。

分布:古北区，东洋区。世界已知 73 种/亚种，中国记录 18 种/亚种，秦岭地区发现 3 种。

(304)黑跗眼天牛 *Bacchisa* (*Bacchisa*) *atritarsis* (Pic, 1912)

Chreonoma atritarsis Pic, 1912b: 21.

Bacchisa (*Bacchisa*) *atritarsis*: Breuning, 1956a: 420, 436.

Bacchisa atritarsis: Qian, 1984: 189, figs. 2, 4, 8, 11, 19 (Larve).

鉴别特征:体长 9.0 ~ 14.0mm。和梨眼天牛近似。头、前胸背板及小盾片酱红色，鞘翅蓝色或紫色，腹面橙黄色，各足跗节及胫节端部 1/3 ~ 2/3 为黑色。触角黑色，柄节基端酱色，第 3 节基部 2/3 和第 4 节基部 1/2 左右橙黄色或淡棕黄色，此淡色区长度颇有变异，有时第 2、5、6 各节基端亦略带淡色。体被长竖毛，一般头部的毛深棕色，鞘翅上和黑色底子上的毛呈黑色，其他区域的毛为黄色或棕色。头、胸及腹面除长竖毛外，还有相当密的黄色短毛。鞘翅基部沿中缝密生黑长毛，约占翅长的 1/3。和梨眼天牛相比，体被毛较长，头部刻点较稀；触角近似，柄节似乎较长，第 4 节较短，从第 3 节起到第 10 节，每节下沿末端均有 1 根特别长的毛；复眼稍大，较颊略长；前胸背板中瘤较高凸，刻点较粗糙，侧瘤刻点虽稀疏，亦较显著；鞘翅上除粗刻点外，几乎无细刻点，因后者极疏而不明显。

分布:陕西(长安)、辽宁、山东、河南、安徽、浙江、湖北、江西、湖南、福建、台湾、广东、海南、广西、四川、贵州。

寄主：茶。*Amygdalus elaeagrifolia* Spach, *Camellia oleifera* Abel, *Camellia sinensis* (Linnaeus) O. Kuntze, *Pterocarya stenoptera* C. de Candolle, *Salix* sp., *Schima superba* Gardner & Champion, *Ulmus* sp., *Vernicia fordii* (Hemsley) Airy Shaw。

(305) 苹眼天牛 *Bacchisa* (*Bacchisa*) *dioica* (Fairmaire, 1878)（图版 23:3）

Astathes dioica Fairmaire, 1878: 133.
Chreonoma dioica: Gressitt, 1951: 618.
Bacchisa (*Bacchisa*) *dioica*: Breuning, 1956a: 419, 440.

鉴别特征：体长 8.5～11.0mm。本种的体色颇有变异。头、前胸、小盾片和足棕黄色；鞘翅一般从基部 1/3 到 1/2 为淡黄色，其余部分为藏青色，有时略呈紫色，黄色区域的大小变异很大，有时全翅黄色，有时缩小到只占翅面的 1/6；后胸腹板和腹部除末端部分棕黄色外，均呈深藏青色；前、中胸腹板一部分深色，头上触角基瘤前后、前胸背板两侧及腿节上有时具较深的斑点。触角端部数节棕黑色或烟黑色，基部数节淡棕黄色，但上沿或多或少呈深色。体毛较茶眼天牛和黑跗眼天牛为短，大部分系黑色或深棕色，背面除小盾片呈呈淡色外，不论底色深淡，竖毛均为黑色。鞘翅基部沿中缝的竖毛仅稍密，不显著，约占翅长的 1/5；刻点中等大小。相当紧密，并杂有很多细微刻点，尤以深色底子上较为显著。前胸背板中瘤较茶眼天牛和黑跗眼天牛为低。

采集记录：1♀，汉中，1980. Ⅴ. 19，马谷芳采（NWAFU，CO028292）；1♀，南郑，1980. Ⅵ（NWAFU，CO028296）。

分布：陕西（汉中、南郑）、四川、云南；印度。

寄主：苹果。*Malus pumila* Miller, *Prunus salicina* Lindley, *Pyrus malus* Linnaeus, *Quercus* sp.。

(306) 梨眼天牛 *Bacchisa* (*Bacchisa*) *fortunei fortunei* (Thomson, 1857)（图版23:4）

Plaxomicrus Fortunei Thomson, 1857a: 58.
Chreonoma Fortunei: Lacordaire, 1872: 876.
Chreonoma Fortunei var. *obscuricollis* Pic, 1929a: 22.
Bacchisa (*Bacchisa*) *fortunei*: Breuning, 1956a: 421, 434.
Bacchisa fortunei fortunei: Hua, 2002: 198.

鉴别特征：体长 8.0～10.0mm。体较圆筒形，橙黄色，有时橙红色；鞘翅呈金属蓝色或紫色；后胸腹板两侧各有紫色大斑点，有时近乎消失；触角基部数节淡棕黄色，每节末端深棕色或棕黑色；端部 4、5 节较深，全部深棕或棕黑色。体密被相当长的竖毛，腹面的色淡，头和前胸背板上的深棕色，鞘翅上的黑色，以头、前胸背板及鞘翅基部的最长；每1根竖毛均着生于1个刻点内。除长毛外，体上还被有半竖半趴的短毛。本种触角的颜色颇有变异，其中黑色较显的被称为日本亚种。头部从上面看，复眼下叶之处显然膨大；额阔胜于长，上方较下方稍阔，布有相当密的刻点，粗细不等；复眼上下叶完全分开。触角雄虫与体等长，雌虫稍短；下沿被缨毛，与一般情况相反，以雌虫较长而密；柄节密布刻点，端区有片状小颗粒；第3节较柄节或第4节略长。前胸背板阔远胜于长，前、后各有1条不十分深刻的横沟，两沟之间中区拱凸，形成1个显著的大瘤突，两侧亦各有1个稍小的瘤突，但不呈刺状；中瘤上刻点相当粗，不算密。鞘翅刻点大小与胸瘤上的近乎相等，粗刻点之间尚有极密的微细刻点；末端圆形。雌虫腹部末节较长，中央有1条纵纹。

采集记录：5♂5♀，汉中(NWAFU)；1♀，汉中，1980. V. 19，寄主：苹，马谷芳采(NWAFU, CO027529)；5♂5♀，城固(NWAFU)；5♂5♀，安康(NWAFU)；1♀，平利，1982. V. 02，寄主：苹果，赵德金采(NWAFU, CO027848)。

分布：陕西(西安、长安、周至、凤县、勉县、汉中、城固、安康、商县、山阳、平利、丹凤、宁强、三原、安塞、志丹)、吉林、山西、山东、河南、宁夏、甘肃、青海、江苏、上海、安徽、浙江、湖北、江西、湖南、福建、广东、广西、四川、贵州；朝鲜，韩国，越南。

寄主：梨，梅，杏，桃，李，苹果，海棠，石楠，野山楂，等等。

生物学：两年完成一世代，对梨树为害甚烈。成虫于白昼飞行，栖息于叶部，食叶及嫩枝梢皮部。雌虫在嫩枝上产卵，先咬破嫩皮，然后产卵一粒于皮下。产卵时常旋回切断嫩梢，使梨树受害很大。幼虫孵化后先在破皮下啮食皮层，其粪便细长如烟丝，稍长即食入树干，是从梨树上方蛀入的，其虫孔处亦有细长的粪便排泄出来。

148. 广翅天牛属 *Plaxomicrus* Thomson, 1857

Plaxomicrus Thomson, 1857a: 57. **Type species**: *Plaxomicrus ellipticus* Thomson, 1857.

属征：头与前胸约等宽，额横宽，中央具细纵沟；复眼上下叶完全分裂。触角基瘤稍隆起，彼此远离；触角粗壮，下面具缨毛，柄节稍膨大，第3节最长，末节顶端呈锥形；雄虫触角与虫体近等长，雌虫伸至鞘翅中部略后。前胸背板宽显胜于长，前、后缘具横凹，前横凹较浅，侧缘具瘤突。小盾片小，短舌形。鞘翅基部显著宽于前胸，端部膨阔。足中等大小，雄虫中足胫节端部弯曲，中足跗节第1节不对称，仅有1个发达的内侧叶。爪附齿式。

分布：中国；越南，印度，尼泊尔。世界已知8种，中国记录6种，秦岭地区发现1种。

(307) 广翅天牛 *Plaxomicrus ellipticus* Thomson, 1857（图版 23:5）

Plaxomicrus ellipticus Thomson, 1857a: 58.

Plaxomicrus ventralis Gahan, 1901: 70.

鉴别特征：体长 12.0～15.0mm。体长卵形，被橙黄色竖毛或伏毛。头、胸、小盾片、足的基节、腿节橙黄或黄褐色；鞘翅紫罗蓝色具金属光泽。触角基部 3 节和第 4 节基部跟头部同色，第 4 节端部到第 11 节黑色。足大部分黄褐色，胫节端部和跗节褐色或黑色。雄虫触角约等于体长，雌虫触角伸至鞘翅中部之后。前胸背板宽胜于长，中区显著拱凸，两侧缘中部有瘤突。鞘翅后端十分膨阔，末端圆形。

采集记录：1♀，略阳，1982. Ⅵ. 01（NWAFU，ex 陕西省林业研究所）；1♀，汉中城南，1982. Ⅵ. 06，魏建华采（NWAFU，CO027847）。

分布：陕西（略阳、汉中、宁强）、江苏、上海、浙江、湖北、福建、广西、四川、贵州、云南；越南。

寄主：梨。

149. 重突天牛属 *Tetraophthalmus* Dejean, 1835

Tetraophthalmus Dejean, 1835: 347. **Type species**: *Cerambyx splendidus* Fabricius, 1792.

Astathes Newman, 1842c: 299. **Type species**: *Astathes perplexa* Newman, 1842.

属征（蒋书楠等，1985）：体型中等大小，宽短接近长方形。头部与前胸等宽，额横宽，拱凸；复眼上、下叶完全分裂；触角粗壮，下沿有缨毛。前胸背板横宽，前、后端各有 1 条横沟，侧缘中部及背面中域均有 1 个隆突。鞘翅宽于前胸，两侧平行，端部宽圆。中胸腹板突前端近于垂直；后胸腹板突前端重叠在中胸腹板突的后端上面。中足胫节近端部外侧有一弱斜沟，爪基部有附齿。雌虫末腹节腹板有中纵沟。

分布：东洋区，非洲区。本属包含两个亚属，其中非洲的亚属只包含 2 个非洲的种类，指名亚属世界已知 53 种/亚种，中国记录 10 种/亚种，秦岭地区仅发现 1 种。

(308) 黄荆重突天牛 *Tetraophthalmus episcopalis* (Chevrolat, 1852)（图版 23:6）

Astathes episcopalis Chevrolat, 1852: 418.

Tetraophthalmus episcopalis: Thomson, 1857a: 53.

鉴别特征：体长 11.0～14.0mm。体椭圆形，略宽阔。头、胸、小盾片、足的基节、腿节棕红色；鞘翅呈紫罗蓝色，触角大部分黑色，第 4～6 节基部为黄褐色。头、胸着生淡黄色长毛，鞘翅上着生黑色卧毛，两侧缘黑毛较密，体腹面被黄褐色绒毛。触角粗壮，末端尖削，雄虫触角约等于体长，雌虫触角短于体长。前胸背板宽胜于长，前缘略窄，后端宽。鞘翅末端圆形。

采集记录：3♂1♀，长安南五台（NWAFU）；1♂1 次，略阳，1981. Ⅷ；3♂1♀，武功（NWAFU）；3♂1♀，杨凌（NWAFU）；16♂7♀，华县高塘镇东峪黄边沟，1070m，2014. Ⅶ. 07，索中毅、黄正中采；1♂，华县，1980. Ⅶ. 01；2♂，柞水营盘镇，981～1181m，2014. Ⅶ. 30，路园园采；1♀，柞水凤凰古镇中河村马寺沟口，900m，2014. Ⅵ. 25，索中毅采；3♂1♀，山阳城关镇权垣村石灰沟，855m，2014. Ⅵ. 29，索中毅、黄正中采；1♂，镇巴，1985. Ⅶ. 22，王淑芳采；1♀，紫阳，1976. Ⅵ. 23，马文珍采。

分布：陕西（长安、略阳、武功、杨凌、华县、汉中、柞水、山阳、镇巴、紫阳）、内蒙古、河北、山西、河南、新疆、江苏、上海、安徽、浙江、湖北、江西、湖南、福建、台湾、广东、香港、海南、广西、四川、贵州；韩国，日本。

寄主：杨。*Bambusa* sp., *Camellia oleifera* Abel, *Cinnamomum camphora* (Linnaeus) J. Presl, *Cupressus* sp., *Dimocarpus longan* Loureiro, *Juglans regia* Linnaeus, *Lespedeza bicolor* Turczaninow, *Paulownia* sp., *Pinus yunnanensis* Franchet, Pterocarya stenoptera C. de Candolle, *Quercus glauca* Thunberg, *Rhododendron indicum* Sweet, *Rhus vernicifera* de Candolle, *Ricinus communis* Linnaeus, *Vernicia fordii* (Hemsley) Airy Shaw, *Vitex negundo* Linnaeus。

Ⅴ. 白条天牛族 Batocerini Thomson, 1864

鉴别特征（Gressitt, 1940b）：柄节端疤开式；头部休止时不与前足基部接触；复眼小眼面细粒；触角基瘤较低，互相远离；前胸具强壮的侧齿突；中胸腹板突多样，通常不具瘤突。

分类：世界已知 10 属/亚属，中国记录 3 属，陕西秦岭地区分布 2 属 6 种。

分属检索表

触角节光滑，基部常有淡色绒毛；腹面没有 1 道白色纵斑 ························ **粒肩天牛属 *Apriona***
触角节下侧常有密短毛或粗糙棘突；腹面有 1 道白色纵斑 ····················· **白条天牛属 *Batocera***

150. 粒肩天牛属 *Apriona* Chevrolat, 1852

Apriona Chevrolat, 1852: 414. **Type species**: *Lamia germari* Hope, 1831.

Parapriona Breuning, 1948a: 17. **Type species**: *Parapriona brunneomarginata* Breuning, 1948.

Anapriona Breuning, 1949b: 8. **Type species**: *Apriona submaculosa* Pic, 1917.

Apriona (*Cylindrapriona*) Breuning, 1949b: 8. **Type species**:*Monochamus cylindricus* Breuning, 1949.

Apriona (*Humeroapriona*) Breuning, 1949b: 8. **Type species**: *Lamia Swainsoni* Hope, 1840.

Apriona (*Mesapriona*) Breuning, 1949b: 8. **Type species**: *Apriona punctatissima* Kaup, 1866.

Apriona (s. str.): Breuning, 1949b: 7.

Apriona (*Cristapriona*) Hua, 1986: 209. **Type species**: *Apriona* (*Cristapriona*) *chemsaki* Hua, 1986.

属征(蒋书楠等，1985)：体大型，背面较拱凸。头部额高胜于宽，复眼下叶很大，近方形；触角粗壮，光滑，柄节端部背方具齿状粗糙面，通常触角节基半部具淡色绒毛，雄虫触角较体稍长。雌虫触角较体稍短。前胸背板横宽，表面多皱脊，侧刺突发达，末端尖锐。鞘翅基部有颗瘤，肩部有时有尖刺，翅端凹切。中胸腹板突无瘤突。爪全开式。

分布：古北区，东洋区。世界已知 42 种/亚种，中国记录 9 种/亚种，秦岭地区发现 2 种。

分种检索表

前胸背板具横脊纹；鞘翅肩角有刺突；翅面绒毛青棕色或黄棕色，色泽一致，无斑点 …………
…………………………………………………………… **皱胸粒肩天牛 *Apriona rugicollis rugicollis***

前胸背板具有不规则皱脊纹；鞘翅肩角无刺突；翅面密被赤锈色绒毛，散布许多小白斑 ………
…………………………………………………………… **锈色粒肩天牛 *A. swainsoni swainsoni***

(309) 皱胸粒肩天牛 *Apriona rugicollis rugicollis* Chevrolat, 1852（图版 23:7）

Apriona rugicollis Chevrolat, 1852: 418.

Apriona plicicollis Motschulsky, 1854: 48.

Apriona japanica Thomson, 1878b: 59.

Apriona rugicollis var. *Japanica*: Aurivillius, 1922b: 132.

Apriona (s. str.) *rugicollis*: Breuning, 1949b: 8.

Apriona gressitti Gilmour, 1958: 40, 76, pl. 4, fig. 8.

别名：粗粒粒肩天牛、桑天牛。

鉴别特征：体长 31.0～47.0mm。体黑色，全体密被绒毛，一般背面青棕色，腹面棕黄色，有时腹面同样青棕色，或背、腹部都呈棕黄色，深淡不一；鞘翅中缝及侧缘、端缘通常有 1 条青灰色狭边。触角雌虫较体略长，雌虫超出体长 2、3 节，柄节端疤开放式，从第 3 节起，每节基部约 1/3 灰白色。前胸背板前后横沟之间有不规则的横皱或横脊线；中央后方两侧、侧刺突基部及前胸侧面均有黑色光亮的隆起刻点。鞘翅基部密布黑色光亮的瘤状颗粒，占全翅 1/4～1/3 强的区域；翅端内、外端角均呈刺状突出。

采集记录:10♂10♀，华县、宁陕、旬阳、镇安、安康、西安(NWAFU)；1♀，洋县长青自然保护区，2016年01月通过张巍巍看到照片，标本保存于保护区管理站；1♀，镇安白塔，1979. Ⅶ. 11(NWAFU)。

分布:陕西(西安、长安、陇县、凤县、武功、华县、临潼、勉县、洋县、宁陕、旬阳、镇安、安康、汉中、商县、子洲、清涧、米脂)、辽宁、北京、河北、山西、山东、河南、甘肃、青海、江苏、上海、安徽、浙江、湖北、江西、湖南、福建、台湾、广东、海南、香港、广西、四川、贵州、云南、西藏；俄罗斯，朝鲜，韩国，日本。

寄主:构树。

(310)锈色粒肩天牛 *Apriona swainsoni swainsoni* (Hope, 1840) (图版23:8)

Lamia swainsoni Hope, 1840: 79.

Apriona (*Humeroapriona*) *swainsoni*: Breuning, 1949b: 8.

Apriona swainsoni kediana Wang, 1999: 125, 130, fig. 1.

鉴别特征:体长28.0~31.0mm。大型，长方形。体黑褐色，全体密被锈色茸毛；头、胸及鞘翅基部较深暗，触角第4节中部以上各节黑褐色；鞘翅上散布不规则白色细毛斑；腹面前胸足基节外侧、中胸侧板和腹板、各腹节两侧各有一白色毛斑。头部额高胜于宽，两边弧形向内凹入，中沟明显，直达后头后缘；触角基瘤突出；触角较体略短(雌虫)或略长(雄虫)，柄节粗短，短于第3节，略长于第4节，第1~5节下侧有稀疏细短毛，第4节以后各节外端角稍突出。前胸背板宽胜于长，前、后端两条横沟明显，侧刺突尖锐，背面具粗皱突。鞘翅肩角向前微突，但无肩刺，翅基1/5部分密布黑色光滑颗粒，翅表散布细刻点，翅端平切，缝角与缘角均具小刺。

采集记录:1♀，西安高新区紫薇田园都市文化广场，2014. Ⅷ. 09，梁靓采(采集人手里)。

分布:陕西(西安、丹凤)、北京、河北、山东、河南、江苏、上海、安徽、湖北、湖南、福建、海南、广西、四川、贵州、云南；朝鲜，韩国，越南，老挝，泰国，缅甸，印度，柬埔寨。

寄主:*Butea frondosa* Roxburgh ex Willdenow, *Butea superba* Roxburgh, *Caesalpinia sepiaria* Roxburgh, *Dalbergia volubilis* (Linnaeus) Urban, *Sophora* sp., *Tectona grandis* Linnaeus fils。

备注:周亚君(1982)在《河南的天牛》记载了 *Apriona swainsoni daifungensis* Chiang，依据的是保存于河南农业大学的一号标本，其上有蒋书楠手写的定名标签，但是蒋书楠不曾正式发表这个亚种，周亚君的文章也没有给出描述和模式标本信息，因此这是个不可用名。Hua (2002)在名录里罗列了 *Apriona swainsoni daifungensis* Chiang, 1982, Huang *et al*. (2009)检视了"模式标本"并把它作为指名亚种的异名。

151. 白条天牛属 *Batocera* Dejean, 1835

Batocera Dejean, 1835: 341. **Type-species**: *Cerambyx Rubus* Linnaeus, 1758.

Semibatocera Kriesche, 1915: 115. **Type-species**: *Batocera calanus* Parry, 1844 (= *Batocera parryi* Hope, 1845).

Tyrannolamia Kriesche, 1915: 115. **Type species**: *Batocera wallacei* Thomson, 1858.

属征:体中等至大型，长形，宽大，体褐色至黑色，被绒毛，具斑纹或无斑纹，腹面两侧从复眼至腹部末端，各有1条相当宽的白色纵纹。触角基瘤突出，彼此分开较远；额长方形，上唇有四束簇毛位于同一横行上，复眼下叶横阔，显著长于颊；触角粗壮，雌、雄虫触角均超过鞘翅，触角具刺，基部数节粗糙具皱纹，下沿有稀疏缨毛，柄节端疤开放式，第4～10节各节依次渐短，第11节稍长。前胸背板宽远胜于长，两侧具刺突，前、后缘有横凹沟。小盾片宽舌形。鞘翅肩宽，肩上着生短刺，后端稍窄，端缘斜切，外端角圆形、钝角形或刺状，内端角尖锐成刺状，基部有颗粒。前足基节窝向后开放，中胸腹板突无瘤突；足较长，雄虫前足较中、后足稍长，腿节、胫节下沿粗糙，具许多小齿突，胫节弯曲；雌虫前足腿、胫节下沿光滑；中足胫节外端略有1条斜凹沟。

分布:古北区，东洋区，非洲区，新热带区。世界已知60种，中国记录11种，秦岭地区发现4种

分种检索表

1. 雄虫触角第3～9节端部不显著膨大 ······ 2
   雄虫触角第3～9节端部内侧显著膨大 ······ **橙斑白条天牛 *Batocera davidis***
2. 鞘翅白斑不规则，末端1个长形；体背面被灰色绒毛 ······ 3
   鞘翅白斑圆形，每翅4个排成1行；体背面赭褐色或赤褐色 ······ **白条天牛 *B. rubus***
3. 鞘翅基部颗粒较稀；前胸背板中央白斑互相靠近；中胸后侧片灰白色，不全部覆盖白色绒毛；活体前胸和鞘翅绒毛斑纹红色，小盾片绒毛黄色 ······ **云斑白条天牛 *B. horsfieldi***
   鞘翅基部颗粒较密；前胸背板中央白斑不那么靠近，尤其靠近头部的部分互相远离；中胸后侧片白色，全部覆盖白色绒毛；活体前胸、鞘翅和小盾片的绒毛斑纹均黄色或白色 ······ **密点白条天牛 *B. lineolata***

(311) 橙斑白条天牛 *Batocera davidis* Deyrolle, 1878(图版23:9)

Batocera Davidis Deyrolle, 1878: 131.

Batocera henrietta Kriesche, 1915: 138, fig. 20.

Batocera obscura Gilmour *et* Dibb, 1948: 38, pl. Ⅵ, fig. 12.

Batocera davidis m. *yunnana* Breuning, 1948a: 14.

鉴别特征:体长51.0~68.0mm。体大型，黑褐至黑色，有时鞘翅肩后棕褐，被较稀疏的青棕灰色细毛，体腹面被灰褐色细长毛。触角自第3节起及以下各节为棕红色，基部四节光滑，其余节被灰色绒毛。前胸背板中央有1对橙黄或乳黄色肾形斑。小盾片密生白毛。每个鞘翅有几个大小不同的近圆形橙黄或乳黄斑纹，有时由于时间过久，斑纹色泽变为白色；每翅大约有5或6个主要斑纹，其排列如下:第1斑位于基部1/5的中央；第2斑位于第1斑之后近中缝处；第3斑紧靠第2斑，位于同一纵行上，有时第3斑消失；第4斑位于中部；第5斑位于端部1/3处；第6斑位于第5斑至端末的1/2处；后面3个斑大致排在一纵行上，另外尚有几个不规则小斑点，分布在一些主要斑的周围。体腹面两侧由复眼之后至腹部端末，各有1条相当宽的白色纵条纹。雄虫触角超出体长的1/3，内沿有许多弯曲细刺，自第3节起的各节端部略膨大，内侧突出，以第9节突出最长，呈刺状；柄节及第3节表面皱纹粗糙，雌虫触角较体略长，有较稀疏的小刺，除柄节外，各节末端不显著膨大；复眼下叶之间的额阔，胜于复眼下叶的1/2宽度，额前缘两侧各有1条横凹，头具细密刻点，额区有粗刻点分布。前胸背板侧刺突细长，尖端略向后变，胸面两侧稍有皱纹。鞘翅基部约1/4处，分布光滑颗粒，翅面具细刻点，肩上有短刺，外端角钝圆，内端角呈短刺。雄虫前足腿节、胫节下沿粗糙，具齿突，胫节弯曲，跗节第1、2节外端较尖锐。雄虫腹部末节较横阔，端缘呈弧形，雌虫腹部末节较狭窄，端缘中部微凹缺。

采集记录:1♀，商南，1984. Ⅵ.05，陈怀亮采(NWAFU，CO027586)。

分布:陕西(旬阳、南郑、商南、白河)、河南、浙江、湖北、湖南、福建、台湾、广东、海南、香港、广西、四川、贵州、云南；越南，老挝。

寄主:油桐，苹果。*Castanea mollissima* Blume, *Diospyros kaki* Linnaeus, *Eucalyptus* sp., *Juglans regia* Linnaeus, *Malus pumila* Miller, *Melia azedarach* Linnaeus, *Pinus massoniana* D. Don, *Quercus* sp., *Vernicia fordii* (Hemsley) Airy Shaw。

(312)云斑白条天牛 *Batocera horsfieldi* (Hope, 1839)(图版23:10)

Lamia horsfieldi Hope, 1839: 42.

Batocera adelpha Thomson, 1859: 77.

Batocera lineolata subsp. *kuntzeni* Kriesche, 1915: 139, fig. 21.

Batocera lineolata var. *adelpha*: Breuning & Itzinger, 1943: 47.

Batocera horsfieldi m. *flavicans* Breuning, 1948a: 15.

别名:多斑白条天牛、云斑天牛。

鉴别特征:体长32.0~67.0mm。体黑色或黑褐色，密被灰色绒毛，有时灰中部分带青或黄色。前胸背板中央有1对肾形红色(标本通常呈白色)毛斑。小盾片被黄色(标本通常呈白色)。鞘翅绒毛斑形状不规则，且变异很大，有时翅中部前有许多小圆斑，有时斑点扩大，呈云片状。体腹面两侧各有白色直条纹 1 道，从眼后到尾部，常常在中胸与后胸间、胸与腹间及腹部各节间中断；后胸外端角另有 1 个长圆形白斑。触角雌虫较体略长，雄虫超出体长 3～4 节。前胸背板前、后横沟间中央部分相当平坦，侧刺突微向后。鞘翅肩刺上翘，基部 1/5 密布瘤状颗粒，翅末端向内斜切，外端角略尖，有时钝圆，内端角呈刺状。

采集记录：1♂，周至集贤镇立新村，2006. Ⅶ. 16，崔俊芝采；1♀，宁陕县广货街镇，1081m，2014. Ⅶ. 02，路园园灯诱；1♀，镇安云盖寺镇，803m，2014. Ⅵ. 21，黄正中采。

分布：陕西（蓝田、周至、凤县、勉县、宁陕、宁强、城固、安康、镇安、平利、西乡）、吉林、北京、河北、山西、山东、河南、江苏、安徽、浙江、湖北、江西、湖南、福建、广东、广西、四川、贵州、云南、西藏；越南，缅甸，印度，不丹，尼泊尔。

寄主：*Alnus* sp., *Castanea* sp., *Citrus* sp., *Diospyros kaki* Linnaeus, *Fagus* sp., *Ficus* sp., *Juglans regia* Linnaeus, *Ligustrum lucidum* Aiton, *Malus pumila* Miller, *Morus alba* Linnaeus, *Olea europaea* Linnaeus, *Paulownia* sp., *Populus adenopoda* Maximowicz, *Populus cathayana* Rehder, *Populus yunnanensis* Dode, *Pyrus* sp., *Quercus* sp., *Salix* sp., *Sapium sebiferum* Roxburgh, *Trema orientalis* (*Linnaeus*) Blume, *Ulmus* sp.。

(313) 密点白条天牛 *Batocera lineolata* Chevrolat, 1852（图版 23：11）

Batocera lineolata Chevrolat, 1852: 417.
Batocera chinensis Thomson, 1857c: 170.
Batocera catenata Vollenhoven, 1871: 215.
Batocera lineolata var. *joannisi* Pic, 1901c: 28.
Batocera hauseri Schwarzer, 1914: 280.
Batocera flachi Schwarzer, 1914: 280.
Batocera lineolata var. *variecollis* Schwarzer, 1925b: 60.
Batocera lineolata var. *latealba* Pic, 1926d: 303.

鉴别特征：体长 40.0～73.0mm。本种与前一种云斑白条天牛非常相似，在昆虫经济志中被认为是“两者系同物异名”。笔者对该属种类没有深入研究，但采用分两种的观点。本种与前者的区别包括：本种鞘翅基部 1/4 密布瘤状颗粒，比前一种更密而且更多，前胸背板中央白斑不那么靠近，尤其靠近头部的部分互相远离；中胸后侧片白色，全部覆盖白色绒毛。从活体颜色看，本种绒毛斑点在活着的时候呈黄色或者白色，前胸和鞘翅绒毛斑的颜色与小盾片的颜色一致，而前一种小盾片单独显示黄色，前胸和鞘翅的绒毛斑则是红色的。

采集记录：1♂，勉县，1982. Ⅴ，韩国强（NWAFU，CO027596）；1♀，洋县长青保护区茅坪镇周边，2016. Ⅶ. 01，周润采；1♂，秦岭，1992. Ⅶ. 06；1♂1♀，洋县长青自然保护区，2016 年 1 月通过张巍巍看到照片，标本保存于保护区管理站；1♀，宁陕广货街镇，1178m，2014. Ⅶ.26，路园园灯诱；1♀，镇安灵龙，1950. Ⅵ.20，寄主：杨，宋光平采；1♂，秦岭，1992. Ⅶ.06；1♂，安康，340m，1988. Ⅴ.06，薛增召、彩万志采（NWAFU，CO027589）；1♂，紫阳毛坝，1983. Ⅴ.19（NWAFU，CO027580）。

分布：陕西（勉县、洋县、宁陕、安康、镇安、紫阳）、河北、江苏、上海、安徽、浙江、湖北、江西、福建、台湾、广东、海南、广西、四川、贵州、云南；韩国，日本，老挝，印度。

寄主：杨。*Alnus* sp.，*Castanea* sp.，*Eriobotrya* sp.，*Fagus* sp.，*Ficus* sp.，*Juglans regia* Linnaeus，*Ligustrum lucidum* Aiton，*Ligustrum sinense* Loureiro，*Morus* sp.，*Paulownia* sp.，*Phoebe zhennan* S. K. Lee *et* F. N. Wei，*Quercus acutissima* Carruthers，*Quercus glandulifera* Blume，*Salix* sp.，*Sapium sebiferum* Roxburgh，*Schima superba* Gardner *et* Champion，*Setaria* sp.，*Ulmus* sp.，*Vernicia fordii*（Hemsley）Airy Shaw，*Zelkova* sp.。

（314）白条天牛 *Batocera rubus*（Linnaeus，1758）（图版 23：12）

Cerambyx rubus Linnaeus，1758：390.
Cerambyx albofasciata de Geer，1775：106.
Cerambyx albomaculatus Retzius，1783：138.
Lamia 8maculata Fabricius，1793：290.
Batocera rubus：Dejean，1835：341.
Batocera downesii Hope，1845b：76.
Batocera sarawakensis Thomson，1858b：452，pl. XIX，fig. 2.
Batocera octomaculata：Thomson，1858b：454.
Batocera mniszechii Thomson，1859：79.
Batocera sabina Thomson，1878b：52.
Batocera（*Batocera*）*albofasciata formosana* Kriesche，1915：136.
Batocera rubus var. *sarawakensis*：Fisher，1935：609.
Batocera rubus lombokensis Breuning，1947a：16.
Batocera rubus var. *dividopunctata* Gilmour *et* Dibb，1948：61，pl. Ⅷ，fig. 5.

别名：榕八星白条天牛。

鉴别特征：体长 26.0～56.0mm。体赤褐或绛色，头、前胸及前足腿节较深，有时接近黑色。全体被绒毛，背面的较细疏，灰色或棕灰色；腹面的较长而密，棕灰色或棕色，有时略带金黄，两侧各有 1 条相当阔的白色纵纹。前胸背板 1 对红色或橘红色（标本通常呈白色）绒毛斑，小盾片密生白毛；每 1 个鞘翅上各有 4 个白色圆斑，第 4 个最小，第 2 个最大，较靠中缝，其上方外侧常有 1～2 个小圆斑，有时和它连接或并合。雄虫触角超出体长 1/3～2/3，其内沿具细刺；雌虫触角较体略长，具刺较细而疏。前胸侧刺突粗壮，尖端略向后弯。鞘翅肩部具短刺，基部瘤粒区域肩内占翅长约 1/4，肩下及肩外占 1/3；翅末端平截。

采集记录：1♀，华山，1952（NWAFU，CO026985）。

分布：陕西（华阴、宁陕）、山西、浙江、福建、台湾、广东、海南、香港、广西、四川、贵州、云南；朝鲜，韩国，日本，越南，印度，尼泊尔，巴基斯坦，菲律宾，马来西亚，印度尼西亚，沙特阿拉伯。

寄主：榕属，杧果，木棉，美洲胶，重阳木，鸡骨常山，刺桐，等等。

Ⅵ. 从角天牛族 Ceroplesini Thomson, 1860

鉴别特征（Gressitt, 1940b）：头后缩；额四方形；头顶凹陷；复眼小眼面粗粒；触角柄节膨大，不具端疤；前胸每侧具两个瘤突；鞘翅长，两侧平行；前胸和中胸腹板突垂直；中足基节窝开放；中足胫节不具斜沟；爪全开式。

分类：世界已知 77 属/亚属，中国记录 2 属，秦岭地区发现仅 1 属 1 种。

152. 污天牛属 *Moechotypa* Thomson, 1864

Moechotypa Thomson, 1864: 55. **Type species**: *Moechotypa arida* Thomson, 1864 (= *Niphona suffusa* Pascoe, 1862).

Scotinauges Pascoe, 1871: 277. **Type species**: *Scotinauges diphysis* Pascoe, 1871.

Tylophorus Blessig, 1873: 213. **Type species**: *Tylophorus wulffiusi* Blessig, 1873.

Thylophorus Blessig, 1873: 215 (wrong subsequent spelling).

属征（蒋书楠等，1985）：体型中等大小。头部额长方形；复眼上、下叶仅一线或一列小眼相连；触角下沿具缨毛，柄节肥短，第 3 节最长，以后各节渐短。前胸背板显著宽胜于长，前端稍窄，前、后端各具一横沟，具侧刺突。鞘翅较长，背面拱凸，或翅较扁平，两侧近于平行，端部稍狭。足中等长，粗壮，雄虫的前足跗节膨大，中足胫节无斜沟。

分布：古北区，东洋区。世界已知 26 种，中国记录 11 种，秦岭地区发现仅 1 种。

(315) 双簇污天牛 *Moechotypa diphysis* (Pascoe, 1871)（图版 24:1）

Scotinauges diphysis Pascoe, 1871: 277, pl. XIII, fig. 4.

Tylophorus Wulffiusi Blessig, 1872: 215, pl. VII, fig. 3.

Moechotypa fuliginosa Kolbe, 1886: 221, pl. XI, fig. 38.

Mœchotypa davidis Fairmaire, 1887b: 328.

Moechotypa diphysis: Gressitt, 1951: 450.

鉴别特征:体长16.0~24.0mm。体黑色，前胸背板和鞘翅多瘤状突起，鞘翅基部1/5处各有1丛黑色长毛，极为显著。有时在其前方及侧方另有两小丛较短的黑毛。体被黑色、灰色、灰黄色及火黄色绒毛；鞘翅瘤突上一般被黑绒毛，淡色绒毛则在瘤突间围成不规则形的格子。腹面有极显著的火黄色毛斑，有时带红色，计腹部1~4节各有这样的方形毛斑1对；各足基节及后胸腹板两侧亦具火黄色毛斑；腿节基部及端部、胫节基部和中部各有1个火黄色或灰色毛环；第1、2跗节被灰色毛；有时腹面火黄色毛区扩大，斑点彼此连接，以致胸、腹大部分都被掩盖。触角自第3节起各节基部都有1个淡色毛环。触角在雄虫较体略长，雌虫较体稍短；柄节长度仅及第3节之半。前胸侧刺突末端钝圆，其前方另有1个较小的瘤突。鞘翅宽阔，多瘤状突起，末端圆。

采集记录:2♂，周至厚畛子，1350m，1999.Ⅵ.21，章有为采；1♀，同上，1999.Ⅵ.22；1♀，周至厚畛子镇，1271m，2007.Ⅴ.25，林美英采；2♀，周至厚畛子沙梁子村，950m，2007.Ⅴ.25，林美英采；1♀，周至秦岭植物园栗子坪，700m，2012.Ⅶ.03，刘万岗采；1♀，太白，1981.Ⅵ.23；1♀，太白黄柏塬乡原始森林，1619m，2012.Ⅵ.19，李莎采；3♂3♀，太白山蒿坪寺(NWAFU)；1♀，留坝红崖沟，1500~1650m，1998.Ⅶ.22，陈军采；1♀，留坝五里铺区山脚，1992.Ⅳ.06；1♂1♀，佛坪长角坝乡上沙窝村，1215m，2007.Ⅴ.29，林美英采；1♀，佛坪凉风垭，2150~1750m，1999.Ⅵ.28，章有为采；1♂，宁陕，2002.Ⅷ，郎嵩云采；1♀，宁陕皇冠朝阳沟，1269m，2013.Ⅶ.16，宋志顺、郑强峰采；1♂1♀，柞水营盘镇红庙河村，1110m，2007.Ⅵ.03，林美英采(IOZ(E)1905538-39)；1♂5♀，同上。

分布:陕西(周至、太白、留坝、佛坪、洋县、宁陕、柞水、宜川、宜君)、黑龙江、吉林、辽宁、内蒙古、北京、河北、山西、河南、甘肃、安徽、浙江、湖北、江西、湖南、广西、四川、贵州；蒙古，俄罗斯，朝鲜，韩国，日本。

寄主:栎属。*Ailanthus altissima* (Miller) Swingle, *Bambusa* sp., *Castanea* sp., *Cupressus* sp., *Juglans regia* Linnaeus, *Pinus* sp., *Populus* sp., *Quercus glauca* Thunberg, *Quercus* sp., *Xylosma* sp., *Zanthoxylum bungei* Planchon。

Ⅶ. 链天牛族 Desmiphorini Thomson, 1860

鉴别特征(Gressitt, 1940b: Apodasyini):柄节简单(无端疤)；爪全开式；中足胫节外侧有或没有斜沟；前足基节窝关闭，侧面角状；中足基节窝对中胸后侧片开放；前足基节球形；额长方形；后胸前侧片狭窄；触角相对短，具毛；复眼小眼面细粒至中等粗粒；鞘翅末端合圆；足短，后足跗节第1节短于其后两节长度之和。

分类:世界已知302属/亚属，中国记录32属，陕西秦岭地区发现15属19种，其中9属为陕西省的首次记录。但本族的研究非常欠缺，编写检索表很困难，有待将来进一步仔细鉴定研究。

153. 微天牛属 *Anaesthetobrium* Pic, 1923

Anaesthetobrium Pic, 1923d: 20. **Type species**: *Anaesthetobrium luteipenne* Pic, 1923.
Paraphidola Matsushita, 1933b: 376. **Type species**: *Paraphidola fuscoflava* Matsushita, 1933.

属征:复眼深凹，复眼下叶极大，颊极狭小；头顶不凹陷；触角较体略长，下沿具缨毛，第3节极短，短于、等于第4节之半或稍长；第4节与柄节或第5节约等长或稍长。全身被短竖毛，尤以体背面较密。前胸背板阔胜于长，表面平坦，前、后横沟不显著，侧刺突短小而尖细；鞘翅两侧平行，末端阔圆形。足短，中足胫节外沿中部有凹纹；后足跗节第1节短于其后两节长度之和，爪附齿式。

分布:中国；韩国，日本，印度尼西亚。世界已知5种，中国记录4种，秦岭地区发现1种。

(316) 白微天牛 *Anaesthetobrium pallidipes* Holzschuh, 2010（图版24:2）

Anaesthetobrium pallidipes Holzschuh, 2010: 211, fig. 57.

鉴别特征:体长6.1~6.3mm。体深褐色，触角和足红褐色，但柄节和跗节颜色稍深。小盾片密被灰褐色绒毛。触角端部1节超出体长(雌虫)，第3节不及第4节的1/2长，第4节稍长于第5节，第5节稍长于柄节，末节稍长于第10节。鞘翅刻点细密，每一刻点内生有向后竖立的短毛一根；末端圆形。

采集记录:1♀（正模），C-China, Shaanxi, Qinling Shan, 6km E of Xunyangba, 2000. Ⅴ.23-Ⅵ.13, leg. C. Holzschuh(CCH)。

分布:陕西（宁陕）。

154. 肖楔天牛属 *Asaperdina* Breuning, 1975

Asaperdina Breuning, 1975a: 23. **Type species**: *Asaperda regularis* Pic, 1923.

属征:体小型。复眼内缘深凹；触角基瘤左右远离，头顶浅陷；触角细长过体，基部数节下侧有缨毛，柄节无端疤；第3节远长于柄节而略短于第4节，第5节以后各节渐短。前胸背板长宽约等或宽略胜于长，两侧缘有很短的侧刺突。鞘翅两侧几乎平行，翅端圆。前足基节窝闭式；中足基节窝开式。足腿节棍棒状，中部膨大；中足胫节外侧没有明显斜沟；后足第1跗节略短于其后两节之和；爪单齿式，全开式。

分布:中国；日本。世界已知4种，中国均有分布，秦岭地区发现1种。

(317)棕肖楔天牛 *Asaperdina brunnea* Pesarini *et* Sabbadini, 1999（图版24:3）

Asaperdina brunnea Pesarini *et* Sabbadini, 1999: 62, fig. 4.

鉴别特征:体长5.2～7.3mm。体黑色，被稀疏的金褐色绒毛。触角柄节黑褐色，其余各节红褐色。足褐色，跗节末节红褐色。跟属模 *Asaperdina regularis*（Pic, 1923）最相似，但触角更长，背面刻点更粗疏。

采集记录:1♀（正模），Shaanxi, Mt. Hua Shan, 1991. Ⅵ. 17-22, Kejval（CPS）；3♂3♀，华阴华山，770～1618m，2007. Ⅵ. 06，林美英采；1♂，留坝县火烧店红崖沟，966m，2012. Ⅵ. 23，李莎采；1♀，佛坪，900m，1999. Ⅵ. 27，姚建采；1♂，丹凤蔡川镇大白沟，1200m，2014. Ⅶ. 01，黄正中采。

分布:陕西(华阴、留坝、佛坪、丹凤)。

155. 荣天牛属 *Clytosemia* Bates, 1884 陕西新纪录属

Clytosemia Bates, 1884: 253. **Type species**: *Clytosemia pulchra* Bates, 1884.

属征:体小型，略扁。复眼内缘深凹；触角基瘤左右分开，头顶浅陷；触角细长过体，基部数节下侧有缨毛，柄节无端疤；第3节与第4节约等长，第5节以后各节渐短。前胸背板宽胜于长，两侧缘有侧刺突，背面相当隆突。鞘翅两侧几乎平行，翅基部有倒刺(每翅一个)，翅端微斜截或狭圆。前足基节窝闭式；中足基节窝闭式。足腿节棍棒状，中部膨大；中足胫节外侧有斜沟；后足第1跗节长为其后两节长度之和；爪单齿式，全开式。

分布:中国；俄罗斯，日本。世界已知2种，中国本来仅记录台湾1种，秦岭地区发现1种。

(318)荣天牛 *Clytosemia pulchra* Bates, 1884 中国新纪录(图版24:4)

Clytosemia pulchra Bates, 1884: 254, pl. Ⅱ, fig. 9.

别名:双带荣天牛。

鉴别特征:体长4.5～7.5mm。头黑色，触角红褐色；前胸大部分黑色，前后缘红褐色；小盾片黑色；每鞘翅具4个显著黑斑，2个位于基部，其中1个在倒刺及其周边，第3个位于中部偏后，不接触鞘缝，最后1个位于端前，靠近鞘缝，沿着鞘缝还有数个小黑点。腹面大部分黑褐色；足大部分黑褐色，胫节基部红褐色。

采集记录:1♂，周至厚畛子沙梁子村，950m，2007. Ⅴ. 25，林美英采；1♂，周至

集贤立新村，2006. Ⅶ.16，林美英灯诱；1♂，陇南，寄主:核桃，1972. Ⅴ.20，孙益智采（NWAFU，CO028373）；1♀，太白山蒿坪寺，1100～1250m，2013. Ⅵ.13，阮用颖采；1♂，留坝庙台子紫柏山，1596m，2012. Ⅵ.22，华谊采；1♂，宁陕岳坝村周围，1093m，2012. Ⅶ.01，刘万岗采；1♂1♀，柞水营盘镇红庙河村，1110m，2007. Ⅵ.03，林美英采；1♂，丹凤蔡川镇大白沟，1200m，2014. Ⅶ.01，黄正中采；1♂，洛南石门，1981. Ⅴ.20，孙永康采（NWAFU）。

分布:陕西（周至、陇南、眉县、留坝、佛坪、宁陕、柞水、丹凤、洛南）；俄罗斯，日本。

156. 平顶天牛属 *Cylindilla* Bates，1884 陕西新纪录属

Cylindilla Bates，1884：250. **Type species**：*Cylindilla grisescens* Bates，1884.

Pseudanesthetis Pic，1929c：119 [HN]. **Type species**：*Pseudanesthetis apicalis* Pic，1929（= *Cylindilla grisescens* Bates，1884）.

Anaesthetomorphus Pic，1929b：6（new name for *Pseudanesthetis* Pic，1929）.

Microestola Gressitt，1940b：180. **Type species**：*Microestola bidentata* Gressitt，1940.

Mimatimura Breuning，1958d：492 [HN]. **Type species**：*Atimura ascoldensis* Heyden，1884（= *Cylindilla grisescens* Bates，1884）.

Ascoldatimura Breuning，1960d：27（new name for *Mimatimura* Breuning，1958）.

属征:体小型，圆筒状。复眼内缘深凹；触角基瘤不甚突出；触角略长过体，下侧有显著缨毛，柄节无端疤；第3节略短于第4节，第4节与柄节约等长，第2节长（长为宽的2.0倍）。前胸背板长胜于宽，两侧缘平行无侧刺突，背面平坦。鞘翅两侧几乎平行，翅端狭圆。前足基节窝闭式（前胸腹板突末端非常膨大）；中足基节窝开式。足短，腿节棍棒状，中部偏后膨大；中足胫节外侧有斜沟；后足第1跗节短于其后两节之和；爪单齿式，全开式。

分布:中国；俄罗斯，韩国，日本，越南。世界已知7种，中国均有分布，秦岭地区发现1种。

（319）福建平顶天牛 *Cylindilla interrupta*（Gressitt，1951）陕西新纪录（图版24:5）

Microestola interrupta Gressitt，1951：514，pl. 20，fig. 6.

Cylindilla interrupta：Hayashi，1959：63（concluded by genera synonyms）.

Cylindilla interrupta：Wang & Chiang，1988：144.

鉴别特征:体长6.2～9.0mm。体棕褐色。头黑色，触角棕褐色；前胸背板具3条灰褐色绒毛纵纹，或者说可见2条深色纵斑；小盾片被绒毛；每鞘翅具3条间断的绒毛细纵纹，不到达鞘翅末端。触角略长于体，鞘翅末端圆形。

采集记录:1♀，太白山蒿坪寺，1100～1250m，2013. Ⅵ.13，阮用颖采；1♂，佛坪长角坝乡上沙窝村，1215m，2007. Ⅴ.29，林美英采；1♀，宁陕火地塘，1580m，1998. Ⅶ.27，袁德成采；1♀，丹凤蔡川镇蟒山，1417m，2014. Ⅶ.02，黄正中采。

分布:陕西(眉县、佛坪、宁陕、丹凤)、福建、四川。

157. 长筒天牛属 *Euseboides* Gahan, 1893 陕西新纪录属

Euseboides Gahan, 1893b: 385. **Type species**: *Euseboides plagiatus* Gahan, 1893.

属征:复眼深凹，复眼下叶小但长大于宽，小眼面粗粒；触角细长，长于体，前胸背板具前后横凹沟，不具侧刺突，具有数条黄褐色纵带；鞘翅在末端之前急剧收缩，末端斜切，端缘角突出。前足基节窝向后关闭，中足基节窝对中胸后侧片开放，后足腿节不超过腹部第3可见腹板。

分布:中国；日本，越南，泰国，印度。世界已知10种/亚种，中国记录7种/亚种，秦岭地区发现1种。

(320) 长筒天牛属 *Euseboides* sp. nr. *matsudai*(图版24:6)

鉴别特征:体长12.0mm。跟台湾产的台长筒天牛挺相似，但鞘翅端缘黑色。

采集记录:1♂，宁陕火地塘，1984. Ⅷ.15(NWAFU，CO028457，ex西北农学院)。

分布:陕西(宁陕)。

158. 尖尾天牛属 *Graphidessa* Bates, 1884 陕西新纪录属

Graphidessa Bates, 1884: 248. **Type species**: *Graphidessa venata* Bates, 1884.

属征:复眼深凹，小眼面粗粒；触角细长，长于体，下沿缨毛显著，第3节略短于第4节；前胸背板具前后横凹沟，并具粗短的侧刺突；鞘翅在末端之前收缩，末端狭圆或微斜切，端缘角钝。前足基节窝向后开放，中足基节窝对中胸后侧片开放，后足腿节不超过腹部第3可见腹板。

分布:中国；日本。本属共记录3种，1种在日本，2种在台湾。陕西的这种可能是新种。

(321) 尖尾天牛属 *Graphidessa* sp.(图版24:7)

鉴别特征:体长4.5mm。体红褐色至黑褐色。头黑色，触角各节基部颜色浅于端部。前胸前后缘红褐色，中部黑褐色，小盾片黑褐色，周边被有黄褐色绒毛。鞘翅四

周颜色淡于中区，端半部具有灰褐色绒毛构成的条纹加斑块图案。足大部分黑褐色或黑色，胫节基部和跗节前两节的基部灰褐色。

采集记录:1♂，佛坪龙草坪乡，2006. Ⅶ. 27，林美英灯诱。

分布:陕西(佛坪)。

159. 小沟胫天牛属 *Miccolamia* Bates, 1884

Miccolamia Bates, 1884: 253. **Type species**: *Miccolamia cleroides* Bates, 1884.

属征:头大；额突出，颊膨阔；头顶宽而平坦；后头微隆；复眼内缘深凹。触角粗壮，末节到达鞘翅末端；柄节棒状具竖毛，短于第3节；第3节等长于第4节，第2到末节下沿具长缨毛。前胸背板长胜于宽，每侧具1个侧刺突，背面拱隆具大型隆突。前胸腹板突窄，仅有前足基节窝的1/4宽；中胸腹板突平坦，仅有中足基节窝的1/3宽。鞘翅长为肩宽的2.4～2.6倍，端半部膨阔；鞘翅基部有一对刺脊突，不具其他小瘤突；每鞘翅具7列刻点。足短，腿节棍棒状；中足和后足胫节端部1/4处外侧有斜沟；后足第1跗节约等于其后两节长度之和；爪附齿式，全开式。

分布:东洋区。世界已知15种，中国记录8种，秦岭地区发现3种。

分种检索表

1. 前胸黑色，前后缘具红色边；鞘翅依据颜色可分成4段 … **污小沟胫天牛 *Miccolamia coenosa***
   前胸红色至红褐色，前后缘没有显著不同色；鞘翅依据颜色分成2段 ……………………… 2
2. 前胸基缘没有银白色绒毛边；鞘翅基部脊突不发达，不具显著的黑色簇毛，颜色分界处的白色绒毛短，不呈簇毛状 ……………………………………… **扁桃小沟胫天牛 *M. tonsilis***
   前胸基缘具银白色绒毛边；鞘翅基部脊突发达，具显著的黑色簇毛，颜色分界处的白色绒毛长，呈簇毛状 ……………………………………… **二簇小沟胫天牛 *M. bicristata***

(322) 二簇小沟胫天牛 *Miccolamia bicristata* Pesarini *et* Sabbadini, 1997(图版24:8)

Miccolamia (*Miccolamia*) *bicristata* Pesarini *et* Sabbadini, 1997: 115, pl. Ⅲ, fig. 4.

鉴别特征:体长3.3～4.5mm。体红褐色。头、触角、前胸、足和鞘翅基部2/5为红色，鞘翅端部3/5为黑色。前胸背板基缘有银白色绒毛。鞘翅基部脊突具显著的黑色簇毛；两个颜色分界处有较长的银白色绒毛形成的横带，不到达鞘缝。触角约等于体长，鞘翅末端圆。

采集记录:1♀(正模)，Shaanxi, Hua Shan, 1991. Ⅵ. 17-22, Kejval (CPS)；1♀，华阴华山，450～550m，2014. Ⅴ. 26，毕文烜采(CCH ex CBWX)。

分布:陕西(华阴)。

(323)**污小沟胫天牛 *Miccolamia coenosa* Holzschuh, 2010**(图版 24:9)

Miccolamia (s. str.) *coenosa* Holzschuh, 2010: 208, fig. 54.

鉴别特征:体长 4.1 ~4.5mm。头黑色，触角柄节黑色；从第 2 节开始，基部红褐色，端部黑色。前胸大部分黑色，前后缘具红色边。鞘翅基部在瘤突之前黑色，中部之后端部之前具大型的黑色横带，其余部分红褐色具深褐色小点，被灰白色细毛。足大部分黑色，胫节基部和跗节大部分红褐色。触角约等于体长，鞘翅末端圆。

采集记录:1♀(正模), Shaanxi Prov., Qingling Shan, road Baoji-Taibai Shan., pass 40km S Baoji, 1998. Ⅵ. 21-23, leg. Z. Jindra(CCH)。

分布:陕西(宝鸡)、湖北。

(324)**扁桃小沟胫天牛 *Miccolamia tonsilis* Holzschuh, 2010**(图版 24:10)

Miccolamia (s. str.) *tonsilis* Holzschuh, 2010: 207, fig. 53.

鉴别特征:体长 3.2 ~3.9mm。头黑褐色，触角柄节黑褐色，第 2 节红褐色，从第 3 节开始基部红褐色，端部黑色，向后黑色部分逐渐增多。前胸红褐色至黑褐色，中部颜色略深。鞘翅基部 2/7 红褐色，其余部分黑色，中部之前的黑色部分被灰白色细毛。足大部分黑色，胫节基部和跗节大部分红褐色。触角约等于体长，鞘翅末端圆。

采集记录:1♂1♀(副模), Qinling Shan, road Xi'an-Ningshan, pass -50km S Xi'an-200m, 108.8°E, 33.8°N, 2000. Ⅵ. 11, leg. Turna(CCH)。

分布:陕西(宁陕)、甘肃。

160. 肖申天牛属 *Mimectatina* Aurivillius, 1927 陕西新纪录属

Mimectatina Aurivillius, 1927: 575. **Type species**: *Mimectatina singularis* Aurivillius, 1927.

Doius Matsushita, 1933a: 380. **Type species**: *Doius rufescens* Matsushita, 1933 (= *Sydonia divaricata* Bates, 1884).

Nipposybra Breuning, 1939b: 280. **Type species**: *Nipposybra fuscoplagiata* Breuning, 1939.

Parasydonia Breuning, 1949b: 24. **Type species**: *Sydonia divaricata* Bates, 1884.

Falsodoius Breuning, 1953: 16. **Type species**: *Doius meridianus* Matsushita, 1933.

属征:体小型。头部中部不宽于前胸；触角基瘤之间平坦；额不显著凸起；复眼小眼面不很细；触角略长于体，柄节近柱形，第 3 节短于第 4 节。前胸背板长宽略等，后端与前端略等，近基部稍缢缩，中区稍隆起，侧面中央稍隆突但不具侧刺突。鞘翅两侧平行，末端平切、斜切或凹切，翅面刻点不整齐成行。前足基节窝关闭。足

腿节短，膨大，跗节总长短于胫节，爪全开式。

分布：中国；俄罗斯，韩国，日本，越南，菲律宾，印度尼西亚。世界已知 8 种/亚种，中国记录 7 种/亚种，秦岭地区发现 1 种。

(325) 肖申天牛属 *Mimectatina* sp.（图版 24:11）

鉴别特征：体长 6.0mm。头黑色，触角红褐色，从第 3 节起端部颜色深于基部；前胸中区具纵向黑斑，并延伸至鞘翅基部，前胸背面其余部分被灰色绒毛；鞘翅灰褐色至红褐色，有些地方的颜色处于渐变状态，鞘缝附近具黑色和白色小点，端末具显著的机翼形黑斑。腹面暗褐色；足大部分黑色，腿节背面浅于腹面，胫节基部颜色淡于端部。

采集记录：1♂，秦岭太白山保护区蒿坪保护站，1241m，2013. Ⅷ. 24，黄正中采。

分布：陕西（眉县）。

161. 六脊天牛属 *Penthides* Matsushita, 1933 陕西新纪录属

Penthides Matsushita, 1933b: 430. **Type species**: *Penthides flavus* Matsushita, 1933.

Hirakura Hayashi, 1957b: 47. **Type species**: *Hirakura rufoflava* Hayashi, 1957.

属征（Hayashi, 1957b）**：**体圆筒形被长竖毛。头顶三角形凹陷，具中纵沟；额突出，宽大于高；复眼深凹，上叶很小而狭，下叶大，长大于宽，显长于下颊。雌虫触角稍长于体，雄虫显长于体。触角柄节圆筒形，末端微膨大，几乎不短于第 3 节，长于第 4 节，其后各节渐短。前胸近圆筒形，宽大于长，前后缘微弱缢缩。小盾片三角形，末端圆。鞘翅明显宽于前胸，长大于肩宽的 2.0 倍，两侧平行，末端圆。前足基节窝关闭，中足基节窝对中胸后侧片开放。腹部第 1 节长，约等于末节，或约等于第 2 和第 3 腹板长度之和。足短，后足腿节仅伸达第 3 可见腹板末端，前足胫节微弯曲，中足和后足胫节直，中足胫节外侧有斜沟，后足跗节第 1 节短于其后两节长度之和，爪附齿式，全开式。

分布：中国；日本，老挝。世界已知 5 种/亚种，中国记录 2 种，秦岭地区发现 1 种。

(326) 六脊天牛属 *Penthides* cf. *rufoflavus*（图版 24:12）

鉴别特征：体长 6.5 ~ 10.5mm。头黑色，前胸大部分赤褐色，侧面和腹面黑色；小盾片和鞘翅赤褐色，腹面、触角和足全黑色。

采集记录：1♂，太白太洋公路 69km 到黄柏塬乡，1310m，2012. Ⅵ. 18，李莎采；1♀，宁陕火地塘，1580m，1998. Ⅷ. 21，袁德成灯诱；1♀，宁陕火地塘，1580m，

1998. Ⅶ. 26, 姚建采; 1♀, 宁陕火地塘, 2016. Ⅶ. 07-24, 王勇采。

分布:陕西(太白、宁陕)。

162. 伪昏天牛属 *Pseudanaesthetis* Pic, 1922

Pseudanaestetis Pic, 1922: 15[misspelling]. **Type species**: *Pseudanaesthetis langana* Pic, 1922.

属征:体小型。头部中部不宽于前胸; 触角基瘤之间平坦; 额不显著凸起; 复眼小眼面不很细, 下叶宽与高略等; 触角较体短, 柄节近柱形, 第3节长于柄节和第4节。前胸背板长宽略等, 后端较前端稍宽, 近基部稍缢缩, 中区隆起, 有穴状刻点, 侧刺突短小, 位于两侧中部稍后方。鞘翅两侧平行, 末端相合成圆形, 翅面刻点较整齐成行。足腿节短, 膨大, 跗节总长与胫节略等, 爪全开式。

分布:东洋区。世界已知7种, 中国记录3种, 秦岭地区发现2种。

(327) 伪昏天牛 *Pseudanaesthetis langana* Pic, 1922(图版25:1)

Pseudanaesthetis langana Pic, 1922: 15.

鉴别特征:体长6.5~9.0mm。小型, 体赤褐色。头部、前胸较深暗; 触角黑色; 鞘翅较淡, 呈赭黄褐色; 足腿节基半部以后为红褐色, 其余部分为黑褐色。头部额、头顶、后头均散布细刻点, 头顶宽陷; 复眼下叶大而稍突, 近圆形, 长于其下颊部3.0倍以上; 触角为体长的1/4, 柄节粗柱状, 略短于第3节, 第3、4节几等长, 第4节长约为第5节的2.0倍, 第1~3节下侧有细毛。前胸背板宽稍胜于长, 两侧刺突极短小, 末端钝, 位于两侧中部之后近后缘1/3处, 背板上散布细深刻点。小盾片小, 横宽, 近半圆形。鞘翅两侧近于平行, 翅端圆, 翅表密布较整齐的刻点约13行, 并被灰黄色细短毛和灰白色细长毛。腹面被灰白色绒毛。足腿节肥短, 中、后足腿节基部较细, 向中部渐粗。

采集记录:1♀, 武功, 1974, 寄主核桃(IOZ(E)1905677, identify by 蒲富基); 1♀, 柞水营盘镇, 955m, 2014. Ⅶ. 29, 路园园灯诱。

分布:陕西(武功、柞水)、山东、浙江、江西、湖南、福建、广东、海南、香港、四川、贵州; 越南。

寄主:桃(江西), 胡桃(陕西), 南酸枣属(海南岛)。*Juglans regia* Linnaeus, *Malus pumila* Miller, *Morus alba* Linnaeus, *Prunus persica* (Linnaeus) Batsch, *Robinia pseudoacacia* Linnaeus, *Salix* sp., *Spondias pinnata* (Linnaeus fils) Kurz, *Zizyphus spina-christi* Willdenow。

(328) 伪昏天牛属 *Pseudanaesthetis* sp.

鉴别特征: 同上一种很像，但是前胸背板缺乏直立竖毛，侧刺突更加短钝，尤其是基部更大，鞘翅上的绒毛只有1种，没有较粗大的那类毛。

采集记录: 2♂1♀，宁陕火地塘，1580m，1998. Ⅷ. 20，袁德成灯诱；1♂，同上，1998. Ⅷ. 15。

分布: 陕西（宁陕）。

163. 棒角天牛属 *Rhodopina* Gressitt, 1951 陕西新纪录属

Rhodopis Thomson, 1857c: 174 (nec Reichenbach, 1854). **Type-species:** *Rhodopis pubera* Thomson, 1857.

Rhodopina Gressitt, 1951: 439 (new name for *Rhodopis* Thomson, 1857).

属征: 体中等大至大型，典型的"棒角"指的是触角柄节和第3节端部有1个膨大的棒状部分，但不是所有的种类都有。柄节粗壮，末端膨大，第3节最长，触角远长于体长，一般都在体长的2.0倍以上。前胸背板具显著的侧刺突或不显著。腿节粗壮，略显棒状，后足跗节第1节长于其后两节长度之和。

分布: 东洋区。世界已知44种/亚种，中国记录5种，秦岭地区发现1种。

(329) 四川棒角天牛 *Rhodopina tuberculicollis* (Gressitt, 1942) 陕西新纪录 （图版25:2）

Rhodopis tuberculicollis Gressitt, 1942b: 4, pl. 1, fig. 5.

Rhodopina tuberculicollis: Gressitt, 1951: 441.

鉴别特征: 体长13.0～15.0mm。体暗棕褐色，被棕色及灰白色毛。前胸背板盘区具3条灰白色纵纹，侧刺突基部也有灰白色绒毛。鞘翅基部1/3和端部1/3处各具1个不完整的白色"V"形和倒"V"形灰白色绒毛条纹，仅端部的白色绒毛比较稠密，基部1/3的大部分和沿着鞘缝周围的灰白色绒毛较稀疏。触角第3节端部的棒状部分很不显著，仅深色部分略膨大一点点；柄节粗壮，向后膨大，第3节最长，触角远长于体长。前胸背板具显著的侧刺突，末端尖锐。鞘翅末端圆。

采集记录: 1♀，勉县新店，1958. Ⅷ；1♂，宁陕火地塘林场周边，1554m，2015. Ⅶ. 07-15，刘漪舟采；1♂，宁陕火地塘，2016. Ⅶ. 07-24，王勇采；1♂，宁陕火地塘雅雀沟，1600～1700m，1998. Ⅶ. 28，张学忠采；1♂1♀，宁陕火地塘，1580m，1998. Ⅶ. 27，张学忠采；1♂，同上，姚建采；1♂，同上，1998. Ⅷ. 17，袁德成采；1♂，同上，1998. Ⅷ. 20，袁德成采；1♀，同上，1998. Ⅶ. 26，姚建采；2♂1♀，宁陕，2003.

Ⅷ，郎嵩云采；1♂，宁陕火地塘，1984.Ⅷ(NWAFU，CO028441)。

分布：陕西(勉县、宁陕)、四川。

164. 角胸天牛属 *Rhopaloscelis* Blessig，1873 陕西新纪录属

Rhopaloscelis Blessig, 1873: 205. **Type species**: *Rhopaloscelis unifasciatus* Blessig, 1873.

属征(蒋书楠等，1985)：体小型，略扁。头部额横宽，微凸；上颚弓形，端尖；下颚须端节近柱形；复眼小眼面粗粒，内缘深凹；触角基瘤左右分开，头顶浅陷；触角细长过体，下侧有细毛，柄节长，肥宽，无端疤；第3节与第4节约等长，第5节以后各节渐短。前胸背板长胜于宽，两侧缘有瘤突或在中部稍后方具短小侧刺突。鞘翅较长，向末端渐狭，翅端波形平截或狭圆。前足基节窝闭式，外缘尖角形；中足基节窝开式。足细长，腿节扁，向端部膨大成显著棍棒状；中足胫节无斜沟；前足第1跗节短阔，后足的狭长；爪全开式。

分布：古北区。世界已知3种，中国记录1种，在陕西秦岭地区为首次记录。

(330) 角胸天牛 *Rhopaloscelis unifasciatus* Blessig，1873 陕西新纪录(图版25:3)

Rhopaloscelis unifasciatus Blessig, 1873: 206, pl. Ⅷ, fig. 3.

Rhopaloscelis unifasciatus var. *obscura* Plavilstshikov, 1915c: 109.

别名：柳角胸天牛。

鉴别特征：体长5.5～10.0mm。体小型，略扁平，暗棕色，密被薄而短的灰白色细绒毛，散布稀疏的较长的黑色的直立毛。触角略呈红棕色，自第3节起各节基端具白毛环，第1～8节内侧具稀疏的缨毛。鞘翅基半部具薄而致密的白色短绒毛，散布大小不等的棕黑色刻点，翅基脊突棕黑色，翅中部具宽大的棕黑色横带纹，外端宽，但不达外缘，随后紧接1条较窄的前缘锯齿状的银白色短绒毛横带纹，翅端部棕褐色。腹面棕黑色，胫节基部具白毛。触角细长，约为体长之1.5倍，柄节粗短，纺锤形，约与第5节等长，第3节长于第5节略短于第4节，第6～11节渐短。小盾片长方形，末端平截，中央具纵沟。鞘翅比前胸侧瘤间稍宽，两侧缘近于平行，近端部1/4处开始向后略狭窄，末端斜截，缝角钝圆，缘角略突出，翅基中央各具1个瘤状脊突，基部1/3处略下凹，中部以后较隆起，翅面基部1/3中央刻点细小，其余部分刻点较粗而稀疏。

采集记录：1♀，周至厚畛子，1280m，2008.Ⅴ.05-06，黄灏采；1♀，佛坪大古坪保护站到岳坝保护站，1139～1573m，2012.Ⅵ.30，刘万岗采。

分布：陕西(周至、佛坪)、吉林、浙江、福建、广东、香港；蒙古，俄罗斯，朝鲜，韩国，日本。

寄主：柳，杨。*Populus* sp.，*Salix babylonica* Linnaeus，*Xylosma* sp.。

165. 健天牛属 *Sophronica* Blanchard，1845 陕西新纪录属

Sophronica Blanchard，1845：160；Chevrolat：1855：287. **Type species**：*Sophronica calceata* Chevrolat，1855.

Dasyo Pascoe，1858：253. **Type species**：*Dasyo lineata* Pascoe，1858.

Elithiotes Pascoe，1864b：279. **Type species**：*Elithiotes hirsuta* Pascoe，1864.

Lasiapheles Bates，1873d：382. **Type species**：*Lasiapheles obrioides* Bates，1873.

Dasystola Kolbe，1894：63. **Type species**：*Dasystola hirta* Kolbe，1894（= *Sophronica calceata* Chevrolat，1855）.

Phunginus Pic，1922：15. **Type species**：*Phunginus apicalis* Pic，1922.

Mimanaesthetis Pic，1926c：16. **Type species**：*Mimanaesthetis atripennis* Pic，1926.

Eupogonioides Fisher，1930：275. **Type species**：*Eupogonioides gardneri* Fisher，1930（= *Phunginus apicalis* Pic，1922）.

Sophronica（*Dimbrokoa*）Pic，1944b：16. **Type species**：*Sophronica*（*Dimbrokoa*）*apicalis* Pic，1944.

属征（Bates，1873d）：属于 Apodasyini 类群。体圆筒形，全体被长毛。头额长颊短。眼大，小眼面粗粒，中度凹陷，上叶互相靠近。触角与体长差不多，粗线状；柄节中等长，倒圆锥形，第 3～11 节渐短。前胸短，圆筒形，不具侧刺突。前胸末端圆，简单无特化结构。足短，中足胫节外侧有斜沟，腿节棒状，爪全开单齿式。前足基节窝关闭，中足基节窝开放。

分布：古北区，东洋区，非洲区。世界已知 259 种/亚种，中国记录 5 种，在陕西为首次记录。

(331) 健天牛属 *Sophronica* sp.（图版 25：4）

鉴别特征：体长 5.8mm。体棕褐色，触角、足和腹面黑色。体被银白色细毛，触角被黑褐色细毛。

采集记录：1♂，太白山大岭云海，2460m，107.41°E，33.88°N，2012. Ⅵ. 20，华谊采。

分布：陕西（太白）。

166. 隆线天牛属 *Sybrocentrura* Breuning，1947

Sybrocentrura Breuning，1947a：57. **Type species**：*Sybrocentrura obscura* Breuning，1947（= *Sydonia ropicoides* Gressitt，1939）.

属征:本属曾被认为是 *Diboma* Thomson, 1864 (= *Zotalemimon* Pic, 1925)的异名(Breuning, 1975), 但以下特征可以区分:中足基节窝向外开放, 触角基瘤互相远离且没有齿突。

分布:中国;泰国。世界已知7种, 中国均有分布, 秦岭地区发现2种。

(332)脊隆线天牛 *Sybrocentrura costigera* Holzschuh, 2010(图版25:5)

Sybrocentrura costigera Holzschuh, 2010: 218, fig. 62.

鉴别特征:体长7.0~7.2mm。体黑色。头和前胸黑色, 触角红褐色和黑褐色, 基部两节和第3~11节各节末端黑褐色, 其余部分红褐色。小盾片密被黄褐色绒毛。鞘翅中部偏后有1条显著的灰色绒毛横带, 沿鞘缝(除了基部1/5)分布有灰色绒毛斑点, 端部的灰色绒毛斑点也略明显。触角约等于或略短于体长, 鞘翅末端1/4之前略膨阔, 之后快速缩窄, 末端斜切, 合并形成大钝角, 外端角90°左右。

采集记录:1♀(正模), Shaanxi Prov., Qingling Shan , track Hou Zen Zi vill. (= Houzhenzi) to Taibai Shan, 2500m, mixed forest, 1998. Ⅵ. 27-29, leg. Z. Jindra, O. Šafránek & M. Trýzna(CCH); 1♂(副模), 同正模; 1♀, 同上, 30km SE of Taibai Shan mt., Hou Zen Zi vill. (= Houzhenzi) env., 1500m, 1998. Ⅵ. 26, O. Šafránek & M. Trýzna(CCH)。

分布:陕西(周至)。

(333)肥隆线天牛 *Sybrocentrura fatalis* Holzschuh, 2010(图版25:6)

Sybrocentrura fatalis Holzschuh, 2010: 215, fig. 60.

鉴别特征:体长8.9mm左右。体黑褐色。头黑色, 触角红褐色和黑褐色, 基部2节和第3~11节各节末端黑褐色, 其余部分红褐色。前胸背板有1条不显著的中央纵纹, 两侧还有各1条短的褐色绒毛斑纹。小盾片密被黄褐色绒毛。鞘翅中部(稍微偏后)有1条不显著的灰白色绒毛横带, 沿鞘缝(除了基部1/5)分布有灰白色绒毛斑点, 基部1/4和端部1/4前后也略显示模糊的浅色斑纹。触角约等于或略短于体长, 鞘翅末端1/4之前就开始向后缓缓缩窄, 末端斜切, 合并形成90°左右, 外端角小于90°。

采集记录:1♂(正模), Shaanxi Prov., Qingling Shan, road Baoji-Taibai vill., Pass 40km S Baoji, 1998. Ⅵ. 21-23, leg. Z. Jindra(CCH)。

分布:陕西(宝鸡)。

167. 短刺天牛属 *Terinaea* Bates, 1884 陕西新纪录属

Terinaea Bates, 1884: 249. **Type species**: *Terinaea atrofusca* Bates, 1884.

属征：体小型。复眼内缘深凹；触角基瘤左右分开，头顶平坦不凹陷；触角细长过体，下侧缨毛稀疏，柄节无端疤；第 3 节与第 4 节约等长，第 5 节以后各节渐短。前胸背板宽胜于长，两侧缘有又短又尖的侧刺突，背面平坦。鞘翅两侧几乎平行，翅端圆形。前足基节窝闭式；中足基节窝开式。足腿节棍棒状，中部膨大；足短，后足腿节伸达第 4 可见腹板，中足胫节外侧有斜沟；后足第 1 跗节短于其后两节之和；爪附齿式。

分布：中国；俄罗斯，朝鲜，韩国，日本，马来西亚。世界已知 4 种，中国分布 1 种，秦岭地区发现 1 种。

(334) 提利短刺天牛 *Terinaea tiliae* (Murzin, 1983) 中国新纪录（图版 25:7）

Miaenia tiliae Murzin, 1983: 584.
Terinaea tiliae: Danilevsky, 2012c: 723.

鉴别特征：体长 3.4 ~ 7.0mm。体黑色，触角和足的颜色不稳定，有时候红褐色，有时候黑褐色，有时候部分红褐色部分黑褐色。陕西的标本多数为黑褐色。触角第 7 节到达鞘翅末端，鞘翅末端圆形。

采集记录：3♂，周至厚畛子镇，1271m，2007. Ⅴ.28，林美英、史宏亮采；1♂，周至厚畛子镇秦岭梁，2021m，2007. Ⅴ.27，林美英采。

分布：陕西（周至）；俄罗斯，朝鲜，韩国。

Ⅷ. 草天牛族 Dorcadionini Swainson *et* Shuckard, 1840

鉴别特征：体型卵圆或长卵形；触角缺端疤或仅具微弱的开式端疤。前胸背板宽胜于长，具侧刺突。后翅缺或极小。后胸极短，中足基节和后足基节接近。

分类：世界已知 18 属/亚属，中国记录 2 属，秦岭地区发现 1 属 6 种。

168. 草天牛属 *Eodorcadion* Breuning, 1947

Eodorcadion Breuning, 1947c: 142. **Type species**: *Lamia carinata* Fabricius, 1781.

属征(蒋书楠等, 1985):体型卵圆或长卵形。头部具膜质唇基; 额前缘平直, 与颊的前缘在 1 条直线上; 触角大多略扁, 或稍肿大, 缺端疤或仅具微弱的开式端疤。前胸背板宽胜于长, 具侧刺突。小盾片呈半圆形或宽三角形, 末端钝圆。鞘翅肩部较前胸宽, 背面拱起, 中缝愈合, 肩部或翅表常具纵脊, 后翅缺或极小。后胸极短, 中足基节和后足基节接近。

分布:古北区。本属分为 3 个亚属, 在中国北方均有分布, 秦岭地区发现 2 个亚属。

备注:文献中曾经记载秦岭地区本属有不少发现(周嘉熹等, 1988 和/或 Hua, 2002), 但后来认为以下种类并不存在(Danilevsky, 2007), 在本文不记述:红缝草天牛 *Eodorcadion chinganicum chinganicum* (Suvorov, 1909); 白腹草天牛 *Eodorcadion* (*Ornatodorcadion*) *brandti* (Gebler, 1841)(拟波氏草天牛 *Eodorcadion* (*Ornatodorcadion*) *potaninellum* Danilevsky *et* Lin, 2012 的误定); 密点草天牛 *Eodorcadion* (*Ornatodorcadion*) *ornatum* (Faldermann, 1833)(拟密点草天牛 *Eodorcadion* (*Ornatodorcadion*) *pseudornatum* Danilevsky *et* Lin, 2012 的误定); 蒙古草天牛(内蒙草天牛)*Eodorcadion* (*Ornatodorcadion*) *oryx* (Jakovlev, 1895)(可能是拟波氏草天牛 *Eodorcadion* (*Ornatodorcadion*) *potaninellum* Danilevsky *et* Lin, 2012 的误定)。

分种检索表

1. 触角各节基部没有淡色绒毛环纹 ······ 2
   至少部分触角节基部具有淡色绒毛环纹 ······ 4
2. 鞘翅具有灰白或淡黄色绒毛条纹, 条纹清楚不很窄 ······
   ······ **密条草天牛 *Eodorcadion* (*Eodorcadion*) *virgatum virgatum***
   鞘翅具有灰白或淡黄色绒毛条纹, 条纹很窄且没有清楚的边界 ······ 3
3. 鞘翅纵脊不发达; 前胸背板没有明显的绒毛纵纹 ······ **细脊草天牛 *E.* (*E.*) *minicarinatum***
   鞘翅纵脊较发达; 前胸背板有明显的白色绒毛纵纹 ······ **多脊草天牛 *E.* (*E.*) *multicarinatum***
4. 雄虫触角短于体长; 触角节仅第 3 和第 4 节具有显著的基部白色绒毛环纹 ······
   ······ **拟密点草天牛 *E.* (*Ornatodorcadion*) *pseudornatum***
   雄虫触角长于体; 触角各节基部都有白色绒毛环纹 ······ 5
5. 后头具 1 对白色纵纹; 鞘翅大部分灰白色可见 3~4 道显著的光裸纵脊, 鞘缝光裸 ······
   ······ **少脊草天牛 *E.* (*E.*) *oligocarinatum***
   后头不具 1 对白色纵纹; 鞘翅大部分黑色具有 3 道白色纵纹, 鞘缝密被白色绒毛 ······
   ······ **拟波氏草天牛 *E.* (*O.*) *potaninellum***

168-1. *Eodorcadion* Breuning, 1947

Eodorcadion Breuning, 1947c: 142. **Type species**: *Lamia carinata* Fabricius, 1781.

Eodorcadion (*Eodorcadion*): Gressitt, 1951: 340.

鉴别特征(Danilevsky, 2007):本亚属主要特征体现在内囊的结构上，如内囊细长，中部弯曲显著，具有中部 trunk，端部不具分支，从不延长。

分布:古北区。世界已知 30 种/亚种，中国记录 16 种/亚种，秦岭地区发现 4 种。

(335) 细脊草天牛 *Eodorcadion* (*Eodorcadion*) *minicarinatum* Danilevsky *et* Lin, 2012(图版 25:8)

Eodorcadion (s. str.) *minicarinatum* Danilevsky *et* Lin, 2012: 22, figs. 2-3.

鉴别特征:体长 15.3 ~ 17.0mm。跟多脊草天牛相似，但鞘翅纵脊不发达。体红褐色，触角红褐色，不具绒毛环纹。前胸背板具有 1 对不规则的白色绒毛纵纹。鞘翅纵脊很多，但不发达，具有淡色绒毛形成纵纹，纵纹细而多条，但界限不清晰。

采集记录:1♀(副模)，合阳，1980. Ⅵ. 18(IOZ(E)1905785)。

分布:陕西(合阳)、安徽。

备注:这号副模标本标签写着“江西 合阳”，但是江西并没有一个叫合阳的地方。根据一号在西北农林科技大学保存的多脊草天牛标本，其标签上写有同样的“合阳”，而且采集日期也是 1980. Ⅵ. 18，我们推测这号副模应该是采自陕西合阳的标本，误写在打印有江西的标签上。

(336) 多脊草天牛 *Eodorcadion* (*Eodorcadion*) *multicarinatum* (Breuning, 1943) 陕西新纪录(图版 25:9)

Neodorcadion multicarinatum Breuning, 1943a: 99.

Eodorcadion (s. str.) *multicarinatum*: Danilevsky, 2007: 53, figs. 9(1-3).

鉴别特征:体长 14.5 ~ 18.0mm。体红褐色或近黑色，雄虫触角长于体，雌虫触角伸达鞘翅端部 1/4；触角端疤明显；触角节具白色毛环。前胸侧刺突尖而狭，前胸背板中线具粗糙刻点，具光滑的瘤突，具 1 对中区绒毛纵带。鞘翅刻点粗糙，纵脊显著，覆盖稀疏的灰白色绒毛。鞘翅脊线差不多同等发达，在鞘缝与肩部的白色条带之间约有 9 条脊。有些脊在基部部分融合至消失。鞘缝附近没有脊，密被灰白色毛；肩部毛纹多少明显，弯曲的边缘也具灰白色绒毛(包括缘折)，但不具显著的条带。

采集记录:1♀，合阳甘井公社黄家坡，1980. Ⅵ. 18，林养平采(NWAFU, ex 陕西省林业昆虫研究所，本号标本标签上写有“密条草天牛”)。

分布:陕西(合阳)、内蒙古、山西、甘肃、青海。

备注:这号标本标签上写有“密条草天牛”，有可能之前密条草天牛的报道是基于本种的错误鉴定。虽然本次调查没有见到密条草天牛的标本，但根据资料推测陕西还是极有可能分布有密条草天牛的。另外，虽然在林美英(2015b)里已经出现了陕西的记录，但其实是山西的误印，没有可靠的标本或者文献来源。因此，陕西的正式记录还是基于本次调查的数据。

(337)少脊草天牛 *Eodorcadion* (*Eodorcadion*) *oligocarinatum* Danilevsky, 2007 陕西新纪录(图版 25:10)

Eodorcadion (s. str.) *oligocarinatum* Danilevsky, 2007: 55, figs. 10(1) & 10(2); carte 10.

鉴别特征:体长 15.1 ~20.0mm(陕西新纪录标本体长为 17.0 mm)。体长卵形，红褐色至黑色。头及前胸背板各有 2 条大致平行的淡灰色绒毛纵纹；小盾片两侧具灰白色绒毛。每个鞘翅背面有 2 条显著突出的纵脊，近侧缘有 1 条明显(雄虫)或 2 条不明显的纵脊；其余被灰白色绒毛。体腹面密被灰白或灰黄色绒毛，足被稀少绒毛。触角粗壮，向端部逐渐趋细，各节基部具有淡色环纹；雄虫触角略长于体，雌虫触角稍短于体。前胸背板宽胜于长，侧刺突基部粗大，顶端尖锐。鞘翅两侧缘弧形，中部较宽，十分拱凸，末端圆形。

采集记录:1♀，礼泉，1981. Ⅴ.05(IOZ(E)1905784, Danilevsky, 2011 鉴定)。

分布:陕西(礼泉)、山西。

(338)密条草天牛 *Eodorcadion* (*Eodorcadion*) *virgatum virgatum* (Motschulsky, 1854)

Dorcadion virgatum Motschulsky, 1854: 65.

Neodorcadion virgatum: Ganglbauer, 1884: 512.

Eodorcadion (*Eodorcadion*) *virgatum*: Breuning, 1962a: 65.

鉴别特征:体长 12.0 ~22.0mm。体长卵形，黑色至黑褐色。头及前胸背板各有 2 条大致平行的淡灰或黄色绒毛纵纹；小盾片两侧具灰白色绒毛。每个鞘翅约有 9 条灰白或淡黄色绒毛条纹，条纹清楚且不是非常窄，有时外侧条纹愈合，中缝光滑无毛。体腹面密被灰白或灰黄色绒毛，足被稀少绒毛。触角粗壮，或多或少扁平，向端部逐渐趋细，雄虫触角伸至鞘翅端部，第 3 节稍长于柄节，雌虫触角稍短，第 3 节约与柄节等长。前胸背板宽胜于长，侧刺突基部粗大，顶端较钝。鞘翅两侧缘弧形，中部较宽，十分拱凸，末端圆形。足粗壮。

分布:陕西(定边、榆林)、内蒙古、北京、天津、河北、山西、宁夏、甘肃；蒙古。

寄主:*Juglans regia* Linnaeus, *Populus* sp., *Robinia pseudoacacia* Linnaeus。

备注:周嘉熹等(1988)和 Hua(2002)有陕西的记录，但是在古北区名录里和 Danilevsky(2007)里没有陕西这个记录。

168-2. *Ornatodorcadion* Breuning, 1947

Eodorcadion (*Ornatodorcadion*) Breuning, 1947c: 142. **Type species**: *Dorcadion ornatum* Faldermann, 1833.

鉴别特征(Danilevsky, 2007):本亚属主要特征体现在内囊的结构上，如内囊细长，中部弯曲不显著，具有中部 trunk，端部具分支或强烈延长。

分布:中国；蒙古，哈萨克斯坦。世界已知 27 种/亚种，中国记录 17 种/亚种，秦岭地区发现 2 种。

(339)拟波氏草天牛 *Eodorcadion* (*Ornatodorcadion*) *potaninellum* Danilevsky *et* Lin, 2012（图版 25:11）

Eodorcadion (*Ornatodorcadion*) *potaninellum* Danilevsky *et* Lin, 2012: 23, figs. 4-5.

别名:长波草天牛。

鉴别特征:体长 15.5 ~24.5mm。体黑色，触角黑色，各节基部具有白色绒毛环纹；前胸背板中央光裸区很窄小，围绕着 2 条显著的白色绒毛中央纵纹(前后两端连接)，前胸两侧白色绒毛斑纹明显，几乎完全覆盖侧刺突，前胸背板其余部分也具有稀疏的白色或黄色伏毛；鞘翅覆盖白色或黄色伏毛，每鞘翅具有 4 条显著的白色绒毛纵纹，分别位于鞘缝，侧边和靠近侧缘前后连接的两条。雄虫触角略长于体，雌虫略短于体，每鞘翅末端圆形。本种跟波氏草天牛非常相似，但体型更短(鞘翅长/鞘翅肩部宽 =2.1(雄)或 2.2(雌)；鞘翅长/鞘翅中部最宽处 =1.8(雄)或 1.6(雌))，背面刻点更粗糙。

采集记录:1♂(正模)，黄龙山，1980. Ⅷ. 24(IOZ(E)1905760)；1♀(副模)，同正模(IOZ(E)1905787)；1♂，靖边冯家苑，寄主:沙柳，1965. Ⅵ. 21；1♂，靖边冯家苑，1965. Ⅵ. 21(NWAFU，曾被鉴定为白腹草天牛)；1♀，靖边，寄主:沙柳，1960. Ⅷ. 13(NWAFU，曾被鉴定为白腹草天牛)；1♀，榆林，1977. Ⅶ(IOZ(E)1905788)；1ex, Siao K'iao Pan(宁条梁)，1923. Ⅷ. 25, Licent(MNHN，参考 Danilevsky, 2007，详见备注)；2♂，榆林，1960. Ⅵ. 27(NWAFU，曾被鉴定为"白腹草天牛")。

分布:陕西(宜川、靖边、榆林)。

备注:Lin (2015c) 首次使用了中文名"长波草天牛"，但是本种跟波氏草天牛相比，体型短而不是长，所以中文名不合适。在此更正为"拟波氏草天牛"。波氏草天牛 *Eodorcadion* (*Ornatodorcadion*) *potanini* (Jakovlev, 1889) 在陕西的记录，最初见于 Danilevsky(2007)第 134 页，提到了一号保存在巴黎自然历史博物馆的雌虫标本，信息为"25. Ⅷ. 1923, Licent"。查阅天津自然博物馆 1984 年整理的黎桑行程录 1944 ~

1937(“Etapes des Voyages du P. Licent (1914～1937)”), 1923 年 8 月 25 日的地点为“Siao K'iao Pan 宁条梁”, 同年 8 月 8 日, 9 月 8 日和 12 日, 具有一样的地点标签和备注, 并且根据上下文知道该地点位于鄂尔多斯南部和陕西北部。因此, 我们可以推断这号标本的采集地点是如今陕西省榆林市靖边县的宁条梁镇。但是我们推断此号标本应该也是拟波氏草天牛。内蒙古波氏草天牛标本: 鞘翅长/鞘翅肩部宽 = 2.4(雄)或 2.7(雌); 鞘翅长/鞘翅中部最宽处 = 2.2(雄)或 1.9(雌)。

(340) 拟密点草天牛 *Eodorcadion* (*Ornatodorcadion*) *pseudornatum* Danilevsky *et* Lin, 2012 (图版 25:12)

Eodorcadion (*Ornatodorcadion*) *pseudornatum* Danilevsky *et* Lin, 2012: 24, fig. 6.

鉴别特征:体长 20.0mm 左右。体黑色, 触角黑色, 第 3 和第 4 节基部具有白色绒毛环纹; 前胸背板中央光裸区很窄小, 围绕着两条显著的白色绒毛中央纵纹(前后两端连接), 前胸两侧白色绒毛斑纹明显, 几乎完全覆盖侧刺突, 前胸背板其余部分也具有稀疏的白色伏毛并具有数个小的白色绒毛斑; 每鞘翅具有 4 条显著的白色绒毛纵纹, 分别位于鞘缝、侧缘和靠近侧缘前后互相连接的 2 条。雄虫触角短于体, 每鞘翅末端圆形。

采集记录:1♂(正模), 宜川黄龙山, 1980. Ⅷ. 24(IOZ(E)1905786)。

分布:陕西(宜川)。

Ⅸ. 粉天牛族 Dorcaschematini Thomson, 1860

鉴别特征(Gressitt, 1940b):额四方形; 头顶窄而凹陷; 触角基瘤深陷; 触角细长, 远长于体; 柄节短, 膨大且具有小瘤; 前胸近圆筒形, 不具侧瘤突; 鞘翅窄, 末端圆或略呈角状; 前足基节球形, 基节窝侧面成角状; 中足基节窝开放; 中足胫节外侧具斜沟; 爪全开式。

分类:世界已知 9 属, 中国记录 4 属, 陕西秦岭地区分布 1 属 3 种。

169. 粉天牛属 *Olenecamptus* Chevrolat, 1835

Olenecamptus Chevrolat, 1835: 134. **Type species**: *Olenecamptus serratus* Chevrolat, 1835 (= *Saperda biloba* Fabricius, 1801).

Authades Thomson, 1857c: 191. **Type species**: *Authades indianus* Thomson, 1857.

Ibidimorphum Motschulsky 1860: 152. **Type species**: *Ibidimorphum octopustulatum* Motschulsky, 1860.

Olenocamptus; Gressitt, 1940b: 134 [misspelling].

属征:体型中等大小，较狭，长方形。头部额宽胜于长；触角细长，雄的为体长的2～2.5倍，雌的1.5～2.0倍，雄虫通常在触角节的下沿有粗糙锯齿，但无缨毛，基部数节的背方有凿齿状颗粒，第3节最长，至少为柄节的3倍，雌虫的稍短，第4节短于第3节或第5节，第11节稍长于第10节；复眼下叶大，后方显著宽阔。前胸背板雄虫的较长，雌虫的长宽几乎相等，背面具横皱脊。鞘翅雌虫的后端稍宽阔，雄虫的较狭，末端斜切，缘角齿状突出，翅面具刻点。中胸腹板突前端凹入。雌虫腹部第5节腹板长于3、4节之和，雄虫的前足腿、胫节下侧有细锯齿；中足胫节有显著斜沟，爪全开式。

分布:古北区，东洋区，非洲区，澳洲区。世界已知81种/亚种，中国记录17种，秦岭地区发现3种。

分种检索表

1. 白色鳞粉较少；每鞘翅具有4个中等大小的白色斑纹 ………………………………………… **八星粉天牛 *Olenecamptus octopustulatus***
   白色鳞粉较多，几乎覆盖整个身体；每鞘翅具有2或3个小黑点 ……………………………… 2
2. 每鞘翅具有3个黑点 ……………………………………………… **黑点粉天牛 *O. clarus***
   每鞘翅具有2个黑点 ……………………………………………… **斜翅粉天牛 *O. subobliteratus***

(341)黑点粉天牛 *Olenecamptus clarus* Pascoe, 1859(图版26:1)

Olenecamptus clarus Pascoe, 1859: 44.
Olenecamptus clarus clarus: Gressitt, 1951: 443.

鉴别特征:体黑色密被白色鳞粉，触角和足红褐色。由于鳞粉缺失通常形成如下斑纹:后头中央通常具1个三角形小黑斑；前胸背板中纵线上具1个黑斑(形状和大小可变异)，前胸侧面各具2个小斑；鞘翅肩部黑色，鞘翅背面各具3个小圆点排成纵列，其中1个位于基部约1/5处，1个位于中部，1个位于端部约1/5处(常呈椭圆形)。

采集记录:1♀，凤县，1974.Ⅶ.07(NWAFU，CO027933)；1♂1♀，洋县北山，1982.Ⅵ.01，魏建华采(NWAFU，CO028386-87)。

分布:陕西(凤县、洋县、宜川、延安)、北京、河北、山东、河南、江苏、安徽、浙江、湖北、江西、湖南、福建、台湾、广西、四川、贵州；朝鲜，韩国，日本。

寄主:*Morus alba* Linnaeus, Populus sp., *Prunus persica* (Linnaeus) Batsch。

(342)八星粉天牛 *Olenecamptus octopustulatus* (Motschulsky, 1860)(图版26:2)

Ibidimorphum octopustulatum Motschulsky, 1860: 152, pl. X, fig. 3

Olenecamptus octopustulatus chinensis Dillon *et* Dillon, 1948: 204.

Olenecamptus octopustulatus var. *choseni* Gilmour, 1956: 754.

Olenecamptus mordkovitshi Tshernyshev *et* Dubatov, 2000: 386, figs. 1-4.

鉴别特征:体长 8.0 ~ 15.0 mm。淡棕黄色;腹面黑色或棕褐色,腹部末节棕黄色,触角与足通常较体色为淡。腹面被白色绒毛,中央稀疏,两侧厚密,尤以胸部为最。体背面被黄色绒毛,头部沿复眼前缘、内缘和后侧以及头顶等或多或少被白色粉毛。前胸背板中区两侧各有白色大斑点 2 个,一前一后,有时愈合。小盾片被黄毛。每鞘翅上有 4 个大白斑,排成直行:第 1 个靠基缘,位于肩与小盾片之间;第 4 个位于翅端。触角极细长,为体长的 2.0 ~ 3.0 倍多。

采集记录:1♀,周至,1998(NWAFU, CO027232);1♀,太白山,1982. Ⅶ. 14 (NWAFU, CO027136);1♀,佛坪凉风垭,2150 ~ 1750m,1999. Ⅵ. 28,姚建采;1♀,佛坪县城,848m,2007. Ⅷ. 16,杨玉霞采;1♂,宁陕火地塘,1580m,1998. Ⅶ. 26,姚建采;1♀,同上,1998. Ⅶ. 22,袁德成采;1♂,秦岭山梁及北坡,2050m,1998. Ⅶ. 30,姚建采;1♂,宁强,1981. Ⅴ. 16,寄主:核桃,孙益智采(NWAFU, CO027137)。

分布:陕西(周至、太白、佛坪、宁陕、汉中、宁强)、黑龙江、吉林、辽宁、内蒙古、河南、宁夏、甘肃、江苏、上海、安徽、浙江、湖北、江西、湖南、福建、台湾、广东、海南、广西、四川、贵州;蒙古,俄罗斯,朝鲜,韩国,日本。

寄主:*Juglans regia* Linnaeus, *Morus alba* Linnaeus, *Pterocarya stenoptera* C. de Candolle, *Quercus* sp., *Salix* sp.。

(343)斜翅粉天牛 *Olenecamptus subobliteratus* Pic, 1923(图版 26:3)

Olenecamptus clarus var. *subobliteratus* Pic, 1923d: 19.

Olenecamptus subobliteratus: Savio, 1929: 7, fig. 5.

Olenecamptus clarus subobliteratus: Dillon & Dillon, 1948: 252.

鉴别特征:体黑色密被白色鳞粉,触角和足红褐色。由于鳞粉缺失通常形成如下斑纹:后头中央通常具 1 个三角形小黑斑;前胸背板中纵线上具 1 个黑斑(形状和大小可变异),前胸侧面各具 2 个小斑;鞘翅肩部黑色,鞘翅背面各具 2 个小圆点排成纵列,1 个位于基部约 1/5 处,1 个位于中部。本种跟黑点粉天牛 *Olenecamptus clarus* Pascoe, 1859 非常相似,但个体较大,鞘翅端部约 1/5 处不具黑斑。

采集记录:3♂,周至板房子,2006. Ⅶ. 20,林美英灯诱;1♀,宁陕广货街镇,1227m,2014. Ⅶ. 26,路园园灯诱;1♀,镇巴,1979. Ⅷ(NWAFU, CO027934);1♂,延安,1973. Ⅶ. 04-05,袁锋、米顺荣、惠俊瑞采(NWAFU, CO027932)。

分布:陕西(周至、宁陕、镇巴、延安)、江苏、上海、浙江、湖北、江西、福建、台湾、湖南、四川、贵州、云南;韩国,日本。

寄主:*Cydonia Japanica* Persoon, *Cydonia* sp., *Morus alba* Linnaeus。

X. 勾天牛族 Exocentrini Pascoe, 1864

鉴别特征(Gressitt, 1940b):体通常具有很多竖毛；头顶宽几乎不凹陷；触角基瘤互相远离；触角略长于体，具有半直立竖毛；柄节长；前胸短，扁平，中部偏后具侧刺突；鞘翅宽，末端圆；腿节棒状，后足腿节伸达第2可见腹板末端；爪全开式。

分类:本族包含3个属，其中2个小属分布于非洲，中国仅分布1属58种/亚种。

170. 勾天牛属 *Exocentrus* Dejean, 1835

Exocentrus Dejean, 1835: 339. **Type species**: *Callidium lusitanicum* Olivier, 1790 (= *Cerambyx lusitanus* Linnaeus, 1767).

Oligopsis Thomson, 1864: 111. **Type species**: *Oligopsis Exocentroïdes* Thomson, 1864.

Camptomyne Pascoe, 1864a: 43. **Type species**: *Camptomyne Callioides* Pascoe, 1864.

Exocentrus (*Pseudocentrus*) Fairmaire, 1901:230. **Type species**: *Exocentrus reticulatus* Fairmaire, 1898.

Exocentrus (*Oligopsis*): Lepesme & Breuning, 1955: 127.

Exocentrus (*Camptomyme*): Lepesme & Breuning, 1955: 127.

Exocentrus (*Striatoexocentrus*) Breuning, 1955a: 42. **Type species**: *Exocentrus nonymoides* Jordan, 1894 .

Exocentrus (*Formosexocentrus*) Breuning, 1958b: 322. **Type species**: *Exocentrus variepennis* Schwarzer, 1925.

Parasphigmothorax Breuning, 1974: 155. **Type species**: *Parasphigmothorax ochreosignatus* Breuning, 1974.

Exocentrus (*Bicolorihirtus*) Kusama *et* Tahira, 1978: 9. **Type species**: *Exocentrus* (*Bicolorihirtus*) *venatoides* Kusama *et* Tahira, 1978.

属征(蒋书楠等，1985):小型。体表常被竖毛或刚毛。头宽；触角基瘤分开；头顶平坦；触角较体稍长，有斜立刚毛，柄节较长。前胸短扁、横宽，侧刺突位于两侧中部稍后方，末端尖锐，弯向后方。鞘翅宽，末端圆。足腿节向端部膨大，后足腿节仅伸达第2腹节后缘。

分布:世界广布。中国记录58种/亚种，秦岭地区发现5种，含2个陕西新纪录种。

分种检索表

1. 鞘翅不覆盖灰白色绒毛，而是大部分黑褐色，每翅肩部有1个红褐色纵斑 ……………………

……………………………………………………………… 榆勾天牛 *Exocentrus ulmicola*

鞘翅覆盖有灰白色绒毛，绒毛缺失的地方形成深色斑纹 ……………………………… 2

2. 鞘翅基部覆盖绒毛，也就是说小盾片周边的鞘翅没有深色斑纹 …… 布兰勾天牛 *E. blanditus*

鞘翅基部有深色斑纹，即小盾片周边的鞘翅缺失灰白色绒毛 ……………………………… 3

3. 触角大部分黑色，仅有些触角节基部红褐色；鞘翅肩部覆盖灰白色绒毛，即基部黑斑不到达侧边 ……………………………………………… 勾天牛属 *E.* cf. *tsushimanus*

触角大部分红褐色；鞘翅肩部不覆盖灰白色绒毛，即基部黑斑到达侧边 ……………… 4

4. 鞘翅中部前后的绒毛斑倾斜，内部夹杂的小黑点较大而清晰；前胸背板前后缘具红褐色边 ……… ……………………………………………………… 刺勾天牛 *E. spineus*

鞘翅中部前后的绒毛斑水平不倾斜，内部夹杂的小黑点较小而模糊；前胸背板前后缘不具红褐色边 ……………………………………………… 老勾天牛 *E. vetustus*

(344) 布兰勾天牛 *Exocentrus blanditus* Holzschuh, 2010（图版 26:4）

Exocentrus blanditus Holzschuh, 2010: 199, fig. 47.

鉴别特征: 体长 4.3 ~ 5.5mm。体灰褐色，头黑色，触角大部分黑褐色，第 2 ~ 5 节基部红褐色；前胸黑色被灰褐色绒毛，前后缘和侧钩红褐色；小盾片密被灰褐色绒毛；鞘翅中部之后具有 1 个不规则形状的显著黑斑，是由于缺失灰褐色绒毛形成的，翅面其余部分散布小黑点，黑色竖毛粗硬。足大部分黑色，腿节端部和胫节基部颜色较淡，为红褐色，跗节或跗节端部部分也如此。

采集记录: 1♂（正模），China，Shaanxi，Lueyang，2009．Ⅵ. 26-Ⅶ. 06，ex Liane，leg. E. Kučera（CCH）；1♂，陕西，1994，寄主:核桃。

分布: 陕西（略阳）。

(345) 刺勾天牛 *Exocentrus spineus* Holzschuh, 2007（图版 26:5）

Exocentrus spineus Holzschuh, 2007: 283, fig. 79.

鉴别特征: 体长 4.8 ~ 7.0mm。体深红褐色至黑褐色。头黑色，触角红褐色；前胸黑色但前后缘红褐色。小盾片被灰白色绒毛；鞘翅为黑褐色与灰白色相间，其中灰白色绒毛横带略倾斜，间杂黑褐色小点，鞘缝也是黑褐色和灰白色相对均匀间杂分布。足大部分黑色，腿节端部和胫节基部颜色较淡，为红褐色。

采集记录: 1♂（副模），S-Shaanxi，Qinling Shan，road Xi'an-Ningshan，pass-50 km S Xi'an，2000m，33.8°N，108.8°E，2000. Ⅵ. 11，J. Turna（CCH）；1♀（副模），Qinling Shan，12km SW of Xunyangba，1900 ~ 2250m，2000. Ⅵ. 14-18；1♀，太白，1981. Ⅵ. 19（头部缺失）。

分布: 陕西（太白、宁陕）、贵州。

(346)勾天牛属 *Exocentrus* cf. *tsushimanus*(图版 26:6)

Exocentrus (*Pseudocentrus*) *tsushimanus* Hayashi, 1968: 27.
Exocentrus conjugatofasciatus Tsherepanov, 1973: 138.
Exocentrus fasciolatus conjugatofasciatus: Danilevsky, 2012c: 734.
Exocentrus fasciolatus tsushimanus: Danilevsky, 2012c: 734.
Exocentrus tsushimanus: Danilevsky, 2014a: 666, figs. 7-8.

鉴别特征:体长3.2～4.4mm。体黑色。头黑色，触角大部分黑色，有时第3～7节基部深褐色。前胸黑色，前后缘略显红褐色。小盾片密被灰白色绒毛；鞘翅基部黑色，中部之前有个靠近侧缘的黑斑(有时不发达)，中部之后有个大型黑斑，其后有1条灰白色绒毛带，末端黑色。足黑色。

采集记录:3♀，宝鸡太白，1981.Ⅵ.19，寄主:核桃；1♂，耀县(=耀州区)，1980.Ⅴ.06；1♂，孟家山，1980.Ⅴ.06。

分布:陕西(宝鸡、太白、耀洲区)。

备注:对马勾天牛 *E. tsushimanus* 在中国并没有明确的记录，但 Hua *et al.* (2009) 罗列了本种并名之为豫勾天牛，可能表示河南有分布。但本文采用拉丁名来源产地 Tsushima 对马岛作为中文名。拍照标本的采集地孟家山无法定位，陕西省内多个县市有叫孟家山的村落。

(347)榆勾天牛 *Exocentrus ulmicola* Holzschuh, 2007 陕西新纪录(图版 26:7)

Exocentrus ulmicola Holzschuh, 2007: 284, fig. 80.

鉴别特征:体长4.5～6.6mm。体黑色，具黑色竖毛。头黑色，触角黑褐色(有时红褐色)；前胸背板大部分黑色或黑褐色，有时前后缘有红褐色横纹。鞘翅黑褐色，每翅肩部有1个显著的红褐色纵斑，大小有些变异，鞘缝仅在中央部分略显红褐色。足黑色。前胸侧刺突位于中部之后，斜指向后；触角长于体，缨毛显著且一直到末节；鞘翅末端圆。

采集记录:1♀，秦岭植物园内大峡谷，893m，2012.Ⅶ.06，刘万岗采(Ceram-145)；1♀，太白太洋公路到黄柏塬乡69km处，1310m，2012.Ⅵ.18，李莎采。

分布:陕西(周至、太白)、北京、河北。

寄主:榆树 *Ulmus* sp.。

(348)老勾天牛 *Exocentrus vetustus* Holzschuh, 2007(图版 26:8)

Exocentrus vetustus Holzschuh, 2007: 281, fig. 78.

鉴别特征:体长5.1～6.5mm。体深红褐色至黑褐色。头黑色，触角红褐色；前胸全黑色。小盾片被灰白色绒毛；鞘翅为黑褐色与灰白色相间，其中灰白色绒毛横带不倾斜，几乎不间杂黑褐色小点，鞘缝几乎没有灰白色点斑，仅在中部之后的绒毛带处有3个灰白绒毛点。足大部分黑色，胫节基部颜色较淡，为红褐色。

采集记录:1♂（正模），Shaanxi：Qinling Shan，12km SW of Xunyangba，1900～2250m，2000. Ⅵ. 14-18（CCH）；1♂1♀（副模），同正模；1♂，S-Shaanxi，Qinling Shan，road Xi'an-Ningshan，pass-50 km S Xi'an，2000m，33.8°N 108.8°E，11. Ⅵ. 2000，J. Turna（CCH）。

分布:陕西（宁陕）。

Ⅺ. 团结天牛族 Homonoeini Thomson，1864

鉴别特征:触角中等长，柄节膨大，末端不具端疤；复眼小眼面粗粒。

分类:世界已知23属/亚属，中国记录3属，秦岭地区发现1属1种。

171. 短额天牛属 *Bumetopia* Pascoe，1858

Bumetopia Pascoe，1858：252. **Type species**：*Bumetopia oscitans* Pascoe，1858.

Brachyhomonoea Aurivillius，1924：466. **Type species**：*Brachyhomonoea conspersa* Aurivillius，1924.

Homonaeomorpha Aurivillius，1911：209. **Type species**：*Homonaeomorpha flavovariegata* Aurivillius，1911.

Abryna（*Microabryna*）Pic，1925b：28. **Type species**：*Abryna mediodentata* Pic，1925（= *Brachyhomonoea flavovariegata* Aurivillius，1911）.

Yochostyla Thomson，1868：151. **Type species**：*Yochostyla japonica* Thomson，1868.

Bumetopia（*Bumetopia*）：Breuning，1950b：363.

属征（Pascoe，1858）**:**体椭圆形，略扁平；头很宽，额短；复眼小而深凹；上颚大，下颚须短；触角中等长，互相远离，第3和第4节长于柄节，其余节更短；前胸横阔，鞘翅近卵圆形，足中等长。跟瓜天牛属相似，但本种有宽阔的头部和发达的上颚可以与瓜天牛属相区别。

分布:中国；日本，韩国，越南，菲律宾，马来西亚，印度尼西亚。世界已知2亚属34种/亚种，中国记录5种，秦岭地区发现1种。

（349）二斑短额天牛 *Bumetopia oscitans* Pascoe，1858

Bumetopia oscitans Pascoe，1858：252，pl. XXVI，fig. 7.

Bumetopia oscitans var. *plagiata* Schwarzer，1925b：64.

Bumetopia oscitans var. *variegata* Schwarzer, 1925b: 64.

Bumetopia kiushuensis Matsushita *et* Tamanuki, 1937: 147.

Bumetopia (*Bumetopia*) *oscitans*: Breuning, 1950b: 366.

鉴别特征:体长 10.0～13.3mm。体黑褐色，表面被灰褐色绒毛，头和前胸两侧被较厚的黄褐色绒毛，鞘翅也被同色绒毛斑。前胸两侧具小齿。触角略长于体，鞘翅末端圆。

分布:陕西(秦岭)、台湾、香港；韩国，日本。

Ⅻ. 沟胫天牛族 Lamiini Latreille, 1825

鉴别特征(Gressitt, 1940b, Monochamini 墨天牛族):柄节端疤闭式；头顶凹陷；额近四方形；中足基节窝对中胸后侧片开放；鞘翅长于头与前胸之和；雄虫触角显著长于体，通常大于 2.0 倍；前胸通常具侧齿突。

分类:本文采用 Lamiini 与 Monochamini 合并的观点。原先归于 Lamiini 的属种，触角没有 Monochamini 的长。世界已知 309 属/亚属，中国记录 82 属，秦岭地区发现 20 属 48 种。

分属检索表

1. 中足和后足接近，后胸很短 …… 2
   中足和后足距离较远，后胸不很短 …… 3
2. 前胸背板中央有 1 个巨形瘤突，瘤的表面隆起或下陷 …… **巨瘤天牛属 *Morimospasma***
   前胸背板中央无巨形瘤突，而是 3 个独立的小瘤突 …… **蛛天牛属 *Parechthistatus***
3. 触角柄节端疤不完整，开式，爪全开式 …… 4
   触角柄节端疤完整 …… 7
4. 复眼下叶长胜于宽 …… 5
   复眼下叶宽胜于长 …… **粒翅天牛属 *Lamiomimus***
5. 触角柄节端疤微弱不明显 …… 6
   触角柄节端疤明显 …… **锦天牛属 *Acalolepta***
6. 体较狭长，体长大于鞘翅肩宽的 4.0 倍；触角第 3 到第 7 节约等长，逐渐变长变细 …… **肖泥色天牛属 *Paruraecha***
   体较宽短，体长小于鞘翅肩宽的 3.5 倍；触角第 3 到第 7 节逐渐变短 …… **灰锦天牛属 *Astynoscelis***
7. 中足胫节无斜沟 …… 8
   中足胫节有斜沟 …… 11
8. 鞘翅基部有颗粒 …… 9

鞘翅基部无颗粒 ………………………………………………………………………… 10

9. 鞘翅末端圆形；触角基瘤较靠拢. …………………………… **豹天牛属 *Coscinesthes***

鞘翅末端平截，稍凹入；触角基瘤较分开……………………… **(部分)灰天牛属 *Blepephaeus***

10. 鞘翅末端圆形；翅面不平整，刻点非常粗深，不被绒毛 ………… **拟筛天牛属 *Cribrohammus***

鞘翅末端斜截，稍凹入；翅面平整被绒毛 ……………………… **(部分)灰天牛属 *Blepephaeus***

11. 中胸腹板突无瘤突 ………………………………………………………………… 12

中胸腹板突有瘤突 ………………………………………………………………… 13

12. 触角第3节显著长于第4节；体型较宽，鞘翅末端圆形 ……………… **墨天牛属 *Monochamus***

触角第3节较第4节略长或等长；体型较狭，鞘翅末端斜截或略呈圆形 ……………………… **泥色天牛属 *Uraecha***

13. 前胸腹板突在前足基节间呈菱形扩展 …………………………………………… 14

前胸腹板突在前足基节间不扩展 ……………………………………………………… 15

14. 前足基节窝闭式 ……………………………………………… **异鹿天牛属 *Paraepepeotes***

前足基节窝开式 ……………………………………………………… **黄星天牛属 *Psacothea***

15. 上唇前缘中央显著凹入，触角基瘤突起，头顶较深陷 ……………… **凹唇天牛属 *Paranamera***

上唇前缘不凹入 ……………………………………………………………………… 16

16. 触角基部3节环生长毛或触角第3节端部有浓密丛毛；如果丛毛不显著，则前胸背板中央有大型瘤突 ………………………………………………………………………………… 17

触角基部3节没有环生长毛，第3节端部无丛毛………………………………………… 18

17. 触角基部3节环生长毛，第4~6节内侧具有长毛；前胸无侧刺突，背面也不具明显瘤突……………………………………………………………… **肖多节天牛属 *Stegenagapanthia***

触角第3节端部有浓密丛毛；如果丛毛不显著，则前胸背板中央有大型瘤突；前胸一直有显著的侧刺突 ………………………………………………………… **簇天牛属 *Aristobia***

18. 触角柄节长于第3节短于第4节；前胸背板中区有大型瘤突；鞘翅有纵列成行的棘齿 ………………………………………………………………………… **棘翅天牛属 *Aethalodes***

触角柄节短于第3节，第3节长于第4节…………………………………………………… 19

19. 触角基部数节下侧有缨毛 ……………………………………… **齿胫天牛属 *Paraleprodera***

触角基部数节下侧无缨毛 ……………………………………………………………… 20

20. 触角细长，柄节细，第3节与第4节等长或稍短 ………………………… **安天牛属 *Annamanum***

触角较粗，柄节粗壮，第3节长于第4节；中足胫节斜沟很深 ……… **星天牛属 *Anoplophora***

172. 锦天牛属 *Acalolepta* Pascoe, 1858

Acalolepta Pascoe, 1858: 247. **Type species**: *Acalolepta pusio* Pascoe, 1858.

Cypriola Thomson, 1864: 16. **Type species**: *Cypriola acanthocinoides* Thomson, 1864.

Dihammus Thomson, 1864: 80. **Type species**: *Monochamus longicornis* Thomson, 1857 (= *Monochamus australis* Boisduval, 1835).

Haplohammus Bates, 1884: 239. **Type species**: *Monohammus luxuriosus* Bates, 1873.

Neanthes Pascoe, 1878: 372. **Type species**: *Monohammus curialis* Pascoe, 1858 (= *Monochamus subluscus* Thomson, 1857).

Niphohammus Matsushita, 1932: 170. **Type species**: *Niphohammus korolensis* Matsushita, 1932.

属征（蒋书楠等，1985）：体长形，大多被绒毛或闪光绒毛。头部触角一般远长于身体，柄节常向端部显著膨大，端疤内侧的边缘微弱，近于开放，第3节常显著长于柄节或第4节；复眼小眼面粗粒，下叶通常狭小，长于其下颊部。前胸背板宽胜于长，前、后端均有横沟，侧刺突发达。小盾片半圆形。鞘翅肩部宽，向后端渐狭。前足基节窝闭式，前胸腹板突低狭，弧形；中胸腹板突无瘤突，弧形倾斜。前足胫节常稍弯曲，中足胫节外侧有斜沟，爪全开式。

分布：亚洲，澳洲。本属分为两个亚属，其中指名亚属世界已知293种/亚种，中国记录42种/亚种，秦岭地区发现6种/亚种。

分种检索表

1. 鞘翅表面非常高低不平，有许多不规则的丘状隆起和穴状粗深刻点；鞘翅上穴状刻点中无白色芒状短毛……………… **寡白芒锦天牛 *Acalolepta flocculata paucisetosa***
   鞘翅表面平坦，无多数丘状隆起 ……………… 2
2. 鞘翅基部中央有1个大形黑褐色绒毛斑；在中部后方由外侧向中缝有1条黑褐色斜斑纹……………… **双斑锦天牛 *A. sublusca***
   鞘翅基部中央无黑褐色绒毛斑 ……………… 3
3. 鞘翅基部具颗粒 ……………… 4
   鞘翅基部无颗粒 ……………… **咖啡锦天牛 *A. cervina* 和绢花锦天牛 *A. sericeomicans***
4. 触角柄节有粗刻点，鞘翅绒毛黄铜色，具锦锻色彩 ……………… **金绒锦天牛 *A. permutans permutans***
   触角柄节无刻点，鞘翅绒毛灰黄色，略带丝光，有4条不明显的深色横纹，头顶及前胸背板刻点粗密 ……………… **宁陕锦天牛 *A. ningshanensis***

（350）咖啡锦天牛 *Acalolepta cervina* （Hope, 1831）（图版26:9）

Monochamus cervina Hope, 1831: 27.
Haplohammus cervinus: Gahan, 1894a: 36.
Dihammus cervinus: Gressitt, 1937d: 596.
Cypriola cervina: Breuning, 1949a: 1.
Acalolepta cervina: Hayashi, 1981: 14.

鉴别特征：体长9.0~27.0mm。全身密被带丝光的纯棕栗或深咖啡色绒毛，无他色斑纹；触角端部绒毛较稀，色彩也较深。小盾片较淡，全部被淡灰黄色绒毛。头顶几无刻点，复眼下叶大，比颊部略长。触角雄虫超过体尾5~6节，雌虫超出3节；一般基节粗大，向端渐细，末节十分细瘦；雄虫3~5节明显粗大，第6节骤然变细，此特征在个体愈大则愈较明显。前胸近乎方形，侧刺突圆锥形，背板平坦光滑，刻点细疏，有时集中于两旁；前缘微拱凸，靠后缘具2条平行的细横沟纹。小盾片半圆形。鞘翅面高低不平，肩部较阔，向后渐狭，略微带楔形，末端略呈斜切状，外端角明显，较长，内端角短，大圆形，有时整个末端呈圆形；翅基部无颗粒，刻点为半规则式行列，前粗后细，至端部则完全消失。

采集记录：1♂，太白，1990. Ⅶ. 19（NWAFU，CO028417）；1♀，华县，1980. Ⅷ；1♀，宁陕火地塘，1580m，1998. Ⅷ. 20，袁德成灯诱（IOZ(E)1905685）；1♂，同上，1998. Ⅷ. 15。

分布：陕西（太白、华县、宁陕）、浙江、湖北、江西、福建、广东、海南、香港、广西、四川、贵州、云南、西藏；越南，老挝，缅甸，印度，尼泊尔。

寄主：咖啡，柚木属，水团花属，醉鱼草属，臭牡丹属，石榉属。

(351) 寡白芒锦天牛 *Acalolepta flocculata paucisetosa* (Gressitt, 1938)（图版26：10）

Dihammus flocculatus paucisetosus Gressitt, 1938c: 154.

Dihammus flocculatus paucisetosus: Gressitt, 1951: 397, 401.

Acalolepta floculafus: Wang & Chiang, 1988: 144 [misspelling].

Acalolepta flocculatus paucisetosus: Hua, 2002: 190.

别名：无芒锦天牛。

鉴别特征：体长17.50～26.0mm。体型中大，长方形。体黑褐色，密被黑褐色细毛，前胸及鞘翅上最厚密，杂生分散的白色细短毛，在后头中沟两侧最多，其余部分在每1个刻点上着生1支白短毛；前胸背板及鞘翅上每个丘状隆起上杂生近圆形的浓黑褐色绒毛斑，有些部分呈现金铜色光泽，在后半部外侧较更明显。触角第1～3节黑褐色，第4节较淡，以后各节大部灰黄褐色，仅端部褐色。中、后足胫节中部有1块小形黄色毛斑。触角较体略长，柄节稍弯，向端部渐粗，第3节较柄节长约1/3，稍长于第4节，第3～7节末端稍膨大。前胸背板宽略胜于长，两侧刺突肥短，末端较钝，背面具小突起5个：中央1个较长，端尖；其前方两旁各1个，较小而圆；侧刺突内侧各1个，较大。小盾片半圆形，横宽。鞘翅长不及肩宽的2.0倍，翅端狭圆，鞘翅表面高低不平，有许多不规则丘状隆起，并掺杂有粗深刻点，肩角上刻点最明显。

采集记录：1♀，旬阳，1960. Ⅷ（NWAFU）。

分布：陕西（旬阳）、广西、四川、贵州。

寄主：花椒。

备注：白芒天牛的指名亚种分布于台湾。本亚种和指名亚种极相似，但胸面和鞘翅上的绒毛带金铜色光泽，鞘翅上高低不平的洼陷中无白色芒状短毛，鞘翅末端较狭圆。

(352) 宁陕锦天牛 *Acalolepta ningshanensis* Danilevsky, 2013（图版 26：11a，11b）

Acalolepta ningshanensis Danilevsky, 2013b：34, figs. 14-18.

鉴别特征：体长 29.0～36.0mm。体黑色，全身被灰黄色绒毛，略带丝光，但较金绒锦天牛暗得多，绒毛亦稀。小盾片绒毛紧密，呈灰黄铜色。鞘翅具4条界限不明确的深色横带（在雄虫更为模糊，仅隐约可以看出），其中基、中、后部各有1条，端部亦呈深色，翅面所有绒毛一般尖端均向后，仅端部的少数呈旋形。触角栗棕或棕褐色，各节基部2/3处生有灰黄色绒毛，雄虫较稀，较不明显。雄虫触角比体长1.0倍，雌虫触角比体长0.5倍，第3节比第1、4节均长，但不超过1.0倍。前胸具侧刺突，呈锥形；中瘤不高，前部2个瘤突较显著。鞘翅基部的颗粒较细小，向后呈刻点，端部逐渐细小，末端呈大圆形。

采集记录：1♀，留坝庙台子，1300m，1973. Ⅹ. 15，路进生、田畴采（NWAFU，CO027050）；1♂（正模），宁陕火地塘，1980. Ⅸ. 01，胡忠明采（IOZ（E）1905126）；1♀（副模），宁陕火地塘，1550m，2008. Ⅵ. 08，李文柱灯诱（IOZ（E）1905127）；1♂，宁陕旬阳坝，1980. Ⅸ. 01，胡忠朗采（NWAFU，ex 陕西省林业科学研究所）。

分布：陕西（留坝、宁陕、旬阳）、湖北、四川、贵州、云南。

(353) 金绒锦天牛 *Acalolepta permutans permutans* (Pascoe, 1857)

Monohammus permutans Pascoe, 1857：103.
Monohammus vicinus Pascoe, 1858：245.
Monochammus Severini Nonfried, 1892：94.
Dihammus permutans permutans：Gressitt, 1951：402.
Acalolepta permutans：Wu & Shi, 1999：173, figs. 4, 11-13.

别名：锦缎天牛。

鉴别特征：体长 15.5～29.0mm。全身密被黄铜色绒毛，部分微带绿色，绒毛极光亮美丽，有如丝质锦缎。触角深棕色，前两节和第3节起的各节基部有淡黄或淡灰色绒毛，第4节之后端部黑色约占全节的1/2，看去深淡明晰。小盾片密被淡黄铜色绒毛。雄虫体长与触角长之比约为1.0∶2.2，雌虫体长与触角长之比为1.0∶1.6，第3节长于第4节，倍于柄节。前胸侧刺突小，背板微皱，满盖铜色绒毛。小盾片较大，端部圆形。鞘翅基部较阔，端部收狭，末端圆形。

分布：陕西（洋县）、河南、安徽、浙江、湖北、江西、湖南、福建、台湾、广东、香港、广西、四川、贵州；越南。

寄主：*Buxus megistophylla* Léveillé, *Castanopsis hystrix* A. de Candolle, *Citrus* sp., *Liquidambar formosana* Hance, *Morus alba* Linnaeus, *Pinus massoniana* D. Don, *Robinia pseudoacacia* Linnaeus, *Schefflera octophylla* Harms。

(354)绢花锦天牛 *Acalolepta sericeomicans* (Fairmaire, 1889)

Monohammus sericeomicans Fairmaire, 1889b: 67.

Cypriola sericeomicans: Breuning, 1949b: 5.

Dihammus sericeomicans: Gressitt, 1951: 403.

Acalolepta sericeomicans: Hua, 2002: 190.

鉴别特征:体长23.0~32.0mm。全身密被棕褐色带丝质光泽的绒毛，其光泽比金绒锦天牛相差很多，呈现暗光。体色单一，无明显色斑；仅小盾片为银灰色，鞘翅上若深若浅的稍显差异的色区。在每翅基部、中部的前后以及端部的绒毛较深。雄虫体长与触角长之比约为1.0:2.0，雌虫体长与触角长之比为1.0:1.5，第3节长于第4节，倍于柄节。前胸侧刺突中等。鞘翅末端圆形。

分布:陕西(陇县、白河)、江苏、安徽、浙江、广东、海南、四川、云南；越南。

寄主:*Castanea* sp., *Juglans regia* Linnaeus, *Quercus* sp.。

(355)双斑锦天牛 *Acalolepta sublusca* (Thomson, 1857)(图版27:1)

Monochamus subluscus Thomson, 1857d: 293.

Monohammus curialis Pascoe, 1858: 246.

Acalolepta sublusca sublusca: Hua, 2002: 190.

鉴别特征:体长11.0~23.0mm。体中等大小，栗褐色，头、前胸密被具丝光的棕褐色绒毛，小盾片被较稀疏淡灰色绒毛；鞘翅密被光亮、淡灰色绒毛，具有黑褐色斑纹，体腹面被灰褐色绒毛；触角自第3节起每节基部2/3，被稀少灰色绒毛。触角基瘤突出，彼此分开较远；头正中有1条细纵线，额宽胜于长，表面平，不拱凸，头具细密刻点，仅在额区散生几粒较粗大刻点；雄虫触角长度超过体长的1.0倍，雌虫触角则超过体长的0.5倍，柄节端疤内侧微弱，稍开放，第3节长于柄节或第4节。前胸背板宽胜于长，侧刺突短小，基部粗大，表面微皱，稍呈高低不平，中区两侧分布有粗刻点。小盾片近半圆形。鞘翅肩宽，向端末收窄，端缘圆形；每个鞘翅基部中央有1个圆形或近于方形的黑褐斑，肩侧缘有1个黑褐小斑，中部之后从侧缘向中缝呈棕褐较宽斜斑，翅面有较细、稀刻点。雄虫腹部末节后缘平切，雌虫腹部末节后缘中央微凹。足中等长，粗壮。

采集记录:1♀，西安兴庆公园，1975.Ⅵ.25，宁小孙采；1♀，西安市，1974.Ⅶ.15，张玉岱采(NWAFU)。

分布:陕西(西安、凤县)、北京、河北、山东、河南、江苏、上海、浙江、湖北、江西、湖南、福建、广东、海南、广西、四川、贵州；越南，老挝，柬埔寨，马来西亚，新加坡。

寄主:大叶黄杨，算盘子。

173. 棘翅天牛属 *Aethalodes* Gahan, 1888

Aethalodes Gahan, 1888a: 270. **Type species**: *Aethalodes verrucosus* Gahan, 1888.

属征(蒲富基, 1980):体长形，较宽阔。触角长度短于身体，柄节粗壮，长于第3节，第3节稍短于第4节，柄节端疤较窄，关闭式；触角基瘤相距较近，复眼下叶小，长于颊。前胸背板宽胜于长，具侧刺突，中区具瘤状突起。小盾片半圆形。鞘翅具齿状瘤突，成纵行排列。前足基节窝向后关闭，中足胫节外端有斜沟。本属同糙天牛属 *Trachystola* 较接近，其主要区别特征是:本属触角柄节长于第3节；鞘翅成行全布无数的小瘤突，有的瘤突似齿状。

分布:中国。本属仅知1个种2个亚种，秦岭地区发现1个亚种，另1个亚种分布于台湾。

(356)棘翅天牛 *Aethalodes verrucosus verrucosus* Gahan, 1888(图版27:3)

Aethalodes verrucosus Gahan, 1888a: 270, pl. XVI, fig. 1.
Trachystola armatus Nonfried, 1892: 93.
Trachystola nodicollis Fairmaire, 1899: 640.

别名:黑棘翅天牛。

鉴别特征:体长22.0~33.0mm。体中等至较大型，黑色，无光泽，鞘翅及体腹面被暗褐色鳞毛，后者着生稀疏黑毛。雄虫触角伸至鞘翅端部，雌虫触角长达鞘翅中部，第2、3两节的总长度和第4节等长，柄节长于第4节，柄节密布粗、细刻点。前胸背板宽胜于长，侧刺突较细，顶端尖锐；中区有5个瘤突，中央瘤突最大，前面两侧各有1个瘤突，中央瘤突两侧各有1个小瘤突。鞘翅长形，拱凸，肩宽，端部稍窄，端缘圆形；每个鞘翅有4纵行粗大齿状瘤突及5纵行细小瘤突，大小瘤突纵行列彼此相间；另外沿中缝及外侧缘由基部至中部各有1条短纵列的小瘤突。中胸腹板突中部拱突，其上着生较浓密中等长黑毛。

采集记录:1♂，汉阴，寄主:油桐，1960. Ⅶ. 24(NWAFU)。

分布:陕西(汉阴、紫阳)、浙江、湖北、江西、湖南、福建、广东、广西、四川、贵州；越南。

寄主:油桐。*Camellia oleifera* Abel, *Cunninghamia lanceolata* Hooker, *Pinus* sp., *Salix* sp., *Vernicia fordii* (Hemsley) Airy Shaw。

174. 安天牛属 *Annamanum* Pic, 1925 陕西新纪录属

Annamanum Pic, 1925c: 23. **Type species**: *Annamanum vitalisi* Pic, 1925 (= *Uraecha thoracica*

Gahan, 1894).

Uraechopsis Breuning, 1935c: 76. **Type species**: *Uraecha chebana* Gahan, 1894.

属征(蒋书楠等, 1985):体长形, 狭窄。额宽稍胜于长, 复眼下叶长于颊, 触角基瘤十分突出, 触角细长, 柄节端疤关闭式。前胸背板宽略胜于长, 具侧刺突, 小盾片近半圆形或舌形。鞘翅狭长, 肩部较宽, 后端收狭, 端缘圆形或微斜切。前足基节窝关闭, 中足胫节外端具斜沟, 足中等长, 后足腿节不超过鞘翅末端。中胸腹板突具瘤突。泥色天牛属跟安天牛属很相似, 但安天牛属中胸腹板突具有瘤突, 泥色天牛属没有。

分布:中国; 日本, 越南, 老挝, 缅甸, 印度, 柬埔寨, 马来西亚。世界已知 29 种, 中国记录 2 种, 秦岭地区发现 1 新种。

(357)文柱安天牛 *Annamanum wenzhui* Lin *et* Ge, 2017 (图版 27:4)

Annamanum wenzhui Lin *et* Ge, 2017a: 891, figs. 1-9.

鉴别特征:体长 18.5 ~22.0mm。体棕褐色, 被棕红或淡棕灰色绒毛, 前胸背板中央有 1 条棕红色绒毛纵纹(基部较粗), 近前缘两侧及侧刺突内侧有浓密淡棕红色绒毛小斑, 小盾片被浓密红棕绒毛。鞘翅中部和端部 1/4 具黑褐色斜斑纹, 都是从近鞘缝处向后、向侧缘斜伸, 呈倒"V"形, 基半部和端部 1/4 斑纹不显著, 夹杂淡棕色绒毛和黑褐色绒毛斑纹。触角自柄节起的各节端部黑褐, 其余部分被淡灰、稀疏绒毛, 体腹面及足被棕色绒毛。触角丝状, 十分细长, 比虫体长 2.0 倍多。前胸背板侧刺突短钝。鞘翅狭长, 后端收狭, 末端圆形。

采集记录:1♂(正模), 宁陕火地塘, 1500m, 2007. Ⅷ. 10, 李文柱采(IOZ(E)2002898); 1♂, 宁陕火地塘, 1580m, 1998. Ⅷ. 21, 袁德成采(IOZ(E)2002899)。

分布:陕西(宁陕)、河南、湖北。

175. 星天牛属 *Anoplophora* Hope, 1839

Anoplophora Hope, 1839: 43. **Type species**: *Anoplophora stanleyana* Hope, 1839.

Oplophora Hope, 1839: 42(nec Milne-Edwards, 1837). **Type species**: *Oplophora sollii* Hope, 1839.

Calloplophora Thomson, 1864: 76 (unnecessary replacement name, new name for *Oplophora* Hope, 1839).

Cyriocrates Thomson, 1868: 181. **Type species**: *Oplophora horsfieldii* Hope, 1842. Considered as subgenus of *Anoplophora* by Rondon & Breuning, 1970: 440.

Melanauster Thomson, 1868: 181. **Type species**: *Cerambyx chinensis* Forster, 1771.

Melanauster (*Micromelanauster*) Pic, 1931a: 49. **Type species**: *Monochamus bowringii* White, 1858.

Falsocyriocrates Pic, 1953a: 2. **Type species**: *Cyriocrates elegans* Gahan, 1888.

Mimonemophas Breuning, 1961d: 309. **Type species**: *Mimonemophas quadrifasciatus* Breuning, 1961.

属征(蒋书楠等, 1985):体中等大小，接近长方形。头部额宽阔，接近方形；复眼小眼面稍粗，下叶大多高胜于宽，触角基瘤突出，头顶较深陷；触角较体长，柄节较粗，呈倒锥形，端疤完整、闭式，第3节长于第4节，更长于柄节。前胸背板横宽，侧刺突发达，末端尖。鞘翅较宽，背面较隆起，端部合成圆形，翅面大多有斑点。前胸腹板突很狭，低于前足基节，前足基节窝闭式；中胸腹板突常有瘤突。中足胫节斜沟明显，爪全开式。

分布:亚洲，入侵到欧洲、澳大利亚和新北区。世界已知48种/亚种，中国记录35种，秦岭地区发现7种。

分种检索表

1. 中胸腹板突前端有很发达的瘤突 …… 2
   中胸腹板突的瘤突小或不显著 …… 3
2. 绒毛斑纹黄色；前胸背板有2个大型纵斑，每鞘翅有4个大型横斑；触角节有白色绒毛环纹 …… **楝星天牛 *Anoplophora horsfieldii***
   绒毛斑纹白色；前胸背板有3个中等大的圆斑，每鞘翅有5个圆斑或椭圆斑；触角节不具白色绒毛环纹 …… **十星星天牛 *A. decemmaculata***
3. 触角第3节以后各节的基部和端部均有淡色绒毛，鞘翅上有多数白色绒毛斑点 …… **拟星天牛 *Anoplophora. imitator***
   触角第3节以后各节的端部无淡色绒毛 …… 4
4. 鞘翅基部无颗粒状瘤突；鞘翅上有多个白色或黄色绒毛斑点 …… **光肩星天牛 *A. glabripennis***
   鞘翅基部有颗粒状瘤突 …… 5
5. 全体被绒毛(触角除外)；每鞘翅有多个因缺失绒毛形成的黑色斑点 …… **槐星天牛 *A. lurida***
   体表除了一些绒毛斑纹外，不被淡色绒毛 …… 6
6. 前胸背板无淡色毛斑，鞘翅上有多个白色绒毛斑点，翅表竖毛极稀少，且不显著 …… **华星天牛 *A. chinensis***
   前胸背板有蓝色或淡绿色毛斑，鞘翅上竖毛较长而密 …… **蓝斑星天牛 *A. davidis***

(358) 华星天牛 *Anoplophora chinensis* (Forster, 1771)(图版27:5)

Cerambyx farinosus Houttuyn, 1766 : 536(nec Linnaeus, 1758).

Cerambyx chinensis Forster, 1771: 39.

Cerambyx (*Stenocorus*) *sinensis* Gmelin, 1790: 1863.

Cerambyx pulchricornis: Voet, 1778: 22, pl. XX, fig. 95 [nomen nudum].

Lamia punctator Fabricius, 1776: 230.

Calloplophora afflicta Thomson, 1865: 553.

Calloplophora sepulcralis Thomson, 1865: 553.

Calloplophora luctuosa Thomson, 1865: 553.

Calloplophora abbreviata Thomson, 1865: 553.

Anoplophora (*Melanauster*) *chinensis*: Bates, 1888: 379.

Melanauster chinensis: Bates, 1890: 246.

Anoplophora afflicta: Breuning, 1944: 296.

Anoplophora luctuosa: Breuning, 1944: 296.

Anoplophora chinensis afflicta: Breuning, 1949b: 3.

Anoplophora chinensis luctuosa: Breuning, 1949b: 3.

Melanauster perroudi Pic, 1953a: 3.

别名:星天牛。

鉴别特征:体长 19.0～39.0mm。本种是我国最普通最常见的天牛之一。体色漆黑,有时略带金属光泽,具有小白斑点。触角第 3 至第 11 节每节基部都有淡蓝色毛环,长短不一,一般占节长的 1/3。头部和体腹面被银灰色和部分蓝灰色的细毛(后者以足上较多),但不形成斑纹。前胸背板无明显毛斑。小盾片一般具不显著的灰色毛,有时较白,间或杂有蓝色。鞘翅具小型白色毛斑,通常每翅约有 20 个,排列成不整齐的 5 横行。雌虫触角超出身体 1～2 节,雄虫超出 4～5 节。前胸侧刺突粗壮。鞘翅基部颗粒大小不等,一般颇密,约占翅长的 1/4 稍弱。

采集记录:1♂,周至集贤镇立新村,2006.Ⅶ.16,林美英灯诱;1♂,周至楼观台,680m,2008.Ⅵ.24,崔俊芝采;1♀,周至秦岭植物园栗子坪,700m,2012.Ⅶ.03,刘万岗采;1♂,太白黄柏塬乡国宝宾馆后,1310m,2012.Ⅵ.18,李莎采;1♀,沔县(=勉县),1959.Ⅷ.18(IOZ(E)1905684);1♂,佛坪龙草坪,1256m,2007.Ⅷ.17,杨玉霞采;2♀,洋县长青保护区羚牛园至华阳镇,2016.Ⅵ.29,周润采;1♀,洋县长青自然保护区,2016 年 01 月通过张巍巍看到照片,标本保存于保护区管理站;1♀,柞水营盘,1982.Ⅸ.18(NWAFU);1♀,山阳薛家沟,916m,2014.Ⅵ.29,黄正中采;3♀,商南(NWAFU)。

分布:陕西(周至、太白、勉县、佛坪、洋县、柞水、山阳、商南)、吉林、辽宁、北京、河北、山西、山东、河南、甘肃、江苏、安徽、浙江、湖北、江西、湖南、福建、台湾、广东、海南、香港、广西、四川、贵州、云南;朝鲜,韩国,日本,缅甸,阿富汗,欧洲。

寄主:柑橘,苹果,梨,无花果,樱桃,枇杷,花红,柳,白杨,桑,苦楝,柳豆,树豆,洋槐,榆,悬铃木等。

(359)蓝斑星天牛 *Anoplophora davidis* (Fairmaire, 1886)

Melanauster davidis Fairmaire, 1886: 355.

Melanauster adonis Pic, 1925b: 20.

Melanauster adonis var. *vitalisi* Pic, 1936c: 16.

Anoplophora vitalisi: Breuning & Itzinger, 1943: 44.

Anoplophora alboapicalis Chiang, 1951: 48, pl. 1, fig. 5.

Anoplophora davidis: Hayashi, 1971: 14.

鉴别特征：体长 18.0～36.5mm。和华星天牛相似，但本种绒毛斑点呈淡蓝色或淡绿色。触角第 3 至第 11 节每节基部都有淡蓝色毛环，长短不一。前胸背板具 2 个蓝色毛斑，鞘翅斑点较大而整齐。鞘翅第 2 行中斑常常连接或合并，第 3、4 行斑点一部分接合呈弯状，端斑很大。触角长于体，前胸侧刺突粗壮。鞘翅基部颗粒较稀，表面竖毛较长而密，极显著。

分布：陕西（洛南、紫阳）、广西、四川、云南、西藏；越南，老挝，泰国，缅甸，柬埔寨，菲律宾。

寄主：*Castanea* sp., *Citrus* sp., *Juglans regia* Linnaeus, *Pinus armandii* Franchet, *Pinus yunnanensis* Franchet, *Populus davidiana* Dode, Quercus sp.。

（360）十星星天牛 *Anoplophora decemmaculata* Pu, 1999 陕西新纪录（图版 27：6）

Anoplophora decemmaculata Pu, 1999: 78, 82, fig. 1.

鉴别特征：体长 25.0～29.0mm。体黑色，鞘翅略带青铜色光泽。头顶中央有 1 块长形、白色毛斑，复眼外侧各有 1 块白色毛斑。前胸背板有 3 个圆形的白色毛斑，前缘 2 个，后缘中央 1 个；小盾片全被白绒毛。每鞘翅中间有 5 个白毛斑，排成一纵列；基部 1 个较小，端部 1 个略长，有时分离为 2，最后 1 个很小；中间 3 个较大，呈圆形；侧缘基部有 2 个小的白毛斑。腹面两侧各有 1 条白色绒毛纵纹。触角第 3 节基部被少许灰色毛环；足被少许灰毛，胫节前半部及跗节背面灰毛显著。触角超过体长 1/3。鞘翅肩较宽，两侧近于平行，端较窄，端缘圆形。

采集记录：1♂，周至厚畛子，1271m，2007. Ⅷ. 10，史宏亮、杨干燕灯诱（CCCC）。

分布：陕西（周至）、湖北、湖南、四川。

（361）光肩星天牛 *Anoplophora glabripennis*（Motschulsky, 1854）（图版 27：7a，7b）

Cerosterna glabripennis Motschulsky, 1854: 48.

Cerosterna lævigator Thomson, 1857d: 297.

Anoplophora lævigator: Thomson, 1860: 87.

Cerosterna glabripennis: Motschulsky, 1861a: 19.

Melanauster lævigator: Thomson, 1868: 182.

Melanauster nobilis Ganglbauer, 1889a: 82.

Melanauster glabripennis: Jakobson, 1911: sans pagination, pl. LXXI, fig. 19.

Melanauster luteonotatus Pic, 1925c: 21.

Melanauster angustatus Pic, 1925c: 21.

Melanauster nankineus Pic, 1926b: 2.

Anoplophora (*Anoplophora*) *glabripennis*: Breuning, 1944: 287, fig. 170.

Melanauster glabripennis var. *laglaisei* Pic, 1953a: 3.

别名:黄斑星天牛。

鉴别特征:体长17.5~39.0mm。本种是我国最普通、最常见的天牛之一。身体漆黑有光泽，常于黑中带紫铜色，有时微带绿色。触角第3~11节基部蓝白色；雄虫触角约为体长的2.5倍，雌虫约为1.3倍。鞘翅基部光滑，无瘤状颗粒；表面刻点较密，有微细皱纹，无竖毛，肩部刻点较粗大；每鞘翅约有白斑20个或黄斑15个左右。前胸背板无毛斑，中瘤不显突，侧刺突较尖锐，不弯曲。中胸腹板瘤突比较不发达。足及腹面黑色，常密生蓝白色绒毛。

采集记录:3♂1♀，长安南五台(NWAFU)；1♂，周至板房子，2006.Ⅶ.20，林美英灯诱；1♀，陇县，1960.Ⅵ.24；4♂4♀，陇县(NWAFU)；1♂，杨凌，2002.Ⅶ.31，灯诱(NWAFU，CO027877)；1♀，勉县，1959.Ⅶ.18；1♀，柞水营盘，1982.Ⅸ.18(NWAFU)；1♀，镇安，1980.Ⅶ.10，朱兴平采；4♂4♀，陕西，1978，周嘉熹采；3♂1♀，宁强(NWAFU)；3♂1♀，延安(NWAFU)。

分布:陕西(长安、周至、陇县、杨凌、勉县、柞水、镇安、宁强、全省分布)、黑龙江、吉林、辽宁、内蒙古、北京、天津、河北、山西、山东、河南、宁夏、甘肃、江苏、安徽、浙江、湖北、江西、湖南、福建、广西、四川、贵州、云南、西藏；蒙古，俄罗斯，朝鲜，韩国，日本，欧洲(入侵到奥地利、捷克、法国、德国、意大利)。

寄主:苹果，梨，李，樱桃，樱花，柳，杨，榆，枫香，糖槭，苦楝，桑树，等等。

备注:本文采用黄斑星天牛和光肩星天牛为同种不同型的观点，两种类型在陕西都有分布。

(362)楝星天牛 *Anoplophora horsfieldii* (Hope, 1842)(图版27:8)

Oplophora horsfieldii Hope, 1842a: 61 (= 1843: 64).

Cerosterna voluptuosa Thomson, 1856: 529.

Cyriocrates horsfieldii: Bates, 1890: 246.

Melanauster (*Cyriocrates*) *horsfieldii*: Fairmaire, 1889b: 66.

Cyriocrates horsfieldi tonkinensis Kriesche, 1924: 287.

Cyriocrates nigrotrifasciatus Pic, 1953a: 2.

Cyriocrates nigrotrifasciatus var. *4-fasciata* Pic, 1953a: 2.

Anoplophora (*Cyriocrates*) *nigrofasciatus*: Breuning, 1961c: 339 [misspelling].

Anoplophora (*Cyriocrates*) *nigrofasciatus* m. *Quadrifasciatus*: Breuning, 1961c: 339 [misspelling].

Anoplophora (*Cyriocrates*) *horsfieldi*: Pu, 1992: 603.

鉴别特征：体长23.0～43.0mm。底色漆黑，光亮。全身满布大型黄色绒毛斑块，颜色由杧果黄到木瓜黄，深淡不一，颇似敷粉。头部具6个斑点。前胸面具2条平行的直纹，两侧各具斜方形斑点1个，介于侧刺突与足基之间。小盾片有时具小圆斑。鞘翅毛斑很大，排成4横行，计每翅前两行各2块，第3行有时合并为一，第4行即端行1块；在第3、4行间靠中缝处，有时另有1～3个小斑。触角及足黑色，触角自第3节起，基部1/3以上被银灰色的细毛，有时仅端部呈黑色，一般第3至第10节每节均半白半黑。足被有稀疏的灰色细毛，跗节较密，呈灰白色。触角在雄虫超过体长3/4，雌虫较体略长。前胸侧刺突壮大。鞘翅末端圆形。

采集记录：1♂，城固柑橘育苗场，1980.Ⅷ.12，朱平凤采（NWAFU，ex陕西省林业研究所）。

分布：陕西（城固、安康、紫阳）、河南、江苏、安徽、浙江、湖北、江西、湖南、福建、台湾、广东、海南、广西、四川、贵州、云南；越南，泰国，印度。

寄主：楝科植物。*Camellia oleifera* Abel，*Camellia sinensis*（Linnaeus）O. Kuntze，*Celtis* sp.，*Melia azedarach* Linnaeus，*Quercus glauca* Thunberg，*Ulmus* sp.。

（363）拟星天牛 *Anoplophora imitator*（White，1858）

Cerosterna imitator White，1858：404 [misspelling].
Cyriocrates imitator：Gahan，1888a：277.
Melanauster Piroulеtii Fairmaire，1889b：66.
Anoplophora（*Anoplophora*）*imitatrix*：Breuning，1944b：287.
Anoplophora imitator：Hua，2002：194.

鉴别特征：体长24.0～36.0mm。形似华星天牛 *Anoplophora chinensis*（Forster，1771）。体黑色，略带紫色或蓝色光泽，并布有淡黄或白色绒毛斑点。触角自第3节起每节基末和端末均有灰白色毛环。头部以颊侧的淡黄大毛斑最显著；额的前缘和两侧、上唇及上颚基部均有较密的淡色绒毛。前胸背板中区两侧各有1条阔直纹，常于中间间断。每一鞘翅上有10～15个毛斑，其中以中区的四五个较大，亦最显著，靠中缝有三四个，靠外缘有四五个则最易消失。腹面绒毛稀密不一，常形成为很大的斑纹。雄虫触角一般倍于体长，雌虫超出体长约1/3。前胸背板中瘤显著，于中区侧瘤间有若干短皱纹粒状刻点；侧刺突末端尖锐。鞘翅上有极稀疏的黑色竖毛，沿中缝稍密，但不易觉察；基部有时具若干稀散的颗粒，有时缺如；刻点极细而稀，在肩部及肩下比较显著。

分布：陕西（秦岭）、江苏、上海、浙江、湖北、江西、湖南、福建、广东、海南、广西、四川、贵州、云南。

寄主：*Betula* sp.，*Castanea mollissima* Blume，*Citrus* sp.，*Cunninghamia lanceolata* Hooker，*Liquidambar formosana* Hance，*Quercus* sp.，*Schima superba* Gardner *et* Champion.

(364)槐星天牛 *Anoplophora lurida* (Pascoe, 1856) 陕西新纪录(图版 27:9)

Monohammus luridus Pascoe, 1856: 47.

Anoplophora lurida: Wang & Chiang, 1988: 144.

鉴别特征:体长 10.0~15.0mm。体较小，底黑色，被灰色或淡蓝灰色绒毛，头顶及前胸背板绒毛稀少；前胸背板有 3 个小黑斑点，分别位于两侧的侧刺突附近及中部近后缘处；每鞘翅计有 10~12 个小黑斑点，横排成 5 或 6 行；触角黑褐或红褐色，柄节及第 2 节被淡蓝色灰绒毛，其余节被暗褐色绒毛，足亦被灰色或淡蓝灰色绒毛。触角基瘤中等突出，彼此分开较远；额宽稍胜于长，复眼下叶长胜于宽，稍长于颊或与颊接近等长；头具细密刻点，头顶刻点较粗糙；触角较细长，雌虫、雄虫触角均远超过鞘翅，触角下沿有极少量缨毛，柄节端疤关闭式，第 3 节长于第 4 节，显著长于柄节。前胸背板宽胜于长，侧刺突较短，顶端稍钝，胸面密布脊纹刻点。小盾片近于半圆形。鞘翅较短，两侧近于平行，端部稍窄，端缘圆形；基部具稠密的大小较一致的颗粒，前端刻点细，清楚，向端部刻点逐渐消失。足中等粗，中胸腹板突无突起；雄虫腹部末节后缘较平直，雌虫腹部末节后缘中央凹进，凹处两侧密生黑褐色竖毛。

采集记录:1♂，留坝庙台子，1980. Ⅷ，魏建华采；1♂，佛坪龙草坪，1256m，2008. Ⅶ. 03，白明采；1♀，宁陕广货街镇，1178m，2014. Ⅶ. 28，路园园灯诱；1♂，宁陕广货街镇，1227m，2014. Ⅶ. 26，路园园灯诱；1♂，宁陕火地塘，2016. Ⅶ. 07-24，王勇采；1♀，石泉，1981. Ⅵ. 02。

分布:陕西(留坝、佛坪、宁陕、石泉)、河北、河南、甘肃、江苏、浙江、湖北、江西、湖南、台湾、广西、四川。

寄主:槐树。*Melia azedarach* Linnaeus, *Pinus massoniana* D. Don, *Quercus* sp., *Sophora* sp.。

备注:触角第 3 节开始从红褐色过渡到黑褐色至黑色，不知是种内变异还是不同种，暂时当做种内变异看待。检视标本中，陕西、山东、甘肃、河南、福建偏红褐色，江苏、湖北、浙江偏黑褐色，四川两者都有。

176. 簇天牛属 *Aristobia* Thomson, 1868

Aristobia Thomson, 1868: 178. **Type species**: *Lamia reticulator* Fabricius, 1781 (= *Cerambyx testudo* Voet, 1778).

Eunithera Pascoe, 1875: 65. **Type species**: *Thysia viduata* Pascoe, 1868 (= *Celosterna umbrosa* Thomson, 1865).

属征:体较大或中等大小，长形；触角柄节端疤关闭式，第 3 节端部具簇毛或不具，若不具簇毛，则前胸背板具瘤突，第 3 节长于柄节；复眼下叶一般长于颊。前胸背板宽胜于长，具侧刺突，前、后缘有横凹沟。小盾片三角形或舌形。鞘翅端缘稍切平或微呈凹缘，外端角钝或呈短刺状。前足基节窝关闭，中足胫节外端具斜沟，中胸腹板突瘤突十分发达。

分布：东洋区。世界已知 13 种/亚种，中国记录 6 种，秦岭地区发现 3 种。

分种检索表

1. 前胸背板中区由几个小瘤突合并组成 1 个很大的瘤突，2 鞘翅上有黑色短绒毛，成斑点状分布 …………………………………………………………………… **瘤胸簇天牛 *Aristobia hispida***

前胸背板中区无上述瘤突 …………………………………………………………………… 2

2. 颊较窄，复眼下叶大，近圆形，两复眼下叶相距较近；前胸背板无黑色纵斑；小盾片黑色，鞘翅黑色斑纹较多，在紧挨鞘缝的纵列和显著大黑斑之间还有纵列小碎黑斑………………………………………………………………… **碎斑簇天牛 *A. voetii***

颊较宽，复眼下叶较小，长椭圆形，两复眼下叶相距较远；前胸背板有两条黑色纵斑；小盾片橙黄或橘红色，鞘翅有橙黄色斑纹，斑纹较大 ……………………………… **簇天牛 *A. reticulator***

（365）瘤胸簇天牛 *Aristobia hispida*（Saunders，1853）（图版 27：10）

Cerosterna hispida Saunders，1853：112，pl. Ⅳ，fig. 6.

Aristobia hispida：Thomson，1868：178.

别名：瘤胸天牛。

鉴别特征：体长 20.0～37.0mm。全身密被带紫的棕红色绒毛，鞘翅、体腹面及腿节并杂有许多黑色和白色毛斑。鞘翅上斑点较大，一般呈卵形或圆形，其中一部分，特别是中部的常相合并；白斑甚小，分布尚密。头部、前胸侧面、腹面和腿节，则白斑较多于黑斑。绒毛之外，还有相当长（约 2.0mm）的黑色竖毛，稀松地分布于全身，以鞘翅上较密，有时其端部呈棕黄色。触角黑色，密被淡灰至棕红色绒毛，1～4 节棕红色（柄节有少数黑色斑），端部褐黑色，第 5 节以下色彩渐渐变淡，最后 3 节全部淡灰色，或略带棕黄，极光亮；此外，各节端部具一环较长的黑色细毛，1～5 节另有黑色竖立细毛，疏落地散布全节。头部较平坦，不粗糙，额微凸。触角较短，雄虫超出尾端 1～2 节，雌虫刚达翅尾或稍短。前胸节侧刺突较瘦长，背板略呈方形，高低极不平，中区有 1 个很大的瘤突，由 9 个左右的小瘤突组成，其中较大的 6 个前后左右圈住内部几个小瘤，明显隆起于胸平面之上。小盾片三角形，长胜于阔。鞘翅基部具少数颗粒，翅末端凹进，外端角超过内端角，前者明显，后者钝圆。

采集记录：1♂，褒城（现属于勉县境内），700～900m，1958. Ⅵ. 19，宋士美采；6♀，西安、安康、城固、武功、商南（NWAFU）。

分布：陕西（西安、武功、勉县、洋县、宁陕、旬阳、平利、城固、安康、商南、石泉）、北京、河北、河南、江苏、浙江、安徽、湖北、江西、湖南、福建、台湾、广东、海南、香港、广西、四川、贵州、云南、西藏；越南。

寄主：橘类，金合欢类。*Acacia* sp., *Amorpha fruticosa* Linnaeus, *Bambusa* sp., *Castanea mollissima* Blume, *Celtis* sp., *Cinnamomum burmannii* (C. G. *et* Th. Nees) Blume, *Citrus* sp., *Cunninghamia lanceolata* Hooker, *Cupressus* sp., *Dalbergia balansae* Prain, *Dalbergia sissoo* Roxburgh, *Juglans regia* Linnaeus, *Lespedeza bicolor* Turczaninow, *Ligustrum lucidum* Aiton, *Morus alba* Linnaeus, *Olea europaea* Linnaeus, *Pinus massoniana* D. Don, *Platycarya strobilacea* Siebold *et* Zuccarini, *Prunus persica* (Linnaeus) Batsch, *Pterocarya stenoptera* C. de Candolle, *Quercus* sp., *Rhus vernicifera* de Candolle, *Vernicia fordii* (Hemsley) Airy Shaw。

(366) 簇天牛 *Aristobia reticulator* (Fabricius, 1781)

Cerambyx testudo: Voet, 1778: 12, pl. X, fig. 39 [nomen nudum].
Lamia reticulator Fabricius, 1781: 219.
Cerambyx (*Lamia*) *teticulator*: Olivier, 1797: 460.
Batocera reticulator: Laporte, 1840: 471.
Celosterna clathrator Thomson, 1865: 552.
Aristobia reticulator: Thomson, 1868: 179.
Aristobia clathrator: Thomson, 1868: 179.
Aristobia testudo m. *Clathrator*: Breuning, 1943b: 189, fig. 4.

别名：龟背簇天牛、龟背天牛。

鉴别特征：体长20.0～35.0mm。基色黑，体背面被黑色和虎皮黄色的绒毛斑纹；头部、触角第1、2节、腹面及足被有稀松的黑色绒毛。触角自第3节起呈火黄色。前胸背板被黄毛，中域两侧各有黑色纵纹1条。小盾片有黄毛。鞘翅呈黄黑色的斑纹，黑色条把黄色斑围成龟块花纹，每翅具黄斑约13～18个不等，大小和数量很有变异，一般排成3直行。触角较短，雄虫超过翅端2～3节，雌虫与翅约等长，第3节端部约1/3具一环相当长的黑色簇毛，有如洗瓶的刷子，第4、5节端部亦有类似的簇毛，但较第3节少而短，尤其第5节更是短少，以后各节只有疏落的几根，不明显成簇。前胸背板中瘤较平，侧刺突壮大。鞘翅末端微凹。

分布：陕西(长安)、福建、广东、海南、香港、广西、云南；越南，老挝，泰国，缅甸，印度，尼泊尔，孟加拉国。

寄主：荔枝，龙眼，番茄枝，成虫会在黎豆上捕获。

备注：*Aristobia testudo* (Voet, 1778)是个不可用的名称。

(367)碎斑簇天牛 *Aristobia voetii* Thomson, 1878(图版27:11)

Aristobia Voetii Thomson, 1878b: 51.

Aristobia pulcherrima Nonfried, 1892: 94.

鉴别特征:体长32.0～45.0 mm。体长形，较大，基底黑色；头顶、前胸背板被黑色绒毛夹杂少许淡黄灰色绒毛，形成细致花纹，鞘翅被淡黄灰色绒毛和黑色绒毛相间形成的斑纹，基部黑色，中部外侧有一块不规则大黑斑，其余分布大小不等的黑斑点；身体上面着生稀疏、细长的黑竖毛。体腹面全被灰黄色绒毛，腹部各节中部及两侧有光滑无毛黑斑；腿节中部及胫节中部、端部有灰黄色绒毛。触角各节基部被灰色绒毛，柄节及第4节端部下面有少量黑色丛毛，第3节端部1/2处的下面及两侧具浓密毛刷。额狭窄，复眼下叶大，近圆形，两倍多长于颊，两触角基瘤突出，相距较近，头顶中央有1条纵沟，头顶具细密刻点，其中有少许粗刻点分布；雄虫触角稍长于身体，雌虫触角同体等长，柄节膨大，稍短于第3节。前胸背板宽胜于长，侧刺突细尖，中区微拱凸。小盾片略呈长三角形，端角钝。鞘翅长，两侧近于平行，后端窄；端缘凹进，外端角、缝角均尖锐；肩瘤及基部有粒状刻点。中胸腹板突瘤突显著，雌虫腹部末节端部有较浓密黑褐色细长竖毛。

采集记录:1♀，安康，1984.Ⅷ(NWAFU)。

分布:陕西(安康)、河南、湖北、江西、福建、广东、海南、广西、云南；老挝，泰国，缅甸。

177. 灰锦天牛属 *Astynoscelis* Pic, 1904

Astynoscelis Pic, 1904b: 8. **Type species**: *Astynoscelis longicornis* Pic, 1904 (= *Monohammus degener* Bates, 1873).

Saitoa Matsushita, 1937: 104. **Type species**: *Saitoa teneburosa* Matsushita, 1937 (= *Monohammus degener* Bates, 1873).

属征:体小至中等大小，被绒毛但绒毛不闪光。触角略长于身体，短于体长的2.0倍；柄节向端部稍微膨大，端疤内侧的边缘微弱，近于开放，第3节常显著长于柄节或第4节；复眼小眼面粗粒，下叶通常狭小，长于其下颊部。前胸背板宽略胜于长，前、后端均有横沟，侧刺突发达。小盾片半圆形。鞘翅肩部宽，向后端渐狭。前足基节窝闭式，前胸腹板突低狭，弧形；中胸腹板突无瘤突，弧形倾斜，中足基节窝对中胸后侧片开放。前足胫节常稍弯曲，中足胫节外侧有斜沟，爪全开式。

分布:中国；蒙古，俄罗斯，朝鲜，韩国，日本。世界仅知1种，秦岭地区也有分布。

(368) 灰锦天牛 *Astynoscelis degener* (Bates, 1873)（图版28:1a, 1b）

Monohammus degener Bates, 1873c: 310.

Haplohammus degener: Bates, 1884: 240.

Haplohammus contemptus Gahan, 1888b: 62.

Haplohammus nanus Ganglbauer, 1889a: 81.

Astynoscelis longicornis Pic, 1904b: 8.

Dihammus degener: Aurivillius, 1922b: 98.

Orsidis Savioi Pic, 1925c: 21.

Saitoa teneburosa Matsushita, 1937: 104.

Astynoscelis degener degener: Löbl & Smetana, 2010: 278.

别名:栗灰锦天牛。

鉴别特征:体长7.0~16.0mm左右。体红褐至暗褐色，全身密被红褐和灰色绒毛，彼此呈不规则嵌镶。触角红褐色，第3节起各节基部大部分被淡灰色绒毛，端部黑色。头和前胸黑色被灰色和褐色毛。足红褐色被灰色毛。小盾片被淡黄色绒毛。鞘翅黑色，密被棕褐色和灰色绒毛，略具丝光。体腹面着生灰黄绒毛。触角基瘤着生彼此较远，两触角间微凹，头正中有1条细纵线，额宽于长，复眼下叶长于颊；雄虫触角为体长的1.5倍，第3节为柄节的2.0倍，柄节端疤微弱不明显。头、前胸背板具细密刻点，前胸背板宽稍胜于长，侧刺突短钝。小盾片舌形。鞘翅两侧近于平行，端缘圆形。鞘翅肩部较宽，后端狭窄，端缘圆形；翅面刻点较前胸背板稀疏。体腹面及足有分散刻点，足较短而粗壮，腿节较粗大。

采集记录:1♂，周至县板房子，2006. Ⅶ.21，林美英灯诱；5♂7♀，周至厚畛子，1276m，2008. Ⅶ.01，葛斯琴采；1♂，周至厚畛子，1350m，1999. Ⅵ.24，贺同利灯诱；1♂，同上，1999. Ⅵ.25，章有为采；3♂3♀，周至厚畛子，2008. Ⅶ.01，崔俊芝采；1♂，同上，2007. Ⅴ.28；1♂，周至厚畛子，2007. Ⅴ.28，张丽杰采；1♀，周至厚畛子，1276m，2008. Ⅶ.02，刘万岗采；1♂，周至厚畛子镇，1271m，2007. Ⅴ.25，林美英采；2♂2♀，同上，2007. Ⅴ.28；3♂，周至厚畛子镇，1276m，2008. Ⅶ.01-02，白明、刘万岗采；1♂，周至厚畛子老县城村，1745m，2007. Ⅴ.24，林美英采；1♂3♀，周至厚畛子沙梁子村，950m，2007. Ⅴ.25，林美英采；1♀，周至楼观台镇楼观台森林公园，564m，2007. Ⅴ.26，林美英采；3♂6♀，周至楼观台，680~683m，2008. Ⅵ.24-25，崔俊芝、白明、葛斯琴采；1♂，周至集贤立新村，2006. Ⅶ.16，林美英灯诱；1♀，周至秦岭植物园栗子坪，700m，2012. Ⅶ.03，刘万岗采；1♂，凤县秦岭，1380m，1973. Ⅵ.25，张学忠采；1♂，太白黄柏塬乡原始森林，1619m，2012. Ⅵ.19，李莎采；1♀，华县高塘镇西峪水库公路，859m，2014. Ⅶ.08，黄正中采；1♀，华县高塘镇东峪黄边沟，1070m，2014. Ⅶ.07，黄正中采；1♀，Shensi，Hwashan，1936. Ⅵ.09；1♀，留坝韦驮沟，1359m，2013. Ⅷ.20，黄正中采；2♂2♀，留坝县火烧店红崖沟，986m，2012. Ⅵ.23，华谊采；1♂，留坝庙台子，1350m，1998. Ⅶ.22，廉振民采；1♀，留坝庙台子，1976. Ⅵ.29，马文珍采；1♂，同上，1976. Ⅶ.07；2♂，留坝红崖沟，1500~1650m，1998. Ⅶ.22-27，袁德成采；2♀，留坝韦驮沟，1600m，1998. Ⅶ.21，张学忠、廉振民采；6♂1♀，留坝城关镇竹爬沟，991m，2012. Ⅵ.21，李莎采；

1♂，佛坪凉风垭，2150～1750m，1999. Ⅵ. 28，姚建采；1♂3♀，佛坪大古坪保护站到岳坝保护站，1139～1573m，2012. Ⅵ. 30，刘万岗采；1♂，佛坪长角坝乡上沙窝村，1215m，2007. Ⅴ. 29，林美英采；4♀，佛坪上沙窝，1100～1200m，2008. Ⅶ. 06，白明采；1♀，佛坪上沙窝，1100m，2007. Ⅴ. 29，李文柱采；1♀，佛坪龙草坪，1256m，2008. Ⅶ. 03，葛斯琴采；1♂，佛坪，2007. Ⅴ. 20，崔俊芝采；2♀，洋县长青保护区华阳镇，2016. Ⅵ. 29，周润采；1♀，洋县华阳镇周边，1161m，2012. Ⅵ. 26，陈莹采；1♂，洋县长青自然保护区，2016年01月通过张巍巍看到照片，标本保存于保护区管理站；1♂，宁陕火地塘，1580m，1998. Ⅶ. 27，袁德成采；4♂2♀，宁陕岳坝村周围，1093m，2012. Ⅶ. 01，刘万岗采；1♀，宁陕火地塘，1600m，1979. Ⅶ. 30，韩寅恒采；1♀，宁陕火地塘林场，1538m，2007. Ⅵ. 01，林美英采；1♂1♀，宁陕火地塘，1600～2000m，2008. Ⅶ. 08，崔俊芝灯诱；1♀，宁陕火地塘林场周边，1554m，2015. Ⅶ. 07-15，刘漪舟采；3♀，柞水营盘镇红庙河村，1110m，2007. Ⅵ. 03，林美英采；1♀，柞水凤凰古镇龙潭村水利沟，1026m，2014. Ⅵ. 26，索中毅采；1♂3♀，柞水凤凰古镇中河村马寺沟口，900m，2014. Ⅵ. 25，黄正中、索中毅采；1♂1♀，柞水牛背梁，1400～1500m，2013. Ⅵ. 12，阮用颖采；；1♂，洛南石门镇陈建村，1150m，2007. Ⅵ. 05，林美英采3♂，山阳城关镇权垣村石灰沟，855m，2014. Ⅵ. 29，黄正中、索中毅采；4♂，丹凤蔡川镇，1070m，2014. Ⅵ. 30，黄正中采；1♂1♀，丹凤蔡川镇皇台村，1190m，2014. Ⅵ. 30，索中毅采；1♂，丹凤庾岭镇街坊村三组，1214m，2014. Ⅷ. 11，路园园采；1♂，丹凤庾岭镇，1178m，2014. Ⅷ. 11，路园园灯诱；3♂，丹凤蔡川镇大白沟，1200m，2014. Ⅶ. 01，黄正中、索中毅采；2♂，镇坪上竹镇，2014. Ⅶ. 28，王雪松采；1♀，铜川，1980. Ⅶ. 08；1♀，黄陵双龙，1962. Ⅷ. 06；1♂，紫阳，1976. Ⅵ. 23，马文珍采；1♀，石泉，1960. Ⅵ. 29。

分布：陕西（周至、凤县、太白、华县、华阴、留坝、佛坪、洋县、宁陕、柞水、洛南、山阳、丹凤、镇坪、铜川、黄陵、紫阳、石泉）、黑龙江、吉林、内蒙古、山东、甘肃、江苏、上海、浙江、湖北、江西、湖南、福建、台湾、广东、广西、重庆、四川、贵州、云南；蒙古，俄罗斯，韩国，日本。

寄主：*Ailanthus altissima* (Miller) Swingle, *Aralia* sp., *Artemisia* sp., *Betula* sp., *Castanea mollissima* Blume, *Cunninghamia lanceolata* Hooker, *Populus* sp.。

178. 灰天牛属 *Blepephaeus* Pascoe, 1866 陕西新纪录属

Blepephaeus Pascoe, 1866b: 249. **Type species**: *Monohammus succintor* Chevrolat, 1852.

Parablepephaeus Breuning, 1980: 171. **Type species**: *Parablepephaeus lumawigi* Breuning, 1980 (= *Pharsalia mindanaonis* Schultze, 1920).

Perihammus Aurivillius, 1924: 457. **Type species**: *Perihammus bifasciatus* Aurivillius, 1924 (= *Monohammus infelix* Pascoe, 1857).

属征(蒋书楠等，1985)：体型较长。头部触角超过体长，柄节端疤小而完整，第3节较柄节或第4节等长或稍长；触角基瘤突出，头顶深陷；复眼小眼面细粒，下叶长宽略等或长稍胜于宽。前胸背板横宽，表面不平，侧刺突发达。鞘翅较宽而长，两侧近于平行，背面较凸，尤其近基部常稍肿突。前胸腹板突低、狭，弧形；中胸腹板突中央有小瘤突或具龙骨状隆脊。中足胫节无斜沟，爪全开式。

分布：东洋区。世界已知录52种，中国记录14种，秦岭地区分布2种。

(369) 云纹灰天牛 *Blepephaeus infelix* (Pascoe, 1856) 陕西新纪录(图版28:2)

Monohammus infelix Pascoe, 1856: 48.

Perihammus bifasciatus Aurivillius, 1924: 457.

Perihammus infelix: Breuning, 1944: 374.

Blepephaeus infelix: Hüdepohl & Heffern, 2004: 247.

别名：云纹肖锦天牛。

鉴别特征：体长15.0~20.5mm。体黑色，被覆灰褐色绒毛。每个鞘翅有2条波浪状淡灰色绒毛的横纹，2条横纹之间为黑色，第2条横纹之后有1条窄的黑横纹，基部及后端被褐色绒毛。触角自第3节起，各节基部被淡灰色绒毛，有时端部数节全为黑褐色。雄虫触角倍长于身体，雌虫触角约超过体长的1/4，第3节长于柄节。前胸背板宽胜于长，侧刺突粗短。鞘翅基部宽，中部之后缩窄，末端微斜截。

采集记录：1♂，长安南五台，1980. Ⅷ. 28(NWAFU CO028424，ex 西北农学院)。

分布：陕西(长安)、浙江、江西、湖南、福建、广东、广西、重庆、四川、贵州；韩国。

备注：虽然此号标本磨损严重，看不到鞘翅基本的斑纹，也看不到触角基部基节的基部的淡灰色绒毛，但作者认为还是本种无疑。

(370) 灰天牛 *Blepephaeus succinctor* (Chevrolat, 1852) 陕西新纪录(图版28:3)

Monohammus succinctor Chevrolat, 1852: 417.

Monohammus sublineatus White, 1858: 410.

Monohammus objefuscatus White, 1858: 411.

Blepephæus succinctor: Pascoe, 1866b: 250.

Celosterna fleutiauxi Lameere, 1893: 283.

Neanthes scutellaris Fairmaire, 1895: 179.

Blepephæus humeralis Pic, 1925c: 18.

Blepephæus succinctor m. *humeralis*: Breuning, 1944: 356.

Perihammus fuscomaculatus Breuning, 1948a: 11.

别名：深斑灰天牛。

鉴别特征:体长 13.0～25.0mm。体基色栗黑，触角较红，但全被厚密的绒毛所遮盖，绒毛灰色，在放大镜下观察，系由灰白和棕红色所混合组成。前胸背板有 4 条黑色和褐黑色绒毛斑纹，中区 2 条，侧区各 1 条。每鞘翅上在基部近中缝处各有不规则的长卵形大黑斑 1 个，有时被一灰色直纹瓜分为二，在翅中部稍下靠近侧缘有 1 个三角形或不规则的长卵形大斑点。此外鞘翅上还有其他较不整齐的黑绒毛小斑。触角绒毛从第 3 节起基部较淡。触角雄虫超出翅端约 1/2，雌虫较体略长，第 3 节较柄节稍长。前胸背板阔胜于长，侧刺突末端尖锐。鞘翅末端微凹。

采集记录:1♂，旬阳庙坪，1980.Ⅵ，寄主:桑、构树。

分布:陕西(旬阳)、江苏、上海、浙江、江西、湖南、台湾、广东、海南、香港、广西、四川、云南、西藏；越南，老挝，泰国，印度，尼泊尔，孟加拉，马来西亚。

寄主:幼虫生活于豆科树的活枝内，已知寄主有桑、海红豆、藤茶、构树等。*Acacia confusa* Merrill, *Adenanthera pavonina* Linnaeus, Albizia sp., Bambusa sp., *Casuarina equisetifolia* Linnaeus, *Cinnamomum camphora* (Linnaeus) J. Presl, *Citrus* sp., *Cunninghamia lanceolata* Hooker, *Firmiana simplex* F. W. Wight, *Juglans regia* Linnaeus, *Melia azedarach* Linnaeus, *Olea europaea* Linnaeus, *Paulownia* sp., *Quercus* sp., *Sophora Japanica* Linnaeus。

179. 豹天牛属 *Coscinesthes* Bates, 1890

Coscinesthes Bates, 1890: 246. **Type species**: *Coscinesthes porosus* Bates, 1890.

属征(蒲富基，1980):体中等大小，长形。复眼内方呈凹缘，复眼下叶狭长，小眼面较粗；额长胜于宽，触角基瘤隆突，彼此接近，触角之间额深凹；触角中等粗壮，柄节粗大，扁圆柱形，端疤关闭式，雌虫、雄虫触角均长于身体，至端部逐渐趋细。前胸背板宽胜于长，前、后缘各有 1 条横沟，两侧缘有刺突。小盾片舌形。鞘翅两侧平行，端缘圆形，基部有少许颗粒刻点，每翅上有很多黑色小窝，与棕褐或灰褐色绒毛相间，好似豹斑。前足基节窝关闭，中足胫节外端无斜沟。

分布:中国。本属共记录 3 种，均分布于中国，秦岭地区发现 1 种。

(371) 豹天牛 *Coscinesthes porosa* Bates, 1890(图版 28:4)

Coscinesthes porosa Bates, 1890: 247.
Monohammus multiperforatus Pic, 1920b: 2.
Trichocoscinesthes grossefoveata Breuning, 1958c: 262.

别名:柳枝豹天牛。

鉴别特征:体长 14.0～21.5mm。体黑色，全身密被淡棕黄或深灰黄色绒毛和无毛的黑色斑点，在鞘翅上黑斑由相当深的小窝所组成，与棕黄色绒毛相间，有如豹皮。足上绒毛色彩稍淡，跗节上的绒毛呈灰白色。触角自第3节起，每节基部1/3或1/2处有灰白色的绒毛；除绒毛外，还有黑色的竖毛，以触角柄节、头部和前胸背板处较深密，鞘翅上较稀，一般每1个小窝生毛1根，有时看来不很清楚。腹面竖毛大部分棕黄色。触角粗壮，雄虫超过体长1/3，雌虫较体略长。前胸侧刺突中等，末端钝圆。鞘翅基部1/6～1/5处有颗粒，全翅密布大小不等的小窝，排成为极不规则的行列。

采集记录：1♂，周至秦岭植物园内大峡谷，893m，2012. Ⅶ. 06，刘万岗采（Ceram-141）；1♂，太白山蒿坪，1170m，1982. Ⅵ. 10，孙文杰采（NWAFU）；1♀，武功，1993. Ⅶ（NWAFU）；1♂，佛坪长角坝乡上沙窝村，1215m，2007. Ⅴ. 29，林美英采。

分布：陕西（长安、周至、太白、武功、华阴、佛坪、洋县）、河南、浙江、广东、四川、云南。

寄主：柳，杨，桑，桤木。*Alnus* sp., *Ligustrum lucidum* Aiton, *Morus alba* Linnaeus, *Populus* sp., *Salix babylonica* Linnaeus。

180. 拟筛天牛属 *Cribrohammus* Breuning, 1966 陕西新纪录属

Cribrohammus Breuning, 1966a: 1. **Type species**: *Cribrohammus chinensis* Breuning, 1966.
Pseudagapanthia Breuning, 1971: 77 [unnecessary new name].

属征：体中等大小，长形。复眼内方呈凹缘，额长胜于宽，触角基瘤隆突，彼此接近，触角之间额深凹；触角中等粗壮，柄节粗大，扁圆柱形，端疤关闭式，雌虫、雄虫触角均长于身体，至端部逐渐趋细。前胸背板宽胜于长，前、后缘各有1条横沟，两侧缘有刺突。小盾片半圆形。鞘翅两侧平行，端缘圆形，不被绒毛，刻点粗深。前足基节窝关闭，中足胫节外端无斜沟。

分布：中国。本属共记录2种，均为中国特有，秦岭地区发现1种。

备注：Breuning（1971）给出新名拟多节天牛属 *Pseudagapanthia* Breuning, 1971，因为他认为 *Cribrohammus* Breuning, 1966 被 *Cribrochamus* Dillon *et* Dillon, 1961 占用。但实际上，两个名字虽然非常相似，但有一个字母不同，并不构成同名。

（372）川拟筛天牛 *Cribrohammus fragosus* Holzschuh, 1998 陕西新纪录（图版28:5）

Cribrohammus fragosus Holzschuh, 1998: 48, fig. 65.
Pseudagapanthia fragosa: Löbl & Smetana, 2010: 286.

别名：川拟多节天牛。

鉴别特征：体长7.0mm左右。体深棕红色，小盾片密被金黄色绒毛，其余地方无

相似绒毛。触角大部分深棕红色，第4节起各节基部颜色明显浅于端部，通常为浅棕红色，并具有很细小的灰白色短毛。鞘翅基部刻点较细密，向后刻点变粗深，到端部又变细而稀疏。雌虫触角末4节多超过鞘翅末端。

采集记录：1♀，宁陕火地塘，1600～2000m，2008. Ⅶ. 08，崔俊芝灯诱（IOZ（E）1905343）。

分布：陕西（宁陕）、四川。

181. 粒翅天牛属 *Lamiomimus* Kolbe, 1886

Lamiomimus Kolbe, 1886: 224. **Type species**: *Lamiomimus gottschei* Kolbe, 1886.

属征：体较厚硕。头部刻点粗大，多皱纹；额微凸。触角很短，雄虫略超过第3腹节，雌虫仅达第1腹节后缘，柄节与第3节约等长，端疤靠内开放，接近于关闭式。前胸背板中瘤尚明显，侧刺突壮大。鞘翅面满布瘤状颗粒，黑色，光滑，以前半翅较粗大，向后逐渐变小，近尾部则较平复，具皱纹与刻点，无粒区域则暗无光泽。翅末端狭，略切平，内、外端角均钝圆。

分布：中国；俄罗斯，朝鲜，韩国。世界已知2种，在中国均有分布，秦岭地区发现1种。

（373）粒翅天牛 *Lamiomimus gottschei* Kolbe, 1886（图版28：6）

Lamiomimus gottschei Kolbe, 1886: 224, pl. XI, fig. 39.
Lamia adelpha Ganglbauer, 1887a: 137.

别名：双带粒翅天牛。

鉴别特征：体长26.0～40.0mm。体黑褐或黑色，不光亮。全身被茶褐色和淡豆沙色绒毛，后者形成遍体淡色小斑点，在腹面分布较密。小盾片密生淡色毛，基部有1个三角形黑色无毛小区，有时伸展至近端部。头部及前胸均有淡色毛斑。鞘翅中部前的1个广阔横区及翅端部分1/3区域具宽阔淡豆沙色绒毛横条，其他则为散乱的淡色小斑点。触角黑褐色，端部稍淡。足上有淡色散乱的小斑。触角短，雄虫超过体尾3～4节，雌虫较体稍短，第3节明显较第1、4节长。前胸背板中瘤较明显凸起，其侧有4个瘤突，呈“八”字形分立于左右，侧刺突壮大。鞘翅基部满布瘤状小颗粒，占全翅的1/3左右，翅末端切平。

采集记录：1♂1♀，长安南五台（NWAFU）；1♂，蓝田（NWAFU）；1♂1♀，杨凌，2002. Ⅸ（NWAFU，CO027204）；1♂1♀，武功（NWAFU）；1♀，佛坪，870～1000m，1998. Ⅶ. 25，袁德成采（IOZ（E）1905540）；1♀，佛坪县城，843m，2007. Ⅴ. 29，林美英采。

分布:陕西(长安、蓝田、周至、宝鸡、杨凌、武功、佛坪、铜川、黄陵、神木)、黑龙江、吉林、辽宁、北京、河北、山西、山东、河南、甘肃、江苏、安徽、浙江、湖北、江西、湖南、广西、四川、贵州; 俄罗斯, 朝鲜, 韩国。

寄主:柳树, 槲树。*Alnus* sp., *Cunninghamia lanceolata* Hooker, *Cupressus* sp., *Juglans regia* Linnaeus, *Malus* sp., *Phoebe* sp., *Picea* sp., *Pinus massoniana* D. Don, *Pinus tabulaeformis* Hort. *ex* C. Koch, *Pinus yunnanensis* Franchet, *Populus* sp., *Pterocarya stenoptera* C. de Candolle, *Quercus dentata* Thunberg, *Quercus mongolica* Fischer, *Quercus serrata* Thunberg, *Rhus vernicifera* de Candolle, *Salix* sp., *Sophora* sp., *Vernicia fordii* (Hemsley) Airy Shaw.。

182. 墨天牛属 *Monochamus* Dejean, 1821

Monochamus Dejean, 1821: 106. **Type species**: *Cerambyx sutor* Linnaeus, 1758: 219.

Ceratades Gistel, 1834: 29 [unnecessary substitute name].

Monohammus Dejean, 1835: 340 [unjustified emendation].

Meges Pascoe, 1866a: 272. **Type species**: *Monohammus gravidus* Pascoe, 1858.

属征(蒋书楠等, 1985):体长形。头部额高与宽略等, 两边常内凹; 触角较体长, 有时基部数节下侧具稀疏缨毛, 柄节端疤明显, 闭式, 第 3 节长于第 4 节, 更长于柄节; 触角基瘤突起, 左右分开; 复眼下叶高与宽略等。前胸背板大多横宽, 侧刺突发达。鞘翅较长, 大多向后渐狭。前胸腹板突低狭, 弧形弯曲; 中胸腹板突无瘤突, 前端均匀弧形弯曲。中足胫节有斜沟; 跗式为 4: 4: 4(即第 4 节消失); 爪全开式。

分布:全北区, 东洋区, 非洲区。本属共分为 22 个亚属, 中国记录 2 个亚属, 陕西仅有指名亚属的记录。指名亚属世界已知 114 种/亚种, 中国记录 31 种/亚种, 秦岭地区发现 11 种/亚种。

分种检索表

1. 前胸背板有两条棕黄色或棕红色宽纵条 ························ 2
   前胸背板无类似的宽纵条 ························ 4
2. 前胸背板宽纵条棕红色; 鞘翅斑点较大, 一般棕红、黑色和灰白色; 足黑色 ················ 3
   前胸背板宽纵条棕黄色; 鞘翅斑点细小, 一般为棕黄色和灰白色; 足淡红棕色(有时黑色) ········
   ························ **红足墨天牛 *Monochamus dubius***
3. 鞘翅棕红色, 每翅有 5 条纵脊, 纵脊间有近方形的黑白相间的绒毛小斑 ························
   ························ **松墨天牛 *M. alternatus alternatus***
   鞘翅黑色, 纵脊不明显, 翅面散布棕色、黑色和灰白色毛斑, 不形成明显的方形斑块 ········
   ························ **西藏墨天牛 *M. nigromaculatus***

4. 前胸背板有显著粒状刻点，两侧各有 1 个淡黄色绒毛小斑点，鞘翅基部密布粗刻点，翅面散布多数淡黄色或灰白色绒毛小斑点，中部毛斑较集中，部分互相连接 ……………………………………………………………………………………… **麻斑墨天牛 *M. sparsutus***

前胸背板无粒状刻点，具皱纹、刻点或部分光滑 …………………………………………… 5

5. 小盾片毛被在中央有 1 条光滑纵线 ……………………………………………………… 6

小盾片全面被单色绒毛 ……………………………………………………………………… 8

6. 雄虫触角较短，体长与触角长之比不到 1.0∶1.5；鞘翅花斑较密，不排成横带 ……………………………………………………………………………………… **密点墨天牛 *M. impluviatus***

雄虫触角较长，体长与触角长之比约合 1.0∶2.0 左右；鞘翅花斑较稀或排成横带 ………… 7

7. 鞘翅具横皱纹，刻点粗糙，部分连接，翅面绒毛较深而稀疏，雌虫更有不显著的稀疏淡色斑点 ………………………………………………………………………… **云杉小墨天牛 *M. sutor longulus***

鞘翅具细刻点，在基部 1/3 以后渐不明显，刻点不连接，翅面深色绒毛较密，淡色斑点较多而显著 ……………………………………………………………… **云杉花墨天牛 *M. saltuarius***

8. 体较大，通常体长大于 20.0mm；触角通常单色，各节基部不具有淡色环纹 ………………… 9

体较小，通常体长小于 15.0mm；触角从第 3 节起各节基部具有淡色环纹 ………………… 10

9. 前胸侧刺突较钝，尖端不偏向后；鞘翅末端圆不具尖刺；鞘翅绒毛着生在刻点中，在端部 1/4 处的绒毛较密，呈灰黄色；雌虫另有不着生在刻点中的白色毛斑，在鞘翅中部前后排成两条不规则横行 ……………………………………………………… **云杉大墨天牛 *M. urussovii***

前胸侧刺突尖锐而尖端稍偏向后；鞘翅末端圆但端缝角形成尖刺；鞘翅中部之后有 1 条相当宽的土黄色或灰色绒毛横带，其他部分的绒毛斑点散乱稀疏 ……… **缝刺墨天牛 *M. gravidus***

10. 触角第 3 ~ 11 节棕红色且各节末端颜色加深，各节基半部具白色绒毛；鞘翅基半部刻点显著而粗深，中部之后突然刻点变细甚至看不见……………………… **突变墨天牛 *M. abruptus***

触角黑色但第 3 ~ 11 节各节基半部具白色绒毛；鞘翅基半部刻点稠密，中部之后逐渐变细甚至看不见 ……………………………………………………………… **直墨天牛 *M. rectus***

（374）突变墨天牛 *Monochamus abruptus* Holzschuh, 2015（图版 28：7）

Monochamus abruptus Holzschuh, 2015a: 73, fig. 50.

鉴别特征：体长 10.6 ~ 12.9mm。体黑色，但触角第 3 ~ 11 节棕红色且各节末端颜色加深，各节基半部具白色绒毛。小盾片密被棕褐色绒毛。鞘翅棕褐色绒毛斑纹不太显著，中部之后的无绒毛区域略明显。触角长，雄虫触角约为体长的 2.0 倍。前胸两侧刺突短钝。鞘翅末端圆形，鞘翅基半部刻点显著而粗深，中部之后突然刻点变细甚至看不见。

采集记录：1♂（正模），Shaanxi Prov.，Qingling Shan（mts.），road Baoji-Taibai vill. Pass 40km S. Baoji，1998. Ⅵ. 21-23，leg. Z. Jindra（CCH）；1♂2♀（副模），同正模；1♂2♀（副模），同正模，35 km S of Baoji，O. Šafránek & M. Trýzna；1♀（副模），Shaanxi，Qinling Shan，road Xi′an-Ningshan，paa 50 km S Xi′an，33°08′N，108°08′E，2000m，2000. Ⅵ. 11，J. Turna（CCH）；1♂，周至厚畛子老县城村至秦岭

梁途中，1745～2021m，2007. Ⅴ.27，林美英采(IOZ(E)1905340)

分布：陕西(周至、宝鸡、宁陕)。

(375)松墨天牛 *Monochamus alternatus alternatus* Hope，1842(图版28:8)

Monohammus alternatus Hope，1842a：61.

Monohammus tesserula White，1858：408.

别名：松天牛、松褐天牛。

鉴别特征：体长15.0～28.0mm。体橙黄色到赤褐色，鞘翅上饰有黑色与灰白色斑点。前胸背板有2条相当阔的橙黄色条纹，与3条黑色纵纹相间。小盾片密被橙黄色绒毛。每一鞘翅具5条纵纹，由方形或长方形的黑色及灰白色绒毛斑点相间组成。触角棕栗色，雄虫第1、2节全部和第3节基部具有稀疏的灰白色绒毛；雌虫除末端2、3节外，其余各节大部分被灰白毛，只留出末端一小环是深色。触角雄虫超过体长1.0倍多，雌虫约超出1/3，第3节比柄节约长1.0倍，并略长于第4节。前胸侧刺突较大，圆锥形。鞘翅末端近乎切平。

采集记录：1♂1♀，武功(NWAFU)；1♂，佛坪，890m，1999. Ⅵ.26，章有为灯诱；1♀，佛坪县城，900m，2008. Ⅶ.05，白明采；1♂，洋县长青保护站，2014. Ⅶ.15，刘漪舟采(Ceram-181)；1♂，同上，2014. VII.16；1♀，洋县华阳镇，2014. Ⅶ.13，刘漪舟采。

分布：陕西(武功、佛坪、洋县、宁陕、城固)、北京、河北、山东、河南、江苏、安徽、浙江、湖北、江西、湖南、福建、台湾、广东、香港、广西、四川、贵州、云南、西藏；韩国，日本，老挝。

寄主：马尾松，冷杉，云杉，鸡眼藤，雪松，桧属，落叶松。

(376)红足墨天牛 *Monochamus* (*Monochamus*) *dubius* Gahan，1894 陕西新纪录(图版28:9)

Monohammus dubius Gahan，1894a：35.

Monohammus talianus var. *sparsenotatus* Pic，1920b：2.

Monochamus sintikensis Matsushita，1939：58.

Monochamus talianus ab. *sparsenotatus*：Breuning，1944：454.

鉴别特征：体长9.0～18.0mm。体黑色，被灰白及棕黄色绒毛。头部额、触角及头顶大部具灰白色毛，复眼上叶后方及颊部各具1块棕黄色毛斑，其余部分光裸。前胸背板中央两侧各具1条棕黄色毛宽纵条纹，中线附近光裸，两侧缘密被棕黄色毛。小盾片后缘具棕黄色毛。鞘翅大部光裸，散布棕黄色毛斑，并间杂有少量灰白色毛斑，下侧缘具 1 列不规则的灰白色毛斑。足淡红棕色，密被灰白色短绒毛。触角细长，雄虫触角约为体长的 3.0 倍。前胸两侧缘中央各具 1 个小钝瘤。鞘翅两侧缘在中点之后稍加宽，末端圆。

采集记录：1♀，镇安，1975. Ⅵ. 02（NWAFU，CO028379，ex 西北农学院）。

分布：陕西（镇安）、福建、台湾、广东、海南、广西、四川、贵州、云南、西藏；越南，老挝，缅甸，印度，尼泊尔。

（377）缝刺墨天牛 *Monochamus gravidus* Pascoe，1858

Monohammus gravidus Pascoe，1858：245.
Apriona multimaculata Pic，1933c：31.

鉴别特征：体长 30.0～47.0mm。体黑色。鞘翅具土黄色绒毛斑纹，大部分黄斑点散乱稀疏，仅中间显示有 1 条较显著的黄带。触角长于体，雄虫更长，柄节粗短，第 3 节长是柄节长的 2.0 倍。前胸背板阔胜于长，侧刺突显著，末端尖锐。鞘翅两侧几乎平行，末端圆，但缝角略具刺。

分布：陕西（秦岭）、河南、山东、安徽、浙江、湖南、福建；马来西亚（婆罗洲）。

（378）密点墨天牛 *Monochamus impluviatus* Motschulsky，1859

Monochamus impluviatus Motschulsky，1859：571.

鉴别特征：体长 11.0～20.0mm。密点墨天牛与云杉花墨天牛 *Monochamus saltuarius*（Gebler，1830）比较相似，但雄虫触角较短，体与角比不到 1.0∶1.5；鞘翅花斑较密，不排成横带。

分布：陕西（秦岭）、黑龙江、内蒙古；蒙古，俄罗斯，朝鲜；欧洲。

寄主：*Larix* sp.，*Pinus* sp.。

（379）西藏墨天牛 *Monochamus nigromaculatus* Gressitt，1942 陕西新纪录（图版 28∶10）

Monochamus nigromaculatus Gressitt，1942c：2，pl. 1，fig. 3.
Monochamus（s. str.）*nigromaculatus*：Gressitt，1951：392，395.

鉴别特征：体长 15.0～17.7mm。体黑色，触角黑色但第 3～11 节各节基半部具白色绒毛。前胸背板中区具两列锈黄色绒毛纵带，有时中断成两半；侧刺突大部分或仅基部覆盖锈黄色绒毛。小盾片密被锈黄色绒毛但具有光滑中纵黑带。鞘翅棕褐色绒毛和黑色绒毛夹杂，形成不规则的很多斑点。触角长，雄虫触角是体长的 2.0

倍，雌虫端 4 节超出鞘翅末端。前胸两侧刺突短钝。鞘翅末端圆形。

采集记录:1♀，周至厚畛子，1350m，1999. Ⅵ. 21，章有为采；1♂1♀，华阴华山，770 ~1618m，林美英采；1♀，宁陕火地塘，2016. Ⅶ. 07-24，王勇采。

分布:陕西(周至、华阴、宁陕)、西藏。

(380)直墨天牛 *Monochamus rectus* Holzschuh, 2015(图版 28:11)

Monochamus rectus Holzschuh, 2015a: 72, fig. 49.

鉴别特征:体长 8.5 ~11.1mm。体黑色，触角黑色但第 3 ~11 节各节基半部具白色绒毛。小盾片密被棕褐色绒毛。鞘翅棕褐色绒毛形成隐约的几条横斑，中部之后不形成显著的无绒毛区域。触角长，雄虫触角约为体长的 2.0 倍。前胸两侧刺突短钝。鞘翅末端圆形，鞘翅基半部刻点稠密，中部之后逐渐变细甚至看不见。跟 *Monochamus talianus* 相似，区别在于前胸侧刺突较小，前胸背板无横皱纹且鞘翅后半部刻点变细。

采集记录:1♂(正模)，Shaanxi Prov.，Qing Ling Shan (Mts.) (= Qinling Shan)，road Baoji-Taibai vill. Pass 40km S. Baoji，1998. Ⅵ. 21-23，leg. Z. Jindra(CCH)；2♂4♀(副模)，Shaanxi，Qinling Shan，12km SW of Xunyangba，1900 ~2250m，2000. Ⅵ. 14-18，C. Holzschuh (CCH)；1♀，宁陕火地塘，1600 ~2000m，2008. Ⅶ. 08，崔俊芝采(IOZ(E)1905338)；1♀，南郑黎坪采，1400 ~1500m，1958. Ⅴ. 16，宋士美采(IOZ(E)1905339)。

分布:陕西(宝鸡、宁陕、南郑)、河南。

(381)云杉花墨天牛 *Monochamus saltuarius* (Gebler, 1830)

Monohammus saltuarius Gebler, 1830: 184.

Monochamus sultuarius: Pic, 1912c: 19 [misspelling].

鉴别特征:体长 11.0 ~20.0mm。体呈黑褐色，微带古铜色光泽，鞘翅基部以下绒毛较浓密，呈棕褐色，并杂有许多淡黄色或白色斑点，尤其雌虫为多，淡斑隐约地排列成 3 条横带。小盾片密被淡黄色绒毛，中央留出 1 条光滑的纵纹。前胸背板中区前方有 2 个较显著的黄色小斑点，有时后方还有 2 个更小的小斑点。雄虫触角超过体长的 1.0 倍多，黑色；雌虫超过 1/4 或更长，从第 3 节其每节基部被灰色毛。前胸侧刺突中等大，鞘翅末端钝圆。本种又与密点墨天牛 *Monochamus impluviatus* Motschulsky, 1859 相接近，但雄虫触角显然较长，体长与触角长之比为 1.0:2.0 左右；鞘翅花斑较稀，隐约排成 3 条横带。

分布:陕西(西安)、黑龙江、吉林、内蒙古、北京、河北、山西、山东、新疆、浙江、江西；蒙古，俄罗斯，朝鲜，韩国，日本，欧洲。

寄主：云杉。*Abies alba* Michaux, *Larix kaempferi* Fortune ex Gordon, *Larix* sp., *Picea abies* Linnaeus, *Picea excelsa* Link, *Picea jezoensis* (Siebold *et* Zuccarini) Carrière ssp. *hondoensis* (Mayr) P. A. Schmidt, *Pinus densiflora* Siebold *et* Zuccarini, *Pinus nigra* Arnold, *Pinus parviflora* Siebold *et* Zuccarini, *Pinus sylvestris* Linnaeus, *Pinus thunbergii* Parlatore, *Tsuga sieboldii* Carrière。

（382）麻斑墨天牛 *Monochamus sparsutus* Fairmaire, 1889（图版 29：1）

Monohammus sparsutus Fairmaire, 1889b: 67.
Monochamus fascioguttatus Gressitt, 1938b: 156.
Monochamus sintikensis Matsushita, 1939: 58.
Monochamus sparsutus: Breuning, 1949b: 5.

鉴别特征：体长 10.0～17.0mm。体较小，黑色，每翅散生许多大小不等的淡黄色和灰白色绒毛小斑点，中部小斑点较紧密有的愈合成斑纹。前胸背板两侧各有 1 个淡黄色绒毛小斑点，中区有少许绒毛，头被稀疏淡灰色绒毛。小盾片被淡黄色浓密绒毛。触角自第 4 节起的以下各节基部被淡灰色绒毛。体腹面疏散着生淡黄色绒毛。额近于方形，颊显著长于复眼下叶，触角基瘤中等突出，两触角基瘤之间深凹，头具细粒状皱纹刻点；雄虫触角长度约为体长的 2 倍，柄节粗短，膨大，表面具细密刻点。前胸背板宽胜于长，侧刺突短小，表面具细粒状刻点。鞘翅中部稍阔，后端较窄，端缘圆形；翅面刻点极细密，基部有粒状刻点。足较短。

采集记录：1♂，周至厚畛子沙梁子村，950m，2007. Ⅴ. 25，林美英采；1♀，周至集贤立新村，2006. Ⅶ. 16，林美英采；1♀，周至厚畛子，1350m，1999. Ⅵ. 21，章有为采；1♀，周至秦岭植物园内大峡谷，893m，2012. Ⅶ. 06，刘万岗采（Ceram-143）；1♂，凤县，1974. Ⅵ. 07（NWAFU，CO028440）；1♀，佛坪龙草坪，1256m，2007. Ⅷ. 17，杨玉霞采；1♀，洋县长青保护区白杨沟，1500m，2014. Ⅶ. 16，刘漪舟采。

分布：陕西（周至、凤县，佛坪、洋县）、河南、安徽、浙江、湖北、江西、湖南、福建、台湾、四川、云南；越南，老挝，缅甸，印度，尼泊尔。

寄主：*Populus* sp., *Quercus* sp., *Sandoricum indicum* Cavanilles.

（383）云杉小墨天牛 *Monochamus* (*Monochamus*) *sutor longulus* Pic, 1898

Monohammus sutor var. *longulus* Pic, 1898a: 23.
Monochamus (*Monochamus*) *sutor longulus*: Löbl & Smetana, 2010: 283.

鉴别特征：体长 14.0～24.0mm。体黑色，有时微带古铜色光泽。全身绒毛不密，尤其前胸背板处最稀。绒毛从淡灰色到深棕色，一般在头部及腹面呈淡灰色，在鞘翅呈深棕色，在前胸背板呈淡棕色，但亦有相当变异。雌虫在前胸背板中区前方常有2个淡色小斑点，鞘翅上亦常有稀散不显著的淡色小斑，雄虫一般缺如。小盾片具灰白色或灰黄色毛斑，中央1条无毛的细纵纹。雄虫触角超过体长的1.0倍多，黑色；雌虫触角超过体长的1/4或更长，从第3节起每节基部被灰色毛。腹面被棕色长毛，以后胸腹板处为密。鞘翅末端钝圆。分布很广，它与欧洲分布的指名亚种的区别在于鞘翅上花斑极稀，或全部缺如。

分布：陕西（西安）、黑龙江、吉林、内蒙古、河南、山东、青海、新疆、浙江；蒙古，俄罗斯，朝鲜，韩国，日本，哈萨克斯坦。

寄主：落叶松，云杉。

（384）云杉大墨天牛 *Monochamus urussovii* （**Fischer-Waldheim, 1806**）（图版29：2）

Cerambyx urussovii Fischer-Waldheim, 1806: 12, pl. 1, fig. 2.

Monohammus quadrimaculatus Motschulsky, 1845: 86.

Monochamus schaufusi Pic, 1912c: 18.

Monochamus urussovi schaufussi: Breuning, 1949b: 4.

Monochamus urussovi: Breuning, 1961c: 368.

鉴别特征：体长15.0～36.0mm。体黑色，带古铜色光泽。绒毛极稀，淡棕黄色或黄色；鞘翅端部约1/4区域被毛较密，形成一片土黄色；雌虫鞘翅上另有白色或淡黄色绒毛斑点，大小不等，以中部的较大、较密，往往排成不规则的两横行，1行在中线之前，1行在中线之后。小盾片全部密被淡棕黄色绒毛，亦有少数个体在基部中央留出1条绒毛较稀的纵纹。触角基部黑褐色，自第3节起渐呈棕栗色。雄虫触角甚长，体长与触角长之比为1:2～2.5；雌虫触角较短，仅超过翅端2～4节；第3节最长，是柄节长的1.0～1.5倍（雄性）。前胸侧刺突呈圆锥形，末端不尖锐。鞘翅末端圆形。

采集记录：1♂，武功，1965. V.20（NWAFU，CO028467）。

分布：陕西（西安、长安、武功、榆林）、黑龙江、吉林、内蒙古、宁夏、新疆、河北、河南；蒙古，俄罗斯，朝鲜，韩国，日本，哈萨克斯坦，欧洲北部。

寄主：冷杉，云杉，落叶松。

备注：在《常见天牛野外识别手册》里，本种的学名被误为 *Monochamus rosenmuelleri* （Cederhjelm，1798），这是由于作者沿用了 Sama（2003）和 Makihara（2007）的概念。根据古北区鞘翅目名录，本种的学名应该是 *Monochamus urussovii*（Fischer-Waldheim，1806），而 *rosenmuelleri* 属于 *Monochamus sutor*（Linnaeus，1758）指名亚种底下的一个"doubtful assignment"。

183. 巨瘤天牛属 *Morimospasma* Ganglbauer, 1889

Morimospasma Ganglbauer, 1889a: 78. **Type species**: *Morimospasma paradoxum* Ganglbauer, 1889.

属征（蒋书楠等，1985）：体型卵圆。头部额宽胜于高；复眼内缘深凹，下叶狭小，小眼面粗粒；触角较体长，触角基瘤分开，头顶浅陷，触角柄节长，等于第 3 节或稍短，第 3、4 节近端部两侧面有凹陷。前胸背板高低不平，多不规则横隆脊，背中央有 1 个巨瘤，表面隆起或下陷，侧刺突发达，其前方有 1 个小瘤突。鞘翅卵形，肩角不明显，肩部较前胸狭，表面不平，翅端狭圆，无后翅。前胸腹板突狭，低于前足基节；中胸腹板突宽，前端圆形；后胸腹板很短。足长，后足腿节较前、中足的长；爪全开式。

分布：中国。本属共记录 6 种，均为中国特有，秦岭地区发现 2 种。

分种检索表

雌虫触角等于或略短于体长，雄虫触角超过鞘翅末端；鞘翅中部后方具有半圆形黑绒斑 ……………………………………………………………… **细粒巨瘤天牛 *Morimospasma granulatum***

雄虫、雌虫触角均显长于体长；鞘翅中部后方不具半圆形黑绒斑 …… **巨瘤天牛 *M. paradoxum***

（385）细粒巨瘤天牛 *Morimospasma granulatum* Chiang, 1981（图版 29:3）

Morimospasma granulatum Chiang, 1981: 80, 83, pl. 1, fig. 6.

鉴别特征：体长 13.0 ~ 14.5mm。体赭褐色，全体被致密平滑的棕褐色细毛；鞘翅棕褐色，中部后方各有一半圆形黑绒斑。头部额平坦、宽广，散布稀疏刻点，中沟明显，止于头顶触角基瘤之间；上唇宽圆；上颚端半部直角向内弯；复眼下叶与其下颊部等高，小眼面粗粒；触角几乎到达至稍微超过鞘翅端部，柄节粗柱状，端疤极小，但完整明显，第 3 节略短于柄节，较第 4 节长 1/3；后头前方复眼周围有稀疏刻点。前胸背板宽胜于长，毛被密厚，表面粗糙，凹凸不平，中央有 1 个巨瘤，瘤中央下陷，陷口接近倒三角形，后方有缺口，形成纵沟。小盾片三角形，很小。鞘翅坚实，左右相合呈长卵形，肩部较前胸狭，肩角不明显，鞘翅背方隆起，端部狭圆，中部后方黑绒斑之后呈屋脊状倾斜，坡度较缓，倾斜部以前的翅表散布小颗瘤，翅基中央一短行有 4 ~ 5 个颗瘤较粗，该处形成不明显的钝脊，自肩部沿外侧缘的内侧弯向翅端前方中央的 1 行也较粗，沿中缝的很小，倾斜部无颗瘤，翅面散布小颗粒。后足腿节不达第 4 腹节后缘。

采集记录：1♂，周至厚畛子，1670 ~ 1760m，2008. Ⅵ. 27，刘万岗采；1♂，太白

山大殿，2300m，1981. Ⅷ. 05（NWAFU，CO027889）；1♀，勉县，1958. Ⅶ（SWU，标注的是副模，但根据原始文献的图片，此号标本并非模式标本，真正的正模应该在NWAFU）；1♀，佛坪龙草坪林场，1985. Ⅶ. 16，王淑芳采；1♂，宁陕火地塘，1300～1500m，2013. Ⅷ. 14，阮用颖采（IOZ（E）1905228）；1♀，宁陕平河梁草甸，2372m，2015. Ⅶ. 16，刘漪舟采。

分布：陕西（周至、太白、勉县、佛坪、宁陕）。

寄主：华山松。*Pinus armandii* Franchet var. amamiana。

（386）巨瘤天牛 *Morimospasma paradoxum* Ganglbauer，1889（图版 29：4）

Morimospasma paradoxum Ganglbauer，1889a：80.

Trachystola difformis Pic，1934：12.

别名：松巨瘤天牛。

鉴别特征：体长 14.0～26.0mm。全体暗褐色，被黄褐色细毛，腹面及足的腿胫节有不规则小黑斑。雄虫触角末 3～6 节超过体端，雌虫触角末 1～3 节超过体端；柄节粗，与第 3 节等长，长于第 4 节，表面上具刻点及浅皱，第 3、4 节近末端外侧下方有凹陷。前胸背板宽胜于长，表面具粗皱，中央隆起 1 个巨瘤，表面凹凸不平，中线由浅穴状粗刻点形成，侧刺突基部肥宽，末端尖锐；鞘翅坚实，肩部较前胸狭，肩角不明显，左右鞘翅相合呈卵形，下部后方屋脊状倾斜，翅表散布棘状突起和小瘤突，棘状突主要沿肩部以下的棱脊上以及翅表自基部 1/4 的中线上至倾斜部的顶脊上和倾斜面的边缘上。

采集记录：1♀，略阳，1981. Ⅵ；2♂2♀，沔县（＝勉县）新店子，1958. Ⅵ. 11，寄主：华山松；2♀，太白，1981. Ⅴ. 29，寄主：华山松，王江水采；1♀，太白，1981. Ⅴ. 09，寄主：桦，王江水采；1♀，沔县（＝勉县）新店子，1958. Ⅳ. 21，寄主：华山松；1♀，佛坪，1984. Ⅶ. 25，陈颖采；1♂，宁陕火地塘，2200m，1979. Ⅷ. 03，韩寅恒采；1♀，石泉旬阳坝，1960. Ⅴ. 13。

分布：陕西（略阳、太白、勉县、佛坪、宁陕、石泉）、宁夏、甘肃、青海、安徽、湖北、重庆、四川。

寄主：华山松，油松，辽东栎。

184. 异鹿天牛属 *Paraepepeotes* Pic，1935 陕西新纪录属

Paraepepeotes Pic，1935b：16. **Type species**：*Paraepepeotes Breuningi* Pic，1935.

Parepepeotes Breuning，1938b：182. **Type species**：*Parepepeotes Breuningi* Pic，1935 [unjustified emendation].

属征:体型一般中等大。头部触角基瘤突出；触角较体长很多，基部数节下沿有短缨毛，柄节较短，端疤发达完整，第3节长于柄节或第4节；复眼小眼面粗粒，下叶长大于宽。前胸背板侧刺突短。鞘翅肩部通常发达，向后微微渐狭，背面隆起，末端圆形或平切，中胸腹板突有瘤突，前端平截垂直。足长，胫节内侧没有发达的齿状突起；中足胫节外侧斜沟顶部有1个齿突；爪全开式。

分布:东洋区。世界已知13种/亚种，中国记录4种，秦岭地区发现1种。

(387)异鹿天牛 *Paraepepeotes breuningi* Pic, 1935 陕西新纪录（图版29:5）

Paraepepeotes breuningi Pic, 1935b: 16.

鉴别特征:体长20.0~27.0mm。体基色黑，全身密被深灰色绒毛，并饰有白色或黄色的绒毛斑纹。头部中央有直纹1条，两侧各1条。前胸背板有细纵纹3条。小盾片被显著白色绒毛。鞘翅白点多，每翅通常具15个以上小斑。触角褐黑色，4~6节基部被少量白色绒毛，不显著。雌虫、雄虫触角都远长于体。前胸背板，侧刺突圆锥形。鞘翅肩上具少量颗粒，末端圆。

采集记录:1♀，周至集贤镇立新村，2006.Ⅶ.16，林美英灯诱。

分布:陕西(周至)、四川、云南、西藏；越南，老挝，缅甸，印度。

185. 齿胫天牛属 *Paraleprodera* Breuning, 1935

Paraleprodera Breuning, 1935a: 253. **Type species**: *Lamia crucifera* Fabricius, 1793.

属征(蒋书楠等, 1985):体型一般中等大。头部触角基瘤突出；触角较体长，基部数节下沿有短缨毛，柄节较长，端疤发达完整，第3节长于柄节或第4节；复眼小眼面粗粒，下叶横宽。前胸背板横宽，侧刺突长而尖锐。鞘翅肩部通常发达，向后显著渐狭，背面隆起，末端圆形或稍斜切，中胸腹板突有瘤突，前端平截垂直。足长，雄虫前足显著长，胫节内侧有一发达的齿状突起，跗节膨大，两边有长卷毛；中足胫节外侧斜沟顶部有1个齿突；爪全开式。

分布:东洋区。世界已知23种/亚种，中国记录9种，秦岭地区发现2种。

分种检索表

鞘翅基部有“眼斑” ························ **眼斑齿胫天牛 *Paraleprodera diophthalma***

鞘翅基部无“眼斑” ································ **蜡斑齿胫天牛 *P. carolina***

(388)蜡斑齿胫天牛 *Paraleprodera carolina*（Fairmaire，1899）陕西新纪录（图版29:6）

Archidice carolina Fairmaire, 1899: 641.
Epicedia carolina: Kano, 1930: 47.
Paraleprodera carolina: Breuning, 1943c: 270.

鉴别特征:体长21.0~28.0mm。体黑色，全体密被可可棕色细毛，散布白色或黄色斑纹。头部复眼后颊上、胸部和腹部腹面，足的胫节和腿节上均散布不规则的小白斑；额和触角柄节有灰黄色毛的花斑，触角第3节基部2/3被灰黄色毛，以下各节基部被灰白色毛，头顶至后头有宽的黄白色纵带。前胸背板有4条黄白色纵带，背中线两侧各1条，侧刺突下各1条。鞘翅上有较大而鲜明的近圆形的黄白色油漆样或蜡样斑点，基半部和端半部各3个，基半部外侧第3个往往较大而非整圆形。此外，散布有细小黄白色斑点。鞘翅肩角和翅基部散布稀疏黑色颗粒，极明显光亮，翅端斜切。

采集记录:1♀，洋县长青保护区华阳镇，2016. Ⅵ.29，周润采。

分布:陕西(洋县)、江苏、浙江、湖北、江西、湖南、福建、台湾、重庆、四川、贵州、云南。

寄主: *Castanea mollissima* Blume，*Cunninghamia lanceolata* Hooker，*Rubus* sp.，*Trachycarpus fortunei* H. Wendland，*Zanthoxylum bungei* Planchon。

(389)眼斑齿胫天牛 *Paraleprodera diophthalma*（Pascoe，1856）（图版29:7）

Monohammus diophthalmus Pascoe, 1856: 49.
Leprodera bioculata Fairmaire, 1899: 641.
Paraleprodera diophthalma diophthalma: Gressitt, 1951: 362, 363, pl. 15, fig. 2.

鉴别特征:体长17.5~30.0mm。全身密被灰黄色绒毛。后头至前胸背板的两侧各有1条黑色纵纹。小盾片被灰黄绒毛，中央有1条无毛区域。每个鞘翅基部中央有1个眼状斑纹，眼斑周缘为1圈黑褐色绒毛，圈内有几个粒状刻点及被覆淡黄褐色绒毛；中部外侧有1个大型近半圆形或略呈三角形深咖啡色斑纹，斑纹边缘黑色。触角被灰黄色绒毛，第3~5节基部具绒毛环。雄虫触角为体长的1.5倍多，雌虫触角长度超过鞘翅端末。前胸背板侧刺突圆锥形，两侧皱纹粗糙。鞘翅肩宽，端部稍窄，端缘圆形。前足较中、后足长，前足胫节近端部的内侧，有1个齿突，雄虫尤其显著。

采集记录:1♂，周至，700m，1993. Ⅴ.27；1♂，略阳，寄主:油桐；1♂，留坝，1975. Ⅳ.02(NWAFU，CO027879)；1♂，佛坪东河台，1300m，1973. Ⅷ.09，张学忠采；2♀，柞水营盘镇老林村，1046m，2007. Ⅵ.02，林美英采；1♀，柞水营盘镇红庙河村，1110m，2007. Ⅵ.03，林美英采；1♂，柞水营盘镇，995m，2014. Ⅶ.31，路园园灯诱；1♂，石泉，1960. Ⅶ.21。

分布:陕西(周至、略阳、宝鸡、太白、留坝、佛坪、宁陕、柞水、石泉)、河北、河南、江苏、安徽、浙江、湖北、江西、湖南、福建、广西、四川、贵州、云南。

寄主:板栗,油桐。*Actinidia* sp., *Bambusa* sp., *Cupressus* sp., *Dendrobenthamia* sp., *Juglans regia* Linnaeus, *Ostryopsis davidiana* Decaisne, *Vernicia fordii* (Hemsley) Airy Shaw。

186. 凹唇天牛属 *Paranamera* Breuning, 1935

Paranamera Breuning, 1935b: 66. **Type species**: *Paranamera malaccensis* Breuning, 1935.

属征(蒋书楠等, 1985):体型较宽短。头部上唇前缘中央凹入;触角较粗壮,下沿无缨毛,柄节粗,端疤完整,第3节几乎与第4节等长,不长于柄节;触角基瘤显著突出,靠拢;复眼小眼面粗粒;额高胜于宽。前胸背板横宽,侧刺突发达,端钝。鞘翅宽,背面隆起,端圆。中胸腹板突前方瘤突极显著,前端垂直。中足斜沟明显;爪全开式。

分布:中国;缅甸,印度尼西亚,马来西亚。世界已知4种,中国记录1种,秦岭地区也有分布。

(390)黄斑凹唇天牛 *Paranamera ankangensis* Chiang, 1981(图版29:8)

Paranamera ankangensis Chiang, 1981: 82, 84, pl. 1, fig. 10.

鉴别特征(蒋书楠等, 1985):体长26.0mm。体黑色有光泽。头部触角第3~10节基部1/2~2/3被灰白色绒毛,第11节除中部外均被灰白色绒毛。前胸背板前半部中央两侧各有1块大型黄色毛斑。小盾片黑色。鞘翅上有等距离排列的大型黄色毛斑与横列:第1列在翅基部小盾片两侧,在肩角处断裂;第2列在基半部中央,中部断裂;第3列在翅中部,内端渐狭,断裂成1个小圆斑,靠近中缝;第4列在端半部中央,内端距中缝较远,在中缝旁有1个更小的圆斑;第5列在翅端,近圆形,内端达中缝末端;各列的外端均达外侧缘。头部上唇的前缘显著凹入;额高大于宽,中沟细而明显,表面几乎无明显刻点,仅两侧缘刻点较明显,在侧缘前端有1个短穴状的凹陷;触角基瘤突出,表面有稀疏细刻点;头顶直角深陷;复眼下叶高稍胜于宽,稍长于其下颊部;后方背方隆起,具稀疏细刻点,中沟明显,直达后缘;触角末3节超过体端,柄节短于第3节(4.0:5.6),第3节稍长于第4节(5.5:5.0)。前胸背板横宽,背方后半部沿侧刺突低陷,中央有1对小突起,侧刺突粗短,末端钝。小盾片正三角形,无刻点。鞘翅宽,肩宽为翅长的1/2,两侧平行,末端宽圆,鞘翅基部有粗钝颗瘤,肩部的较粗密,其后有稀疏粗刻点,其余部分光滑无刻点。中胸腹板突前端突起,前方垂直。第5腹节腹板最长,等于第2、3、4节长度之和。后足腿节伸达第

4 腹节后缘，与胫节等长，跗节宽短。

采集记录:1♀(正模)，安康，1960. Ⅶ(NWAFU, ex 西北农学院林学系)；1♀(副模)，安康，寄主:桃，1960(NWAFU, ex 陕西省林业研究所昆虫标本)；1♂，洵阳(=旬阳县)，1981. Ⅷ. 27，蛇芳芳、卢从德采(NWAFU, CO025460)[1♀，洵阳(=旬阳县)，1981. Ⅷ，卢从德采(NWAFU, CO027073)。

分布:陕西(安康、旬阳)、河南。

寄主:桃 *Prunus persica* (Linnaeus) Batsch。

备注:本种的黄斑跟丽星天牛 *Anoplophora elegans* (Gahan) (Lingafelter & Hoebeke, 2002: 77, pl. 8, fig. a)基本一致，但鞘翅各节的端部没有绒毛环斑；跟星天牛 *Anoplophora stanleyana* Hope, 1839 (Lingafelter & Hoebeke, 2002: 217, pl. 31, figs. d, e, f) 和缅甸星天牛 *Anoplophora birmanica* Hüdepohl, 1990 (Lingafelter & Hoebeke, 2002: 80, pl. 10, fig. a)很相似，但是前胸背板的黄斑只局限在端半部，基半部缺失；跟楝星天牛 *Anoplophora horsfieldii* (Hope, 1842) (Lingafelter & Hoebeke, 2002: 86, pl. 13, figs. a, b)也挺相似，但前胸背板的黄斑只局限在端半部且更大，基半部缺失，鞘翅黄斑 5 行而不是 4 行。

187. 蛛天牛属 *Parechthistatus* Breuning, 1942

Parechthistatus Breuning, 1942: 131. **Type species:** *Echthistatus gibber* Bates, 1873.

属征(蒋书楠等, 1985):体长卵型。头部额宽胜于高；复眼内缘深凹，下叶狭小，小眼面粗粒；触角较体长，柄节粗长，近端部缢缩，短于第 3 节，第 3 节稍长于第 4 节；触角基瘤分开，中度突出。前胸背板长宽略等，背面有几个钝肿突，侧刺突发达，尖锐。鞘翅相合成卵形，肩角不明显，表面具瘤突，后半部有横脊，坡状倾斜，翅端狭圆，无后翅。前胸腹板突很狭，低于前足基节，中胸腹板突较宽大，前端圆弧状，后胸腹板极短。足细长，爪半开式。

分布:中国；日本。世界已知 3 种，其中分布于日本的模式种包含 10 个亚种。中国分布 2 种，秦岭地区发现 1 种。

(391) 中华蛛天牛 *Parechthistatus chinensis* Breuning, 1942(图版 29:9)

Parechthistatus chinensis Breuning, 1942: 132.

鉴别特征:体长 17.0~18.0mm。体长卵形，黑色，全体密被褐色细毛。头部额横宽，散布稀疏细刻点，中沟细，该处额沿中沟浅陷；颊具穴状粗刻点；复眼下叶小，狭长，与其下颊部略等长；小眼面粗粒；触角基瘤左右远离，不很突出；触角细长，柄节约与第 4 节等长，短于第 3 节；头顶至后头中沟明显，具稀疏刻点。前胸背板与头部等宽，两侧刺突尖短，背中央有3个大瘤突：前端中线两侧各1个，较小；后方中央1个，较大；每个瘤突表面由高低不平的小瘤组成。小盾片横扁，三角形，中央有纵沟。鞘翅坚实。翅端尖圆，在小盾片后中缝两侧各有1个棘状瘤突，每瘤由3个短瘤组成，鞘翅后端1/3部分显著倾斜，在坡顶处左右各有1个肿瘤状突起，从肩部内侧至肿瘤处有1列由小颗粒组成的隆脊，稍弯成弧形，左右两弧形脊之间的背方较平坦，表面散布稀疏小颗粒，从肩部至翅端中央又有1条由短棘组成的隆脊，两旁散布稀疏的小颗粒，肩部的棘瘤较发达。足瘦长。

采集记录：地模，1♀，太白山放羊寺，1947. Ⅷ. 28（中山大学，注：虽然此号标本插有Gressitt鉴定的配模标签，但Breuning的原始文献并未提及，只能算是地模）；1♂（正模），Chansi，Taibai Shan（USNM）。

分布：陕西（户县、太白、武功、宁陕）、河南。

寄主：*Malus pumila* Miller。

188. 肖泥色天牛属 *Paruraecha* Breuning, 1935

Paruraecha Breuning, 1935b: 64. **Type species**: *Paruraecha szetschuanica* Breuning, 1935.

分布：中国；印度。本属分为2个亚属，每个亚属各2种，陕西秦岭地区分布*Arisania*亚属。

188-1. *Paruraecha* (*Arisania*) Gressitt, 1936

Arisania Gressitt, 1936: 106. **Type species**: *Arisania submarmorata* Gressitt, 1936.

Paruraecha (*Arisania*): Gressitt, 1951: 384.

鉴别特征（Gressitt, 1936）：体长圆筒形，两侧平行；头与前胸等宽，长胜于宽，微向后倾；复眼中等狭长，深凹，下叶大上叶小；额窄，触角基瘤处最宽，触角基瘤大而突出，基部连接，互成100度角；柄节伸达前胸中央，基部窄，端前最粗，具有小的端疤；第2节宽大于长；第3～7节约等长，逐渐变长变细；末4节较短而细；末节长于第10节，短于第3节。唇基短，上唇长于唇基，长约为宽的1/2，具有刻点；上颚短，基部很粗；颊小；下颚须和下唇须末节近纺锤形。雄虫触角是体长的2.5倍，雌虫触角是体长的2.0倍；前胸长与宽约相等，末端宽于基端，基端之前微缢缩，两侧具有短的圆锥形瘤突，位于中部略偏后；前足基节近球形，前足基节窝关闭；中足基节窝开放；中足胫节外侧有斜沟；足短，后足腿节约等长于前2可见腹节，爪全开式；鞘翅长，末端横切、斜切或几乎圆形。

分布：中国。本亚属共2种，均为中国特有，秦岭地区发现2种。

备注：本亚属最初被作为Hippopsini族（现在归入多节天牛族）中的1个属（Gressitt, 1936)，但后来被作为沟胫天牛族的肖泥色天牛属的亚属(Gressitt, 1951)。

分种检索表

鞘翅末端斜切，端缘角明显齿状突出…………………………………………………………………………尖尾肖泥色天牛 ***Paruraecha*** (***Arisania***) ***acutipennis***

鞘翅末端略平切，端缘角和端缘角均圆钝，没有齿状突出…………………………………………………………………台湾肖泥色天牛 ***P.*** (***A.***) ***submarmorata***

(392)尖尾肖泥色天牛 *Paruraecha* (*Arisania*) *acutipennis* (Gressitt, 1942)

Arisania acutipennis Gressitt, 1942e: 209, pl. 8, fig. 6.

Paruraecha (*Arisania*) *acutipennis*: Gressitt, 1951: 384.

鉴别特征:体长 10.0mm 左右。体红褐色至黑褐色。头和前胸黑褐色，散布不规则的黄褐色绒毛斑点，小盾片密被黄褐色绒毛。鞘翅红褐色，基部 1/5 和端部 1/3 具有较多的黄褐色绒毛斑点，中间部分具有灰白色绒毛但不形成明显的斑点，其他绒毛棕褐色。触角红褐色，各节端部具有深色环纹。腹面红褐色至黑褐色，散布不规则的黄褐色绒毛斑点。鞘翅末端斜切，端缘角齿状突出。

分布:陕西(秦岭)、广东、贵州、云南。

(393)台湾肖泥色天牛 *Paruraecha* (*Arisania*) *submarmorata* (Gressitt, 1936) 陕西新纪录(图版 29:10)

Arisania submarmorata Gressitt, 1936: 107, pl. 1, fig. 16.

Paruraecha (*Arisania*) *submarmorata*: Gressitt, 1951: 384.

鉴别特征:体长 7.5 ~10.5mm 左右。体红褐色至黑褐色。头和前胸黑褐色，散布不规则的黄褐色绒毛斑点，小盾片密被黄褐色绒毛。鞘翅红褐色，基部 1/5 和端部 1/3具有较多的黄褐色绒毛斑点，中间部分具有灰白色绒毛但不形成明显的斑点，其他绒毛棕褐色。触角红褐色。鞘翅末端略平切，端缝角和端缘角均圆钝，没有齿状突出。

采集记录:1♂，宁强，1981. Ⅴ.16，孙益智采(NWAFU, CO028252)。

分布:陕西(宁强)、台湾。

寄主:核桃。

189. 黄星天牛属 *Psacothea* Gahan, 1888

Psacothea Gahan, 1888c: 400. **Type-species**: *Monohammus hilaris* Pascoe, 1857.

属征(Gahan, 1888)：头顶在触角基瘤之间呈三角形下陷，触角基瘤突出，末端远离，基部互相靠近；前胸侧刺突短而弱；前胸腹板突在中部之后向两侧扩展，但最末端不更加扩大；前足基节窝向后开放；中胸腹板具瘤突；雄虫的前足胫节不特化，跗节第1节不特化，约等于其后两节长度之和。

分布：中国；韩国，日本，越南。世界共记录3种，其中模式种包含有11个亚种。中国分布4种/亚种，秦岭地区仅发现1种。

(394) 黄星天牛 *Psacothea hilaris* (Pascoe, 1857)（图版29:11）

Monohammus hilaris Pascoe, 1857: 103.
Monohammus (*Psacothea*) *hilaris*: Bates, 1873c: 311.
Diochares flavoguttatus Fairmaire, 1887a: 133.
Psacothea (*Monohammus*) *hilaris*: Gahan, 1888c: 400.
Hammoderes suzukii Shiraki, 1913: 610.
Psacothea hilaris albomaculata Kano, 1933b: 278.
Psacothea hilaris var. *machidai* Seki, 1935: 292, fig. 1.
Psacothea hilaris szetschuanica Breuning, 1943b: 220.
Psacothea hilaris hilaris: Gressitt, 1951: 359.

别名：桑黄星天牛、黄星桑天牛。

鉴别特征：体长15.0～30.0mm。体基色黑，全身密被深灰色或灰绿色绒毛，并饰有杏仁黄或麦秆黄色的绒毛斑纹，好像涂点的油漆。头部中央有1条直纹，两侧各有1条直纹，紧接前胸前缘，通常为小形斑点，有时延伸到复眼后缘。前胸背板两侧各有长形毛斑2个，前后排成一直行。小盾片端略被黄色绒毛，不甚明显。鞘翅斑点多变异，一般具相当多的小型圆斑点。触角褐黑色，1～3节被黄灰色绒毛，不甚紧密，4～11节基部密被白色绒毛，显得黑白相间。雄虫体长与触角长之比约为1.0∶2.5，雌虫体长与触角长之比约为1.0∶1.8。前胸背板长与宽近乎相等，或宽胜于长，侧刺突圆锥形，不大，有时很小；背板多具横皱纹。鞘翅肩上具少数颗粒，末端微凹，近乎平直。

采集记录：1♂，周至厚畛子至沙梁子途中，991～1107m，2007.Ⅷ.15，史宏亮、杨干燕采；1♀，佛坪，950m，1998.Ⅶ.23，姚建采；1♀，佛坪长角坝乡上沙窝村，1215m，2007.Ⅴ.29，林美英采；1♀，洋县长青保护区管理局，2016.Ⅵ.27，周润采；1♂，宁陕广货街镇，1227m，2014.Ⅶ.26，路园园灯诱；1♂，镇坪上竹镇，2014.Ⅶ.

28，王雪松采；1♀，柞水营盘镇，953m，2014. Ⅶ. 30，路园园灯诱；1♂，南郑黎坪，1400~1500m，1958. Ⅵ. 19，宋士美采；1♀，镇巴，1981. Ⅶ. 11；1♀，商南清泉，1980. Ⅷ. 14；1♀，商南试马大队北坡，1980. Ⅷ. 01；1♀，五龙公社，1981. Ⅶ. 07。

分布：陕西（长安、周至、凤县、佛坪、洋县、宁陕、镇坪、柞水、商南、镇安、南郑、镇巴、石泉）、北京、河北、河南、甘肃、江苏、安徽、浙江、湖北、江西、湖南、福建、台湾、广东、海南、广西、四川、贵州、云南；韩国，日本，越南。

寄主：桑，无花果，油桐，等等。*Artocarpus altilis*（Parkinson）Fosberg，*Coriaria sinica* Maximowicz，*Cunninghamia lanceolata* Hooker，*Ficus carica* Linnaeus，*Juglans regia* Linnaeus，*Morus alba* Linnaeus，*Pinus* sp.，*Populus* sp.，*Pterocarya stenoptera* C. de Candolle，*Vernicia fordii*（Hemsley）Airy Shaw.。

190. 肖多节天牛属 *Stegenagapanthia* Pic，1924

Stegenagapanthia Pic，1924a：18. **Type species**：*Stegenagapanthia albovittata* Pic，1924.

属征：触角基瘤突出，互相靠近；触角长于体，前3节环生长毛，第4~6节内侧具有长毛。前胸不具侧刺突，背面也不具明显瘤突。鞘翅基部密布刻点，向后微微缩窄，末端圆形。足短，中、后足腿节在正常情况下仅稍微露出在鞘翅侧面，中足胫节外侧有斜凹沟，后足跗节第1节仅略长于第2节。

分布：中国；老挝，马来西亚。本属仅知2种，中国记录1种，另一种分布于马来西亚，秦岭地区有分布。

（395）肖多节天牛 *Stegenagapanthia albovittata* Pic，1924

Stegenagapanthia albovittata Pic，1924a：18.

别名：拟筛天牛。

鉴别特征：体长15.0~26.0mm。漆黑色，被棕黄色及白色薄绒毛；体腹面两侧腹末各具1个白色宽纵条；触角前3节环生黑色长毛，第4~6节内侧密生黑色长毛，第5~11节基半部被白色绒毛。前胸背板中央有1白色纵纹，鞘翅沿鞘缝有1不完整的白色纵纹，后半部有4~5条不连续的白色细纵线，翅基部密布粗深刻点，翅端圆形。

分布：陕西（秦岭）、海南、广西；老挝。

191. 泥色天牛属 *Uraecha* Thomson，1864

Uræcha Thomson，1864：84. **Type species**：*Uræcha Bimaculata* Thomson，1864.

属征（蒲富基，1980）：体长形，狭窄。额宽稍胜于长，复眼下叶长于颊，触角细长，柄节端疤关闭式，第3节同第4节约等长或稍长于第4节。前胸背板宽略胜于长，具侧刺突，小盾片近半圆形或舌形。鞘翅狭长，肩部较宽，后端收狭，端缘微斜切，外端角钝或端缘收狭延伸成尖刺。前足基节窝关闭，中足胫节外端具斜沟，足较短，后足腿节不超过腹部第3节。泥色天牛属跟安天牛属很相似，但安天牛属中胸腹板突具有瘤突，本属没有。

分布：东洋区。世界已知17种/亚种，中国记录8种，秦岭地区发现2种。

分种检索表

触角更长，雄虫第5节的中部就超过鞘翅末端；鞘翅中部之后有1个显著的黑色斜斑，三面被灰色宽纹包围，其前后没有相同质地的黑斑，或有相似斜斑，但其前方的斜斑夹角小于70°…………………………………………………………………………… **樟泥色天牛 *Uraecha angusta***

触角稍短，雄虫第5节的端部才到达鞘翅末端；鞘翅中部深色斜斑的前后各具1个相同质地的小点的深色斑，其前方的斜斑夹角等于或略大于90° ………………… **中华泥色天牛 *U. chinensis***

（396）樟泥色天牛 *Uraecha angusta* (Pascoe, 1856)（图版29：12）

Monohammus? *angustus* Pascoe, 1856: 49.

Uraecha angusta: Aurivillius, 1922b: 113.

Uraecha attenuata Pic, 1925c: 23.

Orsidis bimaculata Matsushita, 1933b: 330, pl. V, fig. 13.

Uraecha angusta horishana Matsushita, 1935: 312 (new name for *Orsidis bimaculata* Matsushita, 1933).

Uraecha angusta ab. *horishana*: Breuning, 1944b: 407.

鉴别特征：体长13.0～22.0mm。体基底黑色，被棕红色或淡棕灰色绒毛，前胸背板中央有1条棕红色绒毛纵纹，近前缘两侧及侧刺突内侧有浓密棕红色绒毛小斑，中区有稀少棕红绒毛，小盾片被浓密红棕绒毛。鞘翅中部之后有1个黑褐色斜斑纹并镶有宽阔的淡色边，基部及端部有分散的淡褐色不规则细斑纹。触角自柄节起的各节端部黑褐，其余部分被淡灰色的稀疏的绒毛，柄节、体腹面及足被棕红绒毛。触角丝状，十分细长，比虫体长2.0倍多。前胸背板侧刺突短钝。鞘翅狭长，后端收狭，端缘微斜切。

采集记录：1♂，周至厚畛子，1280m，2008.Ⅴ.05-06，黄灏采；1♀，留坝庙台子，1979.Ⅸ.05，胡忠明采；1♂，洋县华阳镇，2014.Ⅶ.19，刘漪舟采；蓝田汤峪，1951.Ⅹ.27，周尧采（NWAFU，CO028322）。

分布：陕西（周至、留坝、洋县）、北京、河北、河南、宁夏、安徽、江苏、浙江、湖北、江西、湖南、福建、台湾、广东、广西、四川、贵州、西藏；越南。

寄主:樟树，楠，油桐，柳。*Cinnamomum camphora*（Linnaeus）J. Presl，*Phoebe* sp.，*Pinus tabulaeformis* Hort. ex C. Koch，*Salix* sp.，*Vernicia fordii*（Hemsley）Airy Shaw。

(397)中华泥色天牛 *Uraecha chinensis* Breuning，1935 陕西新纪录(图版30:1)

Uraecha chinensis Breuning，1935b：61.

鉴别特征:体长12.5~20.0mm。体基底黑色，被棕红或淡棕灰色绒毛，前胸背板中央基部有1条棕红色绒毛纵纹，近前缘两侧及侧刺突内侧有浓密淡棕红色绒毛小斑，小盾片被浓密红棕绒毛。鞘翅一般具4个较明显的黑褐色斜斑纹，尤其以中部之后的为最大、最显著，基部及端部的黑褐色斜斑纹形状和大小都较不稳定。触角自柄节起的各节端部黑褐，其余部分被淡灰色的稀疏绒毛，柄节、体腹面及足被棕红绒毛。触角丝状，十分细长，比虫体长2.0倍多。前胸背板侧刺突短钝。鞘翅狭长，后端收狭，端缘微斜切。

采集记录:1♂，太白山后沟，1982.Ⅶ.15，李有志采(NWAFU，CO027921)；1♂1♀，太白，1981.Ⅴ.31，王江水采(NWAFU)；1♀，武功，1993.Ⅶ(NWAFU，CO028323)；1♂，宁陕火地塘鸦雀沟，1600~1700m，1998.Ⅶ.28，陈军采(IOZ(E) 1896998)。

分布(Lin & Ge，2017a**):**陕西(太白、武功、宁陕)、北京、河北、河南、江苏、安徽、浙江、湖南、福建。

备注:在华立中(2002)的名录里，记载分布地内蒙古，但是没有记录模式产地河北。他是把"Kalgan"解读为内蒙古的小地名，没有标本作为依据。因此不再继续引用。很多标本曾经被错误鉴定为樟泥色天牛。

XIII. 象天牛族 Mesosini Mulsant，1839

鉴别特征:体型粗短。额大，四方形；复眼小，深凹，有时仅一线相连，小眼面细；触角细长，至少第3~5节下沿具缨毛，柄节具端疤。前胸不具中央侧刺突，但端前有时具侧瘤突，有时不明显，背板有时具中央突起；鞘翅两侧几乎平行，末端圆。前胸腹板短，前足基节窝向后开放，中足基节窝开放。足中等长，腿节逐渐加粗，中足胫节通常不具斜沟但偶尔具模糊的斜沟，跗节短而宽，爪单齿全开式。

分类:世界已知96属/亚属，中国记录21属，陕西秦岭地区分布5属8种。

分属检索表

1. 触角第3节端部通常具刺，有时缺失；第4和6节偶尔具刺；无刺情况下，至少雌虫触角第4节具簇毛 …………………………………………… **缨象天牛属 *Cacia***

触角节均不具刺 …………………………………………………………………………… 2

2. 复眼深凹至仅以细线相连，复眼小，宽大于长；鞘翅不具基部突起和长竖毛 ………………………………………………………………………………………… **象天牛属 *Mesosa***

复眼深凹，但不细如线；鞘翅通常具基部突起或长竖毛 ……………………………… 3

3. 鞘翅近基部具突起或不显著的纵隆，不具长竖毛；鞘翅末端圆 ……………………… 4

鞘翅不具基部突起和长竖毛；鞘翅末端微平截 …………………… **额象天牛属 *Falsomesosella***

4. 鞘翅具基部突起；头窄于前胸，前胸前后端窄于中部………………… **真象天牛属 *Eurymesosa***

鞘翅近基部具不显著的纵隆；头部窄于前胸，前胸前后端不明显窄于中部 ……………………………………………………………………………… **瘦象天牛属 *Leptomesosa***

192. 缨象天牛属 *Cacia* Newman, 1842

Cacia Newman, 1842c: 290. **Type species**: *Cacia spinigera* Newman, 1842.

属征:体小，长圆形。额显著宽大于长；复眼深凹至仅一线相连，复眼下叶很小，宽大于长；触角基瘤几乎不突出，触角细长，基部 5 节或 6 节下沿具缨毛，柄节短，端部略粗，具显著端疤，第 3 节最长，其后各节向后渐短。触角第 3 节端部通常具刺，有时缺失；第 4 和 6 节偶尔具刺，其余触角节均不具刺。前胸不具侧刺突；鞘翅不具基部突起和长竖毛(偶尔也有长竖毛)，末端圆。中胸腹板突具发达的突起。中足胫节具不发达的斜沟，外覆刷毛。

分布:东洋区，澳洲区。世界已知 7 亚属 132 种/亚种，中国记录 12 种，秦岭地区发现 1 种。

192-1. *Ipocregyes* Pascoe, 1864

Ipocregyes Pascoe, 1864a: 96. **Type species**: *Ipocregyes newmani* Pascoe, 1857.
Falsoereis Pic, 1925b: 25. **Type species**: *Falsoereis cephalotes* Pic, 1925.
Cacia (*Ipocregyes*): Breuning, 1937: 448.

鉴别特征:触角节无刺。

分布:东洋区。世界已知 58 种/亚种，中国记录 8 种，秦岭地区发现 1 种。

(398) 波纹缨象天牛 *Cacia* (*Ipocregyes*) *lepesmei* Gressitt, 1951

Cacia (*Ipocregyes*) *lepesmei* Gressitt, 1951: 423, pl. 18, fig. 1.

鉴别特征:体长 15.0 ~ 15.5mm。体中等大小，长形，黑色，头中央有 1 对平行绒毛纵条纹，纵纹前端稍宽，绒毛灰色，纵纹后端有黄褐绒毛，颊有短横条的淡黄色绒毛。前胸背板前缘有3个黄褐色绒毛斑点，中间斑纹较大，中央及后缘两侧有少许黄褐色绒毛，小盾片端角被白毛。每个鞘翅基部有弯曲的间断的黄褐或灰黄褐条纹，成不规则状分布，端部黄褐或灰黄褐绒毛较密聚，隐约可见2条弯曲的横带，两横带之间及第2横带之后，散布淡黄绒毛与基底黑色相间形成似网状花纹。触角基部5节黑色，第3~5节基部被淡灰绒毛，第6节以后各节栗褐色。体腹面被黑褐色绒毛，夹杂有细长灰毛，尚有少许黄褐色绒毛斑纹。足被黑褐绒毛，有淡灰蓝绒毛斑纹，腿节有黄褐绒毛斑纹，第1、2跗节被淡灰蓝绒毛。额长方形，稍凸面，头具粗、细刻点，雄虫触角超过体长的1/3，柄节较长，同第4节近于等长，柄节刻点粗糙，第3节长于第4节。前胸背板宽略胜于长，前端稍窄，胸面有中等刻点分布。小盾片舌形。鞘翅两侧近于平行，端缘圆形，基部有少许细颗粒及粗密刻点，端部刻点细弱而稀疏。腿节膨大，扁阔；跗节较窄，第1节短于其后两节的长度之和。

分布：陕西（秦岭）、广西。

寄主：*Populus* sp.，*Salix* sp.。

193. 真象天牛属 *Eurymesosa* Breuning, 1939

Eurymesosa Breuning, 1939a: 391. **Type species**: *Ereis ventralis* Pascoe, 1865.

属征：体小，长形。复眼深凹，复眼下叶长；触角基瘤显著突起，触角长，各节下沿具缨毛，柄节中等长，端部略粗，具端疤，第3节最长，其后各节向后渐短。触角各节均不具刺。前胸宽大于长，不具侧刺突；鞘翅具基部突起，不具长竖毛，末端圆。前胸腹板突侧面观不横截；中胸腹板突不具突起，侧面观横截。中足胫节不具斜沟。

分布：中国；越南，老挝，柬埔寨，马来西亚。世界已知5种，中国记录1种，分布于陕西和湖北。

(399) 自然之翼真象天牛 *Eurymesosa ziranzhiyi* Yamasako *et* Lin, 2016（图版30:2; 37:8）

Eurymesosa ziranzhiyi Yamasako *et* Lin, 2016: 194, figs. 1-10.

鉴别特征：体长13.8~14.4mm。体黑色，总体覆盖黑褐色绒毛夹杂稀疏的白色绒毛。头和前胸具一些淡褐色的绒毛小斑点。柄节黑色，梗节和第3~11节基部具淡褐色的夹杂灰白色的环形绒毛。鞘翅散布淡褐色和黑色绒毛斑点，淡褐色绒毛斑形成不显著的横向斑纹，具一些由黑色刚毛形成的斑点：基部突起各1个，中部之前1个，中部之后数个。腿节具淡褐色绒毛斑，胫节中部附近显著具有相同的绒毛环斑，腹面夹杂黑褐色、淡褐色和稀疏的白色绒毛。

采集记录:1♂(正模),洋县华阳镇杨家河,2014. Ⅵ. 02-07,张巍巍采(IOZ(E) 1905367,Ceram-82);1♂(副模),佛坪,950m,1998. Ⅶ. 23,姚建采(IOZ(E) 1905366)。

分布:陕西(佛坪、洋县)、湖北。

194. 额象天牛属 *Falsomesosella* Pic, 1925

Falsomesosella Pic, 1925b: 27. **Type species**: *Falsomesosella minor* Pic, 1925.

Falsomesosella (*Falsomesosella*): Rondon & Breuning, 1970: 321.

属征:体小,长形。复眼深凹,复眼下叶长,通常较大,但有时较小;触角基瘤中等至显著突起,触角长,各节下沿具缨毛,柄节短,端部略粗,具不发达的端疤,第3节最长,其后各节向后渐短。触角各节均不具刺。前胸宽大于长,不具侧刺突;鞘翅不具基部突起和长竖毛(偶尔基部有突起),末端圆或微平截。中胸腹板突不具突起。中足胫节不具斜沟。

分布:古北区,东洋区。本属分为两个亚属,区别在于鞘翅基部是否具有肿突。指名亚属世界已知33种,中国记录10种,秦岭地区发现1种。

(400)截尾额象天牛 *Falsomesosella truncatipennis* Pic, 1944(图版30:3)

Falsomesosella truncatipennis Pic, 1944a: 13.

鉴别特征:体长10.0mm左右。体黑色,被有黑色、褐色、灰白色夹杂的绒毛。触角第3~11节基部具有淡色环纹;前胸隐约可见褐色斑纹或黑色点斑;鞘翅中部具有显著的白色大型斜斑,斜斑里夹杂数个小黑点,鞘翅其余部分主要为褐色夹杂黑点。触角长于体,鞘翅末端微平截。跟分布于日本的丽额象天牛 *Falsomesosella gracilior* (Bates, 1884)非常相似。

采集记录:1♀,周至楼观台,680m,2008. Ⅵ. 25,葛斯琴采;1♂,太白山蒿坪寺,2004. Ⅴ. 24;1♂,佛坪龙草坪,1256m,2008. Ⅶ. 03,葛斯琴采(IOZ(E) 1905363)。

分布:陕西(周至、眉县、佛坪)、河南、浙江、湖北。

195. 瘦象天牛属 *Leptomesosa* Breuning, 1939 陕西新纪录属

Leptomesosa Breuning, 1939a: 392. **Type species**: *Mesosa cephalotes* Pic, 1903.

属征:体长方形。复眼深凹,复眼下叶长略大于宽;触角基瘤显著突起,触角长,各节下沿具缨毛,不具端刺,柄节短,端部略粗,具端疤,第3节最长。前胸宽大于

长，不具侧刺突；鞘翅近基部具不显著的纵隆，不具长竖毛，末端合圆。前胸腹板突和中胸腹板突不具突起，侧面观弧形下陷。中足胫节不具斜沟。

分布：中国；越南，老挝，柬埔寨。世界已知3种，中国记录2种，秦岭地区发现1种。

(401) 瘦象天牛 *Leptomesosa cephalotes* (Pic, 1903) 陕西新纪录（图版 30:4）

Mesosa cephalotes Pic, 1903a: 23.

Mesosa nodosipennis Pic, 1917c: 12.

Leptomesosa cephalotes: Breuning, 1939a: 392.

鉴别特征：体长 12.0 ~ 23.0mm。体黑色，被灰白色毛，具黑色和淡红色斑点。触角除第2节外，其余各节基部具白环。足具相间的淡红和黑斑。头顶中线黑色。前胸背板具2个显著的黑色纵斑，其余部分粉红色间杂小黑点。小盾片端缘淡红色。每鞘翅基部1/5处具显著黑色短横斑，其他部分粉红色、淡灰色和小黑点相间。触角超过体长。鞘翅翅端浑圆。

采集记录：1♀，宁陕广货街镇，1178m，2014.Ⅶ.28，路园园灯诱。

分布：陕西（宁陕）、四川、云南；老挝。

196. 象天牛属 *Mesosa* Latreille, 1829

Mesosa Latreille, 1829: 124. **Type species**: *Cerambyx curculionoides* Linnaeus, 1767.

属征：体小，方形。复眼深凹至仅以细线相连，复眼小，宽大于长；触角基瘤突起，触角较粗，中等长，各节下沿具缨毛，向后渐稀疏，柄节短，端部略粗，具发达的端疤，第3节稍长于柄节和第4节。触角各节均不具刺。前胸宽大于长，不具侧刺突；鞘翅不具基部突起和长竖毛，末端圆。中胸腹板突具突起，侧面观平截。中足胫节不具斜沟。

分布：古北区，东洋区。本属分为7个亚属，除了日本特有的 *Mesosa* (*Lissomesosa*) Yamasako *et* N. Ohbayashi, 2007 外，均在中国有分布，但是其他6个亚属都应被提升为属（Yamasako, 2010），本文暂时保留原来的亚属归类。秦岭地区发现2亚属4种。

分种检索表

1. 前胸背板有4条黑色细纵纹 …………………………… **峦纹象天牛** ***Mesosa*** **(*****Perimesosa*****)** ***irrorata***

   前胸背板没有纵纹，而是有4个黑斑 …………………………………………………… 2

2. 前胸和鞘翅有火黄色绒毛斑纹 ……………………………………………………………… 3
前胸和鞘翅没有火黄色绒毛斑纹；前胸有 4 或 5 个黑斑，界限不清晰且有时不明显；鞘翅基半部可见 2 排黑斑组成的横带，在鞘缝处有黑色合斑点. …… **黑点象天牛 *M.*（*P.*）*atrostigma***
3. 前胸背板的 4 个黑斑较大较圆，前端的黑斑长约等于宽 … **异斑象天牛 *M.*（*Mesosa*）*stictica***
前胸背板的 4 个黑斑较小较长，前端的黑斑长大于宽的 2.0 倍 ……………………………………
………………………………………………………………………… **四点象天牛 *M.*（*M.*）*myops***

196-1. *Mesosa* Latreille, 1829

Mesosa Latreille, 1829: 124. **Type species**: *Cerambyx curculionoides* Linnaeus, 1767.
Dendrobius Gistel, 1834: 30 [unnecessary substitute name].
Mesosa (*Mesosa*): Rondon & Breuning, 1970: 322.

分布:古北区，东洋区。本亚属世界已知 7 种，中国记录 4 种，秦岭地区发现 2 种。

(402) 四点象天牛 *Mesosa* (*Mesosa*) *myops* (Dalman, 1817)（图版 30:5）

Lamia myops Dalman, 1817: 168.
Mesosa myops: Küster, 1851: 98.
Mesosa (*Mesosa*) *myops*: Breuning, 1939a: 401.
Mesosa myops plotina Wang, 2003: 323, 396, figs. in 323.

鉴别特征:体长 7.0~16.0mm。体黑色，全身被灰色短绒毛，并杂有许多火黄色或金黄色的毛斑。前胸背板中区具丝绒般的斑纹 4 个，每边 2 个，前后各一，排成直行，前斑长形，后斑较短，近乎卵圆形，两者之间的距离超过后斑的长度；每个黑斑的左右两边都镶有相当阔的火黄或金黄色毛斑。鞘翅饰有许多黄色和黑色斑点，每翅中段的灰色毛较淡，在此淡色区的上缘和下缘中央，各具 1 个较大的不规则的黑斑，其他较小的黑斑大致为圆形，分布于基部之上，基部中央则极少或缺如；黄斑形状各殊，分布遍全翅。小盾片中央火黄或金黄色，两侧较深。鞘翅沿小盾片周围的毛大致淡色。触角部分赤褐色，第 1 节背面杂有金黄毛，第 3 节起每节基部近 1/2 为灰白色，各节下沿密生灰白及深棕色缨毛。体腹面及足亦有灰白色长毛。体卵形。头部休止时与前足基部接触，额极阔，复眼很小，分成上下两叶，其间仅有一线相连，下叶较大，但长度只及颊长之半；头面布有刻点及颗粒。雄虫触角超出体长的 1/3，雌虫触角与体等长，柄节端疤有时不大显著，开放式。前胸背板具刻点及小颗粒，表面不平坦，中央后方及两侧有瘤状突起，侧面近前缘处有 1 个瘤突。鞘翅基部 1/4 具颗粒。

采集记录:1♂，黄陵建庄，寄主:橡树倒木，1962. Ⅸ. 04（NWAFU，ex 陕西省林业科学研究所）；1♂，柞南双龙林场，1988. Ⅵ. 06，王鸿喆采（NWAFU，ex 陕西省林业科学研究所)。

分布:陕西(长安、周至、陇县、宝鸡、太白、留坝、勉县、洋县、宁陕、安康、宁强、紫阳、黄陵、平利、桦南)、黑龙江、吉林、辽宁、内蒙古、河北、北京、河南、甘肃、青海、新疆、安徽(?)、浙江(?)、湖北(?)、广东(?)、四川(?)、贵州(?);蒙古,俄罗斯,朝鲜,韩国,日本,哈萨克斯坦,欧洲北部。

寄主:苹果,*Prunus serica*,漆树,赤杨,枹,槲榆。

备注:分布地根据周家熹等(1988)的记录,其他省份带问号的,表示可能是基于错误鉴定的错误报道,但需要更多的详细研究。

(403)异斑象天牛 *Mesosa* (*Mesosa*) *stictica* Blanchard, 1871(图版 30:6)

Mesosa stictica Blanchard, 1871: 812, nota 3.

Mesosa oculicollis Fairmaire, 1878: 131.

Mesosa (s. str.) *stictica rugosa* Gressitt, 1951: 416.

Mesosa (s. str.) *stictica*: Gressitt, 1951: 416.

鉴别特征:体长 11.0~14.5mm。体型宽短长方形。体黑色,被灰白色细毛,杂以黑色和橙红色毛斑。头部颊及后头中央两侧各有 1 个橙红色毛斑;触角第 3~5 节基部环生橙红色细毛,第 6 节以后,环生灰白色细毛。前胸背板背中央有 4 个卵形黑绒毛斑,前方 2 个较大,黑斑两侧有橙红色毛斑,背板中线上有不明显的橙红色细纵条。鞘翅上散布黑绒毛小圆斑,约略成纵行,黑斑之间,杂有橙红色毛的小斑点,在中部前后排形成不很明显的曲折的二横带。足腿节和胫节各有 2 个橙红色毛环,跗节第 1、2 节背面具灰白色细毛,腹面散布不规则橙红色小毛斑。触角长过身体的 1/4。鞘翅末端圆形。

采集记录:1♀,周至秦岭植物园内大峡谷,925m,2012. Ⅶ. 05,华谊采(Ceram-138);1♂,凤县三岔,1982. Ⅶ. 31,魏建华采(NWAFU, CO027930);1♂,太白山下白云,1987. Ⅵ. 09(NWAFU, CO027931);1♂1♀,武功,1975. Ⅶ. 02,吴清海采(NWAFU, CO027928-29);1♀,华山,1963. Ⅸ,周尧、田畴采(NWAFU, CO026983);1♂,佛坪长角坝乡上沙窝村,1215m,2007. Ⅴ. 29,林美英采;2♂,柞水营盘镇红庙河村,1110m,2007. Ⅵ. 03,林美英采。1♂,镇安云盖寺镇黑窑沟林场,1217m,2014. Ⅵ. 20,索中毅采;1♂1♀,商南,1984. Ⅵ. 15,寄主:核桃,吴清海采(NWAFU, CO027926-27)。

分布:陕西(周至、凤县、太白、武功、华阴、佛坪、柞水、镇安、商南)、北京、山西、山东、河南、甘肃、浙江、湖北、四川、贵州、云南、西藏。

寄主:洋槐,胡桃,山核桃,酸枣,茨梨,云南松。

备注:在古北区名录里尚未有河南的记录。在《河南昆虫志》里面记录河南的西峡和登封嵩山有分布,来源是侯璋德等(2002)的《河南鞘翅目昆虫名录补遗》和中国农业科学技术出版社的《太行山及桐柏山区昆虫》。上述资料均无图片参考，但编者有检视过来自河南连康山的标本。

粗粒异斑象天牛 *Mesosa*（s. str.）*stictica rugosa* Gressitt，1951（别名：黔异斑象天牛）的模式标本目前下落不明，根据原始文献"♂（Lingnan N. H. Mus.），Hua-Chi，Kwangsi Prov.，SW. China. June 12 1947，S. N. Chiang."推测应该保存在中山大学，但是华立中等（2009）未记录到这种模式标本，编者去中山大学检视标本的时候也未找到。编者询问了西南大学的陈力教授，请她查看模式是否保存在西南大学并查找蒋书楠先生在1947年6月12日的行程（是广西还是贵州），结果没有在西南大学找到模式标本，也未能找到确切的该日行程，但根据蒋书楠、蒲富基和华立中共同编著的中国经济昆虫志第35册记载"根据贵州单个标本"，我们确认其模式产地为贵州，并且采用他们的观点"但这些特征，很不固定，不足成立亚种"把它作为 *Mesosa stictica* Blanchard，1871 的异名。

196-2. *Perimesosa* Breuning, 1939

Mesosa（*Perimesosa*）Breuning，1939a：409. **Type species**：*Mesosa hirsuta* Bates，1884.

分布：古北区，东洋区。世界已知23种/亚种，中国记录8种，秦岭地区发现2种。

（404）黑点象天牛 *Mesosa*（*Perimesosa*）*atrostigma* Gressitt，1942 陕西新纪录（图版30：7）

Mesosa atrostigma Gressitt，1942d：84，pl. I，fig. 4.

Mesosa（*Perimesosa*）*atrostigma*：Gressitt，1951：420.

鉴别特征：体长16.6mm左右。体黑色，散布黑色和灰白色斑点。触角第3节起基部具白环，其他部分黑色。前胸背板具5个黑斑。鞘翅共具14个较明显的黑斑，其中中缝处仅合并为1个。白纹一般横向，不显著，端部1/3处的1个稍明显。足间杂黑色和灰色斑点。触角长于体，柄节较长，同第4节近于等长，第3节长于柄节，第4节之后的各节依次渐短；触角各节下沿缨毛近于等长。小盾片舌形。鞘翅两侧近于平行，端缘圆形。

采集记录：2♂1♀，周至板房子，2006. Ⅶ. 20，林美英灯诱（IOZ（E）1905370-71）；1♀，凤县，1991. Ⅸ. 06，田润刚采（NWAFU，CO028324）；1♂，佛坪，890m，1999. Ⅵ. 26，贺同利灯诱。

分布：陕西（周至、佛坪）、安徽、浙江、福建、台湾、广西。

(405)峦纹象天牛 *Mesosa*（*Perimesosa*）*irrorata* Gressitt，1939（图版 30:8）

Mesosa irrorata Gressitt，1939a：111，pl. I，fig. 6.

Mesosa（*Perimesosa*）*irrorata*：Gressitt，1951：420.

鉴别特征：体长 13.0～16.5mm。体基底黑色，全身密被淡褐色、灰色、淡黄色、黑褐色等色彩绒毛组成的花纹。头被淡灰黄绒毛，颊及后颊绒毛较浓密，色泽较淡，复眼之间有 2 条黑色直纹；复眼上叶之后至后头黑色。触角褐黑，柄节及各节基部被淡灰黄绒毛，柄节上有许多黑褐色小斑点。前胸背板被淡灰黄色绒毛，有 4 条彼此平行等距排列的黑色直纹。小盾片被金黄色绒毛，两侧黑色。每个鞘翅基部 1/3 为黑色，其中散生有黄褐色小点；其余翅面淡褐、暗灰及云白色相互嵌镶，似大理石的花纹；端部 1/3 处，有 1 条黑褐色波浪状横带。腿节中部、胫节端部及跗节黑褐色，有时腿节端部及胫节基部有黑褐色小斑点。雄虫触角超出体长的 1/3，雌虫触角则略超出体长。鞘翅两侧近于平行，端缘圆形。

采集记录：1 ♀，周至集贤镇立新村，2006. Ⅶ. 18，林美英采；2 ♀，凤县（NWAFU）；1 ♀，宁陕火地塘，海拔 1550m，2008. Ⅶ. 09，白明采；1 ♀，宁陕火地塘，1974（NWAFU，CO028442）。

分布：陕西（周至、凤县、宁陕）、河南、浙江、湖北、江西、湖南、福建、四川。

ⅩⅣ. 小筒天牛族 Phytoeciini Mulsant，1839

鉴别特征：体长筒形。触角略短于或略长于体长，细长线状，有时第 3 节具有簇毛。复眼深凹，有时断成上下两叶，小眼面细。前胸不具侧刺突，一般圆筒形，或者有时具有钝瘤突。鞘翅狭长。后胸前侧片楔形，前端宽是后端宽的 2.0 倍。前足基节窝一般关闭，有时微微开放；中足基节窝开放。腹部各节通常长短差异不大，足短，腿节线状，后足腿节不超过腹部第 3 节后缘，常常不超过第 2 节后缘；后足跗节第 1 节短于其后两节长度之和。爪不具性二型，通常雌虫和雄虫均附齿式，有时均双齿式。

分类：跟楔天牛族关系较近，有时合并，但有时还细分出筒天牛族。本文采用分两族的观点，记录陕西秦岭地区小筒天牛族 4 属 30 种。

分属检索表

1. 后足腿节不超过腹部可见第 2 腹节末端 ………………………………………… 2

   后足腿节超过腹部可见第 2 腹节末端 ………………………………………… 4

2. 前胸不具侧瘤突；鞘翅长而两侧近于平行 ………………………… **筒天牛属** ***Oberea***

前胸具钝的侧瘤突，前胸背板通常也具有瘤突；鞘翅长而近于平行但末端微膨阔 …………… 3
3. 触角第 3 节不具簇毛 ………………………………………………… **瘤筒天牛属 *Linda*（*Linda*）**
触角第 3 节具簇毛 ………………………………………………… **瘤筒天牛属 *Linda*（*Dasylinda*）**
4. 鞘翅具侧脊；鞘翅末端凹切，通常具有端齿 ……………………………… **脊筒天牛属 *Nupserha***
鞘翅不具侧脊；鞘翅末端圆形或微平切，通常不具端齿 ……………… **小筒天牛属 *Phytoecia***

197. 瘤筒天牛属 *Linda* Thomson, 1864

Linda Thomson, 1864: 122. **Type species**: *Amphionycha femorata* Chevrolat, 1852.

属征: 体中等大小，近圆筒形。头部复眼内缘深凹，小眼面细，复眼下叶宽小于额宽的一半；触角较体短，柄节中等长，第 3 节长于柄节或第 4 节，以后各节渐次短而细，基部数节下沿有少许缨毛。前胸背板横宽（宽是长的 1.3 倍），基部之前和端部之后具横凹沟或缢缩，两侧缘中部各有 1 个圆形瘤突，背面具瘤突。鞘翅狭长，至少是头与前胸长度之和的 3.0 倍；肩部较前胸宽，背面平坦，具 2 或 3 条细纵脊，不具肩脊，肩部向后至侧缘中部稍凹入，翅端狭圆、斜切或稍凹入。前足基节窝关闭式或狭窄的开放式，后胸前侧片前端宽，后端狭，后足腿节不超过腹部第 2 节后缘，爪附齿式。雌虫腹部末节中央有 1 条细纵沟。全身布满短绒毛。

分布: 东洋区。世界已知 32 种/亚种，我国记载 18 种 10 亚种，秦岭地区发现 6 种。

分种检索表

1. 触角第 3 节具黑色簇毛 ……………………… **簇毛瘤筒天牛 *Linda*（*Dasylinda*）*fasciculata***
触角第 3 节不具黑色簇毛. ***L.*（*Linda*）** ……………………………………………………… 2
2. 触角全黑色，不具环纹 ……………………………………………………………………… 3
触角至少部分具淡色环 ……………………………………………………………………… 5
3. 触角基瘤黑色，黑色边缘跟复眼平齐；腿节大部分黑色，仅基部黄褐色；鞘翅端缘角仅略长于端缝角 ……………………………………… **黑瘤瘤筒天牛 *L.*（*Linda*）*subatricornis***
触角基瘤黄褐色，最多仅顶端颜色加深或显示黑褐色 ……………………………………… 4
4. 腿节大部分黑色，仅基部黄褐色；鞘翅端缘角仅略长于端缝角；体较小，体长短于 20.0mm …………………………………………………… **黑角瘤筒天牛 *L.*（*L.*）*atricornis***
腿节全部黄褐色；鞘翅端缘角明显长于端缝角；体较大，体长大于 20mm ……………………………………………………………… **黄山瘤筒天牛 *L.*（*L.*）*major***
5. 鞘翅仅约具 6 列刻点 ………………………………………… **小瘤筒天牛 *L.*（*L.*）*macilenta***
每鞘翅约具 12 个刻点横过中央 ……………………………… **瘤筒天牛 *L.*（*L.*）*femorata***

197-1. *Dasylinda* Thomson, 1868

Dasylinda Thomson, 1868: 184. **Type species**: *Dasylinda scopigera* Thomson, 1868 (= *Saperda* *testacea* Saunders, 1839).

Linda (*Dasylinda*): Breuning, 1954b: 558.

鉴别特征:跟指名亚属的区别在于触角第3节膨大并具有黑色簇毛。

分布:东洋区。世界已知6种/亚种,中国记录4种/亚种,秦岭地区发现1种。

(406)簇毛瘤筒天牛 *Linda* (*Dasylinda*) *fasciculata* Pic, 1902

Linda fasciculata Pic, 1902b: 32.

Dasylinda vitalisi Vuillet, 1912: 300, fig. 1.

Linda (*Dasylinda*) *vitalisi* m. *fasciculata*: Breuning, 1954b: 560, 561.

Linda (*Dasylinda*) *vitalisi*: Breuning, 1954b: 560.

Linda (*Dasylinda*) *vitalisi* m. *nigroreducta* Breuning, 1954b: 561.

鉴别特征:体中等长,体长18.0~21.5mm,体宽4.0~5.0mm。触角基瘤黑色,与柄节同色,第3~11节各节基部具白色绒毛环纹;头部黑色与红黄色夹杂,不十分稳定;前胸及小盾片均黄红色,鞘翅大部分黑色,仅末端具一抹黄红色。前胸腹板、各足转节、前足腿节、中足腿节基部腹面及腹部第4及第5节黄红色,腹部第3节有时候端部黄红色至全部黄红色,腹面其余部分黑色。雌虫与雄虫触角长短差异不大,均短于体长。鞘翅肩部之后侧缘至中部侧缘略凹进,端部稍膨阔;每个翅面略显3条细纵脊线,肩至中部的1条较明显,表面刻点细密,不成行排列,末端圆。

分布:陕西(宁陕)、四川、云南;越南。

寄主:云实(贵州俗名阎王刺),紫铆、黄檀,三叉蕨。*Alnus Japanica* (Thunberg) Steudel。

197-2. *Linda* Thomson, 1864

Linda Thomson, 1864: 122. **Type species**: *Amphionycha femorata* Chevrolat, 1852.

Miocris Fairmaire, 1902a: 245. **Type species**: *Miocris nigroscutata* Fairmaire, 1902.

分布:东洋区。世界已知26种/亚种,中国记录17种/亚种,秦岭地区发现5种。

(407)黑角瘤筒天牛 *Linda* (*Linda*) *atricornis* Pic, 1924(图版30:9a, 9b)

Linda atricornis Pic, 1924a: 19.

鉴别特征:体长12.0~19.0mm。复眼、触角、鞘翅全部黑色,后者的基部内边及缘折基部带橙红色;触角基瘤橙红色,与柄节不同色;唇基及大颚除基部外亦呈黑色；足黑色，腿节基部1/3～3/4及膝部一般呈橙黄色。体其他部分为橙红或橙黄色。触角较体长略短，下沿具稀疏短缨毛，以基部数节较密；鞘翅末端斜形，微凹。

采集记录:1♂，平利，寄主:梨，1982.Ⅴ.05，魏建华采(NWAFU，CO027631)。

分布:陕西(平利)、河南、江苏、上海、浙江、湖北、江西、湖南、福建、广东、广西、四川、贵州、云南。

寄主:苹果，梅，李，梨。*Cydonia* sp.，*Juglans regia* Linnaeus，*Malus* sp.，*Morus alba* Linnaeus，*Populus davidiana* Dode，*Prunus armeniaca* Linnaeus，*Prunus mume* Siebold et Zuccarini，*Prunus persica* (Linnaeus) Batsch，*Prunus salicina* Lindley，*Rubus* sp.，*Salix* sp.。

(408)瘤筒天牛 *Linda* (*Linda*) *femorata* (Chevrolat, 1852)(图版30:10；37:9)

Amphionycha femorata Chevrolat, 1852: 418.

Linda femorata: Thomson, 1864: 122.

曾用名:瘤胸筒天牛(蒲富基，1980)。

鉴别特征:体较粗大，体长17.0～21.0mm，体宽4.0～5.0mm。触角基瘤黑色，与柄节同色；有时头顶及触角基瘤之间有不十分稳定的黑斑纹；头、胸、小盾片、体腹面及前足腿节大部分、中足腿节、后足腿节基部黄红色，触角、鞘翅及足大部分黑色。触角柄节稍微膨大，略短于体长，第4～11节基部具灰白色环纹。

采集记录:1♂1♀，长安南五台(NWAFU)；1♀，周至县板房子，2006.Ⅶ.21，林美英灯诱；1♂，凤县，1988.Ⅶ.18，吕昀采(NWAFU，CO025480)；1♀，留坝红崖沟，1500～1650m，1998.Ⅶ.22，袁德成采；1♀，柞水凤凰古镇中河村马寺沟口，900m，2014.Ⅵ.25，黄正中采。

分布:陕西(长安、周至、凤县、留坝、柞水)、河南、江苏、上海、浙江、湖北、江西、湖南、福建、台湾、广东、广西、四川、贵州、云南。

寄主:*Broussonetia papyrifera* Linnaeus，*Malus* sp.，*Quercus* sp.。

(409)小瘤筒天牛 *Linda* (*Linda*) *macilenta* Gressitt, 1947 陕西新纪录(图版30:11)

Linda macilenta Gressitt, 1947b: 547, 551.

鉴别特征:体长14.0～17.0mm。头黄褐色，触角基瘤黑色，触角大部分黑色，第4～11节基部具灰白色环纹；前胸和小盾片黄褐色；鞘翅黑色，刻点排成纵行，末端凹切，外端角齿状突出；腹面全黄褐色，足大部分黑色，仅腿节基部和腹面黄褐色。触角短于体长。

采集记录:1♂，太白山蒿坪寺，1200m，1982.Ⅶ.16，陈丽亚采(NWAFU，

CO027608)；1♀，Hua Shan，1991. VI. 17-21，R.Dunda（CPS)；1♀，宁陕火地塘，1580～1650m，1999. Ⅵ.26，袁德成采。

分布：陕西(太白、华阴、宁陕)、四川。

(410)黄山瘤筒天牛 *Linda*（*Linda*）*major* Gressitt，1942 陕西新纪录(图版30:12)

Linda major Gressitt，1942b：8.

鉴别特征：体长20.5～22.5mm。头黄褐色，触角基瘤黄褐色但边缘有时黑褐色至黑色，触角黑色；前胸和小盾片黄褐色；鞘翅黑色，刻点不排成纵行，末端凹切，外端角齿状突出；腹面全黄褐色，足腿节黄褐色，胫节大部分黑色，仅胫节基部黄褐色，跗节黑色。触角短于体长。雄虫与雌虫相比，差别不大，仅触角略长一点点，腹部末节腹板有1个三角形大凹坑。

采集记录：1♂，洋县长青保护区杨家沟向阳坪，1300m，2016. Ⅶ.02，周润采；1♂，宁陕火地塘，1984. Ⅶ.10(NWAFU，CO027600)。

分布：陕西(洋县、宁陕)、安徽、福建、贵州。

(411)黑瘤瘤筒天牛 *Linda*（*Linda*）*subatricornis* Lin *et* Yang，2012(图版31:1a，1b，1c)

Linda（*Linda*）*subatricornis* Lin *et* Yang，2012：3，figs. 3 & 4.

鉴别特征：体长13.5～18.5mm。体长圆筒形，头及前胸黄褐色(干标本)至红色(活体)，口器黑色，触角基瘤及触角黑色，小盾片黄褐色至红褐色，鞘翅全黑色。腹面黄褐色至红褐色。足大部分黑色，但腿节基部黄褐色。触角略短于体，第3节长于第4节，第4～10节长度递减，末节长于第10节，前胸背板两侧缘中后方各具1个瘤状隆起。鞘翅较前胸宽，末端略凹切。

采集记录：1♀，太白山蒿坪寺，1200m，1982. Ⅶ.17(NWAFU，CO027610)；1♀，武功，198. Ⅷ.20，李宝莉采(NWAFU，CO027621)；1♂，勉县，1982. Ⅴ.15，韩国强采(NWAFU，CO027263)；10♂10♀，勉县(NWAFU)；1♂，Qinling Shan，6km East of Xunyangba，1000～1300m，2000. Ⅴ.23-Ⅵ.13，C. Holzschuh（CCH)；1♂，Danfeng，NE env.，900～1500m，1995. Ⅴ.28-29，L. & R. Businský（CCH)；1♂(副模)，陕西(IOZ(E) 1905085)；5♂5♀，汉中(NWAFU)；10♂10♀，城固(NWAFU)；2♂1♀，商南(NWAFU)。

分布：陕西(长安、太白、武功、勉县、宁陕、汉中、城固、商南、丹凤)、北京、河北、宁夏、福建、重庆、四川。

198. 脊筒天牛属 *Nupserha* Chevrolat, 1858

Sphenura Dejean, 1835: 350(nec Lichtenstein, 1820). **Type species**: *Saperda fricator* Dalman, 1817.

Nupserha Chevrolat, 1858: 358 (new name for *Sphenura* Dejean, 1835).

属征:体形较狭长，小至中型。头部较前胸稍宽或等宽；额近方形；触角基瘤左右分开，不突出；头顶平坦；触角较体稍长或等长，基部数节下沿有稀疏短缨毛，柄节较第 3 节稍短或稍长或几等长，以后各节长度相仿；复眼内缘深凹，小眼面细粒，下叶宽胜于高，长于其下颊。前胸背板长宽略等，背中域和侧缘中部有隆突，无侧刺突。小盾片后端平切或凹入。中足胫节外侧有明显斜沟，后足腿节超过第 2 腹节后缘，爪基部有附突。雄虫后胸腹板末端中央有 1 对小乳突，腹部末节腹板中央有凹陷；雌虫末腹节中央有细纵沟。

分布:古北区，东洋区。世界已知 165 种/亚种，中国记录 34 种/亚种，秦岭地区发现 3 种。

分种检索表

1. 鞘翅大部分黑褐色，仅基部部分红褐色 ······················ **黑翅脊筒天牛 *Nupserha infantula***
   鞘翅大部分黄褐色，仅两侧黑褐色 ·· 2
2. 腹面全黄褐色，没有黑斑 ··· **黄腹脊筒天牛 *N. testaceipes***
   腹面至少在腹部第 2 节具黑斑，通常后胸腹板也有黑斑··
   ·· **缘翅脊筒天牛 *N. marginella marginella***

(412) 黑翅脊筒天牛 *Nupserha infantula* (Ganglbauer, 1889)（图版 31:2）

Oberea infantula Ganglbauer, 1889a: 83.

Oberea bisbinotata Pic, 1929a: 23.

Nupserha subvelutina Gressitt, 1937d: 619.

Nupserha infantula: Breuning, 1947b: 57.

Nupserha infantula m. *flavoantennalis* Breuning, 1947b: 57.

Nupserha infantula m. *szetschuana* Breuning, 1947b: 57.

Nupserha infantula m. *flavoabdominalis* Breuning, 1947b: 57.

鉴别特征:体长 7.5 ~ 13.0mm。体长圆筒形，头黑色，前胸黄褐色，触角前 2 节黑色，其余各节黄褐色具黑色端。小盾片黄褐色但端缘黑色，鞘翅灰黑色但基部具 2 个黄褐色斑，分别位于小盾片旁边及侧面肩角处，黄褐色部分可扩大至整个鞘翅基部1/7多。腹面黄褐色具黑斑，通常中、后胸腹板和腹部腹板前 3 节具黑斑。足大部分黄褐色，但后足胫节和各足跗节黑色。触角略长于体。鞘翅较前胸宽，侧面具不太显著的纵脊1条，末端斜切。

采集记录：1♂1 ♀，周至厚畛子老县城村，1745m，2007. Ⅴ.26，林美英采；3♂1♀，周至厚畛子，1350m，1999. Ⅵ.24-25，贺同利、刘缠民、姚建采；1♂1♀，周至厚畛子，1276m，2008. Ⅶ.01，崔俊芝、葛斯琴采；1♀，同上，2008. Ⅶ.02，白明采；1♂，周至厚畛子，1270~1500m，2008. Ⅶ.02，葛斯琴采；2♀，周至楼观台，680m，2008. Ⅵ.24-25，崔俊芝、葛斯琴采；1♀，周至厚畛子镇，1271m，2007. Ⅴ.26，崔俊芝采；1♀，周至秦岭植物园内大峡谷，925m，2012. Ⅶ.05，华谊采；1♀，太白黄柏塬乡原始森林，1619m，2012. Ⅵ.19，李莎采(Ceram-121)；1♀，太白山自然保护区，804m，2012. Ⅶ.11，聂瑞娥采；2♀，太白黄柏塬乡国宝宾馆后，1310m，2012. Ⅵ.18，李莎采；1♀，太白山蒿坪寺，1100~1250m，2013. Ⅵ.13，阮用颖采；1♂，华阴华山，770~1618m，2007. Ⅵ.06，林美英采；1♂，留坝，枣木栏，2005. Ⅵ.11，巴义彬采（HBUM）；1 ♀，留坝庙台子 2005. Ⅵ.10-15，巴义彬采（HBUM）；3♂5♀,留坝庙台子，1470m，1999. Ⅶ.01，贺同利、姚建、朱朝东采；1♂，留坝庙台子，1350m，1999. Ⅶ.21，姚建采；1♂1♀，留坝庙闸口石，1800~1900m，1998. Ⅶ.20，袁德成采；1♂3♀，留坝韦驮沟，1600m，1998. Ⅶ.21，袁德成、张学忠采；3♂1♀，留坝庙台子紫柏山，1596m，2012. Ⅵ.22，华谊采；1♂3♀，留坝火烧店红崖沟，986m，2012. Ⅵ.23，华谊采；1♀，留坝光华山检查站，1912m，2013. Ⅷ.20，黄正中采；6♂5 ♀，佛坪长角坝乡上沙窝村，1215m，2007. Ⅴ.29，林美英采；1♀，佛坪上沙窝，1100m，2007. Ⅴ.29，李文柱采；1♂，佛坪上沙窝，1100~1200m，2008. Ⅶ.06，白明采；1♀，佛坪凉风垭，2100~1900m，1998. Ⅶ.24，袁德成采；1♀，佛坪凉风垭，2150~1750m，1998. Ⅵ.28，姚建采；1♀，佛坪偏岩子，1750~1550m，1998. Ⅵ.29，刘缠民采；1♂2♀，佛坪大古坪保护站到岳坝保护站，1139~1573m，2012. Ⅵ.30，刘万岗采；1♀，洋县华阳镇周边，1161m，2012. Ⅵ.26，陈莹采；1♂，宁陕火地塘林场，1538m，2007. Ⅴ.02，林美英采；1♂，宁陕火地塘，2016. Ⅶ.07-24，王勇采；1♀，宁陕火地塘林场厂部附近，1554m，2015. Ⅶ.17，刘漪舟采；4♂2♀，宁陕火地塘，1580~1650m，1999. Ⅵ.25-Ⅶ.26，姚建、袁德成采；4♂，宁陕火地塘，1600~2000m，2008. Ⅶ.08，崔俊芝采；1♀，宁陕火地塘，1600m，2008. Ⅶ.08，李文柱采；1♂1♀，宁陕十八丈，1150m，1999. Ⅵ.28，袁德成采；1♂1♀，宁陕大水沟，1500~1760m，1999. Ⅵ.30，袁德成采；1♂1♀，宁陕鸦雀沟，1580~1850m，1999. Ⅶ.02，袁德成采；1♀，宁陕岳坝村周围，1093m，2012. Ⅶ.01，刘万岗采(Ceram-124)；2♂，同上；1♂，柞水营盘镇红庙河村，1110m，2007. Ⅵ.03，林美英采；1♀，柞水营盘镇老林村，1046m，2007. Ⅵ.02，林美英采；1♂，镇安云盖寺镇黑窑沟林场，1217m，2014. Ⅵ.20，索中毅采；1♀，山阳城关镇权垣村石灰沟，855m，2014. Ⅵ.29，索中毅采；1♂，丹凤蔡川镇，1070m，2014. Ⅵ.30，黄正中采；2♀，丹凤蔡川镇大白沟，1200m，2014. Ⅶ.01，黄正中、索中毅采；1♂，南郑黎坪，1400~1500m,1958. Ⅵ.15，宋士美采。

分布：陕西(周至、太白、眉县、华阴、留坝、佛坪、洋县、宁陕、柞水、镇安、山阳、丹凤、南郑)、河北、甘肃、浙江、湖北、江西、湖南、福建、广东、广西、四川、贵州、云南。

寄主：*Camellia oleifera* Abel，*Chrysanthemum* sp.，*Kalopanax septemlobus* Koidzumi。

(413)缘翅脊筒天牛 *Nupserha marginella marginella* (**Bates, 1873**)(图版 31:3)

Oberea marginella Bates, 1873d: 390.

Nupserha marginella m. *maculithorax* Breuning, 1947b: 57 [nomen nudum].

Nupserha marginella m. *rufiscapus* Breuning, 1948b: 119 [nomen nudum].

Nupserha marginella m. *infrarufa* Breuning, 1948b: 119 [nomen nudum].

Nupserha marginella: Gressitt, 1951: 584.

Nupserha marginella m. *buchihige* K. Ohbayashi, 1963c: 12 [nomen nudum].

鉴别特征:体长 7.5~14.5mm。体长形，橙黄色或橙红色，前胸与触角较红，头与触角基部两节黑色，鞘翅肩部以下侧区及端末深棕或棕黑色。东北及日本标本大都在腹面胸部及腹部第 1、2 节中区杂有大黑斑，有时仅后胸腹板及腹部有黑斑，有时小盾片亦有黑斑，变化不一。华北及华东标本腹面一般无黑斑。前胸背板及腹面绒毛金黄色，头部及鞘翅上绒毛大致淡灰色或淡灰黄色，以鞘翅上较密。竖毛不长，相当密，从淡灰色到淡棕黄色。雌虫触角与雄虫触角差异不大，均较体略长；鞘翅刻点紧密，翅末端钝切，外端角钝圆，但末端亦有微凹，外角较明显的。雄虫后胸腹板端末中央有 2 个小乳突。

采集记录:2♂1♀，周至楼观台(NWAFU)；1♂，佛坪，2007. Ⅴ.29，崔俊芝采；1♂，洛南巡检镇罗家沟，1062m，2014. Ⅶ.05，黄正中采。

分布:陕西(周至、佛坪、洛南)、吉林、山东、河南、江苏、浙江、湖北、江西，湖南、福建、台湾、广东、广西、贵州；蒙古，俄罗斯，韩国，日本。

寄主:苹果。*Camellia oleifera* Abel, *Malus pumila* Miller, *Pyrus malus* Linnaeus。

(414)黄腹脊筒天牛 *Nupserha testaceipes* **Pic, 1926**(图版 31:4a,4b)

Nupserha testaceipes Pic, 1926c: 18.

Nupserha batesi Gressitt, 1937d: 618.

鉴别特征:体长 7~10.5mm，体宽 1.9~2.5mm。体大部分黄褐，头黑色，鞘翅肩以下侧缘及端部，有时在翅中部之后为深棕至黑褐色。触角黄褐，基部 2 节或 3 节，第 3 节或第 4 节以下各节端部为黑褐色。足颜色不稳定，秦岭标本大部分黄褐色仅后足胫节和跗节黑褐色。触角较细，均长于虫体，雌虫与雄虫差异不大。鞘翅较短，端部略窄，端缘斜切，外缘角钝圆；鞘翅刻点行列较规则。雄虫后胸腹板端末中央有 1 对小乳突。

采集记录:1♂1♀，周至秦岭植物园栗子坪，700m，2012. Ⅶ.03，刘万岗采；3♂1♀，周至楼观台(NWAFU)；1♀，凤县秦岭，1380m，1973. Ⅶ.25，张学忠采；1♀，留坝韦驮沟，1600m，1998. Ⅶ.21，张学忠采；1♂，佛坪大古坪保护站到岳坝保护站，1139~1573m，2012. Ⅵ.30，刘万岗采；1♂，岚皋，2003. Ⅶ.08，刘玉双、苑彩霞采(HBU)。

分布:陕西(周至、凤县、留坝、佛坪、岚皋)、黑龙江、吉林、山东、甘肃、江苏、安徽、浙江、湖北、江西、湖南、福建、广东、海南、广西、四川、贵州。

寄主:*Camellia oleifera* Abel。

199. 筒天牛属 *Oberea* Dejean, 1835

Oberea Dejean, 1835: 351. **Type species**: *Cerambyx linearis* Linnaeus, 1761.

属征:体很延长，触角相当细，比体更短至更长，柄节略长且略粗；第 3 节显短于第 4 节至显长于第 4 节，总是显长于柄节，第 4 节比其余各节稍长或稍短，末节比第 1 节更细。触角基瘤彼此远离并略突出，复眼强烈呈新月形，小眼面相当细粒，前胸背板凸出，显著长胜于宽至横阔，基部之前决不强烈收缩，两侧边直形或相当微弱的弧形，在中域无瘤或略明显具瘤。鞘翅很狭长，最多比前胸背板稍宽，最多在其中部微弱地收缩，末端通常平截或弧形且大部分种类的刻点有次序地排列。头不收缩，前胸腹板突狭窄，不如前足基节高且呈弧形，中胸腹板突轻微地向其前沿倾斜，后胸腹板长度正常，中足基节窝开放，后胸前侧片大，在前缘向前凸起。足短，腿节棒状，后足腿节不超过第 2 腹节后缘或更短，中足胫节具一背隆起，后足胫节至少为后足跗节长的 1.5 倍，最多为后足跗节长的 2.5 倍，雌虫和雄虫爪均附齿式。整体被直立毛。

分布:世界广布。世界分布 2 个亚属，中国记录 2 个亚属，秦岭地区发现 2 个亚属。

199-1. *Oberea* (*Amaurostoma*) Müller, 1906

Oberea (*Amaurostoma*) Müller, 1906: 223. **Type species**: *Cerambyx erythrocephalus* Schrank, 1776.

鉴别特征:体细长型，鞘翅细长，翅端圆形；足短，后足腿节不超过腹部第 2 可见腹节，后足胫节约等于或稍长于后足跗节。

分布:古北区。本亚属世界已知 10 种/亚种，中国记录 3 种/亚种，秦岭地区发现 1 种，首次提升为种。

(415) 土耳其筒天牛 *Oberea* (*Amaurostoma*) *ressli* Demelt, 1963 (图版 31:5a, 5b)

Oberea (*Amaurostoma*) *ressli* Demelt, 1963: 150, figs. 5a-b.

Oberea donceeli var. *obscuripennis* Pic, 1939: 3[infrasubspecific name, according to Li *et al.*, 2015: 579].

别名：昏暗筒天牛。

鉴别特征：体长 8.4 ~ 11.5mm。头、前胸大部分、腹面、足红褐色；前胸侧面具有显著的黑色纵带；触角和鞘翅黑褐色。触角细长，雄虫 4 节、雌虫 1 节超出鞘翅末端；鞘翅不完全盖住腹部，通常末节外露；后足腿节仅稍超过腹部第 1 可见腹节末端。

采集记录：1♀，留坝大洪渠，2500m，1998. Ⅶ. 20，陈军采（IOZ(E)2002906）；1♂，镇安云盖寺镇黑窑沟林场，1217m，2014. Ⅵ. 20，索中毅采（IOZ(E)2002900）；1♂2♀，丹凤蔡川镇大白沟，1200m，2014. Ⅶ. 01，黄正中、索中毅采（IOZ(E)2002902-04）；1♀，丹凤蔡川镇，1070m，2014. Ⅵ. 30，黄正中采（IOZ(E)2002905）。

分布：陕西（太白、留坝、镇安、丹凤、宝鸡、杨凌）内蒙古、河北、甘肃、宁夏、山西；俄罗斯，蒙古，土耳其。

备注：*obscuripennis* Pic, 1939 被作为黄角筒天牛 *Oberea* (*Amaurostoma*) *donceeli* Pic, 1907 的种下阶元，甚至异名，但其实是土耳其筒天牛，黄角筒天牛的不同在于：触角和鞘翅红褐色；前胸侧面不具有黑色纵带。

199-2. *Oberea* Dejean, 1835

Oberea Dejean, 1835: 351. **Type species**: *Cerambyx linearis* Linnaeus, 1761.

Oberea Mulsant, 1839: 194. **Type species**: *Cerambyx oculata* Linnaeus, 1758.

Isosceles Newman, 1842d: 318. **Type species**: *Isosceles macilenta* Newman, 1842.

鉴别特征：见属征。鞘翅末端横切、斜切、凹切和斜凹切，端缘角通常明显，齿状或刺状。

分布：世界广布。本亚属世界已知 331 种/亚种，中国记录 77 种/亚种，秦岭地区发现 17 种，包括陕西省新纪录 9 种，检视到标本有 10 种。

分种检索表

1. 头部黑色 ······ 2
   头部红色 ······ 11
2. 前胸背板有黑斑 ······ 3
   前胸背板全部黄褐色 ······ 5
3. 前胸背板中央具 1 个黑色圆斑或中央稍靠前两侧各具 1 个小圆斑 ······ 4

前胸背板基部全黑色或仅两侧各具 1 个小黑斑…… **拟瞳筒天牛 *Oberea*（*Oberea*）*pupillatoides***

4. 前胸背板中央稍靠前两侧各具 1 个小圆斑；鞘翅长小于基部肩宽的 4.0 倍 ………………………………………………………………………………………………… **筒天牛 *O.*（*Oberea*）*oculata***

前胸背板中央具 1 个黑色圆斑；鞘翅长大于基部肩宽的 6.0 倍 ……………………………………………………………………………… **一点筒天牛 *O.*（*Oberea*）*uninotaticollis***

5. 腹部末节大部分黑色 ……………………………………………………………………………… 6

腹部末节大部分黄褐色，仅端部有一抹黑色 …………… **天目筒天牛 *O.*（*Oberea*）*tienmuana***

6. 触角明显双色，前两节深红褐色，其余各节黄褐色 ………………………………………………………………………… **黑腹二色角筒天牛 *O.*（*Oberea*）*rubroantennalis***

触角不明显双色，一般都是深黑褐色或黑色 ……………………………………………………… 7

7. 鞘翅端缘角伸长成一长而薄的刺 ……………………… **日本筒天牛 *O.*（*Oberea*）*japanica***

鞘翅端缘角不延长成同样的刺 ……………………………………………………………………… 8

8. 鞘翅几乎全部黑色，中域颜色不明显浅于鞘缝和侧缘 …………………………………………… 9

鞘翅中域大部分黄褐色或黑褐色，鞘缝和侧缘的颜色明显深于中域 ………………………… 10

9. 腹部末节的基部黄褐色部分较多，总是横贯成基部的 1 条横纹 ………………………………………………………………………… **二斑筒天牛 *O.*（*Oberea*）*binotaticollis***

腹部末节的基部黄褐色部分较少，通常不横贯成基部的 1 条横纹 ………………………………………………………………………… **凹尾筒天牛 *O.*（*Oberea*）*walkeri***

10. 后胸腹面和腹部前 3 节大部分黑色 ……………………… **条纹筒天牛 *O.*（*Oberea*）*vittata***

后胸腹面和腹部前 3 节黄褐色 …………………………… **凹尾筒天牛 *O.*（*Oberea*）*walkeri***

11. 前 2 腹节被镀金丝光密柔毛 …………………………… **短足筒天牛 *O.*（*Oberea*）*ferruginea***

腹部没有金丝光密柔毛 ……………………………………………………………………………… 12

12. 触角第 3 节不如第 4 节长 ………………………………………………………………………… 13

触角第 3 节与第 4 节等长或更长 …………………………………………………………………… 15

13. 腹部黑色 ……………………………………………………………………………………………… 14

腹部黄褐色；鞘翅长小于肩宽的 6.0 倍，端缘角较短 ………………………………………………………………………… **台湾筒天牛 *O.*（*Oberea*）*formosana***

14. 后胸腹板红褐色；鞘翅长大于肩宽的 6.0 倍，端缘角很长 ………………………………………………………………………… **红腹筒天牛 *O.*（*Oberea*）*rufosternalis***

后胸腹板黑褐色；鞘翅长小于肩宽的 5.0 倍，端缘角较短 ………………………………………………………………………… **黑腹筒天牛 *O.*（*Oberea*）*nigriventris***

15. 腹部黄褐色，仅末节端部微有黑色 ………………………………………………………………… 16

腹部第 2、3 腹板黑色或具有黑斑 …………………………………………………………………… 17

16. 后足胫节黄褐色，腹部末节黄褐色，鞘翅刻点黄褐色 ………………………………………………………………………… **暗翅筒天牛 *O.*（*Oberea*）*fuscipennis***

后足胫节黑褐色，腹部末节黄褐色具黑色末端；鞘翅刻点黑色 ………………………………………………………………………… **黑胫筒天牛 *O.*（*Oberea*）*diversipes***

17. 体型更瘦长，鞘翅为肩宽的 5.0 倍；后足胫节淡红黄色；雄性外生殖器的阳基侧突更细长，短骨针呈短棒状 …………………………………… **黄黑筒天牛 *O.*（*Oberea*）*flavescens***

体型不那么瘦长，鞘翅为肩宽的 4.2 倍左右；后足胫节端半部深棕色；雌性外生殖器的阳基侧突粗短一些，短骨针呈叉状 ……………………… **黑点筒天牛 *O.*（*Oberea*）*atropunctata***

(416)黑点筒天牛 *Oberea* (*Oberea*) *atropunctata* Pic, 1916

Oberea atropunctata Pic, 1916a: 17.

鉴别特征: 体长18.0mm左右。体黄褐色。头、前胸黄褐色，触角深褐色；鞘翅黄褐色，刻点褐色，肩角有黑斑；腹面大部分黄褐色，第2、3可见腹节大部分黑色，第4可见腹节两侧具小的黑斑，但这些黑斑可以有不小的变异，第5可见腹节端部黑色；足黄褐色，后足胫节端半部深棕色。触角短于体长，鞘翅末端微凹切。

分布: 陕西(秦岭)、安徽、浙江、湖北、江西、湖南、广东、广西、四川、贵州、云南；俄罗斯，韩国，尼泊尔。

(417)二斑筒天牛 *Oberea* (*Oberea*) *binotaticollis binotaticollis* Pic, 1915

Oberea binotaticollis Pic, 1915d: 13.

Oberea griseopennis Schwarzer, 1925c: 154.

Oberea griseopennis var. *basimaculata* Breuning, 1960b: 34.

Oberea binotaticollis var. *melli* Breuning, 1960b: 33.

别名: 灰尾筒天牛 *Oberea griseopennis* Schwarzer, 1925。

鉴别特征: 体长15.0mm左右。头部黑色，触角、鞘翅(有时候小盾片周围除外)暗褐色至黑色，前胸、小盾片、小盾片周围的鞘翅基部及体腹部橙黄色。后胸腹板中央、腹部第2、3节基部中央及末节端部大半暗褐色。足大部分黄褐色，但后足胫节(除基部外)和各足跗节黑色。雄虫触角细长，约与体等长，柄节较粗，略短于第3节，第3、4节等长，第5节以后各节长度递减。前胸宽略胜于长，基部稍收缩，两侧缘中央略微突出。鞘翅显宽于前胸，两侧中部较狭窄，近端部1/5处显著向后端狭窄，末端斜切。

分布: 陕西(秦岭)、浙江、湖北、台湾、广东、广西。

寄主: 樟。*Cinnamomum camphora* (Linnaeus) J. Presl。

(418)黑胫筒天牛 *Oberea* (*Oberea*) *diversipes* Pic, 1919(图版31:6a, 6b)

Oberea diversipes Pic, 1919: 11.

Oberea brevicollis Fairmaire, 1895 : 190(nec Pascoe, 1867).

Oberea Fairmairei Aurivillius, 1923: 532(new name for *Oberea brevicollis* Fairmaire, 1885).

Oberea fuscipennis ssp. *fairmairei*: Breuning, 1960b: 56.

Oberea fuscipennis var. *diversipes*: Breuning, 1960b: 56.

Oberea fuscipennis m. *diversipes*: Breuning, 1967b: 820.

别名:费氏暗翅筒天牛。

鉴别特征:体长 14.0～19.0mm。体红褐色，触角大部分黑褐色，基部 3 节和末端 2 节颜色较深，后足胫节和腹部末节末端黑褐色。鞘翅红褐色具黑色刻点，两侧缘黑褐色。触角与体约等长，第 3 节最长，第 4 节略长于柄节。前胸圆筒形，宽略胜于长。鞘翅狭长，向后略狭缩，末端凹切。后足腿节伸达第 3 可见腹节前缘。雄虫腹部末节腹板具 1 个三角形深凹，雌虫末节腹板具 1 条纵凹沟。

采集记录:1♂1♀，周至秦岭植物园栗子坪，700m，2012. Ⅶ.03，刘万岗采；2♂2♀，佛坪岳坝村周围，1093m，2012. Ⅶ.01，刘万岗采 Ceram-126)；3♂1♀，佛坪大古坪保护站到岳坝保护站，1139～1573m，2012. Ⅵ.30，刘万岗采(Ceram-134)；1♂，佛坪，900m，1999. Ⅵ.27，胡建采；1♀，佛坪，890m，1999. VI.26，章有为灯诱。

分布:陕西(周至、佛坪)、河南、湖南、福建、广东、海南、重庆、四川、贵州、云南、西藏；越南，老挝。

备注:本种曾被作为暗翅筒天牛的亚种(Breuning，1960b)或异名(Breuning，1967)，但其实是不同的种，可以从以下特征区分:后足胫节一般深褐色，第 5 可见腹节末端黑色，额宽度更窄。但这三个特征有时不很明显，雄性生殖器差异较大，本种内囊骨针更粗短(李竹，2014；Li *et al*.，2016)。

(419)短足筒天牛 *Oberea*（*Oberea*）*ferruginea*（Thunberg，1787）

Saperda ferruginea Thunberg，1787：57.

Saperda atricornis Fabricius，1793：308.

Saperda elongata Olivier，1795：19，pl. Ⅲ，fig. 34.

Oberea prolixa Pascoe，1867b：424.

Oberea atricornis：Aurivillius，1923：531.

Oberea semiargentata Pic，1923a：15.

Oberea maculativentris Pic，1923a：15.

Oberea notativentris Pic，1924a：30.

Oberea ferruginea：Breuning，1967b：818.

鉴别特征:体长 18.0～25.0mm。体黄褐色至暗褐色，头、前胸黄褐色。触角黑色。鞘翅黄褐色至暗褐色，通常基部较淡色。胸部腹面黄褐色。腹部第 1 节和第 2 节前半部密被银灰色丝光绒毛，非常亮眼，第 2 节其余部分密被黑色绒毛。腹部第 3 节至 5 节被黄褐色至褐色绒毛。基部中央及末节端部大半暗褐色。足大部分黄褐色，但各足跗节暗褐色。触角细长，长于体，柄节较粗，短于第 3 节，第 3 节长于第 4 节。鞘翅略宽于前胸，两侧中部较狭窄。

分布:陕西(秦岭)、甘肃、湖北、湖南、福建、广东、广西、四川、云南；越南，老挝，印度，尼泊尔，马来西亚。

(420) 黄黑筒天牛 *Oberea* (*Oberea*) *flavescens* Breuning, 1947 陕西新纪录
（图版31:7a, 7b, 7c, 7d）

Oberea flavescens Breuning, 1947c: 146.

Oberea atropunctata var. *flavescens*: Breuning, 1962c: 169.

鉴别特征: 体长15.0～18.0mm。体黄褐色，头、前胸和鞘翅黄褐色，触角深红褐色，足黄褐色。腹面大部分黄褐色，但腹部第2、3可见腹节黑色。触角明显短于体长，鞘翅非常狭长，末端凹切。

采集记录: 1♀，周至厚畛子老县城村至秦岭梁途中，1745～2021m，2007. Ⅴ.27，林美英采；1♂，周至厚畛子，1300～1500m，2008. Ⅴ.15-19，黄灏采；1♀，镇安云盖寺茫村，2014. Ⅵ.21。

分布: 陕西(周至、镇安)、四川。

(421) 台湾筒天牛 *Oberea* (*Oberea*) *formosana* Pic, 1911

Oberea formosana Pic, 1911b: 20.

Oberea holoxantha var. *formosana*: Matsushita, 1933b: 420.

Oberea formosana var. *spinipennis* Breuning, 1962c: 163.

鉴别特征: 体长12.0～17.0mm。体极狭长，橙黄或橙红色。鞘翅两侧和末端以及腹部末节端沿常呈深棕色。触角深棕色，基部两节较黑，各节下沿被淡色缨毛。头部比前胸阔，与鞘翅基部约相等。触角细长，雄虫超过体长1/3到1/2，雌虫与体约等长；柄节似较第3节略短，第4节明显较第3节长。前胸圆筒形，长略胜于宽，无侧刺突。鞘翅极长，肩部以后狭缩，末端斜切，微凹，两端角尖锐，均呈齿状。足短，腹狭长。

分布: 陕西(周至)、河南、江苏、安徽、浙江、湖北、江西、湖南、福建、台湾、广东、海南、广西、重庆、四川、贵州；韩国，越南，老挝，泰国，缅甸，印度(包括锡金)，尼泊尔，孟加拉国，马来西亚，印度尼西亚。

(422) 暗翅筒天牛 *Oberea* (*Oberea*) *fuscipennis* (Chevrolat, 1852) 陕西新纪录
（图版31:8a, 8b, 8c）

Isosceles fuscipennis Chevrolat, 1852: 419.

Oberea fulveola Bates, 1873d: 390.

Oberea holoxantha Fairmaire, 1888a: 35.

Oberea fuscipennis: Gahan, 1894a: 95.

Oberea theryi Pic, 1902d: 2. N.

Oberea hanoiensis Pic, 1923c: 12.

Oberea rufotestacea Pic, 1923c: 12.

Oberea pieli Pic, 1924a: 19.

Oberea rosi Gressitt, 1940b: 214, 218, pl. 6, fig. 11.

Oberea cephalotes Breuning, 1947c: 147.

Oberea fuscipennis var. *fulveola*: Breuning, 1960b: 56.

Oberea fuscipennis var. *holoxantha*: Breuning, 1960b: 56.

Oberea fuscipennis var. *rufotestacea*: Breuning, 1960b: 56.

鉴别特征:体长12.5～17.5mm。体黄褐色，头、前胸黄褐色。触角红褐色至深褐色，基部三节颜色较深接近黑色。鞘翅黄褐色，两侧颜色略微加深。腹面全部黄褐色；足黄褐色。触角与体约等长，鞘翅末端凹切，外端角显著。

采集记录:1♂1♀，周至楼观台镇楼观台森林公园，564m，2007. V.24，林美英采；2♂1♀周至秦岭植物园内大峡谷，925m，2012. Ⅶ.05，华谊采（Ceram-137）；1♀，太白山蒿坪寺，1982. V.23，王、柴采（NWAFU，CO027605）。

分布:陕西（周至、太白）、河北、江苏、上海、浙江、湖北、江西、湖南、福建、台湾、广东、海南、香港、广西、四川、贵州、云南、西藏；朝鲜，韩国，日本，越南，老挝，印度，孟加拉国。

（423）日本筒天牛 *Oberea*（*Oberea*）*japanica*（Thunberg, 1787）

Saperda japonica Thunberg, 1787: 57, note 10.

Oberea japanica Bates, 1873d: 388 [HN].

Oberea niponensis Bates, 1884: 260 (new name for *Oberea japanica* Bates, 1873).

Oberea japanica m. *laterifusca* Breuning, 1947b: 58 [infrasubspecies].

鉴别特征:体长16.0～20.0mm。体橙黄色，头、触角及腹部尾节黑色，鞘翅除基部外呈燻烟色，中、后足胫节端部外沿较黑。绒毛黄色，灰白或深棕色，一般头部和鞘翅中区的呈灰白色，鞘翅侧区的深棕色，腹面的黄色。触角雄虫与体等长，鞘翅刻点排成纵行，向后渐小，但仍清晰；末端斜切，内、外端角均尖锐，后者伸展很长。雄虫尾节中区有一凹洼。

分布:陕西（秦岭）、吉林、辽宁、河北、山东、河南、宁夏、江苏、浙江、湖北、江西、湖南、福建、台湾、广东、海南、广西；日本。

寄主:桃，梅，杏，樱，梨，苹果，桑，榅桲等，幼虫为害其枝条。*Castanea mollissima* Blume, *Corylus avellana* Linnaeus, *Cydonia* sp., *Lonicera Japanica* Thunberg, *Malus pumila* Miller, *Morus alba* Linnaeus, *Prunus armeniaca* Linnaeus, *Prunus mume* Siebold et Zuccarini, *Prunus persica* (Linnaeus) Batsch, *Prunus salicina* Lindley, *Pyrus* sp., *Salix* sp., *Tilia* sp.。

(424)黑腹筒天牛 ***Oberea* (*Oberea*) *nigriventris* Bates, 1873**(图版 32:1a, 1b)

Oberea nigriventris Bates, 1873d: 389.

Oberea langana Pic, 1902c: 35.

Oberea angustatissima Pic, 1908a: 17.

Oberea subannulipes Pic, 1913a: 19.

Oberea horiensis Matsushita, 1931: 47, fig. 4.

Oberea nigriventris var. *postrufofemoralis* Breuning, 1960b: 44; 1962b: 94.

Oberea nigriventris var. *Langana*: Breuning, 1962b: 94.

Oberea nigriventris var. *Angustatissima*: Breuning, 1962b: 94.

Oberea nigriventris michikoi Yokoyama, 1971: 101.

鉴别特征:体长 12.0 ~ 18.0mm。体极狭长，较小个体更形细长。头与前胸从橙黄到橘红色，鞘翅深棕或深黑色，其基部及小盾片橙黄色；触角、后胸腹板及腹部黑色；中胸腹板，前足从基节到腿节、中足的基节与转节(有时亦包括腿节)、后足基节一部分和转节等均呈橙黄到橙红色，足的其余部分是深棕或棕黑色。头与前胸被稀疏的金黄色绒毛，鞘翅和腹部被灰白色绒毛，竖毛细短，不密。雌虫触角和雄虫触角差异不大，一般雌虫触角较体略长，雄虫触角超出体长的 1/4；柄节密布微细刻点，在高倍镜下可见背面有 1 条极浅而清晰的纵沟，内有两三行极细密的刻点。前胸显然长胜于阔，背板刻点稀疏。鞘翅肩部后略微收狭，刻点比较粗大，排成 6 纵行，向后渐小，但直至最后端始较模糊；末端斜切，略凹，内、外端角尖锐，呈刺状，后者更形伸展而显著。腹部密布刻点，相当紧密，但较鞘翅上的为小。

采集记录:1♂，长安南五台，1991(NWAFU, ex 西北农学院)。

分布:陕西(长安、周至、太白)、辽宁、内蒙古、北京、河北、山东、河南、江苏、安徽、浙江、湖北、江西、湖南、福建、台湾、广东、海南、广西、四川、贵州、云南；韩国，日本，越南，老挝，缅甸，印度，尼泊尔。

寄主:沙梨。*Citrus* sp., *Cynanchum caudatum* (Miquel) Maximowicz, *Marsdenia tomentosa* Morren *et* Decaisne, *Pyrus pyrifolia* Nakai, *Tylophora aristolochioides* Miquel。

(425)筒天牛 ***Oberea* (*Oberea*) *oculata* (Linnaeus, 1758)**(图版 32:2)

Cerambyx oculatus Linnaeus, 1758: 394.

Cerambyx melanocephalus Voet, 1778: 19, pl. XVIII, fig. 81[nomen nudum].

Cerambyx (*Saperda*) *oculatus*: Gmelin, 1790: 1841.

Oberea oculata: Mulsant, 1839: 194.

Oberea oculata var. *inoculata* Heyden, 1892: 81.

Oberea oculata var. *quadrimaculata* Donisthorpe, 1898: 302.
Oberea oculata var. *borysthenica* Mokrzecki, 1900: 294, pl. I, fig. 1.
Oberea oculata tomensis Kisseleva, 1926: 131.
Oberea oculata var. *nigroabdominalis* Breuning, 1962c: 220.

别名:灰翅筒天牛。

鉴别特征:体长 16.0~21.0mm。头，触角及鞘翅黑色，其他部分橙黄色或橘红色、前胸背板中区两侧各有 1 个圆形小黑斑，雄虫尾端有黑毛。腹面被金黄色绒毛。头部、触角下沿及稍翅上被深灰色绒毛；额部和鞘翅上的绒毛很密，遮盖了底色，呈深灰色。雄虫触角与体等长或稍短，雌虫触角仅及体长的 3/4 左右。鞘翅末端略凹。雄虫腹部末节有 1 个三角形的大凹洼，雌虫腹部末节中央有 1 条深色而光亮的纵纹和 1 个较小的三角形凹洼。

采集记录:5♂5♀，定边长茂滩，1981. Ⅵ. 14(NWAFU, ex 陕西省林业科学研究所)；10♂10♀，定边长茂滩林场，寄主:沙柳，1983. Ⅶ. 07-09(NWAFU, ex 陕西省林业科学研究所)。

分布:陕西(太白、商县、定边)、黑龙江、吉林、辽宁、内蒙古、山东、新疆、湖北；蒙古，俄罗斯，哈萨克斯坦，欧洲。

寄主:柳属。*Populus* sp., *Salix acutifolia* Willdenow, *Salix alba* Linnaeus, *Salix* sp.。

(426)拟瞳筒天牛 *Oberea* (*Oberea*) *pupillatoides* Breuning, 1947(图版 32:3a, 3b)

Oberea pupillatoides Breuning, 1947c: 145.
Oberea depressa var. *pupillatoides*: Breuning, 1960b: 32.

鉴别特征:体长 16.0mm 左右。头黑色，触角黑色，前胸黄褐色，基部具有 2 个小黑点；鞘翅大部分黑褐色，刻点黑色，两侧缘黑色，鞘缝黑色(基部除外)；腹部大部分黄褐色，中胸腹板在腹板突之前具黑斑，后胸前侧片有时具黑斑，可见第 1~3 腹节具黑斑，第 5 可见腹节大部分黑色(基部黄褐色)；足大部分黄褐色，后足胫节端半部背侧黑褐色，外侧红褐色。触角略短于体长，鞘翅刻点不成行排列，末端斜切。

采集记录:1♂，周至楼观台镇楼观台森林公园，564m, 2007. Ⅴ. 24，林美英采；1♂，太白，1990. Ⅶ(NWAFU, CO027611)。

分布:陕西(周至、太白)。

备注:本种被 Breuning (1960; 1962) 看作黑缘筒天牛的一个型(相当于被异名)，但作者认为应该恢复地位。跟黑缘筒天牛的主要区别在于后胸腹板黄褐色，第 5 可见腹节大部分黑色和雌性外生殖器有差异。本种跟分布于俄罗斯和韩国的海氏筒天牛 *Oberea heyrovskyi* Pic, 1927 非常相似，很可能是海氏筒天牛的次异名，但由于作者对其没有深入了解，暂不做变动。

(427) 黑腹二色角筒天牛 *Oberea* (*Oberea*) *rubroantennalis* Lin *et* Ge, 2017 （图版32：4a, 4b）

Oberea bicoloricornis var. *rubroantennalis* Breuning, 1960b: 38 [unavailable name, according to Li *et al.* 2015: 579].

Oberea bicoloricornis m. *rubroantennalis*: Breuning, 1967b: 821.

Oberea (*Oberea*) *rubroantennalis* Lin *et* Ge, 2017b: 920, figs. 10-12.

鉴别特征:体长14.5mm左右。头部黑色，触角基部两节黑褐色，其余9节黄褐色。前胸和小盾片黄褐色；鞘翅黑褐色，刻点黑色，中区部分和基部小盾片周围颜色较淡，呈黄褐色(换言之，能看出两侧和鞘缝具黑色边)。腹面的大部分黄褐色但后胸腹板、腹部第2～3节具有黑斑，腹部末节大部分黑色。足大部分黄褐色，中足胫节端部外侧斜沟部分黑色，后足胫节大部分(基部除外)和后足跗节第1节黑褐色。触角略长于体，后足腿节伸达第2可见腹节中部。

采集记录:1♀(副模)，太白山蒿坪寺，1200m，1982.Ⅶ.18，陈苗茹采(NWAFU, CO027609)；1♀(正模)，佛坪长角坝乡上沙窝村，1215m，33.5971°N，108.0136°E，2007.Ⅴ.29，林美英采(IOZ(E)2002915)。

分布:陕西(太白、佛坪)、四川。

备注:本种与二色角筒天牛 *Oberea bicoloricornis* Pic, 1915 相似但腹部末节黑色，与褐胫筒天牛 *Oberea angustata* Pic, 1923 相似但触角更加细长，基部两节黑褐色，其余9节黄褐色。虽然Breuning (1960b)就提出了这个名称，且描述和标本信息出现在1962c的正文中，但二者都是不可用名，我们对其进行重新描述，但继续使用这个名称。

(428) 红腹筒天牛 *Oberea* (*Oberea*) *rufosternalis* Breuning, 1962 陕西新纪录 （图版32：5a, 5b）

Oberea rufosternalis Breuning, 1962b: 95.

鉴别特征:体长15.0～17.0mm，非常狭长。体黄褐色，触角和腹部黑色。鞘翅红褐色至黑褐色，基部颜色较明亮，为红褐色。足腿节红褐色，胫节和跗节颜色较深为黑褐色。本种与褐胫马来筒天牛 *Oberea subabdominalis* Breuning, 1962 颜色配置相似，但本种鞘翅更加细长，翅长为肩宽的6.5倍以上(李竹，2014)。本种与黑腹筒天牛 *Oberea nigriventris* Bates, 1873 也非常相似，但后胸腹面是红色而不是黑色。

采集记录:1♀，宁陕火地塘，1580m，1998.Ⅶ.26，姚建采；1♀，宁陕广货街镇沙沟，1406m，2014.Ⅶ.28，路园园采。

分布:陕西(宁陕)、四川、云南。

(429)天目筒天牛 *Oberea* (*Oberea*) *tienmuana* Gressitt, 1939 陕西新纪录

(图版32:6a, 6b, 6c)

Oberea tienmuana Gressitt, 1939b: 124, pl. Ⅱ, fig. 15.

Oberea greseopennis var. *tienmuana*: Breuning, 1962c: 219.

鉴别特征:体长 10.5 ~ 12.5mm。头部黑色，触角、鞘翅(基部除外)暗褐色至黑色，鞘翅基部橙黄色(雌虫黄色部分较小，雄虫较多，有时黄色部分延伸至近端部)；前胸、小盾片及腹面橙黄色，但腹部末节的极末端黑色。足大部分黄褐色，但后足胫节(除基部外)和各足跗节黑色。触角与体约等长。鞘翅末端平切至微斜切。

采集记录:1♂，周至厚畛子，1276m，2008. Ⅶ.01，葛斯琴采；1♀，太白山蒿坪寺，1982. Ⅶ.01(NWAFU, CO027604)；2♂，佛坪长角坝乡上沙窝村，1215m，2007. Ⅴ.29，林美英采；1♂，宁陕火地塘，1580 ~ 1650m，1999. Ⅵ.26，袁德成采；1♂，柞水红庙河村，1110m，2007. Ⅵ.03，崔俊芝采；1♀，洛南巡检镇罗家沟，1062m，2014. Ⅶ.05，黄正中采；1♀，丹凤蔡川镇皇台村，1190m，2014. Ⅵ.30，索中毅采；5♂，丹凤蔡川镇大白沟，1200m，2014. Ⅶ.01，黄正中、索中毅采。

分布:陕西(周至、太白、佛坪、宁陕、柞水、洛南、丹凤)、浙江。

备注:本种被作为灰尾筒天牛 *Oberea griseopennis* Schwarzer, 1925 的种内变异，后者又被认为是二斑筒天牛 *Oberea binotaticollis binotaticollis* Pic, 1915 的异名。但是作者认为腹部末节的颜色在本属内比较稳定，末节黄褐色的本种跟台湾分布的末节始终至少端半部黑色的灰尾筒天牛或前胸有黑斑而后胸腹面大部分黑色的二斑筒天牛乃是不同的种。

(430)一点筒天牛 *Oberea* (*Oberea*) *uninotaticollis* Pic, 1939 陕西新纪录

(图版32:7a, 7b)

Oberea uninotaticollis Pic, 1939f: 16.

Oberea unipunctata Gressitt, 1939b: 125, pl. Ⅱ, fig. 16.

鉴别特征:体长 12.0 ~ 16.0mm，体宽 1.1 ~ 1.8mm。虫体十分细长，近圆柱形。头、触角、鞘翅、后胸腹板、腹部及后足黑色至栗黑色；触角基部节黑色，之后逐渐栗黑色。前胸背板橙黄，中区有 1 个圆形黑斑。小盾片、鞘翅基缘、近小盾片处，前、中胸腹板，后胸腹板的前缘、前、中足及后足腿节前端均为黄褐色。有时候前、中足的跗节及胫节黑色至黑褐色，后胸腹板及后足全为黑色。触角细，雌虫与雄虫均短于身体，约伸至鞘翅端区，触角下沿有极稀少短缨毛；鞘翅很长，是头、胸长度之和的 4.0 倍，端缘斜凹切，凹缘程度深，外端角及缝角尖锐，前者稍长；每翅刻点稠密而粗深。雄虫腹部末节后缘中央微凹，中部之后的腹面有浅凹印；雌虫腹部末节后缘平直，基

缘至中部有1条不明显细纵线。足较短，后足腿节甚至腹部第1节端缘。

采集记录:1♀，柞水凤凰古镇中河村马寺沟口，900m，2014.Ⅵ.25，索中毅采。

分布:陕西(柞水)、浙江、江西、福建、广西、云南；越南，老挝，泰国。

备注:本种曾被陕西师范大学学报错误报道为一斑筒天牛 *Oberea unimaculicollis* Breuning, 1962(Breuning, 1962c; Hua, 2002)。一斑筒天牛已知分布仅在印度尼西亚的苏门答腊岛，体长13.5~14.0mm，跟一点筒天牛区别:前胸中央的黑斑三角形或椭圆形且边界不太清晰；鞘翅颜色较浅，仅两侧和末端颜色加深；腹部大部分红棕色，后胸和腹部仅具部分黑色斑纹；前、中足腿节黑色。

(431)条纹筒天牛 *Oberea* (*Oberea*) *vittata* Blessig, 1873 陕西新纪录(图版32:8a, 8b)

Oberea vittata Blessig, 1873: 223.

Oberea vittata var. *longissima* Pic, 1905: 15.

鉴别特征:体长12.0~16.5mm。头和触角黑色；前胸黄褐色。鞘翅黑褐色，刻点黑色，中区尤其是小盾片周围颜色较淡。腹面大部分黑色，前胸腹板、第4可见腹节和第1~3可见腹节的边缘黄褐色；足大部分黄褐色，后足胫节端部黑褐色。触角明显短于体长，鞘翅末端写凹切，外端角齿状不尖锐。

采集记录:1♀，周至厚畛子老县城村至秦岭梁途中，1745~2021m，2007.Ⅴ.27，林美英采；1♂，延安，1980.Ⅵ，马向采(NWAFU, CO027117)。

分布:陕西(周至、延安)、中国东北；蒙古，俄罗斯，韩国，日本。

备注:本种与舟山筒天牛 *Oberea inclusa* Pascoe, 1858非常相似，有时候被作为后者的异名。主要区别是本种较细长(长宽比较大)，鞘翅中区颜色较淡，触角第3、4节不为红褐色。本文根据古北区名录把它作为独立的种。陕西标本跟 *Oberea vittata* var. *longissima* Pic, 1905模式标本非常吻合。

(432)凹尾筒天牛 *Oberea* (*Oberea*) *walkeri* Gahan, 1894 陕西新纪录(图版32:9a, 9b)

Oberea walkeri Gahan, 1894b: 487.

Oberea atroanalis Fairmaire, 1895: 189.

Oberea bicoloritarsis Pic, 1923c: 11.

Oberea robustior Pic, 1923c: 12.

Oberea latipennis Gressitt, 1939b: 99, 104, pl. 3, fig. 9.

Oberea changi Gressitt, 1942c: 5.

Oberea nigriceps var. *bicoloritarsis*: Breuning, 1962c: 182.

Oberea nigriceps var. *changi*: Breuning, 1962c: 183.

Oberea walkeri var. *atroanalis*: Breuning, 1962c: 184.

Oberea walkeri var. *atrosternalis* Breuning, 1962c: 184.

Oberea walkeri var. *latipennis*: Breuning, 1962c: 184.

Oberea walkeri var. *nigrobasicollis* Breuning, 1962c: 184.

Oberea walkeri var. *robustior*: Breuning, 1962c: 185.

Oberea walkeri var. *sikkimensis* Breuning, 1962c: 185.

Oberea nigriceps m. *bicoloritarsis*: Breuning, 1967c: 821.

Oberea nigriceps m. *changi*: Breuning, 1967c: 821.

鉴别特征:体长14.5~18.0mm。头黑色，触角黑色，前胸黄褐色；鞘翅大部分黑褐色(有时候黄褐色，陕西个体偏向黄褐色)，刻点黑色，两侧缘黑色，鞘缝黑色(基部除外)；腹部大部分黄褐色，第5可见腹节大部分黑色(基部黄褐色)可见第2、3腹节有时具黑斑；足大部分黄褐色，后足胫节大部分黑褐色(基部黄褐色)。触角约等于体长，鞘翅刻点成行排列，末端斜凹切，外端角显著。

采集记录:1♀，周至楼观台森林公园，564m，2007. Ⅴ.24，林美英采；1♂，太白山蒿坪寺，1982. Ⅶ.17(NWAFU，CO027606)。

分布:陕西(周至、太白)、浙江、江西、湖南、福建、台湾、广东、香港、广西、四川、贵州、云南、西藏；越南，老挝，缅甸，印度。

寄主:*Sassafras tzumu* (Hemsley) Hemsley。

200. 小筒天牛属 *Phytoecia* Dejean, 1835

Phytoecia Dejean, 1835: 351. **Type species**: *Saperda cylindrica* Fabricius, 1775 (= *Cerambyx cylindricus* Linnaeus, 1758).

属征:体小至中等大小，长形。头同前胸背板近于等宽，一般雄虫头略宽于前胸。复眼深凹，小眼面细，额一般横宽；触角细长，雄虫触角超过鞘翅，雌虫触角达到鞘翅末端或短于鞘翅，触角基部前面3或4节下沿具稀少缨毛。前胸背板宽胜于长，不具侧刺突。鞘翅长形，端部渐狭，末端圆形或略平截。中胸腹板突狭窄，末端尖削。足中等长，后足腿节不超过腹部第3节，爪附齿式。

分布:古北区。全世界已知有18亚属，但很多亚属有时被认为应该提升为属；中国分布5亚属17种2亚种，秦岭地区发现2亚属4种，其中2种为陕西新纪录。

备注:本属同脊筒天牛属(*Nupserha*)在外貌上十分类似，两属的主要区别是:本属鞘翅肩后一般无纵隆脊，但有时略有微弱的纵隆脊，多在中部之后显现；翅末端不成斜切或凹缘，不具尖锐的缘角，翅面刻点细弱，不整齐；头胸一般有竖立的黑毛。

分种检索表

1. 每鞘翅具1条非常细弱的肩脊，缘折至少基部黄红色 …………………………………… 2

鞘翅没有肩脊，或者少数情况下具1条脊但缘折决不黄红色 …………………………… 3

2. 鞘翅末端圆形；雌虫腹部末节红色；雄虫腹部末节部分红色；背面绒毛较稀疏 ………………………………………………… **束翅小筒天牛 *Phytoecia*（*Cinctophytoecia*）*cinctipennis***

鞘翅末端微凹切；雄虫腹部末节红色；雌虫腹部全黑色；背面绒毛较发达，呈现黄绿色 ………………………………………… **东北小筒天牛 *P.*（*C.*）*sareptana***（在秦岭的分布未确定）

3. 腹部橘红色；前胸背板具有1个红斑 …………………… **菊小筒天牛 *P.*（*Phytoecia*）*rufiventris***

腹部黑色；前胸背板不具1个红斑………………………… **铁色小筒天牛 *P.*（*P.*）*ferrea***

200-1. *Cinctophytoecia* Breuning, 1947

Phytoecia（*Cinctophytoecia*）Breuning, 1947c: 143. **Type species**: *Phytoecia cinctipennis* Mannerheim, 1849.

鉴别特征:触角短于或略长于体长；复眼不断成上下两叶；鞘翅具非常微弱的侧脊，末端圆形或凹切，缘折通常黄红色，至少基部如此；后足跗节第1节短于其后两节长度之和。

分布:中国；蒙古，俄罗斯，朝鲜，韩国。本亚属秦岭地区发现2种。

(433) 束翅小筒天牛 *Phytoecia*（*Cinctophytoecia*）*cinctipennis* Mannerheim, 1849 陕西新纪录（图版33:1）

Phytoecia cinctipennis Mannerheim, 1849: 242.

Phytoecia（*Cinctophytoecia*）*cinctipennis*: Breuning, 1947c: 143.

Phytoecia（s. str.）*cinctipennis*: Gressitt, 1951: 612.

Phytoecia（*Cinctophytoecia*）*cinctipennis coreensis* Breuning, 1955b: 658.

鉴别特征:体长9.0~11.5mm。头、触角、前胸和鞘翅黑色被灰色绒毛，前胸背板有3条不显著的灰色绒毛纵纹，鞘缝绒毛较密也形成纵纹。腹面大部分黑色，雌虫末节黄红色。足大部分黄红色，中足胫节端部、后足胫节和各足跗节黑色。触角与体约等长，雄虫略长于体。

采集记录:1♂2♀，周至厚畛子，1350m，1999.Ⅵ.24，姚建采；1♂1♀，周至厚畛子，1350m，1999.Ⅵ.24，贺同利采；1♀，周至老县城，1670~1760m，2008.Ⅵ.27，葛斯琴采；1♀，周至厚畛子，1271m，2007.Ⅴ.28，林美英采；1♂，户县太平峪，2016.Ⅶ.03，宋梁栋采(兴平市植保站)；1♂，凤县秦岭，1380m，1973.Ⅶ.25，张学忠采；1♀，凤县，1981.Ⅵ，林(NWAFU，CO027643)；2♀，凤县唐芷，1982.Ⅶ.26，魏建华采(NWAFU，CO027665-66)；1♀，太白山，1990.Ⅶ.16(NWAFU，CO028280)；1♀，留坝庙台子，1470m，1999.Ⅶ.01，胡建采；1♂1♀，丹凤蔡川镇大白沟，1200m，2014.Ⅶ.01，索中毅采；1♂，秦岭红岭林场，1580~1800m，1973.Ⅶ.

24，张学忠采；1♂，秦岭，1995.Ⅶ.27(NWAFU，CO027682)。

分布：陕西(周至、户县、凤县、太白、留坝、丹凤)、内蒙古、北京、河北、宁夏；蒙古，俄罗斯，朝鲜，韩国。

200-2. *Phytoecia* Dejean, 1835

Phytoecia Dejean, 1835: 351. **Type species**: *Saperda cylindrica* Fabricius, 1775 (= *Cerambyx cylindricus* Linnaeus, 1758).

Phytoecia (*Hoplotoma*) Pérez Arcas, 1874: 151. **Type species**: *Phytoecia bolivarii* Pérez Arcas, 1874 (= *Phytoecia malachitica* P. H. Lucas, 1849).

鉴别特征：触角短于或略长于体长；复眼不断成上下两叶；鞘翅具非常微弱的侧脊，末端圆形或平切，缘折从不黄红色；后足跗节第1节不长于其后两节长度之和。

分布：古北区。秦岭地区发现2种。

(434)铁色小筒天牛 *Phytoecia* (*Phytoecia*) *ferrea* Ganglbauer, 1887

Phytoecia analis Mannerheim, 1849: 244 (nec Fabricius, 1781).

Phytoecia cylindrica var. *ferrea* Ganglbauer, 1887b: 22.

Phytoecia analis var. *atropygidialis* Pic, 1939: 3.

Phytoecia (*Phytoecia*) *mannerheimi* Breuning, 1951: 368 (new name for *Phytoecia analis* Mannerheim, 1849).

Phytoecia (s. str.) *cylindrica ferrea*: Gressitt, 1951: 612.

Phytoecia (*Phytoecia*) *mannerheimi* f. *nikitini* Hayashi, 1957a: 40.

鉴别特征：体全部黑色，除了足有部分黄红色。足大部分黑色，但前足除了腿节基部和跗节黑色，其余黄红色。触角与体约等长，雄虫略长于体。鞘翅刻点细密，不成行排列，末端圆形。

分布：陕西(秦岭)、内蒙古、河北、北京、山西、甘肃、湖北、广东、浙江；蒙古，俄罗斯。

备注：陕西的记录最早见于 Breuning (1951)，记录了他个人收藏里的"Kansu, Shensi *et* Shansi"，其中 Shensi 指的就是陕西。本次研究未见到陕西标本。

(435)菊小筒天牛 *Phytoecia* (*Phytoecia*) *rufiventris* Gautier, 1870(图版 33:2)

Phytoecia rufiventris Gautier, 1870: 104.

Phytoecia punctigera Blessig, 1873: 226.

Phytoecia ventralis Bates, 1873d: 388.

Phytoecia abdominalis Chevrolat, 1882: 62.

Phytoecia rufiventris var. *tristigma* Pic, 1897: 190.

Phytoecia tonkinea Pic, 1902c: 34.

Phytoecia rufiventris v. *atrimembris* Pic, 1915b: 14.

Phytoecia rufiventris m. *partenigrescens* Breuning, 1947b: 60 [infrasubspecies from Fujian].

Phytoecia rufiventris m. *atrimembris*: Breuning, 1951: 393.

Phytoecia rufiventris m. *tonkinea*: Breuning, 1951: 393.

Phytoecia rufiventris m. *tristigma*: Breuning, 1951: 393.

Phytoecia rufiventris hakutozana Wang, 2003: 365, figs.

Phytoecia rufiventris hakutorana Wang, 2003: 397 [misspelling of *hakutozana*].

鉴别特征:体长6.0～11.0mm。体小，圆筒形，黑色，被灰色绒毛，但不厚密，不遮盖底色。前胸背板中区有1个相当大的略带卵圆形的三角形红色斑点。腹部、各足腿节(中、后足腿节除去末端)、前足胫节除去外沿端部，以及中、后足胫节基部外沿均呈橘红色:触角被稀疏的灰色和棕色绒毛，下沿有稀疏的缨毛。雌虫触角与体近乎等长，雄虫触角稍长于雌虫触角。前胸背板阔胜于长，刻点相当粗糙，红斑内中央前方有一纵形或长卵形区无刻点，且此处特别拱凸。鞘翅刻点亦极密而乱，绒毛均匀，不形成斑点。

采集记录:1♂，周至楼观台森林公园，564m，2007. Ⅴ.24，林美英采；1♀，周至楼观台，680m，2008. Ⅵ.24，崔俊芝采；1♂，周至厚畛子沙梁子村，950m，2007. Ⅴ.25，林美英采；1♂，周至厚畛子，2007. Ⅴ.28，崔俊芝采；5♂5♀，凤县(NWAFU)；1♂，太白(NWAFU, CO028418)；5♂5♀，太白山蒿坪寺(NWAFU)；1♀，太白黄柏塬乡原始森林，1619m，2012. Ⅵ.19，李莎采(Ceram-122)；5♂5♀，武功(NWAFU)；3♀4♂，华阴华山，770～1618m，2007. Ⅵ.06，林美英采；1♀，留坝县，980m，2012. Ⅵ.24，李莎采；4♀4♂，佛坪长角坝乡上沙窝村，1215m，2007. Ⅴ.29，林美英采；1♀，柞水营盘镇红庙河村，1110m，2007. Ⅵ.03，林美英采(IOZ(E)1905512)；1♂，同上；1♂，柞水凤凰古镇中河村马寺沟口，900m，2014. Ⅵ.25，索中毅采；1♀，丹凤蔡川镇大白沟，1200m，2014. Ⅶ.01，索中毅采；2♂，洛南石门镇陈建村，1150m，2007. Ⅵ.05，林美英采；1♂1♀，白河(NWAFU)；1♂，城固，1980(NWAFU, CO028428)。

分布:陕西(周至、凤县、太白、武功、华阴、留坝、佛坪、城固、柞水、洛南、丹凤、白河、绥德)、黑龙江、吉林、内蒙古、北京、河北、山西、山东、河南、江苏、安徽、浙江、湖北、江西、湖南、福建、台湾、广东、广西、四川、贵州；蒙古，俄罗斯，朝鲜，韩国，日本。

寄主:多种菊花 = *Chrysanthemum* spp.。

生物学:成虫日间活动，产卵于离地数寸的菊花茎干内，幼虫在茎内向下钻食，到根部化蛹。

XV. 芒天牛族 Pogonocherini Mulsant, 1839 陕西新纪录族

鉴别特征(Linsley, 1935):小型天牛，狭长或宽短。头向后缩；复眼小眼面中等粗细，深凹，复眼下叶近方形或近三角形；触角细长，下沿密被缨毛。前足基节窝外侧角状，向后关闭；中足基节窝开放。足短；中足胫节具或不具斜沟；后足跗节第 1 节约等长于第 2 节；爪全开式。

分类:世界已知 15 属，中国仅记录 1 属 2 亚属，陕西秦岭地区分布 1 属 1 种。

201. 芒天牛属 *Pogonocherus* Dejean, 1821 陕西新纪录属

Pogonocherus Dejean, 1821: 107. **Type species**: *Cerambyx hispidus* Linnaeus, 1758.

Pogonocerus Gistel, 1848a: 131[unjustified emendation].

Strophinus Gistel, 1856: 376. **Type species**: *Cerambyx hispidus* Linnaeus, 1758.

Pogonochaerus Gemminger, 1873: 3116[unjustified emendation].

Pogonocherus (*Eupogonocherus*) Linsley, 1935:97. **Type species**: *Cerambyx hispidus*Linnaeus, 1758.

属征:触角约与体等长或稍长，下沿具缨毛，相当密，第 4 节显较第 3 节长。前胸具侧刺突，背板有瘤突。鞘翅基部远较前胸宽阔，肩下即渐狭小，末端切平，有时外端角向后延伸，呈角状突出；翅面有纵脊，以近中缝的 1 条较为凸起，鞘翅基部具隆脊，上有黑色短簇毛。腿节膨大，棒状。

分布:古北区，新北区。本属分为两个亚属，指名亚属世界已知 36 种/亚种，中国记录 3 种，秦岭地区发现 1 种。

(436) 白腰芒天牛 *Pogonocherus* (*Pogonocherus*) *dimidiatus* Blessig, 1873 陕西新纪录(图版 33:4)

Pogonocherus dimiidiatus Blessig, 1873: 208.

Pogonocherus seminiveus Bates, 1873d: 381.

Pogonocherus dimiidatus var. *öbicristatus* Kraatz, 1879: 114.

Pogonocherus tristiculus Kraatz, 1879: 115.

Pogonocherus (*Eupogonocherus*) *tristiculus*: Breuning, 1975b: 21.

Pogonocherus (*Eupogonocherus*) *seminiveus*: Breuning, 1975b: 22.

别名:东北芒天牛、白腰小天牛。

鉴别特征:体长5.5～9.0mm。体大部分黑色，鞘翅前半区（连缘折）和末端外侧角区都是棕红色，前者密被银灰色绒毛，遮盖底色，后者绒毛稀而短，现出底色。前胸背板有稀疏白绒毛，不呈斑纹。鞘翅前白后黑，在淡色区内靠中缝区色彩较深，灰色；在黑色区内，布有小白斑点，极不规则，以沿中缝的1条较清晰。体腹面及足上的白绒毛，形成点点花斑，此外还有白色竖毛，较长。

采集记录:1♂，宁陕平河梁，1981.Ⅷ.03，魏建华采（NWAFU，CO028241）。

分布:陕西（宁陕）、黑龙江、吉林；朝鲜，韩国，日本。

寄主:榆属，山毛榉属。

XVI. 坡天牛族 Pteropliini Thomson, 1860

鉴别特征（Gressitt, 1940b）:头多少后缩；额四方形或上方宽于下方；头顶浅陷；复眼深凹或分成两叶；触角通常短于体长，仅偶尔长于体；柄节不具端疤；中足基节窝对中胸后侧片开放；中足胫节不具斜沟；爪全开式。

分类:世界已知247属/亚属，中国记录22属，秦岭地区发现4属10种。

分属检索表

1. 鞘翅末端延展成叶状突，近中缝处微凹 ………… 突尾天牛属 *Sthenias*
   鞘翅末端没有延展，斜截或圆形 ………… 2
2. 鞘翅平坦没有突脊或簇毛；鞘翅末端为圆滑的合圆形 ………… 艾格天牛属 *Egesina*
   鞘翅基部有突脊或簇毛 ………… 3
3. 体型较短小；鞘翅基部有突脊，没有黑色簇毛 ………… 坡天牛属 *Pterolophia*
   体型较长些；鞘翅基部有黑色簇毛；鞘翅端半部具有浅色绒毛斑纹 …… 白腰天牛属 *Anaches*

202. 白腰天牛属 *Anaches* Pascoe, 1865

Anaches Pascoe, 1865: 160. **Type species**: *Sthenias dorsalis* Pascoe, 1858.

属征:本属一度被作为坡天牛属的异名，但鞘翅基部没有突脊，而是1对黑色簇毛，鞘翅长与宽的比值较大，且在鞘翅端半部具有浅色绒毛斑纹（也就是白腰的由来）。

分布:中国；越南，老挝，泰国，印度，尼泊尔，孟加拉国。世界已知4种，中国均有分布，秦岭地区发现1种。

(437)白腰天牛 *Anaches dorsalis* (Pascoe, 1858)(图版 33:5)

Sthenias dorsalis Pascoe, 1858: 251.
Anaches dorsalis: Pascoe, 1865: 160.
Anaches albonotatus Pic, 1932: 25.

鉴别特征:体长 10.0~14.0mm。体黑色。头和前胸黑色密被褐色绒毛，具少许白色绒毛，但不形成显著斑纹。触角黑色，3~6 节具基部白环纹。鞘翅基部凸起上具黑色毛斑，中部具宽阔的白色绒毛斑，边缘不整齐，边缘内具两道更白(绒毛更密)的边。鞘翅其余部分被褐色绒毛和白色散点。触角长于体。前胸无侧刺突。鞘翅较前胸稍宽，末端圆形。

采集记录:1♀，周至厚畛子，1280m，2008. Ⅴ.05-06，黄灏采(CCCC)；1♂，宁陕，1984. Ⅷ.17(NWAFU, CO028043)。

分布:陕西(周至、宁陕)、浙江、福建、香港、广西、重庆、四川、贵州、云南；越南，老挝，泰国，印度，尼泊尔，孟加拉国。

203. 艾格天牛属 *Egesina* Pascoe, 1864

Egesina Pascoe, 1864a: 49 **Type species**: *Egesina rigida* Pascoe, 1864.
Platyzeargyra Fisher, 1925: 213. **Type species**: *Platyzeargyra bakeri* Fisher, 1925.
Neoegesina Fisher, 1925: 215. **Type species**: *Neoegesina ornata* Fisher, 1925.
Gyaritodes Breuning, 1947a: 38. **Type species**: *Gyaritodes inspinosus* Breuning, 1947.
Egesina (*Egesina*): Breuning, 1961b: 283.

属征:体小型，体型像一类郭公虫。触角基瘤稍突出，左右相离较远；触角中等粗，下沿有缨毛，通常长于体长，柄节稍膨大，无端疤，短于第 4 节，第 3 节稍长于第 4 节；复眼内缘深凹，上、下叶之间仅有 1 列小眼面相连接。前胸背板近圆柱形，无侧刺突。鞘翅较长，两侧平行，末端合圆。中足基节窝开式；足短；粗壮，中足胫节无斜沟，爪半开式。

分布:东洋区。本属分为 5 个亚属，中国记录 4 个亚属，陕西只有指名亚属的分布。指名亚属世界已知 37 种/亚种，中国记录 10 种，秦岭地区发现 2 种。

分种检索表

触角双色；从第 3 节起基部红褐色端部黑色；鞘翅底色单色，中部之后有 1 对椭圆形白色绒毛斑 ……………………………………………………… **沥黑艾格天牛 *Egesina* (*Egesina*) *picina***

触角单色，全棕红色；鞘翅底色双色，基半部中央有一大段赭色区域 ……………………………………………………… **赭色艾格天牛 *E.* (*E.*) *umbrina***

（438）沥黑艾格天牛 *Egesina* （*Egesina*） *picina* Holzschuh, 2007（图版 33:6）

Egesina picina Holzschuh, 2007: 258, fig. 60.

鉴别特征：体长 4.6 ~ 5.5mm。头黑色；前胸大部分黑色，但前后缘部分红褐色；触角和足部分黑色，部分红褐色，从第 3 节起各触角节端部黑色，足跗节通常红褐色。小盾片和鞘翅黑褐色，被绒毛，其中小盾片周围的灰白色绒毛形成不显著的三角形斑纹，仅靠其后且在鞘翅中部之前隐约有不规则的浅色绒毛斑纹，中部之后有 1 对显著的银白色绒毛斑，到达侧缘但不到达鞘缝，椭圆形略倾斜，端前也隐约有浅色绒毛斑。

采集记录：1♂（正模），C-China, Shaanxi, Qinling Shan, 12km SW of Xunyangba, 1900 ~ 2250m, 2000. Ⅵ. 14-18（CCH）；副模：1♂1♀，同正模；2♂，S-Shaanxi, Qinling Shan, S slope, Xunyangba -S + W ENV, 1400 ~ 2100m, 33°28′37″N, 108°23′33″E, 1995. Ⅵ. 05-09, leg. L. & R. Businský（CCH）；1♂，Shaanxi, Qingling Shan, road Baoji to Taibai vill., pass 35km S of Baoji, 1998. Ⅵ. 21-23, leg. O. Šafránek & M. Trýzna（CCH）；1♀，同上但 leg. Z. Jindra（CCH）。

分布：陕西（宝鸡、宁陕）。

（439）赭色艾格天牛 *Egesina* （*Egesina*） *umbrina* Holzschuh, 2007（图版 33:7）

Egesina umbrina Holzschuh, 2007: 260, fig. 62.

鉴别特征：体长 5.4 ~ 8.7mm。头黑色，前胸大部分黑色但前后缘部分红褐色。触角全部棕红色；足大部分黑色。小盾片黑色，鞘翅大部分黑色，但基半部中央有一大段赭色区域，且前后镶嵌窄的浅灰色绒毛边，前缘倾斜，后缘阔“M”状；鞘翅端部 1/3 还有两道浅灰色绒毛横纹。

采集记录：1♂（正模），Shaanxi, Qinling Shan, 6km E of Xunyangba, 1000 ~ 1300m, 2000. Ⅴ. 23-Ⅵ. 13（CCH）；2♂（副模），Shaanxi, Qingling Shan mts., road Baoji to Taibai vill., pass 40km S of Baoji, 1998. Ⅵ. 21-23, leg. Z. Jindra（CCH）；1♂，Shaanxi, Qingling Shan（mts）., track Hou Zen Zi（Houzhenzi）vill. to Taibai Shan, 2500m, mixed forest, 1998. Ⅵ. 27-29, leg. Z. Jindra, O. Šafránek & M. Trýzna（CCH）。

分布：陕西（周至、宝鸡、宁陕）、贵州。

204. 坡天牛属 *Pterolophia* Newman, 1842

Pterolophia Newman, 1842e: 370 [NP]. **Type species**: *Mesosa bigibbera* Newman, 1842.

鉴别特征(蒋书楠等，1985)：体小至中型，较狭长。头部额近方形；头顶凹陷；复眼几断裂，小眼面较粗，下叶大多宽胜于高；触角一般较体短，柄节无端疤，与第3或第4节大致等长，第4节常等于第5、6节之和。前胸背板宽胜于长，无侧刺突，但两边中部常较膨大。鞘翅狭，但肩部常较前胸宽，背面常较拱凸，后端常显著坡状倾斜，翅端狭圆或稍斜截，翅面大多具纵脊或隆起。中胸腹板突无瘤突，中足基节窝开式，中足胫节无斜沟，爪半开式。

分布：古北区，东洋区，非洲区，澳洲区。本属分为30个亚属，中国记录9个亚属，秦岭地区发现2个亚属6种。

分种检索表

1. 鞘翅末端圆 …… 2
   鞘翅末端斜切或凹切 …… 5
2. 鞘翅近中央有明显的白色横带，到达鞘缝和侧缘 …… 3
   鞘翅近中央没有横贯的白带 …… 4
3. 白色横带较窄，单边鞘翅上的白带纵宽明显小于横长 …… **白带坡天牛 *Pterolophia* (*Hylobrotus*) *albanina***
   白色横带较宽，单边鞘翅上的白带纵宽大于横长 …… **环角坡天牛 *P.* (*H.*) *annulata***
4. 触角较短；体型较宽短，鞘翅末端宽圆；淡色斑纹明显，部分非常白；鞘翅的淡色横纹部分到达中部(靠近边缘的部分) …… **点胸坡天牛 *P.* (*Pterolophia*) *maacki***
   触角较长；体型更显长，鞘翅末端更狭圆；淡色斑纹较不明显，灰蒙蒙的没有那么白；鞘翅的淡色横纹位于端部1/3处之前，没有部分到达中部 …… **多点坡天牛 *P.* (*P.*) *multinotata***
5. 小盾片之后始于基部纵脊处有个较明显的"V"形斑纹；鞘翅端部下倾之前有较显著的灰白色绒毛斜纹，下倾部分的中间也有1条白色绒毛，且这2条绒毛形成齿状突起 …… **齿角坡天牛 *P.* (*P.*) *serrata***
   小盾片之后没有"V"形斑纹；鞘翅中部之后具有1道显著的白色绒毛斑纹，接触鞘缝和侧缘，其后有2个黑点，位于2条脊之上，其中靠近鞘缝的1个黑点较大而显眼，靠近侧缘的黑点较小且通常有连续的3或4点 …… **坡天牛 *P.* sp. nr. *zonata***

204-1. *Hylobrotus* Lacordaire, 1872

Hylobrotus Lacordaire, 1872: 538. **Type species**: *Hylobrotus ploemi* Lacordaire, 1872.
Pterolophia (*Hylobrotus*): Breuning, 1957b: 294, 295, 297.

分布：古北区，东洋区。世界已知81种/亚种，中国记录12种，秦岭地区发现2种。

(440) 白带坡天牛 *Pterolophia* (*Hylobrotus*) *albanina* Gressitt, 1942 陕西新纪录（图版 33:8）

Pterolophia albanina Gressitt, 1942d: 85, pl. I, fig. 5.

Pterolophia (*Hylobrotus*) *albanina*: Breuning, 1961b: 252.

鉴别特征：体长 9.0～10.0mm。体较小，长形，黑褐色；触角、鞘翅肩部及跗节棕红色。体被棕黄至棕红色绒毛，其间杂有灰白色绒毛，体腹面被灰白色绒毛，散生少量棕黄色绒毛；触角被棕黄色绒毛，第 3 节起的各节基部有白色毛环；每翅中部有 1 条较宽的靠外侧略弯曲的灰白色横带。雄虫触角长于身体，雌虫触角则达鞘翅端部，触角下沿有中等长缨毛，鞘翅两翅近于平行，端缘圆形。

采集记录：2♂，周至厚畛子，1280m，2008. Ⅴ. 05-06，黄灏采（CCCC）；1♂，佛坪龙草坪，1256m，2008. Ⅶ. 03，白明采。

分布：陕西（周至、佛坪）、黑龙江、河北、河南、甘肃、江苏、安徽、浙江、湖北、江西、湖南、福建、广西、四川。

寄主：*Juglans regia* Linnaeus, *Phyllostachys heteroclada* Oliver, *Pinus armandii* Franchet。

(441) 环角坡天牛 *Pterolophia* (*Hylobrotus*) *annulata* (Chevrolat, 1845)

Coptops annulata Chevrolat, 1845: 99.

Praonetha bowringii Pascoe, 1865: 170.

Pterolophia annulata: Gahan, 1894a: 69.

Pterolophia scutellata Schwarzer, 1925b: 66.

Pterolophia annulicornis Pic, 1925d: 138.

Pterolophia lacosus Pic, 1926b: 3.

Pterolophia (*Hylobrotus*) *annulata*: Hayashi, 1982a: 73.

鉴别特征：体长 9.0～14.5mm。体棕红色，全身密被绒毛，色彩颇有变异，一般基色从棕黄、棕红、深棕到铁锈红色，并在深色底子上或多或少杂有较浅色的毛，最显著的是鞘翅中部有 1 条极宽的横带，基本上由灰白或灰黄色绒毛所组成。前胸背板中央及中后方毛色较淡，大都为灰白或灰黄色，有时形成 2 条淡色直纹。鞘翅基部中央一般毛色亦较淡，呈淡棕红、淡红或淡棕黄色。触角自第 3 节起每节基、端毛色较淡，但第 4 节中部极大部分被淡色毛。触角短于体长，第 3 节和柄节或第 4 节长度近乎相等，5～11 节显然较短。前胸节无侧刺突。鞘翅端部 1/3 区域向下倾斜，末端圆。

分布：陕西（秦岭）、河北、河南、江苏、上海、浙江、湖北、江西、湖南、福建、台湾、广东、海南、香港、澳门、广西、四川、贵州、云南；韩国，日本，越南，缅甸。

寄主：桑。*Ficus pumila* Linnaeus, *Morus alba* Linnaeus, *Pinus massoniana* D. Don,

Prunus persica (Linnaeus) Batsch。

204-2. *Pterolophia* Newman, 1842

Praonetha Dejean, 1835: 344 . **Type species**: *Lamia crassipes* Wiedemann, 1823.

Pterolophia Newman, 1842e: 370 [NP]. **Type species**: *Mesosa bigibbera* Newman, 1842.

Prioneta Blanchard, 1853: 292 [RN]. **Type species**: *Prioneta albosignata* Blanchard, 1853.

Theticus Thomson, 1858a: 190. **Type species**: *Theticus biarcuatus* Thomson, 1858.

Praonetha Pascoe, 1862: 348. **Type species**: *Prioneta albosignata* Blanchard, 1853.

Alyattes Thomson, 1864: 48. **Type species**: *Alyattes guineensis* Thomson, 1864.

Prionetopsis Thomson, 1864: 49. **Type species**: *Prionetopsis balteata* Thomson, 1864 (= *Lamia inaequalis* Fabricius, 1801).

Cormia Pascoe, 1864b: 281. **Type species**: *Cormia ingrata* Pascoe, 1864.

Eurycotyle Blessig, 1873: 210. **Type species**: *Eurycotyle maacki* Blessig, 1873.

Acroptycha Quedenfeldt, 1888: 209. **Type species**: *Acroptycha spinifera* Quedenfeldt, 1888.

Pterolophia (*Incamelomorpha*) Pic, 1926b: 4. **Type species**: *Pterolophia depensis* Pic, 1926.

Pterolophia (*Pterolophia*): Breuning, 1957b: 294.

分布:东洋区，非洲区，澳洲区。本亚属世界已知482种/亚种，中国记录54种/亚种，秦岭地区发现4种。

(442)点胸坡天牛 *Pterolophia* (*Pterolophia*) *maacki* (Blessig, 1873) 陕西新纪录 (图版33:9)

Eurycotyle maacki Blessig, 1873: 211, pl. Ⅷ, fig. 4.

Sybra latenotata Pic, 1927l: 153.

Pterolophia chahara Gressitt, 1940a: 188, pl. Ⅳ, fig. 3.

Pterolophia kaleea latenotata: Gressitt, 1951: 469.

Pterolophia maacki: Gressitt, 1951: 470.

鉴别特征:体长5.0~10.0mm。体黑色，密被黑褐色、黑色、褐色和浅褐色至灰白色夹杂绒毛。前胸背板基半部中央有2条很短的淡色纵纹，鞘翅基部中央的淡色斑纹与前胸背板的互相衔接，小盾片周边的心形浅色斑纹较明显；鞘翅中部之后有灰白色绒毛斑纹，之后紧接不显著的黑色斑纹。鞘翅其余部分夹杂一些灰白点和黑点。触角自第3节起每节基部颜色较淡，通常为红褐色，且具很细的白色毛环。触角稍短于体长，第3节长于柄节或第4节，5~11节渐短。鞘翅端部1/4后明显狭缩，末端圆。

采集记录:1♂，周至厚畛子，2009. Ⅴ.19，郎嵩云采；1♂，留坝桃园铺，1077m，2012. Ⅵ.21，李莎灯诱；1♂，旬阳白柳镇，386m，2014. Ⅷ.03，路园园采；1♂，山

阳城关镇权垣村石灰沟，855m，2014. Ⅵ. 29，黄正中采；1♀，山阳城关镇权垣村，669m，2014. Ⅵ. 27，黄正中采。

分布：陕西（周至、留坝、旬阳、山阳）、河北、山东、上海、浙江、江西；蒙古，俄罗斯，朝鲜，韩国。

寄主：*Morus alba* Linnaeus。

（443）多点坡天牛 *Pterolophia*（*Pterolophia*）*multinotata* Pic，1931 陕西新纪录（图版 33：10）

Pterolophia multinotata Pic，1931b：1.

Pterolophia mandshurica Breuning，1938a：46.

Pterolophia ussuriensis Plavilstshikov，1954：473.

Pterolophia burakowskii Heyrovský，1973：117.

Pterolophia selengensis Lyamtzeva，1979：79.

Pterolophia angusta multinotata：Lazarev，2008：133.

鉴别特征：体长 6.0 ~ 9.0mm。跟点胸坡天牛非常相似，曾被混为一种（Gressitt，1951）。但是，本种的触角较长，体型更显长，鞘翅末端更狭圆；淡色斑纹较不明显，灰蒙蒙的没有那么白，鞘翅的淡色横纹位于端部 1/3 处之前，没有部分到达中部。

采集记录：1♀，周至楼观台森林公园，564m，2007. Ⅴ. 24，林美英采；1♀，眉县果树所，1976. Ⅵ. 11；1♂，旬阳县白柳镇，386m，2014. Ⅷ. 03，路园园采；1♂，柞水营盘镇红庙河村，1110m，2007. Ⅵ. 03，林美英采；1♂，山阳城关镇权垣村，669m，2014. Ⅵ. 27，黄正中采。

分布：陕西（周至、眉县、旬阳、柞水、山阳）、东北；蒙古，俄罗斯，韩国。

（444）齿角坡天牛 *Pterolophia*（*Pterolophia*）*serrata* Gressitt，1938 陕西新纪录（图版 33：11）

Pterolophia serrata Gressitt，1938a：52，pl. 4，fig. 13.

鉴别特征：体长 8.5 ~ 11.0mm。体黑色，密被黑褐色、黑色、褐色和浅褐色至灰白色夹杂绒毛。前胸背板基半部中央有 2 条淡色纵纹，鞘翅基部中央的淡色斑纹与前胸背板的互相衔接，小盾片之后始于基部纵脊处有个较明显的"V"形斑纹；鞘翅端部下倾之前有较显著的灰白色绒毛斜纹，下倾部分的中间又有 1 条白色绒毛，且这 2 条绒毛形成齿状突起。鞘翅端半部具有数个明显的黑点，沿着鞘缝的尤其明显。触角自第 3 节起每节基部具很细的白色毛环，且第 4 节中部极大部分被淡色毛。触角短于体长，第 3 节长于柄节或第 4 节，5 ~ 11 节显然较短。鞘翅端部 1/3 区域向下倾斜，末端斜切。

采集记录：1♂，周至钓鱼台，1480～1570m，2008. Ⅵ. 29，白明采；1♀，周至楼观台森林公园，564m，2007. Ⅴ. 24，林美英采；2♀，留坝，900m，2013. Ⅷ. 18，阮用颖采；1♀，宁陕火地塘平河梁，2016～2448m，2007. Ⅵ. 01，林美英采；1♀，旬阳白柳镇纸坊村，695m，2014. Ⅷ. 02，路园园采；1♂1♀，柞水凤凰古镇龙潭村水利沟，1026m，2014. Ⅵ. 26，黄正中、索中毅采；1♂1♀，柞水营盘镇红庙河村，1110m，2007. Ⅵ. 03，林美英采。

分布：陕西（周至、留坝、宁陕、旬阳、柞水）、四川。

(445) 坡天牛属 *Pterolophia* sp. nr. *zonata*（图版 33：12）

鉴别特征：体长 6.4～8.7mm。跟黄带坡天牛 *Pterolophia zonata*（Bates，1873）很像，鞘翅中部之后具有 1 道显著的白色绒毛斑纹，接触鞘缝和侧缘，靠近鞘缝的一端窄于靠近侧缘的一端，其后有 2 个黑点，位于 2 条脊之上，其中靠近鞘缝的 1 个黑点较大而显眼，靠近侧缘的黑点较小且通常有连续的 3 或 4 点。鞘翅末端凹切，端缘钝突。

采集记录：1♂，周至厚畛子老县城村至秦岭梁途中，1745～2021m，2007. Ⅴ. 27，林美英采；1♂，略阳，1964. Ⅵ. 03；2♀，眉县蒿坪寺，1100～1250m，2013. Ⅵ. 13，阮用颖采；1♀，宁陕火地塘，2016. Ⅶ. 07-24，王勇采；1♀，宁陕火地塘，1984. Ⅶ. 10（NWAFU，CO025455）。

分布：陕西（周至、略阳、眉县、宁陕）。

205. 突尾天牛属 *Sthenias* Dejean，1835

Sthenias Dejean, 1835: 344. **Type species**: Lamia grisator Fabricius, 1787.

Sthenias Laporte, 1840: 466. **Type species**: Lamia grisator Fabricius, 1787.

Anomamomus Fåhraeus, 1872: 194 [RN]. **Type species**: *Sthenias leucaspis* Fåhraeus, 1872 (= *Lamia leucaspis* Fabricius, 1801).

Chalarus Fåhraeus, 1873: 45 [HN]. **Type species**: *Sthenias leucaspis* Fåhraeus, 1873 (= *Lamia leucaspis* Fabricius, 1801).

Stenias Guérin-Méneville, 1840: 109. **Type species**: *Stenias mionii* Guérin-Méneville, 1840 (= *Lamia cylindrator* Fabricius, 1801).

Thysanodes Newman, 1842c: 292. **Type species**: *Thysanodes jucunda* Newman, 1842.

Sthenias (*Sthenias*): Breuning, 1962d: 430.

属征（蒲富基，1980）：体小至中型，狭长或圆柱形。触角基瘤稍突出，左右相离较远；触角细或中等粗，下沿有缨毛，柄节稍膨大，无端疤，短于第 4 节，第 3 节长于第 4 节；复眼内缘深凹，上、下叶之间仅有 1 列小眼面相连接，小眼面较粗。前胸背板宽胜于长，近圆柱形，无侧刺突。鞘翅较长，两侧平行，背面拱凸，后端倾斜，翅端缘角弧形突出呈叶片状，近中缝处端缘微凹。中足基节窝开式；足短；粗壮，中足胫节无斜沟，爪半开式。

分布：东洋区，非洲区。本属分为两个亚属，均在中国有分布，指名亚属世界已知 26 种/亚种，中国记录 9 种，秦岭地区发现 1 种。

（446）环斑突尾天牛 *Sthenias*（*Sthenias*）*franciscanus* Thomson，1865

Sthenias franciscana Thomson，1865：550.

Sthenias（*Sthenias*）*franciscanus*：Breuning，1961b：233.

鉴别特征：体长 14.0～22.0mm。体基底黑色至黑褐色，被覆黑色、黑褐色、淡棕褐色及淡棕灰色浓密绒毛。头顶至额有 2 条平行黑色绒毛条纹。前胸背板绒毛淡棕褐或淡棕灰色，中区有 4 条黑色条纹，小盾片被黑褐绒毛。鞘翅大部分黑褐色，每翅前半部有 2 条淡棕褐或淡棕灰色斜的细条纹，中部之后有 1 条较宽的淡棕褐或淡棕灰斜斑，斜斑后端有 1 条黑褐色细斜纹，两翅端区组成 1 个圆形黑斑，圆斑靠后有 1 条弧凹形淡色横纹，端缘烟灰色或淡棕灰色。触角黑褐，柄节背面、第 2 节、第 3 节基部约 1/2 处及以下各节基部为淡色绒毛。雄虫触角同体近于等长，雌虫触角短于身体，第 3 节长于第 4 节，第 5 节之后的各节依次减短而趋细。前胸背板两侧无刺突。鞘翅两侧平行，后端稍窄，端缘呈叶突。

分布：陕西（安康）、湖南、福建、广西、云南；越南，马来西亚，印度尼西亚。

XVII. 楔天牛族 Saperdini Mulsant，1839

鉴别特征：体小到大型。额通常四方形，平坦；复眼深凹，小眼面细；触角基瘤突出，触角细长，稍短于体至稍长于体（从不达到体长的 2.0 倍），雄虫略长于雌虫，基部数节下沿具缨毛。前胸圆柱形或具有侧刺突；前足基节窝通常关闭，少数类群微微开放；中足基节窝对中胸后侧片开放；后胸前侧片楔形，前端宽等于或大于后端宽的 2.0 倍；鞘翅具有或不具有侧脊，末端圆形或斜切或凹切。足中等长，腿节线状，中足胫节外侧具斜凹沟。

分类：世界已知 159 属/亚属，中国分布 43 属/亚属，秦岭地区发现 13 属 36 种。

分属检索表

1. 前胸圆筒形或两侧均匀隆突 ………………………………………………… 2
   前胸具有侧刺突或侧瘤突 ………………………………………………… 14

2. 鞘翅没有显著的侧脊 …… 3
鞘翅有显著的侧脊 …… 12
3. 雌虫与雄虫爪一致 …… 4
雌虫与雄虫爪二型；雌虫单齿式 …… 8
4. 爪单齿式 …… 5
爪附齿式或双齿式 …… 6
5. 头不显著宽于前胸；小盾片三角形末端圆 …… **楔天牛属 *Saperda*（*Compsidia*）**
头显著宽于前胸；小盾片近似方形 …… **弱脊天牛属 *Menesia***
6. 爪附齿式 …… 7
爪双齿式 …… **修天牛属 *Stenostola***
7. 鞘翅末端圆；鞘翅没有明亮黄色斑纹 …… **拟修天牛属 *Eumecocera***
鞘翅末端凹切；鞘翅具明亮黄色斑纹 …… **弱筒天牛属 *Epiglenea***
8. 雄虫三足爪均附齿 …… **日修天牛属 *Niponstenostola***
雄虫后足爪单齿式，前、中足不同 …… 9
9. 雄虫中足爪外侧齿具有附突；前足爪单齿式 …… 11
雄虫前足爪内侧齿、中足爪外侧齿具有附突 …… 10
10. 鞘翅末端圆 …… **楔天牛属 *Saperda*（*Lopezcolonia*）**
鞘翅末端尖 …… **楔天牛属 *Saperda*（*Saperda*）**
11. 体密被竖毛 …… **竖毛天牛属 *Thyestilla***
体不密被竖毛 …… **楔天牛属 *Saperda*（*Lopezcolonia*）**（部分）
12. 雄虫爪均附齿式 …… **双脊天牛属 *Paraglenea***
雄虫仅前足爪内侧齿和中足爪外侧齿具有附突 …… 13
13. 鞘翅末端圆或至多平切，不具显著端齿 …… **直脊天牛属 *Eutetrapha***
鞘翅末端凹切，具显著端齿 …… **并脊天牛属 *Glenea***（部分）
14. 雄虫爪仅中足外侧齿具有附突；雌虫爪单齿式；鞘翅具侧脊 …… **刺脊天牛属 *Dystomorphus***
雌虫与雄虫爪均单齿式；鞘翅无侧脊 …… 15
15. 前胸侧瘤突很小，只是 1 个小圆突 …… **拟鹿岛天牛属 *Mimocagosima***
前胸侧瘤突大而显著，圆锥形 …… **刺楔天牛属 *Thermistis***

206. 刺脊天牛属 *Dystomorphus* Pic, 1926

Dystomorphus Pic, 1926c: 11. **Type species**: *Dystomorphus notatus* Pic, 1926.

属征：体型中等大小，通常在 10.0～16.0mm，近长方形，体长大于肩宽的 3.0 倍。头部额平坦，长大于宽（雄虫）或长宽约等（雌虫），头顶稍凹陷；复眼深凹但不断开，复眼下叶窄于额宽的一半；雄虫触角较身体略长，雌虫触角较身体略短，柄节无脊，第 3 节最长，第 4 节稍长于柄节，以后各节渐次略短。前胸背板宽胜于长，背面不平，常有小突起，侧刺突粗短，末端尖。鞘翅肩部较前胸宽，肩角十分明显，肩后有两条发达的纵脊，翅端圆或平切。前足基节窝关闭，后胸前侧片前端大于后端的 2.0 倍，中足胫节有小凹沟，后足腿节伸达腹部第 4 可见腹节，后足跗节第 1 节短于其后两节长度之和。雄虫前足和后足具单齿式爪，中足爪特化，外侧爪的外侧具齿突。雌虫爪单齿全开式。

分布：中国。目前已知 7 种（Holzschuh & Lin,2017），均分布于中国，秦岭地区发现 1 种。

（447）云杉刺脊天牛 *Dystomorphus piceae* Holzschuh，2003（图版 34：1）

Dystomorphus piceae Holzschuh, 2003: 238, fig. 71.

鉴别特征：体长 10.5～16.0mm。头部黑色，被灰褐至黄褐色细毛，并有细短竖毛；上唇、下颚须红棕色；触角红棕色或棕黑色，第 1、2 节颜色大多较深暗，第 3 节基部及以后各节基部被灰白色绒毛，第 1～9 节下侧有细短缨毛。前胸背板黑色或棕黑色，前缘（或后缘）红棕色，背中区两旁各有 1 条灰褐色细纵条。小盾片黑色或棕黑色，中央有灰褐色细纵条。鞘翅红棕色，具黑色花毛斑 5 排，花斑之间及每个黑斑周围被灰白色细毛；每鞘翅第 1 排 2 个斑，呈椭圆形；第 2 排 2 个斑，短柱形，内侧 1 条较长，略弯斜，有的个体此二斑相连，呈"Y"形；第 3 排在中部前方近中缝处，为 1 个小黑点或稍延长；第 4 排在中部，为 1 个斜黑斑，有时裂为 3 个粗柱形斑，前端相连；第 5 排在端部 1/4 处，通常为 3 条细纵条，内侧 1 条沿中缝后伸至翅端前，稍膨大，有时断裂，近翅端成 1 个小黑斑，中间 1 条细长，向前端延伸与第 4 排中间相接，外侧 1 条长短不一，有时短粗，有时较狭长。足红棕色，腹面黑色，均被灰白色细毛，每节具 4 个黑斑（缺细毛的地方），唯腹末节腹板红棕色，末端有时黑色。

采集记录：1♀，武功，1982. Ⅳ. 20（NWAFU，CO028403）；9♀（副模），Qinling Mts.，S slope，Xunyangba S + W env.，1400～2100m，33° 28-37′N，108° 23-33′ E，1995. Ⅵ. 05-09，leg. L. & R. Businský（CCH，NHMB，one ♀ in IZAS，IOZ（E）1905369 ex CCH）；1♂5♀（副模），Qinling Shan，12km SW of Xunyangba，1900～2250m，2000. Ⅵ. 14-18（CCH）；4♀，勉县 1959. Ⅵ. 05，host plant；2♀，同上，1959. Ⅴ. 07；1♀，同上，1958. Ⅴ. 09；1♀，宁陕火地塘平河梁，2016～2448m，2007. Ⅵ. 01，林美英采；2♂，宁强红石梁林场，2016. Ⅹ. 28，郭金玉采（BITS，Ceram-323）；10♂10♀，留坝、勉县、宁陕（NWAFU）。

分布：陕西（凤县、武功、留坝、勉县、宁陕、宁强）、河南、湖北、四川、云南。

寄主：*Picea* sp.，*Pinus armandii* Franchet。

备注：陕西标本长期被误定为刺脊天牛 *Dystomorphus notatus* Pic，1926（别名：松刺脊天牛，Chiang *et al.*，1985；Hua，2002 等），但后者鞘翅肩部比较尖突，鞘翅的花纹较少，尤其是鞘翅基半部的斑纹相对简单，腹部每节不具 4 个黑斑。

207. 弱筒天牛属 *Epiglenea* Bates, 1884

Epiglenea Bates, 1884: 259. **Type species**: *Epiglenea comes* Bates, 1884.

Phytoecia (*Epiglenea*): Breuning, 1951: 95.

属征:体圆筒形，头比前胸宽，额四方形，复眼深凹但不分成两半，触角稍长于体长，第3节最长，第4节略长于柄节，第4～11节长度递减。前胸圆筒形。鞘翅两侧近于平行，近端部稍狭窄，末端平切。腹部第1～4腹板等长，雌虫第5腹节较长，中央具纵沟。足粗短，后足腿节伸达第4腹节，后足跗节第1节短于其后2节之和，爪基部具宽齿。

分布:中国；蒙古，韩国，日本，越南。世界已知1种4亚种，中国记录1种3亚种，秦岭地区发现1种。

备注: Breuning (1951)把本属作为小筒天牛属 *Phyteocia* 的1个亚属。本文把它作为楔天牛族里1个独立的属。

(448)弱筒天牛 *Epiglenea comes* Bates, 1884 (图版34:2)

Epiglenea comes Bates, 1884: 259.

Daphisia luteodiversa Pic, 1926c: 24.

Epiglenea comes comes: Gressitt, 1951: 607.

Phytoecia (*Epiglenea*) *comes comes*: Breuning, 1951: 95, pl. 1, fig. 11.

Phytoecia (*Epiglenea*) *comes* m. *luteodiversa*: Breuning, 1951: 96.

别名:黄纹小筒天牛。

鉴别特征:体长6.0～11.0mm。体黑色。额前沿及复眼周围具较密的黄白色毛；触角具稀薄的灰白色短毛，下沿具较长的缨毛。前胸背面中央及两侧缘各具一黄白色纵条纹；侧缘的条纹较宽，内缘呈波状。小盾片沿中线后半具较密的黄白色毛。鞘翅黑褐色，从基部中央各具一硫黄色宽纵纹向后延伸至中点之后，在此纵纹与翅端之间各具两条硫黄色短横斑。腹面密被黄白色绒毛，以两侧的毛较致密。足淡红色。

采集记录:1♀，周至厚畛子镇秦岭梁，2021m，2007. Ⅴ.27，张丽杰采；1♀1♂，周至厚畛子沙梁子村，950m，2007. Ⅴ.25，林美英采；1♀，留坝，980m，2012. Ⅵ. 24，李莎采；1♀，留坝庙台子，2005. Ⅵ.10-15(HBUM)；1♂，佛坪长角坝乡上沙窝村，1215m，2007. Ⅴ.29，林美英采；1♀，佛坪上沙窝，1295m，2008. Ⅶ.05，崔俊芝采；1♀，佛坪大古坪保护站到岳坝保护站，1139～1573m，2012. Ⅵ.30，刘万岗采(Ceram-127)；1♀1♂，洋县华阳镇周边，1137m，2012. Ⅵ.27，陈莹采(Ceram-128)；1♂，宁陕火地塘，1580m，1998. Ⅶ.26，张学忠采；2♂1♀，柞水营盘镇红庙河村，

1100m, 2007. Ⅵ.03, 林美英采; 1♀, 石泉, 1960. Ⅵ.05。

分布:陕西(周至、留坝、佛坪、洋县、宁陕、柞水、石泉、安康、岐山)、河南、浙江、江西、湖南、福建、广东、广西、重庆、四川、贵州、云南; 蒙古, 韩国, 日本, 越南。

寄主:*Rhus vernicifera* de Candolle。

208. 拟修天牛属 *Eumecocera* Solsky, 1871

Eumecocera Solsky, 1871: 391. **Type species**: *Saperda impustulata* Motschulsky, 1860.

属征:小型(体长在15.0mm以下), 体长大于肩宽的3.0倍。头等宽于前胸, 额长宽相等或宽胜于长, 复眼深凹, 复眼下叶等宽于额的一半。触角长于体, 柄节不具脊, 第3节最长, 第4节约等于或稍短于柄节。前胸长与宽相等或宽胜于长, 不具侧刺突。鞘翅两侧几乎平行, 有时末端微膨阔, 不具侧脊, 末端圆形。前足基节窝向后关闭, 后胸前侧片前端宽于后端的2.0倍, 中足胫节具斜沟, 后足腿节伸达第3或4可见腹节, 后足跗节第1节长于其后两节之和。雌虫和雄虫爪均附齿式。

分布:亚洲。世界已知9种, 中国分布3种, 秦岭地区发现1种。

备注:本属跟修天牛属 *Stenostola* Mulsant 和日修天牛属 *Niponstenostola* Ohbayashi 相似, 但三个属的爪不同:本属雌虫和雄虫均附齿式, 修天牛属雌虫和雄虫均双齿式, 而日修天牛属雄虫附齿式, 雌虫单齿式。陕西原先记录的宝鸡拟修天牛不是本属的, 而是日修天牛属的。

(449) 拟修天牛属 *Eumecocera* sp. nr. *lineata*(图版34:3)

鉴别特征:体长13.0mm左右。体黑色, 仅前胸背板基部中央和两侧具有小的淡蓝色绒毛斑, 小盾片中央具有同样的淡蓝色绒毛纵纹。头略宽于前胸, 鞘翅基部最宽, 两侧近乎平行, 末端圆形。

采集记录:1♀, 周至厚畛子秦岭梁, 2021m, 2007. Ⅴ.27, 林美英采(IOZ(E)1904896); 1♀, 周至厚畛子, 2004. Ⅴ.19, 郎嵩云采(IOZ(E)1904897)。

分布:陕西(周至)。

209. 直脊天牛属 *Eutetrapha* Bates, 1884

Eutetrapha Bates, 1884: 256. **Type species**: *Eutetrapha variicornis* Bates, 1884 = *Saperda carinata* Blessig, 1873 = *Saperda sedecimpunctata* Motschulsky, 1860.

Saperda (*Eutetrapha*): Felt & Joutel, 1904: 6.

属征:体长形, 中等大小。触角细, 长于体长, 基部数节下沿有稀疏的缨毛, 柄节稍微膨大，第3节明显长于柄节或第4节；触角基瘤不突出，彼此分开；复眼深凹，小眼面细；雄虫复眼下叶十分长于颊，雌虫复眼下叶稍长于颊或近于等长，额宽胜于长或近于方形。前胸背板雄虫长略胜于宽，或近于方形，雌虫宽胜于长，有前后细横凹，圆筒形或微均匀凸出。鞘翅长，几乎不拱隆，鞘翅肩宽明显大于前胸背板宽，向后渐缩或两侧近于平行，端缘圆形或稍平切。肩至端部有1条显著纵脊线，其外侧另有1条脊线和它平行，但较不显突。后胸前侧片呈长三角形，前端最宽，后端窄。足中等长，较细，中足胫节外端通常无明显斜沟，有些种类有明显斜沟。腿节通常不膨大，后足腿节至少伸达第4节。爪雌雄异型，雌虫单齿式，雄虫前、中足异齿式，即前足爪内侧、中足爪外侧的基部具1个很小的突齿，后足爪几乎单齿式，但其外侧有时也有1个很小的突齿。雌虫腹部末节中央有1条细凹沟。

分布：古北区，东洋区。世界已知21种/亚种，除了2个日本特有亚种和1个分布于日本和俄罗斯的亚种外，其余均分布于中国。秦岭地区发现6种。

分种检索表

1. 体不被鳞片而被绒毛 …………………………………………………………… 2

   体被金绿色或蓝色鳞片；前胸黑斑较小，窄于2个黑斑的间距；后足爪单齿式 ……………… ……………………………………………… **陕西直脊天牛 *Eutetrapha shaanxiana***
2. 体被红色绒毛，鞘翅基半部有3个黑斑 ……………………… **朱红直脊天牛 *E. cinnabarina***

   体被灰色、土黄、草绿、淡蓝色绒毛 ……………………………………………… 3
3. 前胸背板盘区不具斑点，每鞘翅具一个中间的黑色横斑 … **绒线直脊天牛 *E. velutinofasciata***

   前胸背板盘区具斑点 …………………………………………………………… 4
4. 前胸背板没有显著的黑色斑纹，鞘翅沿肩脊的黑色镶边有7个大小不一的白色或淡黄色绒毛斑点 ……………………………………… **更多点直脊天牛 *E. parastigmosa***

   前胸背板有显著的黑色斑纹，鞘翅不具黑色镶边 ……………………………………… 5
5. 鞘翅两条肩脊之间有2列刻点；鞘翅黑斑小，少于或等于8个 ……………………………… ……………………………………………………… **直脊天牛 *E. sedecimpunctata***

   鞘翅两条肩脊之间有1列刻点；鞘翅黑斑大些，形状不规则且多于8个 ……………………… ……………………………………………………… **复纹直脊天牛 *E. complexa***

(450)朱红直脊天牛 *Eutetrapha cinnabarina* Pu, 1986(图版34:4a, 4b)

Eutetrapha cinnabarina Pu, 1986: 201, 202, fig. 1.

鉴别特征：体长11.5~14.5mm。体黑色；头、体背面和体腹面两侧密被朱红色绒毛；触角、足和体腹面中部被灰色绒毛；全体着生稀疏的细竖毛。后头有3个黑斑。前胸背板中区有3条黑纵纹，中央1条较窄，两侧各1条，有时分别间断成2个斑点；两侧缘尚各有1个长形黑斑；基缘两侧各有一纵形灰色长绒毛。每个鞘翅有3个黑斑纹，第 1 和第 2 斑均为圆形，前者位于基部中央，后者在基部 1/3 处，紧靠肩纵脊；第 3 斑呈 1 个长形大斑，从鞘翅中部之前，沿中缝至端部 1/6；有时第 2 斑向后延长，与第 3 斑相连接；肩呈黑色或褐色，基缘被少许灰色绒毛。本种与台湾的丽直脊天牛 *Eutetrapha elegans* Hayashi, 1966 十分近似，主要区别：头具黑斑，鞘翅斑纹数量和形状均不相同，小盾片舌形（蒲富基，1986）。通过对较大量标本的观察，鞘翅末端之前的黑斑不稳定，可以从分散的数个小点过渡到完整的长形大斑，不好作为鉴别特征，但是鞘翅中部黑点和小盾片之后的黑点之间是否还有 1 个黑点的特征是相对稳定的，台湾的丽直脊天牛标本都有这个黑点，而大陆的朱红直脊天牛都没有，另外，大陆的朱红直脊天牛的雄虫前足和中足爪的附齿比台湾的发达很多。

采集记录：1♂1♀，周至厚畛子，1350m，1999. Ⅵ. 21，24，姚建，章有为采；1♀，周至厚畛子秦岭梁，2021m，2007. Ⅴ. 27，林美英采；1♀，太白山中山寺，1981. Ⅵ. 11（NWAFU，CO027907）；1♂，留坝庙台子；1350m，1998. Ⅶ. 21，姚建采；3♂，洋县黄安公社，1979. Ⅷ. 19，施德祥采（NWAFU，ex 陕西省林业科学研究所）；1♀，宁陕广货街镇，1227m，2014. Ⅶ. 26，路园园灯诱（Ceram-218）；1♀，宁陕火地塘，2012. Ⅵ. 30，YQ09-G1 采（北京林业大学）；1♂，宁陕火地塘，1580 ~ 1650m，1999. Ⅵ. 26，袁德成采；1♂，宁陕火地塘，1580m，1998. Ⅶ. 27，袁德成采；1♂1♀，同上，1998. Ⅷ. 14，袁德成灯诱；2♀，宁陕，2003. Ⅷ，朗嵩云采。

分布：陕西（周至、太白、留坝、洋县、宁陕）、河北、山东、河南、甘肃、湖北。

（451）复纹直脊天牛 *Eutetrapha complexa* Pu *et* Jin, 1991（图版 34：5）

Eutetrapha complexa Pu *et* Jin, 1991: 192, 197, pl. ⅢB: 4.

鉴别特征：体长 12.6 ~ 17.0mm。体密被土黄色绒毛，背面具黑色绒毛斑纹及着生稀疏黑色竖毛，触角柄节及各节端部薄被灰色绒毛。后头两侧各有 1 个小黑点；前胸背板有 8 个黑斑，中区 4 个，两侧各 2 个；每个鞘翅基部有 4 个斑点，其余部分有 6 个不规则的斑纹，肩及肩脊为黑色。本种与桦直脊天牛 *Eutetrapha sedecimpunctata* (Motschulsky, 1860) 较接近，主要区别：本种体被土黄色绒毛；鞘翅斑纹十分不同，每个鞘翅两肩脊之间具 1 列刻点，而非 2 列；外缘至肩外脊之间刻点稀疏，而不稠密。

采集记录：1♀（正模），周至，1981. Ⅶ. 19，王仲芳采（IOZ(E)217691）；1♀，秦岭山梁北坡，2050m，1998. Ⅶ. 30，姚建采；1♂，宁陕火地塘，1580m，1998. Ⅶ. 27，张学忠采；1♀，秦岭山南坡，旬阳坝西南附近，400 ~ 2100m，1995. Ⅵ. 05- 09，leg. L. & R. Businský (CCH, examined by Carolus Holzschuh)。

分布：陕西（周至、宁陕）、甘肃。

（452）更多点直脊天牛 *Eutetrapha parastigmosa* Lin *et* Yang, 2017（图版 34：6）

Eutetrapha parastigmosa Lin *et* Yang, *In*: Lin, Bi & Yang, 2017: 162, figs. 27-37.

鉴别特征:体长 13.8 ~19.0mm。体黑色，被灰白色绒毛，后头具 2 对灰白色纵带，1 对在中央，1 对在复眼上叶后面。触角黑色，前 3 节下面具灰白色绒毛，第 4 ~ 9 节基部具灰白色环。前胸背板具 4 条灰白色纵带，但中央 2 条不显著且首尾相接。每鞘翅具沿着侧边的黑底白点镶边，每镶边具 7 个白斑。本种跟多点直脊天牛非常相似，但鞘翅侧边多 1 个白斑，触角第 3 节背侧缺乏灰白色绒毛。

采集记录:1♀(副模)，宁陕火地塘，1580m，1998. Ⅷ. 22，袁德成采(IOZ(E)1905303)。

分布:陕西(宁陕)、河南、湖北、重庆。

备注:本种曾被误定为多点直脊天牛 *Eutetrapha stigmosa* Pu *et* Jin，1991，后者模式产地为广西。

(453)直脊天牛 *Eutetrapha sedecimpunctata sedecimpunctata* (Motschulsky, 1860)

Saperda sedecimpunctata Motschulsky, 1860: 151.

Saperda duodecimpunctata Motschulsky, 1860: 151 (nec Brahm, 1790).

Saperda carinata Blessig, 1873: 219.

Eutetrapha variicornis Bates, 1884: 256.

Eutetrapha 16 *punctata*: Heyden, 1885: 310.

Eutetrapha 12 *punctata*: Heyden, 1885: 310.

Saperda (*Eutetrapha*) 16-*punctata* var. *rosinae* Pic, 1904a: 17.

Saperda sulphurata Matsumura, 1906 : 11(nec Gebler, 1825), pl. 52, fig. 13.

Saperda motschulskyi Plavilstshikov, 1915b: 80 (new name for *Saperda sulphurata* Matsumura, 1906).

Eutetrapha sedicimpunctata m. *rosinae*: Breuning, 1952: 133.

Saperda variicornis: Abdullah & Abdullah, 1966: 90.

Saperda sedecimpunctata var. *quattuordecimpunctata*: Abdullah & Abdullah, 1966: 90.

Saperda sedecimpunctata reductemaculata: Abdullah & Abdullah, 1966: 90.

Eutetrapha sedecimpunctata sedecimpunctata: Takakuwa & Hirokawa, 1998: 303, figs. 3-6.

别名:楞天牛、楞直脊天牛。

鉴别特征:体长 13 ~21mm。体长形，黑色，密被灰黄色绒毛，从灰绿、灰黄到深黄。触角灰色，通常第 3 ~8 节各节基部灰色端部黑色。前胸背板中区有 4 个黑色小圆斑。侧面另有 1 条黑色条纹。每鞘翅肩脊纹内方各有黑色小斑点 8 个，2 个 1 组，从基部到端部排成“之”曲形，但端末 1 个经常消失，故最常见的是每翅 7 个斑，有时更少。小盾片两侧亦各有 1 个小黑斑，中区色彩与鞘翅相同。

分布:陕西(秦岭)、黑龙江、吉林、辽宁、河北；俄罗西，朝鲜，韩国，日本。

寄主:*Acer* sp., *Populus* sp., *Robinia pseudoacacia* Linnaeus, *Salix* sp., *Salix cardiop* *hylla* Trautvetter *et* Meyer, *Senecio* sp., *Tilia cordata* Miller, *Tilia japonica* (Miquel) Simonkai。

(454) 陕西直脊天牛 *Eutetrapha shaanxiana* Lin *et* Yang, 2017（图版 34:7a, 7b）

Eutetrapha shaanxiana Lin *et* Yang, *In*: Lin, Bi & Yang, 2017: 182, figs. 98-106, 150f-150k.

鉴别特征：体长 12.0～16.0mm。基底黑色，体密被金绿色鳞片。头顶有 3 个黑斑，中央 1 个稍大；前胸背板中区有 2 个长形纵斑；每个鞘翅上有 3 或 4 个黑斑排成 1 个纵列，分别位于基部、中央及中部之后，第 2 个黑斑经常连接侧缘，后面 1 个为钩状斑纹或分裂为 2 个黑斑。触角、肩纵脊线及胫节、跗节黑色，触角前 3 节通常被金绿色鳞片。与分布于日本的小粗绿直脊天牛 *E. chrysochloris chrysargyrea* (Bates) 相比，本种前胸和鞘翅的黑斑小一些，鳞片更稠密。

采集记录：1♀（副模），周至秦岭植物园内大峡谷，893m，2012. Ⅶ. 06，刘万岗采（IOZ(E)1905449，Ceram-142）；1♀，陇县兰家堡，1980. Ⅵ. 27（NWAFU）；1♀（副模），华阴市华山，1618m，2007. Ⅵ. 06，林美英采，椴树上采获（IOZ(E)1905312）；1♂（正模），宁陕火地塘，2010. Ⅶ，游愈. 07（IOZ(E)1905307）；1♂（副模），宁陕火地塘，1620m，1979. Ⅶ. 30，韩寅恒采（IOZ(E)1905308）；1♂（副模），宁陕，1980. Ⅶ. 上旬，储力生（IOZ(E)1905309）；1♂（副模），宁陕鸦雀沟，1580～1850m，1999. Ⅶ. 02，袁德成采（IOZ(E)1905310）；1♂（副模），宁陕火地塘林场厂部，1554 m，2015. Ⅶ. 10，刘漪舟采（IOZ(E)1905449）；1♂（副模），石泉，采集时间不详，采集人不详（IOZ(E)1905311）；1♂3♀，宁陕（NWAFU）。

分布：陕西（周至、陇县、华阴、宁陕、石泉）、湖北、甘肃。

备注：本种被误定为金绿直脊天牛 *Eutetrapha metallescens* (Motschulsky, 1860)，如周嘉熹等（1988: 105, pl. XV, fig. 143）。金绿直脊天牛已知分布包括河北、辽宁、吉林、黑龙江、山东；俄罗斯，朝鲜，韩国（Lin, Bi & Yang, 2017）。

(455) 绒线直脊天牛 *Eutetrapha velutinofasciata* Pic, 1939（图版 34:8）

Entetrapha velutinofasciata Pic, 1939: 2 [misspelling].

Paraglenea velutinofasciata: Breuning, 1952: 128.

Paraglenea nigromaculata Wang *et* Chiang, 2002a: 145, figs. 1-4.

鉴别特征：体长 10.5～14.5mm。体中等大小，足中等长。体和前胸黑色，密被赭色至褐色的绒毛，具黑色竖毛。复眼和上颚黑色，下颚须和触角黄褐色，触角第 3～11节端部具深褐色环。鞘翅黄褐色，每翅具 3 个斑：基部 1/3 中间具 1 很小的黑褐色点斑；中部有 1 个横行黑斑，近鞘缝处宽，向外渐窄，不超出第 1 条纵脊；近端部具 1 条模糊的宽横带，深褐色至黑色。腹面黑色，密被黄褐色绒毛。第 5 腹节和足黄褐色。

采集记录：1♂（正模）（*Paraglenea nigromaculata* Wang *et* Jiang），延安，1980，采集人：孙益智采（陈力提供照片）。

分布：陕西（延安）、黑龙江、辽宁、内蒙古、北京、河北、山西。

寄主：杨 *Populus* sp.。

210. 并脊天牛属 *Glenea* Newman, 1842

Glenea Newman, 1842c: 301. **Type species**: *Saperda novemguttata* Guérin-Méneville, 1831.

别名：并脊楔天牛属。

属征：小至中小型，体近长方形。头部额高胜于宽，两侧凹入；复眼内缘深凹，小眼面细；触角基瘤分开，头顶浅陷；触角不十分长于身体，基部数节下沿具短缨毛，柄节无端疤。前胸背板近圆柱形，无侧刺突；两侧缘略呈弧形。鞘翅肩部最宽，向后渐狭，肩角明显，肩角下有 1～2 条直纵脊，翅面平，翅端平切或斜凹切，缝角突出，外端角常呈尖刺状。后胸前侧片呈长三角形，前端很宽，前缘凸弧形，后端狭。腹部第 1 节长于第 2、3 或 4 节，雌虫的第 5 腹板中央有细纵沟。爪单齿或具附突。

分布：世界广布。本属种类非常多，陕西和中国的研究都尚未到位。秦岭地区仅记载 8 种，含 4 种陕西新纪录，还有至少 2 个新种等待进一步研究，本志暂未包括。

分种检索表

1. 前胸和鞘翅底色一致，都是黑色 …………………………………………………… 2
   前胸和鞘翅底色不一致，前胸黑色，鞘翅红褐色 ………………………………… 5
2. 触角和足双色，触角柄节黑褐色，其余红褐色，腿节黑色，胫节和跗节红褐色；鞘翅具有 1 列位于每鞘翅中央的黄色绒毛斑 ……………… **十二星并脊天牛 *Glenea* (*Glenea*) *licenti***
   触角和足全部黑色；鞘翅斑纹不如此 ……………………………………………… 3
3. 前胸侧面无突起，背板背面观具有 3 条纵纹；每鞘翅具有 3 条纵纹（有的中断）……………………………………………………… **斜斑并脊天牛 *G.* (*Glenea*) *obliqua***
   前胸侧面有瘤突 ………………………………………………………………………… 4
4. 背板背面观具有中央黄色纵纹，通常断成两截；鞘翅具有明亮黄色斑块，紧靠鞘缝形成合并的中央斑纹 ……………………………… **桑并脊天牛 *G.* (*Glenea*) *centroguttata***
   前胸背面观具有中央黑斑或黑色纵纹；鞘翅大部分黄褐色至红褐色，紧靠侧缘具有 5 个黑斑 ……………………………………………………… **拟蜥并脊天牛 *G.* (*Glenea*) *hauseri***
5. 触角和足均红褐色 ………………………… **峨眉并脊天牛 *G.* (*Glenea*) *omeiensis***
   触角黑色，足至少部分红褐色 ………………………………………………………… 6

6. 柄节具 1 条脊；雌虫和雄虫爪均单齿式；前胸背板具有 4 个黑斑，鞘翅仅末端具有斑纹 ……
……………………………………………………… **眉斑并脊天牛 *G.*（*Stiroglenea*）*cantor***
柄节不具脊；雌虫爪单齿式，雄虫爪不是单齿式；前胸背板具有纵纹，鞘翅中部之前就有斑纹 …
…………………………………………………………………………………………… 7
7. 鞘翅端缘角长刺状突出；鞘翅斑纹点状且雌虫和雄虫没有差异；前胸背面观只有中央 1 条纵纹 ……
……………………………………………………… **榆并脊天牛 *G.*（*Glenea*）*relicta***
鞘翅平切，端缘角圆钝；鞘翅斑纹点状、线状兼有且雌虫和雄虫差异较大；前胸背面观在中央纵纹两侧各有 1 条细的纵纹 ………… **复纹并脊天牛指名亚种 *G.*（*Glenea*）*pieliana pieliana***

210-1. *Glenea* Newman, 1842

Glenea Newman, 1842c: **Type species**: *Saperda novemguttata* Guérin-Méneville, 1831.
Cryllis Pascoe, 1867b: 363. **Type species**: *Cryllis clytoides* Pascoe, 1867.
Glenea (*Glenea*): Aurivillius, 1920: 390.

(456) 桑并脊天牛 *Glenea* (*Glenea*) *centroguttata* Fairmaire, 1897（图版 34:9）

Glenea centroguttata Fairmaire, 1897b: 232.
Glenea ishikii Mitono, 1934: 490, fig. 1.
Glenea (*Glenea*) *centroguttata*: Breuning, 1956b: 696.

鉴别特征: 体长 11.0 ~ 18.0mm。体黑色中带蓝色，被黑色或棕黑色绒毛及细疏竖毛；背面中央纵区，从头部到翅端有一系列的藤黄色绒毛大斑点，排成 1 条直行：头顶中央 1 个；前胸背板 2 个，前 1 个长形，后 1 个哑铃形；小盾片全部藤黄色；鞘翅中缝上 3 个(两翅共同)，其中第 1 个卵形，第 2 个心形，第 3 个圆中带方，端部每翅各有 1 个较小的圆形或三角形，端缘黄色。鞘翅上还另有 2 个小黄点和侧面的黄斑。触角较体略长，除基部数节外，布有不甚厚密的灰白色短绒毛。前胸背板两侧中部略隆起呈瘤状，但无刺突。鞘翅末端内角与外角都很尖锐，外角突出较长。

采集记录: 1♀，渭南黄沟峪，1980. Ⅹ，邓均善采(NWAFU，ex 陕西省林业研究所)；1♂1♀，柞水营盘，寄主:山杨，1982. Ⅷ. 01(NWAFU，ex 陕西省林业研究所)。

寄主: 桑。*Morus alba* Linnaeus, *Morus acidosa* Griffith。

分布: 陕西(渭南、柞水)、河南、甘肃、福建、台湾、广东、广西、四川、贵州、云南、西藏；日本。

(457) 拟蜥并脊天牛 *Glenea* (*Glenea*) *hauseri* Pic, 1933 陕西新纪录（图版 35:1）

Glenea hauseri Pic, 1933a: 15.
Glenea leopardina Gressitt, 1942c: 4, fig. 1.

Glenea (*Glenea*) *hauseri* m. *yunnanensis* Breuning, 1956b: 698.

鉴别特征:体长12.0mm左右。体黑色，被灰色和黄色绒毛。头几乎全部覆盖黄色绒毛，触角黑色，各节基部具不明显的灰白环。前胸被黄色绒毛，中部具1个小黑点，侧面各具2个小黑点。鞘翅四周绒毛黄色，中区绒毛灰色，沿着侧脊具5个黑斑，最基部1个最大。足黑色，被稀疏灰色毛。触角较体长，第3节最长。前胸背板无刺突。鞘翅末端凹切，端缘角长。

采集记录:1♀，宁陕火地塘，1600~2000m，2008.Ⅶ.08，崔俊芝灯诱。

分布:陕西(宁陕)、湖南、四川、云南。

(458)十二星并脊天牛 *Glenea* (*Glenea*) *licenti* Pic, 1939 (图版35:2)

Glenea (*Sphenura*) *Licenti* Pic, 1939: 3.
Glenea (s. str.) *licenti*: Gressitt, 1951: 576.

鉴别特征:体长9.0~10.0mm。体近圆柱形。大部分黑色，唯触角柄节、鞘翅背面及腿节端部2/3赭黑色，触角及足的其余部分、咽部及鞘翅肩脊以后的边缘部分棕色；头部复眼之后的后头部和颊的后方具灰白色绒毛斑；前胸中线及其两旁有3条灰白色绒毛纵斑纹。小盾片灰白色。鞘翅肩角内侧有1个不很明显的灰白色小斑点；每鞘翅上纵列5个灰黄色毛斑，中间1个最大，与其前、后的毛斑距离较远，翅端1个最小，不很明显。头部略宽于前胸、额方形、宽广，密布刻点；复眼下叶长胜于宽，略长于其下颊部；触角细，与体长略等，第3节略长于第4节，第4节长于柄节，各节下沿具稀疏细毛。前胸长与宽略等，中部两侧微膨大，无侧刺突，表面密布细刻点。小盾片近圆形。鞘翅狭长，翅面密布刻点，肩脊明显，翅端略斜切，缘角突出尖锐，缝角突出较短。足细长，腿节棍棒形。

采集记录:2♀，周至厚畛子秦岭梁，2021m，2007.Ⅴ.27，林美英、崔俊芝采；1♀，太白山蒿坪寺，1982.Ⅵ.23，孙文杰采(NWAFU)；1♂1♀，留坝庙台子紫柏山，1596m，2012.Ⅵ.22，华谊采(Ceram-133)；1♀，佛坪凉风垭，1900~2100m，1998.Ⅶ.24，袁德成采；1♀，同上，1800~2100m，1999.Ⅵ.28，胡建采；1♂，宁陕火地塘，1620m，1979.Ⅶ.23，韩寅恒采；1♂，宁陕火地塘，2016.Ⅶ.07-24，王勇采；1♀，宁陕火地塘林场，1538m，2007.Ⅵ.02，林美英采；1♀，宁陕火地塘平河梁，2016~2448m，2007.Ⅵ.01，林美英采。

分布:陕西(周至、凤县、太白、留坝、佛坪、宁陕)、宁夏、甘肃、湖北、四川。

寄主:核桃。*Juglans regia* Linnaeus。

(459)斜斑并脊天牛 *Glenea* (*Glenea*) *obliqua* Gressitt, 1939 (图版35:3)

Glenea obliqua Gressitt, 1939a: 119, pl. Ⅱ, fig. 9-11.

Glenea roubali Heyrovský, 1939: 68.

Glenea (*Glenea*) *acutoides obliqua*: Breuning, 1956b: 788.

鉴别特征:体长12.0～14.0mm。体黑色。后头具2条黄褐色绒毛短带，并延伸围绕于复眼和额的两侧，复眼上叶之后也具有1条短带；前胸背板中央1条纵纹，两侧各2条纵纹；每鞘翅具3条纵纹:鞘缝1条很细，从基部到端部；外侧1条在端部1/3处中断2次；中间1条只到中部，其后是1条斜斑，斜斑之后有1条略呈弧形的短斑。腹面黑色，被灰白色至黄褐色绒毛，浓密处形成斑纹。触角长于体。

采集记录: 1♀, Zhouzhi county, Houzhenzi env., 1200m, 1998. Ⅶ. 18-23, V. Beneš (CCH); 1♂1♀，周至厚畛子，1350m，1999. Ⅵ. 24，章有为采(IZAS)；1♀，周至厚畛子，1271m，2007. Ⅴ. 25，林美英采(IZAS)；1♀，周至厚畛子秦岭梁，2021m，2007. Ⅴ. 27，崔俊芝采；1♀，周至厚畛子秦岭梁，2021m，2007. Ⅴ. 27，林美英采；1♀，佛坪凉风垭，2100～1900m，1998. Ⅶ. 24，袁德成采；1♀，佛坪凉风垭，海拔2100～1800m，1999. Ⅵ. 28，胡建采；1♀，宁陕火地塘林场，1538m，2007. Ⅵ. 02，林美英采；1♀，宁陕火地塘平河梁，2016～2448m，2007. Ⅵ. 01，林美英采；宁陕火地塘，1620m，1979. Ⅶ. 23，韩寅恒采；4♂6♀, Qinling Shan, 6km East of Xunyangba, 1000～1300m, 2000. Ⅴ. 23-Ⅵ. 13, C. Holzschuh (CCH); 1♀, Qinling Shan, 12km SW. of Xunyangba, 1900～2250m, 2000. Ⅵ. 14-18, C. Holzschuh (CCH)。

分布:陕西(周至、佛坪、宁陕)、河南、安徽、浙江、湖北、福建；越南。

(460)峨眉并脊天牛 *Glenea* (*Glenea*) *omeiensis* Chiang, 1963 陕西新纪录 (图版35:4)

Glenea (s. str.) *omeiensis* Chiang, 1963: 75, fig. 8.

鉴别特征:体长8.2～8.8mm。头和前胸黑色，具有灰黄色绒毛斑纹，其中后头中央具2条纵纹；前胸背板中央1条纵纹，两侧各2条纵纹，其中对着触角基瘤位置的那条很不明显，从基部到中部甚至有时缺失。小盾片黑色，密被灰黄色绒毛。鞘翅红褐色，每鞘翅具3条纵纹和2个横斑:鞘缝1条很细，从基部到端部(有时不发达)，外侧1条从中部之后开始在端部1/5处结束，中间1条只到基部1/4处；中部具1条斜斑，端部有1条较粗的横斑。触角和足红褐色，有时触角端部几节深色。触角长于体。

采集记录:1♀，留坝庙台子，1470m，1999. Ⅶ. 01，贺同利采。

分布:陕西(留坝)、四川。

(461)复纹并脊天牛指名亚种 *Glenea* (*Glenea*) *pieliana pieliana* Gressitt, 1939（图版 35:5a, 5b）

Glenea pieliana Gressitt, 1939a: 120, pl. Ⅱ, fig. 12, 13.

Glenea tienmushana Heyrovský, 1939: 69.

Glenea pieliana pieliana: Gressitt, 1951: 577.

鉴别特征:体长 10.4 ~ 12.0mm。体中等大小，长方形。体色赭褐色至暗黑色，头、胸部背面及触角暗黑色，第 3 节末端 1/3 被白色细毛，其余赭褐色。体表有淡黄色绒毛条斑；头部复眼下叶后缘有 1 个小黄斑，头顶至后头中央两侧各有 1 个黄纵条，复眼上叶后方后头两侧各有 1 个短纵条。前胸背板背中央及两侧各有 1 个黄色纵条。小盾片淡黄色。鞘翅背面在中缝、侧缘、侧缘内侧、肩角至鞘翅基部 1/4 处，以及鞘翅近末端中缝外侧各有 1 个黄纵条，鞘翅背方中部及末端 1/4 处，各有 2 个黄斑点，前胸侧面，后胸前侧片外缘，后缘下外角，腹部两侧各有淡黄色细毛斑。

采集记录:2♂3♀，华山，1962. Ⅷ. 21，杨集昆采(CAU)。

分布:陕西(华阴)、浙江、湖北、江西、福建。

(462)榆并脊天牛 *Glenea* (*Glenea*) *relicta* Pascoe, 1858(图版 35:6)

Glenea relicta Pascoe, 1858: 258.

鉴别特征:体长 7.5 ~ 14.0mm。头、胸及腹面黑色或棕黑色；触角棕黑色；鞘翅及足棕红色，前者的端区有时色彩较深，后者的腿节基部有时较淡。绒毛棕黑或棕红色，深淡依底色而定，以前胸背板上较密，鞘翅上较稀而短。此外还有白色的绒毛斑纹，主要分布如下:额全部，以两侧较密；头顶中部有时形成 2 条纵纹；前胸背板上 3 条纵纹，中央 1 条，两侧各 1 条，有时侧纹缺如(雌虫)；小盾片全部白色，但基缘往往黑色。每 1 个鞘翅上有 5 个白斑点，排成一曲折的纵行，第 1、2 个在中部之前，较小，末 1 个在端末，较大。腹面白色斑纹较大。雌虫与雄虫触角长短差异不大，一般超过体长 1/3 左右，第 3 节长于柄节或第 4 节。鞘翅末端内、外端角均尖锐，尤以外角突出很长。

采集记录:1♀，Qinling Shan，40km SE Taibai Shan，Houzhenzi vill. Env.，1200m，1998. Ⅶ. 11，Zd. Jindra (CCH)；1♀，佛坪岳坝保护站，1093m，2012. Ⅵ. 30，刘万岗采(Ceram-139)；1♀，宁陕火地塘，2016. Ⅶ. 07-24，王勇采；1♀，镇安云盖寺茫村，2014. Ⅵ. 21。

分布:陕西(长安、周至、佛坪、宁陕、镇安)、江苏、安徽、浙江、湖北、江西、湖南、福建、广东、海南、广西、四川、贵州；韩国，印度，越南。

寄主:榔榆。

210-2. *Stiroglenea* Aurivillius, 1920

Glenea (*Stiroglenea*) Aurivillius, 1920: 31. **Type species**: *Lamia cantor* Fabricius, 1782.

鉴别特征:触角略长于体，柄节具1条脊；鞘翅侧脊2条，翅端平切，端缘角齿状或刺状突出，雌虫和雄虫爪均单齿式。

分布:东洋区。秦岭地区发现1种。

(463)眉斑并脊天牛 *Glenea* (*Stiroglenea*) *cantor* (Fabricius, 1787)（图版35:7）

Lamia Cantor Fabricius, 1787: 142.

Lamia Cantator: Fabricius, 1801: 304 [misspelling].

Glenea cantor: Gahan, 1894b: 488.

Glenea (*Stiroglenea*) *cantor*: Gressitt, 1939b: 94, 96.

鉴别特征:体长10.0～15.0mm。体黑色。头黑色被白色和黄色绒毛，后头具3个黑色纵斑，触角黑色。前胸背板中区具4个黑斑，一般前端2个较大，侧面又各具4个黑斑，其余部分密被白色和黄色绒毛。小盾片黑色，边缘具白毛。鞘翅红褐色，端部黑色具白色绒毛形成的四方框斑纹，导致形成2个黑色横斑。前、中足红褐色，后足黑色。触角长于体长，第3节长于柄节和第4节。前胸背板两侧无刺突。鞘翅端缘平切，端缘角尖齿状突出。

采集记录:1♀，宁强，1973.Ⅶ.05，吴志清采(NWAFU，ex 西北农学院)。

分布:陕西(宁强)、浙江、江西、广东、海南、香港、澳门、广西、贵州、云南；越南，老挝，泰国，印度，菲律宾。

寄主:*Aesculus chinensis* Bunge, *Bombax malabaricum* de Candolle, *Castanea mollissima* Blume, *Ceiba pentandra* (Linnaeus) Gaertner, *Excentrodendron hsiemmu* (Chun *et* F. C. How) H. T. Chang *et* R. H. Miao, *Melastoma candidum* D. Don, *Melia azedarach* Linnaues, *Paulownia* sp., *Quercus* sp.。

211. 弱脊天牛属 *Menesia* Mulsant, 1856

Menesia Mulsant, 1856: 157. **Type species**: *Menesia Perrisi* Mulsant, 1856 (= *Saperda bipunctata* Zoubkoff, 1829).

属征:体长15.0mm以下，体长大于肩宽的3.0倍。头略宽于前胸，额四方形或宽大于高，复眼深凹，复眼下叶窄于额宽的一半。触角长于体，柄节微膨大不具脊，

第3节约等于第4节，第4节长于柄节。前胸圆筒形，长与宽约相等或宽略大于长。鞘翅两侧几乎平行，不具显著侧脊，末端圆或平切。前足基节窝关闭，后胸前侧片前端宽于后端的2.0倍，中足胫节具斜沟，后足腿节伸达腹部第2或4可见腹节，后足第1跗节小于其后两节长度之和。雌虫和雄虫爪均单齿式。

分布：古北区，东洋区。本属分类两个亚属，其中 *Tephrocoma* 只包括印度尼西亚的1种，指名亚属在中国有分布。指名亚属世界已知45种，中国记录6种，秦岭地区发现3种。

分种检索表

1. 触角黑色；前胸密被红色绒毛具4个黑点；鞘翅密被黄色绒毛，每鞘翅各具2个黑斑（肩角的不算）……………………………… **陕弱脊天牛 *Menesia vitiphaga***
   触角大部分红褐色，仅前两节黑色；前胸黑色具2条黑色纵带；鞘翅黑色，每鞘翅各具黄色绒毛斑 ……………………………… 2
2. 前胸和鞘翅的黄色绒毛较多，尤其鞘翅上的4个黄色绒毛斑通常相连……………………………… **黄斑弱脊天牛 *M. flavotecta***
   前胸和鞘翅的黄色绒毛较少，尤其鞘翅上的4个黄色绒毛斑各自分开，从不相连 ……………………………… **培甘弱脊天牛 *M. sulphurata***

(464) 黄斑弱脊天牛 *Menesia flavotecta* Heyden, 1886 陕西新纪录（图版35：8）

Menesia sulphurata var. *flavotecta* Heyden, 1886a: 276.

Menesia tokioensis Kobayashi *et* Seki, 1935: 42, fig.

鉴别特征：体长6.0～10.0mm。体棕栗色到黑色，足橙黄色到棕红色，触角除柄节外，余各节棕黄色。体背面密被褐黑色及黄色绒毛，后者从淡黄色到深黄色，形成极显著的斑点。计头顶全部或大部被淡色绒毛，一般前胸背板中区两侧各具2个黑纵斑。小盾片大部被黄色绒毛。每鞘翅具4个黄色大斑点，从基部到端区排成一直行，通常互相连接。腹面淡绒毛一般较稀，除黄色毛外，还有深棕色绒毛及较淡的短竖毛。触角略超过体长。鞘翅末端平切。

采集记录：1♀，周至厚畛子老县城，1670～1760m，2008.Ⅵ.28，葛斯琴采。

分布：陕西（周至）、吉林、辽宁、山东、安徽；蒙古、俄罗斯、韩国、日本。

寄主：*Juglans regia* Linnaeus。

(465) 培甘弱脊天牛 *Menesia sulphurata* (Gebler, 1825)（图版35：9）

Saperda sulphurata Gebler, 1825: 52.

Tetrops sulphurata: Kraatz, 1879: 94, note 1.

Menesia sulphurata: Ganglbauer, 1884: 586.

Menesia sulphurata var. *semivittata* Pic, 1915c: 10.

Menesia sulphurata var. *nigrocincta* Pic, 1915c: 10.

Praolia yuasai Gressitt, 1935d: 176.

Menesia sulphurata sulphurata: Gressitt, 1951: 556, 557.

Menesia (*Menesia*) *sulphurata*: Breuning, 1954b: 404, 408, pl. XXI, fig. 3.

Menesia (*Menesia*) *sulphurata* m. semivittata: Breuning, 1954b: 409.

Menesia (*Menesia*) *sulphurata* m. *nigrocincta*: Breuning, 1954b: 409.

鉴别特征：体长6.0～11.0mm。小型天牛。体棕栗到黑色，足橙黄到棕红色，触角除柄节外，其余各节从棕黄到深棕栗色。体背面密被褐黑色及黄色绒毛，后者从淡黄到深黄，有时微带绿色，形成极显著的斑点。计头顶全部或大部被淡色绒毛，一般前胸背板中区两侧各具2个黑斑点，此斑变异很大，通常彼此合并成1个阔斑点，由中央1条细狭的淡色纵纹所分隔。小盾片大部被黄色绒毛。每鞘翅具4个黄色大斑点，从基部到端区排成一直行。腹面淡绒毛一般较稀，除黄色毛外，还有深棕色绒毛及较淡的短竖毛。此雌虫与雄虫触角差别不大，长超过体长1/4以上，第3、4两节近乎等长。鞘翅末端近乎切平。

采集记录：1♀，周至厚畛子老县城村至秦岭梁途中，1745～2021m，2007. Ⅴ.27，林美英采（IOZ(E)1904755）；1♀，周至厚畛子，1271m，2007. Ⅴ.25，林美英采；1♂1♀，太白山蒿坪寺（NWAFU, CO027271-72）；1♂，武功，1990. Ⅶ.20（NWAFU, CO027170）；1♂，留坝庙台子紫柏山，1596m，2012. Ⅵ.22，华谊采（Ceram-132）；1♀，佛坪凉风垭，2150～1750m，1999. Ⅵ.28，姚建采；1♂，宁陕火地塘，1580m，1998. Ⅷ.14，袁德成灯诱；1♀，宁陕火地塘，1515m，2013. Ⅶ.11，宋志顺灯诱；1♀，石泉，寄主：核桃，1960. Ⅶ.02；1♂，延安，1980，孙益智采（NWAFU, CO028446）。

分布：陕西（周至、太白、武功、留坝、佛坪、宁陕、宁强、石泉、延安）、北京、河北、山西、吉林、山东、宁夏、河南、湖北、四川、台湾；蒙古，俄罗斯，朝鲜，韩国，日本，哈萨克斯坦。

寄主：核桃，培甘（山核桃属）。*Carya pecan* (*Marshall*) Engler *et* Graebner, *Juglans regia* Linnaeus, *Malus pumila* Miller, *Populus* sp., *Salix* sp., *Tilia* sp.。

（466）陕弱脊天牛 *Menesia vitiphaga* Holzschuh, 2003（图版35：10）

Menesia vitiphaga Holzschuh, 2003: 237, fig. 70.

鉴别特征：头和前胸黑色，覆盖黄色绒毛；额中央、前胸背板盘区4个圆斑和前胸侧面的1个圆斑由于缺失绒毛而形成黑斑；鞘翅黄褐色，密被黄色绒毛，每鞘翅具2个或3个小黑点，其中基部1个，端部之前1或2个，呈纵向排列。触角黑色。足红褐色；腹面黑色，被稀疏的灰白色绒毛。

采集记录:1♂(正模), Shaanxi, Lueang, 33°07′N, 106°05′E, 1997. Ⅵ. 18-24, E. Kučera(CCH); 1♂1♀(副模), 同上(CPS); 6♂, 同上, 1997. Ⅵ. 22-29, 2000. Ⅴ. 22-25(CCH)。

分布:陕西(略阳)。

寄主:*Vitis* sp. (Vitaceae)。

备注:本种的属级归属有待进一步研究,应当不是真正的弱脊天牛属成员。

212. 拟鹿岛天牛属 *Mimocagosima* Breuning, 1968 陕西新纪录属

Mimocagosima Breuning, 1968: 32. **Type species**: *Mimocagosima ochreipennis* Breuning, 1968.

属征:体中等大小。触角粗壮,短于体长,基部数节下沿有稀疏缨毛;柄节膨大,不具端疤,第3节显长于柄节,略长于(雄虫)或显长于(雌虫)第4节,其后各节渐短;触角基瘤突出。复眼深凹,小眼面细。头略小于前胸。前胸宽大于长,前半部较后半部宽,每侧面中部具1个小的瘤突。小盾片阔舌形,宽大于长的2.0倍。鞘翅无纵脊,肩角明显,末端圆形。足中等长,腿节棒状,后足腿节伸达腹部第3节后缘;前足基节窝开放式,开口小,中足基节窝开放式;中足胫节没有明显斜沟,但具有相当长的毛。爪单齿式。雌虫腹部末节中央有1条细凹沟。

分布:中国;老挝,泰国。全世界已知2种,在中国都有分布,秦岭地区发现1种。

备注:属的中文名根据华立中1985年翻译的《老挝天牛检索表》。

(467)拟鹿岛天牛 *Mimocagosima ochreipennis* Breuning, 1968 陕西新纪录(图版35:11)

Mimocagosima ochreipennis Breuning, 1968: 32, fig. 9.

别名:黄翅类楔天牛。

鉴别特征:雄虫长18.0~19.0mm,宽6.0~6.5mm(肩部);雌虫个体较大,长20.5~22.0mm,宽7.0~8.0mm(肩部)。体黑色,鞘翅和爪红褐色;鞘翅密被红褐色的绒毛,具3个少绒毛的深色斑,1个在肩角,不规则;1个在鞘翅中区离基部1/3处,小圆斑;1个在侧缘离基部1/3后,较大的不规则长条形;头和前胸的绒毛和鞘翅上的一样,额中央具1个小圆黑点,后头具1个大的三角形黑斑;前胸背板中央具1个黑斑,有些个体黑斑中型,中间缢缩明显,形成"8"字形,黑斑前端不达到背板前缘,后端伸达后横凹沟,有些个体黑斑大型而不规则,黑斑面积超过前胸背板的1/2;后横凹沟被灰白色绒毛。前胸每侧面瘤突处具1个中等大的黑圆斑,斑后的绒毛灰白色。颊黑色,眼后有1圈白色绒毛;触角黑色,除柄节外,每节基部有灰白色绒毛;前胸腹板、中胸后侧片、中胸腹板、后胸腹板的中区、各个腹节的后边缘被银灰色的绒毛。足黑色,触角前8节下沿有中等长的缨毛。

采集记录:1♂，武功，1980.Ⅳ，张丽英采(NWAFU，CO028434，头和前胸缺失)。

分布:陕西(武功)、云南；老挝，泰国。

寄主:*Schima superba* Gardner *et* Champion。

213. 日修天牛属 *Niponostenostola* K. Ohbayashi, 1958

Niponostenostola K. Ohbayashi, 1958b: 64. **Type species**: *Stenostola niponensis* Pic, 1901.

属征:小型(体长在 15.0mm 以下)，体长大于肩宽的 3.0 倍。头等宽于前胸，额长宽相等或宽胜于长，复眼深凹。触角略长于体，柄节不具脊，第 3 节最长，第 4 节稍长于柄节。前胸不具侧刺突。鞘翅两侧几乎平行，有时末端微膨阔，不具侧脊，末端圆形。前足基节窝向后关闭，后胸前侧片前端宽于后端的 2.0 倍，中足胫节具斜沟，后足腿节伸达第 3 或 4 可见腹节，后足跗节第 1 节长于其后两节之和。雄虫附齿式，雌虫单齿式。

分布:中国；日本。目前仅知记载日本的 1 种，分为 3 个亚种，秦岭地区发现 2 种，其中新组合 1 种。

(468)黑日修天牛 *Niponostenostola gressitti* Lin *et* Ge, 2017(图版 36:1a，1b)

Saperda nigra Gressitt, 1951: 552[HN], pl. 21, fig. 1.

Saperda (*Saperda*) *nigra*: Breuning, 1966b: 669.

Saperda (*Compsidia*) *nigra*: Danilevsky, 2010b: 235.

Niponostenostola gressitti Lin *et* Ge, 2017b: 922, fig. 17 (new name for *Saperda nigra* Gressitt, 1951).

鉴别特征:体长 10.6mm，体宽 2.45mm。全体黑色，除了爪颜色更深；背面有稀疏的褐色竖毛，额的下半部和腹面不规则被有白色伏毛和少量绒毛；触角第3.0 节基半部和其后各节具有不显著的灰色细毛。头几乎不宽于前胸，额高和宽几乎相等，复眼下叶长显大于宽，为颊高的 3.0 倍。触角与体约等长，第 3 节最常，第 4 节约等于柄节，其后各节渐短。前胸长与宽约等，近圆柱形，刻点粗浅，部分呈网状，部分在主要刻点间有细小刻点，在中部与基部之间具有 1 个部分凸起的无刻点中带。小盾片短，倒梯形，具细密刻点。鞘翅窄，两侧几乎平行，长为头和前胸只和的 3.0 倍；末端狭缩，在近鞘缝处形成模糊的端角；刻点稠密而不规则，间有皱纹，末端有弱的皱纹。

采集记录:1♀(正模)，S. Shensi Prov.，Pao-chi Distr.，34°20′ N，107° E，Tsing-sui-ho，1946. Ⅴ.30，leg. S. T. Chang (Chang Shu-tsen)(NCHU)。

分布:陕西(宝鸡)。

备注: *Saperda nigra* Say, 1827 是新北区分布的种类，目前属于 Dorcaschematini 族，归属于 *Dorcaschema* 属(Dejean, 1837)。由于未检视到标本，不知道此种的爪到底是否单齿式，原始文献写的是雄虫，但是根据图片判断，应该是雌虫。

(469) 宝鸡日修天牛 *Niponostenostola lineata* (Gressitt, 1951) comb. nov.

(图版 36:2a, 2b)

Stenostola lineata Gressitt, 1951: 609, pl. 21, fig. 8.
Eumecocera lineata: Hayashi, 1963: 135.
Niponostenostola lineata: Lin & Ge, 2017b: 923, figs. 19-20.

别名: 宝鸡拟修天牛、宝鸡修天牛。

鉴别特征: 体长 9.0~12.0mm。体黑色，前胸隐约可见 3 条灰色绒毛形成的纵纹(不贯穿前后缘)，每鞘翅隐约可见 2 条深色纵纹，靠近鞘翅 1 条更短，2 条均不达鞘翅末端。触角长于体，雄虫更长。鞘翅末端圆。

采集记录: 3♀，周至厚畛子秦岭梁，2021m，2007. Ⅴ. 27，林美英、崔俊芝、张丽杰采(IOZ(E)1904901)；1♀(正模)，S. Shenxi Province, Pao-Chi District, Tsing-sui-ho, 1947. Ⅵ. 18, leg. Chang Shu-tsen(NCHU)。

分布: 陕西(周至、宁陕)、湖北、台湾、四川。

214. 双脊天牛属 *Paraglenea* Bates, 1866

Paraglenea Bates, 1866: 352. **Type species**: *Glenea fortunei* Saunders, 1853.

属征: 体长形。触角细长，长于体长，基部数节下沿有稀疏缨毛；柄节稍微膨大，第 3 节约等于柄节或第 4 节；触角基瘤几乎不突出，彼此分开。复眼深凹，小眼面细；两性复眼下叶都长于颊；前胸背板宽大于长(雌虫)或长宽略等(雄虫)，背面拱凸，有前后细横凹，两侧均匀微凸。鞘翅长，拱隆，鞘翅肩宽明显大于前胸背板宽，向后渐缩。鞘翅侧面有 2 条明显纵脊，从肩部开始，几达端部。鞘翅末端圆形。后胸前侧片呈长三角形，前端最宽，后端窄。足中等长，腿节棒状，后足腿节至少伸达第 3 腹节后缘，有时达第 5 腹节。雌虫和雄虫爪异型，雌性单齿式，雄性附齿式。雌虫腹部末节中央有细凹沟。

分布: 中国；日本，越南，老挝。世界已知 10 种/亚种，中国记录 6 种，秦岭地区发现 2 种。

分种检索表

前胸背板的 2 个黑斑近圆形，中央两边弧形，不平行 …………… **双脊天牛 *Paraglenea fortunei***

前胸背板的 2 个黑斑近椭圆形，中央两边直而平行 ………………… **椭圆双脊天牛 *P. soluta***

(470)双脊天牛 *Paraglenea fortunei* (Saunders, 1853)(图版 36:3)

Glenea fortunei Saunders, 1853: 112, pl. 4, fig. 1.
Stibara fortunei: Thomson, 1857e: 140.
Paraglenea fortunei: Bates, 1866: 352.
Glenea Chloromelas Thomson, 1879: 21.
Glenea Fortunei var. *notatipennis* Pic, 1914: 7.
Glenea Fortunei var. *pubescens* Pic, 1914: 7.
Glenea Fortunei var. *fasciata* Pic, 1915b: 14.
Glenea Fortunei var. *innotata* Pic, 1915b: 14. N.
Glenea Fortunei var. *bisbinotata* Pic, 1915b: 14.
Glenea fortunei var. *savioi* Pic, 1923d: 21.
Paraglenea fortunei szetschwana Heller, 1926: 48.
Paraglenea fortunei var. *innotaticollis* Pic, 1936a: 17.
Paraglenea fortunei m. *bisbinotata*: Gressitt, 1938c: 158.
Paraglenea fortunei m. *innotata*: Breuning, 1952: 124.
Paraglenea fortunei m. *innotata*: Breuning, 1952: 126.
Paraglenea fortunei m. *innotaticollis*: Breuning, 1952: 127.

别名:苎麻双脊天牛、苎麻天牛、苧麻天牛。

鉴别特征:体长 9.5 ~ 17.0mm。体被极厚密的淡色绒毛，从淡草绿色到淡蓝色，并饰有黑色斑纹，由体底色和黑绒毛所组成。淡黑两色的变异很大，形成不同的花斑型，特别是鞘翅。前胸背板淡色，中区两侧各有 1 个圆形黑斑。每一鞘翅上有 3 个大黑斑:第 1 个处于基部外侧，包括肩部在内；第 2 个稍下，处于中部之前，向内伸展较宽，但亦不达中缝；第 3 个处于端部 1/3 处，显然由 2 个斑点所合并而成，中间常留出淡色小斑，处于靠外侧部分；第 2、3 两个斑点在沿缘折处由 1 条黑色纵斑使之相连；翅端淡色；这是本种鞘翅花斑的基本类型。从此类型，有时各斑或多或少缩小或褪色，甚至完全消失；但最常见的是黑斑扩大，第 1、2 两斑完全并合，以致翅前半部完全黑色，中间仅留出 1 个极小的有时模糊的淡色斑，作为两斑并合的痕迹；端部斑点亦扩大到更大面积；使中间淡斑消失；在此情况下，鞘翅全部被黑色所占据，仅留出中间 1 条淡色横斑和末端极小部分淡色。触角黑色，基部 3、4 节多少被草绿或淡蓝绒毛，特别是下沿。雌虫与雄虫触角均较体略长，差异不大。鞘翅末端钝圆。

采集记录:1♂1♀，宁西，1981. Ⅵ，采集人不详；1♂，略阳，1981. Ⅵ，采集人不详(IOZ(E)1904781)。

分布:陕西(长安、略阳、宝鸡、太白、勉县、宁陕、旬阳、山阳、安康、宁西、石泉、紫阳、平利、延安)、北京、河北、河南、宁夏、江苏、上海、安徽、浙江、江西、湖南、福建、台湾、广东、广西、湖北、四川、贵州、云南；日本，越南。

寄主：刺槐 *Robinia pseudoacacia*，漆树 *Rhus vernicifera*，杨树 *Populus*，青岗栎 *Quercus glauca*，乌桕 *Sapium sebiferum*，桂花 *Osmanthus fragrans*，椴树 *Tilia tuan*，苎麻 *Boehmeria nivea*，桑 *Morus alba*，木槿 *Hibiscus syriacus*，核桃 *Juglans regia*，杉木 *Cunninghamia lanceolata*，凤仙花 *Impatiens balsamina*。

(471) 椭圆双脊天牛 *Paraglenea soluta* (Ganglbauer, 1887)（图版 36:4）

Glenea fortunei var. *soluta* Ganglbauer, 1887b: 22.

Paraglenea swinhoei: Heyden 1886a: 288 (nec Bates, 1866).

Paraglenea cinereonigra Pesarini *et* Sabbadini, 1997: 126, pl. Ⅳ, fig. 5.

Paraglenea soluta: Lin & Ge, 2017b: 924, figs. 21-23.

别名：*Paraglenea cinereonigra* Pesarini *et* Sabbadini, 1997 灰黑双脊天牛。

鉴别特征：本种跟双脊天牛 *Paraglenea fortunei* (Saunders, 1853) 非常相似，经常被混淆鉴定，但本种前胸背板的 2 个黑斑近椭圆形，中央两边直而平行，从不圆形或缺失；鞘翅斑纹较稳定，都是两个大斑加 1 个半圆弧形斑，不像前一种那么变异多样。本种跟分布于台湾的大麻双脊天牛 *Paraglenea swinhoei* Bates, 1866 相似，但前胸背板两侧缺乏黑点，鞘翅黑斑更发达更接近鞘缝。

模式标本：Holotype (of *Paraglenea cinereonigra* Pesarini *et* Sabbadini), ♂, Shaanxi, Hua Shan, 1991. Ⅵ. 17~21, Dunda (CPS); paratype (of *Paraglenea cinereonigra* Pesarini *et* Sabbadini), 1♀, Henan, Dengfeng, 1992. Ⅵ, Richter (CPS). Holotype (of *Paraglenea fortunei* m. *conjunctefasciata* Breuning), ♀, Szteschuan, Tahsienlu (MHNG, ex Coll. Breuning)。

采集记录：1♀，长安南五台，采集时间不详，周尧采(NWAFU, CO025464)；1♀，周至秦岭植物园内大峡谷，925m，2012. Ⅶ. 05，华谊采(Ceram-136)；1♀，周至板房子，2006. Ⅶ. 20，林美英灯诱；2♀，周至厚畛子，1350m，1999. Ⅵ. 24，章有为、朱朝东采；1♂，周至厚畛子老县城村，1745m，2007. Ⅴ. 26，林美英采；2♀，周至厚畛子老县城村至秦岭梁途中，1745~2021m，2007. Ⅴ. 27，林美英采；1♀，凤县，1981. Ⅵ(NWAFU, CO028443)；1♀，略阳，1981. Ⅵ；1♂，太白山蒿坪寺，1200m，1982. Ⅶ. 15(NWAFU)；1♀，太白，1980. Ⅶ. 17，李卫东采；1♀，武功，1957. Ⅷ(NWAFU)；1♂，留坝韦驮沟，1600m，1998. Ⅶ. 21，张学忠采(IZAS, IOZ(E) 1904783)；1♂，宁陕火地塘，1580m，1998. Ⅷ. 14，袁德成采；1♂1♀，同上，1998. Ⅶ. 26-27；1♀，同上，1580~1650m，1999. Ⅵ. 26；1♂，宁陕火地塘，1620m，1979. Ⅶ. 30，韩寅恒采；1♀，宁陕火地塘雅雀沟，1600~1700m，1998. Ⅶ. 28，张学忠采；1♀，宁陕火地塘林场，1538m，2007. Ⅵ. 02，林美英灯诱；1♂，宁陕火地塘林场，2007. Ⅶ. 21，林美英灯诱；1♀，宁陕火地塘，1985. Ⅷ. 30(NWAFU, CO028444)；1♂，宁陕火地塘，1984. Ⅷ. 16，吕林诱(NWAFU, CO028445)；2♂5♀，Qinling Shan, 6km

East of Xunyangba, 1000 ~ 1300m, 2000. Ⅴ.23-Ⅵ.13, C. Holzschuh(CCH); 1♂1♀, 宁西, 1981. Ⅵ; 1♀, 柞水营盘镇红庙河村, 1100m, 2007. Ⅵ.03, 林美英; 1♀, 秦岭红岭林场, 1580m, 1973. Ⅶ.21, 张学忠采。

分布:陕西(长安、周至、凤县、略阳、太白、武功、华阴、留坝、宁陕、宁西、柞水)、北京、河北、河南、湖北、浙江、四川。

备注:*Paraglenea fortunei* var. *soluta* Ganglbauer, 1887 应该提升为种，而 *Paraglenea cinereonigra* Pesarini *et* Sabbadini, 1997 是它的异名，来自四川的 *Paraglenea fortunei* m. *conjunctefasciata* Breuning, 1952 也是此种(Lin & Ge, 2017b)。

215. 楔天牛属 *Saperda* Fabricius, 1775

Saperda Fabricius, 1775: 184. **Type species**: *Cerambyx carcharias* Linnaeus, 1758.

属征:体小型至较大型，长形。复眼深凹，小眼面细，额一般宽阔，雌虫尤其如此，有的雄虫长、宽近于相等；触角基瘤稍突出，彼此分开，触角细至中等粗，基部数节下沿有稀少的缨毛，第 3 节长于第 4 节或长于柄节。前胸背板宽胜于长或长与宽近于相等，两侧缘无侧刺突。鞘翅长，两侧大多平行或近端部收狭，端缘圆形或微斜切，或略呈角状突出，肩无纵隆脊线。后胸前侧片长三角形，前端最宽，后端收狭。雌虫腹部末节中央有 1 条细纵凹沟。

分布:古北区，新北区。本属分为 3 个亚属，世界已知 38 种 4 亚种，我国记载 20 种 3 亚种，秦岭地区发现 3 亚属 6 种。

分种检索表

1. 鞘翅末端均匀缩窄甚或成尖刺状；鞘翅刻点大而光裸；雄虫爪:前足内侧齿和中足的外侧齿具有附突 ……………………………………………………………… 2
   鞘翅末端非尖刺状；鞘翅刻点小且不光裸 ……………………………………… 3
2. 触角柄节黑色，其余各节基部黄褐色或灰褐色，端部黑色；鞘翅末端齿短而不尖锐 ……………………………………………… **楔天牛 *Saperda*（*Saperda*）*carcharias***
   触角单色，均有黄褐色绒毛；鞘翅末端齿长而尖锐 ……………… **尖翅楔天牛 *S.*（*S.*）*simulans***
3. 鞘翅末端宽圆形或逐渐狭窄；雄虫爪单齿式 *S.*（*Compsidia*） ……………………… 4
   鞘翅末端宽圆形；雄虫中足爪外侧齿具有附突 S.（*Lopezcolonia*）；前胸具有 4 个黑斑；每鞘翅具有 2 个黑点和端末的黑斑 ……………… **宝鸡楔天牛 *S.*（*Lopezcolonia*）*pallidipennis***
4. 鞘翅具有 4 或 5 个黄色绒毛圆斑 ……………… **青杨楔天牛 *S.*（*Compsidia*）*populnea***
   鞘翅没有斑点 …………………………………………………………………… 5
5. 鞘翅黑色……………………………………… **双条楔天牛 *S.*（*C.*）*bilineatocollis***
   鞘翅深绿色 ……………………………………… **绿翅楔天牛 *S.*（*C.*）*viridipennis***

215-1. 单齿爪亚属 *Compsidia* Mulsant, 1839

Compsidia Mulsant, 1839: 182. **Type species**: *Cerambyx populneus* Linnaeus, 1758.
Saperda (*Compsidia*): Reitter, 1913: 64.

鉴别特征:前足基节窝向后开放；雄虫爪单齿式；鞘翅末端共同组成狭圆形或宽圆形。

分布:古北区。世界已知9种/亚种，我国记载7种，秦岭地区发现3种。

(472)双条楔天牛 *Saperda* (*Compsidia*) *bilineatocollis* Pic, 1924(图版36:5)

Saperda bilineatocollis Pic, 1924a: 19.
Saperda (*Saperda*) *bilineatocollis*: Breuning, 1952: 158.

鉴别特征:体长11.0mm左右。体小，黑色，头被浓密橙黄色绒毛，前胸背板中区两侧各有1条较宽橙黄色绒毛纵纹，鞘翅光亮黑色，触角自第3节起各节被淡灰色稀疏绒毛，仅端部黑色。雌虫触角短于体长，柄节具细密刻点，微显皱纹，额横阔，复眼下叶同颊近于等长，头密布粗、细刻点。前胸背板近于圆柱形，长、宽近于相等，全布粗、细刻点。小盾片半圆形。鞘翅长形，两侧近于平行，端缘圆形；翅面具较粗糙刻点。本种同青杨楔天牛十分接近，其主要区别是:本种前胸背板两条绒毛纵纹较宽，橙黄色；鞘翅光亮黑色，很少被绒毛，无黄色绒毛斑点。

采集记录:1♀，宁陕，1960. Ⅶ. 13，普查队采(NWAFU，ex 陕西省林业研究所)，寄主:杨；1♀，南郑元坝，1983. Ⅴ. 28，贺答汉采(NWAFU，CO028458，ex 西北农学院)。

分布:陕西(太白、留坝、洋县、宁陕、南郑)、河北、河南、甘肃、青海、湖北、江苏、上海、四川；俄罗斯。

寄主:*Populus davidiana* Dode, *Rhus vernicifera* de Candolle, *Zizyphus spina-christi* Willdenow。

(473)青杨楔天牛 *Saperda* (*Compsidia*) *populnea* (Linnaeus, 1758)(图版36:6)

Cerambyx populneus Linnaeus, 1758: 394.
Cerambyx decempunctatus de Geer, 1775: 78.
Saperda populnea: Fabricius, 1775: 186.
Leptura betulina Geoffroy, 1785: 78.
Lamia populnea: Latreille, 1804: 277.
Saperda salicis Zetterstedt, 1818: 258.
Compsidia populnea: Küster, 1846b: 52, pl. 2, fig. 3.

Saperda populi Duméril, 1860: 607.

Saperda populnea var. *salicis*: Ganglbauer, 1884: 549.

Saperda (*Compsidea*) *populnea*: Marquet, 1899: 210.

Saperda populnea ab. *bickhardti* Sattler, 1918: 200.

Saperda (*Compsidia*) *populnea*: Planet, 1924: 315, fig. 268.

鉴别特征：体较小而窄，体长9.0～13.0mm。基底黑色，全身被淡黄色绒毛及混杂有黑灰色长竖毛。头部黄色绒毛较浓密。前胸背板中区两侧各有1条淡黄色或金黄色绒毛纵条纹。小盾片两侧被淡黄色绒毛。每个鞘翅有4或5个黄色绒毛圆斑，雄虫鞘翅斑纹不甚明显。触角自第3节起各节大部分被灰色绒毛，端部黑色，足黑色被稀疏淡灰色绒毛，体腹面被黄、灰色绒毛，两侧绒毛较浓密。雄虫的额稍宽于长，复眼下叶长于颊，雌虫的额显著横阔，复眼下叶同颊近于等长。头具粗、细刻点，后头刻点较粗。触角较细，雄虫触角略长于身体，雌虫触角短于身体；柄节密布细刻点，微显皱纹，第3节长于第4节。前胸背板近于圆柱形，长与宽几乎相等，密布粗刻点。小盾片半圆形。鞘翅两侧近于平行，后端收狭，端缘圆形，翅面刻点较前胸刻点粗深，端部刻点减弱，有时翅面微显皱纹。

采集记录：1♀，周至厚畛子老县城村至秦岭梁途中，1745～2021m，2007. Ⅴ.27，林美英采；1♀，周至厚畛子，1271m，2007. Ⅴ.26，林美英采；2♀，太白，1981. Ⅴ. 20. 寄主：杨；1♀，凤翔，1981. Ⅴ.10；1♂，Shaanxi, Road Xi'an to Ningshan, Qinling Shan pass 50km S Xi'an, 2000m, 108°08′E, 33°08′N, 2000. Ⅵ. 11, leg. J. Turma (CCH)；1♀，Shaanxi, Qinling Shan., S. Slope, Xunyangba, S + W env., 1400～2100m, 108°23-33′E, 33°28-37′N, 1995. Ⅵ. 05-09, leg. L. + R. Businský (CCH)；10♂10♀，周至、太白、凤翔、渭河（NWAFU）；2♂1♀，Shaanxi, Qinling Shan., N. Slope, Changan Co., 800～1200m, 108°50′E, 35°56-59′N, 1995. Ⅵ. 14-16, leg. L. + R. Businský (CCH)。

分布：陕西（长安、周至、陇县、太白、凤翔、武功、宁陕、延安、榆林、定边等）、黑龙江、吉林、辽宁、内蒙古、河北、山东、河南、山西、宁夏、甘肃、新疆、江苏、安徽、湖北、福建、广东；蒙古，韩国，哈萨克斯坦，土耳其，欧洲。

寄主：*Betula* sp., *Populus alba* Linnaeus, *Populus balsamifera* Linnaeus, *Populus canadensis* Castiglioni, *Populus cathayana* Rehder, *Populus davidiana* Dode, *Populus nigra* Linnaeus, *Populus tremula* Linnaeus, *Quercus glauca* Thunberg, *Salix cinerea* Linnaeus, *Salix viminalis* Linnaeus。

(474) 绿翅楔天牛 *Saperda* (*Compsidia*) *viridipennis* Gressitt, 1951（图版36：7a, 7b）

Saperda viridipennis Gressitt, 1951: 554, pl. 21, fig. 3.

Saperda (*Lopezcolonia*) *viridipennis*: Danilevsky, 2010b: 236.

鉴别特征:体长 12.0 ~ 13.1mm。体中等大小，长形，黑色。额大部分被黄褐色绒毛，复眼下叶被稀少淡灰色绒毛。前胸背板具橙黄色绒毛，中区有 1 个大黑斑，黑斑与前缘及后缘连接。两侧各有 1 个黑色小圆点。鞘翅具金属墨绿色，基部略带蓝绿，基余部分带铜绿色。体背面有稀少褐色至黑色竖毛，体腹面及足薄被灰色绒毛。雄虫触角与体约等长，雌虫稍短于体长，触角较细，柄节稍膨大，第 3 节长于第 4 节。前胸背板宽胜于长，圆柱形，前、后缘略为收缩，中部稍阔，具细密刻点。小盾片近于方形，端缘凹，两侧略隆起。鞘翅两侧近于平行，端缘圆形；翅面密布粗深刻点。后胸前侧片呈长三角形，前端最宽，后端狭窄。足中等粗，后足第 1 跗节同以下两节近于等长。

采集记录:1♀（正模），Tsing-sui-ho，Paochi District，lat. 34°20′N.，S.Shensi Prov.，NW. China，1946.Ⅴ.30，S.T.Chang（NCHU）；1♀（副模），same data（CAS；1♂1♀，周至厚畛子镇秦岭梁，2021m，2007.Ⅴ.27，崔俊芝采；1♂，太白山（NWAFU，ex 陕西省林业研究所）；1♂，勉县汪家河，1964.Ⅴ.20，采集人不详；1♂，宁陕火地塘，1960.Ⅵ（NWAFU，ex 陕西省林业研究所）；1♀，宁陕火地塘，1960.Ⅴ.16，普查队采（NWAFU，ex 陕西省林业研究所）；1♂1♀，Shaanxi，Ccun-Ccan，2000.Ⅴ.26-Ⅵ.01，E.Kučera（CPS）。

分布:陕西（周至、宝鸡、太白、勉县、宁陕）。

备注:本种目前归于楔天牛属圆尾亚属（Danilevsky，2010b），但因其雄虫爪为单齿式，应暂时归入单齿爪亚属更合适。

215-2. 圆尾亚属 *Lopezcolonia* Alonso-Zarazaga, 1998

Saperda (*Argalia*) Mulsant, 1862: 381 (nec *Argalia* Gray, 1846). **Type species**: *Saperda tremula* Fabricius, 1775 (= *Leptura octopunctata* Scopoli, 1772).

Lopezcolonia Alonso-Zarazaga, 1998: 131 (new name for *Saperda* (*Argalia*) Mulsant, 1862).

鉴别特征:前足基节窝关闭。雄虫前足爪内侧齿和中足爪外侧齿具有附突，有时前足爪的附突非常小甚至缺失。鞘翅末端圆形。

分布:世界已知 18 种/亚种，我国记载 11 种。秦岭地区发现 1 种。

备注:有很多种类不是本亚属甚至不是本属的。

(475) 宝鸡楔天牛 *Saperda* (*Lopezcolonia*) *pallidipennis* Gressitt, 1951（图版 36:8a, 8b）

Saperda pallidipennis Gressitt, 1951: 553, pl. 21, fig. 2.

Saperda (*Lopezcolonia*) *pallidipennis*: Danilevsky, 2010b: 236.

鉴别特征:体长13.4~15.0mm。体黑色，鞘翅淡红褐色密被银米色绒毛，每鞘翅具有3个斑：1/3处靠近侧缘1个黑斑；2/3处几乎居中1个更小的黑点(有时缺失)；末端1个深红褐色斑(有时末端深色斑缺失)。触角黑色，除了末节外其余各节基部具有灰白色环纹(下沿多于背面)。头和前胸具有黄褐色绒毛，在特殊光线下显示淡金黄色，部分镶有白色绒毛边。前胸背板具有4个黑斑，基部两个更大些且具有白色镶边。前胸两侧中间各具1个小黑点。后胸腹板和腹部末节被有金黄褐色绒毛，腹面其他部分被白色绒毛，腹部各节末端绒毛更密。足被有黄褐色到灰白色绒毛，跗节黑色，前3跗节的中间部分和末节基半部灰白色。头略窄于前胸，额宽略大于高，复眼下叶近方形，略短于下颊；触角略长于体，柄节约等于第4节，略短于第3节，其后各节向后渐短。前胸宽胜于长，侧面具小瘤突。小盾片四方形，末端微凹。鞘翅宽短，两侧平行，末端圆。

采集记录:1♀(正模)，Shaanxi，Tsing-sui-ho，Pao-chi District (34°20′ N，107° E)，1947. Ⅵ.23，Chang Shu-tsen (NCHU)；1♀，周至厚畛子，1276m，2009. Ⅴ.24，张丽杰采；1♀，太白山蒿坪寺，1982. Ⅴ.14，孙文杰采(NWAFU，Ceram-329)；1♀，太白山骆驼寺，1983. Ⅶ.24(NWAFU)；1♂，Qinling Mts.，N slope，Changan County，800~1200m，1995. Ⅵ.14-16，L. + R. Businský (CCH)；1♀，华阴，1980. Ⅸ.25 (NWAFU)。

分布:陕西(长安、周至、宝鸡、太白、华阴)。

寄主:大叶朴，苹果。

215-3. 楔天牛指名亚属 *Saperda* Fabricius, 1775

Saperda Fabricius, 1775: 184. **Type species**: *Cerambyx carcharias* Linnaeus, 1758.

Anœrea Mulsant, 1839: 184. **Type species**: *Cerambyx carcharias* Linnaeus, 1758.

Amilia Mulsant, 1862: 376. **Type species**: *Saperda phoca* Frölich, 1793 (= *Saperda similis* Laicharting, 1784).

Saperda (*Anaerea*): Planet, 1924: 316.

Saperda (*Saperda*): Breuning, 1952: 142.

鉴别特征:前足基节窝关闭。雄虫前足内侧齿和中足的外侧齿具有附突；鞘翅末端尖刺状，刻点大而光裸。

分布:古北区，东洋区，新北区。世界已知25种/亚种，我国记载3种。秦岭地区发现2种。

(476)楔天牛 *Saperda* (*Saperda*) *carcharias* (Linnaeus, 1758)

Cerambyx carcharias Linnaeus, 1758: 394.

Cerambyx (*Saperda*) *villosus* Gmelin, 1790: 1837.

Cerambyx (*Saperda*) *carcharias*: Gmelin, 1790: 1837.

Saperda carcharias: Olivier, 1795: 6, pl. 11, fig. 18.

Lamia carcharias: Latreille, 1804: 274.

Anaerea carcharias v. *grisescens* Mulsant, 1839: 184.

Anaerea carcharias: Küster, 1846b: 53, pl. 2, fig. 1.

Saperda (*Anaerea*) *carcharias*: Marquet, 1899: 209.

Anaerea carcharias m. *grisescens*: Breuning, 1952: 152.

别名:山杨楔天牛。

鉴别特征:体较大，体长24.0~29.0mm。黑色，全身被土黄色或灰黄色绒毛及稀疏黑色长竖毛，鞘翅刻点黑色，光亮；触角被灰黄色绒毛，自第3节起以下各节端部黑色。雄虫触角长于体(末端两节超出鞘翅末端)，雌虫触角短于身体。鞘翅长形，十分宽于前胸，近端部收狭，端缘略呈钝角突出。

分布:陕西(秦岭)、吉林、黑龙江、甘肃、新疆、江苏、湖北、湖南、四川、贵州；蒙古，俄罗斯，朝鲜，韩国，哈萨克斯坦；欧洲。

寄主:*Alnus* sp., *Betula* sp., *Populus davidiana* Dode, *Populus* sp., *Prunus armeniaca* Linnaeus, *Quercus glauca* Thunberg, *Salix* sp.。

(477)**尖翅楔天牛 *Saperda* (*Saperda*) *simulans* Gahan, 1888**(图版37:1a, 1b)

Saperda simulans Gahan, 1888b: 64.

鉴别特征:体长21.0~26.0mm。黑色，全身被黄褐色绒毛，鞘翅刻点黑色，光亮；触角被灰黄色绒毛，各节单色。雄虫触角约等于体长，雌虫触角短于体。鞘翅长形，宽于前胸，近端部收狭，端缘略呈尖刺状突出。

采集记录:1♂，白河，1981.Ⅵ.16(NWAFU, Ceram-327)；1♀，安康，1980.Ⅵ(NWAFU, Ceram-328)。

分布:陕西(白河、安康、镇巴)、吉林、江苏、江西、湖南、四川。

寄主:山杨，白杨。

216. 修天牛属 *Stenostola* Dejean, 1835

Stenostola Dejean, 1835: 350. **Type species**: *Saperda nigripes* Fabricius, 1793 (= *Cerambyx ferreus* Schrank, 1776).

属征:体小型，狭长圆筒形。头部额横宽，微凸；触角基瘤平坦，左右远离，头顶浅陷；触角较体稍长或近于等长，柄节细长柱形，第3节显著长于第4节。前胸柱形，较头稍狭，宽胜于长或长宽几相等，无侧刺突。鞘翅狭长，肩部稍宽于前胸或头部，翅端圆形。后胸前侧片狭长。腹部第5腹节最长。足细，爪分叉，双齿式。

分布：亚洲，欧洲。世界已知9种，中国记录3种，均分布于秦岭地区。

分种检索表

1. 鞘翅黄褐色 …… **宝鸡修天牛 *Stenostola pallida***
   鞘翅黑褐色或黑色 …… 2
2. 鞘翅完全黑色，中缝基部1/6具黄色细毛 …… **黑斑修天牛 *S. basisuturale***
   鞘翅基部黑色，到端部逐渐变为红褐色，中缝处无黄色细毛 …… **黑修天牛 *S. atra***

（478）黑修天牛 *Stenostola atra* Gressitt，1951（图版37：2）

Stenostola atra Gressitt，1951：608，pl. 21，fig. 9.

鉴别特征：体长10.1mm，宽2.4mm。体黑色，鞘翅向后逐渐变成褐红色；跗节和胫节端部红褐色。体几乎光裸，具少量很短的白毛；腹面的白毛长一些；触角下沿有缨毛。头明显宽于前胸，触角略长于体，鞘翅在端前微膨阔，末端圆。

采集记录：1♂（正模），S. Shensi Prov.，Mei Distr.，Tai-Pai Shan，1947. Ⅷ. 23，S. T. Chang（NCHU）。

分布：陕西（太白山）。

（479）黑斑修天牛 *Stenostola basisuturale* Gressitt，1935（图版37：3）

Stenostola basisuturale Gressitt，1935b：573.

鉴别特征：体长11.0mm左右。体小型，狭长，圆筒形。体黑褐色；头部触角第2、3、4节除末端黑色外，其余呈棕色，额周围、颊、头顶、后头均被黄色细毛，其余部分为黑色；前胸背板除背中区黑色外，均被黄色细毛；小盾片全被黄色细毛；鞘翅黑色，中缝基部约1/6被黄色细毛；腹面前、中胸及后胸前侧片，腹节后缘及两侧均被黄色细毛；足胫节棕色。头部额横宽，微凸，具明显细刻点；触角基瘤平坦，左右远离；头顶浅陷，中沟细；后头背中央具细短隆脊，不达后缘，复眼下叶突出，近方形；触角约与体等长，柄节细长柱形，约为第3节长的2/3，与第4节等长，以后各节渐短。前胸较头稍狭，横宽，两侧平行，无侧刺突，背面具细刻点，中区后半部具不明显的光滑中隆脊。小盾片横宽，半圆形。鞘翅狭长，肩宽仅略胜于头宽，中部稍狭，翅端圆形，外侧缘近端部稍延展，翅面密布不规则刻点，直达翅端，薄被灰黄色细短毛。后胸前侧片狭长。第5腹节腹板最长，足细，后足第1跗节等于第2、3节之和。

采集记录：1♀，周至厚畛子，1300~1500m，2008. Ⅴ. 15-19，黄灏采；2♀，周至

厚畛子老县城村，1745m，2007. V.24，林美英采；1♂，周至厚畛子，1271m，2007. V.25，林美英采；1♀，周至厚畛子，1270～1500m，2008. Ⅶ.02，葛斯琴采；1♂，太白山蒿坪寺(NWAFU)；1♀，宁强采，1981. V.16，寄主：核桃，孙益智采(NWAFU, CO027657)；1♀，同上，没有编号(NWAFU)；2♂1♀，Lueang，1997. Ⅶ.19-27，E. Kučera (CPS)；1♀，Cun-Can，2000. V.26-Ⅵ.01，E. Kučera (CPS)。

分布：陕西(周至、略阳、太白、留坝、洋县、宁陕、宁强、华阳、紫阳)、四川。

寄主：核桃枝。

备注：本种雌虫和雄虫均单齿式，显然不是修天牛属的，但是具体该移到哪个属需更深入地研究。

(480)宝鸡修天牛 *Stenostola pallida* Gressitt, 1951(图版37:4)

Stenostola pallida Gressitt, 1951: 610, pl. 21, fig. 6.

鉴别特征：头和前胸黑色，覆盖黄色绒毛但通常额中央、前胸背板盘区2～4个圆斑和前胸侧面的1个圆斑由于缺失绒毛而形成黑斑；鞘翅黄褐色，有时候基部颜色深一些，显红褐色，鞘翅密被黄色绒毛，没有斑纹。触角褐色至黑色，通常基部2节、第3节端部和末端3节颜色更深，其余部分黄褐色、褐色、黑褐色甚至黑色。足红褐色；腹面黑色被稀疏的灰白色绒毛。

采集记录：1♀(Holotype), Tsing-sui-ho, Pao-chi Distr., S. Shensi Prov. N. China, 1947. Ⅵ.23, S. T. Chang (TARI, unexamined, 不知去向)；3♀，周至厚畛子老县城村至秦岭梁途中1745～2021m，2007. V.27，林美英采；1♂，留坝庙台子紫柏山，1596m，2012. Ⅵ.22，华谊采(Ceram-131)；1♀，宁陕火地塘林场，1538m，2007. Ⅵ.02，林美英采；1♀，宁陕，1961. Ⅶ.23(NWAFU)；1♀，Qinling Shan, 6km East of Xunyangba, 1000～1300m, 2000. V.23-Ⅵ.13, C. Holzschuh (CCH)。

分布：陕西(周至、宝鸡、留坝、宁陕)。

备注：模式标本理论上存放在台湾农业实验所，但目前找不到(李奇峰和林毓隆，个人交流，2016)。本文作者推测正模标本乃是1个黄色绒毛严重磨损的个体。根据原始文献手绘图体型把这批标本鉴定为本种。本种肯定不是修天牛属的成员，而更倾向于楔天牛属。

217. 刺楔天牛属 *Thermistis* Pascoe, 1867

Thermistis Pascoe, 1867b: 438. **Type-species**: *Lamia croceocincta* Saunders, 1839.

属征：体型中等到大型，体长14.0～32.0mm，体长略小于体宽的3.0倍。头略窄于前胸，具1条细中纵沟，额长大于宽(雄虫)或长宽约等(雌虫)，复眼深凹；触角短于或长于体长，柄节稍膨大，缺脊，第3节总是最长，第4节长于柄节。前胸背板宽大于长，两侧具锥形刺突，背面盘区具瘤突、刻点或短脊。小盾片近半圆形。鞘翅宽于前胸，肩部最宽，向后渐狭，不具侧脊，末端圆或平切或凹切。前足基节窝向后关闭或微开放，后胸前侧片前端宽于后端的2.0倍，中足胫节外侧无显著的斜凹沟，后足腿节伸达腹部第3～5可见腹板（即第5～7腹板），后足跗节第1节短于其后两节长度之和。雌虫与雄虫的爪均单齿式，全开式。

分布：东洋区。世界已知11个种，在中国均有分布，秦岭地区发现仅1种。

（481）刺楔天牛 *Thermistis croceocincta*（Saunders，1839）

Lamia croceocincta Saunders，1839：178，pl. XVI，fig. 6.

Thermistis croceocincta：Pascoe，1867b：439，note.

Thermistis apicalis Pic，1923a：14.

Thermistes croceocincta var. *rufobasalis* Pic，1950b：13.

Thermistis croceocincta m. *apicalis*：Breuning，1966b：729.

Thermistis croceocincta m. *rufovasalis*：Breuning，1966b：729.

Thermistis croceocincta apicalis：Nara & Yu，1992：133，figs. 1.6，1.7.

Thermistis croceocincta croceocincta：Löbl & Smetana，2010：332.

别名：黄带刺楔天牛。

鉴别特征：体长14.0～23.5mm。体黑色，大部分密被黄色绒毛。头黑色，额区密被黄色绒毛，触角深黑色，各节末端具白色绒毛细环。前胸背板中区具大型黑斑，一般基半部较大。小盾片黑色。鞘翅具3条黄色横带，分别位于基部小盾片之后，中部之后（斜行横带）和翅端。足黑色，腿节常被黄色绒毛。触角长于体，雄虫略长于雌虫，第3节最长。鞘翅没有纵脊，翅端微平切。

分布：陕西（凤县）、安徽、浙江、湖北、江西、湖南、福建、广东、海南、香港、广西、四川、贵州、云南；越南，泰国，印度。

寄主：*Camellia oleifera* Abel，*Cunninghamia lanceolata* Hooker，*Quercus serrata* Thunberg。

218. 竖毛天牛属 *Thyestilla* Aurivillius，1923

Thyestes Thomson，1864：116［HN］. **Type species**：*Thyestes pubescens* Thomson，1864（= *Saperda gebleri* Faldermann，1835）.

Thyestilla Aurivillius，1923：491（new name for *Thyestes* Thomson，1864）.

属征：体长形，相当粗壮，身体着生浓密的竖毛。触角中等粗，长度与体长差不多，基部数节下沿有稀疏缨毛；柄节粗短，第3节显长于柄节，第4节稍长于柄节，略长于第5节。触角基瘤平，几乎不突出。额宽大于额高。前胸背板横阔，具2条细的前、后横凹沟，侧面略圆。鞘翅长形，不具纵脊，肩部显宽于前胸，向后逐渐缩窄，端部钝圆。后胸腹板长度正常。后胸前侧片前端很宽，是前侧片后端的2.0倍。足相当长而粗壮，腿节棒状，后足腿节伸达腹部第4节(雄虫)或第3节(雌虫)；中足胫节外侧具1条斜沟；爪雌雄异型，雌虫单齿式，雄虫前、中足异齿式，即前足爪基部内侧具1个很小的瘤突，中足爪基部外侧具1个稍大的齿突，后足单齿式。雌虫腹部末节中央有1条细凹沟。

分布：亚洲。世界已知2种，中国均有分布，秦岭地区发现1种。

(482)竖毛天牛 *Thyestilla gebleri* (**Faldermann, 1835**)(图版37:5)

Saperda gebleri Faldermann, 1835: 434, pl. 5, fig. 6.

Thyestes pubescens Thomson, 1864: 116.

Thyestes gebleri: Bates, 1873d: 386.

Thyestes funebris Gahan, 1888b: 67.

Phytœcia infernalis Pic, 1904c: 17.

Thyestes gebleri var. *nigrinus* Plavilstshikov, 1915c: 109.

Thyestes gebleri var. *infernalis*: Plavilstshikov, 1921a: 111.

Thyestilla gebleri: Aurivillius, 1923: 491.

Thyestilla funebris: Aurivillius, 1923: 491.

Thyestilla gebleri var. *Funebris*: Plavilstshikov, 1931b: 200, 203.

Thyestilla Lepesmei Gilmour, 1950: 554, fig. 10.

Thyestilla gebleri m. *pubescens*: Breuning, 1952: 195, pl. V, fig. 28.

Thyestilla gebleri m. *funebris*: Breuning, 1952: 195.

Phytœcia curtipennis Pic, 1952: 5.

Thyestilla gebleri m. *subuniformis* Breuning, 1952: 195.

Thyestilla gebleri m. *transitiva* Breuning, 1952: 195.

Thyestilla gebleri ab. *Heyrovskýi* Podaný, 1953: 52.

Thyestilla curtipennis: Breuning, 1954a: 22.

Thyestilla gebleri kadowakii Fujimura, 1962: 211, pl. 13, fig. 26.

Thyestilla gebleri kadowakii: Breuning, 1966b: 723.

别名：麻竖毛天牛、麻天牛。

鉴别特征：体长8.0~16.0mm。本种体形与色彩很像1粒葵花子。体黑色，被有厚密的绒毛和相当密的竖毛。前胸背板具3条灰白色绒毛直纹，中央1条，两侧各1条。每鞘翅沿中缝及自肩部而下各有灰白色纵纹1条，前者直达端末，通过后缘弯上侧缘；后者自肩基直达端区，但不到端末。小盾片被灰白绒毛，仅两个前侧角黑色。体背面其他各处，包括头顶中区在内，绒毛色彩变异很大，从淡灰、深灰、草灰绿到棕黑色，深色个体绒毛较稀薄。触角长度与体长相仿，雄虫最长的略超过尾端，雌虫较体略短。

采集记录：2♂，凤县秦岭，1380m，1973. Ⅶ. 25，张学忠采；1♂，凤县秦岭红岭林场，1580m，1973. Ⅶ. 21，张学忠采；1♂2♀，宝鸡，1951. Ⅵ. 27；10♂11♀，太白山（NWAFU）；1♂1♀，眉县（NWAFU）；1♂，武功，1951. Ⅵ. 06；1♂1♀，武功（NWAFU）；1♂1♀，华县高塘镇东峪黄边沟，1070m，2014. Ⅶ. 07，黄正中采；2♂，华县高塘镇西峪水库公路，859m，2014. Ⅶ. 08，黄正中采；1♂，华县高塘镇东峪黄边沟，1070m，2014. Ⅶ. 07，索中毅采；2♀，留坝城关镇，991m，2012. Ⅵ. 21，李莎采（分子标本（Ceram-120）；1♂1♀，留坝庙台子，1976. Ⅵ. 29，马文珍采；1♂，留坝城关镇竹爬沟，991m，2012. Ⅵ. 21，李莎采；1♂，留坝庙台子，1976. Ⅶ. 01，马文珍采；1♂，佛坪上沙窝，2008. Ⅶ. 05，1295m，崔俊芝采；1♀，佛坪上沙窝，1100～1200m，2008. Ⅶ. 06，白明采（IOZ（E）1904753）；1♀，佛坪，950m，1998. Ⅶ. 23，姚建采；1♂，佛坪窑沟，870～1000m，1998. Ⅶ. 25，陈军采；1♀，佛坪，900m，1999. Ⅵ. 27，贺同利采；1♀，佛坪龙草坪，1256m，2008. Ⅶ. 03，葛斯琴采；5♂1♀，洋县华阳镇周边，1161m，2012. Ⅵ. 26，陈莹采；1♀，洋县长青保护区羚牛园至华阳镇，2016. Ⅵ. 29，周润采；1♂1♀，山阳城关镇权垣村石灰沟，855m，2014. Ⅵ. 29，黄正中采；山阳城关镇权垣村石灰沟，855m，2014. Ⅵ. 29，索中毅采；1♂1♀，秦岭，1973. Ⅶ. 20，张学忠采；1♂1♀，秦岭，1973. Ⅶ. 23，张学忠采；1♂，红岭林场，1580m，1973. Ⅶ. 21，张学忠采；1♂1♀，洛南石门镇陈建村，1150m，2007. Ⅵ. 05，林美英采；3♂5♀，洛南石门镇，1150m，2007. Ⅵ. 05，史宏亮、李文柱采；1♀，黄陵，1000～1400m，1963. Ⅵ. 04，毛金龙采；1♂1♀，延安（NWAFU）；1♂1♀，黄龙（NWAFU）。

分布：陕西（长安、陇县、凤县、宝鸡、太白、眉县、武功、华县、留坝、佛坪、洋县、洛南、山阳、黄陵、宜川、黄龙、延安）、黑龙江、吉林、辽宁、内蒙古、北京、河北、山西、山东、河南、宁夏、青海、江苏、安徽、浙江、湖北、江西、湖南、福建、台湾、广东、广西、四川、贵州；蒙古，俄罗斯，朝鲜，韩国，日本。

寄主：大麻，芝麻，棉花，蓟。

ⅩⅧ. 小枝天牛族 Xenoleini Lacordaire, 1872

鉴别特征（Gressitt, 1940b）：头不后缩；额近体型；复眼小眼面粗粒；触角细长；柄节粗短，末端具小瘤；前胸具侧瘤突；鞘翅平行，末端圆形；中足基节窝对中胸后侧片几乎关闭；中胸腹板突简单，逐渐倾斜；中足胫节外侧具斜沟；爪全开式。

分类：世界已知 3 属 12 种/亚种，中国记录 2 属 5 种，秦岭地区发现 1 属 1 种。

219. 多毛天牛属 *Hirtaeschopalaea* Pic, 1925

Hirtæschopalæa Pic, 1925c: 22. **Type species**: *Hirtæschopalæa albolineata* Pic, 1925.

Jezohammus Matsushita, 1933b: 347. **Type species**: *Jezohammus nubilus* Matsushita, 1933. *Hirteschopalaea* Breuning, 1950a: 271, 272, 275 [misspelling].

Yezohammus Breuning, 1950a: 271, 272, 277 [misspelling].

属征:中等大小，触角基瘤发达而靠得很近，触角长于体的2.0倍，柄节非常膨大，具端疤。前胸背板侧刺突较发达。小盾片半圆形。鞘翅基部具颗粒，末端圆形。体具有竖毛簇生。腿节膨大棒状，后足第1跗节小于其后两节长度之和。

分布:东洋区。世界已知7种，中国记录2种，秦岭地区发现1种。

(483)多毛天牛 *Hirtaeschopalaea albolineata* Pic, 1925(图版37:6)

Hirtœschopalœa albolineata Pic, 1925c: 22.

Hirteschopalaea albolineata: Breuning, 1950a: 275[misspelling].

鉴别特征:体长10.0~12.5mm。黑色，鞘翅有些部分黄褐色。触角及胸足棕黄色，腿节中部及胫节中部，触角节末端，黑褐色。体被白色绒毛及竖毛，在背方形成带纹:头顶有3条白色纵条纹，两侧条纹稍向外斜；前胸背板两侧各1条纹，分别自前缘斜向侧缘基部，中央1条纹在中部之前分成2支，分别斜向侧缘基部与侧条纹汇合；鞘翅在中后部具一宽斜横带，向前斜向肩部侧下方，并与前胸背板条纹在侧方汇合，斜带上有若干白色竖毛簇生(雄虫比雌虫发达)。体腹面被细灰白绒毛。触角比体长，第3节与第4节等长，长于柄节。复眼下叶与颊约等长；额及颊具粗刻点。前胸背板侧刺突较发达。小盾片半圆形。鞘翅基部具颗粒，基部中央有一短纵肿隆，翅面刻点细。

采集记录:1♀，周至厚畛子，1320m，1999.Ⅵ.23，章有为采(IZAS)；1♀，佛坪龙草坪，1256m，2008.Ⅶ.03，白明采；1♀，柞水营盘镇红庙河村，1110m，2007.Ⅵ.03，林美英采(IOZ(E) 1904719)。

分布:陕西(周至、武功、佛坪、柞水)、云南；越南，老挝，印度。

参考文献

Abdullah, M. and Abdullanh, A. 1966. *Saperda* Fabricius. 1775 = *Eutetrapha* Bates, 1884, Syn. N. (Coleoptera, Cerambycidae, Lamiinae), with a catalogue, new records, colour variation and a key to the species. *Proceedings of the Royal Entomological Society of London*. Series B 35, 87-94.

Agassiz, J. L. R. 1846. *Nomenclatoris zoologici index universalis, continens nomina systematica classium, ordinum, familiarum et generum animalium omnium, tam viventium quam fossilium, secundum ordinem alphabeticum unicum disposita, adjectis homonymiis plantarum, nec non variis adnotationibus et emendationibus*. Soloduri: Jent & Gassmann. viii + 383 pp.

Alonso-Zarazaga, M. A. 1998. A replacement name for *Argalia* Mulsant, 1863 (Coleoptera, Cerambycidae). *Graellsia*, 54:131.

An, S. L. and Kwon, Y. J. 1991. Classification of the Genus *Pidonia* Mulsant from Korea (Coleoptera: Cerambycidae). *Insecta Koreana*, 8:30-59, 5 figs.

Arakawa, H. Y. 1932. A new Cerambycidae and Buprestidae from South Manchuria. *Kontyû*, 6:15-19.

Audinet-Serville, J. G. A. 1832. Nouvelle classification de la famille des longicornes. *Annales de la Société Entomologique de France*, Paris (1) 1: 118-201.

Audinet-Serville, J. G. A. 1834a. Nouvelle classification de la famille des longicornes. *Annales de la Société Entomologique de France*, 2[1833]: 528-573.

Audinet-Serville, J. G. A. 1834b. Nouvelle classification de la famille des longicornes. *Annales de la Société Entomologique de France*, 3:5-110.

Audinet-Serville, J. G. A. 1835. Nouvelle classification de la famille des longicornes. *Annales de la Société Entomologique de France*, 4: 5-100.

Aurivillius, C. 1907. Neue oder wenig bekannte Coleoptera Longicornia. 9. *Arkiv för Zoologi*, 3 (18) [1906]: 93-131, figs. 35-41, 1 pl., figs. 1-9.

Aurivillius, C. 1910. Neue oder wenig bekannte Coleoptera longicornia. 11. *Arkiv för Zoologi*, 7(3): 143-186 = (1-44).

Aurivillius, C. 1911. Neue oder wenig bekannte Coleoptera Longicornia. 12. *Arkiv för Zoologi*, 7 [1911-1913] (19), 1-41 [=187-227].

Aurivillius, C. 1912. Cerambycidae: Cerambycinae. Coleopterorum Catalogus pars 39 [vol. 22]: 1-574. W. Junk & S. Schenkling, Berlin.

Aurivillius, C. 1917. Results of Dr. E. Mjöberg's Swedish Scientific Expeditions to Australia 1910-1913. 12. Cerambycidæ. *Arkiv för Zoologi*, 10 (23):1-50, 3 pls.

Aurivillius, C. 1920. Neue oder wenig bekannte Coleoptera Longicornia. 17. *Arkiv för Zoologi*, 13 [1920-1921] (9), 1-43 [=361-403].

Aurivillius, C. 1922a. Neue oder wenig bekannte Coleoptera Longicornia. 18. *Arkiv för Zoologi*, 14 [1921-1922] (18): 1-32 [=405-436].

Aurivillius, C. 1922b. Cerambycidae: Lamiinae I. Pars 73. In: Schenkling S. (ed.). Coleopterorum

Catalogus. Volumen XXIII. Cerambycidae II. Berlin: W. Junk. 322 pp.

Aurivillius, C. 1923. Cerambycidae: Lamiinae II. Pars 74. In: Schenkling S. (ed.): Coleopterorum Catalogus. Volumen XXIII. Cerambycidae II. Berlin: W. Junk, pp. 323-704.

Aurivillius, C. 1924. Neue oder wenig bekannte Coleoptera Longicornia. 19. *Arkiv för Zoologi*, 15 [1922-1924] (25), 1-43 [= 437-479].

Aurivillius, C. 1925. Neue oder wenig bekannte Coleoptera Longicornia. 20. *Arkiv för Zoologi*, 17A (12), 1-21 [=481-501], 7 figs.

Aurivillius, C. 1926. Neue oder wenig bekannte Coleoptera Longicornia. 21. *Arkiv för Zoologi*, 18A(9), 1-22.

Aurivillius, C. 1927. Neue oder wenig bekannte Coleoptera Longicornia. 23. *Arkiv för Zoologi*, 19A (23): 549-589, 25 figs.

Aurivillius, C. 1928a. Cerambycider från Kamtschatka, (Entom. Ergeb. der schwedischen Kamtschatka-Exped. 1920-1922, n:o 17a.) insamlade av R. Malaise. *Entomologisk Tidskrift*, Stockholm 49 (1): 41-44, 2 figs.

Aurivillius, C. 1928b. Revision of the Philippine species of the Clytini (Coleoptera, Longicornia). *The Philippine Journal of Science*, 36: 307-325, 1pl.

Aurivillius, C. 1928c. Neue oder wenig bekannte Coleoptera Longicornia 23. *Arkiv för Zoologi*, 19A (23) [1927]: 1-41.

Baeckmann, J. N. 1924. Zur Kenntnis der Cerambyciden Ostsibiriens. *Russkoe Entomologicheskoe Obozrenie*, 18 [1922-1924]: 229-234.

Bates, H. W. 1863. XI. Contributions to an Insect Fauna of the Amazon Valley. Coleoptera: Longicornes. *The Annals and Magazine of Natural History*, *London*, (3) 12: 100-109.

Bates, H. W. 1866. On a Collection of Coleoptera from Formosa, sent home by R. Swinhoe, Esq., H. B. M. Consul, Formosa. *The Proceedings of the Scientific Meetings of the Zoological Society of London*, 44[1866]: 350-380.

Bates, H. W. 1870a. XVI. Contributions to an Insect Fauna of the Amazon Valley (Coleoptera, Cerambycidæ). *The Transactions of the Entomological Society of London*, 1870, (part III): 243-335.

Bates, H. W. 1870b. XIX. Contributions to an Insect Fauna of the Amazon Valley (Coleoptera, Cerambycidæ). *The Transactions of the Entomological Society of London*, 1870, (part IV): 391-444.

Bates, H. W. 1873a. On the longicorn Coleoptera of Japan. *The Annals and Magazine of Natural History*, (4) 12 (68), 148-156

Bates, H. W. 1873b. On the longicorn Coleoptera of Japan. *The Annals and Magazine of Natural History*, (4) 12(69): 193-201.

Bates, H. W. 1873c. On the longicorn Coleoptera of Japan. *The Annals and Magazine of Natural History*, (4) 12 (70): 308-318.

Bates, H. W. 1873d. On the longicorn Coleoptera of Japan. *The Annals and Magazine of Natural History*, (4) 12(71): 380-390.

Bates, H. W. 1878. New genera and species of longicorn Coleoptera. *The Entomologist's Monthly Magazine*, London, 14: 272-274.

Bates, H. W. 1879. New genera and species of Callichrominae (Col., Longicornia). *Cistulae Entomologicae*, 2: 395-419.

Bates, H. W. 1884. Longicorn beetles of Japan. Additions, chiefly from the later collections of Mr. George Lewis; and notes on the synonymy, distribution, and habits on the previously known species. *The Journal of the Linnean Society of London. Zoology*, 18: 205-262, pls 1-2.

Bates, H. W. 1888. On a collection of Coleoptera from Korea (Tribe Geodephaga, Lamellicornia, and Longicornia), made by Mr. J. H. Leech, F. Z. S. *Proceedings of the Scientific Meetings of the Zoological Society of London*, (25-26): 378-380.

Bates, H. W. 1890. Coleoptera collected by Mr. Pratt on the Upper Yang-Tsze, and on the borders of Thibet. *The Entomologist*, 23:244-247.

Bates, H. W. 1891. Coleoptera from Kulu in N. W. India. The Entomologist 24(Suppl.): 7-28.

Bedel, L. E. M. 1889. Faune des Coléoptères du Bassin de la Seine. Sous-Ordre. Phytophaga. *Société Entomologique de France*, [Publication Hors Série] 5: 1-104.

Bedel, L. E. M. 1894. Recherches sur la synonymie des coléoptères de l'ancien monde. Abeille, *Journal d'Entomologie*, 28: 150-156.

Bedel, L. E. M. 1906. Synonymes de Coléoptères paléarctiques. *Bulletin de la Société Entomologique de France*, Paris, 1906: 91-93.

Bentanachs, J. 2012a. Revisión del género *Polyzonus* Dejean, 1835 y géneros afines (Coleoptera, Cerambycidae, Callichromatini). *Les Cahiers Magellanes*, (NS 8):1-100.

Bentanachs, J. 2012b. Catalogue des Callichromatini de la région paléarctique et orientale (Coleoptera, Cerambycidae, Cerambycinae, Callichromatini). *Les Cahiers Magellanes*, (NS) 10:26-106.

Bethune, C. J. S. 1872. Insects of the northern parts of British America. From Kirby's Fauna Boreali-Americana: Insecta. *The Canadian Entomologist*, Ontario, 4(3):52-57.

Bi, W.-X. and Lin, M.-Y. 2013. Description of a new species of *Distenia* (Coleoptera, Disteniidae, Disteniini) from Southeastern China, with records and diagnoses of similar species. *ZooKeys*, 275: 77-89. doi: 10.3897/zookeys.275.4700

Bi, W.-X. and Ohbayashi, N. 2015. A New Synonym of the Genus *Anoplophora* Hope, 1839, and Description of a New Species from Yunnan, China (Coleoptera: Cerambycidae: Lamiinae). *Japanese Journal of Systematic Entomology*, 21 (2):291-296.

Binder, K. 1915. *Rhopalopus* (nov. Subg. *Calliopedia*) *Reitteri* nov. sp. Wiener Entomologische Zeitung 34, 186.

Bíý, S. and Mehl, O. 1989. Longhorn Beetles (Coleoptera, Cerambycidae) of Fennoscandia and Denmark. *Fauna Entomologica Scandinavica*, 22: 1-203, 9 pls. E. J. Brill/Scandinavian Science Press Ltd.

Bjørnstad, A. 2013. Studies in Afrotropical Sestyrini (Coleoptera, Cerambycidae, Cerambycinae). I. Revision of the African members of the genus *Dere* White, 1855 with description of new species. *Norwegian Journal of Entomology*, 60(2)L: 246-282, 20 figs.

Blanchard, C. É. 1841. *Planches* 67 *and* 68. *In: Audouin. J. V., Blanchard, E., Doyère, L. & Milne Edwards, H. Le règne animal distribué d'après son organisation, pour servir de baseàl'histoire naturelle des animaux, et d'introductionà l'anatomie comparée, par Georges Cuvier. Edition accompagnée de planches gravées, représentant les types de tous les genres, les caractères distinctifs des divers groupes et les modifications de structure sur lesquelles repose cette classification; par une réunion de disciples de Cuvier. Les insectes. Avec un atlas. Myriapodes, thysanoures, parasites, suceurs et coléoptères.* Atlas ; [I]. Fortin,

Masson et Cie, Paris.

Blanchard, C. É. 1843. *Planches* 65-66. *In*: *Audouin, J. V., Blanchard, E., Doyère, L. & Milne Edwards, H. Le règne animal distribué d'après son organisation.* Atlas ; [I]. Fortin, Masson et Cie, Paris.

Blanchard, C. É. 1845. *Histoire des insectes, traitant de leur moeurs et de leurs métamorphoses en général et comprenant une nouvelle classification fondée sur leurs rapports naturels.* Tome premier. Paris: Firmin Didot frères, v + 398 pp., pls. 1-10; Tome deuxième: 524 pp., pls. 11-20.

Blanchard, C. É. 1853. Insectes. In: Hombron J. B. & Jacquinot R. (eds.): *Atlas d'histoire naturelle. Zoologie. In*: *Voyage au Pôle Sud et dans l'Océanie sur les corvettes l'Astrolabe et la Zélée, executé par l'ordre du Roi pendent les années* 1837-1838-1839-1840 *sous le commandement de M. J. Dumont-d'Urville, capitaine de vaisseau.* Tome quatrième. Paris: Gide et J. Baudry. [5] + 422 pp., 20 pls. [plates issued in 1847].

Blanchard, C. É. 1871. Remarques sur la faune de la principauté thibétaine du Mou-pin. *Comptes Rendus de l'Académie des Sciences de Paris*, 72: 807-813.

Blessig, C. 1872. Zur Kenntniss der Käferfauna Süd-Ost-Sibiriens insbesondere des Amur-Landes. Longicornia. *Horae Entomologicae Rossicae*, St. Petersbourg, 9(2):161-192.

Blessig, C. 1873. Zur Kenntnis der Käferfauna Süd-Ost-Sibiriens insbesondere des Amur-Landes. Longicornia. *Horae Societatis Entomologicae Rossicae*, St. Petersbourg, 9(3)[1872]:193-260, pls. Ⅶ, Ⅷ.

Bodemeyer, B. von. 1927. *Ueber meine entomologischen Reisen nach Kleinasien* (1911), *Ost-Sibirien, Schilka und Amur* (1912), *Tunis, Oasis Gafsa, Khroumerie* (1913) *und Iran, das Elbursgebirge* (1914). Bd. Ⅳ. Iran, das Elbursgebirge. Stuttgart: Alfred Kernen Verlag. 96 pp., 1 pl.

Boppe, P. L. 1921. Genera Insectorum. Coleoptera Longicornia fam. Cerambycidæ: subfam. Disteniinæ-Lepturinæ. Bruxelles, P. Wytsman 178: 1-119, 8 pls.

Bousquet, Y. 2008. Nomenclatural and Bibliographic Notes on Cerambycidae (Coleoptera). *The Coleopterists' Bulletin*, 61 (4): 616-631.

Bousquet, Y., Heffern, D. J., Bouchard, P. and Nearns, E. H. 2009. Catalogue of family-group names in Cerambycidae (Coleoptera). *Zootaxa*, 2321: 1-80.

Bouchard, P., Bousquet, Y., Davies, A. E., Alonso-Zarazaga, M. A., Lawrence, J. F., Lyal, C. H. C., Newton, A. F., Reid, C. A. M., Schmitt, M., Ślipiński, A. and Smith, A. B. T. 2011. Family-group names in Coleoptera (Insecta). *ZooKeys*, 88: 1-972. doi: 10.3897/zookeys.88.807.

Brahm, N. J. 1790. *Insektenkalender für Sammler und Oekonomen. Erster Theil. Mainz: Kurfürstl. Privil. Universitätsbuchhandlung.* xcii + 248 pp.

Breuning, S. 1935a. Novae species Cerambycidarum. Ⅳ. *Folia Zoologica et Hydrobiologica*, 8: 251-276.

Breuning, S. 1935b. Novae species Cerambycidarum. Ⅲ. *Folia Zoologica et Hydrobiologica*, 8: 51-71.

Breuning, S. 1935c. Description d'un nouveau Longicorne. *Bollettino della SocietàEntomologica Italiana*, Firenze, 67 (5-6):76-77.

Breuning, S. 1938a. Nouveaux Cerambycidae (Col.). *Novitates Entomologicae*, 9:30-63.

Breuning, S. 1938b. Novae species Cerambycidarum. Ⅵ. Festschrift zum 60. *Geburtstag von Prof. Dr.*

Embrik Strand (*Riga*), 4 [1937]:180-392.

Breuning, S. 1939a. Études sur les Lamiaires: Huitième tribu: Mesosini Thomson (Col., Cerambycidae). *Novitates Entomologicœ* Troisième Supplément:365-526.

Breuning, S. 1939b. Novae species Cerambycidarum. Ⅶ. Festschrift zum 60. *Geburtstag von Prof. Dr. Embrik Strand* (*Riga*), 5: 144-290.

Breuning, S. 1940. Études sur les Lamiaires (Coléop. Cerambycidæ). Neuvième Tribu: Dorcaschematini Thoms. *Novitates Entomologicœ*, 3ème supplément (67-71): 527-568, figs. 522-582.

Breuning, S. 1942. Études sur les Lamiaires (Coleop. Cerambycidæ). Onzième tribu: Phrissomini Lac. *Novitates Entomologicœ*, 3ème supplément (84-88):102-136.

Breuning, S. 1943a. Nouveaux cérambycides paléarctiques (1re note). *Miscellanea Entomologica*, 40: 89-104.

Breuning, S. 1943b. Études sur les lamiaires: Douzième tribu: Agniini Thomson. *Novitates Entomologicae*, 3 Suppl.:137-280.

Breuning, S. 1944. Études sur les lamiaires: Douzième tribu: Agniini Thomson. *Novitates Entomologicae*, 3 Suppl.: 281-512. [note: Index, pp. 513-523 issued in 1945]

Breuning, S. 1947a. Nouvelles formes de longicornes du Musée de Stockholm. *Arkiv för Zoologi*, 39 A (6):1-68.

Breuning, S. 1947b. Quelques nouvelles formes des genres *Nupserha* Thomson, Oberea Mulsant, *Conizonia* Fairmaire et *Phytoecia* Mulsant. *Miscellanea Entomologica*, 44:57-61.

Breuning, S. 1947c. Nouveaux cérambycides paléarctiques (Col.) (4e notes). *Miscellanea Entomologica*, 43 [1946]:41-149.

Breuning, S. 1948a. Nouvelles formes de lamiaires (1re partie). *Bulletin du Musée Royal d'Histoire Naturelle de Belgique*, 24 (38):1-44.

Breuning, S. 1948b. Nouveaux cerambycides paléarctique (Coll. [sic]). (6e note). *Miscellanea Entomologica*, 45: 119-121.

Breuning, S. 1949a. Entomological results form the Swedish Expedition 1934 to Burma and British India. Coleoptera: Cerambycidae Lamiinae recueillis par René Malaise. *Arkiv för Zoologi*, 42 A (15): 1-21.

Breuning, S. 1949b. Notes systématiques sur les lamiaires (Coleoptera Cerambycidae). *Bulletin de l'Institut Royal des Sciences Naturelles de Belgique*, 25 (38):1-32.

Breuning, S. 1950a. Révision des Xenoleini. Pp. 271-278. In: Lepesme P. (ed.): *Longicornia, Études et notes sur les longicornes.* Volume 1. Paul Lechevalier, Paris. 603 pp.

Breuning, S. 1950b. Révision des Homonoeini. Pp. 317-377. In: Lepesme P. (ed.): *Longicornia, Études et notes sur les longicornes.* Volume 1. Paul Lechevalier, Paris. 603 pp.

Breuning, S. 1951. Revision du genre *Phytoecia* Mulsant (Col. Cerambycidae). *Entomologische Arbeiten aus dem Museum G. Frey*, 2:1-103, 353-460.

Breuning, S. 1952. Revision einiger Gattungen aus der Gruppe der Saperdini Muls. (Col. Cerambycidae). *Entomologische Arbeiten aus dem Museum G. Frey*, 3 (1): 107-213, 3 pls.

Breuning, S. 1953. Nouvelles formes de lamiaires (quatrième partie). *Bulletin Institut Royal des Sciences Naturelles de Belgique*, 29 (8):1-38.

Breuning, S. 1954a. Nouvelles formes de Lamiaires, (septième partie), *Bulletin de l'Institut Royal des Sciences Naturelles de Belgique*, *Bruxelles*, 30 (41):1-24, 3 figs.

Breuning, S. 1954b. Revision von 35 Gattungen der Gruppe der Saperdini Mulsant (Col., Cerambycidae). *Entomologische Arbeiten aus dem Museum G. Frey*, 5:401-567.

Breuning, S. 1955a. Lamiaires nouveaux de la collection du Museo Civico di Storia Naturale-Genova (Coleoptera, Cerambycidae). *Annali del Museo Civico di Storia Naturale Giacomo Doria, Genova*, 68: 40-44.

Breuning, S. 1955b. Zwei neue ostasiatische Lamiiden aus dem Museum Frey. *Entomologische Arbeiten aus dem Museum G. Frey*, 6:658.

Breuning, S. 1956a. Révision des "Astathini". *Longicornia*, 3:417-519.

Breuning, S. 1956b. Revision der Gattung *Glenea* Newm. (1. Fortsetzung). *Entomologische Arbeiten aus dem Museum G. Frey*, 7: 671-893.

Breuning, S. 1956c. Revision der Gattung *Glenea* Newm. *Entomologische Arbeiten aus dem Museum G. Frey*, 7:1-199.

Breuning, S. 1956d. Nouveaux lamiaires du Riksmuseum (Coleoptera, Cerambycidae). *Arkiv för Zoologii* (A. S.), 9:355-361.

Breuning, S. 1957a: Révision du genre *Xystrocera* Serv. (Coleoptera, Cerambycidae). Bulletin de l'Institut Français d'Afrique Noire, 19:1223-1271.

Breuning, S. 1957b. *Insectes Coléoptères Cerambycidae Lamiinae. Faune de Madagascar* 4. Publications de l'Institut de Recherche Scientifique Tananarive-Tsimbazaza, 401pp, 124 figs.

Breuning, S. 1957c. Revision du genre *Eunidia* Erichson. *Annales du Musée Royal du Congo Belge* (Sciences Zoologique), 53:1-123 pp.

Breuning, S. 1958a. Nouvelles formes de lamiaires (dixième partie). *Bulletin de l'Institut Royal des Sciences Naturelles de Belgique*, 34 (22):1-47.

Breuning, S. 1958b. Revision du genre *Exocentrus* Mulsant (Col., Cerambycidae). *Bulletin of the British Museum (Natural History) Entomology*, 7 (5):211-328.

Breuning, S. 1958c. Nouveaux Lamiaires du Muséum national d'Histoire naturelle (3e note) [Col. Cerambycidae], *Bulletin de la Société Entomologique de France*, Paris, 62 [1957]: 261-270, 6 figs.

Breuning, S. 1958d. Bemerkungen zu einigen Lamiiden des Deutschen Entomologischen Instituts (Coleoptera: Cerambycidae). *Beiträge zur Entomologie*, 8:491-494.

Breuning, S. 1959. Nouvelles formes de Lamiaires (onzième partie). *Bulletin de l'Institut Royal des Sciences Naturelles de Belgique, Bruxelles*, 35 (6):1-14, 6 figs.

Breuning, S. 1960a. Révision des espèces asiatiques du genre *Nupserha* Thomson (Col., Cerambycidae). *Bulletin de l'Institut Royal des Sciences Naturelles de Belgique*, 36 (10):1-62.

Breuning, S. 1960b. Révision systématique des espèces du genre *Oberea* Mulsant du globe (Col., Cerambycidae). (1ème partie). *Frustula Entomologica*, 3:1-60.

Breuning, S. 1960c. Catalogue des Lamiaires du Monde (Col., Céramb.) 3. Lieferung. Tutzing: Museum G. Frey, pp. 109-182.

Breuning, S. 1960d. Nouvelles formes de Lamiaires (douzième partie). *Bulletin de l'Institut Royal des Sciences Naturelles de Belgique*, 36 (7): 1-30.

Breuning, S. 1961a. Nouvelles formes de lamiaires (treizième partie). *Bulletin de l'Institut Royal des Sciences Naturelles de Belgique*, 37 (20): 1-44.

Breuning, S. 1961b. Catalogue des lamiaires du Monde (Col., Céramb.) 4. Lieferung. Tutzing: Museum G. Frey, pp. 183-284.

Breuning, S. 1961c. Cataloque des lamiaires du Monde (Col., Céramb.) 5. Lieferung. Tutzing: Museum G. Frey, pp. 287-382.

Breuning, S. 1961d. Neue Cerambyciden aus den Sammlungen des zoologischen Museums der Humboldt-Universität zu Berlin (Coleoptera, Cerambycidae). *Mitteilungen aus dem Zoologischen Museum in Berlin*, 37 (2):297-328, 8 figs.

Breuning, S. 1962a. Revision der Dorcadionini (Coleoptera, Cerambycidae). *Entomologische Abhandlungen und Berichte aus dem Staatlichen Museum für Tierkunde in Dresden*, 27:1-665.

Breuning, S. 1962b. Révision systématique des espèces du genre *Oberea* Mulsant du globe (Coleoptera, Cerambycidae). *Frustula Entomologica*, Pisa 4 (4) [1961] : 61-140, 5 figs.

Breuning, S. 1962c. Revision systématique des espèces du genre *Oberea* Mulsant du globe (Col., Cerambycidae). (3ème partie). *Frustula Entomologica*, 5:141-232 + vi.

Breuning, S. 1962d. Contributionà la connaissance des Lamiens du Laos Coll. Céramb (Coll. Céramb.) Deuxième Partie. *Bulletin de la Société Royale des Sciences Naturelles du Laos*, 3: 7-10, 5 figs.

Breuning, S. 1965a. Contribution àla connaissance des Lamiens du Laos (Coll. Ceramb.) 12ème Partie. *Bulletin de la Société Royale des Sciences Naturelles du Laos*, 13[1964]:41-54, 13 figs.

Breuning, S. 1965b. Revision der 35. Gattung der Pteropliini der asiatischen Region (Col. Cerambycidae). *Entomologische Arbeiten aus dem Museum G. Frey*, Tutzing bei München , 16:161-472.

Breuning, S. 1966a. Nouvelles formes de lamiaires (dix- septième partie). *Bulletin de l'Institut Royal des Sciences Naturelles de Belgique*, 42 (21): 1-22.

Breuning, S. 1966b. Catalogue des Lamiaires du monde (Col. Céramb.). 9. Lieferung. Tutzing: Museum G. Frey, pp. 659-765.

Breuning, S. 1967a. Description d'une espèce et de quatre variétés nouvelles de Saperdini de ma collection (Col. Cerambycidae). *Bulletin de la Société Entomologique de Mulhouse*, 1967: 40.

Breuning, S. 1967b. Catalogue des Lamiaires du Monde (Col. Céramb.). Verlag des Museums G. Frey, Tutzing bei München (10), 771-832 + Index Tribus, Genera, Subgenera 833-864.

Breuning, S. 1968. Contribution à la connaissance des Lamiens du Laos (Coll. Céramb.) 15ème partie et fin. *Bulletin de la Société Royale des Sciences Naturelles du Laos*, 16: 3-44 + corrigenda, 9 figs.

Breuning, S. 1971. Quelques rectifications systématiques sur les lamiaires (Col. Cerambycidae). *Bulletin de la Société Entomologique de Mulhouse*, 1971:77-78.

Breuning, S. 1974. Neue Arten und Gattungen von Lamiinen (Coleoptera, Cerambycidae). *Mitteilungen aus dem Zoologischen Museum in Berlin*, 50 (1):149-165.

Breuning, S. 1975a. Révision de la tribu des Rhodopinini Gress. de la région asiato- australienne (Coleoptera, Cerambycidae) (première partie). *Edition Sciences Nat*, *Paris*, 1975: 1-70.

Breuning, S. 1975b. Révision de la tribu des Pogonocherini (Coleoptera: Cerambycidae). *Folia Entomologica Hungarica* (N. S.), 28: 9-53.

Breuning, S. 1978. Révision de la tribu des Acanthocinini de la région asiato- australienne (Col., Cerambycidae). (Troisième partie). *Mitteilungen aus dem Zoologischen Museum in Berlin*, 54: 3-78.

Breuning, S., Itzinger, K. 1943. Cerambicidi birmani del Museo di Milano. *Atti della Società Italiana di Scienze Naturali e del Museo Civico di Storia Naturale in Milano*, 82: 36-54, 2 figs., pl. I.

Brongniart, C. 1891. Collection d'Insectes formée dans l'Indo- Chine par M. Pavie Consul de France au

Cambodge. Coléoptères - Longicornes. *Nouvelles Archives du Muséum d'Histoire Naturelle de Paris*, 3 (3): 237-254.

Bruch, C. 1912. Catalogo sistematico de los Coleopteros de la Republica Argentina. Pars viii. Cerambycidae. *Revista del Museo de La Plata*, 18: 179-226.

Brustel, H., Berger, P. and Cocquempot, C. 2003. Catalogue des Vesperidae et des Cerambycidae de la faune de France (Coleoptera). *Annales de la Société Entomologique de France*, Paris (N. S.), 38 (4) [2002]: 443-461.

Casey, T. L. 1912. Studies in the longicornia of North America, Pp. 215-376. *Memoirs on the Coleoptera* 3. Lancaster: New Era Printing Company. 386 pp.

Casey, T. L. 1913. Ⅱ - Further Studies among the American Longicornia. *Memoirs on the Coleoptera*, Lancaster 4: 193-388.

Casey, T. L. 1924. Ⅰ - Additions to the known Coleoptera of North America. *Memoirs on the Coleoptera*, Lancaster 11: 1-347.

Chauvelier, C. 2003. Contributionàun supplément au Catalogue des Coléoptères de l'Ile-de-France Ⅶ (Cerambycidae). Le Coléoptériste, *Bulletin de liaison de l'Acorep*, 6 (2): 38.

Chemsak, J. A. 1964. Type Species of Generic Names Applied to North American Lepturinae (Coleoptera: Cerambycidae). *The Pan-Pacific Entomologist*, *San Francisco*, 40 (4): 231-237.

Chen, L. 2005. Coleoptera: Cerambycidae. Pp. 242-252. In: Jin Daochao & Li Zizhong (eds.) 2005. Insects from Xishui Landscape. Guiyang: Guizhou Science and Technology Publishing House, 616pp. [陈力. 2005. 鞘翅目:天牛科 :242-252. 见: 金道超 & 李子忠 (主编). 2005. 习水景观昆虫. 贵阳: 贵州科技出版社, 616 页.]

Chen, S.-X., Xie, Y.-Z. and Deng, G.-F. 1959. Economic Insect Fauna of China vol. I, Coleoptera: Cerambycidae. Beijing: Science Press, 120pp. [陈世骧, 谢蕴贞, 邓国藩. 1959. 中国经济昆虫志: 第一册. 鞘翅目: 天牛科. 北京: 科学出版社, 120 页.]

Chevrolat, L. A. A. 1835. *Olenecamptus serratus*. *Magasin de Zoologie*, 5, No. 134, pl. 134.

Chevrolat, L. A. A. 1845. Description de dix coléoptères de Chine, des environs de Macao, et provenant d'une acquisition faite chez M. Parsudaki, marchand naturalisteà Paris. *Revue Zoologique*, *par la Société Cuvierienne*, 8: 95-99.

Chevrolat, L. A. A. 1852. Description de coléoptères nouveaux. *Revue et Magasin de Zoologie Pure et Appliquée*, (2) 4: 414-424.

Chevrolat, L. A. A. 1855. Description de seize espèces de longicornes du Vieux Calabar, à la côte occidentale d'Afrique. (Suite). *Revue et Magasin de Zoologie Pure et Appliquée*, (2) 7: 282-290.

Chevrolat, L. A. A. 1858. Description de longicornes nouveaux du vieux Calabar, côte occidentale d'Afrique. *Revue et Magasin de Zoologie*, Paris (2) 10: 348-358.

Chevrolat, L. A. A. 1860a. [new taxa]. In: Mélanges et nouvelles. *Revue et Magasin de Zoologie Pure et Appliquée*, (2) 12: 95-96.

Chevrolat, L. A. A. 1860b. Description d'espèces de Clytus propres au Mexique. *Annales de la Société Entomologique de France*, (3) 8: 451-504.

Chevrolat, L. A. A. 1863. Clytides d'Asie et d'Océanie. *Mémoires de la Société Royale des Sciences de Liège*, 18(4): 253-350.

Chevrolat, L. A. A. 1882. Espèces nouvelles de Longicornes européens et circa-méditerranéens et Remarques diverses. *Annales de la Société Entomologique de France*, *Paris*, 6(2): 57-64.

Chiang, S.-N. 1942. The Longi-corn beetles of Kwangsi (Coleoptera: Cerambycidae). *Lingnan Science Journal*, 20: 253-259.

Chiang, S.-N. 1951. Longicorn beetles of Kwangsi and Kweichow provinces of China. *Peking Natural History Bulletin*, 20: 1-100.

Chiang, S.-N. 1981. New longicorn beetles from China. *Acta Entomologica Sinica*, 24(1): 78-84.

Chiang, S.-N. 1982. [new taxa]. In: Zhou Y. S, 1982. Longicorn beetles of Henan Province (Coleoptera: Cerambycidae). *Acta of Henan Agricultural College*, 16 (1): 33-44, 106 figs.

Chiang, S.-N., Pu, F. J. and Hua, L. Z. 1985, *Economic insect fauna of China Vol. XXXV Coleoptera: Cerambycidae (Third)*. Beijing: Science Press, 189 pp. [蒋书楠，蒲富基，华立中. 1985. 中国经济昆虫志：第三十五册. 鞘翅目：天牛科（三）. 北京：科学出版社，189 页.]

Chiang, S. N. and Wu, W.-W. 1987. New Disteniid beetles from China (Coleoptera: Disteniidae). *Entomotaxonomia*, 9 (1): 17-28, 15 figs.

Chou, W.-I. and Ohbayashi, N. 2007. Notes on the Genera *Sinostrangalis and Metastrangalis* (Coleoptera, Cerambycidae) [Studies on the Taiwanese Lepturinae, I]. *The Japanese Journal of Systematic Entomology*, 13 (2): 225-240, 68 figs.

Cotes, E. C. 1889. Entomology Notes. *Indian Museum Notes*, 1: 83-124.

Csiki, E. 1931. Cerambycidarum species nova europaea. Annales Historico Naturales Musei Nationalis Hungarici 27(1930-31): 278.

Curtis, J. 1824. *British entomology; being illustrations and descriptions of the genera of insects found in Great Britain and Ireland: containing coloured figures from nature of the most rare and beautiful species, and in many instances of the plants upon which they are found. Vol.* 1. London: J. Curtis, [10] pp., pls 1-50.

Curtis, J. 1825. *British entomology; being illustrations and descriptions of the genera of insects found in Great Britain & Ireland: containing coloured figures from nature of the most rare and beautiful species, & in many instances of the plants upon which they are found.* Vol. Ⅱ. London: J. Curtis, pls 51-98.

Curtis, J. 1828. *British entomology; being illustrations and descriptions of the genera of insects found in Great Britain and Ireland: containing coloured figures from nature of the most rare and beautiful species, and in many instances of the plants upon which they are found. Vol. V.* London: J. Curtis, pls. 195-241.

Curtis, J. 1831. *British entomology; being illustrations and descriptions of the genera of insects found in Great Britain & Ireland: containing coloured figures from nature of the most rare and beautiful species, & in many instances of the plants upon which they are found. Vol. Ⅷ.* London: J. Curtis, [8] pp., pls 338-383.

Dalman, J. W. 1817. [new taxa]. In: Schönherr C. J.: *Synonymia Insectorum, oder Versuch einer Synonymie aller bisher bekannten Insekten; nach Fabricii Systema Eleutheratorum etc. geordnet. Erster Band. Eleutherata oder Käfer.* Tom 1. Dritter Theil. Hispa. Molorchus. Upsala: Em. Bruzelius, xi + 506 pp. Appendix: Descriptiones novarum specierum. 266 pp.

Danilevsky, M. L. 1988. New and little-known species of longicorn beetles (Coleoptera, Cerambycidae) from the Far East. *Zoologicheskii Zhurnal*, 67(3): 367-374.

Danilevsky, M. L. 1993a. New and little known species of Cerambycidae (Coleoptera) from Korea. *Lam-*

billionea, 93 (4): 475-479, 4 figs.

Danilevsky, M. L. 1993b. New species of Cerambycidae (Coleoptera) from East Asia with some new records. *Annales Historico-Naturales Musei Nationalis Hungarici*, 84 [1992]: 111-116.

Danilevsky, M. L. 1997. [new taxa]. In: Althoff, J. Danilevsky, M. L. 1997: *Seznam kozli čev (Coleoptera, Cerambycoidea) Evrope. A check-list of longicorn beetles (Coleoptera, Cerambycoidea) of Europe.* Ljubljana: Slovensko Entomološko Društvo Štefana Michielija. 64 pp.

Danilevsky, M. L. 2007. Revision of the genus *Eodorcadion* Breuning, 1947 (Coleoptera, Cerambycidae). *Collection systématique*, Vol. 16, Magellanes, 227 + [3] pp.

Danilevsky, M. L. 2010a. New Acts and Comments. Cerambycidae, pp. 43-49. - In Löbl I. & Smetana A. (ed.): *Catalogue of Palaearctic Coleoptera*, Vol. 6. Stenstrup: Apollo Books. 924pp

Danilevsky, M. L. 2010b. Additions and corrections to the new Catalogue of Palaearctic Cerambycidae (Coleoptera) edited by I. Löbl and A. Smetana, 2010. *Russian Entomological Journal*, 19(3): 215-239.

Danilevsky, M. L. 2011a. A new species of genus *Aegosoma* Audinet-Serville, 1832 (Coleoptera, Cerambycidae) from the Russian Far East with the notes on allied species. *Far Eastern Entomologist*, 238: 1-10.

Danilevsky, M. L. 2011b. Additions and corrections to the new Catalogue of Palaearctic Cerambycidae (Coleoptera) edited by I. Löbl and A. Smetana, 2010. Part. Ⅱ. *Russian Entomological Journal*, 19 [2010], 4: 313-324.

Danilevsky, M. L. 2011c. *Molorchus (Nathrioglaphyra) smetanai* sp. nov. (Coleoptera: Cerambycidae) from South China. *Studies and reports of District Museum Prague-East.* Taxonomical Series, 7(1-2): 105-108.

Danilevsky, M. L. 2012a. Additions and corrections to the new Catalogue of Palaearctic Cerambycidae (Coleoptera) edited by I. Löbl and A. Smetana, 2010. Part. Ⅲ. *Munis Entomology & Zoology*, 7 (1): 109-173.

Danilevsky, M. L. 2012b. Additions and corrections to the new Catalogue of Palaearctic Cerambycidae (Coleoptera) edited by I. Löbl and A. Smetana, 2010. Part. Ⅳ. - *Humanity Space International Almanac*, 1(1): 86-136.

Danilevsky, M. L. 2012c. Additions and corrections to the new Catalogue of Palaearctic Cerambycidae (Coleoptera) edited by I. Löbl and A. Smetana, 2010. Part. Ⅴ. - *Humanity Space International Almanac*, 1(3): 695-741.

Danilevsky, M. L. 2012d. New Chinese Purpuricenus Dejean, 1821 (Coleoptera, Cerambycidae) close to P. temminckii Guérin-Méneville, 1844 group of species. *Humanity space International Almanac*, 1 (Supplement 1): 8-28, 39 figs.

Danilevsky, M. L. 2013a. Additions and corrections to the new Catalogue of Palaearctic Cerambycidae (Coleoptera) edited by I. Löbl and A. Smetana, 2010. Part. Ⅶ. *Humanity space International almanac*, 2 (1): 170-210.

Danilevsky, M. L. 2013b. Six new Longicorn (Coleoptera, Cerambycidae) taxa from Russia and adjacent countries. *Humanity space International Almanac*, 2 (supplement 2): 28-41, 18 figs.

Danilevsky, M. L. 2014a. Two new Cerambycidae (Coleoptera) taxa from Russian Far East. *Humanity space International Almanac*, 3 (4): 662-669, 12 figs.

Danilevsky, M. L. 2014b. *Longicorn beetles (Coleoptera, Cerambycoidea) of Russia and adjacent countries. Part* 1. Moscow: Higher School Consulting 1: 1-518, 36 pls.

Danilevsky, M. L. and Lin, M. Y. 2012. A contribution to the study of China Dorcadionini (Coleoptera, Cerambycidae). Part 2. *Humanity space International almanac*, 1(Supplement 4): 20-35.

Dauber, D. and Hawkeswood, T. J. 1993. Description of a new species of *Xylotrechus* Chevrolat, and notes on the synonymy of some other *Xylotrechus* species (Coleoptera: Cerambycidae: Cerambycinae). *Giornale Italiano di Entomologia*, 6:195-198.

de Geer, C. 1775. *Mémoires pour servir à l'histoire des insectes.* Stockholm, Imprimerie Pierre Hesselberg 5: v + 448 pp., 16 pls.

Delahaye, N. and Santos-Silva, A. 2016. Nouveau genre et nouvelle espèce de Callipogonini du Pérou. *Les Cahiers Magellanes* (NS), 24: 1-4, 2 figs.

Dejean, P. F. M. A. 1821. *Catalogue des coléoptères de la collection de M. le Baron Dejean.* Paris: Crevot, viii + 136 pp.

Dejean, P. F. M. A. 1835. *Catalogue des Coléoptères de la Collection de M. le Comte Dejean.* Méquignon-Marvis Père & Fils, Paris, 2ème edition, livraison 4: 257-360.

Dejean, P. F. M. A. 1837. *Catalogue des Coléoptères de la collection de M. le Comte Dejean.* Méquignon-Marvis Père & Fils, Paris. 3ème édition, revue, corrigée et augmentée: i-xiv + 1-503.

Desbrochers, d. L. J. 1895. Contributionsà la Faune des coléoptères de l'Auvergne. *D'après les notes manuscrites laissées par Bayle, d'Aigueperse. Le Frelon*, 4 (7-9): 109-137.

Desmarest, E. 1860. *Encyclopédie d'histoire naturelle ou traité complet de cette science d'après les travaux des naturalists les plus éminents de tous les pays et de toutes les époques; Buffon, Daubenton, Lacépède, G. Cuvier, F. Cuvier, Geoffroy Saint Hilaire, Latreille, de Jussieu, Brongniart, etc., etc. Ouvrage résumant les observations des auteurs anciens et comprenant toutes les découvertes modernes jusqu'ànos jours. Coléoptères buprestiens, scarabéiens, pimeliens, curculioniens, scolytiens, chrysoméliens, etc.* Troisième partie. Marescq et Compagnie, Paris, [3] + 360 pp. + 48 pls.

Deyrolle, H. C. 1878. [new taxa]: In: Deyrolle H. C. & Fairmaire L.: Description de coléoptères recueillis par M. l'abbé David dans la Chine centrale. (1. partie). *Annales de la Société Entomologique de France*, (5) 8: 87-140, pls 3, 4.

Dillon, L. S. 1956. The Nearctic components of the tribe Acanthocini (Coleoptera: Cerambycidae). Ⅰ, Ⅱ, Ⅲ. *Annals of the Entomological Society of America*, 49:134-167, 207-235, 332-355, 1 pl.

Dillon, L. S. and Dillon, E. S. 1945. Revision of the tribe Pachypezini (Coleoptera, Cerambycidae). *Bulletin of the Brooklyn Entomological Society*, 40:11-27, 1 pl.

Dillon, L. S. and Dillon, E. S. 1948. The tribe Dorcaschematini (Col., Cerambycidae). *Transactions of the American Entomological Society*, 73:173-298.

Dillon, L. S. and Dillon, E. S. 1959. The Monochamini (Cerambycidae) of the Ethiopian Faunistic Region Ⅵ. The subtribe Docohammidi. *The Coleopterists' Bulletin*, 13:7-12.

Donisthorpe, H. 1898. Coleoptera. Notes on British longicornes. *Entomological Records*, 10:299-303.

Drapiez, P. A. J. 1838. *Dictionnaire classique des Sciences Naturelles.* Bruxelles, Meline, Cans & Compagnie 3, 1-606.

Drumont, A. 2008. Note synonymique dans le genre *Priotyrannus* Thomson, 1857 et description d'une nouvelle espèce, *P. hueti* n. sp., originaire du Vietnam et de Chine (Coleoptera, Cerambycidae, Prioninae). *Les Cahiers Magellanes*, 86: 1-10, 12 figs.

Drumont, A. and Komiya, Z. 2006. Première contribution à l'étude des *Prionus* Fabricius, 1775 de Chine: description de nouvelles espèces et notes systématiques (Coleoptera, Cerambycidae, Prioninae). *Les Cahiers Magellanes* , 56: 1-34, 24 figs. , 10 cartes.

Duméril, A. M. C. 1860. Entomologie analytique. Histoire générale, classification naturelle méthodique des insectesà l'aide de tableaux synoptiques. *Mémoires de l'Académie des Sciences*, 31 (1): i-xxii + 1-664, 1 pl.

Dupont, H. 1836. Monographie des trachydérides. *Magasin de Zoologie*, 6: 1-51.

Erichson, W. F. 1843. Beitrag zur Insecten-Fauna von Angola, in besonderer Beziehung zur geographischen Verbreitung der Insecten in Afrika. *Archiv für Naturgeschichte*, 9: 199-267.

Eschscholtz, J. F. G. von. 1830. Nova genera Coleopterorum Faunae Europaeae. *Bulletin de la Société Impériale des Naturalistes de Moscou*, 2:63-66.

Etapes des Voyages du P. and Licent, S. J. dans la Chine 1914-1937. 1984. Natural Museum of Tianjin, Archives. 130 pp. + 8 pp. , Liste des sons chinois [in French with Chinese explanations].

Fabricius, J. C. 1775. *Systema entomologiae sistens insectorum classes, ordines, genera, species, adiectis synonymis, locis, descriptionibus, observationibus.* Flensburgi et Lipsiae: Libraria Kortii, xxxii + 832 pp.

Fabricius, J. C. 1776. *Genera insectorum eorumque characteres naturales secundum numerum, figuram, situm et proportionem omnium partium oris adiecta mantissa specierum nuper detectarum.* Chilonii, Michae Friedrich Bartsch, i-xv + 1-310.

Fabricius, J. C. 1781. *Species insectorum exhibens eorum differentiasm specificas, synonyma auctorum, loca natalia, metamorphosis, adiectis observationibus.* Tomus I. Hamburgi et Kilonii: Carol Ernest Bohni, viii + 552 pp.

Fabricius, J. C. 1787. *Mantissa insectorum, sistens eorum species nuper detectas adiectis characteribus genericis, differentiis specificis, emendationibus, observationibus.* Tomus I. Hafniae: C. G. Proft, xx + 348 pp.

Fabricius J. C. 1793. *Entomologia systematica emendata et aucta. Secundum classes ordines, genera, species adjectis synonymis, locis, observationibus, descriptionibus.* Hafniae, C. G. Proft 1 (2): xx + 1-538.

Fabricius J. C. 1801. Systema eleutheratorum secundum ordines, genera, species: adiectis synonymis, locis, observationibus, descriptionibus. *Bibliopoli Academici Novi, Kiliae*, 2: 1-687.

Fairmaire, L. M. H. 1864. [new taxa pp 97-176]. In: Jacquelin du Val P. N. C.: *Genera des coléoptères d'Europe comprenant leur classification en familles naturelles, la description de tous les genres, des tableaux synoptiques destinés àfaciliter l'étude, le Catalogue de toutes les espèces, de nombreux dessins au trait de caractères.* Tome quatrième. [1854-1869] Paris: A Deyrolle, 1-292 + 293-295 +[1], 78 pls.

Fairmaire, L. M. H. 1878. [new taxa]. In: Deyrolle H. et Fairmaire L.: Descriptions de coléoptères recueillis par M. abbé David dans la Chine centrale. *Annales de la Société Entomologique de France*, (5) 8:87-140.

Fairmaire L. M. H. 1882: Coléoptères recueillis par M. G. Révoil chez les çomails. In: Révoil G.: *Faune et flore des pays çomails (Afrique Orientale)*. Paris: Challamel Ainé, iv + 104 pp. , 1 pl.

Fairmaire, L. M. H. 1883. Description de coléoptères recueillis par le baron Bonnaire en Algérie.

Comptes-Rendus des Séances de la Société Entomologique de Belgique, Bruxelles, 27: clvi-clix.

Fairmaire, L. 1886. Descriptions de coléoptères de l'intérieur de la Chine. *Annales de la Société Entomologique de France*, (6) 6: 303-356.

Fairmaire, L. M. H. 1887a. Coléoptères de l'intérieur de la Chine [3e chapitre]. *Annales de la Société Entomologique de Belgique*, *Bruxelles*, 31: 87-136.

Fairmaire, L. M. H. 1887b. Notes sur les Coléoptères des environs de Pékin. *Revue d'Entomologie*, *Caen*, 6: 312-335.

Fairmaire, L. M. H. 1887c. [new taxon]. *Bulletin de la société Entomologique de France* 1887. liv.

Fairmaire, L. M. H. 1888a. Coléoptères de l'íntérieur de la Chine. *Annales de la Société Entomologique de Belgique*, Bruxelles, 32:7-46.

Fairmaire, L. M. H. 1888b. Les Coléoptères des environs de Pékin (2e Partie). *Revue d'Entomologie*, Caen 7:111-160.

Fairmaire, L. M. H. 1889a. Note relative à un nouveau genre de Longicorne. *Annales de la Société Entomologique de France*, Paris, 9 (6): lxxxix-xc.

Fairmaire, L. M. H. 1889b. Coléoptères de l'intérieur de la Chine 5e partie. *Annales de la Société Entomologique de France*, Paris, 9 (6): 5-84.

Fairmaire, L. 1892. Coléoptères d'Obock. Troisième partie. *Revue d'Entomologie*, 11:77-127.

Fairmaire, L. 1894a. Quelques coléoptères du Thibet. *Annales de la Société Entomologique de Belgique*, 38:216-225.

Fairmaire, L. 1894b. Coléoptères de l'Afrique intertropicale et australe. *Annales de la Société Entomologique de Belgique*, 38: 314-335.

Fairmaire, L. M. H. 1895. Deuxième note sur quelques Coléoptères des environs de Lang-Song. *Annales de la Société Entomologique de Belgique*, 39: 173-190.

Fairmaire, L. 1896a. Coléoptères de l'Inde boréale, Chine et Malaisie. *Notes from the Leyden Museum*, 18[2 & 3]:81-129.

Fairmaire, L. 1896b. Matériaux pour la faune coléoptérique de la région malgache. *Annales de la Société Entomologique de Belgique*, 40: 336-398.

Fairmaire, L. M. H. 1897a. Coléoptères du Szé-Tchouën et de Koui-Tchéou (Chine). *Notes from the Leyden Museum*, 19 (3 & 4): 241-255.

Fairmaire, L. 1897b. Description de coléoptères nouveaux de la Malaisie, de l'Inde et de la Chine. *Notes from the Leyden Museum*, 19:209-233.

Fairmaire, L. 1898. Matériaux pour la faune coléoptérologique de la région malgache. *Annales de la Société Entomologique de Belgique*, 42:222-260.

Fairmaire, L. M. H. 1899. Descriptions de Coléoptères nouveaux recueillis en Chine par M. de Latouche. *Annales de la Société Entomologique de France*, 68: 616-643.

Fairmaire, L. 1901. Materiaux pour la faune coléoptérologique de la région Malgache. (11e Note). *Revue d'Entomologie*, 20:101-248.

Fairmaire, L. 1902a. Description de quelques longicornes de Mouy-Tsé (Col.). *Bulletin de la Société Entomologique de France*, 1902:243-246.

Fairmaire, L. 1902b. Description de coléoptères recueillis en Chine par M. de Latouche. *Bulletin de la Société Entomologique de France*, 1902:316-318.

Faldermann, F. 1833. Species novæ Coleopterorum Mongoliæ et Sibiriæ incolarum. *Bulletin de la Société Impériale des Naturalistes de Moscou*, 4: 3-29, pls Ⅱ-Ⅲ.

Faldermann, F. 1835. Coleopterorum ab illustrissimo Bungio in China boreali, Mongolia et montibus Alaicis collectorum, nec non ab ill. Turczaninoffio et Stschukino e provincia Irkutzk missorum illustrationes. *Mémoires présentés à l'Académie Impériale des Sciences de Saint-Pétersbourg (Sixième Série), Sciences Mathématiques, Physiques et Naturelles*, 2: 337-464, 5 pls couleur.

Felt, E. P. and Joutel, H. 1904. Monograph of the genus *Saperda*. *Bulletin of the New York State Museum*, 74 (Entomology 20): 1-86, 14 pls.

Feng, B. 2007. Taxonomy and Fauna of Prioninae in China. Southwest University, Chongqing, 211 pp. 冯波,2007. 中国锯天牛亚科分类与区系研究. 西南大学硕士学位论文. 211pp.

Fischer von Waldheim, G. 1806. Nouvelles espèces d'insectes de la Russie, decrites par G. Fischer. *Journal de la Société des Naturalistes de l'Université Impériale de Moscou*, 1 (1, 2)[1805]: 12-19.

Fisher, W. S. 1925. New Malaysian Cerambycidae: subfamily Lamiinae. *Philippine Journal of Science*, D 28: 205-275.

Fisher, W. S. 1930. A new genus and two new species of longhorn beetles from India (Col., Cerambycidae: subfamily Lamiinae). *Indian Forest Records*, 14: 275-278.

Fisher, W. S. 1935. Cerambycidæ from Mount Kinabalu. Journal of the federated Malay States Museum, *Kuala Lumpur*, 17(30):581-631.

Fisher, W. S. 1940. New Ceram-bycidae from India, Ⅱ (Colcoptera). *Indian Forest Records (NS) Entomology*, 6:197-212.

Forster, J. R. 1771. *Novae species Insectorum*, *Centuria I.* veneunt apud T. Davies. White, London: i-viii + 1-100.

Fujimura, T. 1962. Longicorn beetles from the Oki Islands (Coleoptera, Cerambycidae). *Kontyû*, 30: 205-213, pl. 13.

Gabriel, J. 1895. *Leptura aethiops* var. *Letzneri* Gabriel. *Deutsche Entomologische Zeitschrift*, *Berlin*, 1895 (2): 437.

Gahan, C. J. 1888a. On longicorn Coleoptera of the familiy Lamiidae. *The Annals and Magazine of Natural History*, (6) 1: 270-281, pl. 16.

Gahan, C. J. 1888b. On new longicorn Coleoptera from China. *The Annals and Magazine of Natural History*, (6) 2: 59-67.

Gahan, C. J. 1888c. LⅡ. On new Lamiide Coleoptera belonging to the Monohammus Group. *The Annals and Magazine of Natural History*, 6 (2) 11: 389-401.

Gahan, C. J. 1890a. Notes on Longicorn Coleoptera of the Group Cerambycinae, with Descriptions of new Genera and Species. *Annals of Natural History*, (6) 6: 247-261.

Gahan, C. J. 1890b. Ⅶ. Descriptions of new Species of Longicornia from India and Ceylon. *The Annals and Magazine of Natural History*, 6(5): 48-66.

Gahan, C. J. 1891. Notes on Longicorn Coleoptera of the Group Cerambycinæ, with Descriptions of new Genera and Species. *The Annals and Magazine of Natural History*, (6) 7: 19-34.

Gahan, C. J. 1893a. Descriptions of some new Genera and Species of Longicorn Coleoptera. *The Annals and Magazine of Natural History*, (6) 11 (63): 254-259.

Gahan, C. J. 1893b. Descriptions of some new longicorn Coleoptera from the Indian Region. *The Annals and Magazine of Natural History*, (6) 11: 377-389.

Gahan, C. J. 1894a. A list of the longicorn Coleoptera collected by Signor Fea in Burma and the adjoining regions, with description of new genera and species. *Annali del Museo Civico di Storia Naturale di Genova* (Série 2), 14: 5-104, 1 pl.

Gahan, C. J. 1894b. Supplemental list of the longicorn Coleoptera obtained by Mr. J. J. Walker. R. N., F. L. S., during the voyage of H. M. S "Penguin", under the command of Captain Moore, R. N. *The Transactions of the Entomological Society of London*, 1894: 481-488.

Gahan, C. J. 1900. XLVII. On some Longicorn Coleoptera from the Island of Hainan. *The Annals and Magazine of Natural History*, 5 (7) 28: 347-354.

Gahan, C. J. 1901. A revision of *Astathes*, Newm., and allied genera of longicorn Coleoptera. *The Transactions of the Entomological Society of London*, 1901: 37-74, pl. 4.

Gahan, C. J. 1906. *The Fauna of British India, including Ceylon and Burma. Coleoptera.* - Vol. I. (Cerambycidæ). London, C. T. Bingham: xviii + 329 pp., 107 figs.

Gahan, C. J. 1909. Collectiones recueillis par M. Maurice de Rotschild en Abyssinie et dans l'Afrique orientale. *Bulletin du Muséum National d'Histoire Naturelle*, 15: 72-76.

Ganglbauer, L. 1882. Bestimmungs-Tabellen der europaischen Coleopteren. vii. Cerambycidae. *Verhandlungen der Kaiserlich-Königlichen Zoologisch botanischen Gesellschaft in Wien*, 31 [1881]: 681-758, pl. 22.

Ganglbauer, L. 1884. Bestimmungstabellen europäischer Coleopteren: VIII. Cerambycidae. Schluss. Mit Berücksichtigung der Formen Algiers und des paläarktischen Asiens, exclusive jener von Japan. *Verhandlungen der Kaiserlich-Königlichen Zoologisch-Botanischen Gesellschaft in Wien*, 33 [1883]: 437-586.

Ganglbauer, L. 1887a. Die Bockkäfer der Halbinsel Korea. *Horae Societatis Entomologicae Rossicae*, 20 (3-4) [1886-1887]: 131-138.

Ganglbauer, L. 1887b. Neue Cerambyciden von Peking. *Horae Societatis Entomologicae Rossicae*, 21: 21-24.

Ganglbauer, L. 1889a. Insecta, a cl. G. N. Potanin in China et in Mongolia novissime lecta. VII. Buprestidae, Oedemeridae, Cerambycidae. *Horae Societatis Entomologicae Rossicae*, 24 [1889]: 21-85.

Ganglbauer, L. 1889b. Longicornes. Cerambycidae. Pp. 465-489. In: Marseul S. A. de: Catalogue synonymique et géographique des coléoptères de l'Ancien-Monde, Europe et contrées limitrophes en Afrique et en Asie. *L'Abeille, Journal d'Entomologie*, 26[1889]: 361-559.

Gardner, J. C. M. 1939. *New Indian Cerambycidae. The Indian Forest Records (New Series), Entomology*, (1): 1-14.

Gardner, J. C. M. 1942. On some Indian Cerambyoidae. *The Indian Forest Records (New Series), Entomology*, 7 (2): 66-72.

Gautier, C. C. 1870: Petites nouvelles. *Petites Nouvelles Entomologiques*, 1 [1869-1875]: 104.

Gebler, F. A. von. 1825. Coleopterorum Sibiriae species novae. Pp. 42-57. In: Hummel A. D.: *Essais entomologiques*. Bd. 1. Nr. 4. St. Pétersbourg: Chancellerie privée du Ministère de l'Intérieur. 72 pp.

Gebler, F. A. von. 1830. Bemerkungen über die Insekten Sibiriens, vorzüglich des Altai. [Part 3]. Pp. 1-228. In: Ledebour C. F. (ed.): *Reise durch das Altai-Gebirge und die soongorische Kirgisen-Steppe*. Zweiter Theil. Berlin: G. Reimer. 427 pp.

Gebler, F. A. von. 1832. Notice sur les coléoptères qui se trouvent dans le district des mines de

Nertchinsk, dans la Sibérie orientale, avec la description de quelques espèces nouvelles. *Nouveaux Mémoires de la Société Impériale des Naturalistes de Moscou*, 2: 23-78.

Gebler, F. A. von. 1841. Notæ et addidamenta ad catalogum Coleopterorum Sibiriæ occidentalis et confinis Tatariæ operis: (C. F. von Ledebour's Reise in das Altaigebirge und die soongarische Kirgisensteppe, Zweyter Theil. Berlin. 1830.). Fasciculus secundus. *Bulletin de la Société Impériale des Naturalistes de Moscou*, 14(4): 577-625.

Gemminger, M. and Harold, E. 1872. Catalogus coleopterorum hucusque descriptorum synonymicus et systematicus. *Sumptu E. H. Gummi (G. Beck) Monachii*. 9: 2669-2988.

Gemminger, M. 1873. Cerambycidae (Lamiini). pp. 2989-3216. In: Gemminger M. & Harold E. von. 1873. *Catalogus Coleopterorum hucusque descriptorum synonymicus et systematicus*. Tom X. Cerambycidae (Lamiini), Bruchidae. Monachii: E. H. Gummi, 2989-3232 + [8] pp.

Geoffroy, É. L. 1762. *Histoire abrégée des insectes qui se trouvent aux environs de Paris; Dans laquelle ces Animaux sont rangés suivant un ordre méthodique*. Durand, Paris 1: 1-523, pls I-X.

Geoffroy, E. L. 1785. [new taxa]. In: Fourcroy A. F. de: *Entomologia Parisiensis; sive catalogus Insectorum quae in agro Parisiensi reperiuntur; secundum methodum Geoffroeanam in sectiones, genera et species distributus; cui addita sunt nomina trivialia et fere trecentae novae species*. Pars prima. Parisiis: Aedibus Serpentinensis, vii + [I] + 231 pp.

Germar, E. F. 1818. Ⅷ. Vermischte Bemerkungen über eiKäfe nige rarten. *Magazin der Entomologie*, 3: 228-260, pl. 3.

Gilmour, E. F. 1950. New and rare Lamiinae. Longicornia, 1:537-556.

Gilmour, E. F. 1956. New varieties of Lamiinae. Pp. 747-754. In: Lepesme P.: *Longicornia, études et notes sur les longicornes*, Volume 3. Paris: Paul Lechevalier. 789 pp.

Gilmour, E. F. 1958. Revision of the genus *Apriona* Chevrolat (Col., Cerambycidae, Lamiinae, Batocerini). *Idea* (Bogor) 11, 35-91, 5 pls, 93-131.

Gilmour, E. F. and Dibb, J. R. 1948. Revision of the Batocerini (Col., Cerambycidae, Lamiinae). *Spolia Zeylanica*, 25:1-121, 10 pls.

Gistel, J. N. F. X. 1834. *Die Insecten-Doubletten aus der Sammlung des Grafen Rudolph von Jenison Walworth*. München. 35 pp.

Gistel, J. N. F. X. 1848a. *Naturgeschichte des Thierreichs. Für höhere Schulen*. Stuttgart: Hoffmann'sche Verlags-Buchhandlung. xvi + 216 + 4 pp., 32 pls.

Gistel, J. N. F. X. 1848b. Faunula monacensis cantharologica. (Fortsetzung). Isis von Oken 1848, [8-9, unnumbered in section of front covers].

Gistel, J. N. F. X. 1856. *Die Mysterien der europäischen Insectenwelt. Ein geheimer Schlüssel für Sammler aller Insecten-Ordnungen und Stände, behufs des Fangs, des Aufenthalts-Orts, der Wohnung, Tag- und Jahreszeit u. s. w., oder autoptische Darstellung des Insectenstaats in seinem zusammenhange zum Bestehen des Naturhaushaltes überhaupt und insbesondere in seinem Einflusse auf die phanerogamische und cryptogamische Pflanzenbevölkerung Europa's. Zum ersten Male nach fünfundzwanzigjährigen eigenen Erfahrungen zusammengestellt und herausgegeben*. Kempten: Tobias Dannheimer. xii + 532 pp.

Gistel, J. N. F. X. 1857. *Achthundert und zwanzig neue oder unbeschriebene wirbellose Thiere*. Straubing: Verlag der Schorner'schen Buchhandlung. 94 pp.

Gmelin, J. F. 1790. *Caroli a Linné, systema naturae per regna tria naturae, secundum classes, ordines, genera, species, cum characteribus, differentiis, synonymis, locis. Editio decima tertia, aucta, reformata.* Tom I. Pars Ⅳ. Classis V. Insecta. Lipsiae: Georg Enanuel Beer, 1517-2224.

Goldfuss, G. A. 1805. *Enumeration insectorum eleutheratorum capitis Bonae Spei totiusque Africae, descriptione iconibusque nonnullarum specierum novarum illustrata.* Erlangae: Walther. 44 pp., 1 pl.

Gouillard, J. 2003. Information on the long-horned beetles of Gatinais, France. *Entomologiste* (Paris), 59(4): 125-129.

Gressitt, J. L. 1934. New Longicorns from the Japan Empire (Coleopt., Cerambycidæ). *The Pan-Pacific Entomologist*, 9(4) [1933]: 163-170.

Gressitt, J. L. 1935a. New Longicorn Beetles from the Japanese Empire, Ⅱ (Coleoptera: Cerambycidæ). *The Philippine Journal of Science*, 55 (4): 379-386.

Gressitt, J. L. 1935b. New Longicorn Beetles from China (Coleoptera: Cerambycidae). *Lingnan Science Journal*, 14 (4): 567-574.

Gressitt, J. L. 1935c. New Longicorn Beetles from Formosa, Ⅱ (Coleoptera: Cerambycidæ). *The Philippine Journal of Science*, 58 (2): 253-266.

Gressitt, J. L. 1935d. New japanese longicorn beetles (Coleoptera: Cerambycidae). *Kontyû*, 9 (4): 166-179.

Gressitt, J. L. 1935e. The Obriini of the Japanese Empire (Coleopt., Cerambycidae). *Insecta Matsumurana*, 9: 144-153.

Gressitt, J. L. 1936. New longicorn beetles from Formosa. Ⅲ (Col., Cerambycidae). *The Philippine Journal of Science*, 61 (1): 89-111.

Gressitt, J. L. 1937a. New Longicorn Beetles from China, Ⅲ (Coleoptera: Cerambycidae). *Lingnan Science Journal*, 16 (3): 447-456, pl. 4.

Gressitt, J. L. 1937b. New Longicorn Beetles from China, Ⅱ. *Lingnan Science Journal*, 16 (1): 89-94.

Gressitt, J. L. 1937c. New Japanese longicorn beetles, Ⅱ (Coleoptera: Cerambycidae). *Kontyû*, 11: 317-327.

Gressitt, J. L. 1937d. New longicorn beetles from China, Ⅳ (Coleoptera: Cerambycidae). *Lingnan Science Journal*, 16: 595-621.

Gressitt, J. L. 1938a. New longicorn beetles from China, V (Coleoptera: Cerambycidae). *Lingnan Science Journal*, 17(1): 45-56.

Gressitt, J. L. 1938b. New longicorn beetles from Formosa. Ⅳ (Coleoptera: Cerambycidae). *The Philippine Journal of Science*, 65 (3):147-173, 1 pl.

Gressitt, J. L. 1938c. New longicorn beetles from China, Ⅵ (Coleoptera: Cerambycidae). *Lingnan Science Journal*, 17:151-159.

Gressitt, J. L. 1939a. A Collection of Longicorn Beetles from T'ien-mu Shan, East China (Coleoptera: Cerambycidae). *Notes d'Entomologie Chinoise*, 6 (4): 81-133, pls 1-3.

Gressitt, J. L. 1939b. A study of the longicorn beetles of Kwangtung Province, S. China (Coleoptera: Cerambycidae). *Lingnan Science Journal*, 18: 1-122, 3 pls.

Gressitt, J. L. 1939c. New longicorn beetles from China, Ⅶ (Coleoptera: Cerambycidae). *Lingnan Science Journal*, 18: 209-216, pl. 8.

Gressitt, J. L. 1940a. Coléoptères Longicornes Chinois du Musée Heude. *Notes d'Entomologie Chinoise*,

7(8): 171-202.

Gressitt, J. L. 1940b. The longicorn beetles of Hainan Island. *The Philippine Journal of Science*, 72 (1-2):1-239, 7 pls.

Gressitt, J. L. 1942a. New longicorn beetles from China, Ⅷ (Coleoptera: Cerambycidae). *Lingnan Natural History Survey and Museum*, Special Publication, 2:1-6.

Gressitt, J. L. 1942b. New longicorn beetles from China, Ⅸ (Coleoptera: Cerambycidae). *Lingnan Natural History Survey and Museum*, Special Publication, 3:1-8.

Gressitt, J. L. 1942c. New longicorn beetles from China, Ⅹ (Coleoptera: Cerambycidae). *Lingnan Natural History Survey and Museum*, Special Publication, 7:1-11.

Gressitt, J. L. 1942d. Nouveaux longicornes de la Chine orientale. *Notes d'Entomologie Chinoise*, 9:79-97, 2 pls.

Gressitt, J. L. 1942e. Second Supplement to "A study of the longicorn beetles of Kwangtung Province, S. China" (Coleoptera: Cerambycidae). *Lingnan Science Journal*, 20:205-214.

Gressitt, J. L. 1945. New Longicorn beetles from China, Ⅺ (Col. Ceramb.). *Lingnan Science Journal*, 21: 123-134.

Gressitt, J. L. 1947a. Notes on the Lepturinae (Coleoptera: Cerambycidae). *Proceedings of the Entomological Society of Washington*, 49 (7): 190-192.

Gressitt, J. L. 1947b. Chinese longicorn beetles of the genus *Linda* (Coleoptera: Cerambycidae). *Annals of the Entomological Society of America*, 40 (3): 545-555, 3 figs.

Gressitt, J. L. 1948. New longicorn beetles from China, Ⅻ (Col.: Ceramb.). *Lingnan Science Journal*, 22:43-53.

Gressitt, J. L. 1951. Longicorn beetles of China. *Longicornia*, 2: 1-667, 22 pls.

Gressitt, J. L. 1954. The longicorn genus *Thranius* (Coleoptera: Cerambycidae). *Proceedings of the Hawaiian Entomological Society*, 15:317-326.

Gressitt, J. L., Rondon, J. A. 1970. Cerambycids of Laos (Disteniidae, Prioninae, Philiinae, Aseminae, Lepturinae, Cerambycinae). *Pacific Insects Monographies*, 24:1-314.

Gozis, M. 1886. *Recherche de l'espèce typique de quelques anciens genres. Rectifications synonymiques et notes diverses.* Imprimerie Herbin. Montluçon 36 pp.

Guérin-Méneville, F. E. 1826. *Dictionnaire classique d'Histoire Naturelle.* Paris, Rey & Gravier 9, 1-596.

Guérin-Méneville, F. E. 1829. *Saperde. Saperda* [p. 151]. In: *Dictionnaire classique d'histoire naturelle, par Messieurs Audouin, Isid. Bordon, Ad. Brongniart, De Candolle, Daudebard de Férussac, A. Desmoulins, Drapiez, Edwards, Flourens, Geoffroy de Saint-Hilaire, A. De Jussieu, Kunth, G. de Lafosse, Lamouroux, Latreille, Lucas fils, Presle-Duplessis, C. Prévost, A. Richard, Thiébaut de Berneaud, et Bory de Saint-Vincent. Ouvrage dirigé par ce dernier collaborateur, et dans lequel on a ajouté, pour le porter au niveau de la science, un grand nombre de mots qui n'avaient pu faire partie de la plupart des dictionnaires antérieurs.* Tome quinzième (J. B. G. Bory de Saint-Vincent, editor). Paris: Rey et Gravier. 754 pp.

Guérin-Méneville, F. E. 1844. *Iconographie du Règne Animal de G. Cuvier, ou représentation d'après nature de l'une des espèces les plus remarquables, et souvent non encore figurées, de chaque genre d'animaux. Avec un texte descriptif mis au courant de la science. Ouvrage pouvant servir d'atlas à tous les traités de zoologie*. Ⅲ. Texte explicatif. Insectes. Paris: J. B. Baillière. 576 pp.

Gyllenhal, L. 1817. [new taxa]. In: Schoenherr C. J.: *Synonymia Insectorum, oder Versuch einer Synonymie aller bisher bekannten Insecten; nach Fabricii Systema Eleutheratorum etc. geordnet. Erster Band. Eleutherata oder Käfer*. Dritter Theil. Hispa-*Molorchus*. Upsala: Em. Brucelius. 506 pp. + Appendix ad C. J. Schönherr Synonymiam Insectorum. Tom 1. Pars 3. Sistens descriptiones novarum specierum, 11 + 266 pp., pls. 5, 6.

Haldeman, S. S. 1847a. Corrections and Additions to his paper on the Longicornia of the United *States. Proceedings of the American Philosophical* Society, 4:371-376.

Haldeman, S. S. 1847b. Material towards a history of the Coleoptera Longicornia of the United States. *Transactions of the American Philosophical Society*, 10(2):27-66.

Hamilton, J. 1890. Proposed Corrections of Specific Names to Harmonize Mr. Henshaw's Catalogue of the North American Coleoptera, with the generally accepted European nomenclature, with relation to the species common to the two continents. *Entomologica Americana*, 6(3):41-44.

Han, C. D. and Niisato, T. 2009. Clytine Beetles of the Genus *Sclethrus* Newman (Coleoptera, Cerambycidae). *Special Bulletin of the Japanese Society of Coleopterology*, (7): 237-279, 146 figs.

Harold, E. 1875. Verzeichnis der von Herrn T. Lenz in Japan gesammelten Coleopteren. *Abhandlungen herausgegeben vom Naturwissenschaftlichen Vereine zu Bremen*, 4:283-296.

Harold, E. 1877. Beiträge zur Käferfauna von Japan. (Zweites Stück.). *Deutsche entomologische Zeitschrift*, 21(2): 337-367.

Hasegawa, M. 1996. Taxonomic Notes on the Genus *Acanthocinus* (Coleoptera, Cerambycidae) of Japan and the Far East. *The Japanese Journal of Systematic Entomology*, 2 (1), 83-95, 36 figs.

Hasegawa, M. and Ohbayashi, N. 2001. A revisional study of the genus *Miccolamia* of Japan (Coleoptera, Cerambycidae, Lamiinae). *The Japanese Journal of Systematic Entomology*, 7:1-28.

Hayashi, M. 1955. Cerambycidae. Pp. 18-76, pls 9-27. In: Nakane T. (ed.): *Coloured illustrations of the insects of Japan. Coleoptera*. Osaka Hoikusha: Kinki Coleopterological Society. 274 pp. + 68 pls.

Hayashi, M. 1957a. Studies on Cerambycidae from Japan and its adjacent regions (Ⅶ). Akitu, 6: 37-40.

Hayashi, M. 1957b. Studies on Cerambycidae from Japan and its adjacent regions (Ⅷ). *The Entomological Review of Japan*, 8:45-48.

Hayashi, M. 1958. Studies on Cerambycidae from Japan and its adjacent regions (Ⅸ). *The Entomological Review of Japan*, 9:46-50.

Hayashi, M. 1959. Studies on Cerambycidae from Japan and its adjacent regions (Col.), X. *The Entomological Review of Japan*, 10:55-63, 1 pl.

Hayashi, M. 1960. Study of the Lepturinae (Col.: Cerambycidae). *Niponius*, 1 (6): 1-26, 25 figs.

Hayashi, M. 1961. The Cerambycidae from Amami-Ôshima Islands. I. Additions to the Cerambycid fauna of the Loochoo-Archipelago. 2 (Col.). *The Entomological Review of Japan*, 13 (2): 35-46, pls 9-10.

Hayashi, M. 1963. Revision of some Cerambycidae on the basis of the types of the late Drs. Kano and Matsushita, with descriptions of three new species. *Insecta Matsumurana*, 25 (2):129-136.

Hayashi, M. 1965. Records of some longicorn-beetles from Formosa with descriptions of new forms. *Spe-*

cial Bulletin of the Lep. Society of Japan, (1):105-120.

Hayashi, M. 1968. Studies on Cerambycidae from Japan and its Adjacent Regions (Col.), XV. *The Entomological Review of Japan*, 20 (1/2): 20-28, 1 pl.

Hayashi, M. 1971. Studies on Cerambycidae from Japan and its Adjacent Regions (Col.), XⅧ. *The Entomological Review of Japan*, 23(1):1-18.

Hayashi, M. 1974a. New and unrecorded longicorn beetles from Taiwan (Coleoptera: Cerambycidae). *Bulletin of Osaka Jonan Women's Junior College*, 9:1-36.

Hayashi, M. 1974b. Studies on Cerambycidae from Japan and its adjacent regions (Col.), XX. *The Entomological Review of Japan*, 26(1/2):11-17.

Hayashi, M. 1976. Studies on Asian Cerambycidae (Coleoptera) I. *Bulletin of the Osaka Jonan Women's Junior College*, 11: 1-24.

Hayashi, M. 1979. Some longicorn beetles of Nepal (Col., Cerambycidae) as the result of lepidopterological research expedition to Nepal Himalaya in 1963, Part I. *The Entomological Review of Japan*, 33:81-96.

Hayashi, M. 1981. On Some longicorn beetles of Nepal (Col., Cerambycidae). *Bulletin of the Osaka Jonan Women's Junior College*, 14:1-20.

Hayashi, M. 1982a. On some Cerambycidae from Hong Kong (Coleoptera). *The Entomological Review of Japan*, 37(1) : 71-74.

Hayashi, M. 1982b. The Cerambycidae of Japan (Col.). (13). *The Entomological Review of Japan*, 37 (2) : 141-151.

Hayashi, M. 1983. Study of Asian Cerambycidae (Coleoptera) V. *Bulletin of the Osaka Jonan Women's Junior College*, 16 :29-44.

Hayashi, M. 1987. Study of Asian Cerambycidae (Col.) IX. *The Entomological Review of Japan*, 42(2) :153-169.

Hayashi, M. and Villiers, A. 1985. Revision of the Asian Lepturinae (Coleoptera: Cerambycidae) With special reference to the type specimens' inspection. Part Ⅰ. *Bulletin of the Osaka Jonan Women's Junior College*, 19-20 (1): 1-75, 15 pls.

Hayashi, M. and Villiers, A. 1987. Revision of the Asian Lepturinae (Coleoptera: Cerambycidae) With special reference to the type specimen's inspection. Part Ⅱ. *Bulletin of the Osaka Jonan Women's Junior College*, 22 :1-20.

Hayashi, M. and Villiers, A. 1995. Revision of the Asian Lepturinae (Coleoptera: Cerambycidae) with special reference to the type specimens' inspection. Part Ⅳ. *Bulletin of the Osaka Jonan Women's Junior College*, 30: 1-22, 4 pls.

Heller, K. M. 1923. Die Coleopterenausbeute der Stötznerschen Sze-Tschwan-Expedition (1913-1915). *Entomologische Blätter*, 19 (2) : 61-79.

Heller, K. M. 1924a. Bestimmungsschlüssel außereuropäischer Käfer. Cerambicidae, Molorchini: genera Epania und Merionoeda. *Entomologische Blätter*, 20(1) :26-34.

Heller, K. M. 1924b. Neue, vorwiegend philippinische BockKäfer. *Entomologische Mitteilungen*, 13 :195-214, pl. Ⅱ.

Heller, K. M. 1926. Neue, altweltliche BockKäfer. *Tijdschrift voor Entomologie*, 69 :19-50.

Herbst, J. F. W. 1784. Kritisches Verzeichniß meiner Insektensammlung. *Archiv der Insectengeschichte*,

5 (1): 1-151, pls XIX-XXX. Zürich und Winterthur, H. Steiner & Comy.

Heyden, L. F. 1877. Die Käfer von Nassau unf Frankfurt. *Jahrbucher des nassauischen Vereins für Naturkunde*, 29-30: 55-412.

Heyden, L. F. J. D. von. 1885. Notiz über japanische und amurenser Longicornia. *Deutsche entomologische Zeitschrift*, 29: 310.

Heyden, L. F. 1886a. Die Coleopteren-Fauna des Suyfun-Flusses (Amur). *Deutsche entomologische Zeitschrift*, 30 (2): 269-277.

Heyden, L. F. 1886b. In: Heyden, L. F., Kraatz, G. 1886. Beiträge zur Coleopteren-Fauna von Turkestan, namentlich des Alai-Gebirges. *Deutsche entomologische Zeitschrift*, 30 (1): 177-194.

Heyden, L. F. J. D. von 1892. Die Käfer von Nassau und Frankfurt. Sechster Nachtrag. *Jahrbücher des Nassauischen Vereins für Naturkunde*, 45 : 63-82.

Heyden, L. F. 1909. Coleoptera, gesammelt von O. Bamberg 1908 in der Mongolei. *Entomologische Blätter*, 5 (8): 157-161.

Heyrovský, L. 1934. Druhý prispevek ke známosti tribu Lepturini. (Col. Cerambycidae.) [Zweiter Beitrag zur Kenntnis der Tribus Lepturini. (Col., Cerambycidae.)]. *Časopis České Společnosti Entomologické*, 31 (1): 8-12.

Heyrovský, L. 1938. Dvě nové formy asijských tesaříků. Zwei neue asiatische Cerambycidenformen. *Časopis České Společnosti Entomologické*, 35 (2) : 92-94.

Heyrovský L. 1939. Drei neue *Glenea*-Arten aus China (Col., Ceramb.). *Časopis Československé Společnosti Entomologické*, 36 :68-70.

Heyrovský, L. 1950. Dva nové druhy prionidu z Asie. Deux Prionides nouveaux de l'Asie. (Col., Ceramb.).*Časopis České Společnosti Entomologické*, 47 (3): 127-129.

Heyrovský, L. 1967. Cerambycides capturés par le docteur Diehl dans le nord de Sumatra en 1961-1963 (Col. Cerambycidae). *Bulletin de la Société Entomologique de Mulhouse*, 9.

Heyrovský, L. 1973. Cerambycidae (Coleoptera) aus der Mongolei. *Fragmenta Faunistica*, 19 : 115-119.

Holzschuh, C. 1982. Elf neue BockKäfer aus Europa und Asien (Col.: Cerambycidae). *Zeitschrift der Arbeitsgemeinschaft österreichischer Entomologen*, 33 (3/4) [1981]: 65-76, 12 figs.

Holzschuh, C. 1986. Zwölf neue BockKäfer aus Europa und Asien (Cerambycidae, Col.). *Koleopterologische Rundschau*, 58 :121-135.

Holzschuh, C. 1991. 63 neue BockKäfer aus Asien, vorwiegend aus China und Thailand (Coleoptera: Disteniidae und Cerambycidae). *Schriftenreihe der Forstlichen Bundesversuchanstalt* (FBVA-Berichte), 60: 5-71, 80 figs.

Holzschuh, C. 1992. 57 neue BockKäfer aus Asien, vorwiegend aus China, Thailand und Vietnam (Coleoptera: Cerambycidae). *Schriftenreihe der Forstlichen Bundesversuchanstalt* (FBVA-Berichte), 69: 5-63, 81 figs.

Holzschuh, C. 1993. Neue BockKäfer aus Europa und Asien Ⅳ, 60 neue BockKäfer aus Asien, vorwiegend aus China und Thailand (Coleoptera: Cerambycidae). *Schriftenreihe der Forstlichen Bundesversuchanstalt* (FBVA-Berichte), 75: 1-63, 64 figs.

Holzschuh, C. 1998. Beschreibung von 68 neuen BockKäfern aus Asien, überwiegend aus China und zur Synonymie einiger Arten (Coleoptera: Cerambycidae). *Schriftenreihe der Forstlichen Bundesversuchan-*

stalt (FBVA-Berichte), 107: 1-65.

Holzschuh, C. 1999. Beschreibung von 71 neuen BockKäfern aus Asien, vorwiegend aus China, Laos, Thailand und Indien (Coleoptera, Cerambycidae). *Schriftenreihe der Forstlichen Bundesversuchanstalt* (FBVA-Berichte), 110: 1-64, 71 figs.

Holzschuh, C. 2003. Beschreibung von 72 neuen BockKäfern aus Asien, vorwiegend aus China, Indien, Laos und Thailand (Coleoptera, Cerambycidae). *Entomologica Basiliensa*, 25: 147-241, 72 figs.

Holzschuh, C. 2005. Beschreibung von neuen BockKäfern aus SE Asien, vorwiegend aus Borneo (Coleoptera, Cerambycidae). *Les Cahiers Magellanes*, 46 :1-40.

Holzschuh, C. 2006a. Beschreibung von 51 neuen BockKäfern aus der palaearktischen und orientalischen Region, vorwiegend aus Borneo und China (Coleoptera, Cerambycidae). *Entomologica Basiliensa et Collectionis Frey*, 28: 205-276, 52 figs.

Holzschuh, C. 2006b. Neue Arten der Triben Molorchini und Clytini aus China und Laos (Coleoptera, Cerambycidae). *Entomologica Basiliensa et Collectionis Frey*, 28: 277-302, 19 figs.

Holzschuh, C. 2007. Beschreibung von 80 neuen BockKäfern aus der orientalischen und palaearktischen Region, vorwiegend aus China, Laos und Borneo (Coleoptera, Cerambycidae). *Entomologica Basiliensa et Collectionis Frey*, 29: 177-286, 80 figs.

Holzschuh, C. 2009. Beschreibung von 59 neuen BockKäfern und vier neuen Gattungen aus der orientalischen und palaearktischen Region, vorwiegend aus Laos, Borneo, und China (Coleoptera, Cerambycidae). *Entomologica Basiliensia et Collectionis Frey*, 31 :267-358.

Holzschuh, C. 2010. Beschreibung von 66 neuen BockKäfern und zwei neuen Gattungen aus der orientalischen Region, vorwiegend aus Borneo, China, Laos und Thailand (Coleoptera, Cerambycidae). *Entomologica Basiliensa et Collectionis Frey*, 32 :137-225.

Holzschuh, C. 2013. Beschreibung von zehn neuen BockKäferarten (Coleoptera: Cerambycidae) und einer neuen Gattung aus Südostasien. *Zeitschrift der Arbeitsgemeinschaft Österreichischer Entomologen*, 65 : 5-21.

Holzschuh, C. 2015a. Beschreibung von 50 neuen BockKäfern aus Asia (Coleoptera, Cerambycidae). *Les Cahiers Magellanes* (N. S.), 20: 14-75, 51 figs.

Holzschuh, C. 2015b. Zehn neue BockKäfer aus Südostasien und Bemerkungen zur Gattung *Microdymasius* Pic, 1946 (Coleoptera, Cerambycidae). *Les Cahiers Magellanes* (N. S.), 19: 41-53, 10 figs.

Holzschuh, C. 2016a. Beschreibung von 24 neuen BockKäfern und einer neuen Gattung aus Asia (Coleoptera, Cerambycidae). *Les Cahiers Magellanes* (N. S.), 21: 72-102, 24 figs.

Holzschuh, C. 2016b. Beschreibung von sieben neuen BockKäfern aus Asien (Coleoptera, Cerambycidae). *Les Cahiers Magellanes* (N. S.), 24: 105-113, 7 figs.

Holzschuh, C. and Lin, Y. L. 2015. Beitrag zur BockKäferfauna von Taiwan, mit Beschreibung einer neuen Art, Ⅱ (Coleoptera: Cerambycidae). *Les Cahiers Magellanes* (N. S.), 20:104-107.

Holzschuh, C. and Lin, M.-Y. 2017. A Revision of the Saperdine Genus *Dystomorphus* Pic (Coleoptera, Cerambycidae, Lamiinae). *Special Bulletin of the Coleopterological Society of Japan*, (1): 267-286.

Hope, F. W. 1831. Synopsis of new species of Nepaul insects in the collection of Major General Hardwicke. Pp. 21-32. In: Gray J. E. (ed.): *Zoological Miscellany*. Vol. 1. London: Treuttehouttuyan 1766 Natuurkundigel, Wurtz & Co., 40 pp., 4 pls.

Hope, F. W. 1834. Characters and descriptions of several new genera and species of coleopterous insects. *The Transactions of the Zoological Society of London*, 1: 91-112.

Hope, F. W. 1839. Descriptions of some nondescript insects from Assam, chiefly collected by W. Griffith, Esq., Assistant Surgeon in the Madras Medical Service. *Proceedings of the Linnean Society of London*, 1: 42-44.

Hope, F. W. 1840. Descriptions of some nondescript insects from Assam, chiefly collected by W. Griffith, Esq., Assistant Surgeon in the Madras Medical Service. *Proceedings of the Linnean Society of London*, 1: 77-79.

Hope, F. W. 1842a. Descriptions of some new coleopterous insects sent to England by Dr. Cantor from Chusan and Canton, with observations on the entomology of China. *Proceedings of the Entomological Society of London*, 1841: 59-65.

Hope, F. W. 1842b. On some rare and beautiful insects from Silhet, chiefly in the collection of Frederick John Parry (Coleopt., Lepidopt., Hemipt.). *The Transactions of the Linnean Society of London*, 19, 103-112.

Hope, F. W. 1843. Descriptions of some new coleopterous insects sent to England by Dr. Cantor from Chusan and Canton, with observations on the entomology of China. *The Annals and Magazine of Natural History*, 11 (67): 62-66.

Hope, F. W. 1845a. On the Entomology of China, with Descriptions of the new Species sent to England by Dr. Cantor from Chusan and Canton. *The Transactions of the Entomological Society of London*, 4 (1): 4-17, pl. 1.

Hope, F. W. 1845b. Descriptions of new species of Coleoptera, from the Kaysah Hills, near the boundary of Assam, in the East Indies, lately received from Dr. Cantor. *The Transactions of the Entomological Society of London*, 4: 73-77.

Hopping, R. 1931. New Coleoptera from Western Canada Ⅲ. *The Canadian Entomologist*, 63 (10): 233-238.

Horn, G. H. 1860. Descriptions of new North American Coleoptera, in the Cabinet of the Entomological Society of Philadelphia. *Proceedings of the Academy of Natural Sciences of Philadelphia*, 12: 569-571, 1 pl.

Horn, G. H. 1885. Descriptions of some new Cerambycidæ with notes. *Transactions of the American Entomological Society*, 12: 173-197.

Houttuyn, M. 1766. *Natuurkundige beschrijving der Insekten, wormen en slakken, schulpdieren, hoorens, zeergewässen ent plantdieren.* In: Naturulijke historie. Deel 9. [1766-1769]. Amsterdam: Lodewyk van Es. iii-vi +1-640, pls LXXI-LXXVI.

Hua, L. Z. 1986. New records of longicorn beetles from China with the descriptions of a new subgenus and two new species (Coleoptera: Cerambycidae). *Pan-Pacific Entomologist*, 62(3): 209-213.

Hua, L. Z. 1987. Two new species of Long-horned Beetles from Fujian, China (Coleoptera: Cerambycidae). *Wuyi Science Journal*, 7: 53-55, 2 figs.

Hua, L. Z. 2002. *List of Chinese Insects.* Zhongshan (Sun Yat-sen) University Press, Guangzhou. Vol. 2: 1-612.

Hua, L. Z., Nara, H., Samuelson, G. A. and Lingafelter, S. W. 2009. Iconography of Chinese Longicorn Beetles (1406 species) in Color. Sun Yat-sen University Press, Guangzhou, 1-474pp. [华立

中，奈良一，塞缪尔森，林格费尔特. 2009. 中国天牛(1406种)彩色图鉴. 广州：中山大学出版社474页.]

Huang, G.-Q. and Chen, L. 2016. A revision of the genus *Yoshiakioclytus* Niisato, 2007 (Coleoptera: Cerambycidae: Cerambycinae: Anaglyptini). *Zootaxa*, 4179 (3): 478-494.

Huang, J.-H., Wang, W., Zhou, S.-Y. and Wang, S. 2009. Review of the Chinese species of *Apriona* Chevrolat, 1852, with proposal of new synonyms (Coleoptera, Cerambycidae, Lamiinae, Batocerini). *Les Cahiers Magellanes* (N.S.), 94: 1-23.

Huang, J.-H. and Zhou, S.-Y., 2002. Coleoptera: Cerambycidae. Pp. 371-373. In: Shen Xiaocheng & Zhao Yongqian (eds.) 2002. *The Fauna and Taxonomy of Insects in Henan.* Vol. 5: Insects of the Mountains Taihang and Tongbai Regions. Beijing: China Agricultural Science and Technology Press, 453pp. [黄建华，周善义. 2002. 鞘翅目:天牛科. Pp. 371-373. In：申效诚 & 赵永谦(主编) 2002. 河南昆虫分类区系研究，第五卷:太行山及桐柏山区昆虫. 北京：中国农业科学技术出版社，453页.]

Hubweber, L. 2010. New Acts and Comments. Cerambycidae, pp. 61-62. - In I. Löbl & A. Smetana (ed.): Catalogue of Palaearctic Coleoptera, Vol. 6. Stenstrup: Apollo Books, 924pp.

Hüdepohl, K.-E. and Heffern, D. J. 2004. Notes on Oriental Lamiini (Coleoptera: Cerambycidae: Lamiinae). *Insecta Mundi*, 16 [2002] (4): 247-249.

Hwang, S. H. 2015. *Long-horned beetles in Korea.* Nature & Ecology, Seoul, 551pp.

Illiger, J. K. W. 1804. Familien, Gattungen und Horden der Käfer von Latreille. *Magazin für Insektenkunde, Braunschweig*, 1:1-145.

Jakobson, G. G. 1895. Tria Coleoptera nova e Rossia europaea. *Horae Societatis Entomologicae Rossicae*, 29 (3-4): 520-524, pl. Ⅲ.

Jakobson, G. G. 1911. Fasc. 9, pl. 59. In: *Zhuki Rossii i zapadnoy Evropy. Rukovodstvo k opredelenyu zhukov.* [1905-1915]. St. Petersburg: Devrien, 1024 pp., 83 pls.

Jakovlev, B. E. [Jakowlew] 1889. Insecta, a cl. G. N. Potanin in China et in Mongolia novissime lecta. X. Coleoptera (*Neodorcadion et Compsodorcadion*). *Horae Societatis Entomologicae Rossicae*, 24: 244-253.

Jakovlev, B. E. [Jakowlew] 1893. *Neodorcadion dux sp. n. Horae Societatis Entomologicae Rossicae*, 28: 120-122.

Jang, H. K., Lee, S. H. and Choi, W. 2015. *Cerambycidae of Korea.* Geobook, Seoul, 399pp.

Jiang, S.-N. and Chen, L. 2001. *Coleoptera, Cerambycidae, Lepturinae.* Fauna Sinica, Insecta 21: i-xiv + 1-296, 299 figs. Beijing: Science Press. [蒋书楠，陈力. 2001. 中国动物志 昆虫纲 第二十一卷 鞘翅目 天牛科 花天牛亚科. 北京:科学出版社，296页.]

Jiroux, E. 2011. Révision du genre *Apriona* Chevrolat, 1852 (Coleoptera, Cerambycidae, Lamiinae, Batocerini). *Les Cahiers Magellanes* (N.S.), 5: 1-103, 221 figs.

Kano, T. F. 1930. New and unrecorded Longicorn beetles from the Japanese Empire. *Insecta Matsumurana*, 5(1-2): 41-48.

Kano, T. F. 1933a. New and unrecorded Longicorn-beetles from Japan and its Adjacent Territories II. *Kontyû*, 7 (3): 130-140, 1 fig.

Kano, T. F. 1933b. New and unrecorded longicorn-beetles from Japan and its adjacent territories. *Kontyû*, 6 [1932-1933]: 259-291, pl. iv.

Kano, T. F. 1935. Insects of Jehol (VI). - Order Coleoptera (1). Family Cerambycidae. *Reports of the first scientific expedition to Manchoukuo.* Section V, Division I, Part X. Article 52, 1-10.

Kirby, W. 1837. *Part the fourth and last. The insects. In: Richardson J.: Fauna Boreali-Americana; or the zoology of the northern parts of British America: containing descriptions of the objects of natural history collected on the late Northern Land Expedition, under command of captain Sir John Franklin, R. N.* Norwich: J. Fletcher, xxxix + 325 pp. + 8 pl.

Kisseleva, E. T. 1926. Ueber BockKäfer der Umgegend von Tomsk. *Berichte des Tomsker Staatlische Universität*, 77:123-133.

Kleine, R. 1909. Die Schmarotzerwespen der Cerambyciden und Buprestiden. *Entomologische Blätter, Nürnberg*, 5 (10): 207-212.

Kobayashi K. and Seki K. 1935. A new cerambycid beetle from Honshu, Japan. *Mushi*, 8: 42-43.

Kolbe, H. J. 1886. Beiträge zur Kenntniss der Coleopteren-Fauna Koreas, bearbeitet auf Grund der von Herr Dr. C. Gottsche während der Jahre 1883 und 1884 in Korea veranstaltelen Sammlung; nebst Bemerkungen über die zoogeographischen Verhältnisse dieses Faunengebiets und Untersuchungen über einen Sinnes-apparat im Gaumen von Misolampidius morio. *Archiv für Naturgeschichte*, 52(1): 139-240.

Kolbe, H. J. 1894. Die Coleoptern-Fauna Central-Afrikas. I. Von Herrn Dr. F. Stuhlmann im Seengebiet (Victoria-, Albert-Edward-und Albert-See) gesammelten Longicornier. *Entomologische Zeitung (Stettin)*, 55: 50-65.

Komiya, Z. 2005. A synopsis of the prionine genus *Aegolipton*, new status (Coleoptera, Cerambycidae). (Revisional studies of the genus *Megopis* sensu Lameere, 1909-7). Elytra, 33(1): 149-181.

Komiya, Z. and Drumont, A. 2007. A Synopsis of the Prionine Genus *Spinimegopis* stat. nov. (Coleoptera, Cerambycidae, Prioninae) (Revisional Studies of the Genus *Megopis* sensu Lameere, 1908-8). *Elytra*, 35 (1): 345-384, 62 figs.

Kôno, H. and Tamanuki, K. 1926. Die Käfer-Ausbeute aus Nordsachalin im Jahre 1922. *Dobutsugaku Zasshi*, 38: 277-296 (in Japanese and German).

Kraatz, G. 1879. Ueber die BockKäfer Ost-Sibiriens, namentlich die von Christoph am Amur gesammelten. *Deutsche Entomologische Zeitschrift*, 23: 77-117, 1 pl.

Kraatz, G. 1881. Zur Synonymie der Clytus-Arbeiten. *Deutsche Entomologische Zeitschrift*, 25 (2): 336.

Kriesche, R. 1915. Die Gattung *Batocera* Castelnau systematisch und phylogenetisch-tiergeografisch betrachtet (Col., Cerambycidae). *Archiv der Naturgeschichte*, 80 A (11): 111-150.

Kriesche, R. 1924. Zur Kenntnis der Lamiinen (Col. Ceramb.). *Deutsche Entomologische Zeitschrift*, 1924: 285-290.

Kurihara, T. and Ohbayashi, N. 2007. Revisional study on the genus *Oberea* Dejean of Taiwan, with description of three new species (Coleoptera, Cerambycidae). *The Japanese Journal of Systematic Entomology*, 13: 193-219.

Kusama, K., Nara, H. and Kusui, Y. 1974. Notes on Longicorn-Beetles in the Bonin Islands (Coleoptera: Cerambycidae). *Reports of Faculty of Science*, Shizuoka University, 8: 117-135.

Kusama, K. and Tahira, Y. 1978. The genus *Exocentrus* Mulsant of Japan and its adjacent regions: 2. The revision of Taiwanese. *Elytra*, 6: 9-32.

Kusama, K. and Takakuwa, M. 1984. *The longicorn-beetles of Japan in color.* Tokyo, Kodansha: Japanese Society of Coleopterology. 565 pp., 96 pls.

Küster, H. C. 1846a. Die Käfer Europa's. Nach der Natur beschrieben. *Mit Beiträgen mehrerer Entomologen.* Nürnberg, Bauer & Raspe, 4: 1-100.

Küster, H. C. 1846b. Die Käfer Europa's. Nach der Natur beschrieben. *Mit Beiträgen mehrerer Entomologen.* Nürnberg, Bauer & Raspe, 7: 1-100, 2 pls.

Küster, H. C. 1851. Die Käfer Europas. Nach der Natur beschrieben. *Mit Beiträgen mehrerer Entomologen.* Nürnberg, Bauer & Raspe, 22: 1-100, 3 pls.

Lacordaire, J. T. 1868. *Histoire naturelle des insectes. Genera des coléoptères, ou exposé méthodique et critique de tous les genres proposés jusqu'ici dans cet ordre d'insectes.* Tome huitième. Paris: Librairie encyclopédique de Roret. 552 pp.

Lacordaire, J. T. 1869. *Histoire naturelle des insectes. Genera des coléoptères, ou exposé méthodique et critique de tous les genres proposés jusqu'ici dans cet ordre d'insectes.* Tome neuvième. Première partie. Paris: Librairie encyclopédique de Roret. 409 pp.

Lacordaire, J. T. 1872. *Histoire naturelle des insectes. Genera des coléoptères, ou exposé méthodique et critique de tous les genres proposés jusqu'ici dans cet ordre d'insectes.* Tome neuvième. Deuxième partie. Famille des longicornes (fin). Paris: Librairie encyclopédique de Roret, pp. 411-930.

Laicharting, J. N. E. von. 1784. *Verzeichniss und Beschreibung der Tyroler-Insecten.* I. Theil. Käferartige Insekten. Ⅱ. Band. Zürich: Johann Caspar Füessly, xiv + 176 pp.

Lameere, A. 1884. M. Lameere fait la communication suivante. *Comptes-Rendus des Séances de la Société Entomologique de Belgique*, 3(45): clxxviii.

Lameere, A. 1887. Le genre *Rosalia. Annales de la Société Entomologique de Belgique*, 31: 159-173, pl. 3.

Lameere, A. A. L. 1890. Note sur les Tricténotomides, les Prionides et les Cérambycides du Chota-Nagpore. *Comptes-Rendus des Séances de la Société Entomologique de Belgique*, 13 (4): ccx-ccxiv.

Lameere, A. 1893. Contributions à la faune indo-chinoise (13 mémoire). *Annales de la Société Entomologique de France*, 62: 281-286.

Lameere, A. A. L. 1903. Révision des Prionides. Septième mémoire. - Macrotomines. *Mémoires de la Société Entomologique de Belgique*, 11: 1-216.

Lameere, A. 1910. Révision des Prionides. Seizième mémoire. - Prionines (Ⅲ). *Annales de la Société Entomologique de Belgique*, 54(9): 272-292.

Lameere, A. A. L. 1911. Révision des Prionides. Dix-neuvième mémoire. - Prionines (Ⅵ). *Annales de la Société Entomologique de Belgique*, 55 (11): 325-356.

Lameere, A. A. L. 1912. Révision des Prionides . Vingt-deuxième Mémoire. - Addenda et Corrigenda. *Mémoires de la Société Entomologique de Belgique*, 21: 113-188.

Lameere, A. A. L. 1913. H. Sauter's Formosa-Ausbeute. Prioninae. *Archiv für Naturgeschichte*, 79 A (7): 175-176.

Lameere, A. A. L. 1915. Note sur les Prioninae du Muséum national d'histoire naturelle de Paris. *Bulletin du Muséum National d'Histoire Naturelle de Paris*, 21: 51-63.

Lansberge, J. W. 1884. Catalogue des Prionides de l'Archipel Indo-Néerlandais, avec descriptions des espèces nouvelles. *Notes from the Leyden Museum*, 6 (3): 135-160.

Lansberge, J. W. 1886. Description d'un Cérambycide de Sumatra, appartenant à un genre nouveau de la tribu des Disténides. *Notes from the Leyden Museum*, 8 (1): 35-36.

Laporte, [de Castelnau] F. L. N. de Caumont. 1840. Histoire naturelle des insectes coléoptères. Tome deuxième. *Histoire naturelle des animaux articuleés, annelides, crustacés, arachnides, myriapodes et insectes.* Tome troisième. Paris: P. Duméril, 564 pp., 38 pls.

Laporte, [de Castelnau] F. L. N. de Caumont and Gory, H. L. 1841. Monographie du genre *Clytus*. *Histoire naturelle et iconographie des insectes coléoptères*, 3 [1836]: 1-124.

Latreille, P. A. 1802. *Histoire naturelle, générale et particulière, des crustacés et des insectes. Ouvrage faisant suiteà l'histoire naturelle générale et particulière, composée par Leclerc de Buffon, et rédigée par C. S. Sonnini, membre de plusieurs sociétés savantes.* Tome troisième. Familles naturelles des genres. Paris: F. Dufart, xii + pp. 13-467 + [1 p. errata].

Latreille, P. A. 1804. *Histoire naturelle, générale et particulière, des crustacés et des insectes. Ouvrage faisant suiteà l'histoire naturelle générale et particulière, composée par Leclerc de Buffon, et rédigée par C. S. Sonnini, membre de plusieurs sociétés savantes.* Tome onzième. Paris: F. Dufart, 422 pp., pls. 90-93.

Latreille, P. A. 1810. *Considérations générales sur l'ordre naturel des animaux composant les classes des crustacés, des arachnides, et des insectes; avec un tableau méthodique de leurs genres, disposés en familles.* F. Schoell, Paris, 444 pp. [23 May 1810 (Evenhuis 1997b: 440)]

Latreille, P. A. 1825. *Familles naturelles du règne animal exposées succinctement et dans un ordre analytique avec l'indication de leurs genres.* Paris: Baillière. 570 pp.

Latreille, P. A. 1828. Encyclopédie méthodique: Entomologie, ou Histoire Naturelle des Crustacés, des Arachnides et des Insectes. *Mme veuve Agasse*, 10 (2): 345-832.

Latreille, P. A. 1829. *Suite et fin des insectes. In: Cuvier G.: Le règne animal distribué d'après son organisation, pour servir de base à l'histoire naturelle des animaux et d'introductionà l'anatomie comparée. Nouvelle édition, revue et augmentée.* Tome V. Paris: Déterville, xxii + 556 pp. check.

Lazarev, M. A. 2008. Notes on taxonomical and distributional problems of the Longicorn beetles (Coleoptera, Cerambycidae) of Russia and adjacent countries [Zametki po spornym voprosam sistematiki i rasprostraneniya zhukov- usachey (Coleoptera, Cerambycidae) Rossii i sopredelnykh stran], pp. 129-136. In: *Actual problems of the priority directions of development of natural sciences.* Moscow, "Prometey" publishing house MPGU. 220pp. [in Russian]

LeConte, J. L. 1850a: An attempt to classify the longicorn Coleoptera of the part of America north of Mexico. *Journal of the Academy of Natural Sciences, Philadelphia*, (2) 1: 311-340.

LeConte, J. L. 1850b. An attempt to classify the Longicorn Coleoptera of the part of America North of Mexico. *Journal of the Academy of Natural Sciences of Philadelphia* (ser. 2), 2: 5-38.

LeConte, J. L. 1854. Notices of some coleopterous insects, from the collection of the Mexican Boundary Comission. *Proceedings of the Academy of Natural Sciences*, 7: 79-85.

LeConte, J. L. 1873a. New species of North American Coleoptera. Prepared for the Smithsonian Institution. PartⅡ. *Smithsonian Miscellaneous Collections*, 11 (264): 169-240.

LeConte, J. L. 1873b. Classification of the Coleoptera of North America. Part Ⅱ. *Smithsonian Miscellaneous Collections*, 11 (265): 279-348.

LeConte, J. L. and Horn, G. H. 1883. Classification of the Coleoptera of North America. *Smithsonian Miscellaneous Collections*, 26(4): xxxviii +567.

Lee, S. M. 1987. The longicorn beetles of Korean Peninsula. Seoul: National Science Museum, 287 pp.

Leng, C. W. 1920. *Catalogue of the Coleoptera of America, north of Mexico*. Mount Vernon, N. Y., John D. Sherman Jr. 470 pp.

Lepesme, P. and Breuning, S. 1955. Lamiaires nouveaux de Côte d'Ivoire [Col. Cerambycidae Lamiinae] (2e Note). *Bulletin de la Société Entomologique de France*, 60 (7-8): 122-128, 4 figs.

Lewis, G. 1879. LⅢ. On certain new Species of Coleoptera from Japan. *The Annals and Magazine of Natural History*, 4 (5) 24: 459-467.

Li, J. K., Drumont, A., Mal, N., Lin, L., Zhang, X. P. and Gao, M. X. 2014. Checklist of the Prioninae of China with illustrations of genera and subgenera (Coleoptera, Cerambycidae). *Les Cahiers Magellanes* (N. S.), 16: 73-109, 35 figs.

Li, Z., Cuccodoro, G. and Chen, L. 2015. List of unavailable infrasubspecific names originally published in *Oberea* Dejean, 1835, with nomenclatural notes on the genus (Coleoptera: Cerambycidae). *Zootaxa*, 4034 (3): 577-586.

Li, Z. 2014. Taxonomy of *Oberea* Dejea, 1835 from China (Coleoptera: Cerambycidae: Lamiinae). Southwest University, Chongqing, 281 pp. 李竹. 2014. 中国筒天牛属分类研究(鞘翅目:天牛科:沟胫天牛亚科). 西南大学博士学位论文. 281pp.

Li, Z., Tian, L.-C., Cuccodoro, G., Chen, L. and Lu, C. 2016. Taxonomic note of *Oberea fuscipennis* (Chevrolat, 1852) based on morphological and DNA barcode data (Coleoptera, Cerambycidae, Lamiinae), *Zootaxa*, 4136 (2): 360-372.

Lim, J., Choi, I. J., Lee, S. K., Shin, Y. M., Kim, I. K., Lee, B. W., Kim, S. Y. and Shin, C. H. 2016. 200 *Longicorn Beetles in Forest*. Korea National Arboretum. Dong Jin Publisher, Seoul. 1-244.

Lim, J., Han, Y., Lee, B., Oh, H. and Lyu, D. 2012. A new species of *Clytus* Laicharting (Coleoptera: Cerambycidae) from Korea with a key to Korean species. *Entomological Research*, 42: 192-195.

Lin, M. Y. 2009. Study on the Systematics of Saperdini and Phytoeciini from China (Coleoptera: Cerambycidae: Lamiinae). Institute of Zoology, Chinese Academy of Sciences, Beijing, 521 pp. 林美英. 2009. 中国楔天牛族和小筒天牛族系统分类学研究(鞘翅目:天牛科:沟胫天牛亚科). 中国科学院动物研究所博士学位论文. 521 pp.

Lin, M. Y. 2013. Cerambycidae, pp. 347-359. *In* Bai, X.-S., Cai, W.-Z., Neng Nai, Z. (eds.), *Insects of Helanshan, Inner Mongolia*. Huhhot: Inner Mongolian People's Publishing House, 768pp. [林美英. 2013. 天牛科: 347-359. 见: 白晓栓, 彩万志, 能乃扎布(主编), 内蒙古贺兰山地区昆虫. 呼和浩特:内蒙古人民出版社, 768 页.]

Lin, M. Y. 2014. Some new localities of Chinese longhorn beetles (Coleoptera, Cerambycidae). *Les Cahiers Magellanes* (N. S.), 16: 110-150.

Lin, M. Y. 2015a. Some new localities of Chinese longhorn beetles, part 2 (Coleoptera, Cerambycidae). *Les Cahiers Magellanes* (N. S.), 17: 93-98.

Lin, M. Y. 2015b. *A Photographic Guide to Longhorn Beetles of China*. Chongqing: Chongqing University Publishing house. 227 pp. [林美英. 2015. 常见天牛野外识别手册. 重庆: 重庆大学出版社. 227 页.]

Lin, M. Y. 2015c. *Album of Type Specimens of Longhorn Beetles Deposited in National Zoological Museum of China*. Zhengzhou: Henan Science and Technology Press, 374pp. [林美英. 2015. 国家动物博物馆馆藏天牛模式标本图册. 郑州: 河南科学技术出版社, 374 页.]

Lin, M. Y., Bi, W.-X. and Yang, X.-K. 2017. A revision of the genus *Eutetrapha* Bates (Coleoptera:

Cerambycidae: Lamiinae: Saperdini). *Zootaxa*, 4238 (2): 151-202. https://doi.org/10.11646/zootaxa.4238.2.1

Lin, M. Y., Chou, W.-I., Takashi, K. and Yang, X.-K. 2012. Revision of the genus *Thermistis* Pascoe 1867, with descriptions of three new species (Coleoptera: Cerambycidae: Lamiinae: Saperdini). *Annales de la Société Entomologique de France* (N. S.), 48 (1-2): 29-50, 67 figs.

Lin, M. Y. and Danilevsky, M. L. 2017. Two new Prioninae (Coleoptera, Cerambycidae) genera from China. *Humanity space International almanac*, 6(1): 46-56.

Lin, M. Y. and Ge, S.-Q. 2017a. Notes on the genera *Annamanum* Pic and *Uraecha* Thomson (Coleoptera: Cerambycidae: Lamiinae: Lamiini). *Humanity space International almanac*, 6(5): 889-915.

Lin, M. Y. and Ge, S.-Q. 2017b. Taxonomic Notes on some Chinese Cerambycidae (Coleoptera). *Humanity space International almanac*, 6(5): 916-932.

Lin, M. Y., Li, W.-Z. and Yang, X.-K. 2006. Male description of *Eutetrapha velutinofasciata* Pic, with a new synonym (Coleoptera: Cerambycidae: Lamiinae: Saperdini). *Zootaxa*, 1371: 65-68

Lin, M. Y., Liu Y. and Bi, W.-X. 2010. Newly Recorded Species of Disteniidae (Coleoptera) from China, with a Catalogue of Chinese Disteniidae. *Entomotaxonomia*, 32 (2): 116-128, 18 figs. [林美英，刘晔，毕文烜. 2010. 中国瘦天牛科新纪录种并附记中国瘦天牛科名录. 昆虫分类学报，32 (2): 116-128, 18 figs.]

Lin, M. Y. and Tichý, T. 2014. Taxonomic notes on three species described by Fu-Ji Pu (Coleoptera, Cerambycidae). *Les Cahiers Magellanes* (N. S.), 14: 127-132.

Lin, M. Y. and Yang, X.-K. 2012. Contribution to the Knowledge of the Genus *Linda* Thomson, 1864 (Part I), with the Description of *Linda* (*Linda*) *subatricornis* n. sp. from China (Coleoptera, Cerambycidae, Lamiinae). *Psyche*, 2012 (2012): 1-8, 7 figs. doi: 10.1155/2012/672684.

Lingafelter, S. W. and Hoebeke, E. R. 2002. *Revision of Anoplophora* (*Coleoptera*, *Cerambycidae*). Washington: Entomological Society of Washington. 236 pp., 46 pls.

Lingafelter, S. W., Nearns, E. H., Tavakilian, G. L., Monné, M. Á. and Biondi, M. 2014. *Longhorned Woodboring Beetles* (*Coleoptera*: *Cerambycidae and Disteniidae*) *Primary Types of the Smithsonian Institution.* Smithsonian Institution Scholarly Press, Washington D. C., 390pp, 187 figs.

Linnaeus, C. 1758. *Systema naturœ per regna tria naturœ secundum classes*, *ordines*, *genera*, *species*, *cum characteribus*, *differentiis*, *synonymis*, *locis.* Systema naturae (Editio 10) Laur. Salvius. Holmiae. 1: iii + 824 pp.

Linnaeus, C. 1761. *Fauna Svecica sistens Animalia Sueciœ Regni*: *Mammalia*, *Aves*, *Amphibia*, *Pisces*, *Insecta*, *Vermes. Distributa per Classes & Ordines*, *Genera & Species*, *cum Differentiis Specierum*, *Synonymis Auctorum*, *Nominibus Incolarum*, *Locis Natalium Descriptionibus Insectorum.* Sumtu & Literis Direct. Laurentii Salvii, Stockholmiae. 578 pp.

Linnaeus, C. 1767. *Systema Naturae per regna tria naturae*, *secundum classes*, *ordines*, *genera*, *species*, *cum characteribus differentiis*, *synonymis*, *locis. Editio duodecima*, *reformata.* Tom. I. Pars Ⅱ. Holmiae: Laurentii Salvii, [2] + 533-1327 + [37] pp.

Linsley, E. G. 1932. Notes and descriptions of some new and old genera and species of North American Oemini and Methiini (Coleoptera, Cerambycidae). *The Pan-Pacific Entomologist*, 8 (3): 112-122, 1 pl.

Linsley, E. G. 1935. A revision of the Pogonocherini of North America (Coleoptera, Cerambycidae). *An-*

nals of The Entomological Society of America, 28:73-102, 1 pl.

Linsley, E. G. 1940. Notes and descriptions of West American Cerambycidae-Ⅳ (Coleoptera). *Entomological News Philadelphia*, 51:253-258, 285-290.

Linsley, E. G. 1962. *The Cerambycidae of North America. Part Ⅱ. Taxonomy and Classification of the Parandrinae, Prioninae, Spondylinae & Aseminae.* University of California, Publications in Entomology, Berkeley, 19: 1-102, 1 pl., 34 figs.

Linsley, E. G. 1964. *The Cerambycidae of North America. Part V. Taxonomy and classification of the subfamily Cerambycinae, tribes Callichromini through Ancylocerini.* University of California, Publications in Entomology, 22, viii + 1-197.

Linsley, E. G. and Chemsak, J. A. 1971. An attempt to clarify the generic status of some neotropical species currently assigned to *Euryptera*, *Chontalia* and *Ophistomis* (Coleoptera, Cerambycidae). *Arquivos de Zoologia*, São Paulo, 21 (1): 1-40.

Linsley, E. G. and Chemsak J. A. 1984. *The Cerambycidae of North America, Part VII, No. 1: Taxonomy and Classification of the Subfamily Lamiinae, Tribes Parmenini through Acanthoderini.* University of California. Publications in Entomology, Berkeley 102: i-ix + 1-258, 57 figs.

Lobanov, A. L., Danilevskij, M. L. and Murzin, S. V. 1981. Sistematicheskiy spisok usachei (Coleoptera, Cerambycidae) fauny SSSR. I. *Entomologicheskoe Obozrenie*, 60(4): 784-803.

Löbl, I. and Smetana, A. 2010. *Catalogue of Palaearctic Coleoptera*, Vol. 6. Stenstrup: Apollo Books: 924 pp.

Lucas, P. H. 1852. [*Sympiezocera laurasi*]. *Bulletin de Ia Societe Entomologique de France*, 1851: cvi-cvii.

Lucas, P. H. 1853. Note sur un nouveau genre de la famille des Longicornes (Genus Sympiezocera), qui habite les possessions franlÇaises du nord de l'Afrique. *Revue et Magasin de Zoologie*, (2) 5: 25-30, 1 pl.

Lyamtzeva, I. N. 1979. Novyy vid roda *Pterolophia* Newman (Coleoptera, Cerambycidae) iz Zabaikalya i severnoy Mongolii. Novye vidy nasekomykh. *Trudy Vsesoyuznogo Entomologicheskogo Obshchestva*, 61: 79-82.

Makihara, H. 1995. Taxonomic changes in the Japanese Cerambycidae (Coleoptera). *Special Bulletin of the Japanese Society of Coleopterology*, 4: 451-458.

Mannerheim, C. G. von. 1849. Insectes Coléoptères de la Sibérie Orientale, nouveaux ou peu connus. *Bulletin de la Société Impériale des Naturalistes de Moscou*, 22(1): 220-249.

Mannerheim, C. G. 1852. Insectes Coléoptères de la Sibérie Orientale, nouveaux ou peu connus, décrits par M. le Comte Mannerheim. Decades Tertia, Quarta et Quinta. *Bulletin de la Société Impériale des Naturalistes de Moscou*, 25 (2) 4: 283-387.

Marquet, M. 1899. *Catalogue des Coléoptères du Languedoc. Espèces observées dans quelques régions de cette province, notamment à Toulouse, Béziers, Cette, etc.* Imprimerie Lagarde et Sébille, Toulouse [1898], 240pp.

Marseul, S. A. de. 1856. Diagnoses d'especes nouvelles qui seront decrites et figurees prochainment. *Revue et Magasin de Zoologie Pure et Appliquee*, (2)8 : 47-48.

Marsham, T. 1802. *Entomologia Brittanica, sistens insecta Brittaniǽ indigena, secundum methodum Linnœanam disposita. Tomus I. Coleoptera.* Wilks & Taylor, London 1: vii-xxxi + 1-548.

Martin, E. 1860. Rapport sur l'excursion provinciale faite à Besançon, Pontarlier et Jougne en Juin 1860. *Annales de la Société Entomologique de France*, 3(8) : 989-1010.

Martins, U. R. 1978. Relationships between *Xystrocera* and Callichromatini, with remarks on Australian and Oriental species (Coleoptera, Cerambycidae). *Papéis Avulsos de Zoologia*, 31(15) : 221-236.

Martins, U. R. 2004. *Cerambycidae sul-americanos (Coleoptera). Taxonomia Volume* 6. *Subfamília Cerambycinae Obriini Mulsant*, 1839 *Lucosmodicini trib. nov. Psebiini Lacordaire* 1869 *Oxycoleini trib. nov.*, *Piezocerini Lacordaire*, 1869 *Sydacini Martins*, 1997 *Acangassuini G. & M.* Sociedade Brasileira de Entomologia, São Paulo., [2003]: i-vii + 1-232, 261 figs.

Martins, U. R. 2005. *Cerambycidae sul-americanos (Coleoptera). Taxonomia. Volume* 5. *Subfamília Cerambycinae: Cerambycini-Subtribo Sphallotrichina subtrib. nov.*, *Callidiopini Lacordaire*, 1869, *Graciliini Mulsant*, 1839, *Neocorini trib. nov.* Sociedade Brasileira de Entomologia, São Paulo, , i-v + 1-284, 425 figs.

Martins, U. R. and Galileo, M. H. M. 2003. Tribo Oxycoleini. In: Martins, U. R. (Ed.), *Cerambycidae Sul-Americanos (Coleoptera). Taxonomia.* Volume 6. Sociedade Brasileira de Entomologia, São Paulo, pp. 51-63.

Martins, U. R. and Monné, M. A. 2005. Tribo Cerambycini. Subtribo Sphallotrichina. In: Martins, U. R. (Ed.), *Cerambycidae Sul-Americanos (Coleoptera). Taxonomia.* Volume 5. Sociedade Brasileira de Entomologia, São Paulo, pp. 1-218.

Matsumura, S. 1906. *Thousand insects of Japan.* Vol. 3. Tokyo: Keiseisha Shoten, 2 + 1-161 + 3 + 8 pp., pls. 36-55.

Matsushita, M. 1931. Zehn neue Cerambyciden-Arten und eine neue Gattung aus Japan. *Transactions of the Sapporo Natural History Society*, 12 (1) : 42-48.

Matsushita, M. 1932. Einige neue Cerambycidae Arten von der Insel Palau. *Insecta Matsumurana*, 6: 169-172.

Matsushita, M. 1933a. Ueber die neuen Cerambyciden-Arten Japans. *Insecta Matsumurana*, 7 (3): 103-110, 6 figs.

Matsushita, M. 1933b. Beitrag zur Kenntnis der Cerambyciden des japanischen Reichs. *Journal of the Faculty of Agriculture of the Hokkaido Imperial University*, 34: 157-445, 5 pls., i-v pp.

Matsushita, M. 1934. Ueber einige japanische BockKäfer (Coleoptera: Cerambycidae). *Transactions of the Natural History Society of Formosa*, 24: 237-241.

Matsushita, M. 1935. Bemerkungen zu den japanischen Cerambyciden nebst Bechreibung einiger neuen Arten. *Transactions of the Natural History Society of Formosa*, 25: 308-313.

Matsushita, M. 1936. Zur Kenntnis der Japanischen Cerambyciden. *Kontyû*, 10(3) : 146-149.

Matsushita, M. 1937. Zur Kenntnis der Japanischen Cerambyciden (Ⅱ). *Kontyu*, 11(1-2) : 102-106.

Matsushita, M. 1939. Zur Kenntnis der Japanischen Cerambyciden (Ⅳ). *Insecta Matsumurana*, 13: 56-60.

Matsushita, M. 1943. Zur Kenntnis der Japanischen Cerambyciden (Ⅶ). *Transactions of the Natural History Society of Formosa*, 33 (242-243): 573-577, 2 figs.

Matsushita, M. and Tamanuki K. 1937. Einige neue Formen der Japanischen BockKäfer nebst Bemerkungen über Synonym und geographische Verbreitung. *Insecta Matsumurana*, 11: 146-149.

Matsushita, M. and Tamanuki, K. 1940. Zur Kenntnis der Japanischen Lepturinen (Coleoptera: Cerambicidae). *Insecta Matsumurana*, 15 (1-2): 3-8, 3 figs.

Matsushita, M. and Tamanuki, K. 1942. Ueber die neuen Japanischen Cerambyciden. *Zoological Magazine*, 54 (2): 79-81, 3 figs.

Miroshnikov, A. I. 1989. New and Little-Known Long-Horned Beetles (Coleoptera, Cerambycidae) from the Soviet Far East and the Taxonomic Position of the Genus *Stenhomalus* White, 1855. *Entomologiceskoe Obozrenie*, 68: 739-747.

Miroshnikov, A. I. 2000. New longicorn beetles of the tribe Xylosteini from Asia (Coleoptera, Cerambycidae). *Entomologica Kubanica*, 1: 37-54.

Miroshnikov, A. I., 2015. New species of the genera *Pachypidonia* Gressitt, 1935 and *Katarinia* Holzschuh, 1991 (Coleoptera: Cerambycidae) from China. *Russian Entomological Journal*, 24(4) : 285-290.

Miroshnikov, A. I. and Lin, M.-Y. 2012. New or little-Known species of the genus *Paraclytus* Bates, 1884 (Coleoptera: Cerambycidae) from China. *Caucasian Entomological Bulletin*, 8 (2): 246-251, 3 pls.

Miroshnikov, A. I. and Lin, M.-Y. 2015. A review of the genus *Neorhamnusium* Hayashi, 1976 (Coleoptera: Cerambycidae), with descriptions of three new species. *Russian Entomological Journal*, 24(4): 291-306, 44 figs.

Miroshnikov, A. I. and Lin, M.-Y. 2017. The longicorn beetle genus *Apatophysis* Chevrolat, 1860 (Coleoptera: Cerambycidae: Apatophyseini) in China, with preliminary remarks on its intrageneric structure and with descriptions of three new species. *Special Bulletin of the Coleopterological Society of Japan*, (1): 177-214.

Miroshnikov, A. I. and Lin, M.-Y. and Huang, J.-H. 2013. Little-Known species of the genus *Paraclytus* Bates, 1884 (Coleoptera: Cerambycidae) from China, with descriptions of the male of *P. thibetanus* (Pic, 1914) and the female of *P. albiventris* (Gressitt, 1937). *Russian Entomological Journal*, 22 (2): 113-117.

Mitono, T. 1934. Descriptions of new species of longicorn-beetles from Taiwan. *Transactions of the Natural History Society of Formosa*, 24: 489-493.

Mitono, T. 1941. 94. Cerambycidae. In Miwa Y. & M. Chûjô (editors). *Catalogus Coleopterorum Japonicorum* (8) [1940]: ii + 1-283. Noda-syobo, Taihoku.

Mitono, T. 1942. Monography of Clytini in the Japanese Empire (Cerambycidae, Coleoptera). Part Ⅱ. *Bulletin of the School of Agriculture and Forestry of the Taihoku imperial University*, 3: 79-120.

Mitono, T. 1947. Description of a new Formosan Longicorn-beetle (Subfamily Disteniinae). *Fukuoka Mushi* , 17 (2): 77-78.

Mokrzecki, S. A. 1900. K biologii *Oberea oculata* Linné var. *borysthenica* nova. *Horae Societatis Entomologicae Rossicae*, 34 [1899-1900] : 294-299.

Motschulsky, V. de. 1845. Remarques sur la collection de coléoptères russes. 1er Article. *Bulletin de la Société Impériale des Naturalistes de Moscou*, 18 (1-2) : 3-127 + errata p. 549, pls. 1-3.

Motschulsky, V. 1849. Coléoptères reçus d'un voyage de M. Handschuch dans le midi de l, Espagne enumerés et suivis de notes. *Bulletin de la Société Impériale des Naturalistes de Moscou*, 22(3) : 52-163.

Motschulsky, V. I. 1854. Diagnoses de Coléoptères nouveaux, trouvés par M. M. Tatarinoff et Gaschkéwitsch aux environs de Pékin. *Études Entomologiques*, 2 [1853]: 44-51.

Motschulsky, V. de 1858. Entomologie spéciale. Insectes du Japon. *Études Entomologiques*, 6 [1857] : 25-41.

Motschulsky, V. de. 1859. Catalogue des insectes rapportés des environs du fl. Amour, depuis la Schilka jusqu' à Nikolaëvsk. *Bulletin de la Société Impériales des Naturalistes de Moscou*, 32 (4): 487-507. [note: reprinted separately in 1860, Moscou, Imprimérie de l'Université Impériale, 21 pp.]

Motschulsky, V. I. 1860. *Coléoptères rapportés de la Sibérie orientale et notamment des pays situées sur les bords du fleuve Amour par M. M. Schrenk, Maak, Ditmar, Voznessenski etc. déterminés et décrits par V. de Motschulsky.* In: Dr. Leopold von Schrenk's, *Reisen und Forschungen im Amur-Lande*, Saint-Petersbourg 2 (2) (Coleopteren): 77-257 + carte, pls IX-X.

Motschulsky, V. I. 1861a. II. Entomologie spéciale. Insectes du Japon. *Études Entomologiques*, 9: 4-39.

Motschulsky, V. de. 1861b. Diagnoses d'insectes nouveaux des rives du fl Amur et de la Daourie méridionale. *Études Entomologiques*, 9 [1860] : 39-41.

Motschulsky, V. I. 1875. Énumération des nouvelles espèces de Coléoptères rapportés de ses voyages, par feu Victor Motschoulsky. *Bulletin de la Société Impériale des Naturalistes de Moscou*, 49(2) : 139-155.

Mulsant, E. 1839. *Histoire naturelle des coléoptères de France. Longicornes.* Paris: Maison Libraire, Lyon: Imprimerie de Dumoulin, Ronet et Sibuet. 304 pp., 3 pls.

Mulsant, E. 1842. Rectifications et additions à la monographie des longicornes. [8] pp. Supplement to: Mulsant E.: *Histoire naturelle des coléoptères de France. Lamellicornes.* Paris: Maison Libraire, Lyon: Imprimerie de Dumoulin, Ronet et Sibuet. viii + 626 pp., 3 pls.

Mulsant E. 1846: Longicornes - supplément. [16] pp. In: *Histoire naturelle des coléoptères de France.* Sulcicolles - Sécuripalpes. Paris: Maison, xxiv + [1] + 280 pp., 1 pl. + [26] pp.

Mulsant, E. 1856. Description d'une nouvelle espèce de longicorne, constituant un genre nouveau. *Annales de la Société Linnéenne de Lyon*, (2) 3: 157-159.

Mulsant, E. 1862. [Pp. 1-480]. In: *Histoire naturelle des coléoptères de France. Longicornes.* Ed. 2. Paris: Magnin, Blanchard et Cie, successeurs de Louis Janet, 590 pp.; note: also in *Annales de la Société Impériale d'Agriculture, d'Histoire naturelle et des arts utiles de Lyon*, 6: 1-162

Mulsant, E. 1863. [Pp. 481-590]. In: *Histoire naturelle des coléoptères de France. Longicornes.* Ed. 2. Paris: Magnin, Blanchard et Cie, successeurs de Louis Janet, 590 pp.; note: also in *Annales de la Société Impériale d'Agriculture, d'Histoire naturelle et des arts utiles de Lyon*, 7: 163-384 [1863, 1864]

Müller, J. 1906. Beiträge zur Kenntnis einiger Cerambyciden. *Wiener Entomologische Zeitung*, 25: 221-224.

Murzin, S. V., 1983. A new species of the genus *Miaenia* Pasc. (Coleoptera, Cerambycidae) from Primorsky Kray. *Entomologieskoe Obozrenie*, 62 (3): 584-585.

Nakamura, S., Makihara, H., Kurihara, T. and Yamasako, J. 2014. Check-list of Longicorn-beetles of Taiwan. *Miscellaneous Reports of the Hiwa Museum for Natural History*, (55) : 1-277.

Nakamura, S., Makihara, H. and Saito, A. 1992. Check-list of Longicorn-Beetles of Taiwan. *Miscellaneous Reports of the Hiwa Museum for Natural History*, (33) : 1-111.

Nakane, T. and Ohbayashi, K. 1957. Notes on the genera and species of Lepturinae (Coleoptera, Cerambycidae) with special reference to their male genitalia. *Scientific Reports of the Saikyo University*, (Natural Science & Living Science A series), 2 (4): 47-52, 1pl., 12 figs.

Nakane, T. and Ohbayashi, K. 1959. Notes on the genera and species of Lepturinae (Coleoptera, Cerambycidae) with special reference to their male genitalia. II. *Scientific Reports of the Saikyo University*, (Natural Science and Living Science), 3 (1): A63-A66, 12 figs.

Nara, H. and Yu, S.-K. 1992. A new species of saperdine beetle from Taiwan (Coleoptera: Cerambycidae). *Chinese Journal of Entomology*, 12, 131-134.

Newman, E. 1840a. Entomological notes. *The Entomologist*, 1: 1-16, 2 figs.

Newman, E. 1840b. Entomological Notes. *The Entomologist*, 2: 17-32, 2 figs.

Newman, E. 1842a. Cerambycitum insularum Manillarum Dom. Cuming captorum enumeratio digesta. *The Entomologist*, 15 [1840-1842]: 243-248.

Newman, E. 1842b. Addenda and Corrigenda. *The Entomologist*, 1: 418.

Newman, E. 1842c. Cerambycitum insularum Manillarum Dom. Cuming captorum enumeratio digesta. *The Entomologist*, 18 [1840-1842]: 288-293, 298-305.

Newman, E. 1842d. Cerambycitum insularum Manillarum Dom. Cuming captorum enumeratio digesta. *The Entomologist*, 20 [1840-1842]: 318-324.

Newman, E. 1842e. Supplementary note to the descriptive catalogue of the longicorn beetles collected in the Philippine Islands by Hugh Cuming, Esq. *The Entomologist*, 1 [1840-1842]: 369-371.

Niisato, T. 1995. New Synonyms of *Phymatodes infasciatus* (Coleoptera, Cerambycinae). *Elytra*, 23(2): 155-158.

Niisato, T. 1997. New Synonym of *Molorchus relictus* (Coleoptera, Cerambycidae). *Elytra*, 25 (2): 266.

Niisato, T. 2001. A New Arrangement of the *Stenhomalus incongruus Complex* (Coleoptera, Cerambycidae). *Elytra*, 29 (1): 16.

Niisato, T. 2006. A review of *Glaphyra hattorii* (Coleoptera, Cerambycidae), with Description of a New Subgenus. *Elytra*, 34 (1): 223-232, 7 figs.

Niisato, T. 2007. *Yoshiakioclytus*, a New Anaglyptine Genus (Coleoptera, Cerambycidae) from Taiwan. Elytra, 35 (2): 577-584, 13 figs.

Niisato, T., Chou W.-I and Kusakabe Y., 2009. Taxonomic Notes on the Genus *Cyrtoclytus* (Coleoptera, Cerambycidae) from China and Indochina. *Special Bulletin of the Japanese Society of Coleopterology*, (7): 221-235, 23 figs.

Niisato, T. and Lin, M.-Y. 2016. Chinese Species of the Genus *Entetraommatus* Fisher (Coleoptera, Cerambycidae). *Elytra*, New Series, 6 (2): 259-268.

Niisato, T. and Lin, M.-Y. 2017. Review of *Necydalis lateralis* Pic (Coleoptera, Cerambycidae). *Elytra*, New Series, 7 (1): 207-216.

Niisato, T. and Ohbayashi, N. 2005. New Synonym of a Chinese *Callimoxys* Species (Coleoptera, Cerambycidae). *Elytra*, 33 (1): 148.

Nishiguchi, S.-I. 1941. Description of a new variety of *Prionus insularis* Motschulsky (Col. Ceramb.) from Kyushu. *Transactions of the Kyushu Entomological Society*, 3: 31-32.

Nonfried, A. F. 1892. Verzeichniss der um Nienghali in Südchina gesammelten Lucanoiden, Scarabaeiden, Buprestiden und Cerambyciden, nebst Beschreibung neuer Arten. *Entomologische Nachrichten*, 18: 81-95.

Ohbayashi, K. 1956. New Cerambycidae from Japan (1). *Akitu*, 5(1): 7-8.

Ohbayashi, K. 1958a. New Cerambycidae from Japan (3). *The Entomological Review of Japan*, 9 (1):

9-12, pl. 3.

Ohbayashi, K. 1958b. Studies of Longicornia (3). *The Entomological Review of Japan*, 9 (2): 61-64, pl. 12.

Ohbayashi, K. 1960. Studies of longicornia (6). *The Entomological Review of Japan*, 12(1): 7-10.

Ohbayashi, K. 1961. New Cerambycidae from Japan. (6). *The Entomological Review of Japan*, 13 (1): 16-20, 2 figs. pl. 4.

Ohbayashi, K. 1963a. Systematic notes and descriptions of new forms in Cerambycidae from Japan. *Fragmenta Coleopterologica*, (2): 7-10.

Ohbayashi, K. 1963b. Cerambycidae : 267-318, pls 134-159. In: Nakane T., Ohbayashi K., Nomura S. & Kurosawa K. (Eds.) *Iconographia Insectorum Japonicorum Colore.* naturali edita 2 (Coleoptera). Hokuryukan, Tokyo , 443pp.

Ohbayashi, K. 1963c. Systematic notes and descriptions of new forms in Cerambycidae from Japan. *Fragmenta Coleopterologica*, (3): 11-12.

Ohbayashi, N. 1964. A List of Cerambycidae from the Tokara and the Amami Islands (Coleoptera). Reports of the *Scientific Researches to the Tokara and the Amami Islands of the Ehime University*, 1: 37-43.

Ohbayashi, N. 1992. Taxonomic Notes on Japanese Cerambycidae (Coleoptera). *Acta Coleopterologica Japonica*, 2: 1-11.

Ohbayashi, N. 2007. A Revision of the Genus *Formosotoxotus* (Coleoptera, Cerambycidae, Apatophyseinae), with Description of a New Species from Sikkim. *Elytra*, 35 (1): 194-204, 26 figs.

Ohbayashi, N., Kurihara, T. and Niisato, T. 2005. Some Taxonomic Changes on the Japanese Cerambycidae, with Description of a New Subspecies . *The Japanese Journal of Systematic Entomology*, 11 (2): 287-298, 37 figs.

Ohbayashi, N. and Lin, M.-Y. 2012. Studies on the Chinese Lepturinae (Coleoptera, Cerambycidae) I. Genera *Nivelliomorpha* Boppe, 1920 and *Houzhenzia* gen. nov. *Elytra*, New Series, 2 (1): 13-19, 10 figs.

Ohbayashi, N. and Niisato, T. 2007. *Longicorn Beetles of Japan.* Tokai University Press, Kanagawa: v-xii + 1-818, 22 figs. 130 pls couleur.

Ohbayashi, N., Niisato, T. and Wang, W.-K. 2004. Studies on the Cerambycidae (Coleoptera) of Hubei Province, China, Part I. *Elytra*, 32 (2): 451-470, 19 figs.

Okamoto, H. 1927. The longicorn beetles from Corea. Insecta Matsumurana Sapporo 2(2), 62-86.

Olivier, A. G. 1795. *Entomologie, ou histoire naturelle des insectes. Avec leur caractéres génériques et spécifiques, leur description, leur synonymie, et leur figure enluminée. Coléoptères.* Tome quatrième. Paris: de Lanneau, 519 pp. +72 pls. [Each genus treated is separately paginated].

Olivier, G. A. 1797. *Encyclopédie Méthodique, ou par ordre des matières; par une société de gens de lettres, de savans et d'artistes; précédée d'un vocabulaire universel, servant de table pou tout l'ouvrage, ornée des portraits de Mm. Diderot et d'Alembert, premiers éditeurs de l'Encyclopédie. Histoire Naturelle. Insectes. Histoire Naturelle, Insectes.* Paris, Plomteux, Liège, Panckocke Libr. 7 (2): 369-827.

Özdikmen, H. 2008a. Substitute names for some preoccupied longhorned beetles genus group names described by S. Breuning (Coleoptera: Cerambycidae). *Munis Entomology & Zoology*, 3 (2): 677-681.

Özdikmen, H. 2008b. A nomenclatural act: Some nomenclatural changes on Palaearctic longhorned beetles (Coleoptera: Cerambycidae). *Munis Entomology and Zoology*, 3: 707-715.

Özdikmen, H. 2011. The first attempt on subgeneric composition of Chlorophorus Chevrolat, 1863 with four new subgenera (Col.: Cerambycidae: Cerambycinae). *Munis Entomology & Zoology*, 6(2): 535-539.

Özdikmen, H. and Turgut, S. 2009. A short review on the genus *Plagionotus* Mulsant, 1842 (Coleoptera: Cerambycidae: Cerambycinae). *Munis Entomology & Zoology*, 4(2): 457-469.

Panzer, G. W. F. 1789. Einige seltene Insecten beschrieben. *Der Naturforscher*, 24: 1-35.

Panzer, G. W. F. 1793. *Fauna Insectorum Germanicae initia; oder Deutschlands Insecten.* [Heft 8]. Norimbergae: Felsecker, 24 pp. + 24 pls.

Panzer, G. W. F. 1799. *Faunae Insectorum Germanicae initia oder Deutschlands Insecten.* Nürnberg Heft 61-72, 1-14.

Pascoe, F. P. 1856. Descriptions of new genera and species of Asiatic longicorn Coleoptera. *The Transactions of the Entomological Society of London*, (2) 4 (3)[1856-1858]: 42-50, pl. XVI.

Pascoe, F. P. 1857. On new genera and species of longicorn Coleoptera. Part Ⅱ. *The Transactions of the Entomological Society of London*, (2) 4 [1856-1858]: 89-112, 2 pls.

Pascoe, F. P. 1858. XVII. On New Genera and Species of Longicorn Coleoptera. Part Ⅲ. *The Transactions of the Entomological Society of London*, (2) 4 (6): 236-266, pls XXV, XXVI.

Pascoe, F. P. 1859. On new genera and species of longicorn Coleoptera. Part Ⅳ. *The Transactions of the Entomological Society of London*, (2) 5 [1859-1861]: 12-32, 33-61, pl. Ⅱ. [note: pp. 12-32, part Ⅰ, February 1859; pp. 33-61, part Ⅱ, May 1959].

Pascoe, F. P. 1861. Entomological Notes. The Journal of Entomology, London 1 (4), 302.

Pascoe, F. P. 1862. Notices of new or little-known Genera and Species of Coleoptera. Part Ⅲ. *The Journal of Entomology*, 1(5): 319-370.

Pascoe, F. P. 1863a. Notices of new or little-known genera and species of Coleoptera. Part Ⅳ. *Journal of Entomology*, 2 (7) [1863-1866]: 26-56.

Pascoe, F. P. 1863b. Notes on the Australian longicornia, with description of sixty new species. *The Transactions of the Entomological Society of London*, 3 (1): 526-570.

Pascoe, F. P. 1864a. Longicornia Malayana; or, a descriptive catalogue of the species of the three longicorn families Lamiidae, Cerambycidae and Prionidae, collected by Mr. A. R. Wallace in the Malay Archipelago. *The Transactions of the Entomological Society of London*, (3) 3: 1-96.

Pascoe, F. P. 1864b. Additions to the longicornia of South Africa, including a few species from Old Calabar and Madagascar. The Journal of Entomology, London 2 [1863-1866], 270-291, pl. 13.

Pascoe, F. P. 1864c. Note on the Australian Species of *Clytus*. *The Journal of Entomology*, 2(10): 245-246.

Pascoe F. P. 1865. Longicornia Malayana; or, a descriptive catalogue of the species of the three longicorn families Lamiidae, Cerambycidae and Prionidae, collected by Mr. A. R. Wallace in the Malay Archipelago. *The Transactions of the Entomological Society of London*, (3) 3: 97-224.

Pascoe, F. P. 1866a. Longicornia Malayana; or, a descriptive catalogue of the species of the three longicorn families Lamiidae, Cerambycidae and Prionidae, collected by Mr. A. R. Wallace in the Malay Archipelago. *The Transactions of the Entomological Society of London*, (3) 3: 225-336.

Pascoe, F. P. 1866b. Catalogue of longicorn Coleoptera, collected in the Island of Penang by James

Lamb, Esq. (Part I.). *Proceedings of the Zoological Society of London*, 1866: 222-267, pls XXVI-XXVIII.

Pascoe, F. P. 1866c. Catalogue of longicorn Coleoptera, collected in the Island of Penang by James Lamb, Esq. (Part II). *Proceedings of the Zoological Society of London*, 1866: 504-537, pls XLI-XLIII.

Pascoe, F. P. 1867a. LX. - Diagnostic Characters of some new Genera and Species of Prionidæ. *The Annals and Magazine of Natural History, London*, 19 (3) 114: 410-413.

Pascoe, F. P. 1867b. Longicornia Malayana; or, a descriptive catalogue of the species of the three longicorn families Lamiidae, Cerambycidae and Prionidae, collected by Mr. A. R. Wallace in the Malay Archipelago. *The Transactions of the Entomological Society of London*, (3) 3: 337-464.

Pascoe, F. P. 1867c. [*Toxotus lacordairii*]. *Proceedings of the Entomological Society of London*, 1867: lxxxiv.

Pascoe, F. P. 1869. Longicornia Malayana; or, a Descriptive Catalogue of the Species of the three Longicorn Families Lamiidæ, Cerambycidæ and Prionidæ collected by Mr. A. R. Wallace in the Malay Archipelago. (Part VII). *The Transactions of the Entomological Society of London*, (3)3: 553-712.

Pascoe, F. P. 1871. XXXIII. - Descriptions of new Genera and Species of Longicorns, including three new Subfamilies. *The Annals and Magazine of Natural History, London*, (4)8: 268-281.

Pascoe, F. P. 1875. Notes on Coleoptera, with descriptions of new genera and species. *The Annals and Magazine of Natural History*, (4) 15: 59-73.

Pascoe, F. P. 1878. Descriptions of longicorn Coleoptera. *The Annals and Magazine of Natural History*, (5) 2: 370-377.

Paykull, G. von. 1800. *Fauna suecica. Insecta.* Tomus III. Upsaliae: J. F. Edman, 459 pp.

Perroud, B. P. 1855. Description de quelques espèces nouvelles ou peu connues et création de quelques nouveaux genres dans la famille des Longicornes, deuxième série. *Annales de la Société Linnéenne de Lyon*, 2(2) : 327-401.

Pesarini, C. and Sabbadini, A. 1997. Notes on new or poorly known species of Asian Cerambycidae (Insecta, Coleoptera). II Naturalista Valtellinese. *Atti del Museo Civico di Storia Naturale di Morbegno*, 7: 95-129, 6 figs. 4 pls.

Pesarini, C. and Sabbadini, A. 1999. Five new species of longicorn beetles from China (Coleoptera Cerambycidae). *Annali del Museo civico di Storia naturale di Ferrara*, 2, 57-67, 5 figs.

Pesarini, C. and Sabbadini, A. 2004. Osservazioni sulla sistematica della tribù Agapanthiini Mulsant, 1839 (Coleoptera Cerambycidae). *Atti della Società Italiana di Scienze Naturali e del Museo Civico di Storia Naturale in Milano*, 145 (1): 117-132.

Pérez-Arcas, L. 1874. Especies nuevas ó críticas de la fauna española, tercera parte. *Anales de la Sociedad Española de Historia Natural*, 3 (2): 111-155, 3 pls.

Pic, M. 1891. Faune franco-algérienne. (Variétés) (1). Pp. 1-50. *Matériaux pour servir à l'étude des longicornes.* Premier cahier. Lion: Imprimerie L. Jacquet, 67 + [1] pp.

Pic, M. 1895. Longicornes de la collection H. *Tournier. L'Échange, Revue Linnéenne*, 11: 75-78.

Pic, M. 1897. Descriptions de coléoptères asiatiques de la famille des Cerambycidae. *Bulletin de la Société Zoologique de France*, 22: 188-190.

Pic, M. 1898a. Descriptions, notes et renseignements divers sur certains longicornes de la faune d'Europe et circa. Pp. 18-24. *Matériaux pour servir à l'étude des longicornes.* 2ème cahier. Lyon: Imprimerie L. Jacquet, v + 59 pp.

Pic, M. 1898b. Supplément. Pp. 54-58. *Matériaux pour servir à l'étude des longicornes.* 2ème cahier. Lyon: Imprimerie L. Jacquet, v + 59 pp.

Pic, M. 1900a. Contribution à l'étude des Cerambycidæ de Chine et du Japon. *Annales de la Société Entomologique de Belgique*, 44(1):16-19.

Pic, M. 1900b. Contribution à I' étude des longicornes. *L 'Échange, Revue Linnéenne*, 16 (191): 81-83.

Pic, M. 1900c. [pp. 1-66]. In: *Catalogue bibliographique et synonymique des Longicornes d'Europe et des régions avoisinantes. Matériaux pour servir à l'étude des longicornes* 3ème cahier, 2ème partie. Lyon: Imprimerie Jacquet Frères. 121 pp.

Pic, M. 1901a. Coléoptères cérambycides recueillis au Japon par M. le Dr. Harmand, Ministre plénipotentiaire de France à Tokio. *Bulletin du Muséum National d'Histoire Naturelle de Paris*, 7 (2): 56-62.

Pic, M. 1901b. Notes diverses et diagnoses [2e article]. *L'Échange, Revue Linnéenne* , 17 (194): 9-12.

Pic, M. 1901c. Notes sur quelques Longicornes de la Chine et du Japon. *Matériaux pour servir à l'étude des Longicornes*, 3 (3): 27-29.

Pic, M. 1902a. Descriptions et Notes diverses. *L'Échange, Revue Linnéenne*, 18 (206): 9-10.

Pic, M. 1902b. Espèces ou variétés présumées nouvelles provenant de Chine. *Matériaux pour servir à l'étude des Longicornes*, 4 (1): 28-32.

Pic, M. 1902c. Petite contribution à la faune du Tonkin septentrional. Pp. 33-35. *Matériaux pour servir à l'étude des longicornes*, 4me cahier, 1re partie. Saint-Amand (Cher): Imprimerie Bussière. 37 pp.

Pic, M. 1902d. Coléoptères asiatiques nouveaux. *L'Échange, Revue Linnéenne*, 18 (205): 1-3.

Pic, M. 1903a. Contribution à la faune de Chine. *Matériaux pour servir à l'étude des longicornes*, 4 (2): 18-25.

Pic, M. 1903b. Contribution à la Faune du Tonkin. *Matériaux pour servir à l'étude des Longicornes*, 4 (2): 28-31.

Pic, M. 1904a. Liste des Longicornes recueillis sur les bords du fleuve Amour. *Matériaux pour servir à l'étude des Longicornes*, 5 (1): 12-18.

Pic, M. 1904b. Descriptions de divers Longicornes d'Europe et d'Asie. *Matériaux pour servir à l'étude des Longicornes*, 5 (1): 7-9.

Pic, M. 1904c. Longicornes paléarctiques nouveaux. *L'Échange, Revue Linnéenne*, 20 (231): 17-18.

Pic, M. 1905. Descriptions et notes diverses. Pp. 5-15. *Matériaux pour servir àl'étude des longicornes.* 5ème cahier, 2ème partie. Saint-Amand (Cher): Imprimerie Bussière. 38 + 1 pp.

Pic, M. 1907a. Notes sur divers genres ou espèces avec diagnoses. *Matériaux pour servir à l'étude des Longicornes*, 6(2): 3-9.

Pic, M. 1907b. Sur divers longicornes de la Chine et du Japon. Pp. 20-25. *Matériaux pour servir à l'étude des longicornes. 6me cahier*, 2ème partie. Saint-Amand (Cher): Imprimerie Bussière, 28 pp.

Pic, M. 1908a. Nouveaux longicornes de la Chine méridionale. Pp. 14-18. *Matériaux pour servir à l'étude des longicornes.* 7ème cahier, 1ère partie. Saint-Amand (Cher): Imprimerie Bussière. 24 pp.

Pic, M. 1908b. Descriptions ou diagnoses et notes diverses (Suite). *L'Échange, Revue Linnéenne*, 24

(284): 57-58.

Pic, M. 1910. Coléoptères exotiques nouveaux ou peu connus. *L'Échange, Revue Linnéenne*, 26 (304): 28-30.

Pic, M. 1911a. Notes diverses et diagnoses. *Matériaux pour servir à l'étude des Longicornes*, 8 (1): 3-9.

Pic, M. 1911b. Longicornes de Chine en partie nouveaux. *Matériaux pour servir à l'étude des Longicornes*, 8 (1): 19-21.

Pic, M. 1912a. Nouveaux Coléoptères paléarctiques. *L'Échange, Revue Linnéenne*, 28 (336): 89-90.

Pic, M. 1912b. Longicornes de Chine et des régions avoisinantes. *Matériaux pour servir à l'étude des Longicornes*, 8 (2): 20-22.

Pic, M. 1912c. Nouvelle étude synoptique du genre Monochamus Latr. *Matériaux pour servir à l'étude des Longicornes*, 8 (2): 16-19.

Pic, M. 1912d. Coléoptères exotiques nouveaux ou peu connus (Suite). *L'Échange, Revue Linnéenne*, 28 (326): 13-16.

Pic, M. 1913a. Descriptions de 29 espèces et de plusieurs variétés. *Mélanges Exotico-Entomologiques*, 5: 7-20.

Pic, M. 1913b. Coléoptères exotiques en partie nouveaux (Suite.). *L'Échange, Revue Linnéenne*, 29 (341): 133-135.

Pic, M. 1914. Notes diverses et diagnoses. Pp. 3-11. *Matériaux pour servir à l'étude des longicornes.* 9ème cahier, 1ère partie. Saint-Amand (Cher): Imprimerie Bussière. 24 pp.

Pic, M. 1915a. Nouveaux Cérambycides [Col.] de la Chine méridionale. I. *Bulletin de la Société Entomologique de France*, 1915 (19): 313-314.

Pic, M. 1915b. Longicornes de diverses régions asiatiques. *Matériaux pour servir à l'étude des Longicornes*, 9 (2): 11-14.

Pic, M. 1915c. Notes diverses et diagnoses. *Matériaux pour servir à l'étude des Longicornes*, 9 (2): 4-11.

Pic, M. 1915d. Nouveautés de diverses familles. *Mélanges Exotico-Entomologiques*, 13: 2-13.

Pic, M. 1915e. Coléoptères exotiques en partie nouveaux (Suite). *L'Échange, Revue Linnéenne*, 31 (367): 27-28.

Pic, M. 1916a. Longicornes asiatiques (I). Pp. 12-19. *Matériaux pour servir à l'étude des longicornes.* 10ème cahier, 1ère partie. Saint-Amand (Cher), Imprimerie Bussière. 20 pp.

Pic, M. 1916b. Nouveaux Clytini de Chine (Col. Longicornes). *Bulletin du Muséum National d'Histoire Naturelle*, 22(4): 180-182.

Pic, M. 1916c. Notes diverses, descriptions et diagnoses (Suite.). *L'Échange, Revue Linnéenne*, 32 (375): 9-11.

Pic, M. 1917a. Descriptions abrégées diverses. *Mélanges Exotico-Entomologiques*, 24: 2-24.

Pic, M. 1917b. Notes diverses et diagnoses. Pp 3-10. *Matériaux pour servir à l'étude des longicornes.* 10me cahier, 2me partie. Saint-Amand (Cher): Imprimerie Bussière. 20 pp.

Pic, M. 1917c. Longicornes asiatiques en partie nouveaux. Pp. 10-14. *Matériaux pour servir à l'étude des longicornes.* 10me cahier, 2me partie. Saint-Amand (Cher): Imprimerie Bussière. 20 pp.

Pic, M. 1918. Courtes descriptions diverses. *Mélanges Exotico-Entomologiques*, 28: 1-24.

Pic, M. 1919. Nouveautés diverses. *Mélanges Exotico-Entomologiques*, 31: 11-24.

Pic, M. 1920a. Diagnoses de Coléoptères exotiques. *L'Échange, Revue Linnéenne*, 36(400): 15-16.

Pic, M. 1920b. Nouveautés diverses. *Mélanges Exotico-Entomologiques*, 32: 1-28.

Pic, M. 1922. Nouveautés diverses. *Mélanges Exotico-Entomologiques*, 37: 1-32.

Pic, M. 1923a. Nouveautés diverses. *Mélanges Exotico-Entomologiques*, 38: 1-32.

Pic, M. 1923b. Coléoptères exotiques en partie nouveaux (Suite.). *L'Échange, Revue Linnéenne*, 39 (412): 7-8.

Pic, M. 1923c. Coléoptères exotiques en partie nouveaux (Suite.). *L'Échange, Revue Linnéenne*, 39 (413): 11-12.

Pic, M. 1923c. Nouveautés diverses. *Mélanges Exotico-Entomologiques*, 39: 3-32.

Pic, M. 1923d. Nouveautés diverses. *Mélanges Exotico-Entomologiques*, 40: 3-32.

Pic, M. 1924a. Nouveautés diverses. *Mélanges Exotico-Entomologiques*, 41: 1-32.

Pic, M. 1924b. Nouveaux longicornes de Chine (Col.). *Bulletin de la Société Entomologique de France*, 1924: 79.

Pic, M. 1925a. Séance du 24 juin 1925. Nouveaux Longicornes asiatiques. *Bulletin de la Société Entomologique de France*, [1925]: 188-189.

Pic, M. 1925b. Nouveautés diverses. *Mélanges Exotico-Entomologiques*, 44: 1-32.

Pic, M. 1925c. Nouveautés diverses. *Mélanges Exotico-Entomologiques*, 43: 1-32.

Pic, M. 1925d. Séance du 22 avril 1925. Nouveaux Longicornes asiatiques [Col.]. *Bulletin de la Société Entomologique de France*, [1925]: 137-139.

Pic, M. 1926a. Nouveautés diverses. *Mélanges Exotico-Entomologiques*, 45, 1-32.

Pic, M. 1926b. Nouveautés diverses. *Mélanges Exotico-Entomologiques*, 46, 1-32.

Pic, M. 1926c. Nouveautés diverses. *Mélanges Exotico-Entomologiques*, 47, 1-32.

Pic, M. 1926d. Coléoptères asiatiques nouveaux. *Bulletin de la Société Entomologique de France*, 1925, 301-303.

Pic, M. 1927a. Coléoptères exotiques en partie nouveaux (Suite.). *L'Échange, Revue Linnéenne*, 43 (428): 7-8.

Pic, M. 1927b. Notes diverses, descriptions et diagnoses (Suite.). *L'Échange, Revue Linnéenne*, 43 (429): 9-11.

Pic, M. 1927c. Notes diverses, descriptions et diagnoses (Suite.). *L'Échange, Revue Linnéenne*, 43 (430): 13-14.

Pic, M. 1928. Notes et descriptions. *Mélanges Exotico-Entomologiques*, 51, 1-34.

Pic, M. 1929a. Nouveautés diverses. *Mélanges Exotico-Entomologiques*, 52: 1-32.

Pic, M. 1929b. Notes diverses, nouveautés. *L'Échange, Revue Linnéenne*, 45: 5-7.

Pic, M. 1929c. Nouveaux coléoptères paléarctiques. *Časopis Československé Společnosti Entomologické*, 25 [1928-1929]: 118-120.

Pic, M. 1930a. Nouveautés diverses. *Mélanges Exotico-Entomologiques*, 55: 1-36.

Pic, M. 1930b. Nouveautés diverses. *Mélanges Exotico-Entomologiques*, 56: 1-36.

Pic, M. 1931a. Sur le genre *Tibetobia* Friv. et quelques autres lamiens. *Entomologisches Nachrichtenblatt*, 5: 48-49.

Pic, M. 1931b. Notes diverses, nouveautés. *L'Échange, Revue Linnéenne*, 47: 1-2, 5-6, 13-14.

Pic, M. 1932. Nouveautés diverses. *Mélanges Exotico-Entomologiques*, 60: 1-36.

Pic, M. 1933a. Nouveautés diverses. *Mélanges Exotico- Entomologiques*, 61: 3-36.

Pic, M. 1933b. Nouveautés diverses. *Mélanges Exotico- Entomologiques*, 62: 1-36.

Pic, M. 1933c. Séance du 25 janvier 1933. Descriptions et notes sur divers Cérambycides [Col.]. *Bulletin de la Société Entomologique de France*, 38 (2): 30-32.

Pic, M. 1934. Nouveautés diverses. *Mélanges Exotico- Entomologiques*, 63: 1-36.

Pic, M. 1935a. Notes entomologiques et descriptions [Coléoptères]. *Bulletin de la Société Zoologique de France*, 60(2): 169-172.

Pic, M. 1935b. Nouveautés diverses. *Mélanges Exotico- Entomologiques*, 66: 1-36.

Pic, M. 1935c. Schwedische- chinesische wissenschaftliche Expedition nach den nordwestlichen Provinzen Chinas, unter Leitung von Dr. Sven Hedin und Prof. Sü Ping- chang. Insekten, 1 gesammelt vom schwedischen Artz der Expedition Dr. David Hummel 1927-1930. 16. Coleoptera. *Arkiv för Zoologi*, 27A(2): 1-14.

Pic, M. 1936a. Nouveaux Coléoptères de Chine. *Notes d'Entomologie Chinoise*, 3 (2): 15-17.

Pic, M. 1936b. Nouveaux Coléoptères paléarctiques. L'Échange, Revue Linnéenne, 51 (463) hors-texte: 1-4.

Pic, M. 1936c. Nouveautés diverses. *Mélanges Exotico- Entomologiques*, 67: 1-36.

Pic, M. 1939. Coléoptères nouveaux, principalement de Chine- Cérambycides. *L' Échange*, *Revue Linnéenne*, 55 (476) hors- texte: 1-4.

Pic, M. 1941a. Opuscula martialis II. *L'Échange*, *Revue Linnéenne*, *Numéro spécial*, 2, 1-16.

Pic, M. 1941b. Opuscula martialis IV. *L'Échange*, *Revue Linnéenne*, *Numéro spécial*, 4: 1-16.

Pic, M. 1941c. Notes diverses, Nouveautés. *L'Échange*, *Revue Linnéenne*, 57(484): 5.

Pic, M. 1941d. Coléoptères du globe. *L'Échange*, *Revue Linnéenne*, 57(486): 13-16.

Pic, M. 1943a. Opuscula martiala IX. *L'Échange*, *Revue Linnéenne*, *Numéro spécial*, 9: 1-16.

Pic, M. 1943b. Opuscula martiala X. *L'Échange*, *Revue Linnéenne*, *Numéro spécial*, 10: 1-16.

Pic, M. 1944a. Opuscula martiala XIII. *L'Échange*, *Revue Linnéenne*, *Numéro spécial*, 13: 1-16.

Pic, M. 1944b. Coléoptères du globe (suite). *L'Échange*, *Revue Linnéenne*, 60: 13-16.

Pic, M. 1945. Nouvelles variétés de Coléoptères Longicornes. *L'Échange*, *Revue Linnéenne*, 61 (500): 5-7.

Pic, M. 1946. Les réfutations continuent. *Miscellanea Entomologica*, 43 (1): 11-20.

Pic, M. 1949. Coléoptères du globe (suite). *L'Échange*, *Revue Linnéenne*, 65(517): 9-12.

Pic, M. 1950a. Descriptions et notes variées. *Diversités Entomologiques*, 7: 1-16.

Pic, M. 1950b. Coléoptères du globe (suite). *L'Échange*, *Revue Linnéenne*, 66 (522): 13-16.

Pic, M. 1952. Coléoptères divers nouveaux ou peu connus-Notes. *Diversités Entomologiques*, 11: 4-16.

Pic, M. 1953a. Coléoptères du globe (Suite). *L 'Échange*, *Revue Linnéenne*, 69(531): 2-4.

Pic, M. 1953b. Critiques concernant la faune des Longicornes de Chine. *Miscellanea Entomologica*, *Narbonne*, 47 (59-60) [1951-1952]: 39-44.

Planet, L. M. 1893. Capture de Acanthocinus (Astynomus) ædilis Lin. *Bulletin de la Société Entomologique de France*, 62 (14) [1893]: ccxi.

Planet, L. M. 1924. Histoire Naturelle des Longicornes de France. *Encyclopédie Entomologique* (Série A), 2: 1-386, 301 figs., 3 pls. Paul Lechevalier, Paris.

Plavilstshikov, N. N. 1915a. Les espèces paléarctiques du genre Rhagium F. (Coleoptera, Cerambyci-

dae). *Revue Russe d'Entomologie*, 15(1): 31-49.

Plavilstshikov, N. N. 1915b. Notices synonymiques sur les longicornes (Coleoptera, Cerambycidae). *Russkoe Entomologicheskoe Obozrenie*, 15 [1915-1916]: 79-80.

Plavilstshikov, N. N. 1915c. Zhuki-usachi sobrannye A. I. Aleksandrovym v Manchzhuria (Coleoptera, Cerambycidae). *Entomologicheskyi Vestnik*, 2: 103-110.

Plavilstshikov, N. N. 1921a. Notices synonymiques sur les Longicornes (Coleoptera, Cerambycidae). Ⅱ. *Revue Russe d'Entomologie*, 17: 110-111.

Plavilstshikov, N. N. 1921b. Quaedam Cerambycidarum palaeanarcticarum species descriptae (Coleoptera). *Revue Russe d'Entomologie*, 17 [1917]: 112-123.

Plavilstshikov, N. N. 1925. Eine neue *Xylotrechus*-Art aus Ost-Sibirien (Col. Cerambye). *Entomologische Mitteilungen Berlin*, 14: 360-361.

Plavilstshikov, N. N. 1931a. *Cerambycidae I. Teil. Cerambycinae: Disteniini Cerambycini I. Bestimmungs-Tabellen der europäischen Coleopteren.* Heft 101. Troppau: Edmund Reitter's Nachfolger Emmerich Reitter. 102 pp.

Plavilstshikov, N. N. 1931b. Synonymische Bemerkungen über Cerambyciden. *Koleopterologische Rundschau*, 17 (5): 195-208.

Plavilstshikov, N. N. 1931c. *Embrik-Strandia*, eine neue Callichrominen-Gattung (Col. Cerambycidæ). *Folia Zoologica et Hydrobiologica*, 3: 278-279.

Plavilstshikov, N. N. 1933a. Beitrag zur Verbreitung der paläarktischen Cerambyciden. Ⅲ. *Entomologisches Nachrichtenblatt*, 7(1): 9-16.

Plavilstshikov, N. N. 1933b. Eine neue *Callidium-Art* aus Japan. *Entomologische Blätter*, 29: 126-128.

Plavilstshikov, N. N. 1933c. Synonymische Bemerkungen über Cerambyciden Ⅱ. *Entomologisches Nachrichtenblatt*, 7 (4): 129-132.

Plavilstshikov, N. N. 1934a. *Pseudalosterna*, eine neue Lepturinen-Gattung aus Ost-Sibirien (Col., Cerambycidae). *Entomologische Blätter*, 30 (4): 131-133.

Plavilstshikov, N. N. 1934b. Cerambycidae Ⅲ. Cerambycinae: Cerambycini 3 (Callichromina, Rosaliina, Callidiina). *Bestimmungs-Tabellen der europäischen Coleopteren*, 112: 1-230.

Plavilstshikov, N. N. 1934c. Descriptions de Longicornes nouveaux de la Chine (Coleoptera, Cerambycidae.). *Sborník Entomologického Oddelińí Národního Musea v Praze*, 12 (107): 220-227.

Plavilstshikov, N. N. 1936. Faune de l'URSS. *Insectes Coléoptères. Cerambycidae* (P. 1). Moscou-Leningrad. Fauna SSSR 21 (1): i-ix + 1-611, 247 figs.

Plavilstshikov, N. N. 1940. *Fauna SSSR. Nasekomye zhestokrylye. T. XXII. Zhuki-drovoseki* (ch. 2). Moskva - Leningrad: Izdatel'stvo Akademii Nauk SSSR. 784 + [3] pp.

Plavilstshikov, N. N. 1954. Novye vidy zhukov-drovosekov fauny SSSR (Coleoptera, Cerambycidae). *Zoologicheskyy Zhurnal*, 33: 470-476.

Plavilstshikov, N. N. and Anufriev, L. A. 1964. A new species of the genus *Phymatodes* (Coleoptera, Cerambycidae). *Zoologicheskii Zhurnal*, 43: 1565-1569.

Poda, von N. N. 1761. *Insecta Musei Grœcensis, quœ in ordines, genera et species Juxta Systema Naturœ Caroli Linnœi digessit Nicolaus Poda.* Widmanstad: Graecii, iii-viii + 1-127 + index (12 pages), 2 pls.

Podaný, Č. 1953. Quelques nouvelles aberrations de Cerambycidae. *Bulletin de la Société Entomologique de Mulhouse*, [1953]: 49-52, 22 figs.

Podaný, Č. 1962. Monographie des Genus *Gaurotes* J. Lec. (Coleoptera, Cerambycidae). *Mitteilungen der Münchener entomologischen Gessellschaft*, 52: 219-252, pls 4-5.

Podaný, Č. 1964. Monographie des Genus *Pachyta* Zett. (Col., Cerambycidae). *Polskie Pismo Entomologiczne*, 34: 42-54.

Podaný, Č. 1968. Studien über Callichromini der palaearktischen und orientalischen Region (I). Mit Fotos und 12 Abbildungen. *Abhandlungen und Berichte aus dem staatlichen Museum für Tierkunde in Dresden*, 36(3): 41-121.

Podaný, Č. 1971. Studien über Callichromini der palaearktischen und orientalischen Region (Ⅱ). *Abhandlungen und Berichte aus dem staatlichen Museum für Tierkunde in Dresden*, 38(8): 253-313.

Portevin, G. 1927. Tableaux dichotomiques pour la détermination des Longicornes de France. Paris, Paul Lechevalier. *Encyclopédie Entomologique*, 2: 1-53.

Portevin, G. 1934. Polyphaga: Heteromera, Phytophaga. Paris, Paul Lechevalier. *Coléoptères de France*, 3: 163-164, 492 figs.

Pu, F. J. 1980. *Economic insect fauna of China Vol. XIX. Coleoptera: Cerambycidae* (Second). Beijing, Science Press, 146 pp., 12 pls. [蒲富基. 1980. 中国经济昆虫志：第十九册. 鞘翅目：天牛科(二). 北京：科学出版社，146 页，12 pls.]

Pu, F. J. 1986. A new species of the genus *Eutetrapha* from Shennongjia, Hubei, China. *Acta Zootaxonomica Sinica*, 11: 201-202.

Pu, F. J. 1988. Coleoptera: Cerambycidae. Pp 293-304. In: Huang, F. S. and Wang, P. Y. (ed.): *Insects of Mt. Namjagbarwa Region of Xizang*. Science Press, Beijing. 621pp. [蒲富基. 1988. 鞘翅目：天牛科. p. 293-304. In：黄复生，王平远. 西藏南迦巴瓦峰地区昆虫. 北京：科学出版社，621 页.]

Pu, F. J. 1992. Coleoptera: Disteniidae and Cerambycidae. Pp. 588-623. In: The Comprehensive Scientific Expedition to the Qinghai-Xizang Plateau, Chinese Academy of Sciences (eds.): *Insects of the Hengduan Mountains region*. Volume 1. Science Press, Beijing. 865pp. [蒲富基. 1992. 鞘翅目：瘦天牛科和天牛科. p. 588-623. In：中国科学院青藏高原综合科学考察队主编. 横断山区昆虫第一册. 北京：科学出版社，865 页.]

Pu, F. J. 1999. Five new species and a new record species of Lamiinae from China (Coleopter [sic]: Cerambycidae). *Acta Entomologica Sinica*, 42: 78-85.

Pu, F. J. and Jin, G.-T. 1991. Systematic study of the Chinese Longicorn Beetles, Genus *Eutetrapha* (Coleoptera: Cerambycidae: Lamiinae). 189-198. In: Zhang G.-X. (ed.). 1991. *Scientific treatise on Systematic and Evolutionary Zoology*. China Science and Technology Publishing House, Beijing, 239pp. [蒲富基，金根桃. 1991. 中国直脊天牛属的系统分类研究，189-198. 见：张广学主编，1991. 系统进化动物学论文集，北京：中国科学技术出版社，239 页.]

Qian, T.-Y. 1984. Descriptions of the larvae of four species of tea tree borers (Coleoptera: Cerambycidae). *Wuyi Science Journal*, 4: 189-193, 20 figs.

Quedenfeldt, F. O. G. 1888. Beiträge zur Kenntniss der Koleopteren-Fauna von Cenral-Africa nach den Ergebnissen der Lieutenant Wissman'schen Kassai-Expedition 1883-1836. *Berliner Entomologische Zeitschrift*, 32: 155-219.

Quentin, R. M. and Villiers, A. 1981. Les Macrotomini de l'Ancien Monde (Région éthiopienne exclue) genera et catalogue raisonné (Col. Cerambycidae Prioninae). *Annales de la Société Entomologique de France* (*N. S.*), 17 (3): 359-393, 76 figs.

Rabil, J. 1992. Catalogue des Coléoptères de la Forêt de la Grésigne (Tarn). Nouvelles *Archives du Muséum d'Histoire Naturelle de Lyon*, 29-30:1-174.

Rapuzzi, P. and Sama, G. 2014. Descriptions of nine new species of longhorn beetles (Coleoptera: Cerambycidae). *Munis Entomology & Zoology*, 9 (1): 1-16.

Redtenbacher, L. 1845. *Die Gattungen der deutschen Käfer-Fauna nach der analytischen Methode berabeitet, nebst einem kurz gefassten Leitfaden, zum Studium dieses Zweiges der Entomologie.* Wien: Carl Ueberreuter, [12] + 177 + [1], 2 pls.

Redtenbacher, L. 1849. *Fauna Austriaca. Die Käfer. Nach der analytischen Methode bearbeitet.* Wien, Carl Gerold: 883 pp., 2 pls.

Redtenbacher, L. 1858. *Fauna Austriaca. Die Käfer nach der Analytischen Methode bearbeitet* [2ème Edition]. Wien: Carl Gerold's Sohn, 1017pp.

Redtenbacher, L. 1868. Zoologischer Teil. Zweiter band. I. Abtheilung A 2. Coleopteren. In: *Reise der Oesterreichischen Fregatte Novara um die Erde in den Jahren* 1857, 1858, 1859 *unter dem Befehlen des Commodore B. von Wüllerstorf-Urbair.* Wien: Karl Gerold's Sohn, iv + 249 pp., 5 pls.

Reitter, E. 1897. Uebersicht der mir bekannten Centralasiatischen Neodorcadion-Arten. *Entomologische Nachrichten*, 23: 177-184.

Reitter, E. 1898. Neue Coleopteren aus Europa und den angrenzenden Ländern. *Deutsche Entomologische Zeitschrift*, 42(2): 337-360.

Reitter, E. 1890. Coleopterologische Notizen. XXXVIII. *Wiener Entomologische Zeitung*, 9(7):210-213.

Reitter, E. 1895. Einige neue Coleopteren aus Korea und China. *Wiener Entomologische Zeitung*, 14:208-210.

Reitter, E. 1913. *Fauna Germanica. Die Käfer des Deutschen Reiches. Nach der analytischen Methode bearbeitet.* IV. Band. [1912]. Stuttgart: K. G. Lutz' Verlag. 236 pp., pl. 129-152.

Renaudié, P. 2003. Contributions à la connaissance des Cerambycidae des Pyrénées-Orientales (Coleoptera, Cerambycidae). Contribution à l'inventaire des Cerambycidae des Pyrénées-Orientales 2° Note. *Revue de l'Association Roussillonnaise d'Entomologie* (R. A. R. E.), 12 (1): 29, 1 fig.

Retzius, A. J. 1783. *Caroli de Geer genera et species insectorum et generalissimi auctoris scriptis extraxit, digessit, latine quand. partem redditit, et terminologiam insecrotum Linneanam additit.* Lipsiae: Cruse. vi + 220 pp.

Rondon, J. A. and Breuning, S. 1970. Lamiines du Laos. *Pacific Insects Monograph*, 24:315-571, 54 figs.

Roubal, J. 1937. Description de quelques Cérambycides nouveaux des Carpathes tchécoslovaques. *Miscellanea Entomologica*, 38(8):81-82.

Saito K. 1932. *On the longicorn beetles of Corea.* Scientific Papers of the 25 the Annual Agriculture and Forestry College Suigen, pp. 439-478.

Sama, G. 1991. Note sulla nomenclatura dei Cerambycidae della regione mediterranea (Coleoptera). *Bollettino della Societa Entomologica Italiana*, 123(2):121-128.

Sama, G. 1995. Note sui Molorchini. II. I generi *Glaphyra* Newman, 1840 e *Nathrioglaphyra* nov. (Coleoptera, Cerambycidae). *Lambillionea*, 95(3):363-390.

Sama, G. 1999. Notes on the type material of Cerambycidae of the Natural History Museum Budapest, with description of two new genera of Cerambycini (Coleoptera). *Entomologische Zeitschrift*, 109(1): 43-48.

Sama, G. 2002. *Atlas of the Cerambycidae of Europe and the Mediterranean area. Vol. 1: Northern, Western, Central and Eastern Europe, British Isles and continental Europe from France (excl. Corsica) to Scandinavia and Urals.* Zlín: Kabourek, 173 pp.

Sama, G. 2008. Notes on the genus *Agapanthia* Serville, 1835 (Coleoptera: Cerambycidae: Lamiinae: Agapanthiini). *Boletín de la Sociedad Entomológica Aragonesa*, 42:123-127, 13 figs.

Sama, G. 2009a. [new taxa] In: Sama, G., Sudre, J. 2009. New nomenclatural acts in Cerambycidae. Ⅱ. (Coleoptera). *Bulletin de la Societe Entomologique de France*, 114(3):383-388.

Sama, G. 2009b. New nomenclatural acts in Cerambycidae (Coleoptera, Cerambycidae). *Entomologia Africana*, 14 (2):22-26.

Samouelle, G. 1819. *The entomologist's useful compendium; or, An introduction to the knowledge of British insects, comprising the best means of obtaining and preserving them, and a description of the apparatus generally used; together with the genera of Linné by George Samouelle, Associate of the Linnean Society of London.* London, 496 pp.

Santos-Silva, A. and Hovore, F. T. 2007. Divisão do gênero *Distenia* Lepeletier & Audinet-Serville, notas sobre a venação alar em Disteniini, homonímias, sinonímia e redescrições (Coleoptera, Cerambycidae, Disteniinae). *Papéis Avulsos de Zoologia, São Paulo*, 47 (1): 1-29, 93 figs.

Sattler, W. 1918. *Saperda populnea* L. ab. *Bickhardti* nov. *Entomologische Blätter*, 14 (7-8): 200.

Saunders, W. W. 1839. Description of six new East Indian Coleoptera. *The Transactions of the Entomological Society of London*, 2(3):176-179.

Saunders, W. W. 1853. Descriptions of some Longicorn Beetles discovered in Northern China by Rob. Fortune, Esq. *The Transactions of the Entomological Society of London*, (2) 2: 109-113, pl. Ⅳ.

Savenius, S. 1825. Cerambycidorum tres novae species fennicae, *Callidium affine*, *Callidium buprestoide* et *Clytus pantherrinus*. Pp. 63-68. In: Hummel, A. D. (Ed.) *Essais Entomologiques*. Bd. 1. Nr. 4. St. Pétersbourg: Chancellerie privée du Ministère de l'Intérieur. 72 pp.

Savio, P. A. 1929. Longicornes du bas Yang-tsé. *Notes d'Entomologie Chinoise*, 1:1-9, 1 pl.

Say, T. 1827. Descriptions of new species of Coleopterous Insects inhabiting the United States. *Journal of the Academy of Natural Sciences of Philadelphia*, 5 (2) [1826]: 237-284.

Schneider, O. and Leder, H. 1879. *Beiträge zur Kenntniss der kaukasischen Käferfauna*. W. Burkart, Brünn, [1878]: 1-360, pls I-Ⅵ, 56 figs.

Schönherr, C. J. 1817. Appendix ad C. J. Schönherr Synonymiam Insectorum. *Descriptiones Novarum Specierum Insectorum*. 1 (3): 1-266. 2 pls couleur. Stockholm.

Schönherr, C. J. 1817. *Synonyma Insectorum, oder Versuch einer Synonymie aller bisher bekannten Insekten: nach Fabricii Systema Eleutheratorum etc. geordnet.* Erster Band. Eleutherata oder Käfer. Dritter Theil. Hispa. Molorchus. Uppsala: Em. Bruzelius. xi + 506 pp.

Schrank, F. von Paula. 1781. *Enumeratio insectorum Austriae indigenorum. Augustae* Vindelicorum: E. Klett et Franck. [24] + 548 + [4] pp., 4 pls.

Schrank, F. von Paula. 1789. Entomologische Beobachtungen. *Der Naturforscher*, 24: 60-90.

Schrank, F. von Paula. 1798. *Fauna Boica. Durchgedachte Geschichte der in Baiern einheimischen und zahmen Thiere*. Erster Band. Nürnberg: Stein'schen Buchhadlung. xii + 720pp.

Schultze, W. 1920. Eighth contribution to the Coleoptera Fauna of the Philippines. *The Philippine Journal of Science*, 16: 191-201.

Schwarzer, B. 1914. Beschreibung neuer Arten und Varietäten der Gattung *Batocera* (Col.). *Entomologische Mitteillungen*, 3: 280-282.

Schwarzer, B. 1925a. Sauters Formosa-Ausbeute (Cerambycidae, Col.). (Subfamilie Cerambycinae). *Entomologische Blätter*, 21(1): 20-30.

Schwarzer, B. 1925b. Sauters Formosa-Ausbeute (Cerambycidae. Col.). (Subfamilie Lamiinae.) (Fortsetzung.). *Entomologische Blätter*, 21(2): 58-68.

Schwarzer, B. 1925c. Sauters Formosa-Ausbeute (Cerambycidae. Col.) (Subfamilie Lamiinae). *Entomologische Blätter*, 21 (4): 145-154.

Scopoli, J. A. 1763. *Entomologia Carniolica exhibens insecta Carnioliae indigena et distributa in ordines, genera, species, varietates. Methodo linnaeana*. Vindobonae: Ioannis Thomae Trattner. 36 + 420 pp., 3 pls.

Scopoli, G. A. 1772. Observationes zoologicae. *Annus V. Historico Naturalis. Christian Gottlob Hilscheri*, 5: 1-128.

Seidlitz, G. C. M. von. 1891. *Fauna Baltica. Die Kaefer (Coleoptera) der deutschen Ostseeprovinzen Russlands. Zweite neu bearbeitete Auflage*. Königsberg: Hartungsche Verlagsdruckerei. [10] + lvi + 192 + 818 pp., 1 pl.

Seki, K.-I. 1935. Notes on cerambycid Coleoptera of the genus *Psacothea*, with description of one new variery. *Entomological World*, 3: 289-293.

Semenov, A. P. 1899. *Callipogon (Eoxenus) relictus*, n. sp., predstavitel neotropicheskogo roda drevosekov (Cerambycidae) v Russkoy faune (= [*Callipogon (Eoxenus) relictus*, sp. n. a representative of Neotropical genus of timber-beetles (Cerambycidae) in Russian fauna]. *Horae Societatis Entomologicae Rossicae*, 32 [1898]: 562-580.

Semenov, A. P. 1900. Notes on Beetles (Coleoptera) of European Russia and Caucasus LI-C. *Bulletin de la Société Impériale des Naturalistes de Moscou (Nouvelle Série)*, 13 [1899]: 101-141.

Semenov, A. P. 1908. Analecta coleopterologica XIV. *Revue Russe d'Entomologie*, 7: 258-265.

Semenov, A. P. 1911. Un representant nouveau du genre *Rosalia* Serv. (Coleoptera, Cerambycidae) provenant du district d'Ussuri (Siberie or.). *Revue Russe d'Entomologie*, 11: 118-123.

Semenov, A. P. 1914. Analecta coleopterologica. XIII. *Revue Russe d'Entomologie*, 14(1): 14-22.

Semenov, A. P. and Plavilstshikov, N. N. 1937. Sur un nouveau genre de la famille des Cerambycidae [Col.], provenant des montagnes de la Mongolie méridionale. *Bulletin de la Société Entomologique de France*, 42 (17): 252-253.

Severin, G. 1889. Quelques longicornes rares des environs de Liège. *Bulletin de la Société Entomologique de Belgique*, 3(114): cxxxix-cxl.

Sharp, D. 1905. The genus *Criocephalus*. *The Transactions of the Entomological Society of London*, 1905: 145-164.

Shi, S. Q. 2012. Systematics of Aseiminae and Disteniidae from China. Southwest University, Chongqing, 148 pp. 时书青, 2012. 中国幽天牛亚科、瘦天牛科系统分类研究. 西南大学博士学位论文. 148pp.

Shimomura, T. 1993. Notes on *Kanekoa lalashana* (Shimomura) (Coleoptera, Cerambycidae, Lepturi-

nae). *Elytra*, 21 (2): 258.

Ślipiński, A. and Escalona, H. E. 2013. *Australian Longhorn Beetles (Coleoptera: Cerambycidae). Volume 1, Introduction and subfamily Lamiinae.* ABRS, Canberra CSIRO Publishing, Melbourne, 484 pp.

Solsky, S. 1871a. Coléoptères de la Sibérie orientale. *Horae Societatis Entomologicae Rossicae*, 7 [1870-1871]: 334-406.

Solsky, S. 1873. [new taxa]. In: Blessig C.: Zur Kenntnis der Käferfauna Süd-Ost-Sibiriens insbesondere des Amur-Landes. Longicornia. *Horae Societatis Entomologicae Rossicae* 9 [1872]: 193-260, pls. Ⅶ, Ⅷ.

Stebbing, E. P. 1914. *Indian forest insects of economic importance. Coleoptera.* London: Eyre & Spottiswoode. xvi + 648 pp., 63 pls.

Stephens, J. F. 1839. *A manual of British Coleoptera, or beetles; containing a brief description of all the species of beetles hitherto ascertained to inhabit Great Britain and Ireland; together with a notice of their chief localities, times and places of appearence, etc.* Baldwin & Cradock, London, 1839: 1-443.

Stierlin, W. G. 1880. Beiträge zur Kenntniss der Käfer-Fauna des Kant. Wallis und der Dichotrachelus-Arten. *Mittheilungen der Schweizerischen entomologischen Gesellschaft*, 5 (10): 541-551.

Strand, E. 1928. Nomenklatorische Bemerkungen über einige Coleopteren-Gattungen. *Entomologisches Nachrichtenblatt*, 2:2-3.

Suvorov, G. L. 1909. Beschreibung neuer Arten der *Neodorcadion* Ganglb. (Coleoptera, Cerambycidae). *Revue Russe d'Entomologie*, 9:80-92.

Suvorov, G. L. 1913. Beschreibung neuer Cerambyciden-Arten (Coleoptera, Cerambycidae). *Russkoe Entomologicheskoe Obozrenie*, 13:66-81.

Švácha, P. and Danilevsky, M. L. 1989. Cerambycoid larvae of Europe and Soviet Union (Coleoptera, Cerambycoidea). Part 3. *Acta Universitatis Carolinae Biologica*, 32(1-2): 1-205.

Švácha P. and Lawrence J. F. 2014. 2.1 Vesperidae Mulsant, 1839; 2.2 Oxypeltidae Lacordaire, 1868; 2.3 Disteniidae J. Thomson, 1861; 2.4 Cerambycidae Latreille, 1802. Pp. 16-177. In: Leschen R. A. B. & Beutel R. G. (eds.): *Handbook of Zoology, Arthropoda: Insecta; Coleoptera, Beetles, Volume 3: Morphology and systematics (Phytophaga).* Walter de Gruyter, Berlin/Boston, 675pp.

Swaine, J. M. and Hopping, R. 1928. The Lepturini of America north of Mexico. Part I. Canadian Department of Mines. *Bulletin of the National Museum of Canada*, (Biological series 14), 52: 1-97, 13 pls.

Swainson, W. and Shuckard, W. E. 1840. On the history and natural arrangement of insects. In: Lardner, D. (Ed.) *The Cabinet Cyclopaedia.* London, Longman, Orme, Brown, Green & Longmans and Taylor. iv + 406 pp..

Takakuwa, M. and Hirokawa, F. 1998. A new subspecies of *Eutetrapha sedecimpunctata* (Motschulsky) (Coleoptera, Cerambycidae) from Kyushu, Japan. *Japanese Journal of Systematic Entomology*, 4: 303-304.

Tamanuki, K. 1933. A list of the Longicorn beetles from Saghalien, with the descriptions of one new species, one new variety and one new aberrant form. *Insecta Matsumurana*, 8(2): 69-88.

Tamanuki, K. 1939. Family Cerambycidae. 1. Disteniidae, Lepturinae. In: Okada Y. et al. (editors): *Fauna Nipponica*, 10 (8.14): i + 1-5 + 1-126, 54 figs. Sanseido, Tokyo.

Tamanuki, K. 1943. Family Cerambycidae 2, Lepturinae. In: Okada Y. et al. (editors): Fauna *Nippon-*

ica, 10 (8.15): i + 1-8 + 1-259, 226 figs. Sanseido, Tokyo.

Tamanuki, K. and Ooishi, S. 1937. Some unrecorded species and one new variety of Longicorn beetles found in Kyûshû. *Fukuoka Mushi*, 9(2): 108-115.

Tavakilian, G. (Author) and Chevillotte, H. (Software) 2016. Titan: base de données internationales sur les Cerambycidae ou Longicornes. Version [20/07/2016]. [http://http://titan. gbif. fr/index. html]

Théry, A. 1896. Description de quelques Cérambycides paléarctiques [Col.]. *Bulletin de la Société Entomologique de France*, 1896: 108-110.

Thieme, O. 1881. Neue Coleopteren aus Ost- und Mittel- Asien. *Berliner Entomologische Zeitschrift*, 25 (1): 97-102.

Thomson, C. G. 1859. *Skandinaviens Coleoptera, synoptiskt bearbetade.* Tom. I. Lund: Lundbergska Boktryckeriet, [4] + 290 pp.

Thomson, C. G. 1866. *Skandinaviens Coleoptera, synoptiskt bearbetade.* Tom. Ⅷ. Lund: Lundbergska Boktryckeriet, 409 + lxxv pp.

Thomson, J. 1856. Description d'une Cicindela et de deux Longicornes. *Revue et Magasin de Zoologie pure et appliquée*, 2 (8): 528-530.

Thomson, J. 1857a. Essai monographique sur le groupe des Tetraophthalmites, de la famille des cérambycides (longicornes). Pp.45-67. In: *Archives Entomologiques ou recueil contenant des illustrations d' Insectes nouveaux ou rares.* Tome premier. Paris: Bureau du Trésorier de la Société Entomologique de France. 514 + [1] pp.

Thomson, J. 1857b. Description de trente- trois espèces de coléoptères. *Archives Entomologiques*, 1: 109-127.

Thomson, J. 1857c. Diagnoses de cérambycides nouveaux ou peu connus de ma collection qui seront décrits prochainement. Pp. 169-193. In: *Archives Entomologiques ou recueil contenant des illustrations d'insectes nouveaux ou rares.* Tome premier. Paris: Bureau du Trésorier de la Société Entomologique de France. 514 + [1] pp., XXI pls.

Thomson, J. 1857d. Description de cérambycides nouveaux ou peu connus de ma collection. Pp. 291-320. In: *Archives Entomologiques ou recueil contenant des illustrations d'Insectes nouveaux ou rares.* Tome premier. Paris: Bureau du Trésorier de la Société Entomologique de France. 514 + [1] pp., XXI pls.

Thomson, J. 1857e. Synopsis des Stibara de ma collection. Pp. 139-147. In: *Archives Entomologiques ou recueil contenant des illustrations d'Insectes nouveaux ou rares.* Tome premier. Paris: Bureau du Trésorier de la Société Entomologique de France. 514 + [1] pp., XXI pls.

Thomson, J. 1857f. *Monographie de la tribu des anacolites, de la famille des longicornes.* Tome premier, Société Entomologique de France, Paris 1, 7-20.

Thomson, J. 1858a. *Voyage au Gabon. Histoire naturelle des insectes et des arachnides recueillis pendant un voyage fait au Gabon en* 1856 *et en* 1857 *par M. Henry C. Deyrolle sous les auspices de MM. Le Comte de Mniszech et James Thomson précédée de l'histoire du voyage par M. James Thomson. Arachnides par M. H. Lucas. In: Archives Entomologiques ou recueil contenant des illustrations d'insectes nouveaux ou rares.* Tome deuxième. Paris: Bureau du Trésorier de la Société Entomologique de France. 469 + [3] pp., 14 pls.

Thomson, J. 1858b. Wallace. Voyage dans l'Asie Orientale. Fragments Entomologiques renfermant la description de Coléoptères nouveaux ou rares. Famille Ⅳ. Cerambycidæ. *Archives Entomologiques*, 1:

425-460, pls XVII-XX.

Thomson, J. 1860. *Essai d'une classification de la famille des cérambycides et matériaux pour serviràune monographie de cette famille.* Paris: chez l'auteur [James Thomson] et au bureau du trésorier de la Société entomologique de France, xvi + 1-128.

Thomson, J. 1861. *Essai d'une classification de la famille des cérambycides et matériaux pour serviràune monographie de cette famille.* Paris: chez l'auteur [James Thomson] et au bureau du trésorier de la Société entomologique de France, pp. 129-396, 3 pls.

Thomson, J. 1864. Systema Cerambycidarum ou exposé de tous les genres compris dans la famille des Cérambycides et familles limitrophes. *Mémoires de la Société Royale des Sciences de Liège*, 19: 1-540.

Thomson, J. 1865. Diagnoses d'espèces nouvelles qui seront décrites dans l'appendix du systema cerambycidarum. *Mémoires de la Société Royale des Sciences de Liège*, 19: 541-578.

Thomson, J. 1868. Matériaux pour servir àune révision des lamites (Cérambycides, Col.). Pp. 146-187. In: Physis. *Recueil d'Histoire Naturelle.* [Revisionen und Neubeschreibungen von Käfern.]. Vol. 2. Paris: Société entomologique de France. 208 pp.

Thomson, J. 1877. Typi cerambycidarum musei Thomsoniani. *Revue et Magasin de Zoologie*, (3) 5 (40): 249-279.

Thomson, J. 1878a. Typi Cerambycidarum. (2ème mémoire). *Revue et Magasin de Zoologie*, (3) 6: 1-33.

Thomson, J. 1878b. Typi Cerambycidarum (3ème mémoire). *Revue et Magasin de Zoologie*, (3) 6 (41): 45-67.

Thomson, J. 1879. Typi Cerambycidarum Appendix 1a. *Revue et Magasin de Zoologie*, (3) 7: 1-23.

Thunberg, C. P. 1787 (praes.). *Museum Naturalium Academiae Upsalensis. Cujus partem quartam.* Publico examini subjicit P. Bjerkén. Upsaliae: Joh. Edman, [2] + 43-), 44-58 pp., 1 pl.

Tippmann, F. F. 1952. Eine neue *Acanthocinus* Steph. - Form aus Dalmatien: *Acanthocinus griseus* Fabr. subsp. *novaki* subsp. nova (Coleoptera: Cerambycidae subfam. Lamiinae). *Mitteilungen der Münchener Entomologischen Gesellschaft*, 42: 148-154, pl. VII.

Tippmann, F. F. 1955. Zur Kenntnis der Cerambycidenfauna Fukiens (Süd-Ost-China). *Koleopterologische Rundschau*, 33 (1-6): 88-137, 22 figs.

Tsherepanov [=Cherepanov], A. I. 1973. Novye vidy roda Exocentrus (Col., Cerambycidae). *Novye i maloizvestnye vidy fauny Sibiri*, 7: 138-139.

Tsherepanov [=Cherepanov], A. I. 1982. *Longhorns beetles of Northern Asia*, 3. *Cerambycinae: Clytini, Stenaspini.* Novosibirsk: Nauka. 259pp.

Tshernyshev, S. E. And Dubatolov, V. V. 2000. A new species of Longhorn-Beetle from East Siberia (Insecta: Coleoptera: Cerambycidae). *Reichenbachia*, 33 (49): 385-389, 10 figs.

Van Dyke, E. C. 1923. New species of Coleoptera from California. *Bulletin of the Brooklyn Entomological Society*, 18: 37-53.

Vigors, N. A. 1826. Descriptions of some rare, interesting, or hitherto uncharacterized subjects of zoology. *The Zoological Journal*, 2: 510-516, 1 pl.

Viktora, P., Tichy, T. 2015. New Asian species of *Paraclytus* Bates, 1884 (Coleoptera: Cerambycidae: Cerambycinae: Anaglyptini). *Folia Heyrovskyana*, series A, 23(1): 102-114.

Villard, L. 1913. Description d'un *Purpuricenus* nouveau du Japon [Col. Cerambycidae]. *Bulletin de la*

Société entomologique de France, 1913: 237.

Villers, C. J. de 1789. *Caroli Linnaei entomologia, faunae suecicae descriptionibus aucta; D. D. Scopoli, Geoffroy, de Geer, Fabricii, Schrank, &c. speciebus vel in systemate non enumeratis, vel nuperrime detectis, vel speciebus Galliae australis locupletata, generum specierumque rariorum iconibus ornata.* Tomus primus. Lugduni: Piestre & Delamollière. xvi + 766 pp., 3 pl.

Villiers A. 1978. *Faune des Coléoptères de France I. Cerambycidae.* Paul Lechevalier, Paris. Encyclopédie Entomologique, 42: i-xxviii + 611 pp, 1802 figs.

Vives, E. 2000. Fauna Ibérica. Coleoptera Cerambycidae. *Fauna Ibérica*, 12: 1-566, 199 figs. & 5 pls. CSIC, Madrid.

Vives, E. 2013. Notas sobre algunos Purpuricenini asiáticos (Coleoptera, Cerambycidae). *Nouvelle Revue d' Entomologie*, 28 (3-4): 215-222.

Vives, E. and Alonso-Zarazaga, M. A. 2000. Apendice 1. Nomenclatura: Lista de sinonimos y combinaciones. In: Vives E.: *Fauna Iberica*, Vol 12: *Coleoptera, Cerambycidae.* Madrid: Museo Nacional de Ciencias Naturales, Consejo Superior de Investigacions Cientificas. 724 pp., 204 figs.

Voet, J. E. 1778. *Catalogue systématique des coléoptères. - Systematische naamlyst van dat geslacht va Insecten dat men Torren noemt.* Tomus I. Haag: Bakhuysen [text in Latin (pp. 1-74), French (pp. 1-114), and Dutch (pp. 1-111), separately paginated] + 10 pp., 55 pls.

Vollenhoven, S. C. S. van. 1871. Les batocéerides du Musée de Leyde. *Tijdschrift voor Entomologie*, 14: 211-220, pl. 9.

Vuillet, A. 1911. Longicornes nouveaux. *Insecta, Rennes*, 1: 215-218.

Vuillet, A. 1912. Description d'une nouvelle espèce du genre *Dasylinda* Thomson (Col. Cerambycidae). *Insecta*, 2: 300.

Wallin, H., Kvamme, T., Lin, M.-Y. 2012. A review of the genera *Leiopus* Audinet-Serville, 1835 and *Acanthocinus* Dejean, 1821 (Coleoptera: Cerambycidae, Lamiinae, Acanthocinini) in Asia, with descriptions of six new species of Leiopus from China. *Zootaxa*, 3326: 1-36.

Wang, W.-K. 1998 New records of Cerambycid-Beetles in China (Cerambycidae: Coleoptera). *Journal of Southwest Agricultural University*, 20 (6): 597-600. [王文凯, 1998. 中国天牛科新纪录. 西南农业大学学报, 20 (6): 597-600.]

Wang, W.-K. 1999. A New Subspecies of *Apriona swainsoni* (Hope) from Hubei, China (Coleoptera: Cerambycidae: Lamiinae). *Journal of Hubei Agricultural College*, 19 (2): 125, 130, 1 fig.

Wang, W.-K. 2002. Coleoptera: Cerambycidae. Pp. 320-327. In: Li Zizhong & Jin Daochao (eds.): 2002. *Insects from Maolan Landscape.* Guiyang: Guizhou Science and Technology Publishing House, 615pp, 8 pls. [王文凯. 2002. 鞘翅目:天牛科:320-327. 见: 李子忠, 金道超(主编). 2002. 茂兰景观昆虫. 贵阳: 贵州科技出版社, 615 页, 8 pls.]

Wang, W.-K. 2006. Coleoptera: Disteniidae and Cerambycidae. Pp. 291-299. In: Li Zizhong & Jin Daochao (eds.): 2006. Insects from Fanjingshan Landscape. Guiyang: Guizhou Science and Technology Publishing House, 780pp, 8 pls. [王文凯. 2006. 鞘翅目:瘦天牛科, 天牛科. Pp. 291-299. In: 李子忠, 金道超(主编) 2006. 梵净山景观昆虫. 贵阳: 贵州科技出版社, 780 页, 8 pls.]

Wang, W.-K. and Chiang, S.-N. 1994. New species and new records of Lepturid beetles (Coleoptera: Cerambycidae) from China. *Entomotaxonomia*, 16 (3): 192-196, 2 figs.

Wang, W.-K. and Chiang, S.-N. 2002a. Two New Species of the Tribe Saperdini Mulsant from China

(Coleoptera: Cerambycidae: Lamiinae). *Zoological Research*, 23 (2): 145-148, 8 figs.

Wang, W.-K. and Chiang, S.-N. 2002b. Two new recorded genera and two new species of longicorn beetles (Coleoptera: Cerambycidae, Lamiinae) from China. *Acta Entomologica Sinica*, 45 (Supplement): 50-52, 8 figs.

Wang, W.-K. and Jiang [= Chiang], S. N. 1988. Studies on the cerambycid fauna of Wolong Nature Reserve, Sichuan, and its origin and evolution. *Entomotaxonomia*, 10 (1-2): 131-146.

Wang, W.-K. and Lao, S.-B. 2005. Coleoptera: Cerambycidae. Pp. 237-244. In: Yang Maofa & Jin Daochao (eds.): 2005. *Insects from Dashahe Nature Reserve of Guizhou*. Guiyang: Guizhou Peoples Publishing House, 607pp, 8 pls. [王文凯，劳水兵. 2005. 鞘翅目:天牛科:237-244. 见：杨茂发，金道超（主编）2005. 贵州大沙河昆虫. 贵阳：贵州人民出版社，607 页，8 pls.]

Wang, Z.-C. 2003. *Monographia of original colored longicorn beetles of China's Northeast*. Changchun: Jilin Science and Technology Publishing House. 420 pp. [王直诚. 2003. 原色东北昆虫图鉴 Ⅱ（天牛篇）. 长春:吉林科学技术出版社. 420 页.]

Wang, Z.-C. 2014. *Monographia of original colored Longicorn Beetles of China* (Basics). Volumes 1-2. Beijing: Scientific and Technical documentation press, 1188pp. [王直诚. 2014. 中国天牛图志(基础篇)上下卷. 北京:科学技术文献出版社. 1188 页.]

Waterhouse, C. O. 1884. On the Coleopterous Genus *Macrotoma*. *The Annals and Magazine of Natural History*, (5) 14 (84): 376-387.

Weber, F. 1801. *Observationes entomologicae, continentes novorum quae condidit generum characteres, et nuper detectarum specierum descriptiones*. Kiliae: Bibliopoli Academici Novi. 12 + 116 pp.

Weigel, A. 2006. Checklist and bibliography of longhorn beetles from Nepal (Insecta: Coleoptera: Cerambycidae). pp. 495-510. In: Hartmann M. & Weipert J. (eds): *Biodiversität und Naturausstattung im Himalaya* Ⅱ. Erfurt: Verein der Freunde & Förderer des Naturkundemuseums Erfurt e. v. 524 pp., 12 pls.

Weigel, A., Meng, L.-Z. and Lin, M.-Y. 2013. *Contribution to the Fauna of Longhorn Beetles in the Naban River Watershed National Nature Reserve*. Taibei: Formosa Ecological Company, 219 pp..

Westwood, J. O. 1838. *Synopsis of the genera of British insects*. London: Longman, Orme, Brown, Green, & Longmans. 48 pp.

White, A. 1844. Descriptions of Coleoptera and Homoptera from China, collected in Hongkong by J. Bowring Esq. *The Annals and Magazine of Natural History*, 14:422-426.

White, A. 1846. Descriptions of new or unfigured species of Coleoptera from Australia. In John Lort Stokes: *Discoveries in Australia; with an account of the coasts and rivers explored and surveyed during the voyage of H. M. S. Beagle in the years* 1837-38-39-40-41-42-43. 1, appendix: 505-512, 2 pls.

White, A. 1853. *Longicornia I. Catalogue of the coleopterous insects in the collection of the British Museum London*, 7:1-174, pls. 1-4.

White, A. 1855. *Catalogue of the coleopterous insects in the collection of the British Museum*. Part Ⅷ. Longicornia Ⅱ. London: Taylor and Francis, 175-412.

White, A. 1858. Descriptions of *Monohammus Bowringii*, *Batocera una* and other longicorn Coleoptera, apparently as yet unrecorded. *Proceedings of the Zoological Society of London*, 26:398-413, 1 pl.

Wollaston, T. V. 1854. *Insecta Maderensia; being an account of the insects of the islands of the Madeiran group*. London: J. Van Voorst. xliii + 634 pp., 13 pl.

Wu, W-W. and Jiang[=Chiang] S-N. 1986. Studies on the taxonomic position of the China fir borer *Semanotus bifasciatus* sinoauster Gressitt (Coleoptera: Cerambycidae). *Scientia Silvae Sinicae*, 22 (2), 147-152. (in Chinese)

Wu, W.-W. and Shi, W.-P. 1999. On anatomical structure of the internal sac of aedeagus in genus *Acalolepta* (Coleoptera: Cerambycidae). *Acta Entomologica Sinica*, 42 (2): 172-175, figs. 13.

Xie, G.-L. and Wang, W.-K. 2009. A new species of *Polyzonus* Castelnau (Coleoptera: Cerambycidae) from China. *Zootaxa*, 2017: 58-60.

Xie, G.-L., Zou, X. and Wang, W.-K. 2014. Note on the genus *Morimospasma* Ganglbauer with description of two new species from China (Coleoptera: Cerambycidae: Lamiinae). *Zootaxa*, 3873 (4): 441-450.

Yamasako, J. 2010. *Revision of the world genera of the tribe Mesosini (Coleoptera, Cerambycidae, Lamiinae) mainly based on the structure of male genitalia.* PHD thesis of Ehime University, 290 pp.

Yamasako, J. and Lin, M.-Y. 2016. A new species in the mesosine genus *Eurymesosa* Breuning, 1939 (Coleoptera: Cerambycidae: Lamiinae) from China. *Entomotaxonomia*, 38(3): 193-196. [山迫淳介，林美英. 2016. 中国真象天牛属一新种(鞘翅目:天牛科:沟胫天牛亚科). 昆虫分类学报，38(3): 193-196.]

Yokoyama, H. 1971. The Cerambycidae from Ryukyu and Satsunan Islands, II. (Coleoptera). *The Entomological Review of Japan*, 23: 93-101.

Yokoyama, H. 1972. A new species of genus *Palaeocallidium* from C. Japan (Col., Cerambycidae). *The Entomological Review of Japan*, 24(1-2): 11-13.

Yoshida, T. 1931. Classification of Formosan Prioninae (Col. Cerambycidae). *Transactions of the Natural History Society of Formosa*, 21: 266-279.

Yu, C.-K., Nara, H. and Chu, Y.-I. 2002. *The Longicorn beetles of Taiwan* (new edition). Taiwan: Muh-Sheng Museum of Entomology, 151pp.

Zagaikevich, I. K. 1991. *Taksonomiya i ekologiya usachey.* [Taxonomy and ecology of Cerambycidae] Kiev: Naukova Dumka. 178 pp.

Zaitzev, F. A. 1937. *Teratoclytus* - noviy rid zhukiv-skripuniv (Coleoptera, Cerambycidae) iz Skhidnogo Sibiru. *Zbirnik Pratz Zoologichnogo Muzeyu*, 19: 213-216.

Zetterstedt, J. W. 1818. Några nya Svenska insect-arter fundne och beskrifne. *Kongliga Ventenskaps Academiens Handlingar*, 1818: 249-262.

Zhou, Y. J. 1982. Longicorn beetles of Henan Province (Coleoptera: Cerambycidae). *Acta of Henan Agricultural College*, 16 (1): 33-44, 106 figs. [周亚君. 1982. 河南的天牛. 河南农学院学报 16(1): 33-44, 106 figs.]

Zhou, J. X., Sun, Y. Z. and Tang, H. Q. 1988. Economic insect fauna of Shaanxi Province (Coleoptera: Cerambycidae). Xi'an: Shaanxi Science and Technology publishing house, 136pp. 16 pls. [周嘉熹，孙益知，唐鸿庆. 1988. 陕西省经济昆虫志 鞘翅目 天牛科. 西安:陕西科学技术出版社，136页. 16 pls.]

Zimsen, E. 1964. *The type material of I. C. Fabricius.* Copenhagen, Munksgaard, 656 pp.

中名索引

(按首字音序排列，右边的号码为该条目在正文的页码)

A

B

C

D

E

F

G

H

J

K

L

M

N

O

P

Q

R

S

T

W

X

Y

Z

学名索引

（按首字母顺序排列，右边的号码为该条目在正文的页码）

A

D

E

F

G

H

M

N

Q

R

S

T

U

V

verrucosus, *Aethalodes verrucosus* 310, 505

W

X

Y

Z

图版目录

图版 1

1. 芫天牛 *Mantitheus pekinensis* Fairmaire, 1889, ♂
2. 靴须天牛 *Cyrtonops caliginosus* Holzschuh, 2016, 正模, ♀
3. 细点瘦天牛 *Distenia* (*Distenia*) *punctulatoides* Hubweber, 2010:a. 正模, ♂; b.♂
4. 中华裸角天牛 *Aegosoma sinicum sinicum* White, 1853, ♂
5. 华氏刺胸薄翅天牛 *Spinimegopis huai* Komiya *et* Drumont, 2007, ♀
6. 大牙土天牛 *Dorysthenes* (*Cyrtognathus*) *paradoxus* (Faldermann, 1833), ♂
7. 沟翅土天牛 *Dorysthenes* (*Prionomimus*) *fossatus* (Pascoe, 1857), ♂
8. 岛锯天牛 *Prionus insularis insularis* Motschulsky, 1858, ♂
9. 库氏锯天牛 *Prionus kucerai* Drumont & Komiya, 2006:a. 正模, ♂; b. ♀
10. 叶角锯天牛 *Prionus laminicornis* Fairmaire, 1897, ♀

图版 2

1. 刺尾花天牛属 *Acanthoptura* cf. *spinipennis*
2. 东亚伪花天牛 *Anastrangalia dissimilis dissimilis* (Fairmaire, 1899); a. ♂; b. ♀
3. 大陆暗伪花天牛 *Anastrangalia scotodes continentalis* (Plavilstshikov, 1936), ♂
4. 炭黑突肩花天牛 *Anoploderomorpha carbonaria* Holzschuh, 1993: a. 正模, ♂; b. ♀
5. 湖北毛角花天牛 *Corennys caduca* Holzschuh, 1998, ♀
6. 灰绿真花天牛 *Eustrangalis aeneipennis* (Fairmaire, 1889), ♂
7. 黑条真花天牛 *Eustrangalis latericollis* Wang *et* Chiang, 1994: a. 正模, ♀; b.♂
8. 柔直花天牛 *Grammoptera* (*Neoencyclops*) *lenis* (Holzschuh, 1999), 正模, ♂
9. 陕直花天牛 *Grammoptera* (*Neoencyclops*) *paucula* (Holzschuh, 1999), 正模, ♀

图版 3

1. 厚畛花天牛 *Houzhenzia cheni* N. Ohbayashi *et* Lin, 2012, 正模, ♂
2. 半环日瘦花天牛 *Japanostrangalia basiplicata* (Fairmaire, 1889), ♂
3. 毛金古花天牛 *Kanekoa piligera* Holzschuh, 2003, 正模, ♂
4. 穆尔大头花天牛 *Katarinia murzini* Mirosnikov, 2015, 正模, ♂
5. 陕西细花天牛 *Leptostrangalia shaanxiana* Holzschuh, 1992, 正模, ♀
6. 橡黑花天牛 *Leptura aethiops* Poda, 1761, ♂
7. 曲纹花天牛 *Leptura annularis* Fabricius, 1801, ♂
8. 金丝花天牛 *Leptura aurosericans* Fairmaire, 1895, ♀
9. 十二斑花天牛 *Leptura duodecimguttata* Fabricius, 1801, ♀
10. 阶梯花天牛 *Leptura gradatula* Holzschuh, 2006: a. 正模, ♂; b.♂, 广西
11. 花天牛 *Leptura quadrifasciata* Linnaeus, 1758, ♀(可能是黑纹花天牛 *Leptura grahamiana* Gressitt, 1938)

图版 4

1. 二点类华花天牛 *Metastrangalis thibetana*（Blanchard, 1871），♂
2. 小花天牛属 *Nanostrangalia* sp. nr. *binhana*，♂
3. 扁花天牛 *Nivelliomorpha inequalithorax*（Pic, 1902）：a. ♀；b. ♀
4. 陕方花天牛 *Paranaspia erythromelas* Holzschuh, 2003，正模，♀
5. 双异花天牛 *Parastrangalis bisbidentata* Holzschuh, 2007，正模，♂
6. 淡黄异花天牛 *Parastrangalis pallescens* Holzschuh, 1993，副模，♂
7. 雕纹异花天牛 *Parastrangalis sculptilis* Holzschuh, 1991，正模，♂，四川
8. 异花天牛属 *Parastrangalis* sp. 1，♂
9. 异花天牛属 *Parastrangalis* sp. 2，♂
10. 异花天牛属 *Parastrangalis* sp. 3，♂
11. 楔拟矩胸花天牛 *Pseudalosterna cuneata* Holzschuh, 1999，♀

图版 5

1. 陕西拟矩胸花天牛 *Pseudalosterna longigena* Holzschuh, 2003，正模，♂
2. 特氏拟矩胸花天牛 *Pseudalosterna tryznai* Holzschuh, 1999：a. 正模，♂；b. ♀
3. 黑角斑花天牛 *Stictoleptura*（*Aredolpona*）*succedanea*（Lewis, 1879）：a.♂；b. ♀
4. 蚤瘦花天牛 *Strangalia fortunei* Pascoe, 1858，♂
5. 陕银花天牛 *Carilia filiola*（Holzschuh, 1998），正模，♂
6. 亮绿银花天牛 *Carilia lucidivirens*（Holzschuh, 1998），正模，♂
7. 瘤胸银花天牛 *Carilia tuberculicollis*（Blanchard, 1871）：a.♂；b. ♀
8. 叶甲截翅眼花天牛 *Dinoptera chrysomelina* Holzschuh, 2003，正模，♂
9. 甘肃截翅眼花天牛 *Dinoptera lota* Holzschuh, 1998，♂

图版 6

1. 黄胸瘤花天牛 *Gaurotina nitida* Gressitt, 1951，正模，♂
2. 黄腹圆眼花天牛 *Lemula coerulea* Gressitt, 1939，♂
3. 绿胫拟金花天牛 *Paragaurotes fairmairei*（Aurivillius, 1912），♀
4. 黄带厚花天牛 *Pachyta mediofasciata* Pic, 1936：a.♂；b. ♀；c. ♀，示斑纹变异
5. 陕西驼花天牛 *Pidonia*（*Omphalodera*）*changi* Hayashi, 1971，♂
6. 脊胸驼花天牛 *Pidonia*（*Omphalodera*）*heudei*（Gressitt, 1939），♂
7. 齿驼花天牛 *Pidonia*（*Pseudopidonia*）*dentipes* Holzschuh, 1998，正模，♂
8. 陕驼花天牛 *Pidonia*（*Pseudopidonia*）*hamifera* Holzschuh, 1998，正模，♂
9. 苍白驼花天牛 *Pidonia*（*Pseudopidonia*）*palleola* Holzschuh, 1991，♂
10. 秦岭驼花天牛 *Pidonia*（*Pseudopidonia*）*qinlingana* Holzschuh, 1998，正模，♂

图版 7

1. 密皱皮花天牛 *Rhagium inquisitor rugipenne* Reitter, 1898，♀
2. 日松皮花天牛 *Rhagium*（*Rhagium*）*japonicum* Bates, 1884：a.♂；b. ♀
3. 斑胸肩花天牛 *Rhondia maculithorax* Pu, 1992，♀
4. 钝肩花天牛 *Rhondia placida* Heller, 1923，♀

5. 黄条脊花天牛 *Stenocorus longevittatus*（Fairmaire，1887），♂
6. 脊花天牛 *Stenocorus*（*Stenocorus*）*meridianus*（Linnaeus，1758）：a.♂；b.♀
7. 皱鞘拟拉花天牛 *Neorhamnusium rugosipenne*（Pic，1939），♂
8. 陕西拟拉花天牛 *Neorhamnusium shaanxiensis* Miroshnikov *et* Lin，2015，正模，♂
9. 陕勒特天牛 *Teledapalpus cremarius*（Holzschuh，1999），正模，♂
10. 佐罗勒特天牛 *Teledapalpus zolotichini* Miroshnikov，2000，♂

图版 8

1. 梗天牛 *Arhopalus rusticus*（Linnaeus，1758），♂
2. 脊鞘幽天牛 *Asemum striatum*（Linnaeus，1758）：a.♂；b.♀
3. 赤塞幽天牛 *Cephalallus unicolor*（Gahan，1906），♀
4. 大幽天牛 *Megasemum quadricostulatum* Kraatz，1879：a.♂；b.♀
5. 平切截尾天牛 *Atimia truncatella* Holzschuh，2007，♂
6. 短角椎天牛 *Spondylis sinensis* Nonfried，1892，♂
7. 黄腹蜂花天牛 *Ulochaetes vacca* Holzschuh，1982，♀
8. 异常锯花天牛 *Apatophysis insolita* Miroshnikov *et* Lin，2017，副模，♂
9. 库氏台突花天牛 *Formosotoxotus kucerai* Rapuzzi *et* Sama，2014，正模，♂（@ Rapuzzi & Sama）
10. 邻纹虎天牛 *Anaglyptus vicinulus* Holzschuh，1999，♂

图版 9

1. 川拟虎天牛 *Paraclytus primus* Holzschuh，1992，♀
2. 陕拟虎天牛 *Paraclytus shaanxiensis* Holzschuh，2003：a. 正模，♂；b.♀
3. 陕义虎天牛 *Yoshiakioclytus stigmosus*（Holzschuh，2003），正模，♀
4. 皱绿柄天牛 *Aphrodisium*（*Aphrodisium*）gibbicolle（White，1853），♂
5. 皱胸柄天牛 *Aphrodisium*（*Aphrodisium*）*implicatum* implicatum（Pic，1920），♀
6. 桃红颈天牛 *Aromia bungii*（Faldermann，1835），♀
7. 杨红颈天牛 *Aromia moschata orientalis* Plavilstshikov，1933，♀
8. 拟柄天牛 *Cataphrodisium rubripenne*（Hope，1842），♀
9. 中沟绿天牛 *Chelidonium impressicolle* Plavilstshikov，1934，♀
10. 黄胸长绿天牛 *Chloridolum*（*Chloridolum*）*sieversi*（Ganglbauer，1887），♂
11. 红缘长绿天牛 *Chloridolum*（*Leontium*）*lameeri*（Pic，1900），♂

图版 10

1. 二斑黑绒天牛 *Embrikstrandia bimaculata*（White，1853），♀
2. 多带天牛 *Polyzonus*（*Polyzonus*）*fasciatus*（Fabricius，1781），♀
3. 榆施华天牛 *Schwarzerium*（*Schwarzerium*）*provostii*（Fairmaire，1887），♂
4. 钝天牛 *Dundaia subtuberculata*（Pu，1992），♀
5. 赤天牛 *Oupyrrhidium cinnaberinum*（Blessig，1872），♀
6. 绿翅棍腿天牛 *Phymatodes*（*Phymatodellus*）*zemlinae* Plavilstshikov *et* Anufriev，1964，♀
7. 江苏棍腿天牛 *Phymatod*（*Poecilium*）*savioi* Pic，1935，♀
8. 赤胸扁鞘天牛 *Ropalopus*（*Prorrhopalopus*）*speciosus* Plavilstshikov，1915：a.♂；b.♀

9. 双条杉天牛 *Semanotus bifasciatus*（Motschulsky, 1875），♀
10. 粗鞘杉天牛 *Semanotus sinoauster* Gressitt, 1951，♀
11. 华蜡天牛 *Ceresium sinicum sinicum* White, 1855，♂

图版 11

1. 点瘦棍腿天牛 *Stenodryas punctatella* Holzschuh, 1999，♂
2. 拟蜡天牛 *Stenygrinum quadrinotatum* Bates, 1873，♀
3. 中华闪光天牛 *Aeolesthes*（*Aeolesthes*）*sinensis* Gahan, 1890：a.♂；b. ♀
4. 金绒闪光天牛 *Aeolesthes*（*Pseudaeolesthes*）*chrysothrix chrysothrix*（Bates, 1873），♂
5. 藏金绒闪光天牛 *Aeolesthes*（*Pseudaeolesthes*）*chrysothrix tibetanus*（Gressitt, 1942），♀
6. 红绒闪光天牛 *Aeolesthes*（*Pseudaeolesthes*）*ningshanensis* Chiang, 1981，副模，♀
7. 陕拟裂眼天牛 *Dymasius*（*Dymasius*）*miser* Holzschuh, 2005，正模，♀
8. 黄条瘤天牛 *Gibbocerambyx aurovirgatus*（Gressitt, 1939），♀
9. 凸瘤天牛 *Gibbocerambyx unitarius* Holzschuh, 2003，正模，♀
10. 黄茸缘天牛 *Margites fulvidus*（Pascoe, 1858）：a.♂；b. ♀

图版 12

1. 褐天牛 *Nadezhdiella cantori*（Hope, 1843），♀
2. 桃褐天牛 *Nadezhdiella fulvopubens*（Pic, 1933），♀
3. 栗肿角天牛 *Neocerambyx raddei* Blessig, 1872，♀
4. 二色皱胸天牛 *Neoplocaederus bicolor*（Gressitt, 1942），♂
5. 灰斑脊胸天牛 *Rhytidodera griseofasciata* Pic, 1912，♀
6. 华肿角天牛 *Sinopachys mandarinus*（Gressitt, 1939）：a. 正模，♀；b.♂
7. 刺角天牛 *Trirachys orientalis* Hope, 1843，♂
8. 长翅纤天牛 *Cleomenes longipennis longipennis* Gressitt, 1951，♀
9. 三带纤天牛 *Cleomenes tenuipes* Gressitt, 1939，♀
10. 蓝黑红胸天牛 *Dere nigripennis* Holzschuh, 2015：a. 正模，♂；b. 副模，♀.

图版 13

1. 刻点串胸天牛 *Diplothorax punctator* Holzschuh, 2003，正模，♂
2. 绿虎天牛 *Chlorophorus annularis*（Fabricius, 1787），♀
3. 川绿虎天牛 *Chlorophorus apertulus* Holzschuh, 1992 陕西新纪录，♀
4. 槐绿虎天牛 *Chlorophorus diadema diadema*（Motschulsky, 1854），♀
5. 多氏绿虎天牛 *Chlorophorus douei*（Chevrolat, 1863），♂
6. 宝兴绿虎天牛 *Chlorophorus moupinensis*（Fairmaire, 1888）：a.♂；b. ♀
7. 沙氏绿虎天牛 *Chlorophorus savioi*（Pic, 1924），♀
8. 裂纹绿虎天牛 *Chlorophorus separatus* Gressitt, 1940，♂
9. 黄毛绿虎天牛 *Chlorophorus signaticollis*（Laporte *et* Gory, 1841），♀
10. 六斑绿虎天牛 *Chlorophorus simillimus*（Kraatz, 1879）
11. 绿虎天牛属 *Chlorophorus* sp. nr. *hainanicus*，♂

图版 14

1. 绿虎天牛属 *Chlorophorus*. sp. nr. *tredecimmaculatus*, ♀
2. 绿虎天牛属 *Chlorophorus* sp. nr. *viridulus* Kano, 1933, ♀
3. 黄胸虎天牛 *Clytus larvatus* Gressitt, 1939, ♂
4. 小瘤虎天牛 *Clytus parvigranulatus* Holzschuh, 2006, 正模, ♀
5. 甘肃曲虎天牛 *Cyrtoclytus agathus* Holzschuh, 1999, ♀
6. 曲纹刺虎天牛 *Demonax curvofasciatus* (Gressitt, 1939), ♀
7. 光裸刺虎天牛 *Demonax determinatus* Holzschuh, 2013, 正模, ♂
8. 库氏刺虎天牛 *Demonax kucerai* Holzschuh, 2006, 正模, ♂
9. 白纹刺虎天牛 *Demonax palleolus* Holzschuh, 2006, 副模, ♂
10. 首尔刺虎天牛 *Demonax seoulensis* Mitono *et* Cho, 1942, ♀
11. 稳刺虎天牛 *Demonax stabilis* Holzschuh, 2003, 正模, ♂
12. 散愈斑格虎天牛 *Grammographus notabilis cuneatus* (Fairmaire, 1888), ♂

图版 15

1. 巴氏西虎天牛 *Hesperoclytus bozanoi* Pesarini *et* Sabbadini, 1997, ♀
2. 宝鸡跗虎天牛 *Perissus delectus* Gressitt, 1951:a. 正模, ♀; b. ♀
3. 暗色跗虎天牛 *Perissus fairmairei* Gressitt, 1940, ♂
4. 川跗虎天牛 *Perissus intersectus* Holzschuh, 2003, ♂
5. 斑胸跗虎天牛 *Perissus multifenestratus* (Pic, 1926), ♂
6. 三条跗虎天牛 *Perissus rhaphumoides* Gressitt, 1940, ♂
7. 红肩丽虎天牛 *Plagionotus christophi* (Kraatz, 1879), ♀
8. 陕林虎天牛 *Rhabdoclytus alternans* (Holzschuh, 2003), 正模, ♂
9. 短斑艳虎天牛 *Rhaphuma albicolon* Holzschuh, 2006, 正模, ♀
10. 连环艳虎天牛 *Rhaphuma elongata* Gressitt, 1940, ♀
11. 鳞艳虎天牛 *Rhaphuma squamulifera* Holzschuh, 2016, 正模, ♂

图版 16

1. 赤褐艳虎天牛 *Rhaphuma ustulatula* Holzschuh, 2006, 正模, ♀
2. 窄筒虎天牛 *Sclethrus stenocylindrus* Fairmaire, 1895, ♀
3. 陕特虎天牛 *Teratoclytus simplicior* Holzschuh, 1992, 正模, ♀
4. 桑脊虎天牛 *Xylotrechus* (*Xyloclytus*) *chinensis chinensis* (Chevrolat, 1852), ♀
5. 秦岭脊虎天牛 *Xylotrechus boreosinicus* Gressitt, 1951:a. 正模, ♂; b.♂
6. 霉脊虎天牛 *Xylotrechus mucidulus* Holzschuh, 2009, ♀
7. 四带脊虎天牛 *Xylotrechus polyzonus* (Fairmaire, 1888), ♀
8. 葡脊虎天牛 *Xylotrechus pyrrhoderus* Bates, 1873: a. ♀; b.♂, 甘肃
9. 陕脊虎天牛 *Xylotrechus retractus* Holzschuh, 1998, 正模, ♂
10. 黑胸脊虎天牛 *Xylotrechus robusticollis* (Pic, 1936), ♀

图版 17

1. 白蜡脊虎天牛 *Xylotrechus*(*Xylotrechus*) *rufilius* Bates, 1884, ♂

2. 宽带脊虎天牛 *Xylotrechus*(*Xylotrechus*) *yanoi* Gressitt, 1934, ♀
3. 家茸天牛 *Trichoferus campestris* (Faldermann, 1835), ♂
4. 壮茸天牛 *Trichoferus robustipes* Holzschuh, 2003:a. 正模, ♂; b. ♀
5. 甘肃茸天牛 *Trichoferus semipunctatus* Holzschuh, 2003, ♀
6. 黄跗短翅天牛 *Glaphyra* (*Glaphyra*) *gilvitarsis* Holzschuh, 2006, 正模, ♂
7. 淡黄短翅天牛 *Glaphyra* (*Glaphyra*) *lecta* Holzschuh, 2006, 正模, ♂
8. 锯齿短翅天牛 *Glaphyra* (*Glaphyra*) *serra* Holzschuh, 2006, 正模, ♂
9. 川短翅天牛 *Glaphyra* (*Yamatoglaphyra*) *aemulata* Holzschuh, 1998, ♀
10. 陕短萎鞘天牛 *Molorchoepania viticola* Holzschuh, 1998, 正模, ♂
11. 诈短鞘天牛 *Molorchus* (*Molorchus*) *fraudator* Pesarini *et* Sabbadini, 1997, ♀

图版 18

1. 蔷薇短鞘天牛 *Molorchus* (*Nathrioglaphyra*) *liui* Gressitt, 1948, ♂
2. 陕西侧沟天牛 *Obrium fractum* Holzschuh, 2003, 正模, ♀
3. 侧沟天牛属 *Obrium* sp., ♀
4. 美英天牛 *Meiyingia paradoxa* Holzschuh, 2010, 副模, ♀
5. 茶色天牛属 *Oplatocera* (*Epioplatocera*) sp. nr. *oberthuri*, ♀
6. 红足尼辛天牛 *Nysina grahami* (Gressitt, 1939), ♀
7. 长跗天牛 *Prothema signatum* Pascoe, 1856, ♀
8. 油茶红天牛 *Erythrus blairi* Gressitt, 1939, ♂
9. 弧斑红天牛 *Erythrus fortunei* White, 1853, ♂
10. 折天牛 *Pyrestes haematicus* Pascoe, 1857, ♂
11. 五斑折天牛 *Pyrestes quinquesignatus* Fairmaire, 1889: a.♂; b. ♀

图版 19

1. 肖扁胸天牛 *Pseudocallidium violaceum* Plavilstshikov, 1934: a.♂; b. ♀
2. 蓝丽天牛 *Rosalia* (*Rosalia*) *coelestis* Semenov, 1911, ♀
3. 复纹狭天牛 *Stenhomalus complicatus* Gressitt, 1948, ♂
4. 江苏狭天牛 *Stenhomalus incongruus incongruus* Gressitt, 1939, ♂
5. 台湾狭天牛 *Stenhomalus taiwanus* Matsushita, 1933, ♂
6. 狭天牛属 *Stenhomalus* sp., ♂
7. 东方卡扁天牛 *Callimoxys retusifer* Holzschuh, 1999, ♀
8. 圆尾弧胫天牛 *Callimus* (*Lampropterus*) *shensiensis* (Gressitt, 1951), 配模, ♀
9. 截尾弧胫天牛 *Callimus* (*Lampropterus*) *truncatipennis* (Gressitt, 1948), 正模, ♂
10. 双色大黑毛足天牛 *Kunbir atripes bicoloripes* Holzschuh, 2015:a. 正模, ♂; b. 副模, ♀
11. 陕西毛足天牛 *Kunbir pilosipes* Holzschuh, 2003, 正模, ♂

图版 20

1. 棕黄单锥背天牛 *Thranius simplex fulvus* Pu, 1992: a.♂; b. ♀
2. 四川肖亚天牛 *Amarysius minax* Holzschuh, 1998, ♂
3. 红缘亚天牛 *Anoplistes halodendri pirus* (Arakawa, 1932), ♂

4. 五瘤天牛 *Falsanoplistes guerryi* Pic, 1915, ♀
5. 缺缘紫天牛 *Purpuricenus globiger globiger* Fairmaire, 1888：a.♂；b. ♀
6. 帽斑紫天牛 *Purpuricenus lituratus* Ganglbauer, 1887, ♀
7. 圆斑紫天牛 *Purpuricenus sideriger sideriger* Fairmaire, 1888, ♂
8. 二点紫天牛 *Purpuricenus spectabilis* Motschulsky, 1858, ♀
9. 中华竹紫天牛 *Purpuricenus temminckii sinensis* White, 1853, ♀
10. 双条天牛 *Xystrocera globosa*（Olivier, 1795）, ♂

图版 21

1. 小灰长角天牛 *Acanthocinus griseus*（Fabricius, 1793）, ♂
2. 红薯利天牛 *Leiopus*（*Carinopus*）*holzschuhi* Wallin, Kvamme *et* Lin, 2012, 正模, ♂
3. 黑带利天牛 *Leiopus*（*Carinopus*）*nigrofasciculosus* Wallin, Kwamme *et* Lin, 2012, 正模, ♂
4. 眼斑利天牛 *Leiopus*（*Carinopus*）*ocellatus* Wallin, Kvamme *et* Lin, 2012, 正模, ♂
5. 宝兴梭天牛 *Ostedes binodosa* Gressitt, 1945, ♂
6. 陕西齿尾天牛 *Parachydaeopsis shaanxiensis* Wang *et* Jiang, 2002：a. 正模, ♂；b. ♂
7. 方额天牛属 *Rondibilis*（*Rondibilis*）sp. 1 nr. *saperdina*, ♂
8. 方额天牛属 *Rondibilis*（*Rondibilis*）sp. 2 nr. *yunnana*, ♂
9. 苜蓿多节天牛 *Agapanthia*（*Amurobia*）*amurensis* Kraatz, 1879, ♂
10. 大麻多节天牛 *Agapanthia*（*Epoptes*）*daurica daurica* Ganglbauer, 1884, ♂
11. 驴天牛属 *Pothyne* sp., ♀

图版 22

1. 线竿天牛 *Pseudocalamobius filiformis* Fairmaire, 1888, ♀
2. 红翅竿天牛 *Pseudocalamobius rufipennis* Gressitt, 1942, ♀
3. 竿天牛属 *Pseudocalamobius* sp. 1, nr. *piceus*, ♂
4. 竿天牛属 *Pseudocalamobius* sp. 2, ♀
5. 竿天牛属 *Pseudocalamobius* sp. 3, nr. *taiwanensis*, ♂
6. 南瓜天牛 *Apomecyna saltator*（Fabricius, 1787）, ♂
7. 伪楔天牛属 *Asaperda* sp., ♂
8. 日本原脊翅天牛 *Atimura japonica* Bates, 1873, ♀
9. 沙氏短节天牛 *Eunidia savioi*（Pic, 1925）, ♀
10. 筒胸天牛属 *Iproca* sp. nr. *flavolineata*, ♂
11. 两色角新郎天牛 *Novorondonia antennata* Holzschuh, 2015：a. 正模, ♂；b. 副模, ♀

图版 23

1. 桑缝角天牛 *Ropica subnotata* Pic, 1925, ♂
2. 木天牛 *Xylariopsis mimica* Bates, 1884, ♀
3. 苹眼天牛 *Bacchisa dioica*（Fairmaire, 1878）, ♀
4. 梨眼天牛 *Bacchisa*（*Bacchisa*）*fortunei fortunei*（Thomson, 1857）, ♂
5. 广翅天牛 *Plaxomicrus ellipticus* Thomson, 1857, ♀
6. 黄荆重突天牛 *Tetraophthalmus episcopalis*（Chevrolat, 1852）；

7. 皱胸粒肩天牛 *Apriona rugicollis rugicollis* Chevrolat, 1852, ♀
8. 锈色粒肩天牛 *Apriona swainsoni swainsoni* (Hope, 1840), ♀
9. 橙斑白条天牛 *Batocera davidis* Deyrolle, 1878, ♀
10. 云斑白条天牛 *Batocera horsfieldi* (Hope, 1839), ♀
11. 密点白条天牛 *Batocera lineolata* Chevrolat, 1852, ♀
12. 白条天牛 *Batocera rubus* (Linnaeus, 1758), ♀

图版 24

1. 双簇污天牛 *Moechotypa diphysis* (Pascoe, 1871), ♀
2. 白微天牛 *Anaesthetobrium pallidipes* Holzschuh, 2010, 正模, ♀
3. 棕肖楔天牛 *Asaperdina brunnea* Pesarini *et* Sabbadini, 2000, ♂
4. 荣天牛 *Clytosemia pulchra* Bates, 1884, ♂
5. 福建平顶天牛 *Cylindilla interrupta* (Gressitt, 1951), ♂
6. 长筒天牛属 *Euseboides* sp. nr. *matsudai*, ♂
7. 尖尾天牛属 *Graphidessa* sp., ♂
8. 二簇小沟胫天牛 *Miccolamia bicristata* Pesarini *et* Sabbadini, 1997, ♀
9. 污小沟胫天牛 *Miccolamia coenosa* Holzschuh, 2010, 正模, ♀
10. 扁桃小沟胫天牛 *Miccolamia tonsilis* Holzschuh, 2010, 副模, ♂
11. 肖申天牛属 *Mimectatina* sp., ♂
12. 红黄六脊天牛属 *Penthides* cf. *rufoflavus*, ♀

图版 25

1. 伪昏天牛 *Pseudanaesthetis langana* Pic, 1922, ♀
2. 四川棒角天牛 *Rhodopina tuberculicollis* (Gressitt, 1942), ♂
3. 角胸天牛 *Rhopaloscelis unifasciatus* Blessig, 1873, ♀
4. 健天牛属 *Sophronica* sp., ♂
5. 脊隆线天牛 *Sybrocentrura costigera* Holzschuh, 2010, 正模, ♀
6. 肥隆线天牛 *Sybrocentrura fatalis* Holzschuh, 2010, 正模, ♂
7. 提利短刺天牛 *Terinaea tiliae* (Murzin, 1983), ♂
8. 细脊草天牛 *Eodorcadion* (*Eodorcadion*) *minicarinatum* Danilevsky *et* Lin, 2012, 副模, ♀
9. 多脊草天牛 *Eodorcadion* (*Eodorcadion*) *multicarinatum* (Breuning, 1943), ♀
10. 少脊草天牛 *Eodorcadion* (*Eodorcadion*) *oligocarinatum* Danilevsky, 2007, ♀
11. 拟波氏草天牛 *Eodorcadion* (*Ornatodorcadion*) *potaninellum* Danilevsky *et* Lin, 2012, 正模, ♂
12. 拟密点草天牛 *Eodorcadion* (*Ornatodorcadion*) *pseudornatum* Danilevsky *et* Lin, 2012, 正模, ♂

图版 26

1. 黑点粉天牛 *Olenecamptus clarus* Pascoe, 1859, ♀
2. 八星粉天牛 *Olenecamptus octopustulatus* (Motschulsky, 1860), ♀
3. 斜翅粉天牛 *Olenecamptus subobliteratus* Pic, 1923, ♂
4. 布兰勾天牛 *Exocentrus blanditus* Holzschuh, 2010, 正模, ♂

5. 刺勾天牛 *Exocentrus spineus* Holzschuh, 2007, 副模, ♀
6. 勾天牛属 *Exocentrus* cf. *tsushimanus*, ♂
7. 榆勾天牛 *Exocentrus ulmicola* Holzschuh, 2007, ♀
8. 老勾天牛 *Exocentrus vetustus* Holzschuh, 2007, 正模, ♂
9. 咖啡锦天牛 *Acalolepta cervina* (Hope, 1831), ♀
10. 寡白芒锦天牛 *Acalolepta flocculata paucisetosa* (Gressitt, 1938), ♀
11. 宁陕锦天牛 *Acalolepta ningshanensis* Danilevsky, 2013: a. 正模, ♂; b. 副模, ♀

图版 27

1. 双斑锦天牛 *Acalolepta sublusca* (Thomson, 1857), ♀
2. 锦天牛属 *Acalolepta* sp. cf. *bifasciata*, ♀
3. 棘翅天牛 *Aethalodes verrucosus verrucosus* Gahan, 1888, ♂
4. 文柱安天牛 *Annamanum wenzhui* Lin *et* Ge, 2017, 正模, ♂
5. 华星天牛 *Anoplophora chinensis* (Forster, 1771), ♂
6. 十星星天牛 *Anoplophora decemmaculata* Pu, 1999, ♂
7. 光肩星天牛 *Anoplophora glabripennis* (Motschulsky, 1854): a.♂; b. ♀
8. 楝星天牛 *Anoplophora horsfieldii* (Hope, 1842), ♂
9. 槐星天牛 *Anoplophora lurida* (Pascoe, 1856), ♂
10. 瘤胸簇天牛 *Aristobia hispida* (Saunders, 1853), ♂
11. 碎斑簇天牛 *Aristobia voetii* Thomson, 1878, ♀

图版 28

1. 灰锦天牛 *Astynoscelis degener* (Bates, 1873): a.♂; b. ♀
2. 云纹灰天牛 *Blepephaeus infelix* (Pascoe, 1856), ♂
3. 灰天牛 *Blepephaeus succinctor* (Chevrolat, 1852), ♂
4. 豹天牛 *Coscinesthes porosa* Bates, 1890, ♂
5. 川拟筛天牛 *Cribrohammus fragosus* Holzschuh, 1998, ♀
6. 粒翅天牛 *Lamiomimus gottschei* Kolbe, 1886, ♀
7. 突变墨天牛 *Monochamus abruptus* Holzschuh, 2015, 副模, ♂
8. 松墨天牛 *Monochamus alternatus alternatus* Hope, 1842, ♀
9. 红足墨天牛 *Monochamus* (*Monochamus*) *dubius* Gahan, 1894, ♀
10. 西藏墨天牛 *Monochamus nigromaculatus* Gressitt, 1942, ♀
11. 直墨天牛 *Monochamus rectus* Holzschuh, 2015, 副模, ♀

图版 29

1. 麻斑墨天牛 *Monochamus sparsutus* Fairmaire, 1889, ♀
2. 云杉大墨天牛 *Monochamus urussovii* (Fischer-Waldheim, 1806), ♂
3. 细粒巨瘤天牛 *Morimospasma granulatum* Chiang, 1981, ♂
4. 巨瘤天牛 *Morimospasma paradoxum* Ganglbauer, 1889, ♀
5. 异鹿天牛 *Paraepepeotes breuningi* Pic, 1935, ♀
6. 蜡斑齿胫天牛 *Paraleprodera carolina* (Fairmaire, 1899), ♀

7. 眼斑齿胫天牛 *Paraleprodera diophthalma*（Pascoe，1856），♀
8. 黄斑凹唇天牛 *Paranamera ankangensis* Chiang，1981，♂
9. 中华蛛天牛 *Parechthistatus chinensis* Breuning，1942，正模，♂
10. 台湾肖泥色天牛 *Paruraecha*（*Arisania*）*submarmorata*（Gressitt，1936），♂
11. 黄星天牛 *Psacothea hilaris*（Pascoe，1857），♂
12. 樟泥色天牛 *Uraecha angusta*（Pascoe，1856），♂

图版 30

1. 中华泥色天牛 *Uraecha chinensis* Breuning，1935，♂
2. 自然之翼真象天牛 *Eurymesosa ziranzhiyi* Yamasako *et* Lin，2016，正模，♂
3. 截尾额象天牛 *Falsomesosella truncatipennis* Pic，1944，♂
4. 瘦象天牛 *Leptomesosa cephalotes*（Pic，1903），♀
5. 四点象天牛 *Mesosa*（*Mesosa*）*myops*（Dalman，1817），♂
6. 异斑象天牛 *Mesosa*（*Mesosa*）*stictica* Blanchard，1871，♂
7. 黑点象天牛 *Mesosa*（*Perimesosa*）*atrostigma* Gressitt，1942，♂
8. 峦纹象天牛 *Mesosa*（*Perimesosa*）*irrorata* Gressitt，1939，♀
9. 黑角瘤筒天牛 *Linda*（*Linda*）*atricornis* Pic，1924，♂，a. 背面观；b. 头部正面观，示触角基瘤黄红色
10. 瘤筒天牛 *Linda*（*Linda*）*femorata*（Chevrolat，1852），♀
11. 小瘤筒天牛 *Linda*（*Linda*）*macilenta* Gressitt，1947，♀
12. 黄山瘤筒天牛 *Linda*（*Linda*）*major* Gressitt，1942，♂

图版 31

1. 黑瘤瘤筒天牛 *Linda*（*Linda*）*subatricornis* Lin *et* Yang，2012：a. 副模，♂；b.♂；c. 头部正面观，触角基瘤黑色
2. 黑翅脊筒天牛 *Nupserha infantula*（Ganglbauer，1889），♂
3. 缘翅脊筒天牛 *Nupserha marginella marginella*（Bates，1873），♂
4. 黄腹脊筒天牛 *Nupserha testaceipes* Pic，1926，♀：a. 背面观；b. 侧面观
5. 土耳其筒天牛 *Oberea*（*Amaurostoma*）*ressli* Dewelt，1963，♂：a. 背面观；b. 侧面观
6. 黑胫筒天牛 *Oberea*（*Oberea*）*diversipes* Pic，1919，♂：a. 背面观；b. 侧面观
7. 黄黑筒天牛 *Oberea*（*Oberea*）*flavescens* Breuning，1947：a & b.♂；c & d. ♀；a & c. 背面观；b & d. 侧面观
8. 暗翅筒天牛 *Oberea*（*Oberea*）*fuscipennis*（Chevrolat，1852）：a.♂；b. ♀；c. 侧面观

图版 32

1. 黑腹筒天牛 *Oberea*（*Oberea*）*nigriventris* Bates，1873，♂
2. 筒天牛 *Oberea*（*Oberea*）*oculata*（Linnaeus，1758），♀
3. 拟瞳筒天牛 *Oberea*（*Oberea*）*pupillatoides* Breuning，1947，♂
4. 黑腹二色角筒天牛 *Oberea*（*Oberea*）*rubroantennalis* Lin *et* Ge，2017，正模，♀
5. 红腹筒天牛 *Oberea*（*Oberea*）*rufosternalis* Breuning，1962，♀
6. 天目筒天牛 *Oberea*（*Oberea*）*tienmuana* Gressitt，1939：a.♂；b. 侧面观；c. ♀

7. 一点筒天牛 *Oberea* (*Oberea*) *uninotaticollis* Pic, 1939, ♀
8. 条纹筒天牛 *Oberea* (*Oberea*) *vittata* Blessig, 1873, ♀
9. 凹尾筒天牛 *Oberea* (*Oberea*) *walkeri* Gahan, 1894, ♀; a. 背面观; b. 侧面观

图版 33

1. 束翅小筒天牛 *Phytoecia* (*Cinctophytoecia*) *cinctipennis* Mannerheim, 1849, ♀
2. 菊小筒天牛 *Phytoecia* (*Phytoecia*) *rufiventris* Gautier, 1870, ♀
3. 芒天牛属 *Pogonocherus* (*Pityphilus*) sp., ♀
4. 白腰芒天牛 *Pogonocherus* (*Pogonocherus*) *dimidiatus* Blessig, 1873, ♂
5. 白腰天牛 *Anaches dorsalis* (Pascoe, 1858), ♀
6. 沥黑艾格天牛 *Egesina*(*Egesina*)*picina* Holzschuh, 2007, 正模, ♂
7. 赭色艾格天牛 *Egesina*(*Egesina*)*umbrina* Holzschuh, 2007, 正模, ♂
8. 白带坡天牛 *Pterolophia* (*Hylobrotus*) *albanina* Gressitt, 1942, ♂
9. 点胸坡天牛 *Pterolophia* (*Pterolophia*) *maacki* (Blessig, 1873), ♂
10. 多点坡天牛 *Pterolophia* (*Pterolophia*) *multinotata* Pic, 1931, ♀
11. 齿角坡天牛 *Pterolophia* (*Pterolophia*) *serrata* Gressitt, 1938, ♀
12. 坡天牛属 *Pterolophia* sp. nr. *zonata*, ♀

图版 34

1. 云杉刺脊天牛 *Dystomorphus piceae* Holzschuh, 2003, 副模, ♀
2. 弱筒天牛 *Epiglenea comes* Bates, 1884, ♂
3. 拟修天牛属 *Eumecocera* sp. nr. *lineata*, ♀
4. 朱红直脊天牛 *Eutetrapha cinnabarina* Pu, 1986: a.♂; b. ♀
5. 复纹直脊天牛 *Eutetrapha complexa* Pu *et* Jin, 1991: a. 正模, ♀; b.♂
6. 更多点直脊天牛 *Eutetrapha parastigmosa* Lin *et* Yang, 2017, 副模, ♀
7. 陕西直脊天牛 *Eutetrapha shaanxiana* Lin *et* Yang, 2017: a. 正模, ♂; b. 副模, ♀
8. 绒线直脊天牛 *Eutetrapha velutinofasciata* Pic, 1939(*Paraglenea nigromaculata* Wang *et* Jiang 的正模), ♂
9. 桑并脊天牛 *Glenea* (*Glenea*) *centroguttata* Fairmaire, 1897, ♀

图版 35

1. 拟蜥并脊天牛 *Glenea* (*Glenea*) *hauseri* Pic, 1933, ♀
2. 十二星并脊天牛 *Glenea* (*Glenea*) *licenti* Pic, 1939, ♀
3. 斜斑并脊天牛 *Glenea* (*Glenea*) *obliqua* Gressitt, 1939, ♀
4. 峨眉并脊天牛 *Glenea* (*Glenea*) *omeiensis* Chiang, 1963, ♀
5. 复纹并脊天牛指名亚种 *Glenea* (*Glenea*) *pieliana pieliana* Gressitt, 1939: a.♂; b. ♀
6. 榆并脊天牛 *Glenea* (*Glenea*) *relicta* Pascoe, 1858, ♂
7. 眉斑并脊天牛 *Glenea* (*Stiroglenea*) *cantor* (Fabricius, 1787), ♀
8. 黄斑弱脊天牛 *Menesia flavotecta* Heyden, 1886, ♀
9. 培甘弱脊天牛 *Menesia sulphurata* (Gebler, 1825), ♂
10. 陕弱脊天牛 *Menesia vitiphaga* Holzschuh, 2003, 副模, ♂

11. 拟鹿岛天牛 *Mimocagosima ochreipennis* Breuning, 1968, ♂

图版 36

1. 黑日修天牛 *Niponostenostola gressitti* Lin *et* Ge, 2017（= *Saperda nigra* Gressitt, 1951）：a. 正模，♀；b. 疑似同种♂
2. 宝鸡日修天牛 *Niponostenostola lineata*（Gressitt, 1951）（= *Stenostola lineata* Gressitt, 1951）：a. 正模，♀；b. ♀
3. 双脊天牛 *Paraglenea fortunei*（Saunders, 1853），♂
4. 椭圆双脊天牛 *Paraglenea soluta*（Ganglbauer, 1887），♀
5. 双条楔天牛 *Saperda*（*Compsidia*）*bilineatocollis* Pic, 1924，♀
6. 青杨楔天牛 *Saperda*（*Compsidia*）*populnea*（Linnaeus, 1758）
7. 绿翅楔天牛 *Saperda*（*Compsidia*）*viridipennis* Gressitt, 1951：a. 正模，♀；b.♂
8. 宝鸡楔天牛 *Saperda*（*Lopezcolonia*）*pallidipennis* Gressitt, 1951：a. 正模，♀；b. ♀

图版 37

1. 尖翅楔天牛 *Saperda*（*Saperda*）*simulans* Gahan, 1888：a.♂；b. ♀
2. 黑修天牛 *Stenostola atra* Gressitt, 1951，正模，♂
3. 黑斑修天牛 *Stenostola basisuturale* Gressitt, 1935，♀
4. 宝鸡修天牛 *Stenostola pallida* Gressitt, 1951，♀
5. 竖毛天牛 *Thyestilla gebleri*（Faldermann, 1835），♀
6. 多毛天牛 *Hirtaeschopalaea albolineata* Pic, 1925，♀
7. 苜蓿多节天牛 *Agapanthia*（*Amurobia*）*amurensis* Kraatz, 1879
8. 自然之翼真象天牛 *Eurymesosa ziranzhiyi* Yamasako *et* Lin, 2016
9. 瘤筒天牛 *Linda*（*Linda*）*femorata*（Chevrolat, 1852）

图片版权说明

本书中以下图片由 Luboš Dembický(捷克)拍摄,版权归属于 Luboš Dembický 和 Carolus Holzschuh(奥地利),其使用权得到两人的共同许可。						
图版 1:2	图版 2:4a	图版 2:8	图版 2:9	图版 3:3	图版 3:5	图版 3:10a
图版 4:4	图版 4:5	图版 4:7	图版 5:1	图版 5:2a	图版 5:5	图版 5:6
图版 5:8	图版 6:7	图版 6:8	图版 6:10	图版 7:9	图版 9:2a	图版 9:3
图版 11:7	图版 11:9	图版 12:10a	图版 12:10b	图版 13:1	图版 14:4	图版 14:7
图版 14:8	图版 14:11	图版 15:8	图版 15:9	图版 15:11	图版 16:1	图版 16:3
图版 16:9	图版 17:4a	图版 17:6	图版 17:7	图版 17:8	图版 17:10	图版 18:2
图版 18:4	图版 19:10a	图版 19:10b	图版 19:11	图版 22:11	图版 24:2	图版 24:9
图版 25:5	图版 25:6	图版 26:4	图版 26:8	图版 33:6	图版 33:7	

本书中以下图片由林毓隆(台湾)拍摄,版权归属于林毓隆和标本收藏单位,其使用权得到林毓隆的许可。			
图版 6:1	图版 15:2a	图版 16:5a	图版 36:1a
图版 36:2a	图版 36:7a	图版 36:8a	图版 37:2

本书中以下图片由黄贵强和李竹拍摄,版权归属于拍摄者和西南农业大学,其使用权得到李竹和陈力的许可。				
图版 1:3a	图版 2:7a	图版 7:5	图版 21:6a	图版 34:8

本书中以下图片由张巍巍拍摄,版权归属于张巍巍,其使用权得到张巍巍的许可。			
图版 1:8	图版 12:2	图版 37:7	图版 37:8

本书中以下图片由 Steven Lingafelter 或其同事拍摄,版权归属于拍摄者和 Smithsonian Museum,其使用权得到 Steven Lingafelter 的许可。		
图版 12:6a	图版 19:9	图版 29:9

<table>
<tr><td colspan="2">本书中以下图片由陈常卿拍摄，版权归属于陈常卿和 CCCC，其使用权得到陈常卿的许可。</td></tr>
<tr><td>图版 2: 7b</td><td>图版 27: 6</td></tr>
</table>

本书中以下图片由 Alexandr I. Miroshnikov 拍摄，版权归属于 Alexandr I. Miroshnikov，其使用权得到 Alexandr I. Miroshnikov 的许可。
图版 3: 4

本书中以下图片由毕文烜拍摄，版权归属于毕文烜和中山大学，其使用权得到中山大学庞虹的许可。
图版 19: 8

本书中以下以下图片由黄正中拍摄，版权归属于黄正中，其使用权得到黄正中的许可。
图版 37: 9

本书中以下图片由 Tatsuya Niisato（日本）拍摄，版权归属于 Tatsuya Niisato，其使用权得到 Tatsuya Niisato 的许可。
图版 14: 5

本书中以下图片由梁靓拍摄，版权归属于梁靓，其使用权得到梁靓的许可。
图版 23: 8

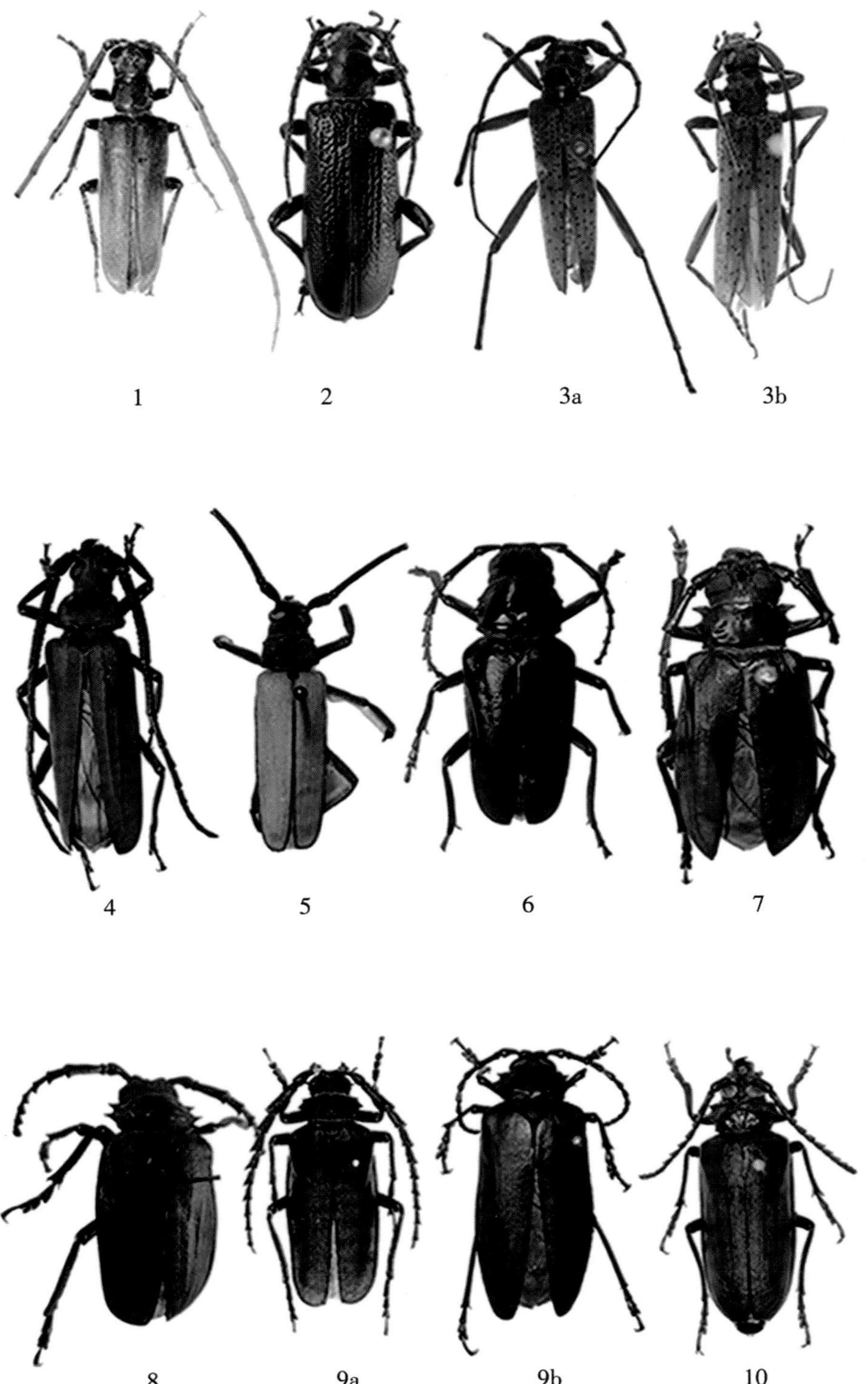
1
2
3a
3b
4
5
6
7
8
9a
9b
10

图版 2

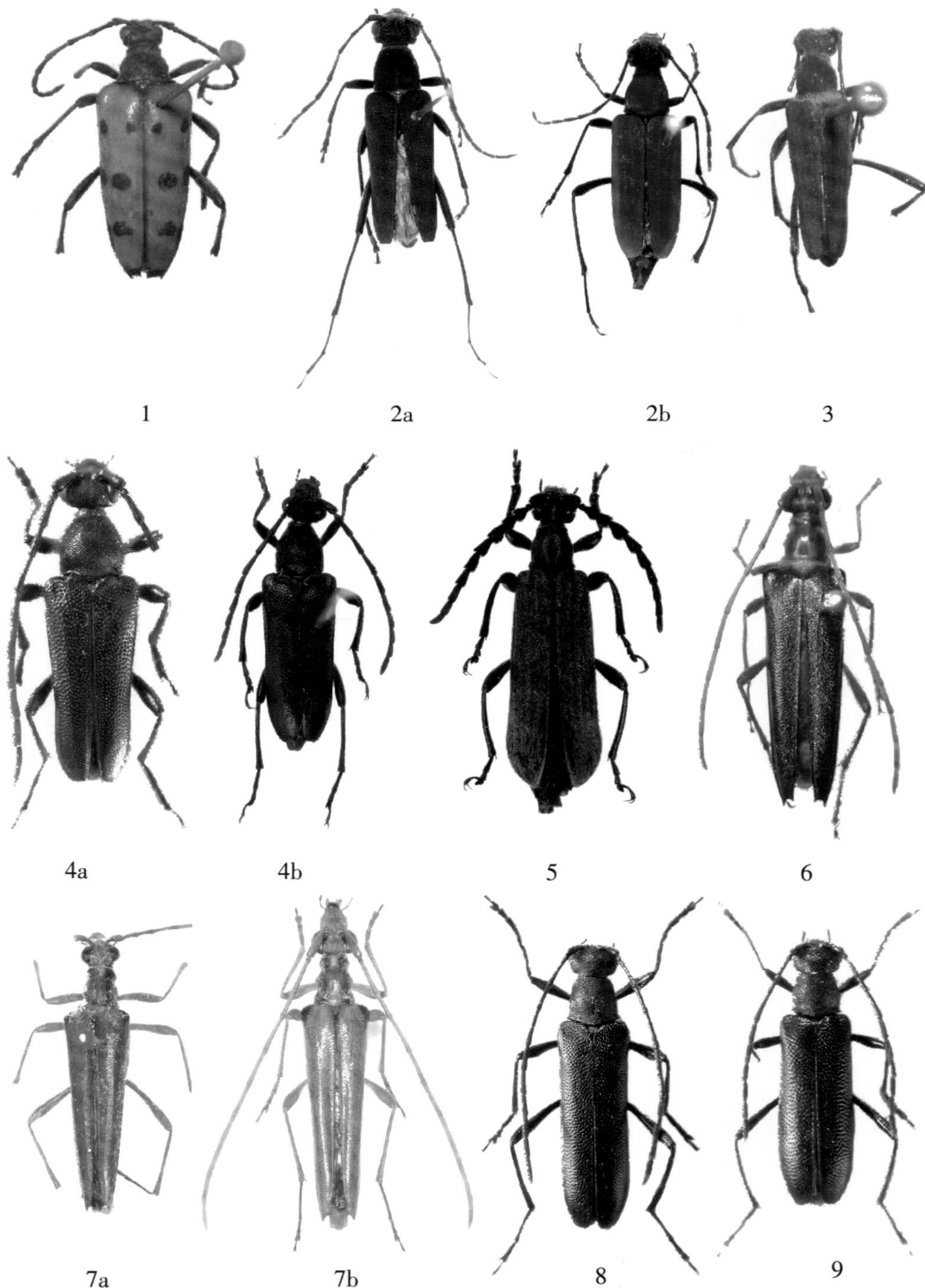

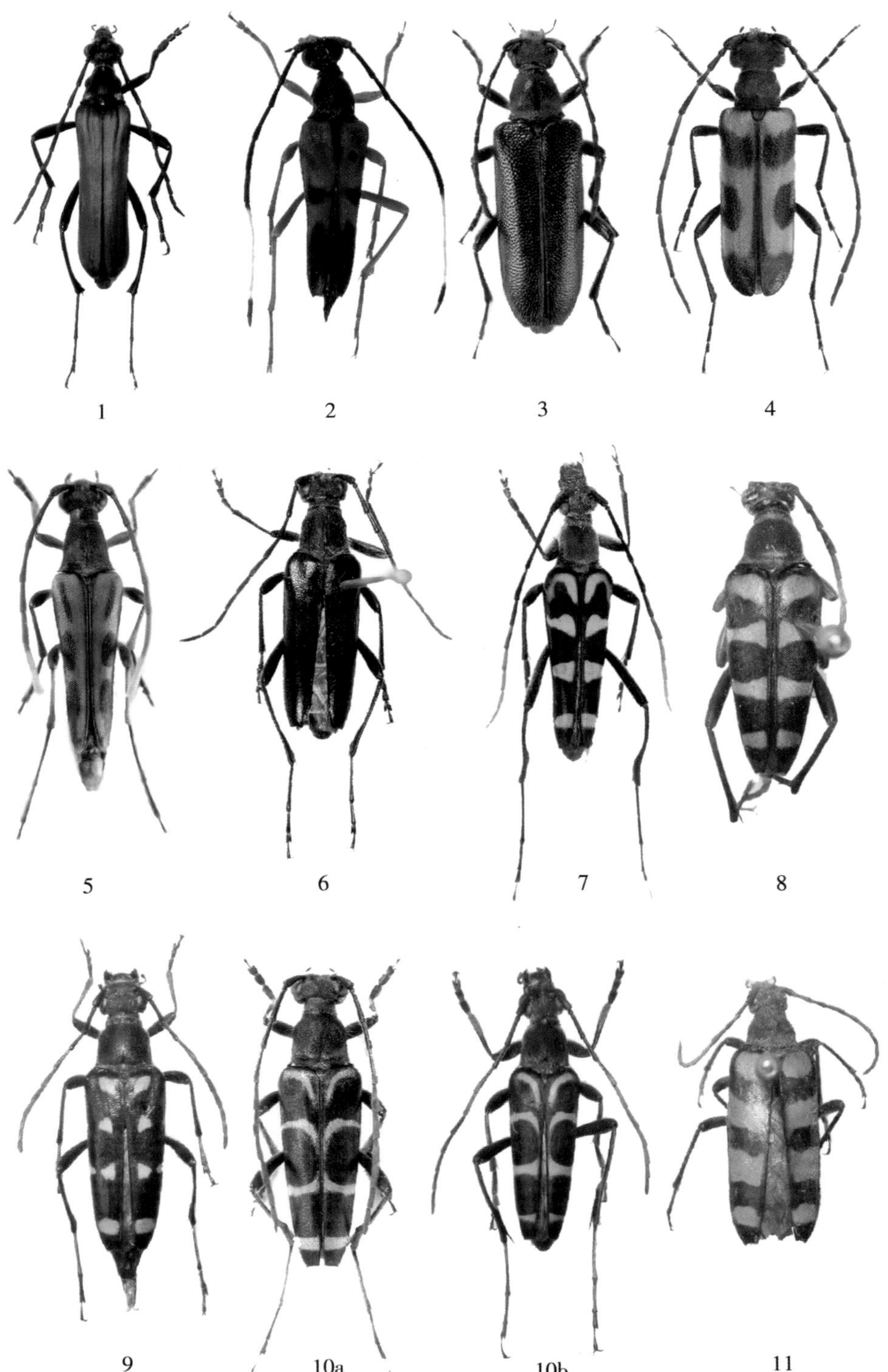
1
2
3
4
5
6
7
8
9
10a
10b
11

图版 4

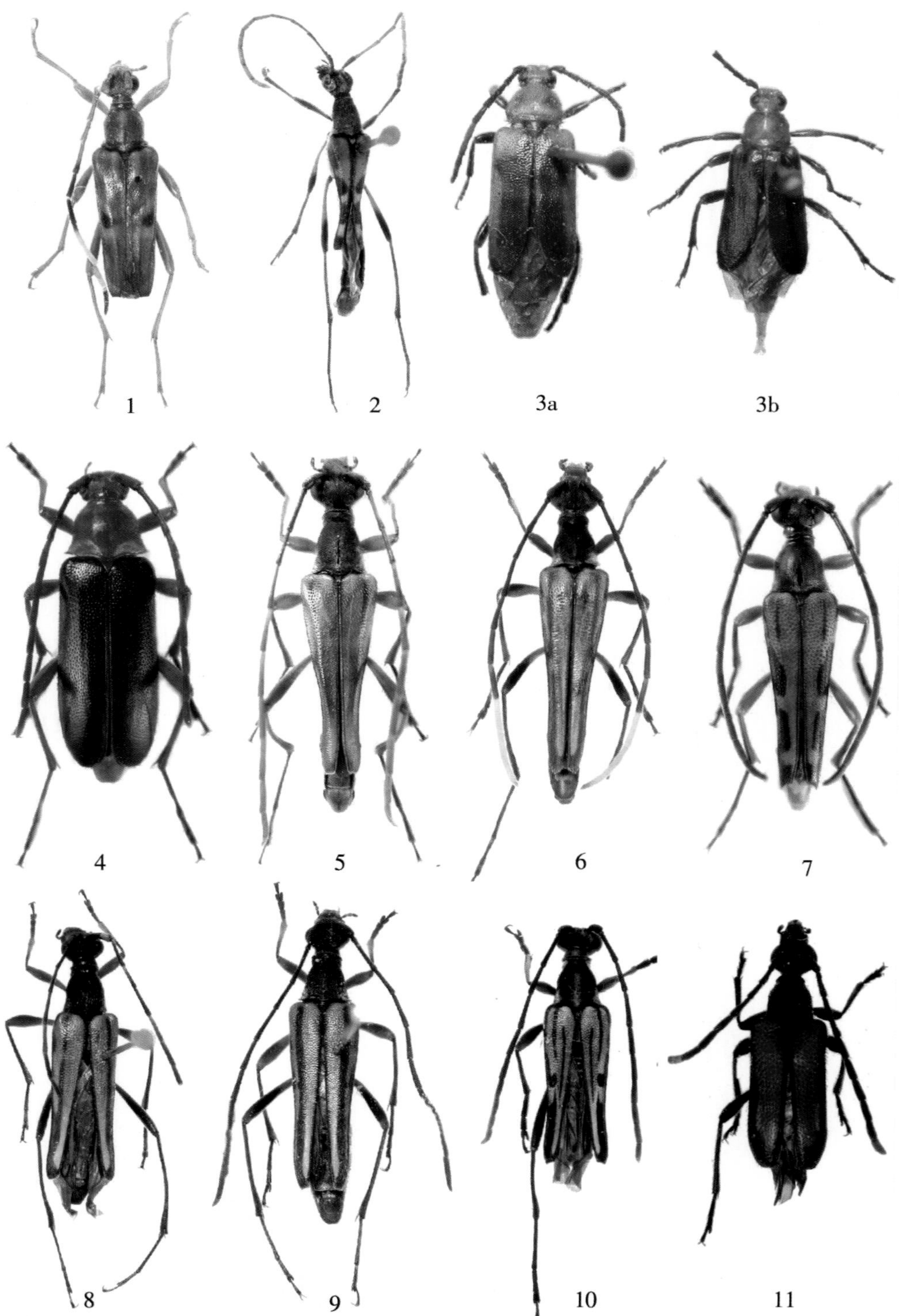

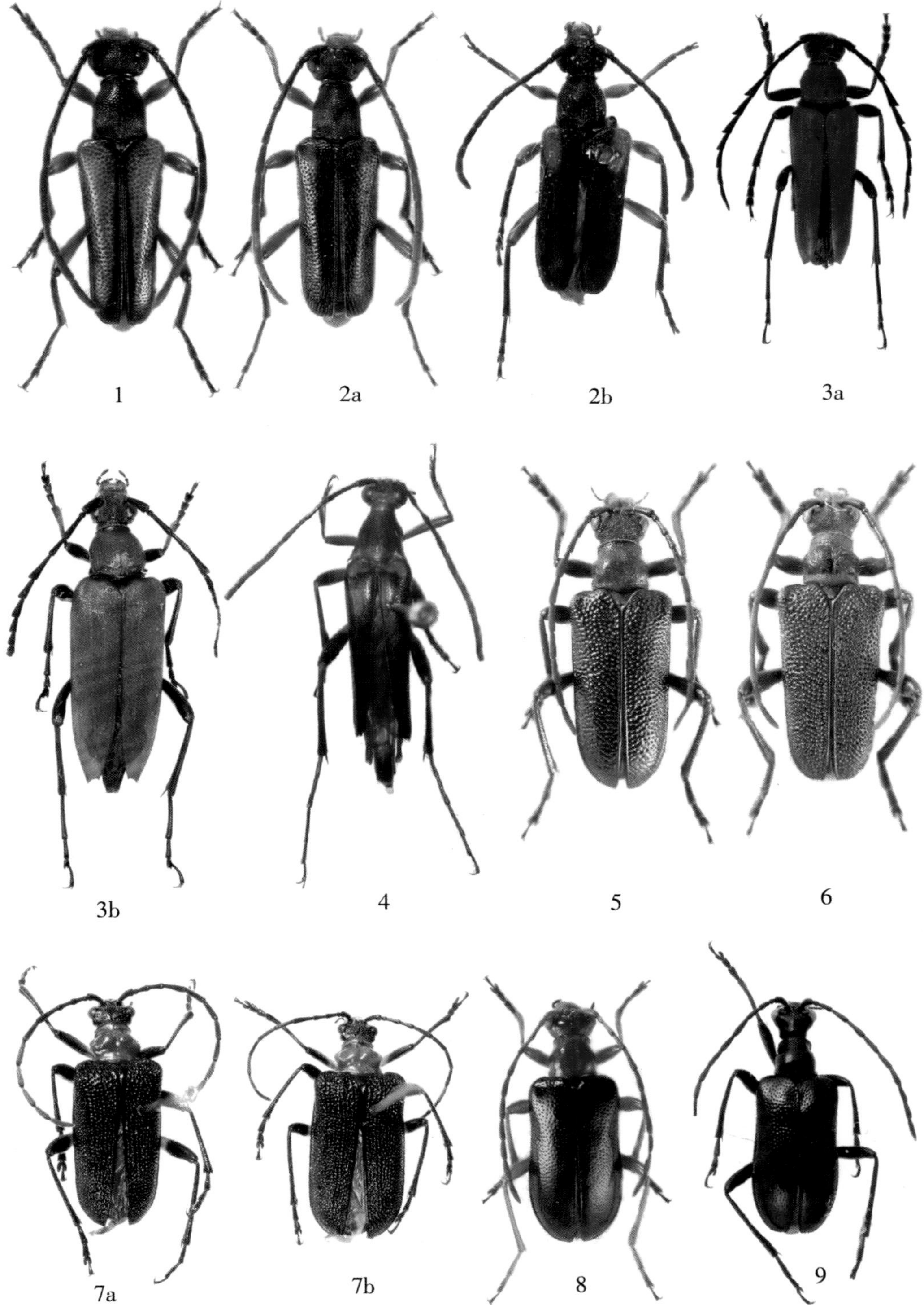
1
2a
2b
3a
3b
4
5
6
7a
7b
8
9

图版 6

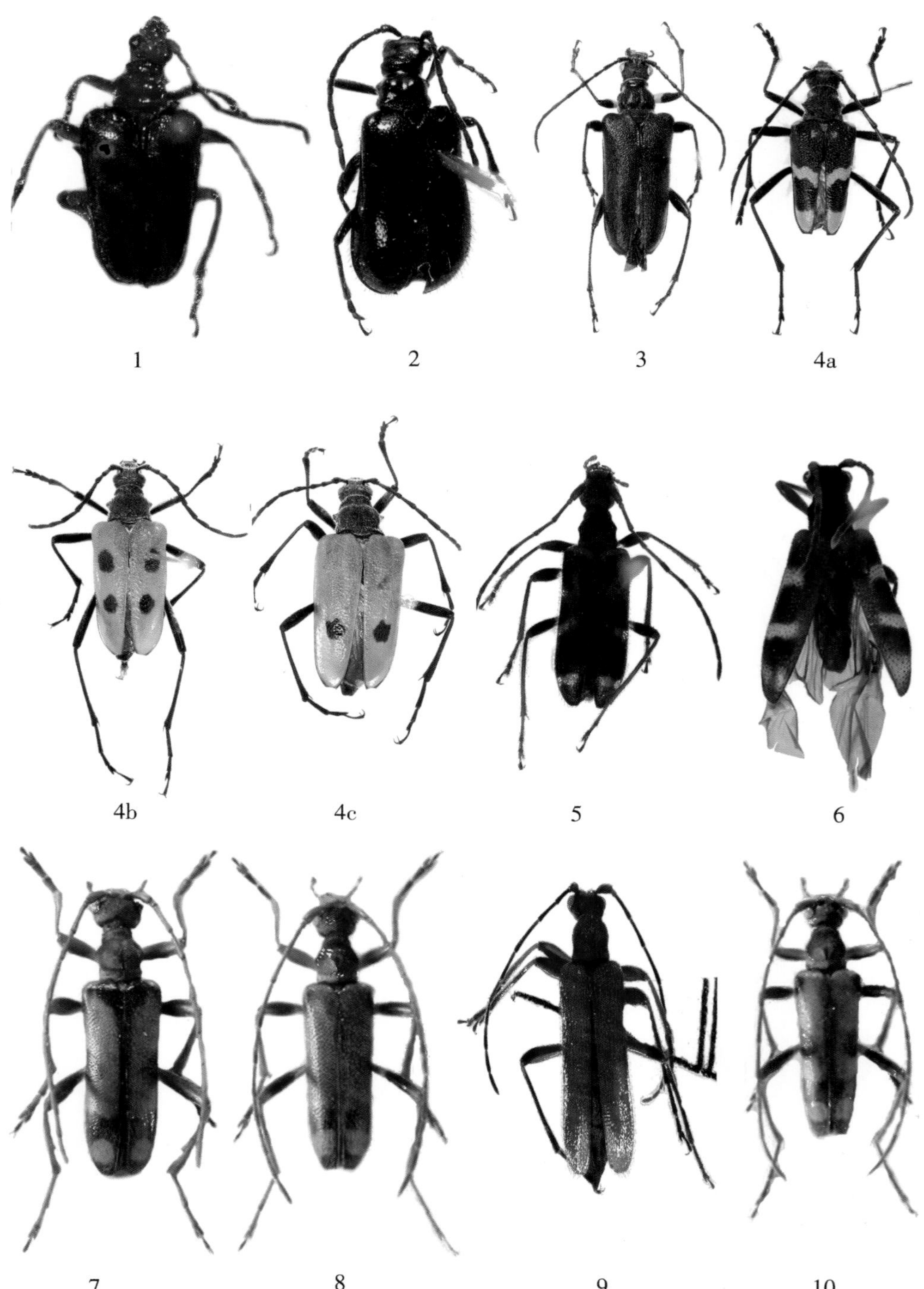

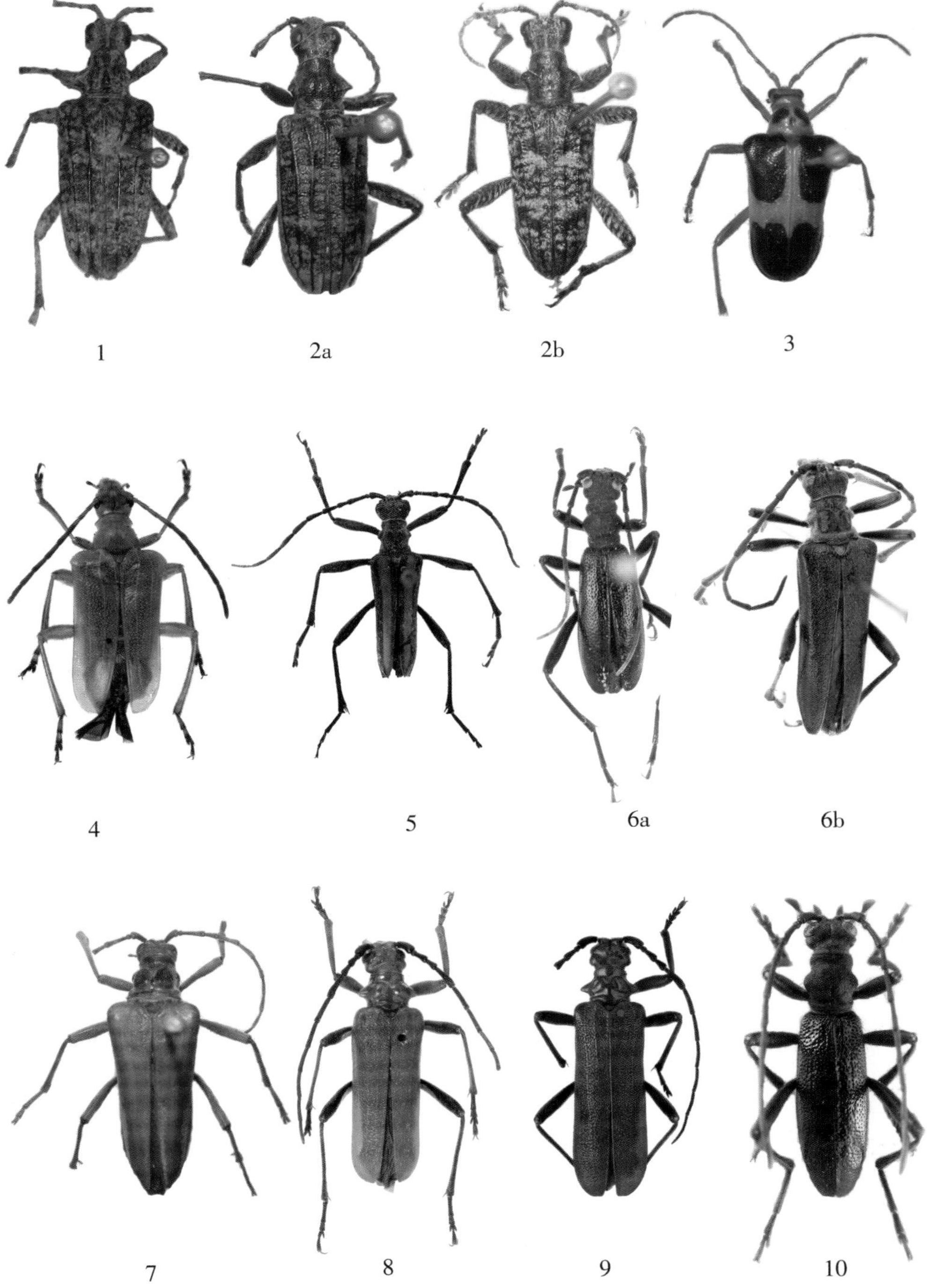
1
2a
2b
3
4
5
6a
6b
7
8
9
10

图版 8

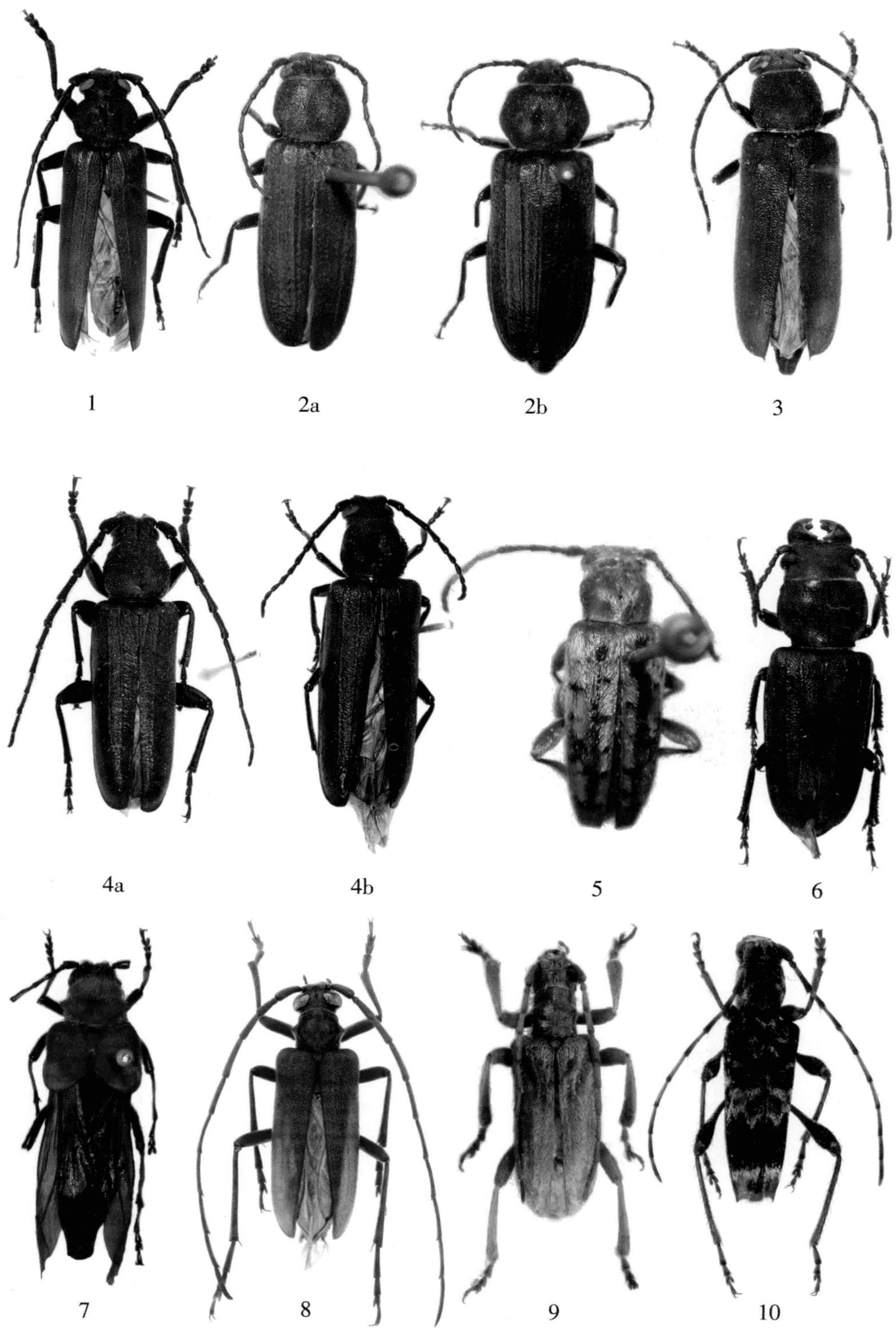

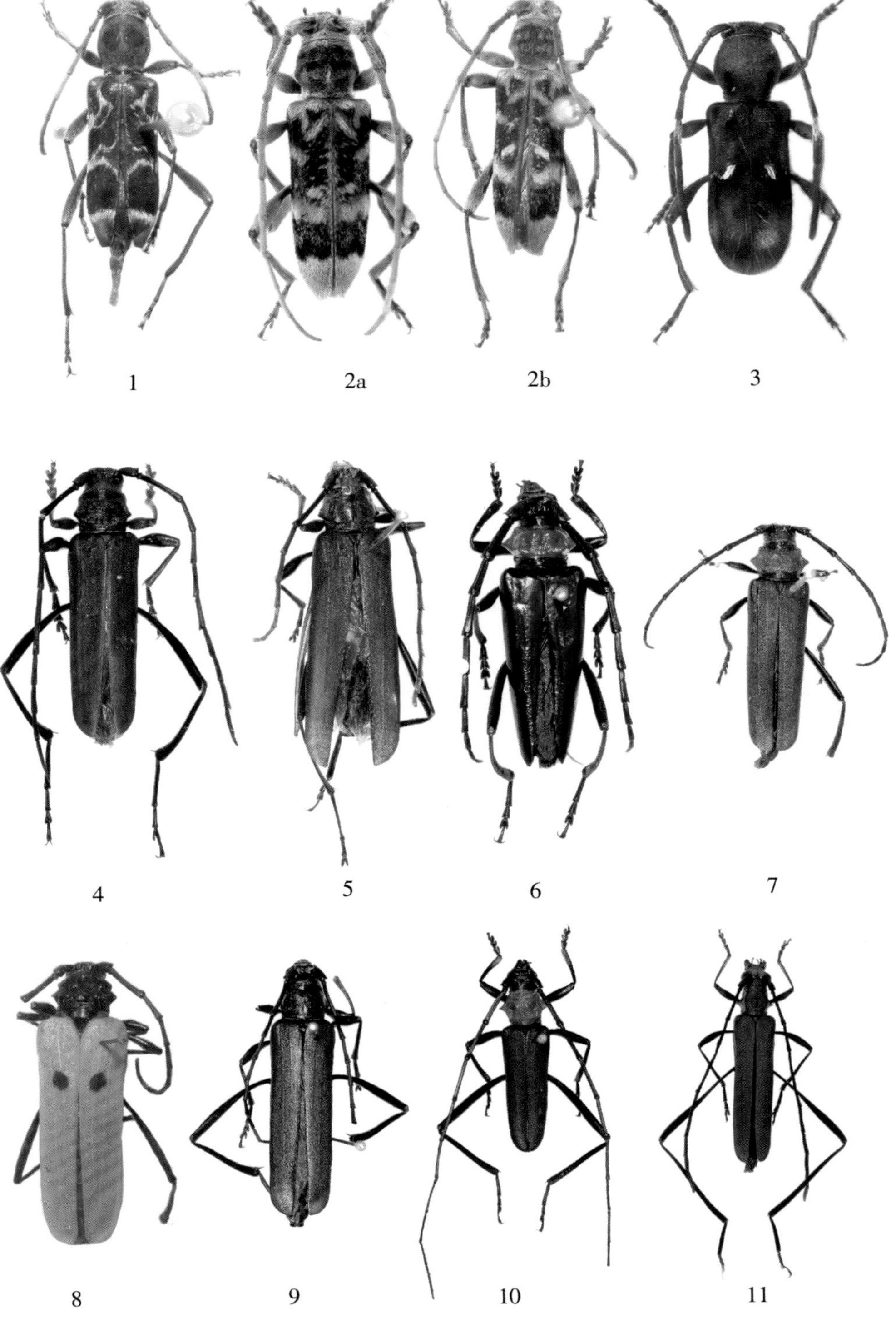
1
2a
2b
3
4
5
6
7
8
9
10
11

图版 10

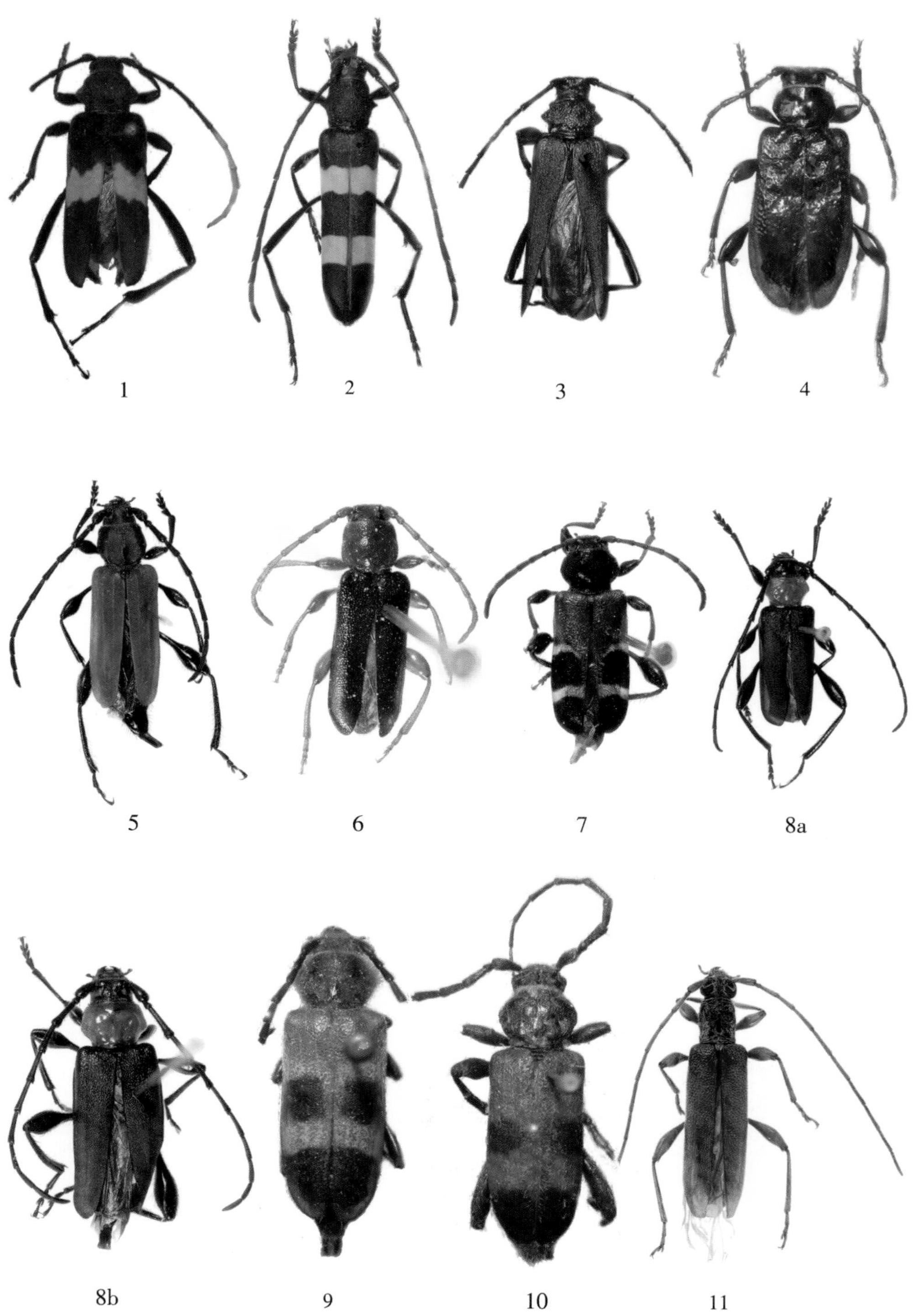

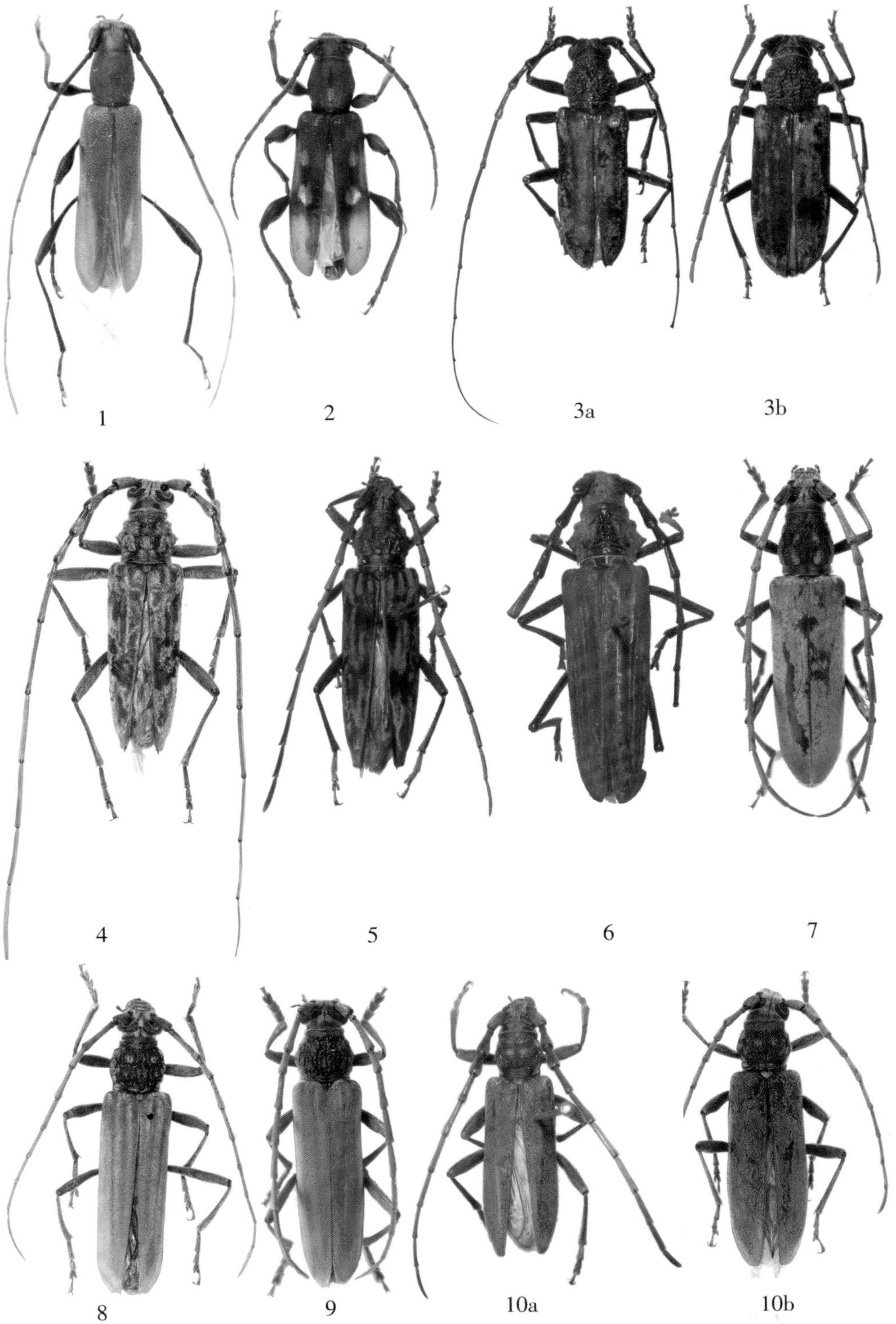
1
2
3a
3b
4
5
6
7
8
9
10a
10b

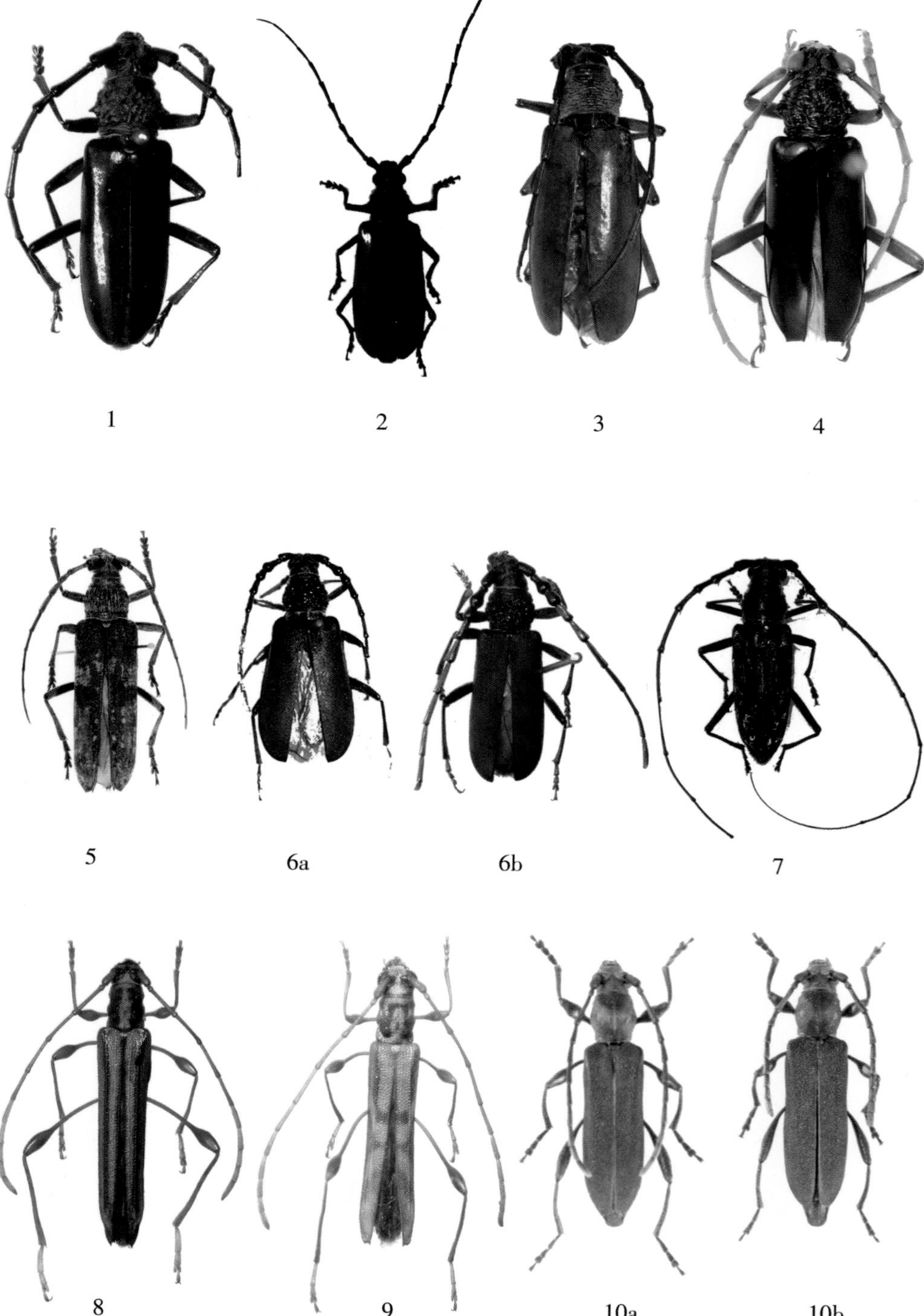
1
2
3
4
5
6a
6b
7
8
9
10a
10b

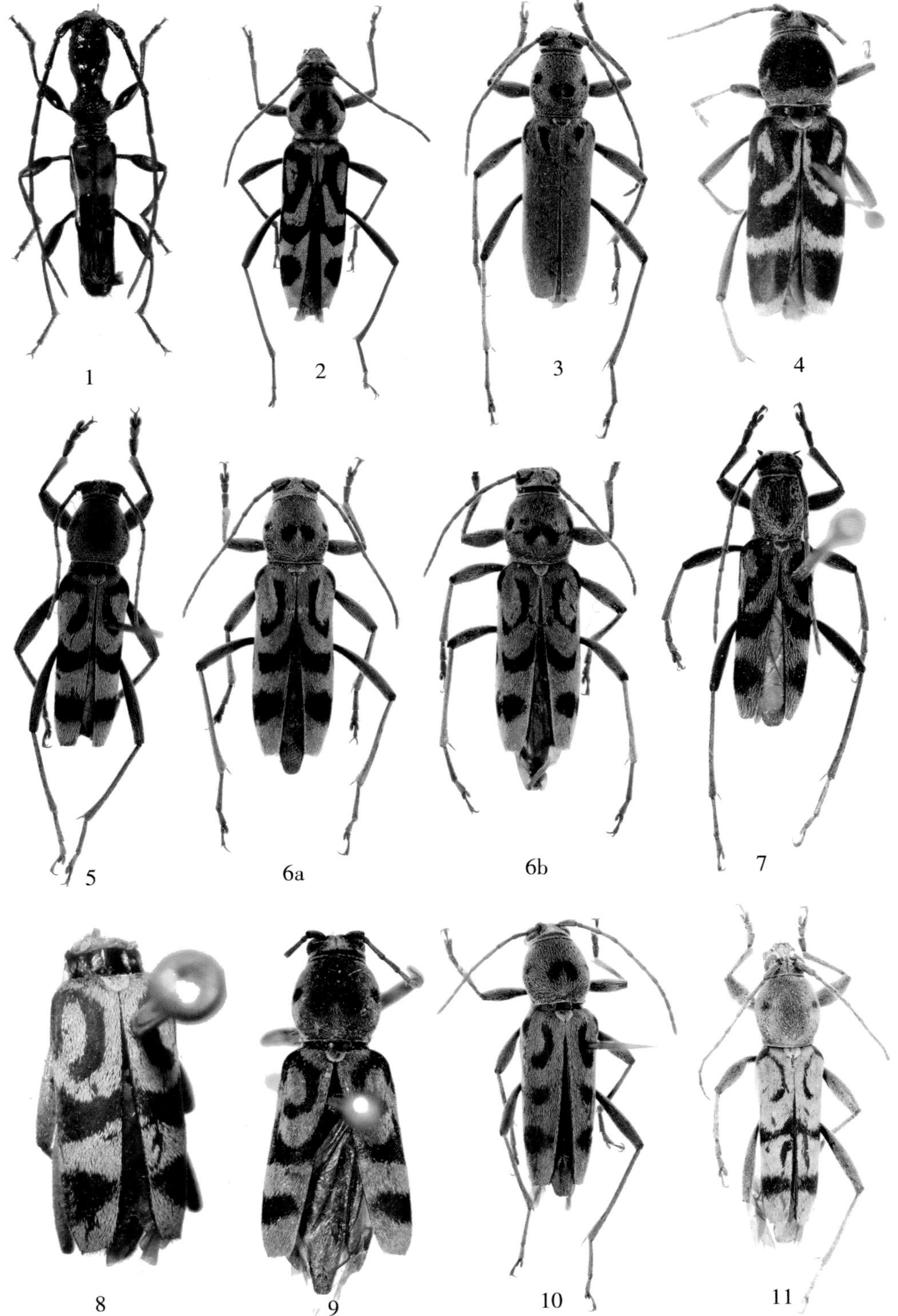
1
2
3
4
5
6a
6b
7
8
9
10
11

图版 14

1  2  3  4

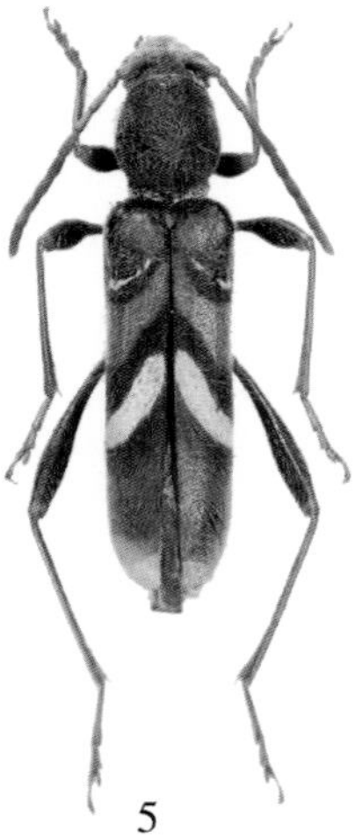

5  6  7  8

9 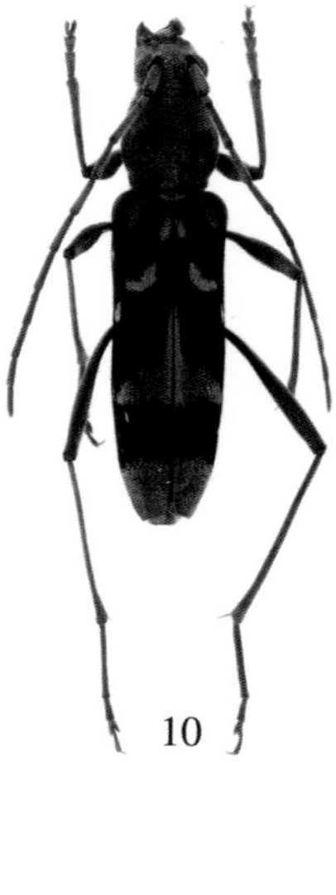 10  11  12

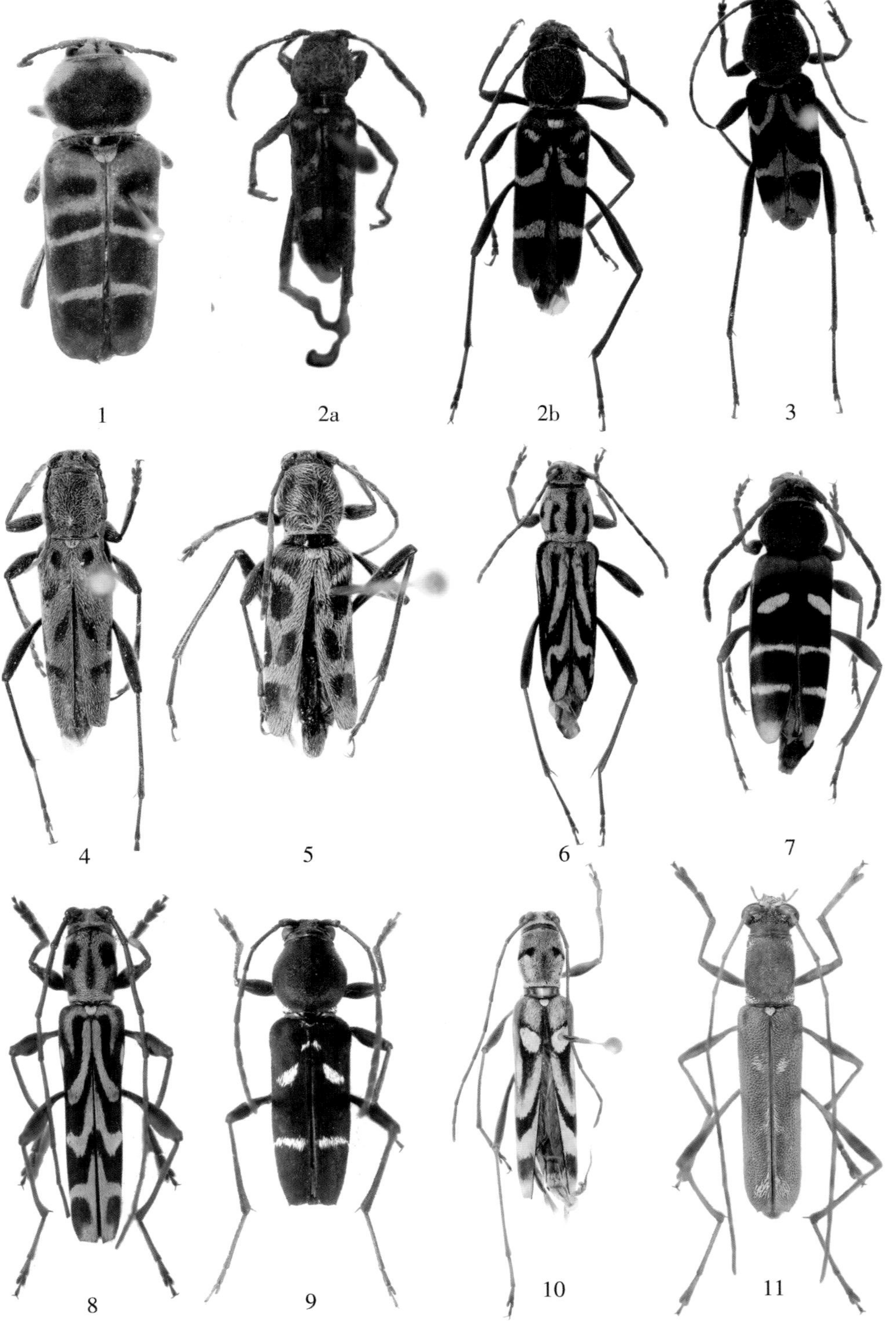
1
2a
2b
3
4
5
6
7
8
9
10
11

图版 16

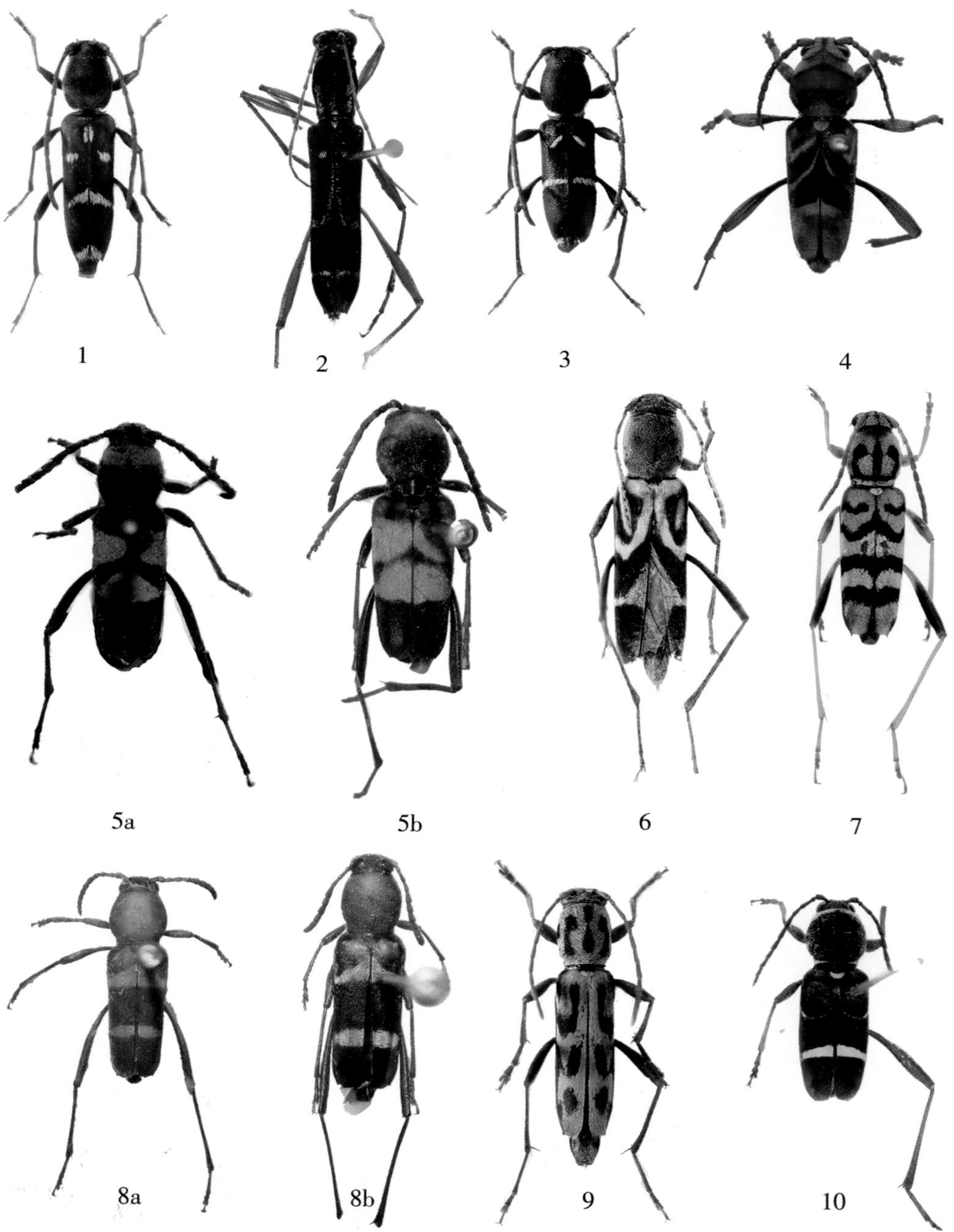

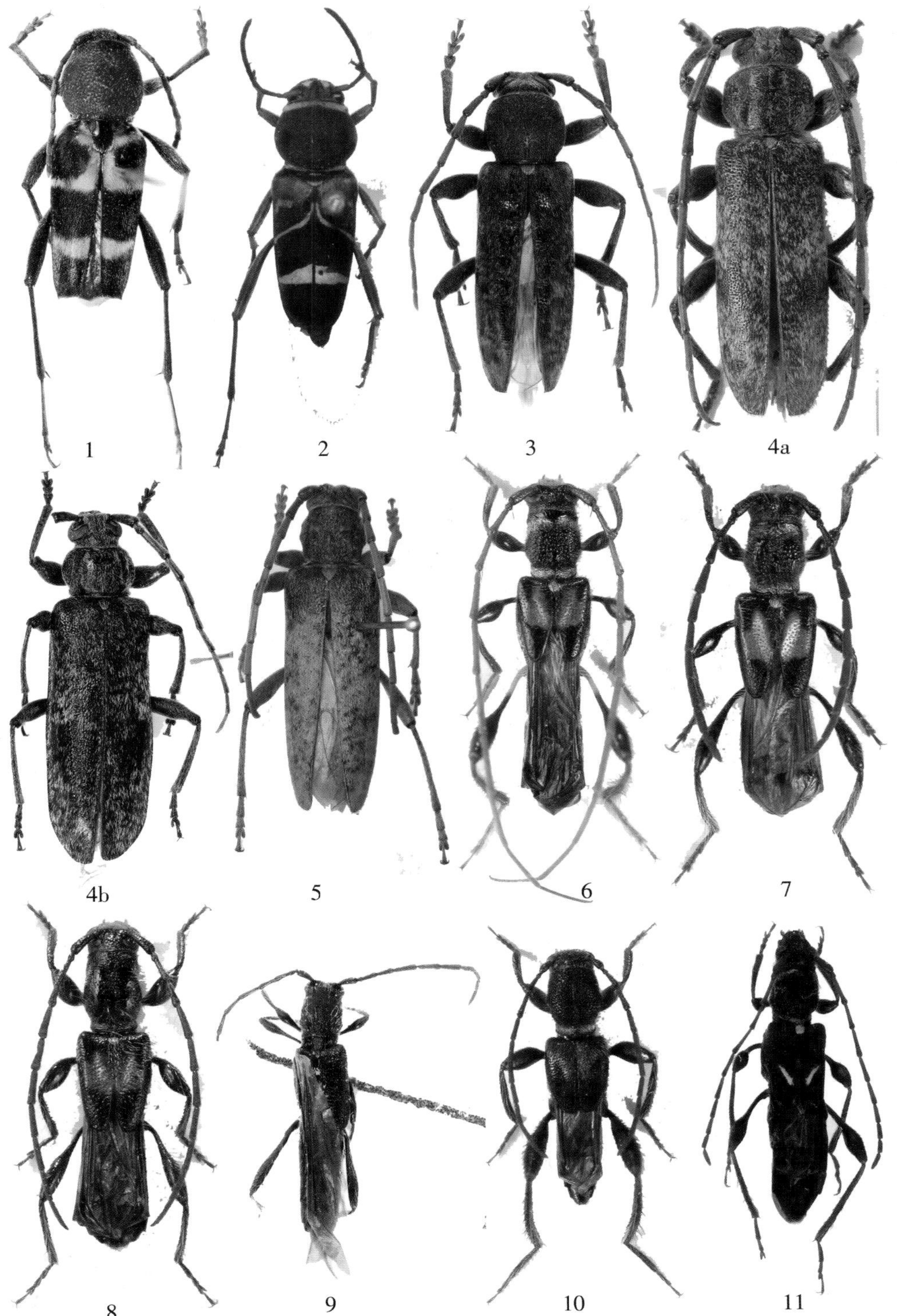
1
2
3
4a
4b
5
6
7
8
9
10
11

图版 18

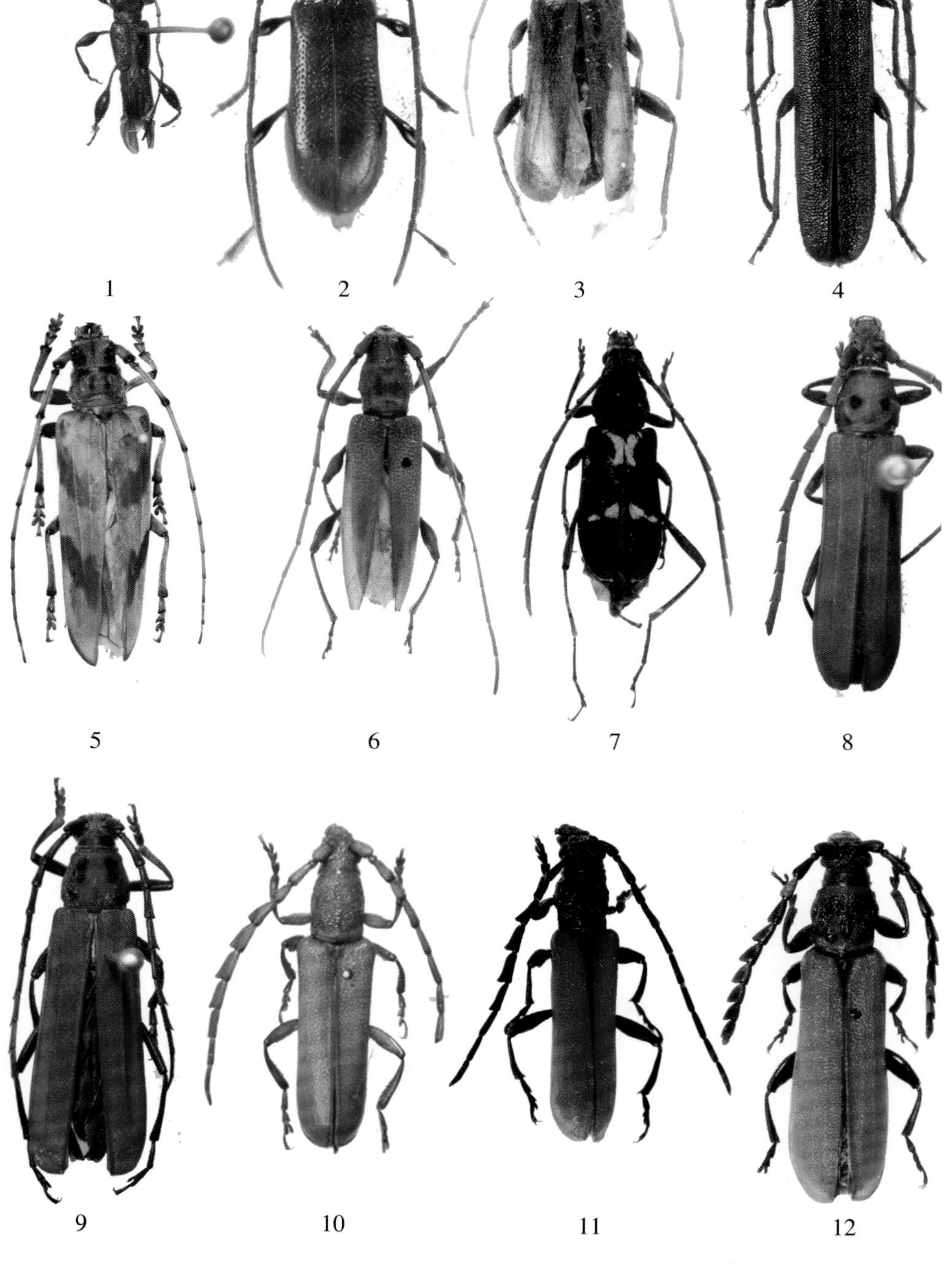

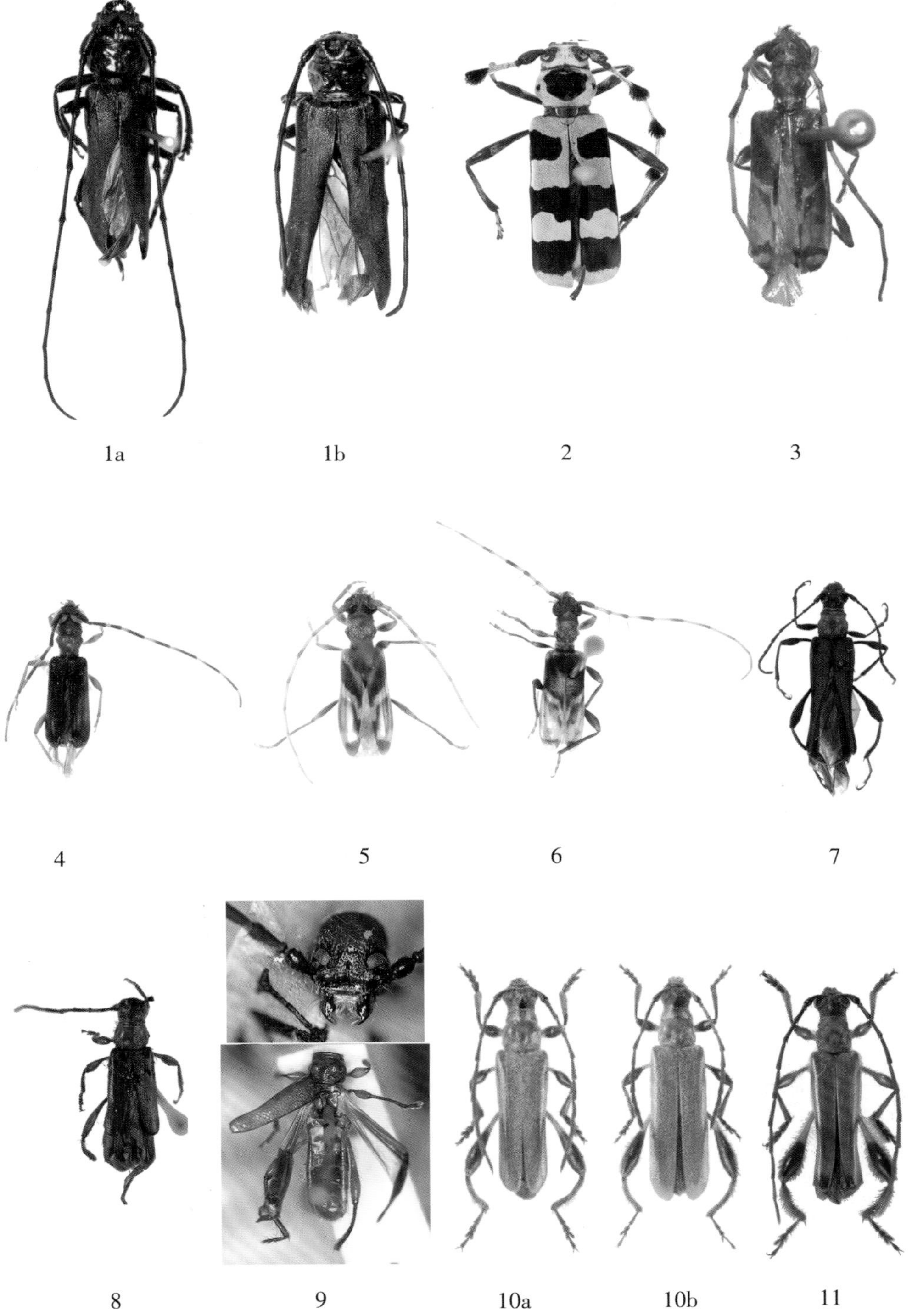
1a
1b
2
3
4
5
6
7
8
9
10a
10b
11

图版 20

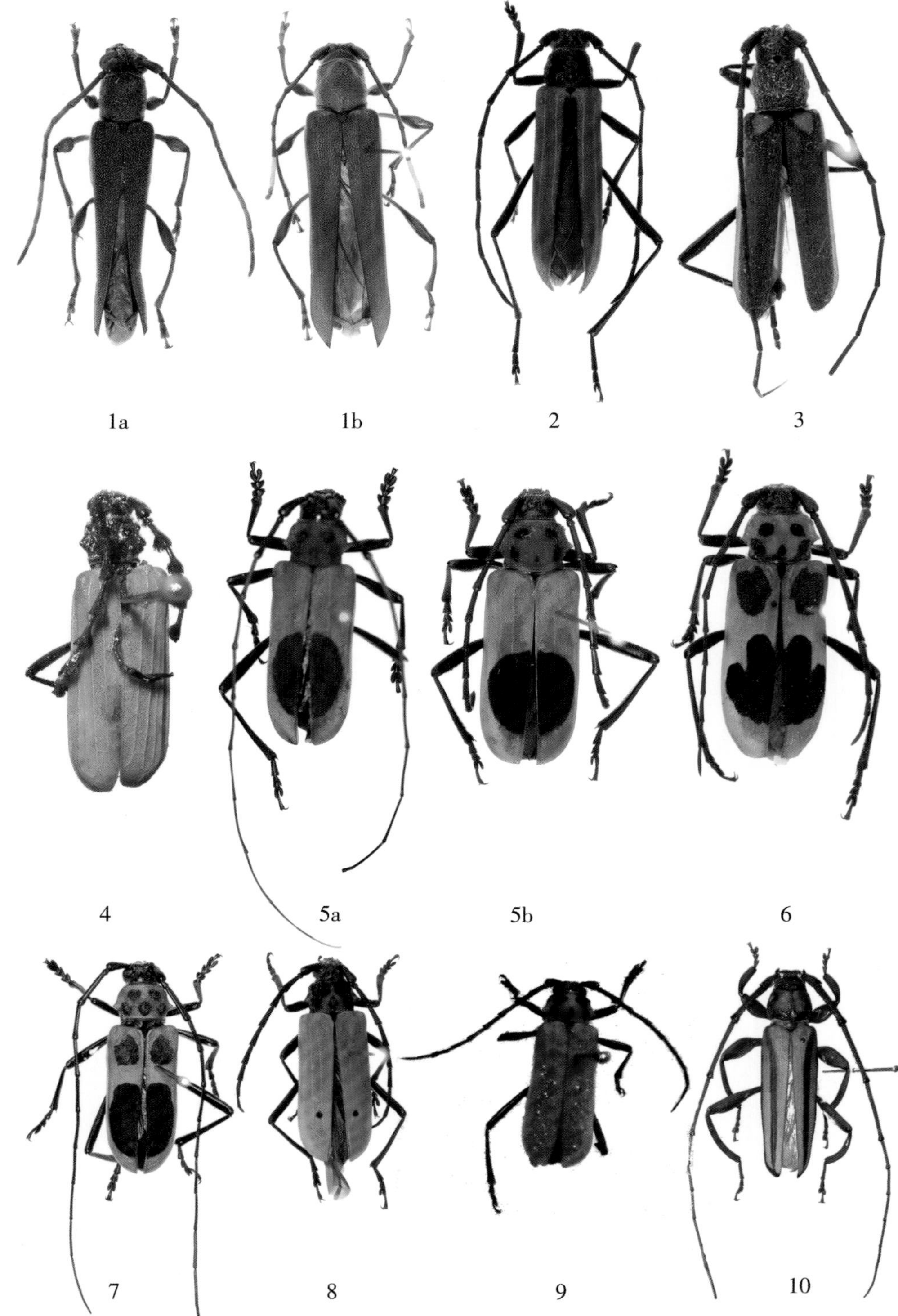

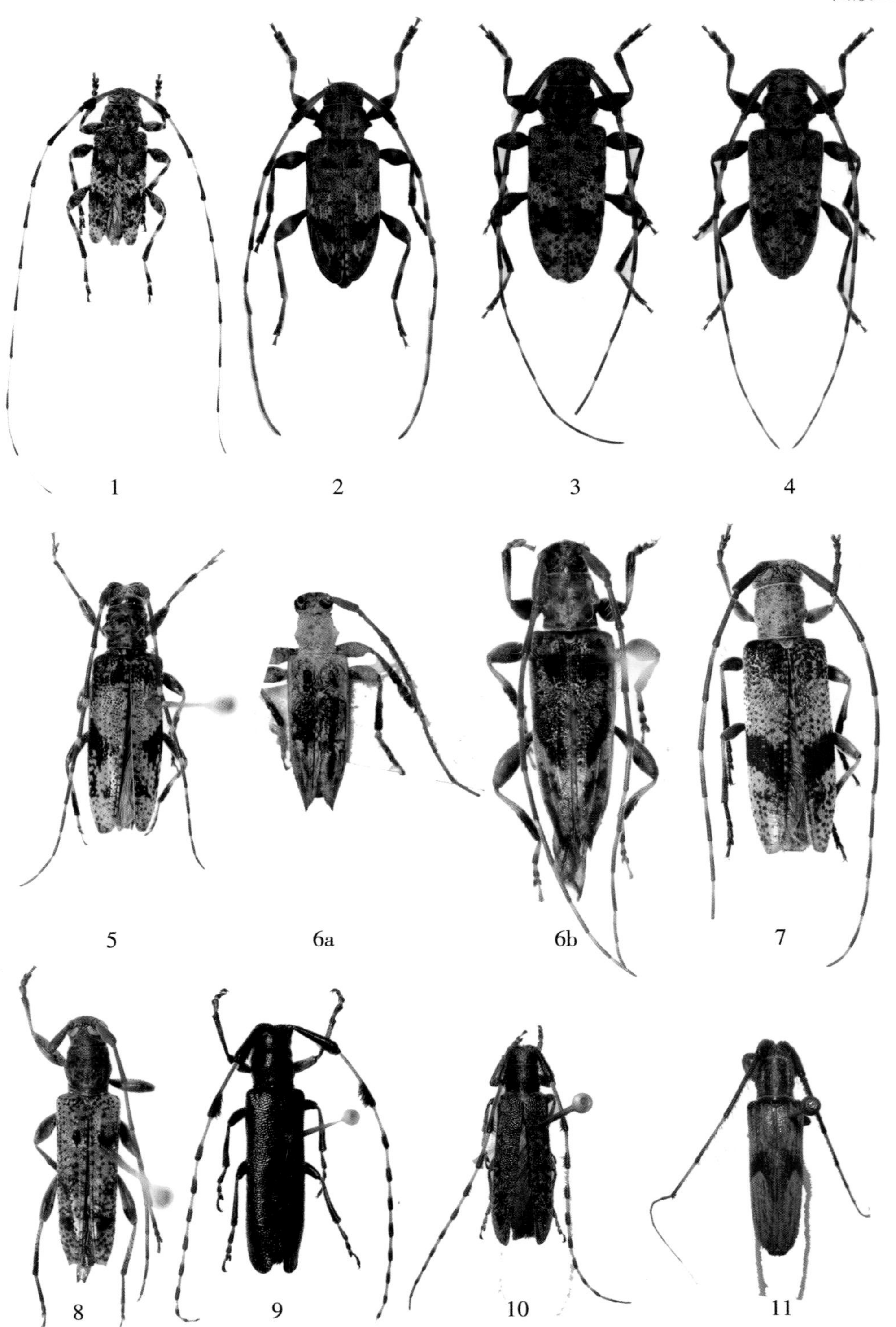
1
2
3
4
5
6a
6b
7
8
9
10
11

图版 22

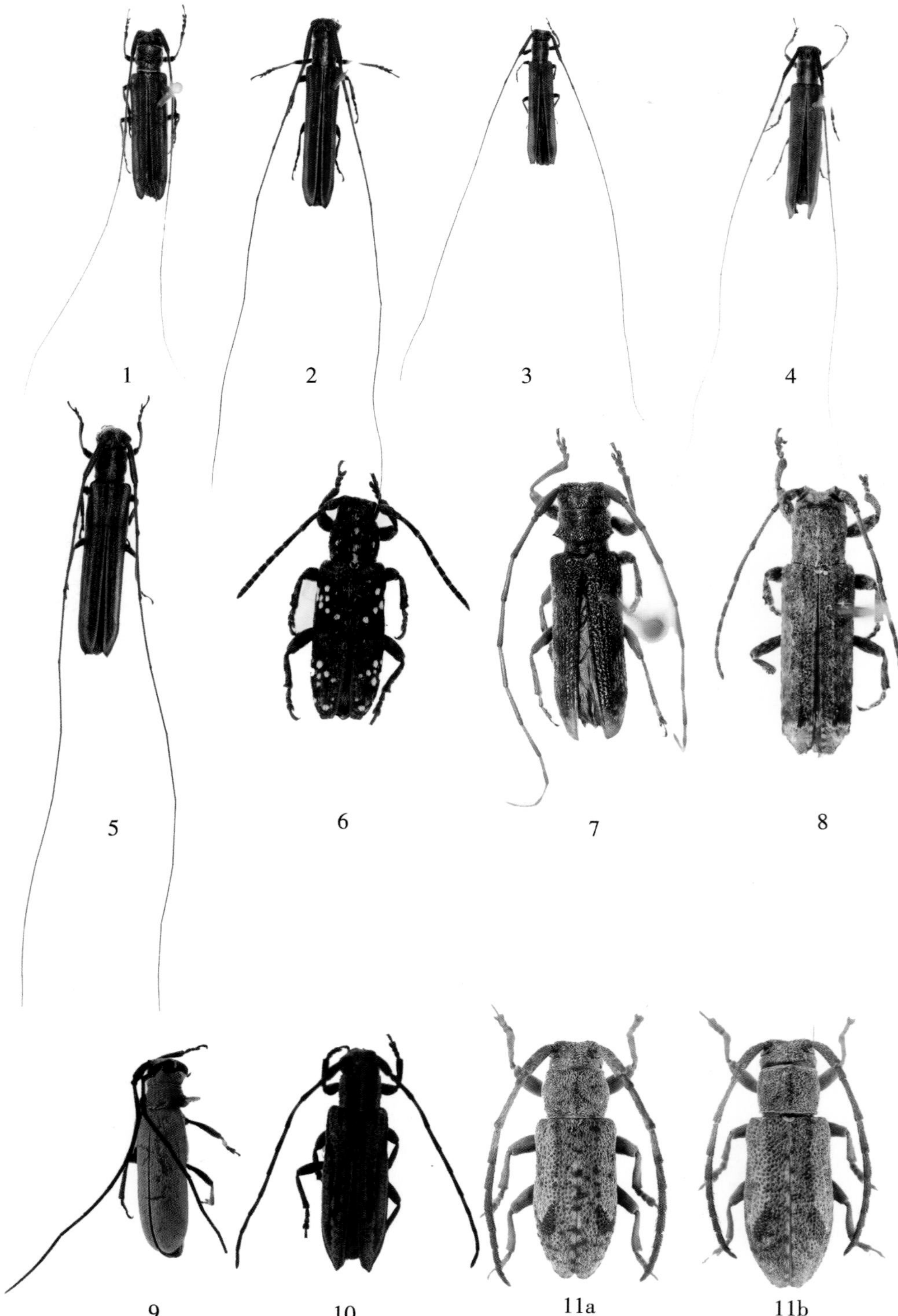

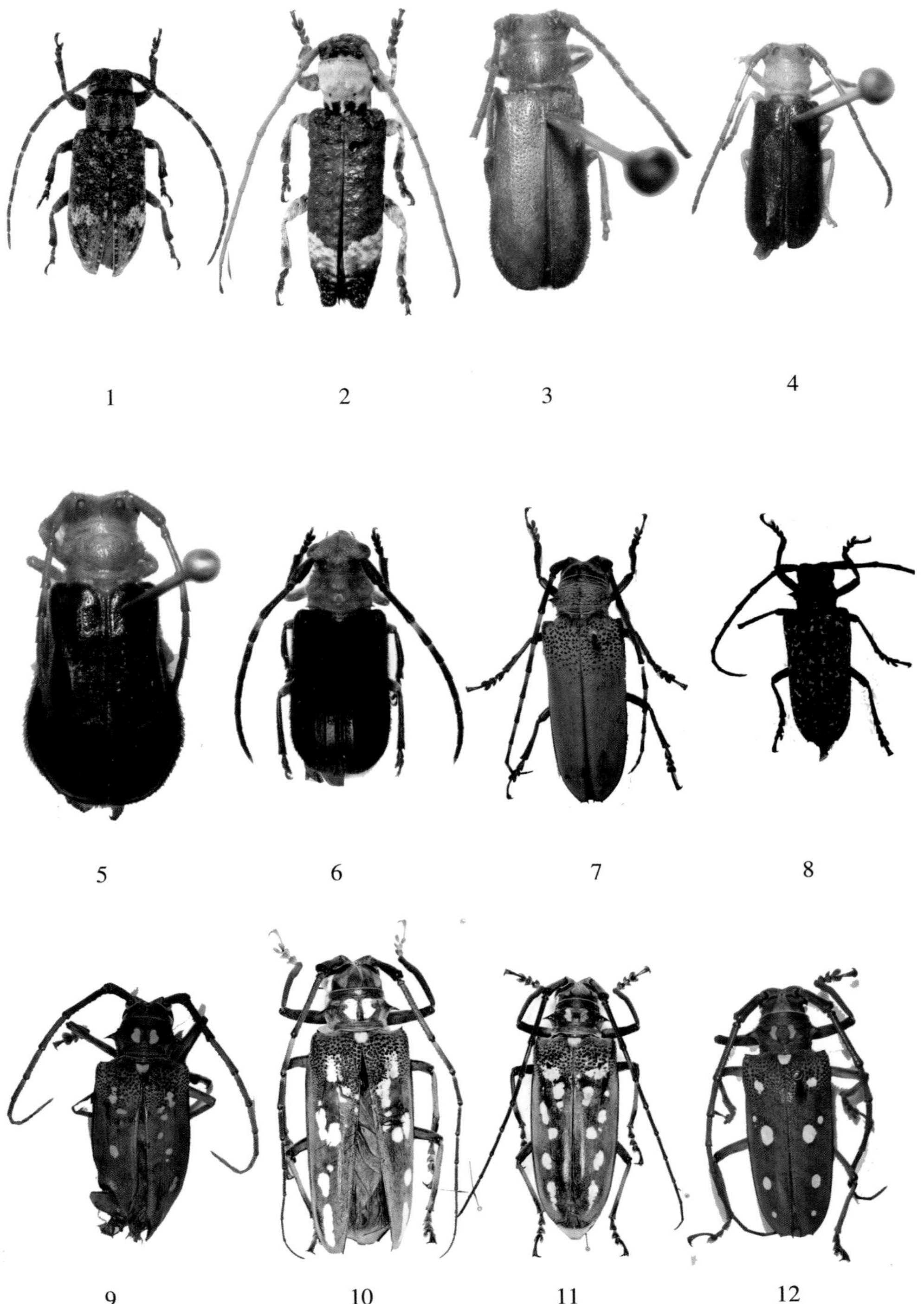

图版 24

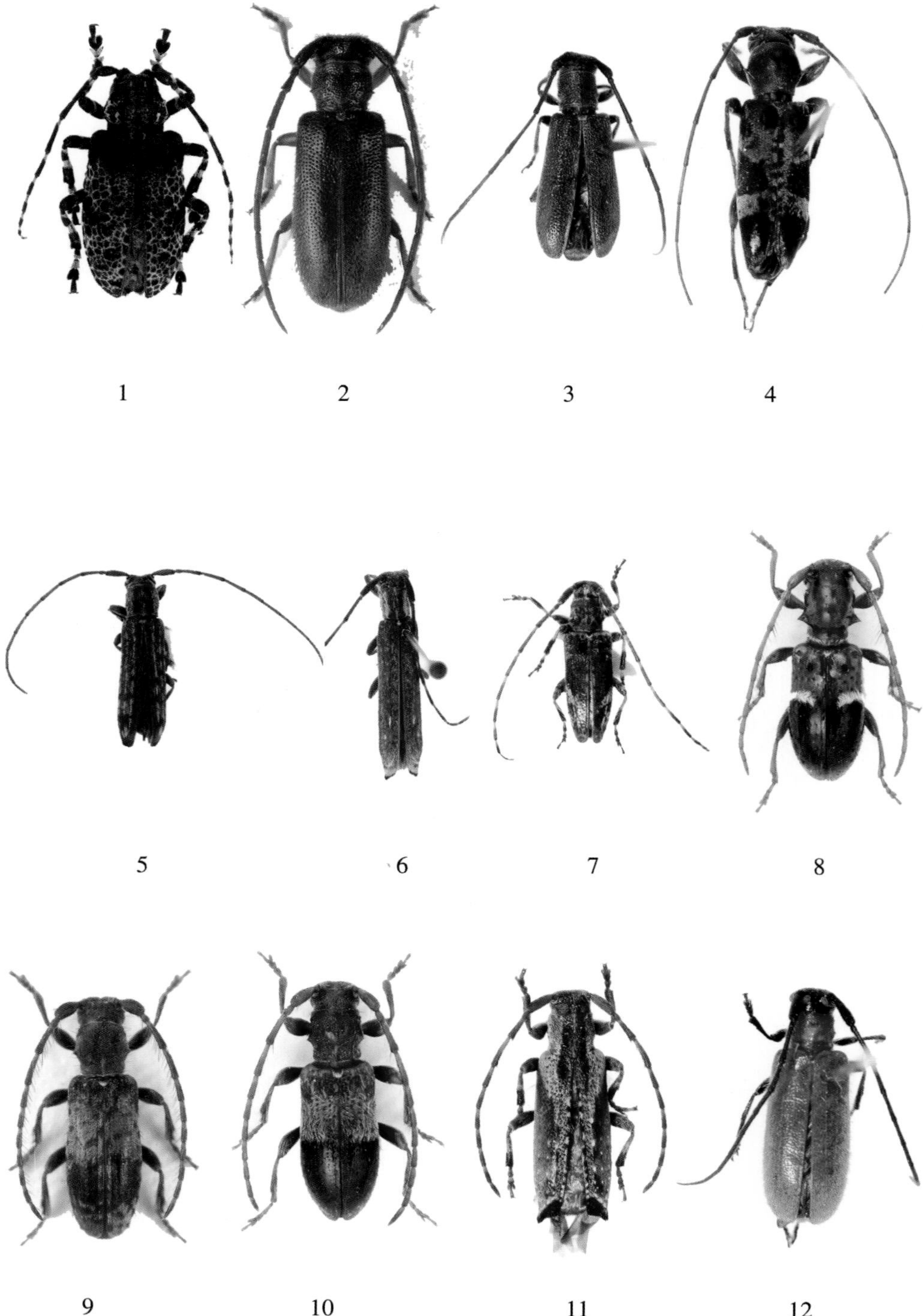

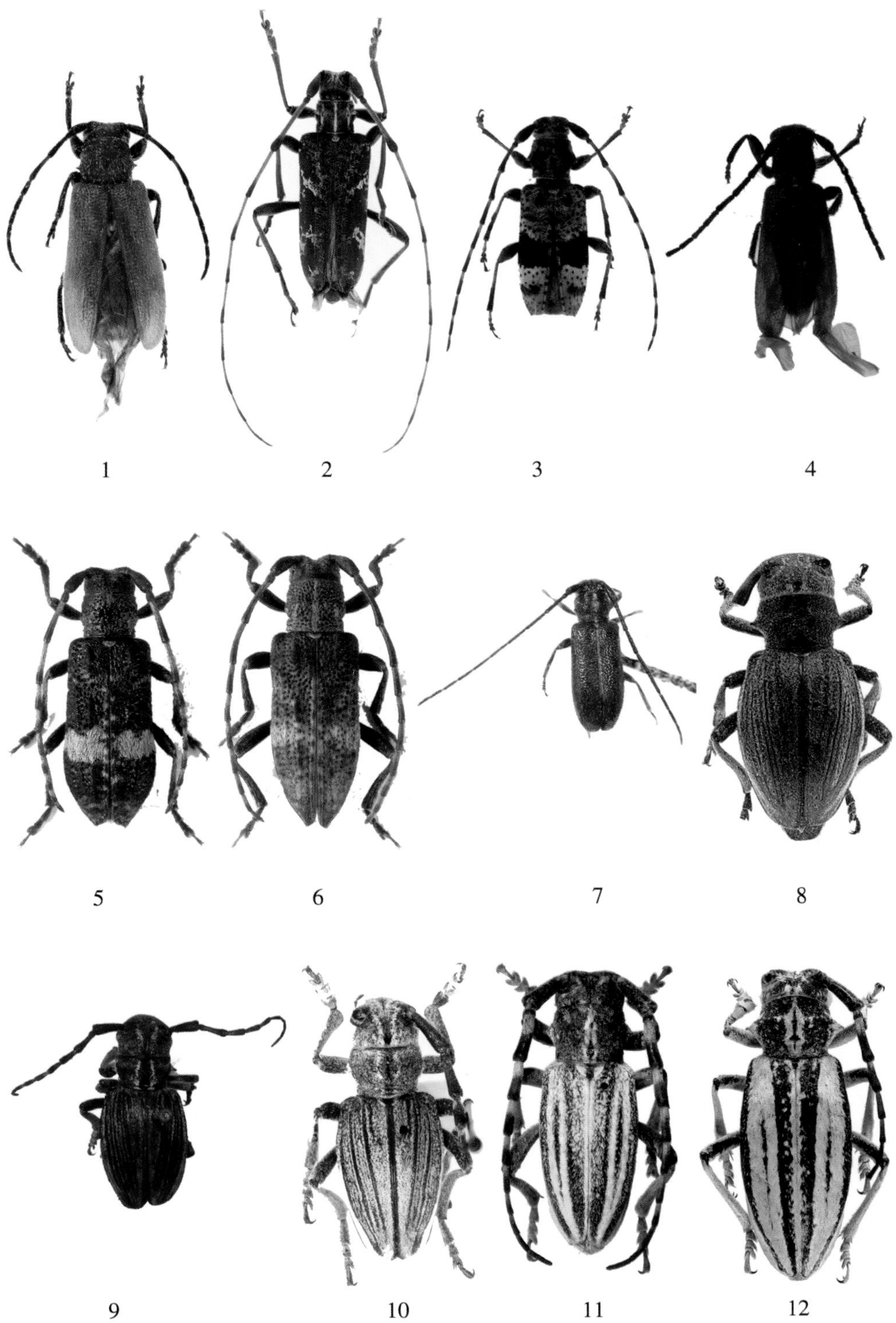
1
2
3
4
5
6
7
8
9
10
11
12

图版 26

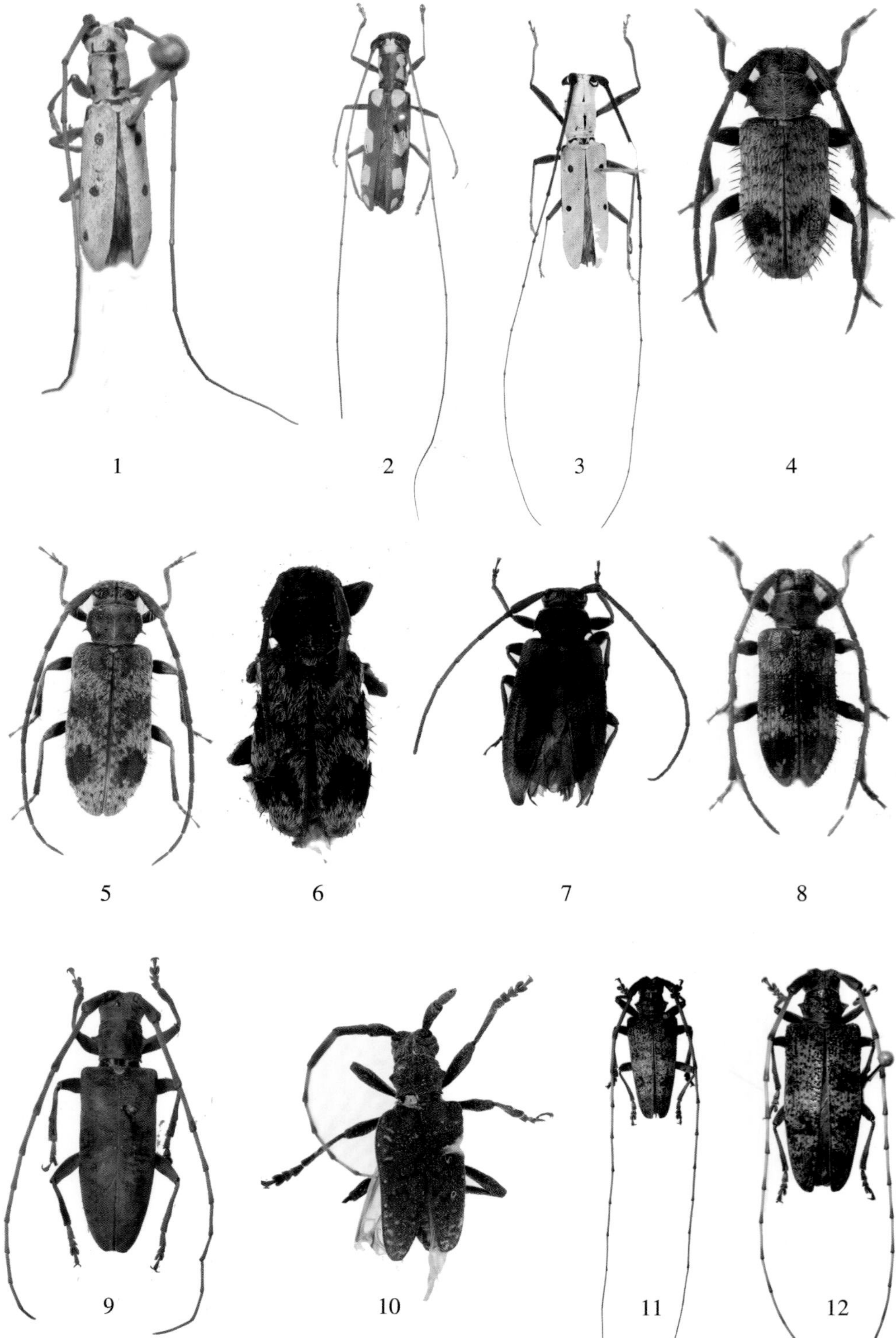

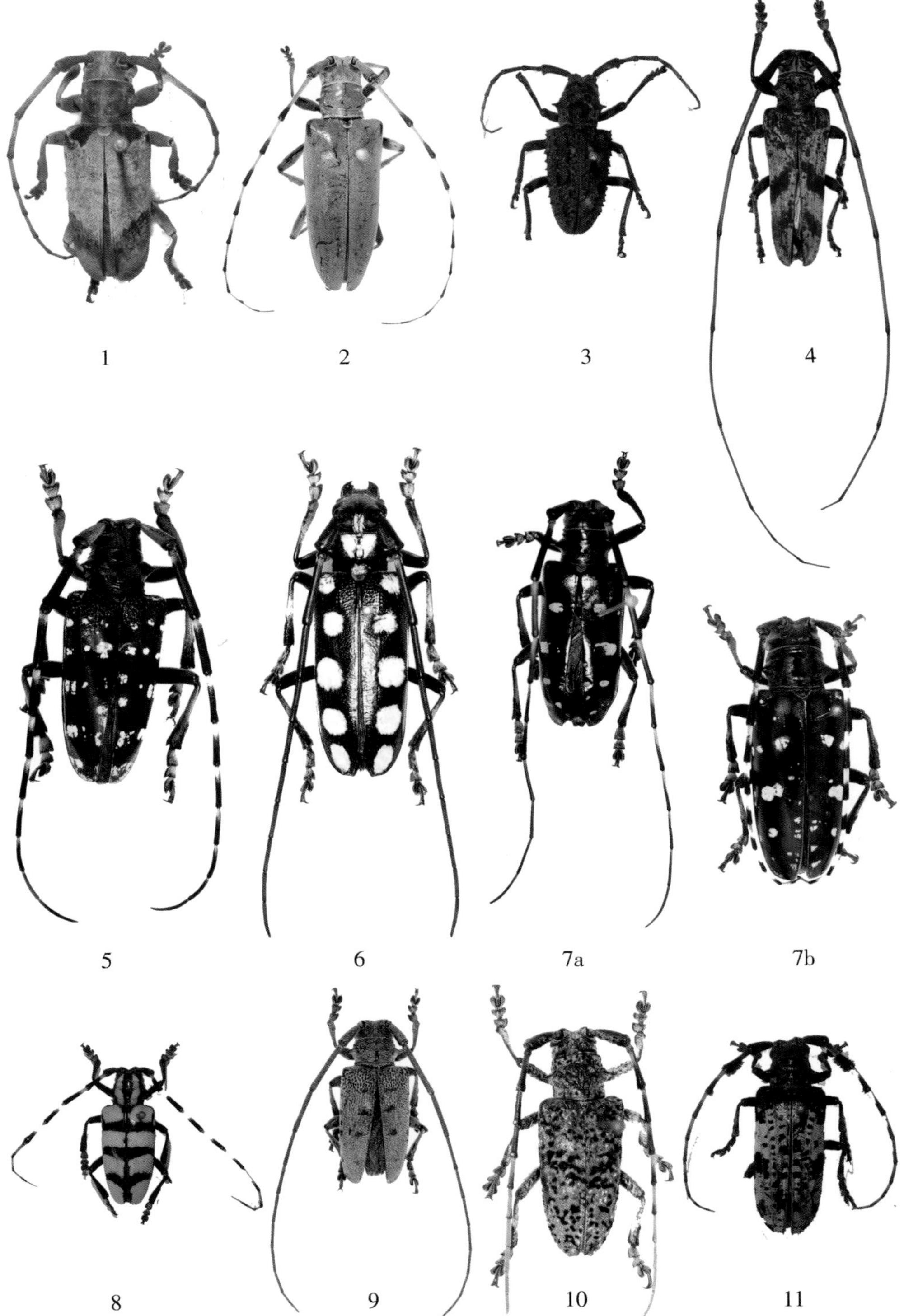
1
2
3
4
5
6
7a
7b
8
9
10
11

图版 28

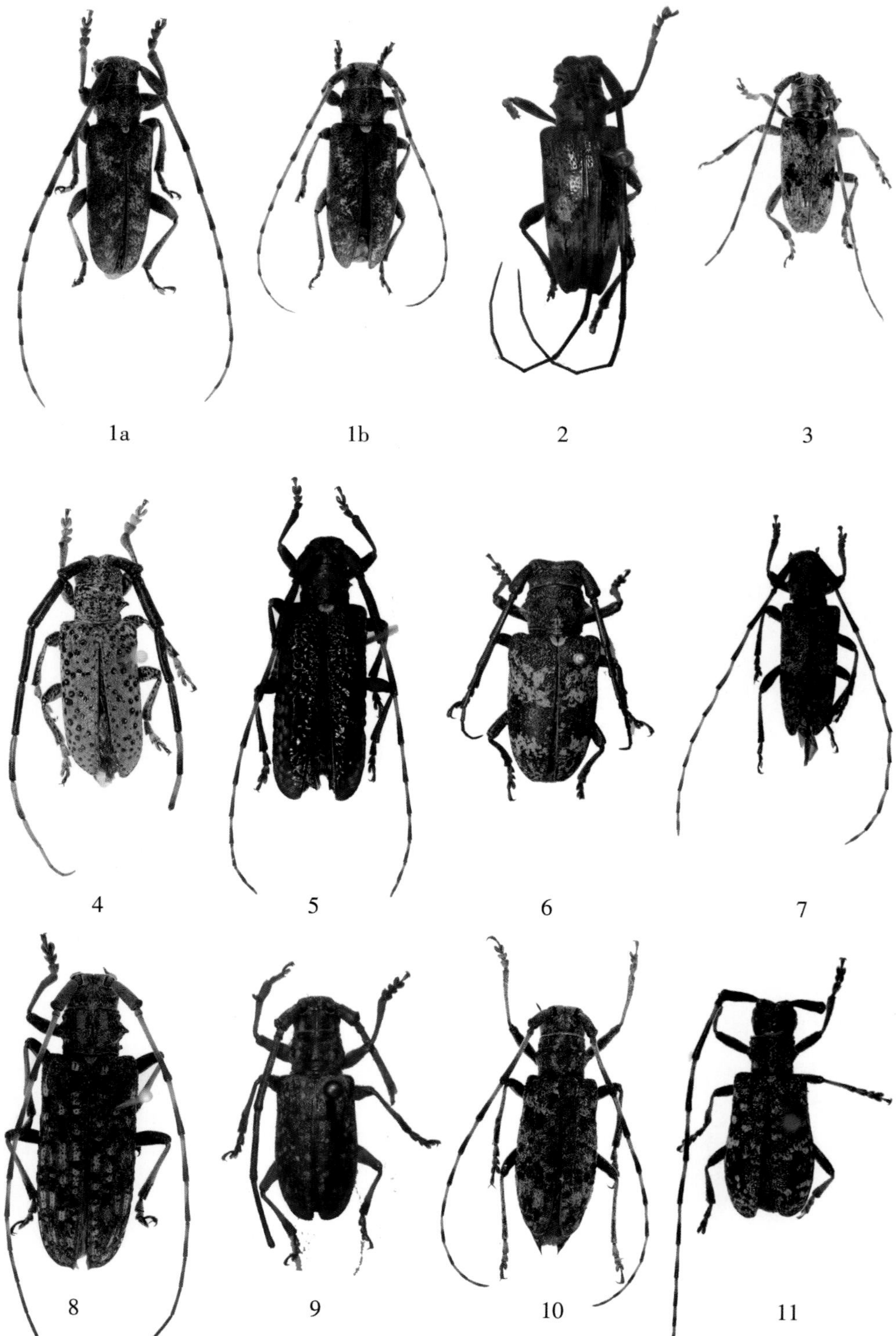

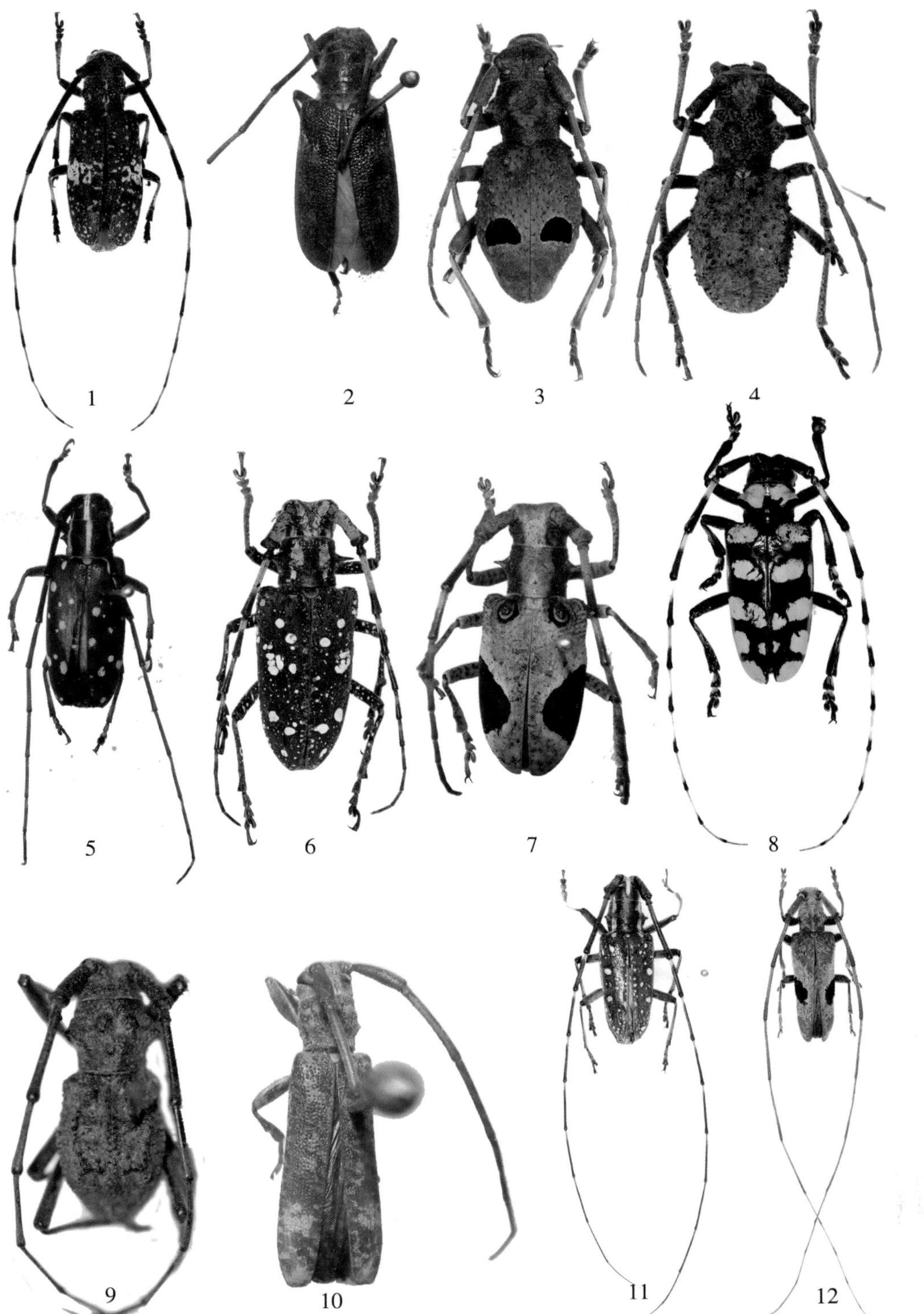
1
2
3
4
5
6
7
8
9
10
11
12

图版 30

1  2  3  4

5  6 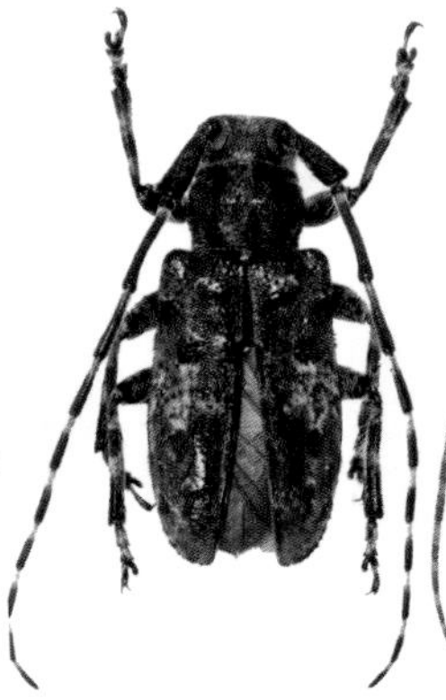 7  8

9a  9b 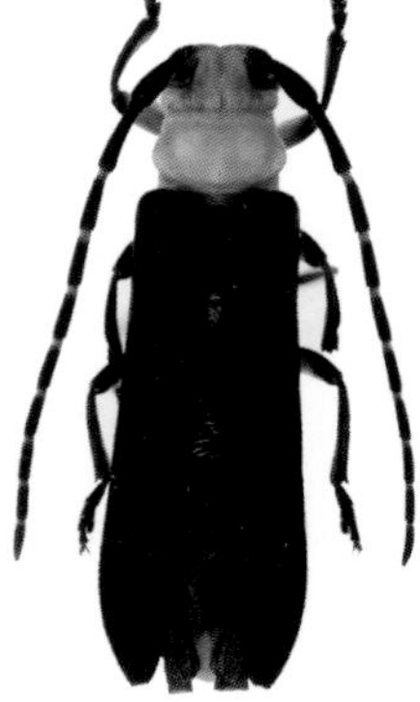 10 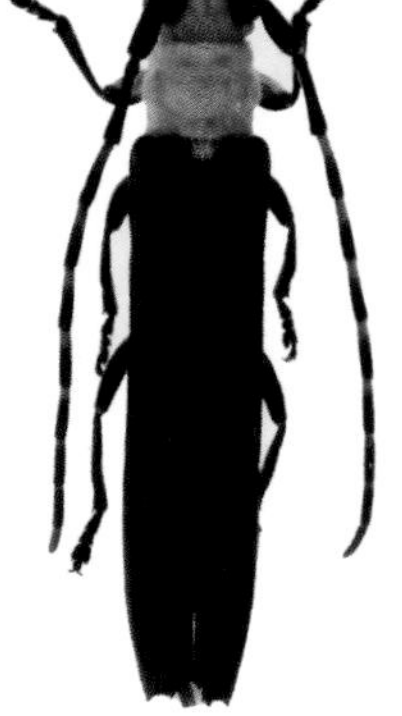 11  12

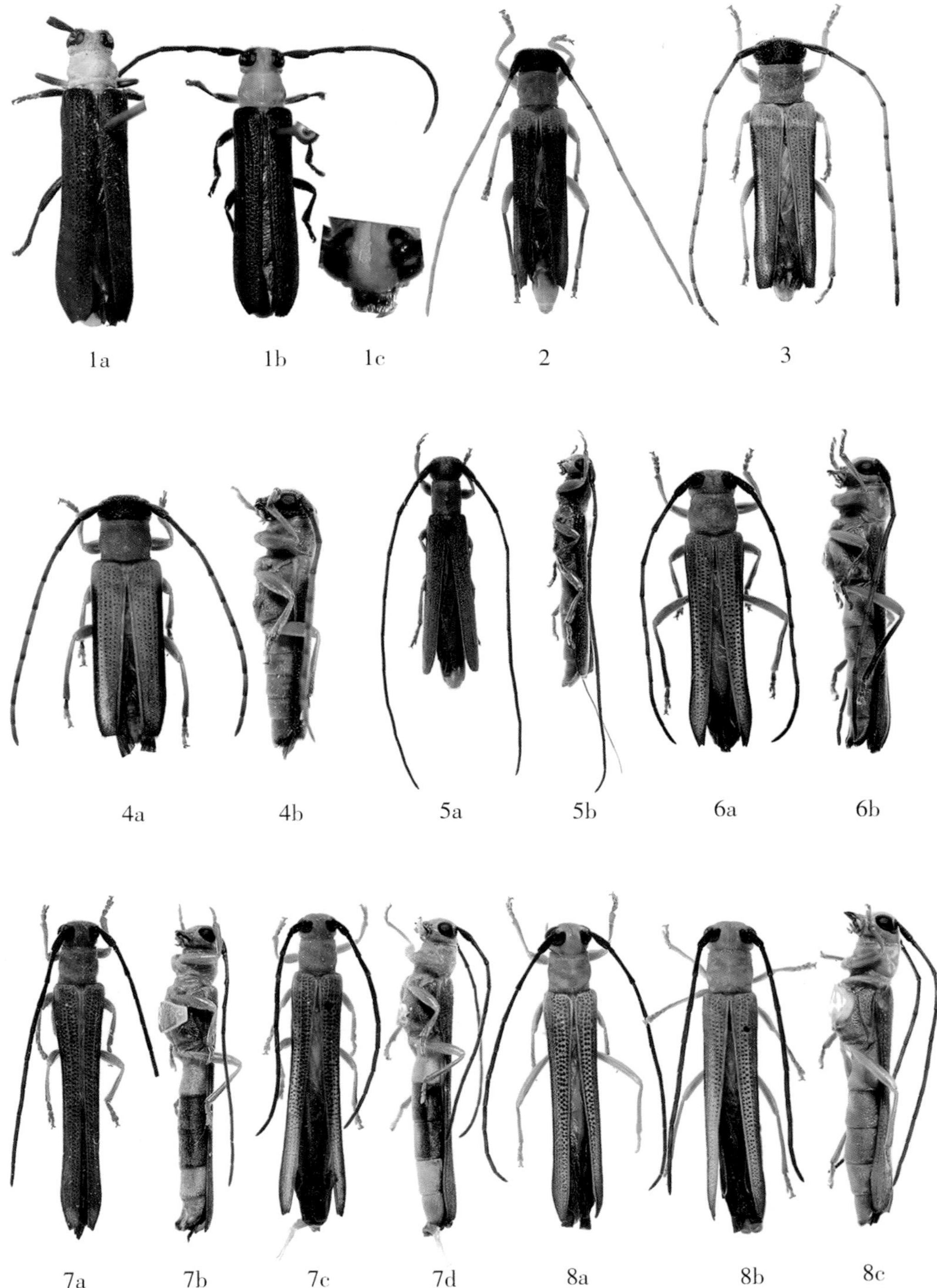

1a 1b 1c 2 3

4a 4b 5a 5b 6a 6b

7a 7b 7c 7d 8a 8b 8c

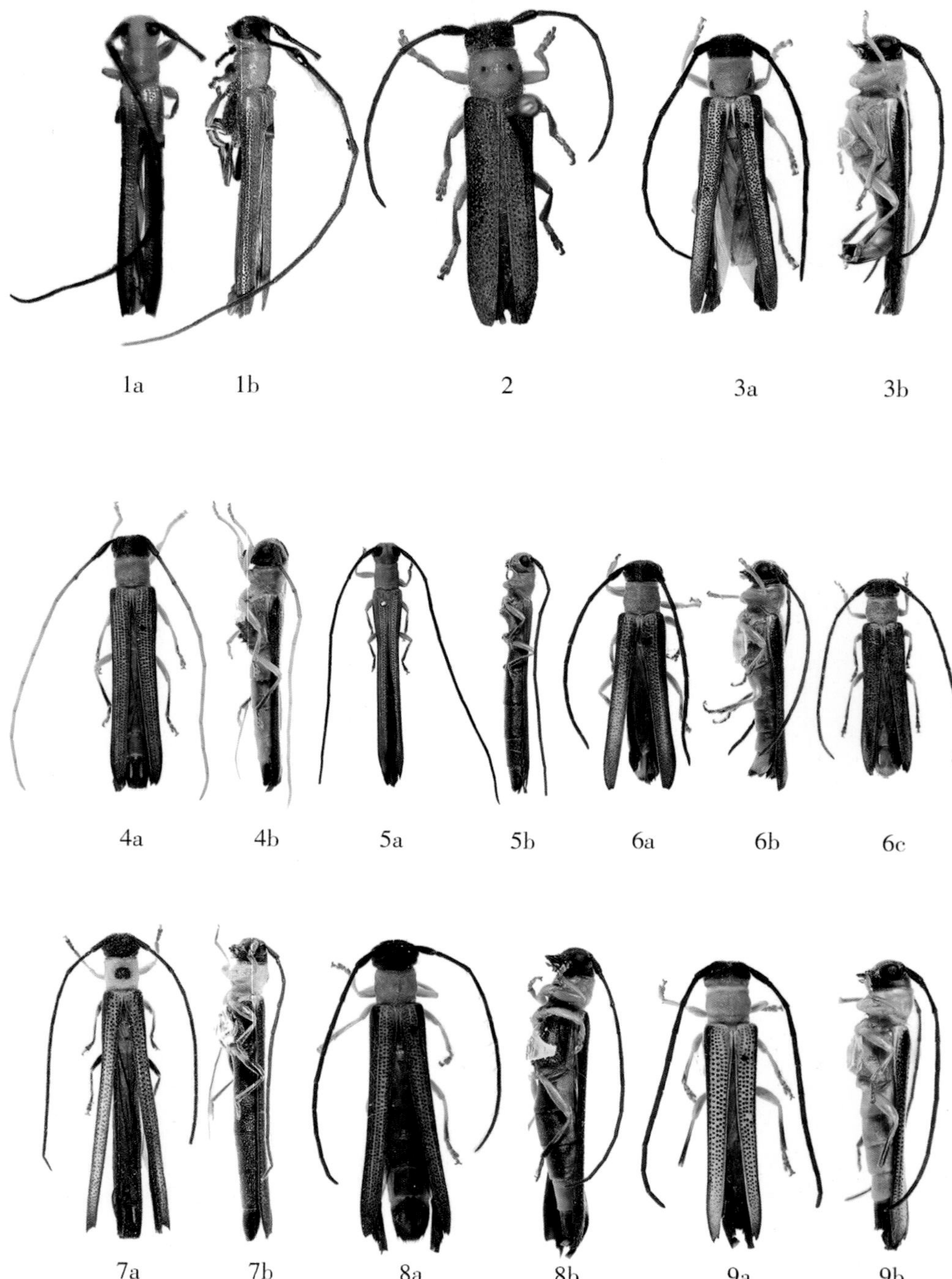
1a
1b
2
3a
3b
4a
4b
5a
5b
6a
6b
6c
7a
7b
8a
8b
9a
9b

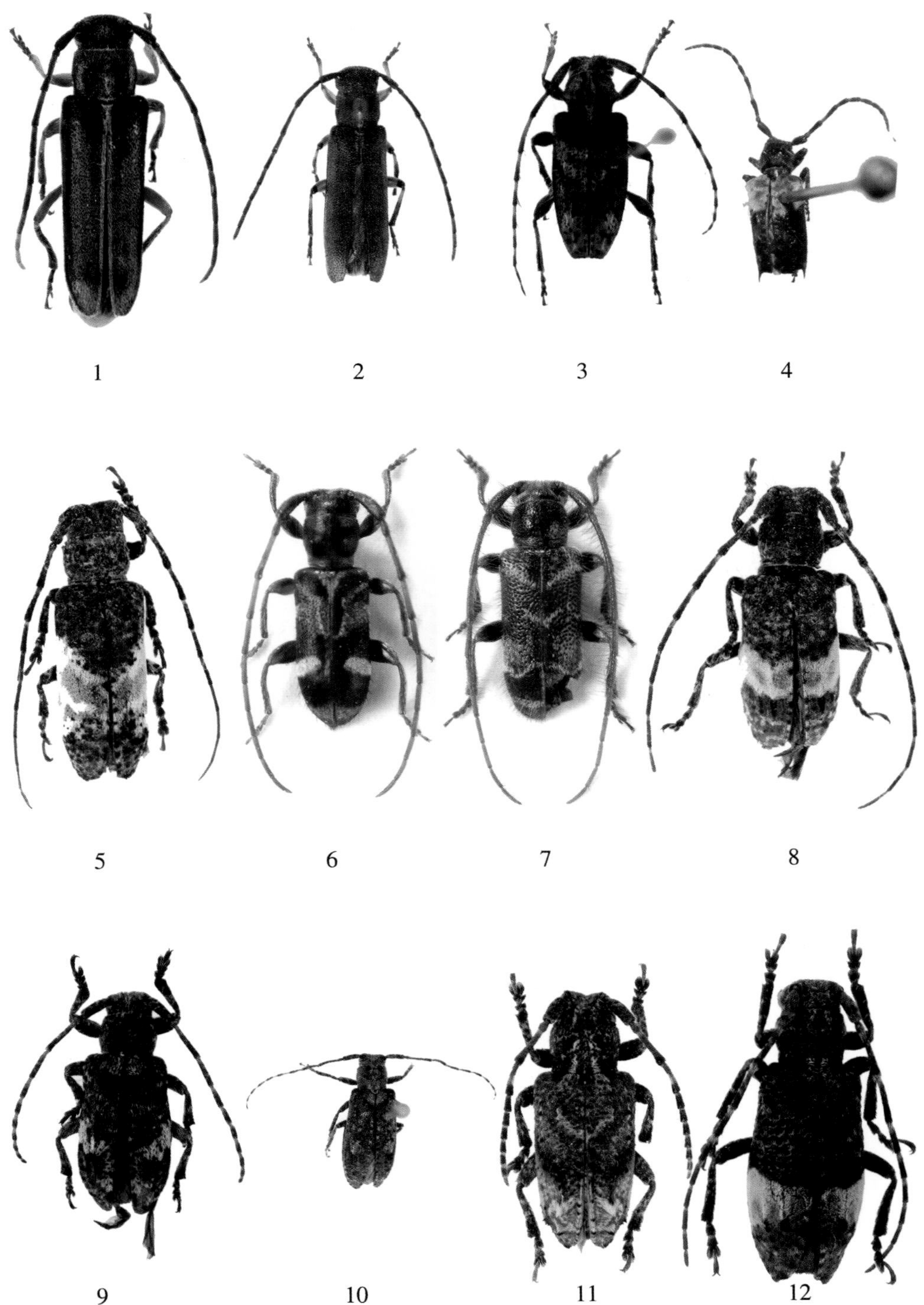
1
2
3
4
5
6
7
8
9
10
11
12

图版 34

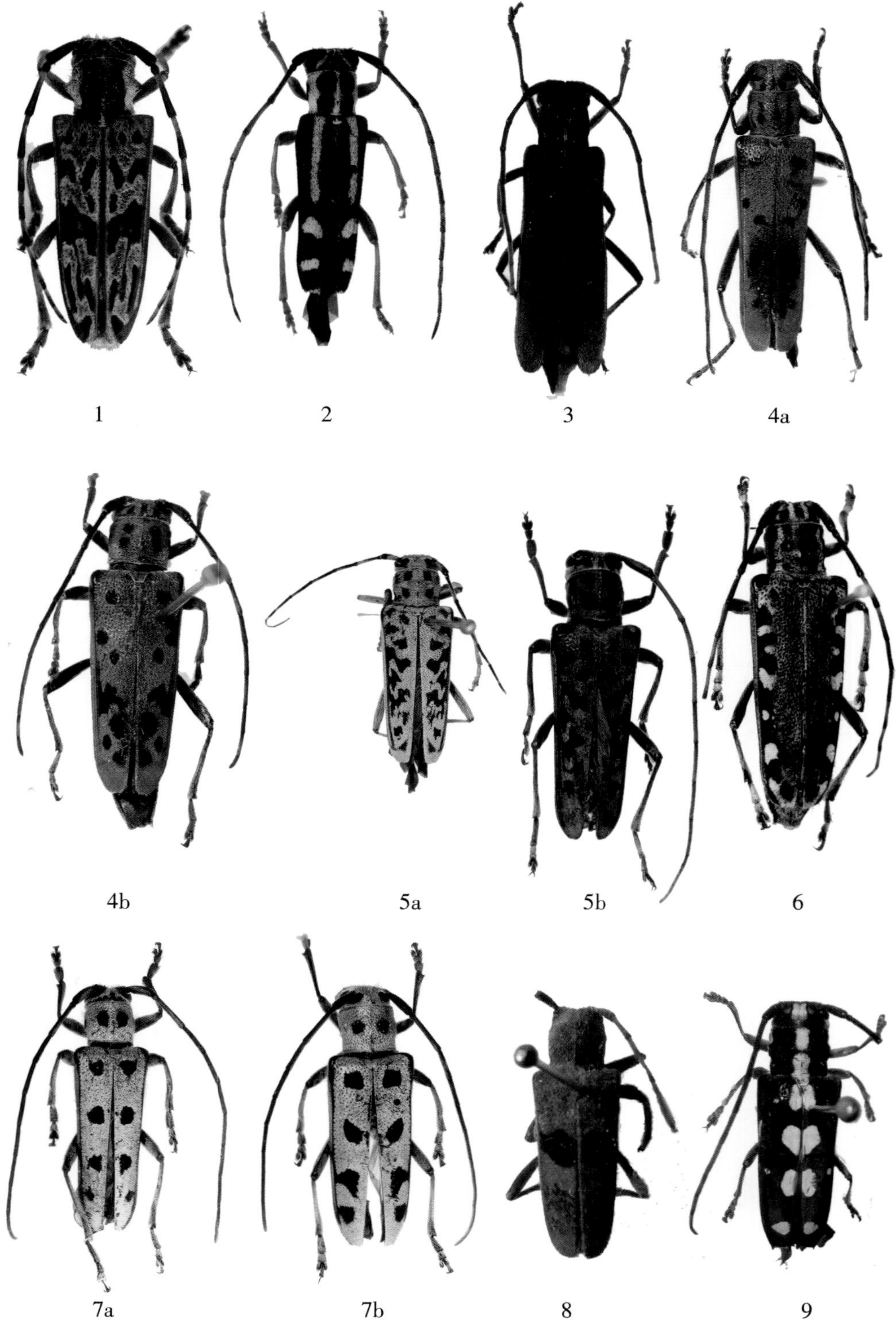

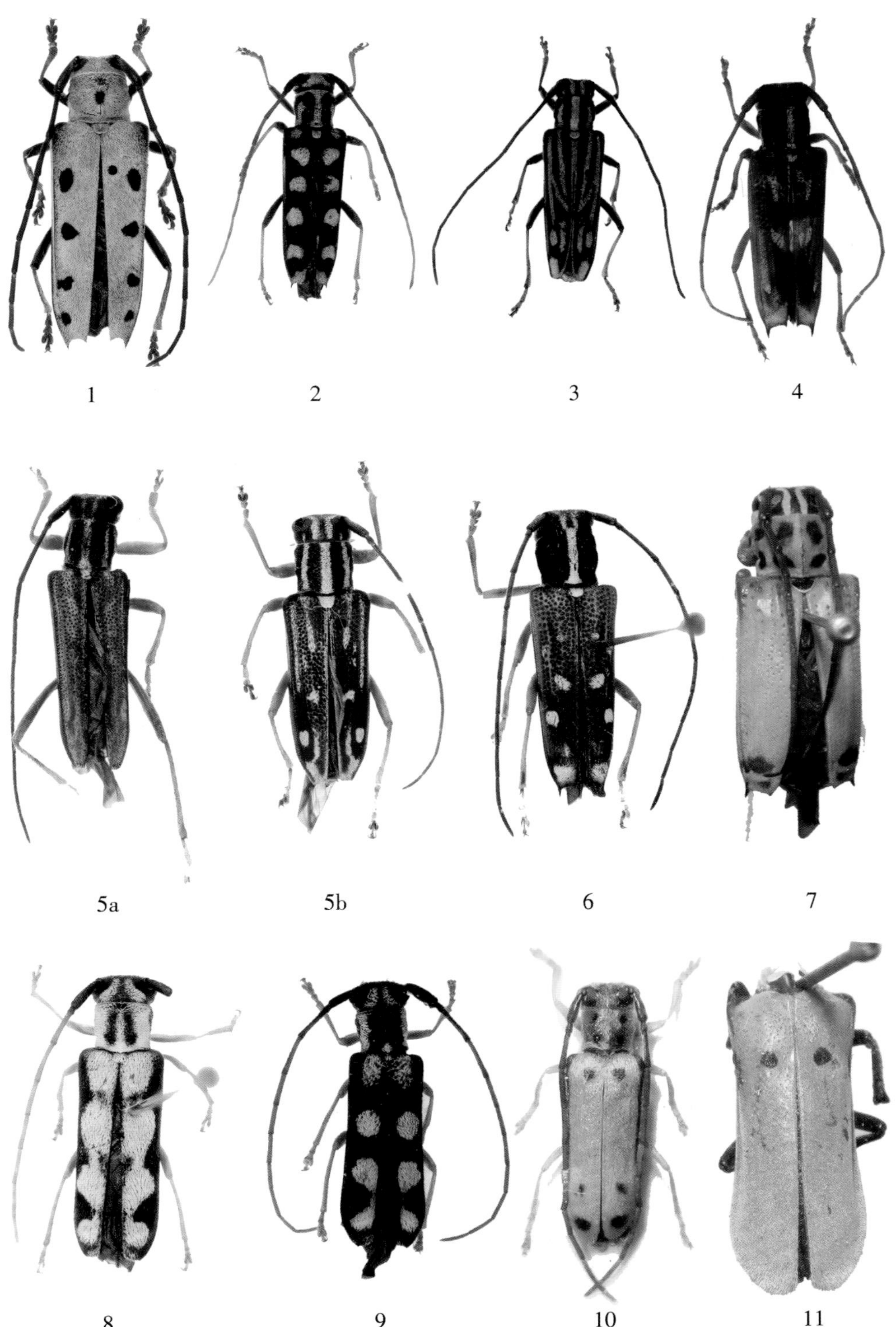

1 2 3 4

5a 5b 6 7

8 9 10 11

图版 36

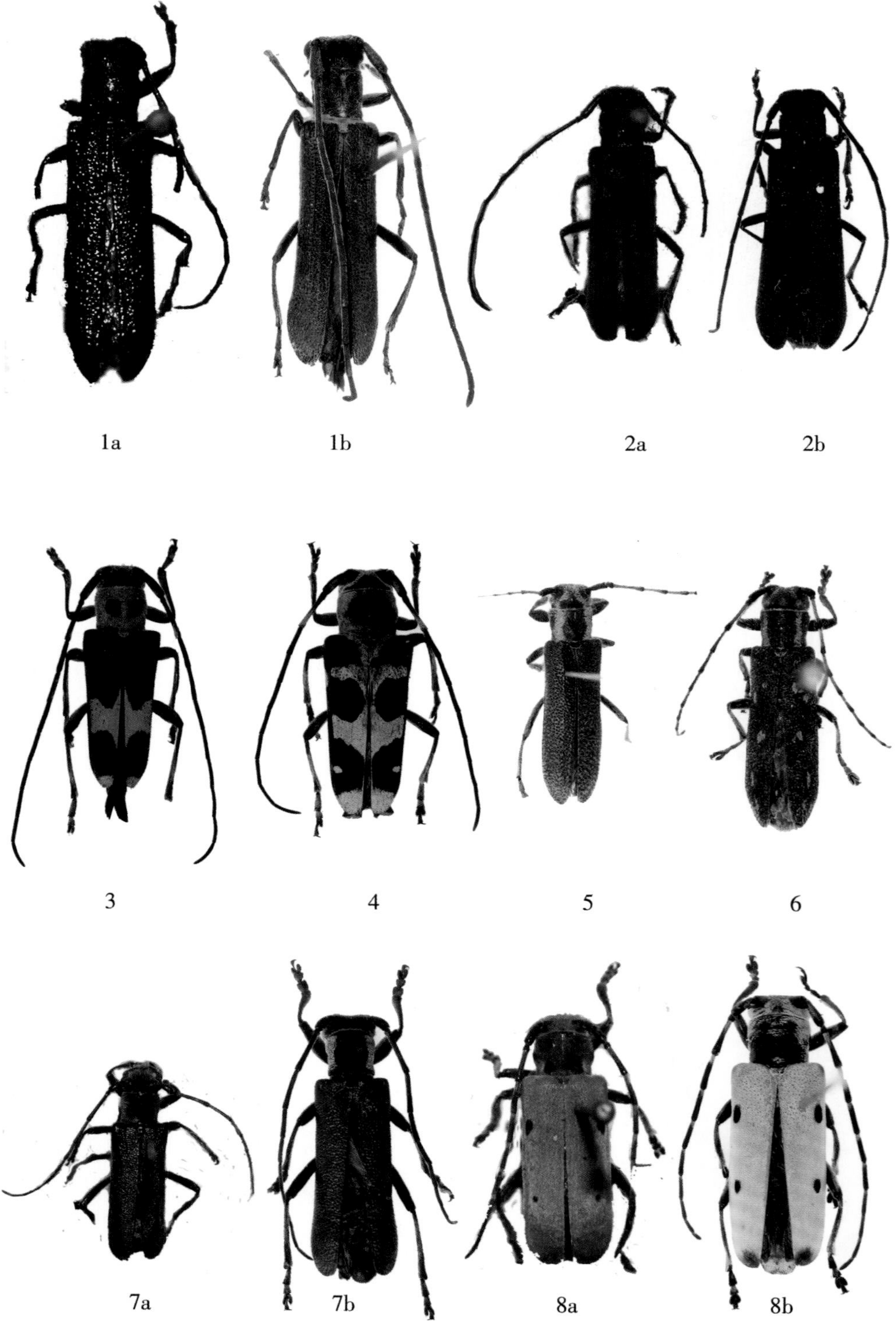

图版 37

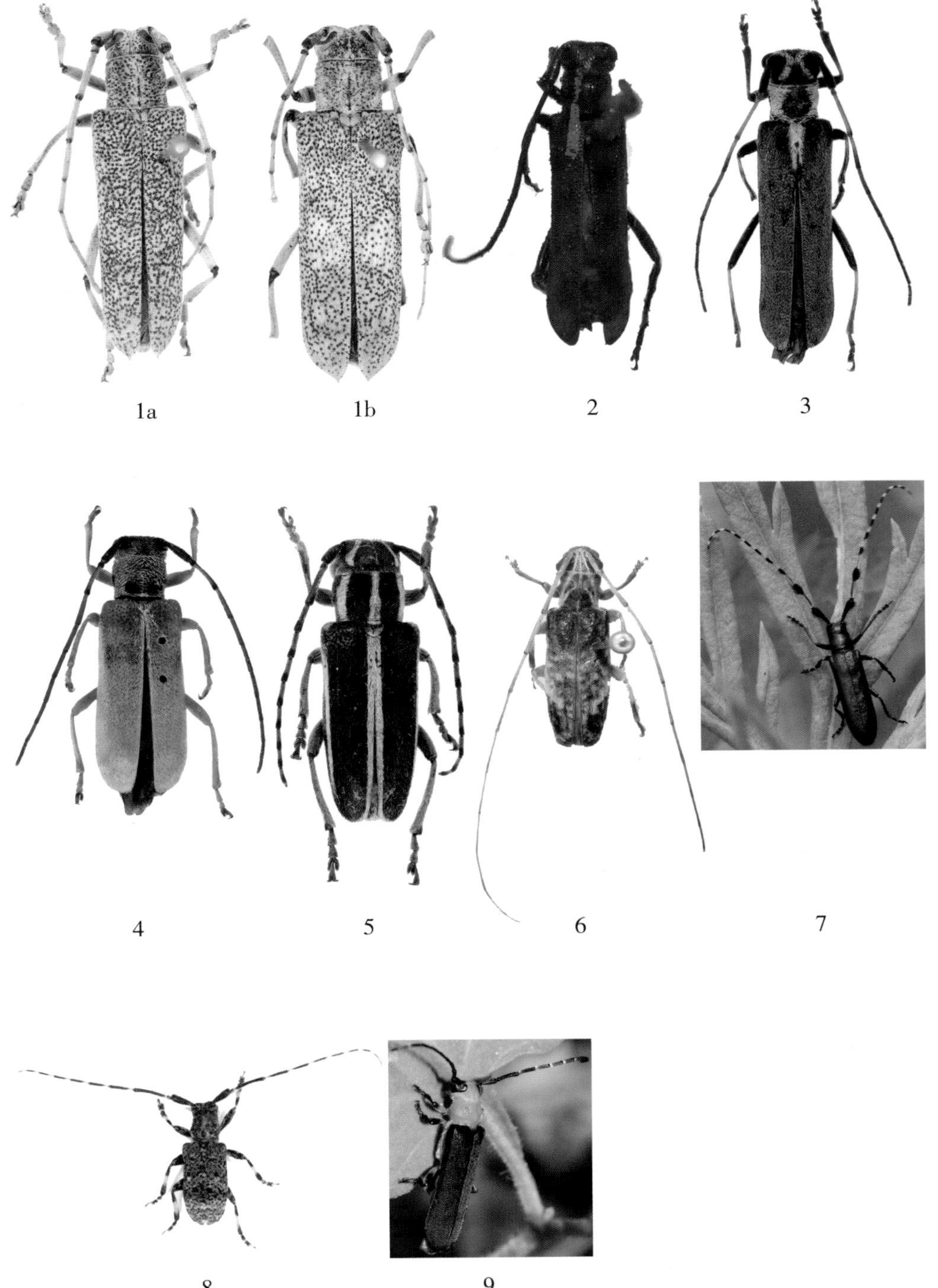